LES HOMMES DE LA LIBERTÉ

Claude Manceron

LES HOMMES DE LA LIBERTÉ
2

Le Vent
d'Amérique

**L'ÉCHEC DE NECKER
ET LA VICTOIRE DE YORKTOWN
1778/1782**

ÉDITIONS ROBERT LAFFONT
6, place Saint-Sulpice, Paris-6e

LES HOMMES DE LA LIBERTÉ
1774-1797

*Histoire biographique entrecroisée
de la Révolution française et de son temps,
comprenant le règne de Louis XVI*

Du même auteur chez le même éditeur :

Collection « Ce jour-là » :
    AUSTERLITZ (2 décembre 1805)
    NAPOLÉON REPREND PARIS (20 mars 1815)
    LE DERNIER CHOIX DE NAPOLÉON (14 juillet 1815)

Collection « L'Histoire en mille images » :
    LES RÉVOLUTIONS
    L'ÉPOPÉE DE NAPOLÉON

Collection « Plein vent » :
    LE CITOYEN BONAPARTE

Hors collection :
    A PEINE UN PRINTEMPS
    Le roman des Cent jours
    LE TAMBOUR DE BORODINO (SUFFIT-IL D'UN TAM-
    BOUR ?)
    Le roman de la marche à Moscou
    CENT MILLE VOIX PAR JOUR
    La campagne présidentielle de Mitterrand en 1965

Collection « Panoramas d'Histoire » (en collaboration) :
    HISTOIRE DE ROME ET DES ROMAINS
    LES GRANDS TRAVAUX DE L'HUMANITÉ

« Les Hommes de la Liberté » :
    I. LES VINGT ANS DU ROI
    II. LE VENT D'AMÉRIQUE
    III. LE BON PLAISIR
    IV. LA RÉVOLUTION QUI LÈVE
    V. LE SANG DE LA BASTILLE

© Éditions Robert Laffont, S.A., Paris, 1974
ISBN 2-221-50087-3 (édition complète)
ISBN 2-221-50084-9 (volume II)

« On ne doit aux morts que ce qui est utile aux vivants. »

CONDORCET
(Préface de l'*Éloge des Membres de l'Académie des Sciences de Paris*, 1781.)

« Le vrai moyen de servir la Révolution est de la continuer en portant une âme libre dans son histoire. »

Edgar QUINET
(*Critique de la Révolution* page 1.)

« Les hasards ont une grande part dans l'histoire du monde. L'accélération ou le retard des événements dépendent en grande partie de semblables hasards, parmi lesquels figure aussi le caractère des personnes qui sont à la tête du mouvement. »

Karl MARX
(*Lettre à Kugelmann*, 1871.)

« Les pachas, les nobles, les patriciens, les sachems, les nababs, appelez-les comme vous voudrez, soupirent, gémissent et se tourmentent. Ils frappent du pied, ils écument, ils jurent, mais c'est en vain. Le décret est lancé ; il ne saurait être rappelé. Une liberté plus égale que dans toute autre partie du monde doit s'établir en Amérique. Cette exubérance d'orgueil qui a produit la domination insolente d'un tout petit nombre de familles opulentes et accapareuses sera étouffée. Ils seront contraints à se tenir plus près des confins de la modération et de la raison qu'ils n'y sont habitués. Voilà tout le mal qu'ils auront à endurer. Cela leur sera bon dans ce monde et dans tous les autres. L'orgueil n'a été donné à l'homme que pour le tourmenter. »

John ADAMS
(*Lettre à Patrick Henry*,
Philadelphie, 3 juin 1776.)

L'HISTORIEN
ET LE PEMMICAN

Une partie des défauts que le lecteur ne manquera pas de relever dans ce livre proviennent du pemmican.

« Pemmican » (d'après Littré) : « Préparation de viande très nutritive sous un petit volume, qu'on emporte dans les longues traversées. » Milton et Cheadle précisent, à la page 61 de leur Voyage de l'Atlantique au Pacifique, que « le pemmican dont on s'est servi dans les expéditions vers le pôle arctique avait été fabriqué en Angleterre avec du bœuf de première qualité, des raisins de Corinthe, des raisins ordinaires et du sucre. Il différait donc beaucoup du pemmican grossier qui sert de nourriture principale dans les territoires de la baie d'Hudson. »

Autrement dit, le pemmican, c'est le fichier de l'historien assez maboul pour s'engager dans la traversée solitaire d'un quart de siècle à reconstituer par le biais de la biographie et qui navigue à l'estime entre la mort de Louis XV et celle de Babeuf, d'après les portulans hérités de ses prédécesseurs. Tout ira bien, croit-il, puisqu'il a pris soin d'emporter une abondante provision de pemmican. Rien de plus rassurant et de moins encombrant que le fichier sur un coin de table. Seul bagage à sauver en cas d'incendie. Tant qu'on le tient, on ne manquera pas de matériau. Et quand le fichier est bien garni, le livre est déjà fait. Il ne reste plus qu'à l'écrire.

La preuve? C'est d'après ce fichier que j'avais établi, à la fin de mon premier volume, un sommaire provisoire de ce volume-ci, qui présentait le menu du pemmican en préparation immédiate: de 1778 à 1788, on ne mourrait pas de faim. Les étapes étaient jalonnées, les séquences « programmées ». Tout s'inscrivait sur des fiches prêtes à passer par mon petit cerveau-ordinateur. Fiche nº X: « Les Roland se fiancent »; Nº XX: « Les Roland se brouillent »; Nº XXX: « Les Roland se réconcilient »; Nº XXXX: « Les Roland se marient ». Comptons une moyenne de six pages par fiche, vingt-quatre pages, trois jours. Mettons quatre, car le samedi tombe au milieu, et que c'est le jour de l'aiguade, enfin je veux dire du marché à Lodève. Quatre jours pour les Roland. Fiche ZX : « Necker donne sa démission ». Deux jours et douze pages. Un peu plus lourd était le paquet des fiches sur la guerre d'Amérique, à cause de toutes les batailles navales : d'Estaing, Suffren, du Petit-Thouars, Bougainville, La Pérouse, de Grasse, évalués à quarante-huit pages et quinze jours, le temps de m'habituer au mal de mer.

J'avais mis tout ce pemmican à gonfler dans un coin. Quand j'y suis revenu, il envahissait la moitié de mon bombard. Tout gras, tout luisant, la bonne espèce de Milton et Cheadle, bourré de raisins secs et d'épices. Il aurait fallu en flanquer la moitié par-dessus bord avant de le goûter. Mais je suis ainsi fait que, s'il m'est possible à la rigueur de ne pas chercher la tentation, je suis incapable de m'y dérober quand le Bon Dieu m'y soumet. A propos de Mᵐᵉ Roland, tout un morceau s'est offert sur François de Neufchâteau et sur Pache. J'y ai mordu. J'ai rencontré Dom Gerle dans la forêt de la Double et Saint-Simon (pas le duc, le comte, ce drôle de futur prophète) dans la tranchée sous Yorktown, et je me suis cogné sur Jacques-Robert Coquille Dugommier à la Guadeloupe, en allant chercher Joséphine Tascher de La Pagerie à la Martinique. J'ai subi quelque vingt détournements semblables.

*Pire encore : deux morceaux de pemmican d'innocente apparence ont pris des proportions à faire couler mon équipage : la révolte de Tupac Amaru et la radicalisation révolutionnaire de la pensée de Diderot à propos de l'*Histoire des Deux Indes *et du renvoi de Necker. Quant à ce renvoi, si on le regarde de près, que de choses à comprendre ! Le germe de la crise de juillet 1789...*

J'ai donc été victime de l'épaisseur de l'événement. Le vide présumé du règne de Louis XVI se révèle plein. La base de l'iceberg, dont la Révolution sera l'émergence, prend une densité dont on ne se doute pas au survol. A mesure que je ramais dans la tentative manquée d'invasion de l'Angleterre ou dans la formation de la pensée de Sieyès, les caisses du pemmican non encore traitées étaient reléguées dans un coin. L'une d'elles, cependant, commençait à gonfler dangereusement, celle étiquetée 1782 : les débuts de Robespierre, de Barnave, la vieillesse de Frédéric II, les Liaisons dangereuses, *la révolution de Genève...*

Je courais au naufrage par excédent de poids : huit cents pages et deux ans de retard. Il ne restait plus qu'une issue dont je supplie tous ceux qui suivent ma traversée de me pardonner la secousse : un atterrissage en catastrophe sur le littoral de l'année 1782, en tâchant de garder jusqu'au bout cette allégresse du style qui s'apparente, chez l'écrivain en gésine, au sourire du funambule contraint à tenter une fois de plus le saut de la mort sans filet.

C. M.

REMERCIEMENTS

Je ne suis point de ceux qui croient que la reconnaissance humilie. C'est pourquoi je persiste et je signe au bas de la page 684 des *Vingt Ans du Roi*, où je tentais maladroitement de traduire ma gratitude à l'égard de ceux qui m'ont tant aidé.

Aujourd'hui, que dirais-je? Les mots alourdissent le chant du cœur. Comment remercier mieux et plus Robert Laffont d'avoir fait mieux et plus? Signaler seulement que cela me paraissait difficile. Rappeler que c'est à toute l'équipe des éditions Robert Laffont, associée à lui dans la douleur et dans la fête des *Hommes de la Liberté*, que va ce remerciement. Je dois cependant faire mention du travail de Mme Claude Chapuis, qui a veillé page par page à la bonne fabrication de ce volume.

L'index alphabétique, ici comme dans les *Vingt Ans du Roi*, est dû à Pierre Peuchmaurd. Son intelligence en fait un outil de travail pratique à partir de mon texte. Le *Vent d'Amérique* doit à Max Gallo le titre imagé que je cherchais.

A tous les amis, connus ou inconnus, qui ont encouragé ma tentative en appréciant les *Vingt Ans du Roi*, critiques, lecteurs, libraires, je dirai seulement qu'ils ont rendu possible la transposition d'un grand rêve dans la réalité. Ils m'obligent à continuer. Avec eux.

Jacqueline Barde est morte avant que je puisse lui dire tout ce que je lui devais. C'est la première peine qu'elle m'a faite. Mais ce remords-là est irrémédiable.

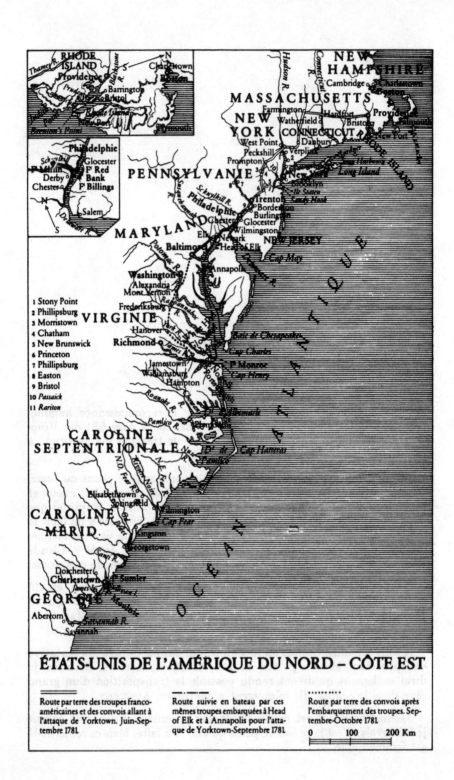

ÉTATS-UNIS DE L'AMÉRIQUE DU NORD – CÔTE EST

Route par terre des troupes franco-américaines et des convois allant à l'attaque de Yorktown. Juin-Septembre 1781.

Route suivie en bateau par ces mêmes troupes embarquées à Head of Elk et à Annapolis pour l'attaque de Yorktown-Septembre 1781.

Route par terre des convois après l'embarquement des troupes. Septembre-Octobre 1781.

0   100   200 Km

SITUATION AU DÉBUT DE CE LIVRE

Les lecteurs qui n'auraient pas lu *Les Vingt Ans du Roi* doivent pouvoir entrer ici de plain-pied. Les quelques indications qui vont suivre sont données pour les y aider.

Le propos essentiel des *Hommes de la Liberté* est l'exploration des racines de la Révolution française par le biais des biographies entrecroisées. On va donc continuer à découvrir, dans leur jeunesse liée à celle de Louis XVI, les personnages connus ou inconnus qui deviendront les acteurs des années 89-97.

Le premier volume se terminait sur la mort de Rousseau, suivant de trois mois celle de Voltaire. Au milieu de 1778, où nous reprenons le fil, Louis XVI règne depuis quatre ans, aidé par les conseils du vieux Maurepas, avec Necker aux finances, après le renvoi de Turgot. Marie-Antoinette est enfin enceinte, grâce aux conseils de son frère Joseph, au bout de neuf ans de mariage infécond. Marie-Thérèse, sa mère, règne sur l'Autriche, Catherine II sur la Russie, Frédéric II sur la Prusse, Charles III sur l'Espagne et l'Amérique espagnole, George III (lord North étant premier ministre) sur le Royaume-Uni. Pie VI a été élu pape en 1775.

Les treize colonies anglaises d'Amérique du Nord ont proclamé leur indépendance le 4 juillet 1776. Elles sont en guerre contre l'Angleterre ; Washington est leur généralissime et Franklin leur ambassadeur à Paris. Ce dernier vient de conclure avec Louis XVI un traité d'alliance qui a déclenché par contrecoup la guerre franco-anglaise. La Fayette est en Amérique, à titre personnel, pour y aider Washington. Malgré la capitulation du général Burgoyne à Saratoga, qui a rendu crédible la possibilité d'une victoire des Américains, ces derniers sont en position défavorable ; ils manquent de vaisseaux, d'hommes et d'argent en face des Anglais, installés en force à New York.

La carte ci-contre est à consulter pour l'intelligence du terrain et des distances en regard des opérations terrestres ou maritimes de la guerre d'Amérique. Elle permet notamment de comprendre les situations successives de Rochambeau, bloqué à Newport (en haut à droite), et de Cornwallis, assiégé à Yorktown (au centre).

Les *titres courants*, en haut de chaque page, permettent au lecteur de se repérer à tout moment. A droite, le résumé de l'épisode en cours ; à gauche, la date où il se déroule. Pour ces titres courants, le nom des personnages est celui de l'Histoire. Ainsi « Une chance pour Philippe Égalité » montre Philippe, duc de Chartres, à la bataille d'Ouessant ; « Louis XVIII devant son destin » situe le comte de Provence en 1778 et « Une leçon pour Germaine de Staël » nous la présente, encore enfant, quand elle s'appelait Germaine Necker.

L'index alphabétique, en fin de volume, aidera ceux qui voudront suivre le fil d'une biographie d'un seul tenant.

Les notes numérotées, regroupées aussi en fin de volume, sont de référence. Elles correspondent à des indications bibliographiques et à des précisions pour les chercheurs. Les astérisques, par contre, renvoient directement en bas de page, le moins souvent possible, pour l'intelligence immédiate du texte, notamment les équivalences approximatives des sommes et des mesures.

L'équivalence relative des monnaies tient compte des différences très sensibles des prix et de la consommation des denrées sous Louis XVI et aujourd'hui — disons du décalage des modes et niveaux de vie. Dans *Le Vent d'Amérique*, comme dans *Les Vingt Ans du Roi*, le « franc lourd » comparé au franc de Louis XVI est le franc de la Vᵉ République, celui de 1969, qu'on appelle encore « le nouveau franc » en 1974.

LE VENT D'AMÉRIQUE

Table chronologique des séquences

TABLE   13

TABLE   15

1/ avril 1778
Les misérables distinctions de pays

18 avril 1778. La nuit n'en finit pas de finir sur Whitehaven. Le petit port de la côte ouest somnole encore, et toute l'Angleterre fait comme lui. L'Amérique est aussi loin que la lune. Qui se soucie des Insurgents, entre Blackpool et Glasgow? Qui a entendu parler de Philadelphie, de Saratoga et de ce qui s'y est passé? C'est l'affaire du Roi et des lords. Les paysans ou les pêcheurs du Cumberland ne lisent pas les gazettes. Ils ne savent pas lire. Leur seul ennemi, depuis toujours, c'est l'Irlandais, en face, à cent *miles* de l'autre côté de la mer d'Irlande. Mais, pour l'heure, les damnés papistes sont matés.

Or soudain...

— Allons-y, les garçons! crie John Paul Jones, « commodore » de la jeune marine américaine.

Trente hommes jaillissent hors des deux barques qui viennent d'accoster au pied d'un petit fort. L'heure est bien choisie, entre chien et loup, à la marée basse. Nul guetteur n'aurait pu les voir approcher; mais pourquoi aurait-on fait le guet? Le *Ranger*, qui les a conduits à un *mile* de la côte, deux mâts, vingt canons, croise là-bas comme un fantôme en peine d'horizon.

La petite troupe se scinde. John Paul Jones laisse au pied des murailles un détachement d'une douzaine de marins et deux officiers. Ils vont se glisser le long de la grève, approcher presque à pied sec des vaisseaux englués en rade par le reflux et tenter de les incendier. Quant à lui, avec les autres...

Il connaît chaque pan du mur, chaque trou possible dans les pierres, pour s'accrocher et se hisser comme un lézard. Il se remet dans les gestes de sa jeunesse, voici quinze ans, quand il jouait à la guerre avec les garnements de Whitehaven, sous les applaudissements des soldats. Mais, cette fois, ce sont d'énormes gamins qui lui font la courte échelle, l'équipage de Babel, celui de tous les vaisseaux-corsaires. Des Noirs, des Espagnols, des Suédois, des Français échappés aux galères et, tout de même, quelques Américains [1]. Ils s'entendent

à merveille, dans leur langue universelle aux rafales de jurons anglais
d'une incomparable obscénité. En cinq sec, ils sont sur le chemin de
ronde de ce fort, dressé en face « du bon môle à l'abri duquel les navires
restent protégés à marée basse [2] », mais dont les trente canons pourraient foudroyer les chaloupes, et même le *Ranger*. Il s'agit de les
neutraliser, les hommes aussi, sans trop de méchanceté; John Paul
Jones a horreur de verser le sang. Les sentinelles, serrées autour du
poêle, dans la salle de garde, voient surgir ces quinze échappés de
l'enfer et sont maîtrisées sans une égratignure « avant d'avoir pu faire
ouf en anglais ». Grand bruit, maintenant, mais il est l'œuvre des
assaillants qui se précipitent sur les canons pour les enclouer. John
Paul Jones y met la main lui-même, ne fût-ce que pour leur montrer
comment s'y prendre. On tire du sac les grosses tiges carrées en acier,
des bâtonnets plus que des clous, qu'on enfonce dans les *lumières* des
pièces [*], à grands coups de marteau par derrière, et de refouloir par
devant. On se croirait dans une forge. Faut que ça rentre, vite, au
nom de Dieu!

— Trempez les clous dans du suif! Rivez la pointe du clou en dedans
avec les refouloirs!

Un dernier coup de marteau, le plus violent, casse le clou au ras de la
lumière. Ils auront un sacré boulot pour déconstiper leurs canons,
les gars de Whitehaven! Nous serons loin. Mais tous les clous ne vont
pas à toutes les lumières. Il y en a qui nagent dans les ouvertures.
D'autres sont trop gros. Qu'à cela ne tienne :

— Prenez les boulets, sur chaque tas en attente. Enveloppez-les
dans les chapeaux de ces messieurs, pour en gonfler le calibre. Et
enfournez-les dans la gueule des pièces. Forcez avec le refouloir, à
fond, bien à fond!... Il faudra en suer un coup, pour les retirer!...
Mais qu'est-ce qu'ils foutent, les autres? On devrait déjà voir les
lueurs d'incendie.

La ville frissonnait. Une agitation aux fenêtres. D'ici à ce que deux
à trois mille personnes leur tombent sur le dos! John Paul Jones court
au port, où les hommes du détachement de sabotage s'empêtrent dans
la vase autour des vaisseaux choisis, et perdent du temps à chercher
du goudron, de la poix, des fagots. Leur lanterne s'est éteinte. Il faut
se borner à un seul bateau, à cause de ces empotés. La flamme monte
enfin, court au long des agrès, transforme en brûlot un gros navire
marchand. Le soleil rouge de la guerre se lève sur Whitehaven illumi-
née, où le tocsin sonne, où la foule apeurée demeure au bord des quais,
le temps de voir disparaître les barques à force de rames et de deviner
la silhouette du vaisseau qui va emporter les pirates. Auparavant,
comme il se doit, leur chef avait fait face, le dernier, un pistolet dans
chaque main, pour couvrir la retraite, et toute l'Angleterre le verra
demain avec les yeux des bonnes gens de Whitehaven, « un monstre
gigantesque, hirsute, féroce et armé jusqu'aux dents » — John Paul
Jones.

---

[*] C'est-à-dire dans l'ouverture, au cul du canon, par laquelle on passait
la mèche allumée pour enflammer la charge de poudre.

« Si j'avais pu débarquer quelques heures plus tôt, écrira-t-il à Sartines *, pas un vaisseau sur les deux cents amarrés dans le port ne m'aurait échappé, et aucune puissance au monde n'aurait pu sauver la ville. Ce qui est accompli est néanmoins suffisant pour démontrer que la marine anglaise tant vantée n'est pas capable de protéger ses propres côtes et que les scènes de détresse occasionnées en Amérique peuvent être renouvelées chez eux [3] ». Tout est là : l'inaccessible Angleterre a subi la loi du talion. Depuis tant d'années que la *Royal Navy* bombardait et saccageait à sa guise les ports des rebelles, qui aurait pu prévoir cet événement inouï : les Américains frappant la côte anglaise? Ils existent donc, ces gens-là? On va se calfeutrer et se barricader demain en Irlande, en Écosse, en Angleterre, à cause de cette piqûre de moustique dans le flanc du Royaume-Uni. John Paul Jones, avec le seul *Ranger*, a fait plus que dix ans d'éloquence des *whigs* aux Communes pour donner conscience aux Anglais de l'Indépendance américaine.

Il se débrouille à merveille pour leur faire croire qu'il commande une flotte. A peine les habitants du Cumberland commencent-ils à respirer qu'on signale son apparition en face, sur la côte irlandaise, où il surprend le *Drake*, une frégate à vingt canons comme le *Ranger*, dans le *lough* de Belfast **. Une heure quarante de combat, des lueurs, des explosions suivies du rivage par la population de Carrick Fergus qui n'en croit pas ses yeux. Démâté, ses voiles traînant sur la mer « comme des ailes brisées », le *Drake* se rend, et va être conduit à Brest par un équipage de prise, premier vaisseau de combat anglais capturé dans cette guerre. Puis John Paul Jones s'évanouit dans les brouillards pesants de la mer d'Irlande, où l'on dirait qu'il joue aux quatre coins entre les trois royaumes. Va-t-il enfin regagner la France, avant que tous les vaisseaux du roi George ne lui interdisent le *Channel?* Patience. Il lui reste encore quelque chose à faire, en Écosse, cette fois, à Kirkudbright. Plein nord, à la verticale de l'île de Man. Il est venu régler les comptes de sa vie, sous prétexte de venger l'Amérique. Il lui fallait effacer sa jeunesse méconnue à Whitehaven. C'est fait. Il lui reste à vider un peu plus haut la querelle de son enfance, dans la petite baie de Kirkudbright où un château tout seul, tout gris, comme il y en a mille en Écosse, somme une île minuscule : Sainte-Marie. C'est là qu'il y a près de trente ans, le petit John Paul...

Il n'avait alors que deux prénoms en guise de nom, le fils de William Paul, jardinier au petit village d'Albergland, où il était né en 1747. Mais il n'avait jamais connu son père. Ni ses frères, ni ses sœurs. Pourquoi l'avait-on déplanté, tout enfant, des terres à bruyères, pour l'envoyer à la petite île de Sainte-Marie, autant dire jeté à la mer, chez son

---

* Ministre de la marine française.
** *Lough* est la dénomination irlandaise pour *firth* ou *loch* : un bras de mer.

oncle, le jardinier du comte de Selkirk? Un long bavardage de nourrices lui avait mis de drôles de questions en tête. Un si bel enfant, si fin, regardez donc ses chevilles, pas possible qu'il soit le fils d'un paysan. Coureur comme est le seigneur de Selkirk! Ce dernier n'allait-il pas souvent chasser vers Albergland, au temps de la naissance du petit?

— Allons-y, les garçons! crie de nouveau John Paul Jones. Il veut en avoir le cœur net. A l'aube glaciale du 24 avril (les côtes d'Écosse sont couvertes de neige), il saute de la même barcasse avec les mêmes hommes, pour une nouvelle mission qu'il s'est donnée à lui-même, c'est le privilège des corsaires. On va cerner le château des mers. On va enlever le lord Selkirk et l'emmener en otage, pour ne le rendre qu'en échange de prisonniers américains. Ça, c'est ce qu'il dit à ses hommes. Mais pourquoi choisir ce lord-là, au lieu de tant d'autres? Parce que John connaît l'endroit par cœur? Mettons.

C'est vrai qu'il apparaît beau garçon, et d'allure noble, pendant qu'il fait les cent pas sur la plage, en attendant le retour des matelots qu'il n'a pas suivis, pourquoi donc? Timidité? Pudeur? L'ogre de Whitehaven est en fait un petit monsieur roux « de taille médiocre et de construction fragile », avec des membres fins mais forts, de longs bras dépareillés au reste du corps; « personne n'aurait pu deviner la force de son poing [4] ». Il est propre et soigné de sa personne. Il aime la lecture et le silence. Les femmes le cherchent depuis ses quinze ans — et le trouvent. Il a trente ans. A treize, il était mousse. Il aurait fait n'importe quoi pour quitter son enfance incertaine. L'éclosion foudroyante de sa vocation de marin a été contrariée par l'impossibilité de faire carrière : on ne confiera jamais à un roturier un vaisseau de Sa Majesté. Les colonies s'offraient; adieu Whitehaven! Au revoir, plutôt, mais cela, il n'aurait pu le prévoir. Dix ans de trafics et de traversées atlantiques sur les bricks et les brigantins de tous les commerces, jusqu'au jour où celui des esclaves l'avait écœuré. Délicat, cet oiseau des mers. Comme si c'était permis à un marin! Qu'il crève. Il avait bien failli, en Virginie, quand il s'était abattu sur le seuil d'une taverne de Halifax, tel une mouette à bout de course. On était au printemps 1775, l'Amérique sortait de la glaise, et l'un de ceux qui la sculptaient à gros traits se trouvait dans la taverne : Willie Jones, délégué au Congrès pour la Virginie, un ami de Jefferson. « Ultra démocrate en théorie, c'était un aristocrate dans ses habitudes, ses buts et même ses préjugés. Il vivait somptueusement, portait du linge fin, aimait les courses et jouait aux cartes [5] » : le Pygmalion idéal pour le jeune homme encore informe, auquel il allait tout donner, y compris son nom. Ainsi John Paul Jones est-il né finalement d'un père adoptif qui ressemblait à celui de ses rêves, sinon de la réalité, et d'une mystérieuse tendresse d'homme, qui n'avait pas contrarié ses amours. Le vent d'Amérique soufflait la liberté à la folie chez les filles des planteurs du Sud. Rebecca et Mary Montfort, deux jolies brunes, ne s'étaient pas même disputé John; elles l'avaient partagé. Mais Dorothy Dandridge, une cousine par alliance de Washington, avait joué le troisième larron. Pas pour longtemps : John Paul vivait sous le droit des mers. Il demandait tout et ne promettait rien. Entre-temps, il se faisait apprécier des Messieurs du Congrès. La guerre avait éclaté. On cherchait à créer la marine des Insurgents, sans bateaux et sans hommes. Un marin, au moins, s'imposait, aussi fou et aussi sûr de lui que l'Amérique. Le 14 juin 1777, le Congrès avait publié deux résolutions. La première décidait que « le drapeau des treize États unis serait de treize bandes alternées rouges et blanches et de treize étoiles sur un champ bleu ». La seconde, que le *captain* Paul Jones était nommé « commodore * » du *Ranger* [6], qu'on allait lâcher à l'aventure de la course. Décembre 1777 : il débarquait à Paimbœuf, sous Nantes, porteur de la nouvelle de Saratoga, et il fêtait la victoire au vin de Jésus ** avec les Bretons. Franklin l'avait recommandé à Sartines. Le voilà mi-Français, mi-Américain, parti pour insulter l'Angleterre avec son *Ranger* équipé à neuf dans les chantiers de Brest. Personne ne se doutait qu'il cherchait à percer le secret de sa naissance.

En vain. Il ne saura jamais. Les hommes reviennent bredouilles, sans prisonnier, mais·chargés de sacs biscornus : lord Selkirk est à Londres. On n'a trouvé que son épouse et les domestiques. Pour ne pas perdre la journée, on a fait main basse sur l'argenterie, contre le gré du commodore. (Peut-être est-ce pour cela qu'il n'a pas voulu monter lui-même au château.) Mais la démocratie élémentaire de la piraterie permet aux hommes de réclamer des compensations. Le *Ranger* disparaît vers le sud, vers la France, abandonnant le décor et les secrets de l'enfance de John Paul Jones.

Au château de Sainte-Marie, les choses s'étaient passées à l'anglaise. Et c'est d'une plume toute britannique que Lady Selkirk, bien loin de soupçonner les préoccupations du chef des agresseurs, écrit le lendemain à son mari : « Je ne sais si vous avez entendu parler ou non de cette invasion des Américains? Jeudi, juste après le *breakfast*, Daniel (*le majordome*) me dit qu'une horde de gens avaient débarqué dans l'île, et que plusieurs jardiniers s'étaient enfuis de leur travail. Je n'y pouvais rien. Quelques minutes plus tard, ils entouraient la maison, et leur officier sollicita de me parler. Je descendis au salon. Comme j'ouvrais la bouche pour lui indiquer ce que je pensais de lui :

« — Madame, me dit-il, en me regardant les yeux dans les yeux, nous pensions vous surprendre, mais c'est inutile. Nous descendons d'une frégate qui appartient aux États-Unis d'Amérique. Nous voulions avoir affaire au maître de cette maison et l'emmener prisonnier. Comme il est absent, nos ordres sont de vous demander votre argenterie. Veuillez nous la faire remettre sur le champ. Nous sommes les maîtres de la place et de ce qu'elle renferme. Toute résistance est inutile.

— J'en suis parfaitement consciente », lui répondis-je. Et j'appelai Daniel, pour lui ordonner de remettre l'argenterie. Je le suivis à l'office.

---

* Appellation purement honorifique, mais qui donnait préséance sur les autres capitaines de vaisseau et ouvrait la possibilité d'accès au grade d'amiral, pour le jour où les États-Unis auraient une flotte.
** Le muscadet.

Je le trouvai remplissant le tablier de la femme de chambre des objets qu'il souhaitait dissimuler. J'ai fait tout remettre à sa place, résolue à ne rien disputer ou refuser. Ils ont alors fait apporter des sacs et réclamèrent davantage :

« — Où est la théière?... La cafetière?...

« Comme je les leur faisais remettre, ils insistèrent. N'y avait-il pas d'autres pièces?... L'un d'eux dit avoir l'ordre de visiter la maison, l'a fait, mais n'a rien pris. En somme, ils se sont conduits avec civilité. Les hommes restés au-dehors étaient armés de mousquets et de baïonnettes, et portaient deux gros pistolets à la ceinture. Quoique les portes fussent ouvertes, aucun n'a essayé d'entrer... Le bruit court que leur capitaine, Paul Jones, est un certain John Paul, qui serait né à Albergland... Un vilain homme s'il en fut jamais, coupable de plusieurs meurtres et de grands méfaits. A la vérité, cependant, les marins qui montaient la garde ont assuré mes gens que leur capitaine vous connaissait, avait de vous une haute opinion, et, pour cette raison, avait donné ordre de ne nous faire aucun mal. Ils ont remercié poliment du verre de whisky que l'hospitalité me commandait de leur faire offrir [7]. »

Peut-être ne sera-t-elle pas trop surprise de recevoir, un mois plus tard, une lettre de ce croquemitaine, envoyée *via* la Hollande. John Paul Jones lui présentait ses excuses pour le vol de l'argenterie, sur lequel il avait été contraint de « fermer les yeux », mais que « son cœur ne pouvait approuver ». Son intention était seulement « d'inviter lord Selkirk à son bord, pour en faire l'heureux instrument de la délivrance d'un certain nombre d'infortunés prisonniers de guerre ». Les matelots, furieux de son absence, avaient réclamé l'argenterie en compensation, et « m'avaient rappelé comment les Anglais faisaient main basse en Amérique sur tout ce qui peut s'empocher, et brûlaient non seulement les villes et les maisons des riches, mais n'épargnaient ni les hameaux, ni les étables du pauvre, même à l'approche de l'hiver ». Il amène alors son joli coup de théâtre : « J'ai réfléchi sur la manière de vous faire la moindre injure possible, et j'ai donc résolu de racheter moi-même toutes les pièces emportées par mes hommes, afin de pouvoir vous les renvoyer par le plus prompt moyen possible [*]. » Suivent trois pages sur les horreurs de la guerre, sa répugnance envers toute cruauté, ses opinions de « citoyen du monde complètement dégagé des misérables distinctions de climat et de pays qui diminuent l'ouverture du cœur et tracent des limites à l'amour de l'homme pour l'homme ». La comtesse agréera-t-elle finalement l'expression « de mon dévouement au sexe charmant auquel elle appartient [8] »?

---

[*] L'argenterie de lady Selkirk sera en effet retournée scrupuleusement par John Paul Jones, mais seulement à la fin de la guerre, faute de moyens de transit faciles.

2/ juillet 1778
Des gens qui ne comprennent rien

Jean-Jacques Rousseau est mort le 2 juillet 1778 à Ermenonville *. La nouvelle n'est pas encore connue le 3 à Paris, quand la mère de Mozart y meurt, en la seule présence de son fils, d'un ami et d'une garde, dans une humble chambre de l'hôtel des Quatre Fils Aymon, rue du Gros-Chenet **, où la pauvre femme se trouvait bien malheureuse depuis trois mois. Rien n'annonçait la catastrophe. Madame Mozart n'était pas malade. Elle languissait simplement, de Salzbourg, de l'Allemagne, de son mari bien-aimé, Léopold; voilà trente ans qu'ils roucoulent tous deux comme des pigeons, dans une complicité conjugale dont les enfants sont exclus ***. Une brave femme, Anna-Maria Pertl, issue de vieille souche paysanne. Une femme solide et sans génie. Sa bonne tête volaille au nez pointu, aux cheveux blancs, propres et toujours bien tirés, ne contient que trois ou quatre idées : la famille, les voisins, l'Église et l'argent. Elle ne comprend pas grand-chose aux travaux de son mari et de son fils. Elle sait seulement que la musique est un moyen comme un autre de se faire bien voir des Grands, quand on est parti de si bas. Si Anna-Maria est venue dans ce Paris de malheur, où elle se tient rencognée comme un vieil oiseau perdu, c'est parce qu'on ne peut pas y lâcher Wolfgang tout seul à vingt-deux ans, gamin comme il est, pensez-donc, et déjà porté sur les filles. Il courrait à la perdition. Il aurait bien mieux valu le flanquer de Léopold, qui sait si bien le tenir serré, et aurait pu éclairer ses démarches à Paris et à Versailles pour obtenir une situation ****. Mais Léopold n'a pas obtenu de congé du vilain prince-archevêque de Salzbourg. Il a demandé à sa chère femme de se dévouer pour la bonne cause. Comment aurait-il pu prévoir?

« Combien souvent nous parlons de Salzbourg, le soir, lorsque nous dînons ensemble 9 », lui écrivait-elle le 29 mai. A ce moment, elle n'avait

---

* Voir tome I, p. 611. Je reprends ici la suite des séquences selon la rigueur de la chronologie. Je m'en suis seulement écarté en plaçant, en guise de prologue à ce *Vent d'Amérique*, l'épisode de John Paul Jones.
** L'actuelle rue du Croissant, sur la rive droite. Mozart et sa mère s'y étaient installés à la mi-avril, trois semaines après leur arrivée à Paris, le 22 mars.
*** Ils en ont perdu cinq en bas âge. Seuls survivent Wolfgang et sa sœur aînée Marianne, dite Nanerl, née en 1751. Anna-Maria a cinquante-huit ans et Léopold cinquante-neuf en 1778.
**** Léopold Mozart végète en position de « vice-maître de chapelle » du prince-archevêque de Salzbourg, sans espoir de promotion. Wolfgang est lié par contrat au même petit souverain depuis dix ans, au titre de *Hofkonzertmeister*, une distinction assujettissante non rétribuée, qui lui apportait simplement des commandes deux ou trois fois par an. Ce voyage à Paris est destiné à relancer sa carrière.

que des maux presque rassurants : les yeux, les dents, des migraines, des histoires de femme. Elle a commencé à souffrir du ventre le 15 juin. Les hôteliers lui ont conseillé un lavement qu'elle a refusé avec horreur ; il faut vraiment être Français pour préconiser un traitement aussi diabolique, dont les Allemands refusent même de parler. La saignée, à la rigueur... Elle s'est couchée le 19 juin. La fièvre est venue. La « poudre antispasmodique » n'a rien donné. Wolfgang a livré bataille deux jours durant pour que sa mère consente à la visite d'un médecin français. « J'allais de côté et d'autre comme si je n'avais plus ma tête. » Le médecin fait prendre de la rhubarbe en poudre. Aucun effet. A sa deuxième visite, le 29 juin, il a haussé l'épaule : « Voyez donc à ce qu'elle puisse se confesser. » Elle avait les entrailles pourries, l'infection gagnait partout. Le pain et l'eau de Paris l'ont empoisonnée, comme tant d'étrangers venant de la campagne ou des petites villes propres. Les Parisiens, en ces années-là, mangeaient et buvaient leurs excréments charriés par les ruisseaux. Ceux qui n'en mouraient pas en bas âge étaient immunisés. Mais quand on venait de Salzbourg, où l'on puisait l'eau fraîche qui coulait des montagnes... Anna-Maria est demeurée lucide le temps de la confession et des derniers sacrements. L'idée de la mort n'était pas encore passée dans sa cervelle. Elle ne comprenait pas. Elle est entrée dans le coma le 3 juillet, à cinq heures de relevée. « Je lui serrais la main. Je lui parlais, mais elle ne me voyait pas, ne m'entendait pas, ne disait rien. » Elle meurt paisiblement, à dix heures vingt et une minutes *. A minuit, Mozart écrit à son père : « Ma chère maman est très malade... Elle délire, on me donne de l'espoir, mais je n'en ai pas beaucoup. » A « deux heures de la nuit » il écrit à un prêtre ami à Salzbourg pour que celui-ci révèle à Léopold toute la vérité. « Ce jour fut le plus triste de ma vie... J'ai tout supporté avec fermeté et abandon, avec la grâce particulière de Dieu. » Six jours plus tard seulement, il écrit de nouveau à son père : « Pleurez, pleurez tout votre saoul. Mais enfin consolez-vous. Pensez que le Dieu Tout-Puissant a voulu cela. Et qu'allons-nous faire contre lui? Nous allons le prier, c'est mieux, et le remercier que cela se soit aussi bien passé... Récitons donc un fervent *Notre Père* pour son âme. Passons maintenant à d'autres sujets : chaque chose en son temps [10]. » Ses lettres sont pleines de Dieu, mais en guise de politesse au destin, et les larmes ne remplissent pas ses yeux. Il s'attendrit plutôt sur les dures journées qu'il vient de vivre. Non qu'il soit insensible ; il vibre de tout, partout : chagrin, colère, création. Mais Mozart n'aimait pas sa mère, cette nourrice grincheuse. Quant à son père, il est en train de prendre en grippe ce tyranneau pointilleux et intéressé, qui lui défend de songer à sa première bien-aimée : Aloysia Weber, trouvée, puis laissée, à Mannheim au début de son voyage **.

----

* D'après les Massin, probablement d'une typhoïde ou d'une paratyphoïde.
** Filles d'un « copiste de musique » de Mannheim, Aloysia et Constance Weber (Mozart épousera la seconde) sont nièces d'un musicien dont le fils, Karl-Maria, qui naîtra en 1786, sera l'auteur du *Freischütz*.

... Son second voyage en France, si peu semblable au premier! Voilà quinze ans, il conquérait l'Europe. « Je l'ai vu, enfant de sept ans, quand il donna un concert », écrira Goethe [11]. « Moi-même, j'avais alors environ quatorze ans, et je me souviens encore parfaitement de ce petit bonhomme avec sa perruque et son épée », le poussin aux œufs d'or de Léopold Mozart, la poupée savante que son père promenait pour acquérir l'argent et la notoriété. A Versailles, la reine Marie et Madame de Pompadour l'avaient félicité, mais aussi Marie-Thérèse à Vienne, le roi George et la reine Charlotte à Londres. La *Correspondance littéraire* de Grimm l'avait placé sur l'orbite de l'Europe, le 1er décembre 1763 : « Les vrais prodiges sont assez rares pour qu'on n'oublie pas de les signaler lorsqu'on a l'occasion d'en voir un... [Le petit Mozart] est un phénomène si extraordinaire qu'on a de la peine à croire ce qu'on voit de ses yeux et ce qu'on entend de ses oreilles. C'est peu pour cet enfant d'exécuter avec la plus grande précision les morceaux les plus difficiles... Ce qui est incroyable, c'est de le voir jouer de tête pendant une heure de suite, et là s'abandonner à l'inspiration de son génie [12]. » Compositeur déjà, donc, pas seulement virtuose. Le catalogue de ses œuvres signale en effet une dizaine de titres qui remontent à cette période, des menuets, mais surtout deux sonates pour clavecin et violon composées à Versailles *.

Que c'est loin! Il est maintenant devenu un vrai compositeur, quand on ne l'écoute plus. Il dépasse, en ce mois de juillet 1778, le cap des trois cents œuvres répertoriées : quinze concerti, trente et une symphonies, treize messes et sept opéras ** dont les thèmes ont été imposés à ce domestique doré, le musicien de service, par le caprice des mécènes. Mais il a déjà fait craquer ces corsets-là, et Mozart pointe sous Mozart. « Ce qui me fait le plus de peine ici, c'est que ces dadais de Français s'imaginent que j'ai encore sept ans parce qu'ils m'ont connu à cet âge-là [13]. » On aimait l'enfant, on le caressait parce qu'il ne dérangeait personne et qu'il tenait sagement sa place au clavecin, entre les petits nègres et les chiens. Comment s'intéresser à ce jeune homme balourd, inclassable, qui inflige, rien qu'à le regarder, toutes les rugosités de l'adolescence et du génie mêlées? Il n'est pas beau, Mozart, avec sa grosse tête blonde, son nez trop grand, sa gaucherie, son accent tudesque où les *e* sont tous frappés d'un accent aigu, c'est à mourir de rire. Il fait peuple, il EST peuple; on sent affleurer en lui la lignée des Pertl, ces paysans, et des Mozart maçons ou relieurs en Bavière, qui n'ont jamais été admis à une cour avant Léopold, mais est-ce que ça mérite le nom de cour, l'entourage d'un archevêque allemand? Voit-on ces gens-là à Trianon? Il s'est engourdi, et ne sait plus faire correctement la révérence. Il désespère Léopold : « Tu te montres trop prompt à répondre à n'importe qui sur le ton de la plaisanterie, à la première perche tendue. C'est déjà le premier pas vers la

---

* Et qui marquent, selon les Massin, « le pas décisif par lequel Mozart fait acte de créateur musical en public, à la mesure de ses huit ans ».
** *La Finta semplice; Bastien und Bastienne; Mitridate, re di Ponto; Lucio Silla; Thamos; La Finta giardiniera; Il Re pastore.*

familiarité. Or, il ne faut pas trop la rechercher dans ce monde-là, si l'on veut continuer à être respecté... Tu as un peu trop d'orgueil et d'amour-propre, et puis tu te montres trop vite familier avec les gens, tu ouvres ton cœur à chacun ; bref, en voulant être libre et naturel, tu tombes dans un excès d'intimité [14]. » Et de quel ordre ! Fi ! Pire que du Rabelais ; c'est la scatologie d'un Jérôme Bosch, dès que Mozart se déchaîne. Par exemple, quand il écrit à cette petite cousinette d'Augsbourg qu'il avait beaucoup lutinée : « Ah crotte ! mot délicieux ! Crotte, trotte, ça aussi c'est beau : crotte, trotte — Crotte, frotte, ô charmant ! Crotte, frotte, voilà ce que j'aime ! Crotte, trotte et frotte, crotte trotte et frotte crotte... Votre ventre est-il bien dégagé ?... Nos culs doivent être l'emblème de la paix... Mais je dois chier encore une fois aujourd'hui [15]. » Il y a un écho de cela dans ses concerti pour basson de 1774 et 1775, où le basson gambade et se cogne aux quatre vents de l'orchestre comme un gros chien folâtre. Et le monsieur qui se défoule avec cette grâce-là professe des opinions d'un conformisme tout aussi lourd ; on dirait la philosophie de Marie-Thérèse : « C'est toujours à la maison que je suis le mieux, ou bien chez un bon, vrai, honnête Allemand qui, s'il est garçon, vit en bon chrétien et, s'il est marié, aime sa femme et élève correctement ses enfants... L'impie, le maître fourbe Voltaire est crevé, autant dire comme un chien, comme une brute [16]. » Il contrarie le baron Grimm, son protecteur d'il y a quinze ans, un vrai Allemand de Paris, lui. Ce petit-maître de l'Europe en talons rouges trouve Wolfgang « trop candide, peu actif, trop facile à rouler, trop peu occupé des moyens qui peuvent conduire à la fortune. Ici, pour percer, il faut être retors, entreprenant, audacieux. Je lui voudrais, pour sa fortune, la moitié moins de talent et deux fois plus d'entregent [17]. »

La moitié moins de talent ! Comment faire ? Il sait déjà qu'il est Mozart. Le secret l'étouffe. Il voudrait le partager avec un univers dont Paris lui claque la porte au nez. Peut-être est-ce pour cela qu'il hait Voltaire, le miroir de ce Paris-là. « Ils s'imaginent donc, parce que je suis humble et jeune, qu'il ne peut rien exister en moi de grand et de mûr ? Eh bien, ils vont s'en rendre compte bientôt [18]. » — « Je ne suis entouré que de brutes et de bêtes, en fait de musique, je veux dire. Mais comment pourrait-il en être autrement ? Ils ne se comportent pas autrement dans toutes leurs actions, leurs mobiles, leurs passions. Il n'y a pas en ce monde un lieu comme Paris ! » — cette ville où il ne peut même pas aller voir les gens, « c'est chaque fois trop loin ou trop boueux, car à Paris, c'est une merde indescriptible... Les Français n'ont plus du tout la même politesse qu'il y a quinze ans. Ils frisent maintenant la grossièreté et sont abominablement orgueilleux [19]. » On vient de l'humilier chez Mme de Chabot, où il a dû « attendre dans une grande salle glacée sans feu et sans cheminée, au moins une demi-heure », avant de jouer, transi, des *Variations* de sa composition devant la duchesse et ses commensaux qui dessinaient « tous assis en cercle autour d'une grande table... Ce qui était le plus culotté *, c'est que Madame et tous ces messieurs n'interrompirent pas un seul instant leur dessin, mais le

---

* *ärgst.* Les Massin traduisent « pommé ».

continuèrent tout autant, de telle sorte qu'il me fallut jouer pour les sièges, les tables et les murs... Donnez-moi le meilleur des pianos d'Europe, mais, pour m'écouter, des gens qui ne comprennent rien ou qui ne veulent rien comprendre, et qui ne ressentent pas avec moi ce que je joue; alors, je perdrai ma joie [20]. »

Ils le recevaient et le payaient pour ne pas l'entendre. Paris a refusé d'écouter Mozart en ce printemps-là ; Mozart ne le lui pardonnera jamais. Enfin, le Paris des Rohan-Chabot et de Grimm. Il a pris la mesure de sa futilité.

Tant pis : « Je me frayerai passage comme je pourrai... pourvu que j'en réchappe tout entier *(de Paris)* »... « Je suis un *compositeur* (c'est lui qui souligne), né pour être maître de chapelle. Je ne dois ni ne puis enterrer le talent de compositeur que Dieu m'a donné dans sa bienveillance. » Il vient de terminer une symphonie, pour le jour de la Fête-Dieu. « Pour le petit nombre de Français intelligents qui seront là, je suis bien sûr qu'elle leur plaira. Quant aux imbéciles, ça ne sera pas un grand malheur si elle leur déplaît. Et j'ai quand même l'espoir que même les ânes y trouveront aussi quelque chose à leur goût [21]. »

3/ juillet 1778
Entre la crainte et l'espérance

Le 10 juillet 1778, Louis XVI écrit à l'amiral de France, Jean-Marie de Bourbon, duc de Penthièvre, une lettre, publiée le lendemain, qui confirme la déclaration de guerre de la France à l'Angleterre, suite au combat de la *Belle-Poule* et de l'*Arethusa*. « La dignité de ma couronne et la protection que je dois à mes sujets exigent que j'use enfin de représailles... Je vous fais donc cette lettre pour vous dire... de prescrire aux commandants de mes escadres et de mes ports et aux capitaines de mes vaisseaux de courre sus à ceux du roi d'Angleterre... Je compte principalement sur la protection du Dieu des armées [22] », celui que le roi George et les évêques du Royaume-Uni imploraient, en ce même mois, de châtier à la fois les rebelles quakers et les Français papistes. Yahweh allait avoir, une fois de plus, peine à s'y retrouver. Mais quelle joie chez les marins!

Penthièvre, le destinataire de la lettre, est un amiral d'eau douce au vieux titre honorifique. Dernier descendant des bâtards reconnus par Louis XIV, gouverneur et lieutenant général d'une Bretagne dont il possède près de la moitié des terres, il y a pris son nom et celui de son fils, Lamballe *. Retranché dans une vieillesse digne et dévote,

---

* Mort à vingt ans, de syphilis. Sa jeune veuve, la princesse de Lamballe, est une des favorites de la Reine. Voir tome I, p. 90.

il s'occupe à remonter et à mettre d'accord chaque jour une centaine
de montres, sa marotte. Il a navigué autrefois, il est vrai, pour mériter
sa charge, grâce à une flotille en miniature lancée sur les canaux de
son château de Rambouillet. Mais il a marié sa fille au premier prince
du sang qu'on autorise aujourd'hui à s'aventurer en mer : le duc de
Chartres *. Les temps changent.

Pour Philippe de Chartres, c'est maintenant ou jamais. Il va s'accomplir ou s'embourber. Il a trente et un ans, mais tout le monde en parle
comme d'un éternel mineur condamné à l'oisiveté, tenu en courte laisse
par les ministres de son cousin. Un Orléans n'a pas le droit d'éternuer
sans permission. Il n'a guère fait preuve jusqu'à présent que de libertinage. Son heure d'homme sonne le 8 juillet, quand il franchit le
goulet de la rade de Brest à bord du *Saint-Esprit*. A trois heures de
l'après-midi, après de longues et dures manœuvres pour prendre le
vent, il se trouve bien à sa place, en serre-file dans le formidable alignement des quarante-trois vaisseaux de haut bord de l'amiral comte
d'Orvilliers **. Pour la marine française aussi, c'est enfin la grande
aventure de la haute mer. La résurrection. « Courrir sus à l'Anglais »
pour elle — à la vie pour Philippe.

Il est duc de Chartres, descendant de Henri IV par les hommes et
de Louis XIV par les femmes, héritier du dernier apanage indépendant
du royaume : non seulement Chartres, mais Orléans, Nemours et le
Valois. Il sera, dès la mort de son père, aussi riche que le Roi. Si une
maladie emporte les deux bébés du comte d'Artois, et si c'est seulement
d'une fille que la Reine est enceinte, il deviendra le quatrième dans
l'ordre de succession au trône. Il vient de recevoir enfin autre chose
qu'un hochet : le titre de lieutenant général des armées navales, avec
la responsabilité de « l'escadre bleue », soit un tiers de la flotte. Il
porte beau dans son splendide uniforme blanc et or qui le désigne
aujourd'hui aux regards et l'exposera demain aux balles, en contraste
du rouge dominant chez les autres officiers. Il est d'apparence fort
agréable avec sa belle taille, sa jambe bien tournée, ses yeux noirs et
rieurs qui permettent à l'interlocuteur de ne pas s'attarder sur le
reste du visage, tout en fuite lisse et molle, pas grand-chose à quoi
s'accrocher. La bouche est plus épaisse que sensuelle. Rien d'agressif,
ni de dominateur ; un gamin de trente ans qui voudrait bien se rendre
utile — mais va-t-on le lui permettre enfin? Philippe lance des coups
d'œil inquiets au mentor dont il reste flanqué, le capitaine de vaisseau
Toussaint-Guillaume de La Motte-Picquet de La Vinoyère, un petit
bonhomme de cinquante-huit ans au cuir tanné par vingt-deux campagnes, « ami de son métier et de la gloire autant qu'ennemi des

---

* Louis-Philippe-Joseph, né le 13 avril 1747, qui deviendra duc
d'Orléans à la mort de son père en 1785 et prendra le nom de Philippe
Égalité en 1792. Son fils aîné, après avoir été à son tour duc de Chartres,
puis duc d'Orléans, sera le dernier roi des Français, Louis-Philippe.
   ** 32 vaisseaux de ligne et 11 frégates.

Anglais, brave comme son épée, têtu en diable et qui, coiffé de son grand chapeau, eût fait trembler tout l'enfer [23] ». Qu'est-ce qu'il fait là, sinon contrarier Philippe? Toutes les conditions d'une équivoque sont réunies sur le *Saint-Esprit* où le duc de Chartres, « lieutenant général », commande en principe aux onze vaisseaux de « l'escadre bleue » auxquels le « chef d'escadre » La Motte-Picquet commande effectivement, l'un et l'autre abandonnant la maîtrise de leur vaisseau au « capitaine de pavillon » Montpeyroux-Roquefeuil *, tous trois devant garder l'œil rivé aux signaux du « général de l'armée navale », loin là-bas, au centre de « l'escadre blanche », à bord de la *Bretagne* : Louis-Jacques-Honoré de Guillouet, comte d'Orvilliers.

On verra bien. Tout est si beau entre Brest et Ouessant, la grosse mer, des creux de six toises, du vent de sud-ouest, premier ennemi à combattre pour éviter les rochers de Molène, il faut rester en basse voile, le château où se tiennent les officiers est couvert d'embruns, et le soleil fugitif passe de grands traits de pinceau d'or sur l'or des poupes ouvragées. Philippe, très haut sur la dunette (la petite dune), à l'arrière du *Saint-Esprit*, est le témoin privilégié d'un spectacle que tous les opéras et les trianons du monde ne lui donneront jamais : le déploiement de la grande flotte du Ponant **. Quarante-trois monuments labourent le champ des vagues dans un formidable silence peuplé de mille bruits intelligents : la rumeur des matelots, comme de gros oiseaux dans les voiles, le claquement des toiles mouillées, le grincement des vergues, le gémissement des bordages, les sifflets et les longs cris modulés des maîtres d'équipage qu'on entend d'un bateau l'autre répéter les ordres des messieurs rouges, les officiers. Ceux-ci ne doivent jamais être dans le cas de crier, sauf au combat : leur parole basse et brève, comme celle de Dieu, est répercutée à tout vent par les cent voix des moines de la mer.

Jamais navires de guerre n'ont eu tant de beauté : le bois de la marine à voile atteint ici sa plénitude, comme la pierre au temps des cathédrales. Philippe n'aperçoit que confusément, à l'avant-garde, les onze vaisseaux de « l'escadre blanche et bleue », commandée par le vieux du Chaffault ***. Mais il peut distinguer à l'œil nu, là-bas au milieu de « l'escadre blanche », la masse de la *Bretagne*, le plus grand bateau de France, trois ponts, cent dix canons, mille hommes, construit

---

* Le « capitaine de pavillon » était l'officier chargé de commander un vaisseau sur lequel un officier général (Chartres, en l'espèce) avait son pavillon.
** On disait du *Ponant*, en langage maritime, pour le couchant (du latin *ponere*) ou l'occident : les flottes de combat atlantiques. En corollaire, la flotte de Toulon était dite du Levant, vouée depuis les Croisades au combat contre les Turcs, mais en position de plus en plus défensive contre le harcèlement « barbaresque », des vaisseaux des « échelles » (escales) de Tripoli, de Tunis, d'Alger, du Maroc, encore soumises nominalement au Grand Seigneur.
*** Les flammes flottant au chouquet (la suspente des pavillons à l'arrière) portaient réellement les couleurs de chaque escadre et signalaient donc à laquelle appartenait chaque vaisseau.

il y a douze ans par souscription des états de Bretagne et fraîchement
radoubé à Brest. Sa silhouette un peu lourde en fait le point central de
l'immense ensemble mouvant d'une puissance de deux mille bouches à
feu, dont les signaux du « général » d'Orvilliers s'efforcent de maintenir
la géométrie ramassée. Autour du *Saint-Esprit*, le *Sphinx*, le *Roland*, le
Fier, le *Zodiaque*, l'*Intrépide*, le *Triton*, le *Solitaire*, le *Conquérant* et
le *Diadème* font « l'escadre bleue » avec le *Robuste*, commandé par le
comte de Grasse. Quand la lumière est franche, c'est un carnaval de
couleurs sur le fond émeraude de la mer. Une palette en folie, du brun
sombre des coques au blanc mat des voiles et à l'or des châteaux sculp-
tés où des licornes, des gargouilles, des dragons, ouvrent une gueule
haute comme un homme pour gober les Anglais [24]. On va libérer Dunkerque de son statut de port anéanti, aux jetées rasées. On va venger
la Hougue *. Les officiers de la marine française ont dépassé le degré
d'ébullition. « Il est bien humiliant pour nous d'avoir des vaisseaux en
rade et d'être insultés à notre porte, et cela parce que nous sommes
toujours les plus faibles », écrivait du Chaffault à Sartines le 3 octobre
dernier [25]. « Pour moi, le sang me bout dans les veines. » Et, le 6 octobre :
« L'Angleterre prend la politesse pour de la crainte... Tout le département *(de la Marine)* souffre de nos ménagements pour des gens qui
n'en ont jamais pour nous. Cela a des suites fâcheuses dans l'esprit des
équipages, et, quand on est au moment de faire la guerre, il faut que
chaque homme s'estime plus que son ennemi, ou il n'est bon à rien. »
Le temps du décrassage est venu, après toutes ces années stagnantes. Il
n'a pas trop mal travaillé, Sartines, ce magistrat qu'on avait vu avec
méfiance passer de la Police à la Marine voici quatre ans. Il était temps :
la fin du règne de Louis XV avait plus désolé les arsenaux que dix
campagnes. Pour une *Bretagne* construite à grand-peine par initiative
régionale, vingt à trente vaisseaux pourrissaient en rade, non seulement dans le corps du bois rongé, mais dans l'âme : les équipages
réduits ne manœuvraient plus. « Chez les aspirants, il y en a la moitié
qui ne sont propres à rien par leur trop grande jeunesse », gémissait
encore du Chaffault, du haut de ses septante ans [26]. Une des raisons des
réticences de Vergennes et de Maurepas à secourir pour de bon les
Américains était cette grande misère de Brest, le seul creuset possible
de la revanche, puisque la paix de 1763 a laissé la Manche aux
Anglais **. Les autorités de Brest se désolaient encore, il y a trois mois,
du manque de matelots par « insuffisance des levées *** », mais aussi

---

* Au large du Cotentin, le 27 mai 1692, Tourville avait subi la plus
glorieuse défaite possible devant la flotte anglo-hollandaise de l'amiral
Russell. Il n'y a plus eu, jusqu'à Ouessant, de bataille navale à cette
échelle.
** Le Havre n'était équipé que pour les vaisseaux de commerce. Cherbourg était en projet. Dunkerque était démantelé, sous surveillance
anglaise.
*** Depuis les ordonnances de Colbert, les équipages des vaisseaux de la
flotte étaient recrutés par des levées obligatoires dans les paroisses côtières, souvent grâce au tirage au sort. Les marins du Ponant étaient donc
tous d'origine bretonne, charentaise ou vendéenne. Ceux du Levant,
d'origine provençale.

d'une indigence générale en charpentiers et calfats, en bois, en fer, en munitions [27]. « A l'avènement du Roi, avouait Vergennes, il y avait tout à faire. Pas un vaisseau en état, pas un magasin garni. Il a fallu pourvoir à tout à la fois [28]. » Sartines s'était démené. On avait pris des ormes jusque dans le parc de Trianon, et fait venir les sapins de la Forêt-Noire pour les grands mâts. « Il n'a pas été possible de tout faire à la fois, et si l'on savait l'état où était notre marine au printemps dernier, on ne croirait pas que nous eussions pu la tirer de ses cendres en aussi peu de temps », toujours selon Vergennes [29], qui proclamait sa joie de savoir Louis XVI disposant enfin « de quarante-deux vaisseaux de ligne en bon état, et tout ce qui est nécessaire pour les envoyer à la mer * ». Mais « ce tableau, quoique riant, ne forme pas une puissance consolidée ; en effet, cette escadre, après une première campagne, deviendrait nulle si l'on n'avait pas de rechanges en vaisseaux et en agrès à y substituer, et ce sont là des choses que l'argent ne procure pas si l'on ne s'y est pas pris à l'avance. » En juillet 1778, toutes les chances de la France sont remises à la mer en un double coup de dés, puisque la sortie du Ponant est combinée avec le départ des meilleurs vaisseaux de la flotte de Toulon, celle du Levant, que l'amiral d'Estaing est en train de conduire sur les côtes américaines, pour desserrer l'étau de la reconquête anglaise. Quitte ou double. Il y a là de quoi rendre prudent le comte d'Orvilliers, en dépit des rodomontades de ses officiers. Sa mission réelle est de fixer la plus grande flotte anglaise au large d'Ouessant, le temps que d'Estaing passe, plus bas, et parvienne hors de vue des Açores. D'Orvilliers devra être sage, à la mesure d'une puissance qu'il ne peut se permettre d'aventurer. C'est le drame de tous les chefs de grandes flottes. Le voilà « entre la crainte et l'espérance », comme Vergennes qui attend les nouvelles à Versailles [30].

4/ juillet 1778
Une espèce de méchanceté gaie

Philippe, lui, va de la crainte de végéter à l'espérance de devenir mieux qu'un Orléans. Les marins n'en pouvaient plus d'attendre. Et lui donc? Depuis quelque cent cinquante ans, une tradition de la monarchie française s'applique à diminuer les Orléans. On avait rendu

---

* La *Bretagne* était encore au radoub : elle s'est ajoutée aux autres pour faire les quarante-trois *vaisseaux de ligne*, répartis entre le Ponant (trente-deux) et le Levant (onze), c'est-à-dire les forteresses capables de combattre en alignement combiné par le chef d'escadre. Les frégates et les corvettes, plus légères, combattaient individuellement.

Monsieur pédéraste, pour qu'il inquiétât moins son frère Louis XIV
que Gaston d'Orléans n'avait inquiété Louis XIII. Les rois et leurs
coteries n'avaient pas cessé depuis de trembler devant ce nuage toujours possible à l'horizon : la popularité d'un prince de la branche
cadette. Ils n'avaient pas tort. Le Régent avait été plus aimé que le
vieux Roi qu'il remplaçait et le marmot au nom duquel il gouvernait.
S'il n'y avait pas eu la castatrophe de Law... Mais, une fois emporté ce
Philippe-là par la banqueroute et les débauches, on avait réduit ses
deux descendants à des rôles de figurants pendant un demi-siècle. Un
fou bigot, une sorte de saint triste et méchant, « Louis-le-Génovéfain »,
retranché dans un couvent à partir de son veuvage. Un « Allemand
jusqu'au bout des ongles [31] », Louis-le-Gros, tombé maintenant sous
la quenouille d'une épouse secrète, la marquise de Montesson. Tel est
le duc d'Orléans de 1778, ce tonneau malade dont on attend que sa
graisse l'étouffe : le père de Chartres. Celui-ci va bientôt devenir duc
d'Orléans à son tour. Mais pour combien de temps? Monsieur est mort
à soixante ans; le Régent à quarante-neuf; Louis-le-Pieux aussi.
Le gros duc d'Orléans va vers la soixantaine. L'atteindra-t-il? Philippe,
à bord du *Saint-Esprit*, peut croire qu'il a lui-même déjà dépassé « le
milieu du chemin ». A moins que... On assure souvent, très fort, trop
fort, comme pour le rassurer, qu'il a les traits empâtés de son
père. Est-ce si sûr? Sa mère, une Conti, était folle de son corps et s'en
vantait. Cette folie-là lui était venue peu avant la naissance de Philippe. Alors? Le comte de Melfort? l'abbé de Martin? le cocher Lacroix?
Quand ses intimes taquinaient Louise-Henriette d'Orléans à propos
du père de son fils, elle haussait l'épaule : « Quand on tombe sur un
fagot d'épines, sait-on celle qui vous a blessée [32]? » Philippe était
peut-être du Gros, après tout. Voir la ressemblance. Avec pourtant,
dès l'enfance, une énergie intermittente dont son père officiel a toujours manqué.

Mais « dans les monarchies, l'homme qui a de l'énergie n'a souvent
d'autres ressources que les plaisirs », vient d'écrire l'intendant de
Marseille, Sénac de Meilhan, qui se pique d'être moraliste [33]. « Monsieur
le duc de Chartres *, sorti de la première enfance, passa à l'éducation,
et alors ses gouvernantes furent des hommes, car il n'y eut guère entre
ses bonnes et ses premiers instituteurs que la différence de la faiblesse
des femmes à la complaisance des hommes [34]. » Sa longue adolescence
n'aura été que dressage à la représentation, la seule fonction laissée
aux princes du sang. Le baptême à douze ans, la réception à quinze
ans dans l'ordre du Saint-Esprit, un régiment à seize, des voyages
dans ses petits royaumes de Villers-Cotterêts, de Nemours, de Chartres,
dont il est suzerain [35]. « Son caractère n'annonçait encore rien de saillant. On pouvait cependant remarquer qu'il trouvait une sorte de
satisfaction maligne à embarrasser les personnes qui l'approchaient,
une espèce de méchanceté gaie, brouillonne et hautaine que la bienveillance appelle espièglerie. On a remarqué aussi que, dans sa première
jeunesse, il ne montra jamais de reconnaissance ni pour ses parents,

---

* Selon Talleyrand, qui va se lier à Philippe et recevoir ses confidences.

ni pour ses maîtres, et qu'il n'avait aucun attachement pour les compagnons de ses jeux. » Peut-être, mais « il n'avait jamais permis qu'on maltraitât en sa présence les moins intéressants d'entre les animaux [36] », et ses domestiques l'aiment.

A dix-neuf ans, il inquiétait. Un Orléans puceau ? Son père avait personnellement veillé à ce qu'on mît ordre à cela en le confiant aux bons soins de la Rosalie Duthé, une « maîtresse toute neuve », une fille de quinze ans déjà experte, mais garantie non vérolée par les maquerelles des laboratoires où l'on formait également Jeanne Bécu [*] et quelques autres. « Précaution fort prudente et fort tendre pour la santé de son fils [37]. »

Dégourdi, il avait consciencieusement rempli son devoir de prince. Les inspecteurs de Sartines, dont les maquerelles et les filles étaient les indicateurs, avaient suivi pas à pas ses progrès dans la morne partouze des années 60 qui faisait l'envers de la vie de la Cour. Ils en tenaient registre pour la délectation de Louis XV, le grand voyeur. Le 27 février 1767, « monseigneur le duc de Chartres a enfin débuté chez la Dame Brissault. Il est venu chez elle à sept heures du soir et elle lui a présenté le morceau le plus friand dont elle dispose ; c'est la demoiselle Lavigne dite Durancy, qui a eu le plaisir d'amuser Son Altesse, et ils ne se sont séparés qu'après la troisième reprise. Ce prince a paru enchanté de sa monture et a donné quinze louis [**] pour en payer le loyer ; depuis, il a fait dire à la Brissault qu'il serait flatté de renouveler cette course, mais la Durancy n'a pas voulu s'y prêter. Elle trouve ce prince extrêmement grossier dans ses caresses, n'ayant aucune délicatesse et jurant comme un charretier. Plusieurs demoiselles l'ont trouvé tel, et tout annonce en lui un fond de libertinage crapuleux [38]. » Le mouchard qui rédigeait ce genre de rapports savait s'y prendre pour plaire. Du 27 mars de la même année : « M. le duc de Chartres continue toujours ses caravanes. Le 24 de ce mois, un jeune seigneur de sa cour est venu prendre à trois heures après minuit, chez la Guérin, les demoiselles Emilie et Zelmire ; il les a conduites au Palais-Royal, dans un petit appartement... La demoiselle Emilie a eu l'honneur d'amuser Son Altesse qui y va tout à travers les choux [***] et la demoiselle Zelmire s'est amusée avec deux autres seigneurs qu'elle ne connaît pas, l'un desquels était appelé vicomte. On a renvoyé ces demoiselles à cinq heures du matin avec six louis. Ce jeune prince fait souvent de semblables parties ; il sera fort heureux s'il ne s'y trouve pas poivré [39]. » Louis XV appréciait ce style, et Louis XVI encore plus. La fortune de Sartines sortait de ces ragoûts-là, qu'il cuisine aujourd'hui encore, depuis le ministère de la Marine, par l'intermédiaire de Le Noir, son homme de paille, chargé de la police.

Passé les deux ou trois premières années, Philippe avait relativement émergé de ces eaux sales. Son mariage avec Louise de Pen-

---

[*] Devenue comtesse du Barry en 1771.
[**] Somme équivalente à 1 500 francs lourds.
[***] Que deviendrait-on sans Littré ? « Aller tout au travers des choux : agir en étourdi, sans rien examiner. »

thièvre, une femme-enfant qui avait l'esprit, non seulement d'être la plus riche héritière de France, mais d'avoir des seize ans supportables, lui avait permis un assagissement auquel il aspirait par nature. Il avait continué d'assister aux séances des fêtards de sa bande, toujours les mêmes, Lauzun, Coigny, Rohan-Chabot, Fitz-James, Fronsac, le prince de Ligne [40]. Il leur tenait table et sofa ouverts, depuis 1771, dans sa folie de la barrière de Mousseaux *, que le mouchard appelait « un vrai séjour de volupté ». Mais Philippe accueillait plus qu'il n'agissait. L'entrain n'y était plus. On sent bien que les policiers se battent les flancs pour servir à son propos des nouveautés croustillantes à Louis XVI. L'essentiel de ses débauches a tenu dans les années indécises, quand on lui faisait jeter sa gourme. Cela suffit pour qu'on croie le tenir du côté du Roi : on lui avait fourni assez de filles commères pour lui faire une réputation mondiale de noceur. Un Orléans...

Il s'est débattu, par accès, suffisamment pour rester à portée d'un changement. Il ne lit guère, mais il a la bougeotte, et il s'est instruit en voyageant, en naviguant, en prenant au sérieux son rôle de marin, à Toulon, à Cadix, à Brest l'an dernier déjà, où il a, l'un des premiers, défendu et aidé John Paul Jones. Il s'est montré bon élève de Bougainville, à la lecture de la boussole et du compas. Il est, depuis le 24 juin 1771, le Très Sérénissime Grand-Maître de la Grande Loge de France : une maçonnerie mondaine et snob, plus *club* que mouvement, où son activité se borne à présider gravement des liturgies ésotériques. Mais il commençait cependant à y pressentir le vent du large : une aspiration confuse à la fraternité universelle. Ses poumons ne demandent maintenant qu'à se dilater. Il a prêté le serment de chevalier Kadosh **, c'est le moment de s'en rappeler : « Tous les hommes sont égaux. Nul ne peut être le supérieur d'un autre, ni lui commander; les souverains doivent appartenir à la multitude. Les peuples donnent la souveraineté comme ils veulent et la reprennent quand ils veulent. Toute religion présentée comme l'œuvre de Dieu est une absurdité. Toute puissance se disant spirituelle est un abus [41]. » Vogue le *Saint-Esprit*!

---

* Qui deviendra le parc Monceau.
** Le grade de « Chevalier Kadosh », provenant du « Rite écossais ancien et accepté » par les maçons de la Grande Loge, était le trentième, presque au sommet de la hiérarchie. « Synthèse de tous les grades », il enseignait « les voies de la réalisation de l'ordre humain en harmonie avec l'universel. »

5/ juillet 1778
Les signaux ne purent être aperçus

9 juillet 1778. Mer calme; chaud soleil; tout est bleu. Le comte
d'Orvilliers peut tenir un grand conseil à bord de la *Bretagne*, la flotte
aux mâts allégés étant « mise en panne » pour permettre à ses officiers
généraux et capitaines de vaisseau de rejoindre leur amiral. Quand
va-t-on dévorer les Anglais? La vaste tente de drap rayé où les laquais
s'affairent pour la collation semble abriter une réception mondaine
plutôt qu'une veille d'armes. Mais il ne faut pas s'y fier. Il manque
une main par-ci, deux doigts ou un œil par-là. Tous ces grands messieurs rouge et or ne rêvent que d'en découdre, sous leurs cheveux
poudrés. Le duc de Chartres, en blanc lui, est leur interprète quand il
supplie le « général » d'obtenir de Louis XVI la permission d'aller
chercher l'ennemi jusque dans ses ports de la Manche. Le Roi vient-il
d'ordonner de « courre sus », oui ou non?
    D'Orvilliers en frémit. Le pire danger pour « l'armée navale » dont
il est le conservateur, c'est la pugnacité de ses lieutenants. Il sait que
l'amiral Keppel, son homologue anglais, croise au large de Portsmouth
avec deux escadres « supérieures en nombre et en force de vaisseaux ».
Il vient d'écrire à Sartines : « Dans le cas d'une affaire *(avec Keppel)*,
que je tâcherai néanmoins d'éluder, je me flatterai, sinon de le battre,
du moins de lui résister... Au moins gagnerons-nous un exercice bien
nécessaire aux équipages et à leurs chefs [42]. » Pas très gonflé, le commandant suprême, mais c'est lui qui a raison. Il connaît les faiblesses
de l'armada, malgré son ravalement. Le courage physique n'est pas
en cause : d'Orvilliers s'est battu sur beaucoup de mers depuis un demi-
siècle. Mais il a soixante-huit ans, et il est tout grincheux, tout triste,
peut-être à force de ne plus se battre. Il est rouillé. Cet hiver, de Brest
à Paris, il a voulu courir la poste « comme un vieillard qui redoute le
froid et ne peut entreprendre de fortes journées [43] ». Il est de ces
hommes parvenus au sommet des honneurs pour devenir tremblants
devant une disgrâce qui ne peut plus leur faire de mal. Capon comme
un évêque devant le pape, d'Orvilliers a plus peur de Sartines que de
Keppel, et il déçoit ses officiers :
    « — Mon avis n'est point de faire entrer l'armée *(navale)* dans la
Manche, où nous n'avons aucun port propre à la recevoir, et où elle
serait en risque d'être chargée d'un coup de vent d'ouest ou du sud-
ouest, qui l'affalerait nécessairement à la côte d'Angleterre. Nous
croiserons à une distance convenable du Canal, pour n'y être pas
emporté par les courants [44]. »
    Reste à espérer une sortie des Anglais. En attendant, on tire des
bordées cahin-caha sans trop s'éloigner d'Ouessant, tandis que le ciel
se couvre à moitié. Le temps devient aussi perplexe que le Dieu des
armées. Un soleil de brume. Pas assez de vent pour la manœuvre

jusqu'au 11 juillet, où une faible brise de noroît * permet une
manœuvre d'ensemble qui conforte d'Orvilliers dans son pessimisme.
Livrer une grande bataille avec ces apprentis? Il a bien trop de mal
à les empêcher de se rentrer dedans! « Cette évolution manquée ou
très mal faite m'a confirmé dans l'opinion où j'étais qu'une grande
partie des capitaines de l'armée n'ont point d'habitude et très peu de
connaissance de l'ensemble des vaisseaux... Il est trop important qu'ils
sachent au moins, avant la rencontre de l'amiral Keppel, se mettre
en bataille et observer les distances convenables [45]. »
    Certes : voilà seulement un an qu'on fait de nouveau sortir les vais-
seaux du Roi pour les exercices en haute mer. Depuis treize ans, la
flotte s'ankylosait en rade. Combien de jours reste-t-il à d'Orvilliers pour
faire passer les débutants — comme Chartres — de la théorie à la pratique? Un officier de marine, c'est un géomètre pour le compas, la
science des vents et la physique des voiles, mais il faut qu'il oublie ses
manuels et acquière le sens de la mer, pour décider en un clin d'œil des
ris à prendre, des toiles à serrer, des meilleurs matelots à envoyer dans
les hunes ou à garder aux canons. Or la marine française est malade à
tous les niveaux. Les matelots, pas assez nombreux, mal nourris, sont
en proie au scorbut endémique. Le corps des officiers souffre d'une greffe
mal prise, celle des capitaines de vaisseaux marchands ou des « officiers
de plume », les « bleus » que Colbert avait solidement installés au commandement des ports et des intendances, et que Sartines vient de
déposséder de leurs privilèges en brassant les « bleus » et les « rouges »
dans une hiérarchie unique où prévaut la noblesse. Ni l'ancienneté, ni
la compétence, ni la valeur ne servaient plus de rien aux plébéiens,
condamnés à ne jamais dépasser la lieutenance d'une frégate. La tribu
des officiers nobles qui se tenaient par les familles, par les plaisirs, par
l'éducation commune, écrase les autres catégories comme un couvercle
de marbre. Du marbre rose de Trianon, la belle consolation pour ceux
qui, comme Malouet ** doivent courir jusqu'en Guyane pour tenter —
en vain — de réaliser quelque chose! « A terre comme en campagne,
général, capitaine, enseigne, garde de la marine, tout est confondu
(entre les jeunes nobles); ils se tutoient comme camarades [46] », et discu-
tent de la manœuvre décidée par un de leur supérieur-camarade-petit-
maître comme d'un coup au pharaon. Ce n'est même plus de l'esprit de
corps. C'est de l'esprit de classe, la plus étriquée. Écœurés, les roturiers
se taisaient ou prenaient la tangente. Philippe de Chartres (est-ce l'influence maçonnique?) a été horrifié par le mépris avec lequel les anciens
« bleus » qui tenaient bon à Brest étaient traités par les serins de la
haute noblesse. Il a rappelé publiquement que Duguay-Trouin et Jean
Bart étaient issus de la marine marchande. Il a reçu des « bleus » à sa
table et leur a déclaré :
    « — Tout prince du sang que je suis, je me fais honneur de servir à
vos côtés [47]. »
    Un prince « peuple »? Les serins, depuis, le regardent de travers.

---

* Nord-est.
** Voir tome I, p. 536.

Encore un Orléans démagogue, on le voit venir avec ses gros sabots, et d'Orvilliers le boude, la Motte-Picquet l'attend. Qu'il apprenne son métier, au lieu de nous faire la leçon. Si jamais on peut le coincer...

23 juillet. Les Anglais! Le gros temps qui règne depuis le 13 s'apaise fugitivement; une floraison de voiles perce la ligne d'horizon : Keppel est en vue. Mais l'amiral anglais trahit les mêmes obsessions que le français : les deux flottes s'empressent de s'envelopper dans les écharpes des grains. On joue à cache-cache et à qui perd gagne. Les « généraux » sont d'accord pour « s'éluder », mais les capitaines trichent et rechignent à la dérobade. Combat évité pour cette fois. On sent bien que ce n'est pas pour longtemps. D'Orvilliers est de moins en moins tranquille : cinq de ses bâtiments se sont égarés à la tombée de la nuit, dont deux des plus puissants, qui vont manquer gravement à « l'escadre blanche et bleue » : le *Duc-de-Bourgogne* et l'*Alexandre*. « La mer était très grosse et la nuit noire, quand le général fit virer de bord. Les signaux ne purent être aperçus de toute l'armée [48]. »

Du 24 au 26 juillet, les commandants suprêmes cherchent à résoudre un dur problème de physique appliquée : sachant que la flotte ennemie est, ou doit se trouver, dans telle direction, comment lui « prendre le vent » pour avoir l'avantage dès le début d'un engagement? Toute la conduite de la guerre navale repose là-dessus depuis que Tourville a imposé la bataille de ligne. Il faut des jours et des jours pour saisir le coup de suroît ou de noroît qui permettra à vingt ou trente vaisseaux alignés de fondre au bon moment sur autant d'autres à vitesse supérieure, en choisissant l'angle d'attaque. C'est comme si trente Bastilles tournaient autour de trente châteaux de Vincennes. Les connaisseurs goûtent le vent comme des gâte-sauce : si le bon Dieu est pour nous, il va rétrograder du gros temps à la bonne brise, en passant par la brise carabinée, le grand frais, le bon frais [49]...

« Bon frais » d'ouest, par temps relativement clair, le 27 juillet. Mais les vaisseaux de Keppel se trouvent à l'ouest de la flotte française, et peuvent donc lui dérober le vent favorable. Keppel dispose de 2 284 bouches à feu; les Français n'ont ont que 1 934. Les deux flottes évoluent pesamment, selon des tracés déterminés sur les vaisseaux de chacun des deux « généraux ». Les pavillons des signaux se succèdent aux mâts. Deux troupeaux de monstres marins cherchent la meilleure prise.

Onze heures. Avantage à Keppel : sa flotte a réussi à prendre le vent au mieux, non *par l'arrière*, où certaines voilures s'annulent mutuellement, mais *au grand largue*, donc entre l'arrière et le travers. Toutes les voiles portent à l'oblique des vaisseaux que la formidable main du vent couche un peu sur la mer d'arrière en avant, en les poussant vers l'ennemi à la vitesse d'un cheval au galop. Les Français voient arriver sur eux la ligne anglaise au pire moment : ils sont eux-mêmes en ligne, mais vent arrière et offrent leurs poupes à l'assaillant. Celui-ci va pouvoir rattraper la flotte française. Plus rapide, mieux placé, il défilera tout au long de notre ligne en nous lâchant ses bordées. Le *Saint-Esprit*, dernier vaisseau de l'escadre bleue, toujours en arrière-garde, supportera le premier choc, mais nous serons tous criblés... D'Orvilliers ne

perd pas de temps. Tous les capitaines pointent leur longue-vue vers le
grand mât de la *Bretagne*, où apparaît la combinaison de la riposte :
deux flammes jaunes, une bleue, une rouge. Diable! une sacrée manœuvre pour des équipages mal entraînés : on vire de bord. Ils veulent nous
attaquer par-derrière. On fait face.

Chaque vaisseau tourne, presque sur lui-même, à près de 180°.
Une cascade d'ordres descend de la dunette du *Saint-Esprit*, comme
de celle des autres navires, et lance tous les matelots disponibles dans
la mâture. Les mastodontes vibrent sous la pression de l'effort imposé
par le gouvernail et les vergues tournées à force d'homme pour serrer le
vent, aller « au plus près » possible contre lui, le dompter, le violer. Tout
cela en faisant attention de ne pas aborder les voisins, et en harmonie
avec les autres vaisseaux de la ligne ; si certains d'entre eux sont dis-
tancés, ils seront isolés, coupés de l'ensemble, et avalés par la horde
anglaise comme des moutons perdus.

Midi. Les deux gigantesques courtines ambulantes arrivent l'une
contre l'autre, pavillon haut. Celui de la marine française n'est qu'un
grand rectangle tout blanc *. Philippe, sur le *Saint-Esprit*, se trouve
maintenant en tête, puisque le retournement de la flotte a placé « l'escadre bleue » en avant-garde. Il voit venir à lui, en premier, le premier
vaisseau anglais. Tous les autres suivent à la queue leu leu, « beaupré
sur poupe », c'est-à-dire l'avant de chacun si près de l'arrière du précédent qu'aucun navire, si rapide fût-il, ne pourrait passer entre eux sans
être broyé **.

Tension insupportable. C'est le duc de Chartres qui déclenche la
bataille d'Ouessant en commandant le feu à ses canons de bâbord,
quand il arrive à hauteur du *Prince-George*.

On ne lui a laissé à faire que ce mince geste autonome, un petit doigt
à remuer entre deux nations, le déclenchement de l'artillerie. Il se
croyait libre en plein Océan? Il est presque autant prisonnier qu'à
Versailles, déterminé par le jeu des mécanismes du combat naval qui
fonctionnent sans lui et l'offrent maintenant, toujours en représentation, étincelant sur la dunette, aux regards de tous, comme le grand
prêtre de cette liturgie improvisée. Paraître encore et toujours, monseigneur, c'est le lot des princes du sang. D'Orvilliers élabore la stratégie
générale, la Motte-Picquet la tactique de votre escadre et Montpeyroux
les mouvements de votre vaisseau. Il vous reste un mot à dire : *Feu !*
Un tonnerre brutal au ras des flots. Flammes des départs, bouquets de
fumée âcre et craquements des impacts. Les deux lignes défilent à
portée, chaque vaisseau recevant successivement les politesses de ceux
qu'il croise. Agenouillés au bastingage, les fusiliers tirent à vue sur les
gens d'en face, en cherchant les officiers. Les Anglais portent mieux,
toujours grâce à leur avantage du vent : légèrement penchés sur le côté

---

* C'est lui qui deviendra « le drapeau blanc », emblème des royalistes.
Il n'existe pas alors de « drapeau français » proprement dit.
** La distance séparant les vaisseaux d'une ligne de combat était de
soixante mètres, soit la longueur moyenne d'un bâtiment.

du tir, donc vers l'ennemi, leurs canons tirent de haut en bas, en pleine coque, et font mal, même s'ils ont dû fermer la ligne la plus basse des sabords léchés par la mer. Les boulets des Français, que leur position incline en sens contraire, s'envolent de bas en haut dans les voiles anglaises, mais font un dégât terrible quand ils abattent un mât. Ils ont beaucoup moins d'hommes disponibles aux canons, parce qu'il leur faut le double d'effectifs pour la manœuvre contre le vent. Et les pièces reculent sur les pieds des servants. Et les gargousses brûlantes reviennent dans l'entrepont, où stagne la fumée. Les Français tirent dans du coton les Anglais sont au clair : toutes leurs saloperies, fumées comprises, vont à la mer. Quand le *Saint-Esprit*, le premier, se trouve hors du feu, on est tout surpris de s'apercevoir que ce défilé de la mort a duré près d'une demi-heure [50].

Philippe a manqué la chance de La Fayette : pas la moindre égratignure pour son baptême de guerre. Mais il est cependant couvert de compliments. Debout au banc de quart, le grand cordon bleu de... l'ordre du Saint-Esprit, on dirait un fait exprès, barrant sa haute silhouette blanche, il s'est offert princièrement aux coups, en bavardant nonchalamment avec son ami le comte de Genlis et La Motte-Picquet. (« Une bravoure admirable », écrira d'Orvilliers dans son rapport.) Ce n'est pas de sa faute si la mousqueterie et les boulets anglais n'ont fait qu'érafler son vaisseau : un mort et quatre blessés à bord du *Saint-Esprit*. Chartres se croit d'ailleurs à peine au hors-d'œuvre et brûle de recommencer. Les deux lignes, vacillant légèrement sous le choc, amorcent de nouvelles évolutions compliquées pour revenir au contact après ce *round* nul qui restera l'essentiel du match. « Le combat d'Ouessant n'aura été qu'une canonnade [51]. »

Trois heures. On remet ça, de plus loin, dans un certain désordre. « L'escadre bleue », de nouveau en arrière-garde, revient à force de voiles pour reprendre place dans la ligne de feu, où les deux tours centrales du dispositif, les vaisseaux amiraux de Keppel et de d'Orvilliers, la *Bretagne* et le *Victory* * s'empoignent sérieusement au passage. Il s'ensuit une hésitation générale des flottes, suffisante pour compromettre leur ordonnance. Une brèche s'entrouvre entre l'ensemble de la ligne anglaise et ses cinq derniers vaisseaux. C'est l'occasion du destin. Qui, de La Motte-Picquet ou du prince, a l'inspiration d'en profiter? Les deux à la fois sans doute. « L'escadre bleue » arrive à hauteur des attardés. Il lui suffirait, au lieu de suivre sa propre ligne, de se rabattre sur tribord **, de s'engouffrer dans la faille ouverte chez l'ennemi, d'attaquer les bâtiments à la traîne, et de les immobiliser pour les prendre entre deux feux... Cinq croiseurs anglais hors de combat, prisonniers peut-être... Un triomphe.

Pas le temps de demander la permission à d'Orvilliers, là-bas, qui a trop à faire sur la *Bretagne*. Philippe prend sur lui d'ordonner le mouvement à ses onze bâtiments. « D'après ce signal, c'était au vaisseau de tête (le *Diadème*), commandé par M. de La Cardonnie, à commencer le

---

* Qui sera le fameux vaisseau où Nelson vaincra et mourra, à Trafalgar.
** Tribord : la droite; bâbord : la gauche.

mouvement que chacun devait suivre [52]. » Oui mais la fumée des combats, le temps un peu brouillé, l'énervement... On ne se comprend pas. Le *Diadème* ne bronche pas, ni le *Conquérant* qui le suit. Sont-ils aveugles ou imbéciles? Ils suivent le gros de la flotte comme des moutons, sans prêter attention aux ordres du *Saint-Esprit*, placé derrière eux par le jeu des manœuvres. Reste une ressource : leur donner l'exemple. Le duc de Chartres, « voulant absolument décider ce mouvement de son escadre, arriva lui-même de quatre aires de vent *. » Il rompt la ligne. Il se prépare à foncer vers l'ennemi. Mais il n'en a pas le temps : d'Orvilliers, qui s'est dégagé du *Victory*, encore un match nul, surveille ses vaisseaux comme une mère poule et s'épouvante en voyant le *Saint-Esprit* prendre ce risque-là. Croit-il à une fausse manœuvre qui ferait courir le navire isolé à l'abattoir? Au contraire, comprend-il que Chartres veut donner l'exemple à son escadre, et veut-il couper court à une initiative qui pourrait faire du prince le grand vainqueur de la journée? Une série de pavillons monte fiévreusement au mât de la *Bretagne* : c'est un rappel de pion, que les officiers du *Saint-Esprit* aperçoivent, la rage au cœur, et auquel Philippe obéit avant qu'aucun autre vaisseau n'ait pu suivre son impulsion. Il se remet dans la ligne, après cet écart de dix minutes vers la gloire inaccessible. On s'observera encore et on s'enverra de-ci de-là quelques bordées pendant l'interminable après-midi d'été, mais sans conviction. Les « généraux » font leurs comptes. 1 196 hommes hors de combat chez les Anglais, dont 407 morts. Moitié moins chez les Français : 517 blessés, 163 morts. Nul vaisseau perdu de part ou d'autre. Comme Keppel se dérobe à la nuit et retourne lécher ses plaies à Portsmouth, les Français se proclameront vainqueurs — mais rentrent à Brest de leur côté **.

6/ août 1778
Les yeux mouillés du Roi

Cette bataille ne sera pourtant pas inutile au roi de France, puisqu'elle va servir de prétexte à un modèle d'assassinat moral. Les Anglais en verront bien d'autres, mais Philippe de Chartres, lui, ne s'en relèvera pas.

* Comprendre : « se déporta hors de la ligne sur un angle d'environ trente degrés ». Il y avait, en termes de marine, trente-deux « aires de vent » pour déterminer la direction des vaisseaux.
** Ce bilan ne traduit pas l'avantage de vent et d'inclinaison des Anglais pendant la bataille. Il est dû à la supériorité exceptionnelle de la *Bretagne* sur le *Victory* pendant leur duel. Le tiers des victimes anglaises sont à bord du *Victory*.

Qui aurait pu prévoir cela au soir du 27 juillet, quand il rentrait dans le rang, fier et fâché? A Brest encore, le 29, des acclamations accueillent sa chaloupe au quai. « Les trente-deux états-majors de l'armée rendaient unanimement hommage, non seulement à la bonne conduite de M. le duc de Chartres, mais même à la capacité dont il avait fait preuve [53]. » Il aurait dû prendre garde, cependant, aux prévenances du comte d'Orvilliers, qui cherche un bouc émissaire à sa dérobade relative. On peut suivre le processus de cette démolition en deux temps, l'enflure de la louange, puis la piqûre mortelle pour la baudruche, dans le calendrier de ce triomphe pour un écœurement.

30 juillet. D'Orvilliers envoie Philippe à Versailles, porteur des nouvelles officielles du combat. La mission paraît à tous méritée, et au messager plus qu'à tout autre. Il exulte. Il en oublie sa déconvenue et se prendrait pour un vainqueur. Mais, dès le 31, d'Orvilliers lui attache aux fesses un rapport officieux à Sartines où il fait de Philippe le responsable du coup fourré : « J'ai lieu de croire que, si la tête de l'escadre bleue, dans l'ordre renversé où nous avons combattu, avait mieux répondu à mes signaux, la Providence aurait couronné nos travaux d'une journée bien glorieuse [54]. » « C'est d'abord rumeur légère », mais ce petit bruit rasant la mer est un gros mensonge. D'Orvilliers retourne la version des faits comme il a fait virer sa ligne de bord. Chartres, qui avait amorcé une manœuvre audacieuse, devient le maladroit qui a tout fait manquer.

Il ignore cet arrangement des faits quand il débarque à Versailles, dans la nuit du 3 au 4 août. Louis XVI dort et ne le reçoit qu'à huit heures du matin, mollement. Le prince est saisi du décalage entre l'univers frémissant où il a enfin vraiment vécu pendant quelques jours et le désenchantement de Versailles. Il y a une distance sidérale entre la flotte et cette cour frappée d'asthénie. Tout ce qui a trait à l'Amérique y inspire encore la méfiance ou pire, l'indifférence. Pendant que ses vaisseaux croisaient entre Brest et Ouessant, « le Roi a été fort incommodé d'un. mal de gorge qui a causé quelque inquiétude, mais qui a fini par un rhume et une colique de peu de durée. La Reine a aussi beaucoup souffert de palpitations de cœur, de suffocations, mais elle se porte mieux [55]. » Troubles de grossesse? « Mon enfant a donné le premier mouvement le vendredi 31 juillet, à dix heures et demie du soir. Depuis ce moment il remue fréquemment, ce qui me cause une grande joie. Je ne peux pas dire à ma chère maman combien chaque mouvement ajoute à mon bonheur [56]. » Mais ce n'est pas de là seulement que viennent ses malaises, et le bonheur en question est bien relatif, puisque, dans la même lettre, Marie-Antoinette gémit : « Ma tête ne suffirait pas aux réflexions qui m'accablent », à propos de la guerre qui vient de se déclencher entre l'Autriche et la Prusse. La Reine souffre de la Bavière. « Par le moyen des philosophes et des intrigues de toute espèce, le roi de Prusse est venu à bout de se faire un grand nombre de partisans, et je me trouve obligée dans certains moments de montrer un visage gai, n'en ayant assurément ni sujet, ni envie. » Elle sent bien que tout le monde est contre elle. Les Français n'ont que trop fait la guerre

pour le roi de Prusse, et ne tiennent pas à la faire maintenant pour
l'empereur d'Autriche, qui vient de se mettre dans son tort, de l'aveu
même de sa mère, comme un étourneau qui se prendrait pour un aigle.

Maximilien-Joseph, électeur de Bavière, est mort avec l'année 1777,
sans héritier direct. La branche aînée des Wittelsbach est éteinte. Le
trône de Munich revenait à l'Électeur palatin, Charles-Théodore, bien
contrarié de quitter sa douillette petite cour de Mannheim. Joseph II
lui avait soufflé une solution : qu'il passe la main, comme au *whist*.
Par le jeu des cousinages, les Habsbourg avaient autant de droits que
lui à la Bavière. Mais une partie de *whist*, ne se joue pas seulement à
deux, surtout au centre de l'Allemagne, où Frédéric ne supportait pas
l'idée d'une extension de l'Autriche. La Prusse avait mis son veto à cette
combinaison-là.

Joseph avait passé outre et envoyé ses troupes occuper la basse
Bavière. Ce n'était pas Munich qu'il voulait, c'était la guerre. Il devenait un boutefeu à force de ronger son frein. Du coup, sa mère poussait
les hauts cris *, avec des accents pacifistes singuliers chez un souverain :
« Quel vilain métier que la guerre, contre l'humanité et le bonheur !...
Nous avons été une grande puissance, mais nous ne le sommes plus.
Il faut s'y résigner... Malheureusement, c'est nous qui sommes en
défaut, ne parlant pas clair, et nous ne le pouvons, puisque nous voulons des choses injustes... Plutôt une paix médiocre qu'une guerre vic-
torieuse [57]. » Son honnêteté eût été encore plus admirable si elle n'avait
tendu à humilier ce fils qui proclamait : « Si les Prussiens prennent les
armes, nous leur apprendrons à vivre [58]. » Quand Frédéric entendait
cette chanson-là, il cessait de vieillir. Il s'était arraché en grognant
au grand fauteuil bosselé, modelé à son corps, qu'il quittait de moins en
moins. Puisque ce gamin de Joseph le cherchait... Double guerre
en juillet : entre Prussiens et Autrichiens, entre Marie-Thérèse et son
fils. Frédéric avait envahi la Bohême. L'Impératrice ne demandait qu'à
s'incliner devant sa supériorité. « Nous sommes inférieurs au Roi de
quarante mille hommes [59]. » Elle avait pris depuis longtemps la mesure
de l'incapacité de ses généraux, Lascy, Laudon, des décrépits. Quant à
Joseph, elle n'avait pas tort de penser qu'il crânait. Il forçait sa nature.
La guerre ne lui plaisait qu'en rêve. A peine a-t-il assisté aux premiers
combats (pourtant peu meurtriers, mais une épidémie de typhus rava-
geait l'armée autrichienne) qu'il abandonne son personnage. « Il est
sûr que la guerre est une horrible chose ; les maux qu'elle occasionne sont
affreux. Je peux assurer Votre Majesté *(sa mère)* que, quelque idée
que je m'en faisais, elle est beaucoup au-dessous de ce que je vois [60]. »
Marie-Thérèse ne se le fait pas dire deux fois. Elle brade. Sans
demander l'avis de son fils, ni même le prévenir, elle envoie un émissaire, le baron de Thugut, offrir la paix, ou plutôt la demander à
Frédéric. « Je me jetterais à ses pieds si cela pouvait le déterminer à

---

* Sur l'opposition entre Marie-Thérèse et Joseph, qui paralysait la cour
de Vienne, voir tome I, p. 440.

conclure [61]. » — « Voulant sauver mes États de la plus cruelle dévastation, je dois, coûte qu'il coûte *(sic)*, chercher à me tirer de cette
guerre *... En faisant à cette heure la paix, je m'attire non seulement le
blâme d'une grande pusillanimité, mais je rends le Roi *(de Prusse)*
toujours plus grand... J'avoue, la tête me tourne, et mon cœur est
depuis longtemps déjà entièrement anéanti [62]. » Le couple œdipéen
de la mère et du fils en arrive au conflit ouvert. Fou de rage de cette
démarche, « la plus flétrissante qu'on eût pu imaginer », Joseph recommence à rêver plaies et bosses, stoppe la retraite de ses armées, et
veut galvaniser l'Empire par une série de mesures exceptionnelles : des
levées de recrues, des impôts\ nouveaux. Marie-Thérèse s'obstine :
« Ayant commencé cette besogne, je l'achèverai selon ma tête, car il
s'agit de vous, écrit-elle à l'Empereur, et de la monarchie. Ma vieille
tête grise peut tout supporter. On peut la charger de tout le blâme [63]. »
    Frédéric II compte les coups et se divertit beaucoup. Il laisse se
chamailler les deux têtes de l'aigle autrichien et tient la dragée haute à
Thugut. L'Autriche semble ne pouvoir être sauvée que par une intervention de son alliée, la France, que Mercy-Argenteau ** tente d'entraîner dans une offre de médiation armée, qui tournerait en belligé-
rance en cas de mauvais vouloir de la Prusse. N'est-ce pas en vue de
telles occasions qu'on a placé une reine autrichienne sur le trône de
France? A elle de jouer. Oui, mais voilà : « La Reine continue d'éprouver de la part de son époux les témoignages d'une vive tendresse, les
caresses, les attentions, les petits soins les plus empressés. Le Roi l'a
conjurée de ne s'occuper que de plaisirs, d'écarter toute idée capable de
troubler la sérénité de son cœur et de son esprit. Il la laisse maîtresse de
dépenser, pour satisfaire ses désirs, tout ce qu'elle voudra, mais il est
interdit à cette princesse de s'entremêler *(sic)* des affaires d'État, et
lorsque, poussée par ses sentiments secrets, il lui échappe de vouloir
parler de la guerre entre sa Maison et le roi de Prusse, son époux intervient, parle d'autre chose ou sort. » Il a pris l'Autriche en grippe depuis
son mariage, et nul parmi ses ministres ne songe à l'en détourner.
Necker et Vergennes se sont laissé mettre sur les bras la guerre contre
l'Angleterre ; elle leur suffit amplement. La France n'a pas les moyens
de se battre sur deux fronts. Même Maurepas, soucieux cependant
de ménager la Reine, est intraitable là-dessus, quitte à la fâcher pour de
bon. Elle ne le lui pardonnera jamais. « Il reste à M. de Maurepas un
peu de cette maudite peur qui a fait tant de mal à nos affaires. » (De
Marie-Antoinette à sa mère, le 14 août.) Elle se bat de son mieux, en
fidèle servante de l'Autriche, prête à faire tuer de bon cœur ses sujets
pour « sa Maison ». Elle secoue Maurepas comme un prunier ; où est le
temps où elle ne se mêlait que prudemment de politique? « La Reine,
élevant la voix ***, lui a dit : — Voici, monsieur, la quatrième ou cin-

---

* Lettre du 6 août 1778 à Marie-Antoinette.
** Ambassadeur d'Autriche à Versailles et conseiller occulte de Marie-
Antoinette.
*** Rapport officiel de Mercy-Argenteau à son gouvernement, du 17 juil-
let.

quième fois que je vous parle des affaires, vous n'avez jamais su me
faire d'autre réponse que vos subterfuges ordinaires. Jusqu'à présent,
j'ai pris patience, mais les choses deviennent trop sérieuses, et je ne
veux plus supporter de pareilles défaites [64]. » Il le faudra bien, la
pauvre! Elle n'a pas seulement affaire à Maurepas, mais à Louis XVI,
qui affirme sa manière en lui opposant une opacité d'autant plus inen-
tamable que Marie-Antoinette se remue davantage. S'il la trouve en
pleine crise de nerfs à cause des dépêches de Marie-Thérèse, comme le
13 juillet, par exemple, il y va gentiment de sa propre petite larme,
pleure, mais ne cède pas. On remarque « les yeux mouillés du Roi ».
« Je ferais tout au monde pour apaiser votre douleur, mais mes ministres m'ont retenu. Le bien du royaume ne me permet pas de faire plus
(pour l'Autriche) que je n'ai fait [65]. » Peut-être Marie-Antoinette ne
s'est-elle jamais sentie plus repoussée en marge que ces jours-ci. Accouche et tais-toi.

7/ octobre 1778
Tu t'immortalises à l'Opéra

L'ambiance ne se prêtait donc guère à une réception chaleureuse
pour Philippe de Chartres. Louis XVI pense davantage au Danube
qu'à l'Atlantique. Si encore le messager lui annonçait un triomphe!
Mais n'est-ce que cela? Une passe d'armes? « Notre victoire n'a pas
flatté infiniment le Roi, et encore moins M. de Sartines. Ils auraient
voulu que des vaisseaux ennemis eussent été pris et coulés au fond,
qu'on eût poursuivi les ennemis jusque dans leur retraite [66]. » « Le lendemain de l'arrivée du duc de Chartres, on a chanté un *Te Deum* à la
paroisse de la Cour. Beaucoup de gens se sont imaginés que c'était en
réjouissance de notre petite victoire navale. Ils ont eu tort, car on n'a
voulu que rendre grâce à Dieu de la grossesse de la Reine, parvenue
heureusement au cinquième mois [67]. »
   Versailles ne bouge donc pas. Mais il reste Paris. Là, ce sera autre
chose. Le même 2 août, à cinq heures du soir, Philippe arrive au
Palais-Royal, et ce Versailles des Orléans lui réserve enfin le triomphe
attendu. Un peu élaboré, sans doute. « Les cafés du Palais-Royal et
les Suisses de la porte * avaient envoyé le matin une lettre circulaire
dans toutes les maisons qui donnent sur le jardin pour les inviter à
illuminer de concert avec eux en l'honneur de M. le duc de Chartres [68]. »

---

* Les quelque cent portiers, au costume équivalent à celui des suisses
d'église, qui veillaient aux portes du Palais-Royal et servaient d'intermédiaires entre le peuple de Paris et la Maison d'Orléans.

Tout un peuple vit des Orléans, sur la rive droite, des « manouvriers »
et des vendeuses d'oublies * aux libraires, aux cafetiers, aux maquerelles et aux filles, aux tenanciers de maisons de jeu, sans compter les
mille et un parasites directement employés par la Maison. Ils avaient
tellement besoin d'applaudir enfin un de leurs princes pour quelque
chose! A sa descente de carrosse, on présente à Philippe le *Bulletin du
Parnasse*, la première gazette parisienne publiant des détails sur
l'affaire d'Ouessant. Elle grossit son rôle démesurément, elle dépeint
le *Saint-Esprit* luttant seul contre « sept gros vaisseaux ennemis »,
Chartres en péril de mort encourageant ses hommes... Il ne dément
pas. Il a tort; il prête le flanc — mais il est grisé par cet encens tant
attendu. « Le prince ne parvenait qu'à grand-peine à percer la foule qui
l'attendait et la cohue des courtisans qui encombraient le grand
escalier. Le peuple ne se dispersa que quand il se fut montré au balcon,
avec la duchesse, aux cris de — Vive le triomphateur [69]! » Est-ce de
sa faute si l'on joue *Orphée* le soir même à l'Opéra? Il n'a qu'une porte
à pousser en voisin pour apparaître dans sa loge. « Il y fut reçu avec
des applaudissements répétés tant de fois que l'on eut à peine le temps
d'entendre l'opéra. Le soir, pendant le souper de Leurs Altesses Séré-
nissimes, les musiciens de l'orchestre exécutèrent un concert où les
sieurs Larrivée, Gelin, Moreau, et toutes les demoiselles des chœurs,
chantèrent ce beau morceau *(sic)* de *Pyrame et Thisbé*:
    « Honorez un héros, digne sang de vos rois,
    Honorez un héros que la gloire couronne... »
Piqué au jeu, le parolier de Gluck, Moliné, ce « si gentil petit poète »,
improvise un couplet pour eux sur l'air du chœur de *Vertumne et
Pomone*:
    « Grand héros que la gloire guide,
    La France te revoit vainqueur...
    ... Nos plus beaux jours sont dus à ta valeur [70]. »
Ces improvisations vont désagréablement chatouiller le lendemain,
à Versailles, les oreilles du Roi et des princes de la branche aînée, qui
seront aussi blessées par le fracas du feu d'artifice tiré aux frais de la
comédienne Sophie Arnould sous les fenêtres de Philippe. « L'illumination fut des plus brillantes, et la promenade, toujours fort fréquentée
dans cette saison, attira ce soir-là plus de monde encore que de coutume... Son Altesse Sérénissime reçut tous ces hommages avec beaucoup de sensibilité, et voulut bien se laisser embrasser par toutes ces
demoiselles [71]. »
On lui laisserait volontiers les baisers, mais c'est l'afflux du peuple
qui inquiète. Le décalage n'est plus entre Brest et Versailles, mais
entre Versailles et Paris. Voilà un siècle et demi que la Cour de France
parvient à étouffer la capitale, en la réduisant aux fêtes et aux supplices, parallèlement à la castration permanente des Orléans. L'un
d'eux voudrait-il jouer son petit « roi de Paris »? Dieu sait ce qui

---

* Petites gaufres cylindriques. C'étaient les cornets de frites de ce
temps-là.

pourrait naître de cette conjonction-là *. « On blâme *(à Versailles)* le
jeune prince d'être venu rechercher l'adulation parisienne... On sent
bien que M. d'Orvilliers n'aura pas osé lui refuser la permission d'être
le porteur de la nouvelle [72]. » Alors Sartines intervient. Il est là pour
ça. Il a construit sa carrière sur quelques gestes semblables, en sortant
de l'ombre au bon moment pour rendre service au plus puissant **.
D'Orvilliers lui a fourni ses munitions. Il fait publier dans la *Gazette
de France* un « Extrait du Journal de l'Armée navale du Roi » qui
remet les choses au point, ou du moins au point de vue de la Cour et
des « officiers rouges ». Il s'agit d'un procédé exceptionnel : l'usage
interdisait de mentionner dans cette espèce de journal officieux les
faits et gestes des princes du sang avant de les consulter.

Cette publication insolite tire la première salve de la nouvelle guerre
entre le Roi et les Orléans. Elle atteint son but en déséquilibrant en
pleine ascension un jeune prince impulsif qui n'a pas su se montrer
modeste devant l'accueil des siens. La calomnie déchaîne son grand
air. A la contre-nouvelle s'ajoute une contre-chanson, douze à quinze
couplets, peut-être de Maurepas :

> « Chers badauds, courez à la fête,
> Pâmez-vous, criez à tue-tête :
> Brava ! Brava !
> Cette grande action de guerre
> Est telle qu'on n'en voit guère
> Qu'à l'Opéra...
> Grand prince, poursuis ta carrière,
> Franchis noblement la barrière
> De l'Opéra.
> Par de si rares entreprises
> A jamais tu t'immortalises
> A l'Opéra [73]. »

Gradation rapide : Chartres n'est d'abord accusé que de complaisance aux louanges. Puis de les avoir cherchées. On assure qu'il a
contraint d'Orvilliers à revenir à Brest dès le 29 juillet. Il ne rêvait plus
que de lauriers d'opéra. Mais savez-vous qu'il avait pourtant fait
avorter la bataille? Lisez donc la *Gazette de France*. Il a fait manœuvrer
son escadre de travers. Vergennes authentifie cette rumeur-là par
une lettre à son ambassadeur en Espagne : « Il est bien malheureux
que les vaisseaux de l'escadre de M. le duc de Chartres n'aient pas
aperçu ou compris le signal de M. le comte d'Orvilliers ; l'arrière-garde
ennemie aurait été coupée [74]. » Le mensonge de d'Orvilliers est devenu
la version du ministre. Le geste de courage de Philippe est devenu
maladresse. Et encore... avec quel mobile? Il reste deux ou trois degrés
à franchir, et nous en arrivons à la radieuse explication, celle qui

---

* Il en naîtra la monarchie de Juillet en 1830. Grâce à la conjonction du
peuple de Paris, de La Fayette et du fils de Philippe Égalité, provoquée
par la stupidité de Charles X... et l'intelligence de quelques banquiers.
** Sur Sartines et son rôle sous Louis XV, puis au début du règne de
Louis XVI, voir tome I, p. 59.

éclaircit tout, en soldant tous les comptes : la lâcheté. Si Philippe n'a pas vu les ordres de son « général », c'est qu'il ne voulait pas les voir. Parce qu'il avait peur d'aller au combat. Un Orléans lâche. Divine surprise. Cadeau du destin. On n'avait jamais pu les noircir de ce côté-là, parce que ces princes, si vulnérables par ailleurs, s'étaient toujours battus comme des lions. Pédérastes, jouisseurs, corrompus, sournois, avides, bornés, n'en jetez plus, mais braves à la guerre, nul ne le niait. On va enfin pouvoir le nier. Ce sera signé d'Orvilliers, Sartines, Maurepas, Vergennes — Louis XVI.

La calomnie va imprégner Versailles dès le 10 août, occuper Paris à partir du 15 et cerner le Palais-Royal, où les partisans du prince, prêts à le promener en triomphe au début du mois, seront obligés de le défendre à coups de libelles. Elle le poursuit à Brest, où il est revenu dès le 8 août dans l'espérance d'une autre bataille, mais où il se trouve entouré du respect glacé qu'on réserve aux gens atteints. Du 17 août au 18 septembre, il sera hors d'état de se défendre, puisque le *Saint-Esprit* reprend la mer avec « l'armée navale » pour une longue sortie vague et vaine « dans la saison des brumes et des coups de vent [75] ». Le 21 septembre, il trouve un Paris retourné.

Boudé par la plupart de ceux qui l'acclamaient moins de deux mois plus tôt, Philippe saisit des demi-sourires, il perçoit des chuchotements. Son beau-père, le « Grand Amiral », jaloux d'un gendre qui prétend naviguer, ne soutient pas sa querelle. On a soigneusement publié que « M. le duc de Penthièvre, au lieu d'aller à l'Opéra avec son gendre et sa fille, est allé à la paroisse Saint-Eustache pour remercier Dieu [76] ». Quelques amis du Palais-Royal, pourtant, persistent à contre-courant, notamment le comte de Genlis. Il était à ses côtés sur la dunette, il a vu sa bravoure, il le crie. De Brest, La Motte-Picquet fait chorus, avec la plupart des officiers. Ils laisseraient volontiers accuser Chartres d'étourderie, pas de couardise. C'est trop bête. Le chevalier d'Escars * (un familier du comte d'Artois, pourtant), envoyé par Louis XVI à Brest pour enquêter sur l'affaire et ramener si possible de quoi enfoncer Philippe) revient au contraire avec des rapports accablants pour d'Orvilliers. Il blanchit le duc de Chartres de tous les chefs d'accusation, y compris la fameuse manœuvre soi-disant manquée. C'est un honnête homme. Ses amis le houspillent :

« — Vous venez de faire bien mal votre cour, chevalier, en disculpant un prince que tous condamnent...

— Ma foi, que la Cour et la Ville réforment l'opinion de toute l'armée navale, de tout le corps de la marine... *(Il oubliait d'Orvilliers ; mais celui-ci jouait double jeu et n'accablait Philippe qu'en secret.)* Je n'ai été que l'écho de l'un et de l'autre [77]. »

Écho promptement étouffé : Chartres n'a pas voix à sa propre défense. Sartines, qui avait cependant attaché le grelot dans la *Gazette de France*, interdit de publier un rectificatif, pour ne pas compromettre la réputation de d'Orvilliers. « Le Roi fit entendre qu'il désirait qu'on

---

* Duc des Cars et ministre de Louis XVIII, sous la Restauration.

n'imprimât rien sur l'affaire d'Ouessant [78]. » Philippe se trouve coincé
entre une flotte condamnée à l'inanité par son « général », et une opinion qui le ridiculise. Il s'en tire par une fuite en avant. Un abandon,
bien dans son style velléitaire. Le seul acte positif de sa vie risque de
briser sa carrière. On a réussi à le dégoûter de la mer. Il capitule. Il
écrit en octobre à Louis XVI une lettre amère et digne. « Pour avoir
voulu servir Votre Majesté sur mer, je vois compromis l'estime de mon
beau-père, le sort de mes enfants, le bonheur de ma femme, ma gloire,
ma réputation [79]. » Il demande à quitter la marine et à passer dans
l'armée de terre. Pour y commander à un poste digne de son rang, il
postule la création en sa faveur du poste de colonel-général des troupes
légères.

Allégresse à la Cour. Mais comment donc! Louis XVI signe des deux
mains. C'est un hochet, comme on en invente chaque année pour
flatter tel ou tel. Une place honorifique, sans débouché sur une action,
donc sur une popularité réelle. Qu'il s'y fasse honorer, oublier, enterrer.
On va pouvoir l'appeler « le colonel-général des têtes légères ». On sait
bien quels bataillons lui sont abandonnés. Quand il réapparaît à l'Opéra, où nul ne l'applaudit plus, « on a eu la méchanceté d'observer que
le duc de Chartres, ayant à peine dit quelques mots à la duchesse son
adorable épouse, était sorti de sa loge pour aller papillonner de loge
en loge, et ensuite se fixer dans celle du prince de Soubise, toujours
remplie de danseuses et autres nymphes de son sérail [80] ». Le voilà
bien loin des rochers d'Ouessant. Il est rentré dans l'ordre; dans leur
ordre. Au bercail. A la niche des princes : une loge à l'Opéra. La
bataille d'Ouessant n'a peut-être pas été une victoire sur les Anglais,
mais elle aura permis d'étrangler un Orléans. Un de plus.

8/ octobre 1778
Ce qui de moi fut estimable

Un cri déchirant parvient à Maurepas en novembre 1778. C'est
Mirabeau-le-désespéré qui implore du fond de sa geôle : « Les événements politiques survenus depuis ma détention exigent certainement
qu'on envoie des troupes en Amérique, peut-être aux Indes. Je vous
supplie de me faire passer dans l'un ou l'autre de ces pays. On n'a
jamais trop d'hommes dans ces contrées si destructives, et je vaux bien
un soldat [81]. » Il est enfermé au donjon de Vincennes depuis le 7 juin
1777 *. Voilà encore un homme en mal d'exister, quitte à en mourir.

---

* Sur les circonstances de son internement, voir tome I, p. 501. Pour
l'arrestation de Sade, voir tome I, p. 420.

Mais monsieur de Maurepas ne lui répondra rien. « Les ministres, aujourd'hui, sont des murs », écrit la marquise de Sade à son mari, le cousin de Mirabeau, qui est enfermé à quelques chambres de lui sans le savoir et hurle de son côté : « Quand me sortira-t-on, grand Dieu! du tombeau où l'on m'a englouti tout vivant?... Je n'ai ici pour moi que mes larmes et mes cris; mais qui que ce soit ne les entend [82]. » Parce qu'on ne veut pas les entendre. Il n'est pire sourd... « Les malheureux ont toujours tort, écrit Mirabeau à Sophie de Monnier. Tort de l'être, tort de le dire, tort d'avoir besoin des autres et de ne pouvoir les servir [83]. » Le Roi serait importuné d'apprendre que les hôtes forcés qu'il héberge en ses châteaux poussent l'ingratitude jusqu'à se plaindre. « Les grands et les princes sont des enfants menteurs qui disent à ceux qui ont des yeux : Ne voyez point!... Dites-nous des choses qui nous plaisent *. »

Le Roi et ses ministres ne sont pas les seuls à refuser d'entendre les plaintes de Gabriel-Honoré **. Il y a aussi sa femme, Émilie de Covet-Marignane, comtesse — ô si peu — de Mirabeau. L'adultère public de son mari avec Sophie lui a donné le beau rôle. Et son tempérament la conduit à l'oubli. En retournant chez son père, à Marignane, elle a mis deux cents lieues entre elle et son mari. Mais elle s'est éloignée de beaucoup plus : tous les déserts de la rupture. Il est difficile en 1778 de réaliser qu'ils vivaient ensemble quatre ans plus tôt.

Elle n'avait pourtant pas quitté de bon cœur le Bignon, dont la petite société aristocratique et champêtre lui plaisait ***. Et puis la proximité de Paris... Mais l'Ami des Hommes avait fini par la prendre en grippe. Il n'aimait pas les femmes-oiseaux, et, sans l'avouer, lui en voulait de ne pas défendre davantage, même auprès de lui, cet époux contre lequel il s'acharnait paternellement. Le jour de la séparation, il n'avait pas caché son soulagement. « La comtesse est enfin partie hier... Elle s'est enlacée dans ses propres lacs, voulant à droite, ne voulant plus à gauche, mais dans le fait désespérée de partir de ce pays-ci, et jouant toutes les petites fourberies de son sexe, de maladie, etc., pour être retenue... Quand je redeviendrai chaperon de jeune femme, il fera beau [84]. »

Elle s'était bien vite réadaptée à son petit royaume provençal où elle retrouvait un nid douillet de fille unique, en situation de presque veuve, à peu de choses près maîtresse d'elle-même. Son père lui passait tout; c'était de lui qu'elle tenait son inconsistance. « Je ne nie pas qu'il n'ait quelque chose de noble qui pendille comme le psautier de l'abbesse, faute de savoir où se prendre, ne trouvant point de caractère aucun... Ce n'est ni le commencement, ni le milieu, ni la fin d'un homme ****. »

---

* Extrait du psaume CVIII, cité par Mirabeau dans Des lettres de cachet, p. 34.
** Gabriel pour Sophie de Monnier; Honoré pour les autres.
*** Sur l'arrivée d'Émilie au Bignon et la vie qu'y menait le marquis de Mirabeau, dit « l'Ami des Hommes », père de Gabriel, voir tome I, p. 127.
**** Selon le marquis de Mirabeau, dans une de ses ineffables lettres à son frère, le bailli. Le psautier est un gros chapelet monastique.

Émilie pouvait se féliciter d'être revenue dans son giron : en Hollande,
Mirabeau avait fait courir un mémoire révélant qu'elle l'avait trompé
la première, avec le petit Gassaud. En bon mâle, l'Ami des Hommes
avait fait comprendre à sa bru qu'il l'en blâmait, sans pour cela cesser
d'accabler le fugitif. Chez elle, nul ne songait à lui en faire grief. Beaucoup de jeunes gens aspiraient à la succession de Gassaud : Émilie
n'avait que vingt-six ans. Au Bignon, le ton de ses lettres commençait
à choquer, quand elle se décrivait « entourée de nouveaux mariés et
de jeunes gens à marier... Vous sentez que tout ce monde ne respire
que la joie. En conséquence, il a fallu faire des courses à cheval sans
nombre, danser, jouer des proverbes et s'amuser [85]... » L'été la trouvait
papillonnant de château en château, au pied des Alpes de Provence :
Tourves, Tourrette, Vence — et le Tholonet quand elle veut se rapprocher d'Aix ou de Marseille.

Mirabeau est cloué, en marge de Paris, comme un autre gros papillon
frémissant, au second étage du donjon de Vincennes, là où logeait
Isabeau de Bavière pour s'y débaucher en paix, quatre cents ans plus
tôt. Le décor n'a guère changé depuis, mais ce qui était confort pour
la reine des années 1350 est devenu géhenne pour les nobles prisonniers
du XVIIIe siècle. Le jour où il a gravi près de la moitié des deux cent
trente-sept marches « d'un escalier tortueux, étroit, escarpé, ... éclairé
par la faible lueur d'une lampe vraiment sépulcrale, en apercevant
partout des verrous et des barres », Gabriel a eu l'impression de
conduire son propre enterrement, suivi par les fantômes des gens
célèbres qu'on avait enfermés par ici : le roi de Navarre qui allait
devenir Henri IV, puis les deux Vendôme, ses bâtards, et Beaufort,
« le roi des halles », et le cardinal de Retz, et le grand Condé, un Conti,
un Longueville, et Fouquet pour sa fortune, et madame Guyon pour
sa piété, et Diderot pour son impiété. Mirabeau ne déroge pas. C'est
sa seule consolation de mourir tout vivant. Il décrit minutieusement,
non sans fierté, cette haute tour * « si solidement bâtie qu'elle ne porte
pas encore la moindre marque de vétusté, il faudrait du canon de
batterie, et du plus gros calibre, pour y faire brèche [86], les fossés,
profonds de quarante pieds, larges de vingt pas, les murs épais de
seize pieds, les voûtes de trente », le dispositif compliqué des portes qui
barrent le seul accès aux salles : « chacune, armée de deux serrures, de
trois verrous, s'ouvre en travers de celle qui la suit, de sorte que la
seconde barre la première et la troisième la seconde. » L'accablement
gagne sur la fierté à mesure qu'il en vient aux « vitres obscures qui
laissent passer quelques faibles rayons de lumière », et « aux barreaux
croisés qui se traversent et qu'il est impossible d'atteindre ». « Le
malheureux arrive enfin dans son repaire : il y trouve un grabat,
deux chaises de paille et souvent de bois, un pot presque toujours
ébréché, une table enduite de graisse. Et quoi encore? Rien [87]. » C'était

---

* 52 mètres de hauteur.

la sixième prison de Mirabeau *. Il semble qu'elle lui a enfin fait découvrir LA prison.

Émilie a donné sa préférence au château du Tholonet **, qu'elle place au centre de plus en plus serré de ses gracieuses évolutions. Un domaine immense, tout vert de pins et de chênes-lièges, comme un grand étang de verdure entouré de roches brûlantes. Un corps de bâtiment principal biscornu, sans style, mais commode : douze appartements de trois pièces, entassés à la va-comme-je-te-pousse, hébergent les invités qui se retrouvent aux salons, dans la salle d'armes et dans les grands appartements des propriétaires, le marquis de Galliffet, prince de Martigues, et son fils, le comte ***, deux hommes absorbés par la tâche harassante de dépenser cinq cent mille livres de revenus annuels **** procurés par les Nègres déportés sur leurs plantations de Saint-Domingue. On est à deux lieues seulement à l'est d'Aix, d'où Émilie vient en une heure en calèche, par la route de Saint-Maximin. Elle tourne à droite dans une longue avenue ombragée de grands ormes, « dont la courbe se déroule noblement à travers un gracieux vallon qu'un fin ruisseau égaie et rafraîchit [88] ». Au fond du parc, elle trouve une cascade et des ruines romaines, sophistiquées, au goût du jour. Défendue par une grille superbe, l'immense cour pavée : à droite la chapelle (pour les domestiques) ; à gauche, tout frais, tout neuf (pour les gentilshommes) le théâtre-joujou. Descendant le perron, les bras tendus vers Émilie, celui qui l'a fait construire : le comte Louis-François-Alexandre de Galliffet, trente ans, « homme de belles manières, danseur accompli, entiché de représentation [89] ». L'élu. Cette jeune femme semble avoir tendance à collectionner les mousquetaires. Après Gassaud, Galliffet. Il est vrai que celui-ci n'a plus le droit de porter le titre. Les mousquetaires n'existent plus : le comte de Saint-Germain les a supprimés dans une de ses crises de réformite. La Maison du Roi ne comporte plus que des gardes du corps (nobles), des gardes-françaises et la garde suisse. Galliffet n'a pas à se plaindre : il a été réformé, à vingt-six ans, avec une pension — en cas de malheur, sans doute ? Il était en compétition avec un autre nécessiteux, le comte de Valbelle, qui avait recréé des fastes médiévaux dans son château de Tourves où se tenait une cour d'amour dont le sceptre passait d'une blanche main, à l'autre, trop vite au gré d'Émilie ; elle aspirait à une souveraineté durable *****. Galliffet l'avait emporté en lui offrant en gage le beau

---

* Après le fort de Ré, le château d'If, le fort de Joux, le château de Dijon et le Veerbeterhuis d'Amsterdam.
** Qui existe encore et peut se visiter aujourd'hui, à 8 km d'Aix, par la D. 17. On y donne en été un festival, en liaison avec celui d'Aix-en-Provence, dans la fameuse cour pavée.
*** Le célèbre général, grand massacreur des communards, descendra d'une branche cadette de cette famille.
**** Deux millions et demi de francs lourds.
***** Tenues surtout dans les pays de langue d'oc du XIIe au XVe siècle, les cours d'amour étaient des sortes de tribunaux de casuistique galante dont le juge suprême, toujours une châtelaine, tranchait des problèmes

théâtre du Tholonet où il a embauché des acteurs professionnels pour
donner la réplique à Émilie, mais surtout pour la faire mousser en
lui permettant d'éclipser ses amies toutes un peu fofolles, la marquise
de Clapiers, madame de Boisgelin, les comtesses de Grasse ou du Baus-
set. Elle joue la comédie deux fois la semaine. On l'admire. On l'applaudit. Elle est enfin la reine d'une cour d'amour, dont elle a toute l'obligation à Galliffet. En vertu de quoi se serait-elle montrée ingrate? Le
« code d'amour courtois » rédigé d'après les jugements des assemblées galantes au XIIIe siècle, et devenu la jurisprudence de ces dames,
rappelle qu'on y disputait pour savoir si l'amour peut exister entre
époux légitimes, et que la cour d'amour de Champagne avait répondu
par la négative [90].

Tous les aliments de Mirabeau à Vincennes « sont horriblement
dégoûtants, et par cela même malsains... Du veau racorni, du mouton
coriace, du bœuf recuit ou à demi-cru s'il n'a fourni qu'une fois de
bouillon; voilà la continuelle nourriture des prisonniers, si vous en
exceptez les jeudis où l'on donne de la pâtisserie, qui, grâce à la paresse
des valets, n'est jamais cuite. Ces viandes desséchées et mal choisies
sont toujours noyées dans une quantité de légumes et de sauce non liée
et dépourvue d'assaisonnement... L'aspect seul des sauces soulève le
cœur... Les trois quarts de la semaine, ce sont des morceaux de collier
de bœuf qu'on donne pour bouilli aux prisonniers, et, toutes les
semaines, l'entrée d'un certain jour est de foie de bœuf noyé dans des
oignons, et celle d'un autre des tripes... Je ne parle point de la nourriture en maigre *. On sait que l'accommodage y est plus nécessaire
encore qu'en gras. Ce sont des légumes, des harengs, de la raie... Le
vin n'est pas potable [91]. »

Après un an et demi de ce régime, il n'en peut plus. « Ma santé n'est
pas bonne. Ma situation est trop violente, surtout pour mon âge et
mon tempérament physique et moral, pour que je n'en souffre pas.
L'âme use son enveloppe. » Il est secoué par des coliques néphrétiques
et des hémorragies nasales, mais le plus grave est qu'il devient aveugle,
ou du moins le craint sérieusement. « Il est dur d'être forcé de prendre
des lunettes avant vingt-neuf ans. Mais il est plus dur encore de ne
voir qu'à travers un torrent de points noirs, avant-coureurs prochains
et presque infaillibles de la cécité. Je l'avoue, je n'envisage pas tranquillement la perte de la vue [92] », même si elle ne lui permet de lire
« qu'un petit nombre de volumes souvent dépareillés que prête un
vieux père jésuite. Il est défendu de montrer la liste de ces livres; il
faut que le prisonnier nomme au hasard [93]. » La condescendance du
lieutenant de police lui a au moins procuré de l'encre, une plume et
du papier. « Ma tête est d'autant plus active que tout le feu de mon

---

de courtoisie amoureuse ou même amicale entre barons, poètes et précieuses, au cours d'une sorte de fête permanente. Il s'agit ici d'une reconstitution, comme les bals où l'on s'habillait à la Henri III.
* Cent vingt à cent trente jours par an, en comptant le carême, les ven-
dredis, les quatre-temps et les vigiles des fêtes du Christ ou de la Vierge.

cœur est concentré et ne peut s'exhaler, que mes sens fougueux et presque indomptables sont enchaînés et n'ont aucune pâture. De sorte que le travail est l'unique moyen que j'aie de donner le change à la foule de sentiments et de sensations qui m'agitent... Tout ce que je fais est trop au-dessous de mes sujets, de mes idées et de mes vues, et le peu de bonnes choses que je produis sont achetées aux dépens de mon existence... Il est cruel de se dire : *E fornito il mio tempo a mezzo gli anni* *, mais c'est mon sort. Ma carrière est fournie à l'âge où les autres hommes la commencent. La nature m'avait accordé de quoi en parcourir une plus étendue et plus élevée; mais si l'infortune élève les âmes fortes, elle abat le génie [94]. »

Il utilise quand même les armes qu'on lui a laissées. L'épée, c'est pour La Fayette; la plume pour Mirabeau. « Je me moque de ma naissance et de tous les hommes de qualité du monde. Je n'en connais pas un qui vaille les grands écrivains qui ont gagné leur vie avec leur plume [95]. » « Sans livres, je serais bientôt mort ou fou [96]. » « J'écris donc, ou je lis quatorze ou quinze heures par jour [97]. »

Qu'écrit-il? Des lettres à Sophie, brûlantes, rabâcheuses, dominatrices, gnan-gnan. Un très long *Mémoire à son père* qui, au-delà d'un plaidoyer, esquisse une autobiographie dans laquelle puiseront les historiens. Des traductions d'Homère, d'Ovide, de Tacite. Un traité de la langue française. Un projet d'aménagement et d'embellissement de Paris, pour lequel il réclame des trottoirs et des adductions d'eau. « Il faut s'occuper de ceux qui ne peuvent pas travailler... Les vrais pauvres de la capitale sont ceux qu'on ne voit pas. Croit-on que les commissaires de quartier entrent dans ces labyrinthes de douleur?... J'ai toujours cru et je croirai toujours que l'indifférence pour l'injustice est trahison et lâcheté [98]. » Mais son ouvrage principal de 1778, pour la signification, sinon pour la valeur, c'est *Des Lettres de cachet et des Prisons d'État*, le troisième livre révolutionnaire de sa vie, après l'*Essai sur le despotisme* et l'*Avis aux Hessois* **.

Un fatras informe, ni fait, ni à faire, une structure improvisée à mesure, deux parties mal équilibrées, un perpétuel retour sur soi-même. Le contraire d'un grand livre. Mirabeau y confirme qu'il n'est pas un écrivain — et le régime de la prison a bon dos. Un aspect de sa dépression vient de ce qu'il ne parvient pas, de ce point de vue, à égaler son père; il a trop de sens critique pour ne pas s'en apercevoir. De nombreux chapitres de cet ouvrage d'ailleurs court (235 pages in-8 en gros caractères) sont consacrés à régler son compte au gouverneur du donjon, M. de Rougemont, qui faisait danser l'anse du panier et s'effarouchait de toute exception à la règle — mais il était mis là pour

---

* « J'ai rempli mon temps dès le milieu de ma vie. »
** Pour l'*Essai*, voir tome I, p. 128 et pour l'*Avis*, p. 473. *Des Lettres de cachet* sera édité par Fauche à Neuchâtel en 1782, avec le sous-titre : « ouvrage posthume, composé en 1778 », sans signature, et fictivement imprimé à Hambourg. Il est curieux d'observer que Mirabeau, qui était réellement mal traité par le gouverneur de Vincennes, a pu impunément, par privilège nobiliaire, conserver ce brûlot dans sa cellule et l'emporter dans ses bagages.

ça. Mirabeau le hausse au rang de Croquemitaine, à force de cristalliser ses rancunes sur lui. L'expression d'une grande cause dévie sur un petit homme. Reste une rafale de cris poignants et une tentative de réquisitoire documenté contre l'abus croissant du bon plaisir royal en France, opposé à l'*habeas corpus* et aux droits imprescriptibles du citoyen anglais. L'*Essai sur le despotisme* demeurait dans les généralités, et pouvait s'appliquer à n'importe quel tyran. *Des Lettres de cachet* vise une cible aussi précise que le poignard de Damiens : le régime de Louis XVI. « Comme si TOUT, sans exception, n'était pas permis à l'homme pour rompre ses chaînes! » Certaines phrases comme celle-ci sont écrites avec du sang. Elles ont le frémissement du témoignage. Ce livre raté garde le cachet du vécu. D'où l'autorité des propos où la querelle judiciaire fonde la revendication politique. Le personnage historique de Mirabeau naît au détour d'une page, quand il affirme que « la loi, pour être juste, légitime, obligatoire, enfin vraiment loi, doit avoir le sceau d'un consentement libre et général », et qu'il réclame rien moins que des assemblées populaires : « Dans tout État où les citoyens ne participent point au pouvoir de la législation par la délégation d'un corps de représentants librement élus par la plus grande partie de la nation *, et sujets au contrôle de leurs constituants, il n'y a point, il ne saurait y avoir de la liberté publique [99]. »

Des Lettres de cachet : un geste plus qu'un livre. Le seul acte politique possible à un prisonnier.

Et comme s'il voulait lui conférer une solennité exceptionnelle, Gabriel-Honoré avait entrepris cet ouvrage pour son fils. Pas pour Sophie. Laissons de côté ces femmes adorables et encombrantes. Restons entre Mirabeau. « Et vous, mon fils, que je n'ai point embrassé depuis le berceau, vous dont j'arrosai de larmes les lèvres agonissantes *(sic)*, le jour même où je fus arrêté **, avec un serrement de cœur qui m'annonçait que je ne vous reverrais pas, j'ai peu de droits sur votre tendresse, puisque je n'ai rien fait pour votre éducation, ni pour votre bonheur... Vous ne savez pas si j'aurais été un bon père... Quand vous lirez ceci, je ne serai probablement plus, mais vous trouverez dans cet ouvrage ce qui de moi fut estimable : mon amour pour la vérité et la justice, ma haine pour l'adulation et la tyrannie. O mon fils, gardez-vous des défauts de votre père, et que ses fautes vous servent de leçons... Mais imitez son courage. Jurez une guerre éternelle au despotisme. Ah! si vous devez jamais être capable de le ménager, de le flatter, de l'invoquer, de le servir, puisse la mort vous moissonner avant l'âge! Oui, c'est d'une voix ferme que je profère ce vœu terrible [100]. »

D'après Mirabeau, ces lignes ont été rédigées pendant l'été de 1778, donc *avant*. S'il les a écrites *après*, quel procédé putain! Impossible de

---

* Et non « toute la nation ». La restriction patricienne élimine encore les non-possédants du suffrage. Le terme de *constituants* n'en est pas moins frappant.
** À Manosque, le 18 septembre 1774, après 'lalgarade de Grasse. Voir tome I, p. 128. Le petit Victor de Mirabeau avait alors onze mois.

savoir. Toujours est-il qu'il ajoute en note, comme un post-scriptum, au bas de cette grande envolée : « Il n'était déjà plus, mon enfant, lorsque je lui destinais cet ouvrage! Et je ne le savais pas! Et la première nouvelle que j'ai apprise de mon fils a été celle de sa'mort [101]! » Le dernier des Mirabeau meurt le 8 octobre 1778.

On avait bien oublié qu'ils avaient un fils. Un seul être au monde parmi leurs proches mettait le petit Victor au premier rang de ses soucis : c'était son grand-père, l'Ami des Hommes, mais seulement en raison de sa « postéromanie ». Cet enfant demeurait le seul héritier du nom. Boniface, le cadet d'Honoré, semblait avoir eu sa virilité absorbée par la graisse. D'où l'apparition d'un plan à longue échéance, en filigrane dans la persécution du marquis de Mirabeau contre son fils aîné. Il n'a jamais considéré celui-ci que comme un géniteur indispensable. Dès qu'il a légalement procréé, son père l'accable, et le ferait étrangler si l'on était en Turquie. D'ailleurs, Vincennes, c'est presque ça. Seul compte l'enfant, qui n'a pas une trop grosse tête, lui, et que l'Ami des Hommes va pouvoir élever en « œconomiste » et modeler à son image. Il lui fallait donc ménager, et, si possible, confisquer sa belle-fille, la génitrice, pour l'utiliser en nourrice obéissante. Mais elle ne marche pas. Elle tend à une vie personnelle, prend des amants, et laisse entendre qu'il lui serait bien agréable de pouvoir se remarier. La voilà devenue rebelle à son tour. On la renvoie chez son père, mais avec ménagements, car on se prépare à récupérer le petit Victor — que le marquis n'a jamais vu — et à l'élever en serre au Bignon.

Biographie d'un fétu : Victor-Gabriel-Emmanuel de Mirabeau * était né à Marignane, un autre 8 octobre, en 1773. Six mois plus tard, à Manosque, c'était déjà la famille de Gassaud, l'amant de sa mère, qui s'occupait de lui, pendant que ses parents se déchiraient ou faisaient l'amour pour passer le temps. Les Gassaud l'avaient gardé, une fois le père au château d'If et la mère au Bignon. On l'appelait *Gogo*. Il était attachant. Il montrait, paraît-il, cette gravité précoce dont on fait un signe après une mort prématurée. Son père n'avait connu qu'un petit être balbutiant, et ne s'était guère soucié de lui pendant ses aventures. Sa mère l'avait récupéré comme un jouet, à son départ du Bignon. « J'ai trouvé mon enfant à peu près tel que je le désirais, c'est-à-dire gros, gras, même grand pour son âge *(trois ans)*, robuste et de très bon appétit... Il est très doux, il aime tous ses entours, et même toutes les petites filles de Manosque, quelque crottées qu'elles soient. Il n'y est pas du tout difficile, quoiqu'il soit fort propre pour lui-même, et qu'il se lave les mains toutes les fois qu'il s'en souvient. Il veut bien n'en pas exiger autant de ses petites maîtresses (c'est ainsi qu'il les appelle) ; et je vous assure que rien ne m'a divertie comme de lui voir

---

* Les prénoms marquaient les enfants du signe de la domination familiale (dans tous les milieux) comme le fer rouge des galériens sur l'épaule. Victor, c'est le grand-père paternel; Emmanuel, le grand-père maternel. Gabriel, en sandwich entre les deux, c'est le père.

leur donner respectueusement le bras à la promenade. Pour moi, il me reçut froidement [102]. » Comment aurait-il compris qu'elle était sa mère? Émilie n'avait été qu'une grande dame de plus parmi celles qui lui faisaient guili-guili et l'entraînaient d'un château l'autre. Il aimait bien le Tholonet, parce qu'il « s'essayait à faire les beaux bras sur la scène, toutes les fois qu'il pouvait y grimper avec la petite de Galliffet ». On lui faisait jouer des rôlets. On ne lui parlait jamais de son père. On le préparait à l'idée d'aller faire au Bignon la connaissance de son grand-père. Et l'on commençait à se montrer les crocs, de Provence au Gâtinais, entre les Marignane et les Mirabeau, en préparant une belle bataille pour la gestion des énormes « biens » qui s'accumulaient sur sa petite tête. Peine perdue : il tombe malade au printemps de 1778.

Langueur; fièvre; impossible d'en savoir plus. Les lettres d'Émilie au marquis et à Caroline du Saillant * ne sont remplies que de sa propre souffrance. On se demande s'il y avait pas un médecin au Tholonet, et si Victor n'est pas mort par une sorte d'incompatibilité avec la vie. Il avait beaucoup mûri depuis un an. « Il riait peu, et ne savait pas comment l'on faisait quelque chose de déraisonnable. Il ne revenait pas d'étonnement quand il me voyait rire mal à propos en polissonnant. Dans le commencement de sa maladie, il s'aperçut qu'une des femmes qui étaient auprès de lui riait. Il crut que c'était de lui, et lui dit :

« — Voilà bien de quoi rire, de voir un enfant malade.

« ... Il avait une Bible qu'il aimait comme les autres enfants aiment leurs joujoux [103]. » Sa mère se désolait à la perspective d'annuler la grande fête prévue pour le cinquième anniversaire du petit malade. Elle devait en être la vedette. Elle répétait un premier rôle depuis des semaines en vue de ce jour-là. L'enfant a fait de son mieux pour la convaincre qu'il guérissait. Au matin du 8 octobre, « il ne courait plus aucun danger ». Au soir, il dormait. On allume les bougies. Émilie, costumée, parée, entre en scène sous les applaudissements. Mais au premier baisser du rideau, on vient l'informer que Victor est pris « de convulsions ». Elle hésite à changer de costume pour aller à lui. Les spectateurs la réclament galamment. Second messager. L'enfant est mort. Elle s'évanouit. On l'emporte, dans les habits de « la Belle Arsène ». « La vie m'est devenue insupportable depuis que j'ai perdu tout ce qui s'y attachait... Jamais mes larmes ne tariront sur mon pauvre enfant. Je ne vivais plus que pour lui et par lui. Je ne fais plus que végéter depuis qu'il est mort [104]. » Il n'y a pas un mot dans ses lettres relatif au père de Victor; on pourrait prendre le pauvre petit pour le fruit d'une parthénogénèse. Émilie remontera sur les planches au Tholonet moins d'un an plus tard.

L'Ami des Hommes est secoué plus profondément. Par déception bien plus que par chagrin. Il s'agissait pour lui d'un enfant abstrait. Mais enfin qui l'aurait cru capable d'un accent d'émotion? « Je reçois la nouvelle de la mort de notre enfant, le dernier espoir de notre nom... Après avoir tout supporté, je croyais à ma force. Dieu a voulu me

---

* L'une des sœurs de Mirabeau.

détromper. Je n'ai pas pu m'empêcher de lui demander avec plus de sanglots que je n'en laissai percer en toute ma vie, ou de me juger sur l'heure même, ou de me donner une contre-conscience *(sic)* qui m'éclairât sur les délits par lesquels j'ai mérité un entassement sans exemple de malheurs [105]. »

Son fils avait « mérité » les siens avant d'avoir l'âge d'homme. On ne lui délivre la nouvelle qu'à la mi-novembre. Il en souffre comme il faut, ni trop ni trop peu. Une souffrance glacée. Cet enfant d'un mariage arrangé, son atout, son otage devenu l'otage des autres, devenait, par sa mort, un argument de la querelle. De Mirabeau à son père, au donjon de Vincennes, le 16 novembre 1778 : « J'aimais mon fils, Monsieur, ainsi je devais le perdre. Ce malheur comble à peu près la mesure des miens [106]. » Il se trompe, ou il fait semblant. C'est la première bonne nouvelle qu'il reçoit depuis son internement. Tant que Victor vivait, les Marignane et les Mirabeau pouvaient poursuivre leur partie de saute-mouton par-dessus le dos du captif; personne n'avait plus besoin de lui, sauf Sophie bien sûr, mais dans un autre domaine que celui de la famille et des intérêts. Sur une autre planète.

Elle est en prison-couvent, Sophie. Elle a vécu les sept derniers mois de sa grossesse dans une captivité aux conditions presque pires que celles de Gabriel, à la « pension » de mademoiselle Douai, près du Mesnil-Montant. Après l'accouchement, elle a été transférée sur les bords de la Loire, chez les sœurs des Saintes-Claires de Gien. On lui a naturellement arraché la petite fille née le 7 janvier 1778, et baptisée à regret des prénoms de leur péché, Gabriel-Sophie. Mais l'enfant adultérine est encore plus maudite quand elle est fille. Sophie se sent honteuse de n'avoir donné qu'un demi-enfant à Gabriel. Elle lui fait parvenir des lettres tâtonnantes comme les mains d'un aveugle autour d'une douleur qu'elle ne parvient pas à cerner et qui lui fait peur.

Elle a raison de craindre. Ils ont de nouveau besoin du seul homme capable de prolonger la race des Mirabeau. A condition de laisser tomber Sophie. Et Gabriel est trop avisé pour ne pas en prendre conscience. La mort de son fils entrouvre les portes de son cachot, mais ferme devant Sophie les dernières issues.

9/ octobre 1778
Je me suis rendu maître de moi

Qu'importe la mort de l'enfant d'un maudit? Victor de Mirabeau n'aura été qu'une des millions de chances mort-nées de l'Histoire. La France, l'Europe, les Amériques attendent la naissance du siècle. La délivrance de Marie-Antoinette est prévue pour décembre. Certains croient encore que l'apparition d'un dauphin pourrait changer la face du monde. Et après tout, celle de Louis XIV, le tant attendu, ne remonte qu'à cent trente-cinq ans. Quelle figure aurait eu le monde sans lui?

L'abbé François-Gabriel Secrée de Penvern, curé de Saint-Étienne-du-Mont, sur la montagne Sainte-Geneviève, prononce le 27 septembre 1778 un panégyrique des saints Côme et Damien, les deux jumeaux martyrs sous Dioclétien, patrons de la médecine et de la chirurgie. Le prédicateur leur attribue les progrès, foudroyants selon lui, de ces deux sciences. « A qui devons-nous tout cela, messieurs? A qui! Cela se demande-t-il? A la bénédiction, à l'invocation, à la protection de nos saints jumeaux, de nos astres étincelants d'une lumière incorruptible... »

Puissent-ils maintenant guider, du paradis, les accoucheurs de la Reine. « Grâces au ciel, elle est jeune, elle est bien faite, et d'une famille, d'ailleurs, où l'on accouche aisément. Il faut espérer que saint Côme et saint Damien la préserveront des douleurs d'une si grande opération. C'est au nom de ces deux jumeaux que nous adressons nos prières à Dieu pour l'heureuse délivrance de notre jeune reine [107]. »

Même les « prétendus réformés » prient pour elle dans les temples qu'on veut bien leur laisser; même les juifs : le rabbin Mardochée Venturi, chef de la congrégation des israélites avignonnais réfugiés à Paris depuis leur persécution dans les États du pape, possède l'avantage sur ses homologues chrétiens de pouvoir prier pour que l'enfant attendu soit un mâle, puisque sa théologie ne l'oblige pas à croire, comme les autres, que le sexe est déjà formé dans l'embryon [108].

Marie-Antoinette les appuie de son mieux auprès du Bon Dieu. « Cette princesse a non seulement fait délivrer des prisons de Paris beaucoup de pauvres pères détenus faute de paiement des mois de nourrice de leurs enfants, mais elle a dit :

— Si le ciel me fait la grâce d'accoucher heureusement, je ferai en sorte qu'il n'y ait plus de ces malheureux [109]. » Et à M. de Lassone, son premier médecin : « Puisque Dieu, à ce qu'il paraît, m'accorde la grâce que j'ai tant désirée, je veux désormais vivre tout autrement que je n'ai fait. Je veux vivre en mère, nourrir mon enfant et me consacrer à son éducation [110]. »

Le choix de l'accoucheur est une affaire d'État. Il fonde une carrière pour le restant des jours de l'homme désigné, le sieur Vermond, finalement, frère comme par hasard de l'abbé de Vermond *, « par préférence aux sieurs Levret, Andouillet et Milot, accoucheurs de Paris et de la Cour. Le Roi a désapprouvé ce choix *(pourquoi? parce que c'est un homme du parti autrichien?)*, mais il s'est borné à dire :

— Je ne veux pas voir cet homme-là [111]. »

A peine élu, Vermond est enseveli sous les ragots. C'est un « homme

---

* « Lecteur » placé par Marie-Thérèse auprès de sa fille, pour la conseiller et l'espionner.

du commun ». Il a osé dire à la Reine, qui se trouvait trop grosse, qu'elle était « naturellement ventrue et tétonnière [112] », ce qui est la stricte vérité, et lui confère d'ailleurs une partie de son charme un peu lourd. A-t-on idée! S'il rate l'accouchement, on ne le ratera pas. « Il y a trois cents femmes de divers endroits qui se mettent sur les rangs pour être nommées nourrices de l'enfant royal [113] », en dépit des vagues intentions de sa mère, que tout le monde est d'accord pour décourager finalement d'allaiter. Trop de grandes dames seraient astreintes à l'imiter. En attendant, l'imagination générale se donne libre cours pour faire oublier la grossesse et la Bavière à Marie-Antoinette. La Cour passe le début de l'automne à Marly, où les « jeunes » peuvent donner le ton, par opposition aux douairières encore influentes à Versailles. « Dans les derniers jours (de Marly), la Reine avait établi une espèce de café *, où les seigneurs et les dames se rendaient le matin en chenille ** ; toute étiquette en était bannie. Chacun y était avec la liberté accoutumée dans cette sorte de maison. On se mettait à une petite table, et on se faisait servir ce qu'on voulait [114]. » Même à Versailles, après des journées de chaleur écrasante, la Reine et ses dames avaient été se promener ,« à la fraîche », sur les terrasses illuminées, en simples robes de mousseline blanche. Elles s'étaient mêlées aux gardes et aux promeneurs, qui avaient parfois accès au parc. Le ton du règne change, et certains courtisans attardés croient assister à la fin du monde parce que leur monde vacille. Mais on ne critiquait plus qu'à voix basse cette reine enfin féconde.

Même le comte de Provence faisait bonne mine ***. Par prudence. Par fierté. L'héritier du trône jusqu'à la naissance d'un dauphin savait bien qu'on scrutait son visage pour y chercher trace de jaunisse. Et certes, il en a gros sur le cœur. « Mais je me suis rendu maître de moi à l'extérieur fort vite, et j'ai toujours tenu la même conduite qu'avant, sans témoigner de joie, ce qui aurait passé pour fausseté, et ce qui l'aurait été — car franchement, je ne m'en sentais pas du tout —, ni de tristesse, qu'on aurait pu attribuer à la faiblesse d'âme [115]. » Il rédige cet aveu le 5 octobre 1778, au septième mois de la grossesse, dans une longue lettre à Gustave III, le roi de Suède, avec lequel il entretient une correspondance secrète ****. Ils s'étaient connus en 1771, quand Gustave, qui cherchait par toute l'Europe des alliés en vue de son coup d'État, était passé par Versailles. Provence cultivait déjà — à seize ans — sa réputation d'être le borgne de ce royaume d'aveugles. Gustave III, content de s'assurer une antenne utile en France, l'avait traité en adulte

---

* On ne boit du café (seulement chez les riches) que depuis un siècle en France. Et seuls quelques estaminets distingués commencent à se rebaptiser « cafés ».
** « Habillement négligé qu'on portait avant la toilette. »
*** Frère puîné du Roi, on l'appelait Monsieur. Il régnera sur la France, sous le nom de Louis XVIII, de 1814 à 1824, sauf pendant les Cent-Jours.
**** Par l'entremise de la comtesse de Lamarck, une Noailles mariée à un Allemand. Elle voyageait beaucoup et aimait jouer à l'intermédiaire.

et en futur souverain, du haut de ses vingt-cinq ans. Ils ont aujourd'hui
respectivement vingt-trois et trente-deux ans. Gustave est devenu
tout-puissant. Provence est menacé de rentrer dans l'ombre. Ils s'écrivent des lettres vides et un peu solennelles, où ils se prodiguent plus
de conseils que d'informations, avec un ton de jeunes vieux, dans une
affectation d'égalité. Telle quelle, cette lettre du 5 octobre permet une
approche d'une des psychologies les plus ténébreuses du temps.

Louis-Stanislas-Xavier a une assez jolie petite gueule poupine,
aux lèvres bien dessinées, et des grands yeux éveillés, parfois calins [116].
Mais il n'a que ça *. Pour le reste, Provence est un monstre, y compris
les complexes. Plus petit que Louis XVI, il est déjà presque deux fois
plus gros, d'une obésité de sédentaire, la « graisse de bibliothèque »
enrichie par une affection glandulaire. Son frère a une obésité relativement musculaire, compensée par les exercices physiques. Chez Provence, il s'agit d'une infirmité si gênante qu'on détourne les yeux
quand il entreprend de se déplacer, le moins souvent possible, « avec
une défectuosité dans les hanches qui, sans le faire boiter, donnait
à sa marche un air contraint [117] ». « Il avait un tempérament malsain
qui l'obligeait, déjà jeune, à recourir aux potions pharmaceutiques pour
rétablir la circulation du sang et l'écoulement des humeurs. Cet état
maladif s'est encore augmenté par le défaut d'exercice. Sa mauvaise
tournure le rendait peu propre à monter au cheval *(sic)* ; il y était très
maladroit. Jamais prince n'eut une démarche plus disgracieuse. Il
avait au suprême degré ce balancement qui est ordinaire à tous les
Bourbons, et l'on ne pouvait s'habituer à sa mauvaise tournure, malgré
sa recherche et l'élégance de ses habits [118]. » Seul son cadet, Artois, avait
échappé à cette invasion de graisse, qui noyait aussi leur sœur Clotilde
et menaçait Élisabeth. Elle provenait de leur père le Dauphin, « presque obèse à vingt ans, dont le visage bouffi, la taille épaisse, la tournure
lente et maladroite le faisaient paraître plus vieux que son âge »
et permettaient au svelte Louis XV d'apparaître un Apollon en regard
de ce fils qui se plaignait « de traîner péniblement la masse pesante
de son corps [119]. »
Louis-Stanislas compense par l'agrément de sa conversation, l'art
de la méchanceté du trait, une hauteur naturelle qui en impose et lui
donne cet « air prince » dont l'absence gêne chez le Roi. Il n'est pas
désagréable à fréquenter, à condition qu'on ne lui demande jamais
service : le sens de l'amitié ou même de l'obligeance lui manque absolument. L'avarice est son seul vice affiché, d'autant plus sordide qu'il
roule sur l'or. Il est non seulement comte de Provence, mais duc
d'Anjou, duc d'Alençon, duc de Vendôme, comte du Perche, du Maine
et de Senonches, et, depuis 1774, duc de Brunoy : une terre somptueuse
au sud-est de Paris, dans la forêt de Sénart, avec un beau château,

---

* Tous les enfants de France s'appelaient d'abord Louis. Stanislas,
c'était son arrière-grand-père et parrain, Stanislas Leczinski ; Xavier,
c'était son oncle, le frère de la dauphine Marie-Josèphe de Saxe.

qu'il a pu acquérir pour une bouchée de pain après avoir fait enfermer son possesseur, le marquis de Brunoy, un doux aliéné religieux dont les processions à grand spectacle divertissaient les bonnes gens de la Brie *. Les revenus de toutes ces terres lui rapportent beaucoup, mais pas encore assez, non pour dépenser, mais pour amasser. Il trafique donc sur une grande échelle, depuis quelques années, des plantations et des Nègres de Saint-Domingue, et cherche à étendre son commerce à la Guyane **.

Là, tiennent ses réussites. Le reste de sa jeunesse est une suite de déceptions, génératrice de l'aigreur qui commence à faire corps avec sa nature.

Première désillusion : son imbécile de frère lui fait la crasse de ne pas mourir en 1761. Provence avait six ans, mais il se savait déjà le seul propre à régner. Ses parents avaient perdu deux enfants en bas âge. Il était le troisième des survivants ; le Bon Dieu l'aide en tuant Bourgogne de consomption. Restait Berry : Berry languit, Berry se meurt. Fol espoir. Provence se voyait déjà dauphin. L'autre s'en tire. Provence ne le lui pardonne pas. Une constante de sa démarche sera la haine et le mépris de Louis-Auguste, et l'espérance de sa disparition. Il devient taciturne, secret, et se distingue à l'étude parce que son aîné n'y brille pas trop. Ce dernier ne sait pas s'exprimer? Provence cultive donc le latin et la rhétorique. S'il parle peu, il parle bien. On commence un peu partout à s'apercevoir de lui, et il n'avait pas longtemps été le seul à se dire qu'après tout si un mauvais tireur frappait Louis-Auguste à la chasse...

Mais, deuxième coup dur, on marie ce benêt, devenu dauphin par la mort de leur père, à une jolie fille autrichienne dont les beaux seins plaisent à Louis XV. Une concurrente de plus sur le chemin du pouvoir. Et si elle mérite la réputation des ventres habsbourgeois... Regain d'espoir au bout d'un an : le ventre autrichien reste plat. On marie Provence, par le jeu de la diplomatie, avec Marie-Joséphine-Louise de Savoie dont la dynastie-maffia s'était emparée de la Sardaigne et du Piémont. Les princes de Savoie étaient devenus les courtiers de l'Italie en Europe : impossible de s'entendre avec Rome ou Naples sans passer par eux. La famille monnayait ses enfants, et les Bourbons payaient bien ***. Provence aurait pu revenir au premier plan, grâce à ce mariage. Hélas! La princesse de Savoie est une petite moricaude disgracieuse et butée, avec « de la barbe même sur la poitrine et les épaules [120] ». Comment faire un enfant à ça, surtout quand on

---

* Pour marquer sa gratitude à Wellington de la victoire de Waterloo, Louis XVIII lui donnera le titre de marquis de Brunoy.
** Voir à ce propos, dans la séquence sur Malouet en Guyane, la page 532 du tome I.
*** Une sorte d'osmose s'établit entre les Bourbons et les Savoie. Quatre mariages en cinq ans : une Savoie-Carignan avec un Lamballe, deux filles de Savoie avec les deux frères de Louis XVI et une fille de France (Clotilde) avec le prince de Piémont.

se révèle aussi peu doué que le dauphin? Voilà sept ans que Louis-Stanislas et Louis-Auguste sont à égalité : deux ménages stériles, pendant que le comte d'Artois fait des enfants.

Provence, du moins, demeurait l'héritier. Il grossissait, dans une ombre aménagée, à la tête d'une petite coterie où l'on fabriquait des flèches à jet continu. Il avait ses âmes damnées, à mi-chemin des aventuriers et des nobles frustrés, un certain comte de Modène, un Montesquiou, un Montmorency-Laval, un comte de La Châtre, un Lévis, un Chabrillant, sans parler de l'intendant Cromot, plus homme d'affaires que valet, qui l'enrichissait en s'enrichissant. Tout ce petit monde vivait de l'espoir de la mort de Louis XVI, ou, au moins, de sa stérilité. A l'avènement de son frère, Louis-Stanislas avait tenté de se faire admettre au Conseil d'en haut, le « Conseil des ministres », comme on dira plus tard. Les héritiers du trône y avaient eu périodiquement accès, selon les caprices des rois. Mais Marie-Antoinette, sur les conseils de Mercy, avait enjoint à son mari de ne pas donner le beau rôle à ce frère capable de l'éclipser et dont l'Autriche se méfiait. La porte des affaires d'État avait été fermée au nez de Monsieur. « L'on prétend qu'il a marqué un peu trop d'impatience d'être appelé au Conseil... A cette occasion, la Reine a dû s'expliquer... d'une manière qui a porté à croire qu'elle contrarierait secrètement les désirs de ce prince. De là, sa jalousie a repris toute son action [121]. » Faible expression : Provence est maintenant toute haine. Dès 1777, il écrivait à Gustave III : « Je continue à être assez tranquille du côté des tracasseries, mais je ne le suis que trop du côté des affaires, enrageant de tout mon cœur de l'inutilité dans laquelle on me laisse, mais prenant patience et vivant d'espoir [122]. » Marie-Antoinette ne s'y trompait pas. On se faisait bonne figure, en s'attendant au poison ou au lacet : « Nous continuons (Provence et moi) à être sur le ton de l'amitié et de la cordialité; à dire vrai, je vois qu'elle n'est pas plus sincère d'un côté que de l'autre [123]. »

Il se consolait de bribes et de morceaux. En contribuant à la chute de Turgot *. En s'installant au Luxembourg, l'un des plus beaux palais de Paris, d'où il allait pouvoir damer le pion aux Orléans. Il y avait maintenant deux petites cours parisiennes en contrepoint de la Cour de Versailles : celle de Provence sur la rive gauche, celle des Orléans, au Palais-Royal, sur la rive droite.

Et en prouvant qu'il n'était pas si impuissant que les mauvaises langues le prétendaient, puisqu'il venait de prendre une maîtresse, mais oui, une vraie, installée comme une épouse en second au Petit-Luxembourg, Anne de Balbi, née de Caumont de La Force. « Ma sœur est une catin », disait son frère, le duc de La Force [124]. Tout de suite les gros mots... Elle avait su y faire, simplement, avec habileté, en deux étapes. D'abord en jouant sur les tendances lesbiennes de la pauvre comtesse de Provence, dont elle était devenue « dame de la suite » et favorite, puis en arrachant Monsieur juste à temps à un penchant pour

---

* Voir tome I, p. 306.

les petits pages, qui commençait à donner du souci à son entourage. Elle a vingt ans en 1778, elle est vive, spirituelle et méchante, laide aussi, mais avec « de beaux yeux sur des dents horribles » et paraît Vénus à côté de Madame. Restait à la débarrasser de Balbi, ce gentilhomme italien dont elle s'était encombrée en mariage. Le comte de Provence se prépare à lui appliquer le procédé qui a servi pour le marquis de Brunoy : on le fera interner comme fou *. En attendant, le ménage à trois s'installe dans les plus beaux meubles de France, Madame au Grand-Luxembourg, Monsieur et la comtesse de Balbi au Petit. Une caricature du bonheur, mais pas celui des chaumières : la Maison du comte de Provence comprend sept cent soixante « titulaires d'offices », du premier gentilhomme de la chambre aux quatre « porteurs de barquettes ** ». Celle de sa femme, plus de deux cents. Ensemble, elles dépensent trois millions et demi de livres par an ***, dont un tiers couvert par les recettes des différents apanages, et deux tiers par le trésor royal [125]. C'était assez pour patienter en attendant que le Ciel se décide à écarter Louis XVI. Provence n'avait pas même la ressource d'aider Dieu à l'aider en appliquant sa recette habituelle : faire déclarer son frère fou. Le Roi montrait des signes désespérants de gros bon sens. Enfin, tant qu'il restait sans enfant... Mais celui-ci est annoncé. Coup suprême.

« Vous avez su le changement qui est survenu dans ma fortune ****. Il n'en a produit aucun sur mon cœur... Je puis vous dire actuellement comme Zamore *(de Voltaire)* :
« — Autrefois, à tes pieds, j'avais mis mon empire...
« Vous étiez l'ami d'un homme qui pouvait un jour vous être utile par sa puissance : je n'ai plus à vous offrir qu'un cœur tendre et fidèle... Vous pourriez croire, d'après ces paroles, que je suis désolé de ce revers ; je puis néanmoins vous assurer que non. J'y ai été sensible, je ne m'en cache pas ; mais la raison, peut-être un peu de philosophie, et la confiance en Dieu sont venues à mon secours et m'ont fait prendre mon parti ce qui s'appelle en grand capitaine. » Provence s'est donc « rendu maître de lui, etc. » (Voir ci-dessus.) Cependant « l'intérieur a été plus difficile à vaincre. Il se soulève encore quelquefois ; mais, à l'aide des trois secours dont je viens de vous parler, je le tiens du moins en respect, si je ne puis le soumettre entièrement. » Il continue d'attendre, comme tout le monde, pendant les plus longs mois de sa vie. Restent deux espérances : un accident de couches, ou la naissance d'une fille.

---

* Ce sera chose faite en juillet 1780.
** Petits coffres qui servaient à transporter les plats chauds.
*** Près de dix-huit millions de francs lourds.
**** Toujours extrait de la lettre du comte de Provence à Gustave III, le 5 octobre 1778.

10/ décembre 1778
Ces masques ont dansé

25 novembre. « Tous les Grands qui doivent assister aux couches de la Reine sont à Versailles, et personne ne bouge plus de la Cour jusqu'à l'événement, qu'on espère très prochain [126]. » Par un curieux phénomène, Louis XVI enfle autant que sa femme. « Le Roi grossit à vue d'œil, et les médecins lui font boire les eaux de Vichy, pour arrêter, s'il est possible, un embonpoint excessif et dangereux. » « La layette de l'enfant royal et celles de ses nourrices ont été apportées », le 1er décembre, de Paris à Versailles, « avec le plus grand appareil; elles sont magnifiques. La voiture était escortée par des gardes. » Cet étalage de luxe n'est pas du goût de tout le monde. « On a commis dernièrement dans les jardins de Marly une atrocité impardonnable. Sept des superbes statues antiques de marbre blanc, admirées de tous les connaisseurs, ont été mutilées à coups de hache. » On croyait à un attentat anglais. « Mais on a arrêté un des coupables, qui a déclaré et dénoncé deux complices. Ces trois malheureux sont des ouvriers travaillant habituellement dans les jardins, et qui étaient ivres lorsqu'ils ont commis ce délit. On croit qu'il en sera fait justice exemplaire », et l'on ne va pas se tourmenter pour si peu : « Le Roi a fait porter cent mille livres * chez le grand aumônier, pour être distribuées aux pauvres après la délivrance de la Reine... » « Le corps de ville de Paris ** a aussi arrêté de faire les fonds de cent mariages de pauvres gens. » « Indépendamment de la nation en général, qui fait des vœux pour un dauphin, il y a plus de mille personnes à la Cour qui y ont un intérêt particulier : la Maison du Roi, qui fait le service auprès du jeune prince, le double de femmes employées à son service jusqu'à l'âge de sept ans, les gratifications et récompenses multipliées et plus fortes à répandre, jusqu'à l'accoucheur, qui, de droit, a quarante mille livres de pension si c'est un prince, et n'en a que huit ou dix mille une fois payées s'il ne reçoit au monde qu'une fille ***. » Et puisque la Reine nous fait languir au-delà du début décembre, quoi faire d'autre que danser? On danse.

Une attention de Louis XVI. Pour Antoinette, il fait danser les vieux. « En vingt-quatre heures de temps, et dans le plus grand secret, à l'aide du magasin des Menus-Plaisirs, toute la Cour a été déguisée et masquée... M. de Maurepas déguisé en Cupidon et Mme de Maurepas en Vénus; M. de Sartines était en Neptune, avec un trident à la main. M. de Vergennes avait un globe sur la tête, une carte de l'Amérique

---

* 500 000 francs lourds.
** Les échevins et marchands, ébauche d'un conseil municipal.
*** Illustration chiffrée du mépris de la femme. Pour un dauphin : 200 000 francs lourds par an jusqu'à la mort de l'accoucheur. Pour une princesse : 50 000 francs maximum de gratification. Un bon pourboire.

sur la poitrine et une de l'Angleterre sur le dos. Le prince de Soubise était en marabout chinois *(sic)* ; le maréchal de Richelieu, en Céphale *, menait sous le bras la vieille maréchale de Mirepoix, déguisée en Huronne. Ce couple dansa un moment avec autant de grâce et de légèreté que des enfants de vingt ans... Le maréchal de Biron était en druide, le maréchal de Brissac en derviche, le duc de Cossé en vizir, le duc de Lauzun en sultan, le duc de Fronsac en pèlerin, le duc d'Aumont en suisse ; d'autres seigneurs et dames formaient des quadrilles de rabbins **, de soldats, de hussards, de matelots, de chasseurs, de coureurs, etc. Tous les pages étaient déguisés en jockeys. Ces masques ont dansé. A une heure sonnante, le Roi (dans son habit ordinaire) a donné le signal de la retraite et a conduit la Reine dans sa chambre à coucher. Tout le monde a été régalé avec du chocolat chaud et à la glace. »

« ... Le duc de Coigny était en Hercule, et ce fut celui que la Reine reconnut le premier [127]. » Est-ce par hasard que le rédacteur de la *Correspondance secrète* ***, qui cancanait chaque semaine en direction de Varsovie, glisse cette allusion sous sa plume? Une troisième forme d'espoir naît en ces jours-là pour Provence, en même temps que monte la première rumeur d'adultère autour de Marie-Antoinette. Et si l'enfant n'était pas de Louis XVI? Pouvoir le proclamer un jour. Le faire déchoir de ses droits... On n'en est certes pas là. Ce n'est, pour le moment, qu'un murmure au ras des parquets cirés, mais Monsieur n'a même pas besoin de souffler dessus. C'est spontané. Il n'y a pas dix personnes au courant du rôle de Joseph II dans l'intimité du couple royal **** ; que s'est-il donc passé, après sept ans de mariage presque blanc? Il n'est pas nécessaire de haïr la jeune reine pour nourrir de drôles d'idées, surtout quand on la voit si bien entourée. Toujours le même carrousel de bellâtres. Lauzun est en baisse. Mais restent un noble hongrois : Esterhazy, « le beau Dillon », le gros Guines, Besenval, et même le comte d'Artois, qui affiche un tel regain de camaraderie envers sa belle-sœur que certains n'hésitent pas à le proclamer père de l'enfant — et surtout le grand gagnant de l'automne, Coigny.

François-Henri de Franquetot de Coigny a quarante ans. « Ce n'est pas un très bel homme, pas un homme de beaucoup d'esprit. Il avait mieux que cela : un excellent maintien, un ton exquis, une belle tournure, une raison simple et juste, du calme et de la politesse... Aimé de tout le monde, le duc de Coigny ne haïssait personne [128]. » A quoi bon?

---

* Héros mythologique, sans doute figure du soleil, dont la déesse Aurore fut amoureuse.
** *Sic.* Ce n'est pas le seul témoignage de l'antisémitisme ambiant dans la noblesse française. Le rabbin était un personnage grotesque. Imagine-t-on des curés dans un ballet?
*** Sans doute un plumitif toulousain, Jean-Louis Favier, qui avait été vaguement agent secret avec Dumouriez, et qui finissait pensionné par le comte de Vergennes. Il écrivait peut-être à destination du roi de Pologne, Stanislas Poniatowski. Retrouvée à Saint-Pétersbourg, cette correspondance sera publiée en 1866 par Lescure.
**** Voir tome I, p. 522, sur la consommation du mariage de Louis XVI, à l'initiative de Joseph II.

Il est premier écuyer du Roi. Il va devenir lieutenant général *. Il est riche à millions. Il est l'amant de la comtesse de Châlons, née d'Andlau, une des jolies filles que la Reine aime tant, et il va pouvoir l'épouser bientôt, dès que sa première femme aura fini de mourir discrètement **. Quelle nécessité aurait-il de courir le risque terrible de devenir l'amant de la Reine? Une dizaine de coqs de salon, qui n'auraient pas demandé mieux que d'ajouter au tableau de leur chasse cette jolie jeune femme frustrée, reculent comme lui devant les complications. On ne comprend rien à l'hystérie latente de Marie-Antoinette si l'on ne réalise pas que son rang, et l'espionnage domestique de chaque minute autour d'elle, frappent ses amants éventuels d'une inhibition presque aussi forte que celle du Roi. Elle leur en veut à tous, inconsciemment, de ce respect dont elle se serait passée à certaines heures. Mais rien n'empêche sa vie sexuelle d'être nette comme l'or. Elle n'a jusqu'ici couché qu'avec Louis XVI, le seul qui lui répugne. Elle n'aime guère Artois et il n'y a rien eu entre eux. Elle n'a pas couché avec Lauzun, qu'elle a aimé, et elle aime bien Coigny, mais ne couche pas avec lui. Elle vient de prendre un franc plaisir à revoir ce brillant officier suédois, Axel de Fersen, qu'elle avait taquiné, dauphine, au bal de l'Opéra ***. « Tout Versailles ne parle que d'un comte Fersen, qui est venu à la Cour portant l'habit national suédois ; il est vrai que la Reine, d'après ce qu'on dit, l'a examiné très soigneusement [129]. » Ce n'est pas un cancan, Fersen en témoigne. Il est arrivé à Paris le 22 août pour un second séjour, après quatre ans en Angleterre et surtout en Suède, qui avaient confirmé sa réputation de confident de Gustave III. Dès le 25, il était à Versailles « pour être présenté à la famille Royale ****. La Reine qui est charmante, dit en me voyant :

« — Ah! C'est une ancienne connaissance!

« Le reste de la famille ne me dit pas le mot (sic). » Marie-Antoinette ne l'avait donc pas oublié, et le trouve encore plus plaisant qu'autrefois. En septembre, « la Reine, qui est la plus jolie et la plus aimable princesse que je connaisse, a eu la bonté de s'informer souvent de moi. Elle a demandé à Creutz (l'ambassadeur de Suède) pourquoi je ne venais pas à son jeu les dimanches, et ayant appris que j'y étais venu un jour qu'il n'y en avait pas, elle m'en a fait une espèce d'excuse. Sa grossesse avance, et elle est très visible [130]. » En novembre : « La Reine me traite toujours avec bonté. Je vas (sic) souvent lui faire ma cour au jeu (Fersen écrit à son père en français), elle me parle toujours. Elle avait entendu parler de mon uniforme et elle me témoigna beaucoup d'envie de le voir au lever. Je dois y aller mardi ainsi habillé,

---

* Équivalent de général d'armée.
** La fille née de ce premier mariage, Aimée de Coigny, sera « la jeune captive » d'André Chénier.
*** Sur la première rencontre de Marie-Antoinette et de Fersen, voir tome I, p. 29.
**** Qui le connaissait déjà. Mais il avait été « présenté » sous Louis XV. Il fallait tout recommencer, à la Louis XVI.

non pas au lever, mais chez la Reine. C'est *(bis)* la princesse la plus aimable que je connaisse [131]. » Mais elle en était encore, pour Fersen, à l'habit. Quant à Coigny, voilà deux ans qu'on prétend « qu'il a des entrées à de certaines heures dans l'appartement de cette princesse, qui fournissent matière à bien des remarques [132] », et sa faveur spectaculaire pendant la grossesse prête au mot attribué à Chartres ces jours-ci : « L'enfant de Coigny ne sera jamais mon roi [133]. »

Provence se taisait. Il attendait. Il laissait, pour une fois, les autres dire — assez haut, les derniers jours, pour que Marie-Antoinette perçoive elle-même certains échos et confie à Mmes de Lamballe et de Polignac :

« — Il faut avouer que je suis bien malheureuse d'être traitée si durement. »

Revenant à sa gaieté ordinaire, elle ajoute :

« — Mais s'il est méchant de la part des autres de me supposer des amants, il est bien plus singulier de la mienne que j'en aie tant à ma charge et que je me passe de tous [134]. »

Il boude un peu, l'auguste enfant. Va-t-il se décider? Quinze jours de retard, puis vingt. On ne sait d'ailleurs point trop encore pour quel motif nous nous résignons finalement à prendre pied dans ce monde inhospitalier. « Les uns ont prétendu que c'était le défaut d'aliments qui faisait que le fœtus cherchait à sortir. D'autres, que l'enfant se détachait de la matrice par la même raison que le fruit se détache de l'arbre. Ceux-ci ont avancé que l'âcreté des eaux renfermées dans la membrane obligeait l'enfant à se mouvoir et à chercher la sortie, et ceux-là ont pensé que l'urine et les excréments formaient une certaine masse, et que leur âcreté, qui incommodait le fœtus, le contraignait à se mouvoir [135]. »

Les douleurs commencent à minuit et demi, le 20 décembre, et se poursuivent dans une pièce préparée exprès au premier étage du palais de Versailles, au bout de la longue enfilade des grandes chambres bêtes et publiques que Louis XV fuyait. Douleurs d'abord faibles, espacées, permettant le repos et le sommeil, signe d'un accouchement normal, jusque vers huit heures, où commencent les grandes douleurs, en même temps que percent les eaux. L'accoucheur, le chirurgien, les médecins, les apothicaires, les sages-femmes s'affairent autour du grand lit « fait de plusieurs matelas garnis de draps pliés en plusieurs doubles ». Une inondation de linge blanc. L'accoucheur Vermond s'est « oint les mains avec quelque graisse comme sain-doux *(sic)*, beurre frais, ou avec quelques huiles, afin de lubrifier tout le passage ». Il place au bon moment « le bout de ses doigts dans le vagin, en les tenant, autant qu'il peut, écartés les uns des autres dans le temps des douleurs [136] ». Aux soucis habituels de son travail, s'ajoute l'obligation de faire ouvrir les portes à deux battants quand il sentira la tête sur le point de sortir, « car c'était alors la coutume que le public assistât à l'ouverture du ventre [137] », tradition des temps mérovingiens, où l'on craignait la substitution d'enfant au profit d'une dynastie concurrente. De ces temps-là vient aussi l'étrange cérémonial de la grand-messe du pape, à Rome, où un diacre goûte l'hostie choisie au dernier moment entre trois échantillons, pour que le pontife échappe au poison *.

Ce respect imbécile de « ce qui se fait » va mettre Marie-Antoinette en péril. Jusqu'à onze heures, elle a souffert bravement, en femme, en Habsbourg, malmenant dans sa main la main de la princesse de Lamballe, tandis que « le Roi marchait lourdement et s'épongeait, que les dames du Palais s'éventaient » et qu'elle subit, comme une épreuve de longtemps prévue, les regards de témoins qui la détestent : les princes, les princesses, le chancelier Maupeou, dont c'est la première apparition depuis sa disgrâce. Les vrais amis de la Reine sont absents. Imagine-t-on Coigny à son chevet? Mais soudain tout tourne, Vermond crie, et « les portes de la chambre s'ouvrent au tumulte d'une foule en délire » qui s'était amassée dans les galeries. Des gens de service pour la plupart, mais aussi quelques Versaillais anonymes qui ne manqueraient pour rien au monde cette occasion, assez rare, de contempler le cul de la Reine. « Courtisans, laquais, bourgeois, harengères, ramoneurs, tout se précipite. » Les ramoneurs, deux « Savoyards », montent sur une table pour mieux voir. « Sans distinction de rang, sans égard pour l'auguste victime, on occupe les sièges, on escalade la cheminée dont un flambeau se fracasse, et tous, ivres de la concupiscence la plus malpropre *(sic)*, dans un silence tout grouillant, ils tressaillent à chaque cri et regardent [138]. » Mais elle étouffe.

Cela ne serait pas encore trop grave. C'est le métier. Marie-Antoinette tient bon pendant les dernières minutes où son corps se rompt sous les yeux du peuple; après tout, il y a une sorte de communion primitive dans cette éventration publique. Mais l'air commence à manquer dans la pièce close, et l'appréhension monte. Que tout cela ne soit pas pour rien, c'est-à-dire pour une fille! Cinquante à soixante paires d'yeux fixées sur son sexe attendent le sexe de l'enfant. Quitte ou double. La France est un des seuls pays du monde où la loi salique réduit les princesses au néant. Les femmes peuvent régner, ont régné, règnent en Moscovie ou en Angleterre, en Autriche, en Suède, au Portugal, en Espagne ou à Madagascar. Elles sont exclues du trône français depuis les grandes manœuvres de Philippe VI, trois batailles de procédure gagnées en 1316, 1322, 1328, grâce au concours des nobles, des évêques, des docteurs en Sorbonne. Comment faire pour écarter la descendance légitime des Capétiens directs au bénéfice des Valois, les cousins? On avait exhumé des monastères le vieux texte barbare de la loi salique, une sorte de Deutéronome des Francs Saliens **, quatre cent huit articles pour codifier vaille que vaille les sanctions des vols de chevaux, de bœufs ou de cochons, et réglementer le rachat des mutilations. « Si les os sortent d'une blessure faite à la tête, le coupable paiera trente sous; si le cerveau est mis à nu et que trois os en sortent, quarante-cinq sous [139]. » Les Valois s'étaient appuyés sur un mélange

---

* Ce détail liturgique persistera jusqu'au pontificat de Pie XII.
** *Saliens* signifiait *conquérants*. La *terre salique* était celle qu'ils avaient conquise par les armes. Il fallait le bras d'un guerrier pour la défendre. Par extension, la France tout entière devenait *terre salique*.

de ce fatras et de l'Évangile, « regardez les lis des champs, ils ne filent pas », pour conclure sans complexe que « le royaume des lis ne devait point tomber en quenouille ». La loi salique « est conforme à la loi de nature, laquelle ayant créé la femme imparfaite, faible et débile, tant du corps que de l'esprit, l'a soumise sous la puissance de l'homme, qu'elle *(la nature)* a, pour ce sujet, enrichi d'un jugement plus fort, d'un courage plus assuré, et d'une force de corps plus robuste. Ainsi nous voyons que la loi divine veut que la femme reconnaisse et rende obéissance à son mari comme à son chef et à son roi. Et l'on voit, dans Isaïe, chapitre III, que Dieu menace ses ennemis de leur donner des femmes pour souveraines comme une insupportable malédiction [140]. »

Les derniers gestes de la souffrance, les premiers de la vie. Vermond fait venir au jour un petit paquet sanguinolent et muet. Provence est torturé d'espoir: un enfant mort-né? Premier vagissement. L'enfant vit. On bat des mains, de la chambre jusqu'aux cuisines, et tout le monde croit que c'est un garçon. Provence est perdu. Non : c'est une fille. Provence respire pour la première fois depuis six mois, sans qu'un pli de son visage ne bouge. Une fille, alléluia, une pisseuse, un ventre à vendre par l'Europe. On l'appellera Marie-Thérèse *, en cadeau à l'Autriche — une Autrichienne de plus, voilà, n'en parlons plus. Le silence retombe comme une trappe dans la chambre des douleurs, qui devient celle de la déception, pendant que le Roi et les courtisans vont à côté pour assister au débarbouillage de l'enfant, et peut-être pour ne pas répondre à sa mère qui supplie qu'on lui dise, fille ou garçon? Comme si elle ne le savait pas! Nul n'a parlé. Mais leur silence a suffi. Elle comprend. A remettre.

« Durant ce temps, la Reine tournait de l'œil et disait

« — Je meurs. Dépêchez-vous...

« En effet, elle devenait froide et inanimée [141]. »

Vermond mérite son pourboire de dix mille livres en la faisant saigner sur-le-champ, au pied, par le chirurgien, qui lui tire cinq palettes de sang **. « L'accident fut dissipé en quatre minutes [142]. »

Du comte de Provence à Gustave III : « Ma belle-sœur a bien fait les choses cette fois-ci; il est à craindre que cela n'aille pas si bien une seconde fois... A force de me raisonner, j'avais fait mon sacrifice, et, quand ma nièce est venue au monde, j'ai été bien aise, j'en conviens, mais pas autant que je l'aurais cru [143]. »

---

* Et aussi Charlotte, en hommage au roi d'Espagne Charleŝ III qui sera le parrain, la marraine étant sa grand-mère l'Impératrice. L'enfant du 20 décembre, qu'on appellera Madame Royale, sera la seule survivante de la famille royale en 1794. Louis XVIII la mariera, dès sa libération, en 1795, au duc d'Angoulême, son cousin germain, fils du comte d'Artois. Pour l'Histoire, elle sera la duchesse d'Angoulême.
** Plus d'un demi-litre.

11/ décembre 1778
La libertà o la morte

Pendant qu'on attendait la naissance d'un Louis à Versailles, un Louis est né en Corse, mais pourquoi la France s'en serait-elle souciée? Le baptême de Louis de Buonaparte, pourtant, célébré en grande pompe, le 24 septembre 1778, dans la cathédrale d'Ajaccio, a été un petit événement régional [144]. Si les Français, tout à l'attente de leur dauphin, ne s'en aperçoivent pas, des Corses en sont frappés. C'est un signe des temps. Le troisième fils * de Carlo-Maria de Buonaparte (Charles-Marie, pour le continent) reçoit le prénom le plus français qui soit, celui du Roi **. Il a été tenu sur les fonts baptismaux par le gouverneur de la Corse, Louis-Charles-René, comte de Marbeuf, et par la femme de l'intendant (disons « l'administrateur »), Jeanne de Buocheporn. La « cathédrale » de ce petit bourg encore neuf n'est qu'une grosse église informe, bourrée de sculptures dorées et de peintures emphatiques, une explosion de baroque décadent; et l'évêque d'Ajaccio n'est qu'un curé à trois mille âmes. La cérémonie a été bien corse, dans son mélange d'improvisation et de solennité. Un piétinement, une procession, des chants discordants, des salves, de l'encens, de l'orgue et un festin en plein air, sous les gros châtaigniers du terrain vague, entre la cathédrale et la maison des Buonaparte. Moins de monde qu'on n'en attendait : beaucoup d'Ajacciens avaient boudé ce baptême de la Corse française, sous prétexte d'un enfant. Ils ne voulaient pas, comme les Buonaparte, ou les Pietra-Santa, adorer si vite ce qu'ils avaient brûlé. Au premier rang des assistants, un petit monsieur de neuf ans, au prénom bien corse, lui, Napoleone, se tenait très digne, entre son père Carlo-Maria, sa mère Laetizia, ses frères Giuseppe et Luciano. Maria-Anna, un bébé, était restée à la casa ***. Napoleone se sentait bien à sa place, un petit notable de gros

---

* Mais le neuvième enfant. Cinq sont déjà morts en bas âge.
** Louis Bonaparte sera « connétable de l'Empire » en 1804, à l'avènement de Napoléon, puis roi de Hollande, de 1806 à 1810. Il épousera Hortense, fille de Joséphine de Beauharnais, et sera le père putatif de Louis-Napoléon (1801-1873), dernier souverain des Français sous le nom de Napoléon III.
*** Napoléon sera empereur des Français de 1804 à 1815. Giuseppe (Joseph) roi de Naples de 1806 à 1808, puis roi d'Espagne de 1808 à 1814. Maria-Anna, rebaptisée Elisa, sera princesse de Lucques et de Piombino, puis grande-duchesse de Toscane. Luciano (Lucien) n'aura aucun titre impérial. Prononcer le prénom à la corse : Napoléoné.

bourg fait pour le banc d'œuvre. Il savait que, trois mois plus tard, il allait partir avec Giuseppe pour le continent, où ils seraient les hôtes du roi de France, à ce qu'on leur avait dit, et ils trouvaient cela normal. Leur père était, à leurs yeux, prince d'Ajaccio, sinon de Corse. Entre seigneurs...

Il y avait du bon sens dans cet orgueil d'enfant. Marbeuf n'avait pas joué au parrain par bonté, mais par calcul. C'était un geste politique. Le premier Louis de la Corse française méritait des égards. Napoleone prenait conscience, dans les silences et les regards des bonnes gens, même hostiles, du besoin que les Français avaient de son père. Un rallié, ça se paie. Carlo-Maria de Buonaparte n'avait mis que deux ans de Paoli à Marbeuf; il est, depuis 1771, assesseur appointé * de la juridiction d'Ajaccio, une sorte de juge de paix au service de l'occupant. Il joue même déjà son jeu entre les chefs français, pour Marbeuf contre Narbonne-Pelet, et contribue, par un petit mouvement d'opinion dans une douzaine de familles patriciennes, à fortifier le pouvoir du premier. Il se forge un bel avenir, ici et sur le continent. Il n'a que trente-deux ans. Croit-on qu'un gamin ne s'aperçoive pas de ces choses? Tout s'arrangeait très bien dans le petit monde de Napoleone : son père avait été un héros de la guerre; il devient un des maîtres de la paix. Et ses enfants sont persuadés qu'il ne concède rien aux Français; bien au contraire. On leur fait bien de l'honneur en leur pardonnant le Niolo.

La répression du Niolo. Son premier souvenir d'enfance. La conquête, en 1769, c'était de l'histoire ancienne comme le ventre de sa mère, « où il était entré Corse et dont il était sorti Français ». Mais Napoleone avait eu cinq ans en mars 1774, quand le comte de Marbeuf et le marquis de Sionville avaient maté la dernière insurrection corse, près de la moitié de l'île soulevée au vieux cri de la lutte contre les Génois : *la libertà o la morte!* Quarante ans qu'on criait *la libertà* et qu'on avait *la morte*. Seule différence : les Français tenaient à leur tour les ports et disposaient de l'artillerie. Les Génois, ces Hollandais de l'Italie, ont bradé l'île où ils n'avaient jamais pu s'implanter. On a vendu les Corses « comme un troupeau de moutons ». Ce sont toujours les peuples les plus fiers qu'on humilie le plus, peut-être parce qu'ils sont pauvres, et que leur fierté vient de là. Paoli venait pourtant de donner figure à la Corse, avec la bénédiction de Voltaire et de Rousseau. Une démocratie rêvée. La *Consulte* de Corte, un exemple à l'univers : une délibération d'hommes libres en permanence. Balayée par un revers de la main de Louis XV. Paoli est en Angleterre. Et quand le Niolo s'était insurgé en son nom...

Sionville avait fait pendre onze rebelles à la même branche d'arbre. Son coup d'œil était inimitable pour apprécier la solidité du bois. A la Rocca, il avait ordonné de briser à coups de barre de fer les bras d'une femme qui cachait des insurgés. A Oletta, cinq patriotes roués.

---

* Neuf cents livres par an, soit 5 000 francs lourds. Un traitement presque symbolique, mais une fonction qui lui mettait le pied à l'étrier.

Marbeuf avait décrété que tout « bandit » pris les armes à la main —
en Corse! — serait « puni de mort sans rémission ». Cent « bandits »
abattus en un jour dans le Fiumorbo. Six suppliciés aux portes d'Ajaccio. Barricadés dans leur maison, les Buonaparte n'avaient entendu
que les roulements des tambours et le seul cri du seul des six qui avait
hurlé « *Patienza* » au moment où on lui rompait les os. Les autres
n'avaient dit mot. On n'est pas bavard en Corse. Vingt-sept chanceux
avaient été expédiés au bagne de Toulon, tous liés à la même chaîne.
Le comte de Vaux avait averti Versailles, au moment de la conquête :
« Le nombre des bandits augmentera toujours, si vous ne permettez
que leurs maisons soient incendiées... Il est donc nécessaire d'autoriser
les commandants *(militaires)* à détruire les maisons et les possessions
des coupables et de leurs parents [145]. » Les colonnes mobiles n'avaient
épargné ni les moissons, ni les vignes, ni les oliveraies. Certains rêvaient
pire : les Corses ne se nourrissent que de châtaignes. Bonne aubaine.
« Quelqu'un proposa le singulier plan de couper ou de brûler tous les
châtaigniers, dont le fruit faisait la nourriture des montagnards [146].
« — Vous les forcerez à descendre dans la plaine vous demander
la paix et le pain *. »
Impossible, faute de main-d'œuvre. On s'était contenté de raser les
maisons des suspects et de brûler leurs récoltes par tout le Niolo,
comme on avait fait cinq ans plus tôt au moment de la conquête,
la seule campagne de Mirabeau avant ses prisons. « Ma première jeunesse a été souillée par ma participation à la conquête de la Corse [147]. »
Certains soldats français étaient revenus pensifs de cette guerre à des
bergers et à des pêcheurs. « Je n'ai jamais trouvé (ailleurs) la tranquillité et la fermeté que ces six malheureux conservaient avant et pendant
le supplice », écrivait d'Ajaccio un officier de Royal-Picardie, « sans se
plaindre, sans avouer ni leurs complices, ni leurs chefs, et sans vouloir
jamais faire amende honorable au Roi et à la justice, disant qu'ils
n'avaient commis d'autre crime que celui de défendre leur liberté [148]. »
L'intelligence de Napoleone s'était éveillée dans ce cadre-là. Il se
taisait. Il réfléchissait trop. On prétend qu'il n'existe pas d'enfant pessi-
miste. Si : lui [149].

Il faut partir, Napoleone, le roi de France vous attend, pas encore
dans ses châteaux, il est vrai, mais dans ses collèges, pour que vous
lui fassiez l'honneur de commander à ses armées. Il est temps, Ajaccio
sent mauvais. Les premières vraies bagarres de sa vie lui ont laissé
des bleus, celles qu'on livre à partir de sept ans, « l'âge de raison »,
comme on dit. Les bandes de gosses s'affrontent à vingt ou trente,
à coups de bâton, à jets de pierre, les *Ajaccini* contre les *Borghigiani*.
Napoleone tient son rang dans les premiers, bien sûr, les Ajacciens
depuis deux siècles, fils de nobles et de bourgeois, accueillants aux

---

* D'après Napoléon, à Sainte-Hélène. « Heureusement, disait l'Empereur, que c'était de ces plans inexécutables, qui ne sont quelque chose
que sur le papier » (à Las Cases).

Génois, ralliés à Paoli le temps de se dédouaner, et maintenant bons pour les Français, il faut bien vivre. Mais les *Ajaccini* ont souvent le dessous devant les *Borghigiani*, ces enfants de marins, de bergers, d'artisans, descendus des montagnes pour se fixer en marge du port, dans le *Borgo*, et qui attendent leur tour, en se réclamant du plus grand homme de tous les temps, Sampiero-le-Corse. Napoleone a perdu les premières batailles de sa vie — contre les Corses. Il se sent Ajaccien avant tout; Ajaccio n'est pas l'île, mais seulement un nœud entre elle et le reste du monde, l'endroit des nuances, de la diplomatie, des mensonges et des concessions. Les Buonaparte sont « citoyens génois » depuis 1536, comme Paul de Tarse était « citoyen romain ». Quand on parlait d'Ajaccio en Italie, on disait « la colonie de Gênes ». Parmi ces transplantés, un peu avant Marignan, il y avait eu Francesco Buonaparte, de Sarzane, un arbalétrier de Florence peut-être, un Toscan. Son fils, Jérôme, trente ans plus tard, était devenu « Ancien » d'Ajaccio, on aurait dit ailleurs un sénateur — un de ceux qui avaient demandé qu'on en chassât les Corses, en 1536 [150].

Le 15 décembre 1778, Carlo-Maria laisse Louis (que tout le monde appelle Luigi), Luciano et Maria-Anna aux soins de sa femme et des nourrices. Il s'embarque pour le continent avec ses deux aînés et deux cousins. C'est la nouvelle migration des Buonaparte. C'est aussi le premier voyage de Napoleone. Il en est tout émerveillé. Jusque-là, il n'avait été que d'Ajaccio à Corte, avec son père, un cousin, un oncle, un ami, le plus souvent en croupe d'un cheval sellé à la diable, dans le tourbillon de poussière des mauvaises routes. Il n'avait jamais pris de bateau, ni même de voiture. Or ils vont s'embarquer à Bastia, une ville qu'il ne connaît pas, et qu'il est tout surpris de trouver presque aussi grande qu'Ajaccio. Bastia, c'est déjà l'étranger pour lui; la preuve, c'est qu'ils doivent coucher à l'auberge, la première de sa vie. Nul parent pour héberger les quatre voyageurs. L'auberge est mauvaise, d'après son père, mais est-ce qu'il y a de bonnes auberges en Corse? Lui, il ne se plaint pas : du bouilli et du rôti au souper! Il a même eu droit à un verre de vin d'Uri coupé d'eau, comme Giuseppe. C'est aussi avec Giuseppe qu'il partage un matelas dans la chambre où ils couchent à cinq, et où un vieux bonhomme est venu arranger trois matelas par terre. Un pour son père, un pour le cousin Varese, le sous-diacre, et pour l'oncle Fesch, qui allait entrer au séminaire. Un pour Giuseppe et lui, ça ne les change pas : depuis qu'il avait quitté son berceau, Napoleone partageait le lit de Giuseppe. Il en profite comme toujours pour le bousculer et le griffer au matin, parce que ce lourdaud ne se réveille jamais assez vite [151].

La traversée jusqu'à Livourne dure près de deux jours. Quelle étrange sensation, la pleine mer tout autour! Et ce port dont le mouvement l'étourdit, où il voit ses premiers vaisseaux anglais, si pansus, si hauts et tellement bourrés de canons dans leurs flancs qu'il demande pourquoi ils ne coulaient pas tout seuls... Gênes, puis Marseille se chargent d'éclipser Livourne. A Marseille, il faut lui tenir la main pour qu'il ne se perde pas dans les allées que l'intendant, M. de Meilhan, vient de faire

planter à quatre rangées d'arbres. Et puis les fontaines d'Aix lui font
oublier les maisons blanches de Marseille. Là, ils laissent l'oncle Fesch
au séminaire, sans même échanger un baiser; les deux enfants n'aimaient guère ce grand jeune homme silencieux, un mélange de Suisse
et de Corse, qui rêve de finir chanoine à la cathédrale d'Ajaccio. A
Lyon, place Bellecour, Napoleone demande si vraiment Louis XIV
était deux fois plus gros que les autres hommes, à cause de la taille de
la statue, mais déjà il s'étonnait moins de la grande foule. Cent mille
habitants! s'exclame Giuseppe. Il rétorque qu'il y en a tout autant
à Marseille, et qu'ils en verront d'autres. Pourtant, tout au long de la
route de Bourgogne, il ne cache pas sa curiosité pour le mouvement des
chevaux à chaque relais, les discussions entre son père et les postillons,
les premières neiges de l'hiver sur les côtés de la route — mais il l'avait
déjà deux fois vue tomber en Corse. Villefranche, Mâcon, Tournus,
Chalon, et puis, en cette fin d'après-midi grise du 30 décembre, l'arrivée
dans un pays de petites montagnes pelées, de champs maigres étroite-
ment clos (pour garder quoi? du chiendent?), et la découverte de la
ville de France où il va devenir français : Autun *.

La ville est tout en pente, même la grand-place. Elle est frileusement
resserrée autour de sa cathédrale, si belle et si bizarre : Napoleone est
choqué par ces anges tout nus et ces diables qui tirent la langue. Les
rues grouillent de curés; Autun est un des évêchés les plus prospères
de Bourgogne, et le cousin Varese en est content, lui qui vient là pour
y être sous-diacre. Les premiers Français qui s'occuperont de Napoleone sont naturellement des prêtres : les Messieurs du Collège, dépendant directement de l'évêque; ils viennent de s'y installer à la place
des jésuites. Ils vont garder Giuseppe, qui doit devenir prêtre lui aussi,
et dégrossiront Napoleone, le temps qu'une place soit trouvée à l'école
militaire de Tiron. Pourquoi Autun, en attendant? Parce que l'évêque
est le frère du comte de Marbeuf. Celui-ci n'est pas fâché de faire éclore
quelques boutures corses en serre familiale. Le prélat les reçoit en
personne dès le lendemain de leur arrivée, les bénit avec bienveillance,
leur pose la main sur le front. Ils seront bien accueillis au moins par les
professeurs, malgré leur maigre bagage et leur baragouin. Giuseppe et
Napoleone admirent une fois de plus l'aisance de leur père dans son
beau costume brodé; l'épée lui va. Le chevalier Charles-Marie de Buonaparte vient d'obtenir du Conseil judiciaire de la Corse un arrêté pro-
clamant « la famille Buonaparte noble de noblesse prouvée au-delà
de deux cents années ».
Le surlendemain, ils le voient repartir pour Versailles et Paris,
où il va tourmenter les ministres en tâchant de leur arracher d'autres
faveurs pour sa famille, son clan, ses amis. Ils le quittent sans trop
d'émotion : ils l'ont toujours connu d'assez loin, même à la maison

---

* La route de Bourgogne, qui est maintenant recoupée sur presque tout
son cours par la N 6, faisait alors un détour par Autun, aux dépens
d'Arnay-le-Duc. Fesch sera cardinal et archevêque de Lyon.

où il leur parlait gentiment, mais vite et en passant, entre des randonnées en Corse et des voyages sur le continent. Ils ne s'étonnent pas de le voir happé par le monde qui a toujours été le sien, celui des démarches et des soucis — le monde où l'on parle français. Napoleone continue d'être ébloui par la nouveauté des choses, et ne se sent pas perdu tant qu'il lui reste son frère chéri, son compagnon de toutes les heures depuis sa naissance, ce bon Giuseppe qui couchera dans le même dortoir que lui. Il est vrai qu'on lui dit, dès le 1er janvier, qu'il devra maintenant l'appeler Joseph, et ce n'est pas facile à cause de l'accent.

Le chagrin d'avoir quitté leur mère ne les étouffe pas. Une mère sans caresses et sans baisers, belle comme la glace, au silence prolifique. La seule tendresse que Napoleone aura connue dans sa petite enfance est celle des nourrices. Est-ce qu'un Buonaparte va pleurer pour des bonnes femmes?

12/ janvier 1779
Monsieur de Lauzun a pris votre Sénégal

Le duc de Lauzun avait participé à la conquête de la Corse, où il était devenu l'ami de Marbeuf — et aussi de « Mirabeau-fils ». « Je n'avais pas quitté la Corse sans regrets, car j'y ai peut-être passé l'année de ma vie la plus heureuse [152] »; Lauzun était encore tout jeune alors, il n'était pas couvert de dettes, et il avait « fait la guerre avec l'ardeur et l'activité d'un homme bien leste, qui désire faire ses preuves * ». Il a trente ans, maintenant, il est ruiné, et sa taille s'est épaissie. Sur la dunette du *Fendant*, un beau vaisseau de soixante-quatorze canons, il tourne vers la côte de l'Afrique tropicale le regard lourd de l'homme à femmes. La paupière retombe, par ennui, par fatigue. Mais un feu contenu brille encore dans son regard. 28 janvier 1779. La Corse va-t-elle recommencer pour lui au Sénégal? En voilà encore un qui tente l'évasion. Il est à huit cents lieues de Versailles.

Il se trouvait à Quiberon et préparait son expédition quand des salves d'artillerie, vingt et un coups seulement au lieu des cent un espérés, avaient couru par toute la France pour annoncer la naissance d'un enfant royal qui n'était pas de lui. Il ne s'en est guère soucié. Il recommence à se prendre au sérieux. A Dieu vat et au revoir les belles, reines ou pas. Il a quitté la cour au lendemain du bal où il portait costume de sultan, le moins vieux des vieux masques. Il préparait déjà minutieusement le coup qu'il va tenter de porter à son Angleterre chérie.

Sans le moindre remords. En guerre, tout est permis, même la ruse. Lauzun a fait arborer depuis deux jours le pavillon anglais à tous les navires de sa mini-flotte : deux vaisseaux de ligne, le *Fendant* et le *Sphinx*, deux frégates, trois corvettes, une goélette et une dizaine de gros chalands tout patauds sur les vagues pour le transport des

---

* Sur Lauzun, futur « Biron » de la Révolution, voir tome I, p. 269.

troupes, comme un troupeau de bœufs marins qui ont gâché la traversée parce qu'on passait son temps à les rameuter. Une bonne idée, non,
ce pavillon britannique? La garnison anglaise de Saint-Louis du Sénégal
va croire à l'arrivée des renforts qu'elle attend impatiemment. Elle
nous enverra un pilote pour aider nos chaloupes à franchir la damnée
barre du fleuve. On se saisira de lui. On l'obligera à nous guider jusqu'aux approches du fort, à la nuit. Et on fera aux ennemis le coup de
John Paul Jones à Whitehaven. Lauzun n'est pas éloigné de se croire
un génie militaire, et se prépare à reprendre, sans coup férir, pour son
roi, non seulement les bouches du fleuve, mais toute la côte de Sénégambie. A nous les cuirs, l'ivoire, la poudre d'or, les plumes d'autruche
dont les Anglais nous privent depuis quatorze ans! A nous cette substance miraculeuse au flanc des acacias blessés, la gomme du Sénégal,
pour nos emplâtres et nos médecines! Et surtout, à nous la nouvelle
richesse de l'Afrique, son commerce en expansion : le Nègre pour nos
Isles [153].

D'abord, à nous Saint-Louis! Le « commandant suprême des volontaires d'Afrique », c'est son titre officiel, braque sa lorgnette sur la
côte mousseuse comme du champagne vert : l'écume de l'estuaire
à l'assaut de l'écume des arbres, on dirait que les baobabs sortent de
la mer. Çà et là, des rochers de basalte renvoient le soleil comme un
écho si pur qu'il manque aveugler. Ce n'est pas sans raison que nos
ancêtres ont nommé « le cap Blanc » un des seuls points où l'on puisse
relâcher, beaucoup plus haut, au bord du Sahara *, là où la falaise est
si blanche qu'on dirait Douvres en Afrique. Lauzun est parvenu
maintenant beaucoup plus au sud, devant l'énorme ouverture qui
interrompt la ligne de la côte, pour la première fois depuis le Maroc,
« comme une issue obscène au ventre de l'Afrique ». C'est un des débou-
chés de ce « fleuve unique » qu'on appelle au petit bonheur le Sénégal,
le Niger, la Gambie, le Casamance ou même la Guinée, pourquoi pas,
selon la hauteur où l'on aborde, parce que quatre ou cinq de ces bouches
de Gargantua s'échelonnent sur cinq cents milles en descendant vers
l'équateur, et qu'on croit encore qu'il s'agit des ramifications de l'estuaire géant d'un seul cours d'eau, les bouches d'un Rhône ou d'un
Rhin à la mesure de l'Afrique : la Sénégambie. La précision n'embar-
rassait pas les géographes : « Entre le cap Blanc et le cap Vert, par
seize degrés de latitude nord, se trouve le fleuve du Sénégal ou le
Niger, et, à cinq lieues de son embouchure, est l'île Saint-Louis [154]. »
Erreur même pour les cinq lieues : le comptoir fortifié planté par des
Dieppois vers les années 1650, premier accrochage un peu solide de la
France au flanc de l'Afrique occidentale, coiffe la petite île de Saint-
Louis à une lieue à peine en amont. Lauzun peut la voir à l'œil nu,
au-delà de la barre moutonnante. Une grosse verrue de civilisation
blanche qu'il s'agit de faire tomber, les premières maisons de pierre

---

* Le cap Blanc est aujourd'hui à la limite du Sahara espagnol et de la
Mauritanie dont la capitale — et le seul port valable — Nouakchott,
qui n'existait pas alors, se situe deux cents kilomètres plus au sud.

depuis Mogador, serrées autour du fort trapu dans la profusion des herbes et des eaux. Là-dedans, une poignée d'Anglais aux abois. La corvette le *Lively*, capitaine Eyriès, s'approche au maximum de la barre, la croix de Saint-Georges bien déployée, et fait les signaux d'usage dans la marine anglaise pour demander un pilote. Lauzun n'a pas dépouillé pour rien toute la collection du *London Magazine* la liberté de la presse, à Londres, simplifie l'espionnage. Il a même relevé le plan du fort dans les gazettes. Mais celui-ci ne se hâte pas de répondre. Deux fois, trois fois, la corvette manœuvre entre la flotte et les récifs, au risque d'échouer. Ils sont aveugles ou quoi, les autres?

Ils prenaient simplement le temps de charger les canons. Boum! On voit la fumée d'une douzaine de décharges avant d'entendre les coups. La salve n'est guère dangereuse; le fort a tiré au jugé, et les boulets se perdent quelque part dans le fleuve. Mais le *Lively* n'en revient pas moins à force de voiles vers le *Fendant*, où la mine de Lauzun est si déconfite que le marquis de Vaudreuil, le vicomte d'Arrost, Robert Dillon, Sheldon et Miewkovski, la petite bande de son état-major, éclatent de rire. Beau stratagème éventé, Monseigneur! C'était bien la peine de rassembler nos forces à Oléron et à Quiberon au lieu de Brest, et de vous faire appeler « le chevalier de Saint-Pierre » en Bretagne, pour dérouter les espions anglais! Quelque mouchard aura été plus habile que vous. On nous attendait. Qu'à cela ne tienne : on se battra demain. Mieux vaudra pour notre réputation n'avoir pas fait tant et tant d'encablures sans tirer l'épée.

Le 29 janvier, il faut toute la matinée pour préparer les chaloupes, fourbir les uniformes et les armes, charger les munitions et même des vivres à tout hasard. Le fort est rentré dans son mutisme. La flotte arbore le drapeau blanc. On se battra sans masque. Le plan est simple : les fusiliers vont être jetés à la côte, le plus près possible de Saint-Louis. Ils s'approcheront en tirant les chaloupes le long des berges, puis traverseront le bras du fleuve dans sa partie la plus étroite, et investiront l'île pendant que les vaisseaux la canonneront, mais pour occuper la garnison plus que pour lui faire mal : les pièces ne porteront pas au-delà de la barre. Celle-ci fait plus peur aux Français que les canons du fort. « Malgré l'habileté des pilotes, chaque jour les passes du fleuve sont témoins de nouveaux sinistres; la lame y est courte, brusque, rapide; elle déferle avec tant de violence qu'une chaloupe, pour peu qu'elle prête le côté, chavire à l'instant même [155]. » Or on n'a même pas de pilote!

A trois heures de l'après-midi, les voilà enfin entassés dans seize embarcations, souquant vers la barre sur une mer grise comme à Ouessant, c'est bien la peine d'avoir passé le tropique! Lauzun en tête, comme il se doit, dans le canot du *Fendant*, s'attend à de grosses pertes, et ne sait s'ils vont périr noyés ou foudroyés : ceux qui franchiront la barre seront exposés près d'une heure au feu du fort.

Une chance : tout le monde franchit la barre. « Quelques chaloupes coururent des dangers, mais elles en triomphèrent heureusement. » Reste à garder la tête haute au vent des boulets... Mais c'est une histoire de fous, comme il arrive si souvent dans cette histoire des fous, la guerre : le fort se tait. Bizarres, ces Anglais qui ont fait feu hier sur le drapeau anglais, et perdent aujourd'hui l'occasion de couler à vue quatre ou six chaloupes de Français! Enfin, c'est un jour de gagné, ni noyés, ni canonnés, mais trop tard pour donner l'assaut, on bivouaque où l'on atterrit, dans ce bassin tranquille formé par l'angle de la rive, « dès que le passage critique est franchi », un havre entre deux mondes. Au nord « la Barbarie, plate, nue, infertile », la terre des Maures, le Sahara, l'Islam ← et au sud « la Guinée verdoyante, touffue, hérissée de palmiers et de baobabs ». Le fleuve Sénégal donne l'impression d'une frontière ethnique. En haut, ce sont encore les Blancs, ceux d'Arabie; en bas commencent les Noirs. Deux mondes qui ne s'entendaient pas si mal. Le Sénégal était le boulevard perpétuel de leurs échanges, et qui pourrait croire l'équilibre menacé par cet infiltrat de microbes à la jointure de l'Afrique, trois cents Polonais, Allemands ou Irlandais recrutés sur les chemins perdus de Lorraine, transportés par des marins bretons, les volontaires de Lauzun? Des grosses bactéries bleues, rouges et jaunes. « L'uniforme était de drap bleu céleste; les hommes à pied portaient à la veste le galon citron et la culotte écarlate [156]. » Ils s'en vont « conquérir le Sénégal ». Ils ont bonne mine *. Seront-ils seulement capables de remplacer les Anglais à la fenêtre de l'Afrique, une poignée d'habits bleus au lieu des habits rouges?

Pour le moment, c'est de froid qu'ils meurent, au ras d'un brouillard glacé. A hauteur des îles du Cap-Vert, ce n'est pas vrai! Les hommes de l'Est et du Nord grelottent dans l'uniforme en drap de Lodève. Il faut tenir sur place et faire du feu. Le bois ne manque pas : des baobabs, des acacias, des térébinthes, et des dizaines d'arbustes sans nom d'où sortent les mille bruits d'une nuit différente; l'Afrique secrète grouille aux rives. Serrés autour des feux, les intrus devinent « le lion, la hyène, la panthère, le chacal », et les crocodiles, et les serpents de toutes tailles. « Vers l'île de Kouma, stationnent quelques hippopotames, gigantesques pachydermes qui, de temps à autre, élèvent à fleur d'eau leur monstrueuse tête et hennissent comme le cheval... Ces animaux ne viennent à terre que vers le milieu de la nuit, pour y chercher leur nourriture, qui consiste en herbes, en racines et en branchages. » Lauzun ne connaissait jusque-là que la ménagerie de Trianon. Il éprouve par ici de bien autres sensations. La nature n'est pas une bergerie. A quoi servirait de pénétrer dans « le continent africain, qui n'est qu'une immense ménagerie de bêtes féroces? Une excursion dans ses terres intérieures est plus féconde en drames qu'en poésie.

---

* La péripétie de janvier 1779 fait ressortir la différence fondamentale entre le colonialisme du XVIIIe siècle et celui qui se pratiquera à partir du XIXe siècle en Afrique. Le premier se bornait à planter çà et là des forts en marge de civilisations qu'on respectait, pour mieux pouvoir commercer avec elles. Le second, à partir de la conquête de l'Algérie, cherchera à confisquer les territoires et à démanteler les civilisations. Une exception cependant, pour la période qui nous intéresse : les « Isles » que l'exiguïté de leurs territoires vouait à une conquête intégrale.

Pour hasarder de pareils voyages, il faut être doué de tout le courage enthousiaste du naturaliste, ou de cette cupidité maladive du marchand, qui est plus forte que la peur [157]. » Mieux vaut rester en marge, et poursuivre l'élégant chassé-croisé des Compagnies occidentales, avec ou sans gué-guerres de quatre jours, les Français, les Anglais, les Hollandais, les Portugais, les Espagnols échangeant leurs comptoirs comme dans des figures de ballets sur la côte de Sénégambie prise pour un parquet ciré. Le bal des colonies, un entrechat de l'Europe.

Et pourquoi s'enfoncerait-on? Au matin, l'Afrique vient à nous. Les indigènes ne sont pas comme en Amérique ici, ils n'ont pas peur de ces Blancs si polis, chargés de fer et de bimbeloterie pour le commerce *. Les Français ont meilleure réputation que les autres, c'est-à-dire de mieux payer la gomme avec la seule monnaie courante sur la côte : la barre de fer, qui vaut six cuirs de bœuf **. Lauzun en avait lesté ses chaloupes, à bon escient : on s'aperçoit, sitôt le soleil levé, que les rives du Sénégal grouillent d'hommes quand il fait jour, tout autant qu'elles grouillent d'animaux la nuit. Voilà d'abord les « Nègres pêcheurs », qui sortent de leurs cases toutes proches, très noirs et crépus, drapés dans des pagnes en coton « teints en bleu ou non teints. Les femmes se coiffent d'un mouchoir. Elle portent à la ceinture des chapelets de verroterie et, à leur cou, des colliers d'ambre et de corail » qu'elles voudraient bien assortir à la dernière mode de cet au-delà incompréhensible d'où viennent les vaisseaux et la foudre des Blancs. Lauzun a grand mal à maintenir la discipline de ses Polonais, assaillis par des escouades de Négrillonnes sculpturales complètement nues ; elles ne « s'habillent » qu'après seize ans, quand elles allaitent. « Leurs cheveux, comme ceux des hommes, sont rangés en petites nattes très fines et enduites de beurre frais. » On en mangerait. Ces premiers interlocuteurs sont des Mandingues, mais comment s'entendre? Ils ne parlent pas, ils aboient, selon les interprètes, et ça nous fait une belle jambe de savoir que « leur langue est un bambara corrompu, mêlé de saracollet [158] ». Saint-Louis, pour eux, c'est N'dar, on le comprend quand ils désignent du doigt le fort toujours muet. Ils dansent de joie dès qu'ils ont identifié « des Français ». On ne va pas entrer dans des subtilités en essayant de leur expliquer ce qu'est un volontaire irlandais. Déjà, des chefs maures arrivent de la proche Barbarie, majestueux, basanés, « la tête enduite d'une couche de beurre» eux aussi. Ils offrent des légumes frais et des bestiaux, providentiels après deux mois de porc salé. Vers midi, c'est, au contraire, du sud

---

* Sauf exceptions à certains points du littoral, après des rafles de négriers pirates, les Noirs de la côte n'avaient pas peur non plus des vaisseaux «officiels» européens de la traite : ces derniers n'opéraient pas la déportation par eux-mêmes. C'étaient les propres chefs des Noirs qui vendaient leurs sujets, pris souvent à l'intérieur.
** Cette barre de fer était plate, mesurait 9 pieds de long, 2 pouces de large et 4 lignes d'épaisseur. Elle se monnayait en douze pattes, chacune de 3 « dialots ». C'était donc une véritable monnaie, qui sera estimée en 1787 à 4 livres et 16 sous pour une barre, soit vingt-cinq francs lourds environ.

que survient un cortège de roi mage, et d'ailleurs c'est un roi ou presque : le frère du roi de Kayor ou d'*Akkayor*, qui règne sur un vaste domaine imprécis, seigneur noir des espaces inexplorés après la presqu'île de *Dakard*. L'information court vite, à travers la savane : le roi, qu'on appelle aussi le Damel, a envoyé son frère « à ce ministre du roi de France », dont tout le royaume connaît l'arrivée, voilà Lauzun promu et saluant gravement le Monsieur de ce souverain-là, « escorté d'une suite nombreuse de Nègres montés sur des chevaux et des chameaux [159] ». Deux civilisations s'effleurent : un muguet mûrissant de la plus vieille monarchie du monde et l'un des héritiers des cités de boue rouge où les marabouts de l'Islam noir chantent la prière, le soir, depuis mille ans. On se méprise courtoisement, sans haine, sans curiosité. On se salue, d'un trottoir du monde à l'autre, en échangeant des cadeaux.

On en arriverait à oublier les Anglais, déjà court-circuités dans leur forteresse, si le frère du Damel, qui parle un peu français, ne donnait enfin la clef de l'énigme d'hier : bien sûr qu'ils ont tiré sur le drapeau anglais, puisqu'ils sont des mutins! Il s'en est passé de belles à Saint-Louis, ces derniers jours! La garnison avait été oubliée par sa métropole, ce sont des choses qui arrivent sur les côtes d'Afrique. Elle s'étiolait dans l'hostilité générale. Les fièvres, la faim, la peste cet hiver, cent morts. La poignée de malheureux qui restaient debout, pas vingt durs à cuire, avaient fini par occire le gouverneur, une brute nommée Fall, et par le remplacer par une brute nommée Stanton. Repliés en hérisson, ils attendaient la potence, contents du moins de vivre à leur guise encore quelques heures, et ils avaient trouvé que le roi George envoyait une force bien puissante pour les châtier quand ils avaient aperçu la pseudo-flotte anglaise de Lauzun. Une corvette aurait suffi. Ils avaient bravement fait feu contre cette « force de répression » — et, depuis qu'ils ont su qu'il s'agit de Français, ils ne dessoûlent pas. Prisonniers de guerre, mais pas pendus, ça s'arrose. Pour l'honneur, cependant, ils vont se faire prier, oh si peu...

Décidément, les volontaires de Lauzun ne perdront pas un homme dans cette affaire. Le reste de la journée se passe en péripéties presque protocolaires : la flotte tire quelques coups de canon symboliques en direction du fort qui riposte symboliquement, avant d'amener son pavillon. Un parlementaire fier et déguenillé se présente aux assaillants qui investissent l'île.

— Rendez-vous sans conditions et rapportez-vous à la générosité du roi de France.

Ils n'attendaient que cela. On voit sortir, avec les armes qu'on leur a laissées, un quarteron de forbans affamés, l'armée anglaise du Sénégal. On les transporte à bord du *Fendant*, et Lauzun pénètre dans la première place forte conquise de sa vie, un indescriptible bordel de biscuits gâtés, de bouteilles vides, de tombes fraîches, avec çà et là des taches de sang anglais versé par les Anglais. Le lendemain, dimanche 31 janvier, il n'en préside pas moins en grande pompe à la messe, entouré par ses officiers, dans la gentille petite agitation des ralliés, les commerçants mulâtres restés sur place, et les Peuhls descendus de l'intérieur en pirogue avec des chèvres et des moutons. Le *Te Deum* solennel a de l'allure, devant la nouvelle garnison sous les armes. « On tira une salve d'artillerie et trois de mousqueterie, puis le duc se fit recevoir officiellement comme gouverneur. Les habitants virent rétablir l'exercice de la religion catholique avec un plaisir inexprimable [160]. » Cette sorcellerie-là leur parle mieux que les pâles services anglicans.

Reste une épreuve plus rude que le combat : l'entrevue solennelle, huit jours plus tard, avec le Damel en personne, un énorme personnage invalide à force de graisse, porté dans une litière qu'il ne quitte jamais. Il investit pratiquement Saint-Louis avec deux mille cavaliers, pour délibérer d'un traité de commerce. Qui dit nouveau gouverneur dit nouveau traité. Huit heures de palabres. Les soixante-deux épouses « qui ne quittent jamais le souverain, absorbèrent de l'eau-de-vie en quantité », offerte par Lauzun bien sûr, en échange d'un vin de palme qui fait cracher par terre Français, Irlandais et Polonais d'un même haut-le-cœur. On dirait du sirop poivré. L'alcool aidant, le Damel finit par conclure, et recommence à boire. « En signe de réjouissance, le roi et la reine-favorite burent chacun une vingtaine de verres d'eau-de-vie. » Lauzun, qui a beau avoir de l'entraînement, se demande s'il tient encore le coup. Il doute de sa lucidité devant le phénomène étrange de ces Noirs dont le teint vire au blanc quand ils sont gris. Une dernière épreuve l'attend : « La reine m'envoya son esclave préférée », une sorte de tonneau ambulant, haute de près de deux toises toute frottée d'huile et de beurre rance, ce n'était pas précisément Lady Bunbury ou la princesse de Guéménée, « en m'assurant de son entière bonne volonté pour les Blancs, et particulièrement pour moi. Elle me fit aussi présent d'un beau bœuf. Je répondis à cette galanterie en lui envoyant un tambour, instrument qu'elle aime beaucoup [161]. » Quant à la demoiselle, si le cœur vous en dit, messieurs? Les aides de camp s'enfuient épouvantés, mais les bas officiers polonais, à la nuit tombante... Cinquante jours sans femme depuis Quiberon. A la guerre comme à la guerre.

Le gouverneur qui va succéder à Lauzun, Boufflers, ne trouvera rien de mieux pour faire plaisir à sa maîtresse, Eléonore de Sabran, que de lui annoncer « l'envoi d'un produit de mon gouvernement ». « Quel ne fut pas l'étonnement de tous quand on vit arriver à Paris, quelques jours après, un petit Nègre haut comme une pomme et noir comme de l'ébène [162]. » Il vaudra une jolie lettre de remerciement au chevalier de Boufflers. Le Sénégal a du bon :

« Je te parlerai de ton petit sauvage * que mes enfants ont appelé Vendredi », comme Mme du Barry avait appelé Zamore, six ans plus tôt, un autre petit déporté. « Il fait leur bonheur, et il n'y a pas de joie pareille à celle qu'il a éprouvée le jour qu'il s'est vu un bel habit sur le corps ; il est si emprunté dans ce nouveau vêtement qu'il fait

---

* *Robinson Crusoé* avait été publié, en France, en 1719.

mourir de rire ; il ressemble à ces chats auxquels on met des papillotes
à la queue ; il tourne, il se regarde, il n'ose pas remuer, crainte de se
salir ; à peine peut-il marcher avec ses souliers ; enfin, il nous donne la
comédie toute la journée et il nous paraît d'autant plus piquant qu'il
est, en fait de plaisir et de distractions, notre unique ressource. »
En effet, c'est à mourir de rire.

D'un rire plus consciemment cruel, la grimace habituelle de ces gens,
Mme du Deffand, qu'aucune guerre n'aurait empêchée d'écrire,
de Paris à Londres, à son vieil ami Walpole, lui mande, le 21 mars 1779 :
« M. de Lauzun, avec deux vaisseaux et un très petit nombre de troupes,
a pris votre Sénégal, qui était votre traite des Nègres ; M. de Choiseul
contait hier que M. de Sartines, en lisant au Roi le détail de cette
expédition, hésitait un peu à en dire toutes les circonstances ; M. de Maurepas l'obligea de n'en omettre aucune ; il apprit donc au Roi que la
garnison anglaise consistait en quatre hommes, dont il y en avait
trois malades *(sic)*, et M. de Choiseul nous dit que celui qui restait
s'était apparemment rendu de bonne grâce, et qu'il ne doutait pas
qu'on ne lui eût accordé les honneurs de la guerre. Si, dans cet exploit,
M. de Lauzun avait trouvé quelques mines d'or, cela vaudrait bien
autant pour lui que la gloire qui lui en reviendra [163]. »
La démarche de leur intelligence, c'est le rétrécissement. Après tout,
Lauzun vient tout de même de reconquérir le Sénégal, pour leur fournir
des petits nègres-chiens. On en arrive au moment où certains affirment
que le duc de Chartres s'est caché dans la cale du *Saint-Esprit*, pendant
le combat d'Ouessant.

13/ février 1779
Comme un soldat en congé

Une gazette de Philadelphie, *The Pennsylvania Packet* *, publie,
le 11 février 1779, un de ces démentis qui valent information : « Nous
pouvons affirmer que le départ du marquis de La Fayette pour la
France, *via* Boston, départ que le Congrès a approuvé, n'est dû à aucun
découragement, à aucune raison d'ordre politique, mais aux instances

---

* « *Le Courrier de Pennsylvanie* » : c'était aussi le nom du « paquebot »
qui avait ramené Franklin d'Angleterre. Les Américains avaient réoccupé
le 20 juin 1778 une Philadelphie déserte et saccagée par les troupes
anglaises, qui l'avaient évacuée d'elles-mêmes pour gagner New York
à travers le New Jersey, faute de pouvoir s'implanter en Pennsylvanie,
un peu comme Napoléon évacuera Moscou.

de sa famille [164]. » Voilà une dépêche de nature à faire dresser bien des oreilles dans les deux mondes. Il s'en va donc déjà, le petit marquis, quand rien n'est joué, quand tout va mal? Désertion d'amateur *... Certains n'en sont pas étonnés à Paris, où ils l'attendaient au premier tournant. La *Correspondance secrète* du 10 janvier laissait entendre qu'à Paris on n'était pas dupe : « Le marquis de La Fayette a écrit à un ami : — Je commence à m'apercevoir que, séduit par un faux enthousiasme, j'ai fait une faute de tout quitter pour courir en Amérique; mais ce serait une plus grande d'en revenir. Le calice est tiré *(sic)*, il faut le boire jusqu'à la lie, mais la lie se fait déjà sentir [165]. » Type de la citation fabriquée : l'échotier a saisi le propos de salon d'un soi-disant ami de La Fayette, lui prêtant les sentiments qu'il aurait à sa place, et en a fait une confidence venue d'outre-Océan. Voilà comment Versailles pensait qu'il pensait.

Il en avait quand même un peu marre de l'Amérique, mais se serait fait tuer plutôt que d'en convenir. Le 13 octobre, il avait demandé « sa permission » au Congrès avec un grand luxe de précautions. Raison officielle : on pouvait avoir besoin de lui en Europe. « A présent que la France est engagée dans une guerre, je suis pressé par un sentiment de devoir et de patriotisme de me présenter devant le Roi, et de savoir comme il juge à propos d'employer mes services... J'ose espérer que je serai regardé (par les États-Unis) comme un soldat en congé qui souhaite ardemment rejoindre ses drapeaux et ses chers compagnons d'armes [166]. » Il part couvert de fleurs : « Il est accordé au marquis de La Fayette, major général au service des États-Unis, une permission d'aller en France, avec la liberté de fixer l'époque de son retour... Le Président (lui) offrira les remerciements du Congrès pour le zèle désintéressé qui l'a conduit en Amérique et les services qu'il a rendus, par son courage et ses talents, dans beaucoup d'occasions importantes... Le ministre plénipotentiaire des États-Unis à la cour de Versailles sera chargé d'offrir en leur nom, au marquis de la Fayette, une épée de prix ornée d'emblèmes symboliques [167] », et l'on avait mis à sa disposition la plus belle frégate de la marine américaine, rebaptisée l'*Alliance* en son honneur.

Elle l'attendait à Boston **. Il a quitté le 26 octobre une Philadelphie exsangue où un embryon de Congrès (réduit à vingt-deux membres) campait de son mieux dans les maisons encore intactes, sans savoir si les Anglais ne reviendraient pas dans huit jours, dans trois mois... Quatre cents *miles* à faire à cheval du sud au nord à travers un pays meurtri, dans le déchaînement des orages de l'arrière-saison. Il n'en pouvait plus. Il n'avait même plus la force de crâner : les fatigues et les déceptions de l'été perdu avaient eu raison de sa jactance. D'Estaing

---

* Notre tome I suit La Fayette de son mariage à la bataille de la Brandywine. Voir notamment où il en était un an plus tôt, après sa blessure, p. 549.
** L'un des seuls ports d'où l'on pouvait tenter l'évasion hors du continent bloqué par les vaisseaux anglais. Il fallait embarquer très au nord (Boston) ou très au sud (Charlestown).

a échoué. Loin de tirer d'affaire les Insurgents, le premier geste de la
France vers eux n'a fait que les enfoncer. Il n'est pas fier de son pays,
en ce moment, Gilbert de La Fayette — et pour ce qui est d'être fier
de ses propres services..., « courage et talent ». Aucun résultat.

Pluie battante et glaciale sur les chemins ruisselants; il est maigre
comme un clou, raclé par le surmenage. En juillet, à Rhode Island,
il n'a pas dormi pendant huit jours, quand il faisait la navette entre
d'Estaing et Sullivan. Il n'a pas récupéré depuis, pendant l'interminable partie entre Washington et les Anglais, aux quatre coins du
New Jersey. Il titube de fatigue sur sa selle, et, le soir, raide comme un
vrai soldat, il titube au coin des cheminées sous l'assaut des boissons
qu'on lui offre pour le réchauffer, dans ce mortel chapelet des petites
villes toutes pareilles qui veulent fêter le seul Français aimable des
deux mondes. Bristol, Trenton, Princeton ou Somerville. Tout se
brouille. Grogs, rhum blanc, vin chaud, thé. Somerset, Plainfield,
Chatham, Livingston, thé, vin chaud, rhum blanc, grogs. La Toussaint
n'est pas une fête, ici, ni le jour des Morts. On la franchit sans y penser,
comme l'Hudson bien au-dessus de New York où les Anglais font
ripaille. Le fleuve jaunâtre, triste comme l'Amérique cet hiver, roule
ses boues vers la flotte anglaise. Toutes ces filles fades en blanc, toutes
pareilles elles aussi. Leurs grogs ont partout le même goût. Remonter
loin vers le nord, pour échapper aux grand-gardes des Anglais. Suivre
la rive gauche de l'Hudson. On entre dans l'État du New York, quand
on s'éloigne de New York. Mais le Massachusetts est encore loin. Le
supplice américain, c'est la distance. Gilbert est à peine au milieu du
voyage. Vin chaud, rhum, grogs. Son général bien-aimé l'attend au
passage, à deux lieues de Fishkill, dans ses quartiers d'hiver. Des
petites montagnes. La ville de Fishkill, encore un grog — et La Fayette
s'écroule, quelques *miles* avant le quartier général, persuadé qu'il va
mourir. Il n'en est pas loin. Il est bien plus en danger qu'après
la Brandywine.

Dysenterie? Grippe intestinale, compliquée d'une gastrite provoquée
par la mauvaise nourriture et la brûlure des alcools? On appelle sa
maladie « un dévoiement d'entrailles », on le saigne, on le bourre
d'écorces de quinquina parce qu'il délire de fièvre, et l'on attend qu'il
guérisse ou qu'il crève. Vingt jours de lit en novembre, à rêver aux bruits
de la bourgade enfiévrée, elle aussi, par le voisinage de tant d'officiers.
Des cavalcades, des parades, les rires aigus des filles, les apparitions
régulières du docteur Cochrane, le médecin en chef de l'armée, que
Washington lui envoie tous les jours et qui lui prend le pouls en hochant
la tête. Le vent d'hiver descend du Canada au ras de l'Hudson et s'en
va devenir le vent d'Amérique par-dessus un océan que Gilbert craint
ne plus jamais franchir. La tempête jette les feuilles mortes par poignées aux carreaux de sa chambre. Un an de sa vie.

Tout allait bien, en novembre de l'autre année. Il relevait de sa
bonne blessure. Il avait repris les armes à une joyeuse petite bataille
sans vainqueur ni vaincu, à Gloucester, un pied chaussé et l'autre nu,
comme le matelot de la chanson. Washington avait obtenu du Congrès
un vrai commandement pour lui : « major général de la division de

Virginie ». Il avait eu un long hiver pour apprivoiser ses Virginiens
à Valley Forge, là où les Américains s'étaient tapis, à sept lieues des
Anglais tapis dans Philadelphie, « après avoir comme par enchantement
fait sortir de terre une ville de cahutes en bois », « des petites baraques
qui ne sont guère plus gaies qu'un cachot [168] » — images du dernier
atout de l'Amérique, la patience de Washington *. Des hommes manquant de tout, sans tunique, sans chapeau, sans chemise, sans souliers;
« les pieds et les jambes gelaient au point de devenir noirs et de rendre
l'amputation nécessaire [169]. » Les derniers combattants de la liberté,
cinq ou six mille, avec le poids d'un monde sur leur dos, si entêtés que
Washington lui-même, ô miracle! s'était pris à aimer ses soldats :
« Il n'existe dans l'Histoire aucun exemple d'une armée soumise à des
travaux et à des souffrances aussi extraordinaires, et qui les ait suppor-
tés avec autant de patience et de courage... On aurait pu suivre leur
trace au sang qui coulait de leurs pieds... C'est un spectacle de patience
et d'obéissance que le monde a bien rarement contemplé **. » Mais à
quel prix! « Les armes à Valley Forge étaient dans un état déplorable,
couvertes de rouille; la moitié des fusils avaient perdu leur baïonnette,
un grand nombre ne partaient pas... Beaucoup d'hommes, en fait de
gibecières, portaient de petites boîtes de fer-blanc ou des cornes;
quant aux fusils, c'était un heureux mélange de fusils de chasse, de
fusils rayés et de carabines... Quelques hommes étaient nus, au sens
littéral du mot. Un jour de grande parade, certains officiers ont monté
la garde vêtus d'une sorte de robe de chambre faite dans de vieilles
couvertures ou dans des couvre-lits [170]. »

Au milieu, lui, La Fayette, comme un ravi. « Je lis, j'étudie, j'exa-
mine, j'écoute, je pense, et de tout cela je tâche de former une idée
où je fourre le plus de sens commun que je peux. Je ne parlerai pas
beaucoup, de peur de dire des sottises [171] », mais il écrit beaucoup.
Il s'était un peu trop mêlé de tout, c'est sa démangeaison. Le pire
n'avait pas été l'hiver et le dénuement, à Valley Forge, mais cette
grande dépression dans laquelle on eût dit que toute l'Amérique était
tombée, le creux de la guerre. Où était la Terre des Saints, qu'on
prêchait en Europe? « Ce pays-ci est comme le nôtre sujet aux mêmes
passions, si ce n'est que les passions y sont toutes nues et qu'il manque
cet art qui rend du moins les nôtres supportables [172]. » Le défaitisme
perçait dru sous la neige, et La Fayette avait fait sourire Washington

---

* Valley Forge, à une trentaine de kilomètres au nord-ouest de Philadelphie, est aujourd'hui le premier grand espace boisé qu'on rencontre
à la sortie de l'immense métropole. C'est un des hauts lieux historiques
des États-Unis. On y a reconstitué le quartier général de Washington.
** Lettre de Washington au Congrès, du 6 janvier 1778. Il ajoutait,
après avoir souligné la condition précaire de ses officiers, « obligés d'entamer leur propre fortune, pour pourvoir à leur entretien, sans aucun espoir
d'être soutenus dans l'avenir » : « On pourra faire les plus belles théories
sur le patriotisme; mais quiconque, pour conduire une guerre longue et
sanglante, prétendra ne s'appuyer que sur ce mobile, devra reconnaître
un jour son erreur. J'ai une profonde conviction que le salut de notre
cause dépend de l'établissement d'une demi-solde à vie pour les officiers,
après la fin de la guerre. »

en découvrant la lune : « Vous pouvez juger de ma surprise * quand je vis que le torysme ** était aussi ouvertement professé que le whigisme *(sic)*. Cependant, je croyais encore qu'au moins tous les bons Américains étaient unis... Ce serait trop grande pitié que l'esclavage, le déshonneur, la ruine, le malheur de tout un monde fût le résultat de frivoles disputes entre quelques hommes [173]. » Était-il ou faisait-il l'enfant de chœur? Un panier de crabes féroces, en guise de « frivoles disputes ». Même la carapace de Washington s'y usait. Gates, le vainqueur de Saratoga, et un général d'origine irlandaise, Conway, et Charles Lee, le commandant d'une armée, se prêtaient la main pour faire chasser leur généralissime « qui n'avait gagné qu'une bataille, un soir de neige *(celle de Trenton)*, contre quelques Allemands ivres [174] ». Et le loyal, le dévoué, le limpide Gilbert avait singulièrement voltigé, trois mois durant, des uns aux autres, tout en envoyant à Washington des lettres d'adorateur. Il est vrai que Conway lui avait fait espérer le commandement d'une armée qui devait reconquérir le Canada. Gates avait même rédigé ses instructions : « Lorsque vous prendrez possession de Montréal [175] »... La Fayette vengeur de Montcalm! Il y avait de quoi tourner des têtes moins folles. « Quelle serait ma joie, si j'étais l'instrument d'une semblable révolution! » Il avait signé ses lettres, en janvier-février (1778), « le commandant de l'armée du Nord » — une armée réduite à son escorte et à ses aides de camp [176]. Washington lui répondait cérémonieusement, mais on perçoit entre les lignes son éternel sourire triste. En mars, Washington se sentait abandonné du Congrès, de l'opinion, de ses adjoints. Seuls lui restaient les soldats-trappeurs de Valley Forge. Il se préparait, vis-à-vis de La Fayette, au *Tu quoque* ***...

L'explosion de la bulle de son rêve avait évité à Gilbert un cas de conscience épineux. Le printemps de la déception. Quinze jours de traîneau ou de cheval vers Albany, la ville du Nord où il devait trouver ses troupes. « J'avance très lentement, tantôt percé par la pluie, tantôt couvert de neige [177]. » La Susquehanna charriait des glaçons. A Albany, pas mille hommes et pas mille dollars. Personne n'avait même entendu parler du projet. « J'ai été induit en erreur par le Bureau de la Guerre... J'avais sans doute fait de trop beaux rêves... Je crains que cela ne touche à ma réputation [178]. » Mais non, du calme, Washington l'avait consolé d'un peu haut : « Vos inquiétudes viennent d'une sensibilité peu commune pour tout ce qui touche à votre réputation. Vous semblez

---

* Lettre de La Fayette à Washington du 30 décembre 1777.
** On n'est pas d'accord sur l'étymologie des termes de *tories* (conservateurs) et *whigs* (libéraux), en usage depuis la révolution d'Angleterre. *Tory* vient peut-être du cri des voleurs irlandais de grand chemin : *Toree!* équivalent à « la bourse ou la vie » — et *whig* de l'appellation méprisante donnée aux charretiers écossais qui criaient *whiggam!* pour stimuler leurs chevaux. En tout cas, passés tout cuits de la métropole aux colonies, les deux termes avaient servi à étiqueter les partisans et les adversaires de la Couronne.
*** Cri de César à Brutus, quand celui-ci le poignarda, parmi les autres conjurés des ides de mars : « Toi aussi, mon fils... »

craindre que le monde ne fasse tomber sur vous un blâme proportionné
à son attente déçue [179]. » Adieu Canada, retour à Valley Forge, où il
avait trouvé un noyau d'armée plus solide grâce aux étrangers que
Washington cherchait à utiliser davantage, à mesure qu'il se méfiait
des siens : le Prussien Steuben, Kalb repêché à la dernière minute *,
les Français du Coudray pour l'artillerie et Armand de La Rouërie
pour la cavalerie, les Polonais Pulaski et Kosciuszko, en apprentissage
de la liberté. Onze mille hommes, enfin! contre seize mille Anglais,
mais ceux-ci divisés : quatre mille à New York, deux mille à Rhode
Island et dix mille qui se préparaient à quitter Philadelphie. « Jusqu'à
présent, on avait cru qu'il était nécessaire que des troupes fussent disciplinées et habillées pour combattre. Mais ce qui vient de se passer
prouve le contraire, puisque les Américains, par leur seul courage,
sans discipline et sans culottes **, ont chassé les Anglais qui avaient
l'une et les autres [180]. »
   18 mai : Barren-Hill; La Fayette a failli se faire prendre près de
Philadelphie en cours d'évacuation, et qu'il approchait trop. La fuite,
à travers le cours de la Schuylkill. Ses hommes, la tête à peine hors de
l'eau, comme « les bouchons d'un grand filet de pêche [181] ». L'angoisse
— si je suis prisonnier ce soir, c'est fini, La Fayette n'aura pas lieu.
Le rire irrépressible devant la double fuite des Iroquois enrôlés par
lui et des dragons anglais : ceux-ci épouvantés par le cri de guerre des
« sauvages », ceux-là par la première cavalerie rencontrée. Le soulagement du retour au camp. L'accablement d'apprendre que sa première
fille est morte, six mois plus tôt : une lettre de Paris à Valley Forge
ne lui arrivait « qu'après avoir été crassée (sic) par toutes les sales
mains de tous les maîtres de poste espagnols », ballottée par l'Océan
puis la remontée de l'Ohio à partir de la Nouvelle-Orléans [182]. La
consolation de savoir qu'une autre fille, Anastasie, sans visage pour lui,
remplace la petite Henriette. La nostalgie. « Après mon retour, nous
serons assez grands pour nous établir dans notre maison ***, y recevoir
nos amis, y établir une douce liberté et lire les gazettes des pays
étrangers... J'aime à faire des châteaux en France, de bonheur et de
plaisir... Notre caducité n'est pas au point de nous empêcher d'avoir
un autre enfant sans miracle! Celui-là, il faudra absolument que ce
soit un garçon [183]. » Le harcèlement des Anglais entre Philadelphie et
New York. 28 juin : Monmouth, une bataille de fous où chacun dit qu'il
gagne en craignant d'avoir perdu. Un coup fourré. On croyait bien
tenir les autres, pourtant, mais tout a manqué par l'incurie, ou la
trahison, du général Lee. « Pourquoi les troupes se retirent-elles? —
Nom de Dieu, elles fuient devant une ombre [184]! » Conseil de guerre
pour Lee. Lauriers pour Washington, qui a redressé la barre à la der-

---

* Voir sur Kalb, tome I, p. 551, note.
** Je résiste à l'envie de souligner, quatorze ans avant Valmy, mais je
n'ai pas le courage de ne pas signaler que je ne souligne pas.
*** La Fayette et Adrienne de Noailles, couple d'enfants mariés à seize
et quatorze ans, avaient été logés « en nourrice » chez les Noailles jusqu'au départ de La Fayette pour l'Amérique.

nière minute. « Washington est devenu Washington à Monmouth. »
Pas le temps de traîner : la flotte de Toulon est arrivée sous New York.
A nous la France, enfin! 4 août : la chaloupe jusqu'au *Languedoc*, la
formidable masse du vaisseau de haut bord, les matelots provençaus
criant Vive le Roi! les larmes, la grande carcasse de l'amiral d'Estaing
serrant dans ses bras le frêle général de vingt ans, son cousin :

« — Vous avez su entraîner l'opinion publique, vous saurez nous
galvaniser.

« — Vous devez me trouver bien ridicule de me voir une espèce
d'officier général? J'avoue que je ne puis m'empêcher d'en rire moi-
même, dans un pays où l'on ne rit pas autant que dans le nôtre. Jamais
je n'ai tant désiré les talents que je n'ai pas et l'expérience que j'acquer-
rai d'ici à vingt ans, si Dieu me conserve la vie et nous conserve en
guerre *. »

Amen! Ils avaient « le titre commun d'Auvergnat ». Avant même de
songer à l'Amérique, des heures à « parler de nos terres d'Auvergne, de
mon château de Chavaniac, de la belle terre du Pont-du-Château et de
la belle pêche de saumon de M. de Montboissier, de mes tantes et du
mariage de ma cousine *(son amour de quinze ans)* avec M. d'Abos »...
Enfin quelqu'un à qui se confier, après tous ces Américains constipés :
« Mon intention serait de partir sur-le-champ pour les Isles, l'Europe,
même les Indes, s'il y avait une de ces trois parties du monde où nous
fissions la guerre [185]... » La guerre, la guerre pour la guerre, son refrain
depuis Metz et Bordeaux, la guerre qui tournait mal ici aussi, d'Estaing
est sombre, toujours furieux, un officier de terre trop tard venu à la
marine, mal aimé de ses officiers qui boudent, et les marins sont des
fantômes, ceux qui ont survécu au scorbut. Une flotte rongée sous les
grands pavillons. Une main tendue par-dessus l'Océan pour être aussitôt retirée. Impossible d'attaquer New York de front : les vaisseaux ne
passent pas la barre. Bon, alors débarquer à Newport, plus à l'est?
Six mille Anglais à prendre à la nasse. On avait foncé au petit bonheur,
préoccupés surtout de précéder les miliciens américains du général
Sullivan. Toute la gloire aux Français, ils sont venus pour ça. Le jeune
colonel John Laurens, fils du président du Congrès, n'en revenait pas
de pareils alliés : « Ils ont considéré comme une injure faite à leurs
soldats que les nôtres eussent avancé les premiers. On aurait dit des
femmes se disputant la première place dans une contredanse, et non
des hommes qui poursuivent un but commun [186]. » On avait tout arrêté
après deux jours, parce que la flotte anglaise approchait, trente-six
lions des mers, demi-tour! d'Estaing avait fait hisser les pavillons,
ils allaient voir de quel bois nous nous chauffons. Dernier souvenir
heureux de La Fayette, resté à terre : dix heures du matin le 10 août,
le défilé des vaisseaux français sous l'aboiement inefficace des batteries
de Rhode Island, dix-sept bâtiments si résolus — et si bien placés au
vent — que la flotte anglaise « coupa ses câbles, déploya toutes ses

---

* Vingt ans... 1798. L'année de la campagne d'Égypte. La Fayette sera
prisonnier des Autrichiens à Olmutz.

voiles sans prendre même le temps de ramener ses canots * dont elle abandonna un grand nombre, par le plus beau temps du monde, à la vue des armées anglaise et américaine. Je n'ai jamais été si fier que ce jour-là [187] », le jour du rêve vécu, où les Anglais se sont enfuis devant nous, après ce demi-siècle où ils nous avaient mis à genoux. A tout rêve, un réveil : celui du 11 août, la tempête comme une colère des dieux sur ces hommes-enfants qui se cherchaient avec les plus beaux jouets du monde, et le ciel d'encre crevant soudain.

A Rhode Island, les tentes arrachées par le vent, la campagne hachée de grêle, les soldats trempés jusqu'aux os, jamais les riverains n'avaient vu ça. Et quand on avait pu se tenir debout dans les champs détrempés, où diable étaient passés les bateaux? Plus de flottes. Des énormes bouchons dans les creux de dix toises. Pour un peu, Français et Anglais se seraient entraidés; quelle sottise, la guerre! Le *Languedoc* n'avait plus ni mâture ni gouvernail, il devait se faire remorquer. Le *César* était perdu corps et biens. Retour piteux de la grande expédition très chrétienne sous Newport : une procession d'éclopés pour souhaiter le bonsoir. Nous venons vous dire que nous ne pouvons plus rien pour vous. On va se faire panser à Boston, comme les Anglais à New York. Explosion de colère chez les Américains, ce n'est pas vrai, d'Estaing ne peut pas nous laisser tomber, qu'il débarque au moins ses soldats, il est d'accord avec les *tories*, c'est sûr, faites quelque chose monsieur le marquis! La Fayette écartelé, l'ambassadeur de l'impossible. Des jours de va-et-vient sur la mer encore fâchée, entre ces alliés qui commençaient à se haïr, avant d'être rejeté sur le rivage parmi les Américains fous de rage, d'Estaing s'est éclipsé à la nuit, il sera bien reçu à Boston, les ouvriers des chantiers voudront flanquer ses matelots à la mer, quel gâchis! La protestation du général Sullivan avait couru le monde : « Il n'y avait aucune raison plausible pour que le comte d'Estaing emmenât les troupes d'infanterie qu'il avait à bord... En conséquence, nous protestons de la façon la plus solennelle contre cette mesure dérogatoire à l'honneur de la France [188]. » Comment un La Fayette n'aurait-il pas relevé le gant? Il a failli se battre en duel avec ces gens qu'il était venu aider, « moi, moi-même, l'ami de l'Amérique, l'ami du général Washington, je suis sur un pied d'hostilité en dedans de nos lignes, plus, en vérité, que lorsque j'approche de celles des Anglais [189]. » Et là-dessus, l'évacuation de Rhode Island, les dents serrées, comme celle de Philadelphie un an plus tôt, sans chance d'une blessure pour souffler, après une dernière démarche inutile auprès du comte d'Estaing. « Le marquis de La Fayette est arrivé vers onze heures *(le 31 août)* de Boston, où il avait été solliciter le prompt retour de la flotte », qui se préparait au contraire à partir pour les Isles; la première expédition française d'Amérique était finie sans avoir commencé. « Il a fait à cheval le trajet de Boston en sept heures et le retour en six heures et demie : plus de soixante-dix *miles*! Il est encore arrivé à temps pour relever les derniers piquets et détachements qui

---

* Les canots de débarquement, qui allaient transporter à terre quatre mille hommes venant renforcer la garnison anglaise de Newport.

couvraient la retraite de l'armée [190]. » Belle mission. Voilà de quoi devenir célèbre. L'épuisement ou l'écœurement? Les deux, l'un nourrissant l'autre. « La moitié des Américains dit que j'aime furieusement mon pays, et l'autre dit que depuis l'arrivée des vaisseaux français je suis devenu fou, et je ne bois ni ne mange ni ne dors qu'en conséquence du vent qu'il fait [191]. » Dès ce moment, il voulait partir, plus pour fuir le paysage de l'alliance boiteuse que l'Amérique elle-même. Deux mois de démarches. Et maintenant ce dernier voyage, qui risque vraiment d'être le dernier, les feuilles mortes de Fishkill. « J'ai un guignon affreux, et j'en suis cruellement malheureux... Je le sens, je ne mérite pas d'être plaint. Pourquoi ai-je été enragé à venir ici? J'en suis bien puni. Je suis trop sensible, mon cœur, pour faire de ces tours de force [192]. » Un an de sa vie...

Fin novembre, une hémorragie « le vide de ses entrailles ». Elle pouvait le tuer. Elle le guérit. Il parvient à se traîner au quartier général; il se remet au contact du pessimisme réconfortant dont Washington irradiait. 18 décembre : Boston, « où il achève de se rétablir grâce au vin de Madère [193] ». 10 janvier : L'*Alliance* met à la voile, une belle frégate de trente-six canons avec cent trente-cinq hommes d'équipage, commandés par un natif de Saint-Malo passé au service des États-Unis. « Adieu, mon cher général (Washington). Adieu, mon cher et à jamais bien-aimé ami, adieu! J'espère que votre ami français vous sera toujours cher. J'espère que je vous reverrai bientôt, que je pourrai dire moi-même avec quelle émotion je quitte à présent la côte que vous habitez. » Mais y compte-t-il tellement? Il est en congé d'Amérique. Il espère arriver à temps pour la descente en Angleterre dont tout le monde parle. « Si l'on y allait sans moi, je me pendrais [194]. »

14/ mars 1779
Le prix d'une seule de nos fêtes

Encore faudrait-il qu'il y arrivât. La tempête le poursuit — la tempête ou la malchance? — et manque drosser l'*Alliance* aux rochers de Terre-Neuve. Il n'a pas encore repris ses forces, et le mal de mer le rend au découragement : « J'avais bien à faire, à vingt ans, avec mon nom, mon rang, ma fortune, après avoir épousé mademoiselle de Noailles, de quitter tout cela pour venir ici servir de déjeuner aux morues [195]! » La mutinerie fait suite à l'ouragan. Il aura tout eu. On avait recruté l'équipage de l'*Alliance*, à Boston, sans y regarder de trop près. Des déserteurs anglais, des traîne-potence. Ils se foutaient drôlement des États-Unis et de la liberté du monde. N'importe quoi pour manger un seul jour à leur faim. Or le roi George promettait d'acheter très cher, comme prise de guerre, tout vaisseau américain que l'équipage mutiné conduirait à ses ports. Les meneurs avaient bien conçu leur plan : donner l'alarme à quatre heures du matin : « Voile! Voile*! » Tous les messieurs seraient montés sur le pont. Un canonnier, qui était du complot, les aurait balayés d'une seule salve à mitraille. Mais un mouchard avait jugé plus rentable de dévoiler le pot aux roses. L'*Alliance* entre en rade de Brest, le 6 février, lestée de trente-trois hommes aux fers à fond de cale. Gilbert les laissera courir leur destin de galérien, sans excès d'attendrissement : « Il n'y avait pas un Français ni un Américain parmi les conspirateurs [196]. » L'honneur est donc sauf. La vie aussi — de justesse. Il va quand même pouvoir savourer une petite revanche. Les canons de Recouvrance tirent treize coups pour saluer la frégate aux treize étoiles, et Gilbert prend cela pour lui. « C'est en me rappelant la situation de mon pays, de l'Amérique, et la mienne à mon départ, que je voyais le port de Brest recevoir et saluer le pavillon flottant sur ma frégate [197]. » Les États-Unis recommençaient à devenir beaux, vus de France.

Cent quarante et une lieues de Brest à Paris — non : à Versailles, car il va vers le Roi et ses ministres avant sa femme, vers l'ambition avant l'amour, la démarche lui est devenue élémentaire. Il est reçu par son ami de jeunesse et de garnison, le prince de Poix, dit « le petit Poix ». Déjà des belles dames à son lever : les « princesses combinées » de Poix et d'Hénin, comme on appelait ces inséparables. Savez-vous mon cher que la Reine est plus belle que jamais depuis ses couches et qu'elle porte des rubans inventés pour elle, deux couleurs à chaque revers? Voilà les nouvelles par ici, rien de changé, pendant que la moitié du monde change. Gilbert s'attendait à être félicité le premier jour et embrassé par le Roi; doucement! Maurepas consent à le recevoir, et c'est déjà une faveur : on est toujours fâché contre lui à la Cour, ou plutôt on fait comme si, par convenance, puisqu'il est parti en désobéissant. Maurepas l'aime bien, par référence à ses propres rêves de jeunesse. Il l'entend, deux heures durant, lui déballer, pêle-mêle, des nouvelles qu'il connaît déjà, mais aussi des projets, des confidences, des petites méchancetés contre les quakers. Puis il envoie gentiment au piquet le héros des deux-mondes.

Une sanction pour la forme : les arrêts pendant huit jours chez son beau-père, à l'hôtel de Noailles, où il ne pourra recevoir « que les gens de sa famille ** ». On était content de le brider un peu pour le remettre au pas. Il n'aura pas de triomphe officiel. En guise de lauriers, une punition de principe pour avoir sauté le mur — leur mur, celui qui protégeait Versailles de la marche du temps. Peut-être avait-il eu raison contre eux tous, mais où irait-on si l'on ne punissait pas ceux qui ont eu raison trop tôt? La Fayette, au coin.

---

* Le cri de la vigie pour signaler une voile à l'horizon.
** « Autant dire toute la Cour », observe Maurois [198].

Une, au moins, ne s'en plaindra pas. Adrienne va sur ses vingt ans, et elle a enfin pris tournure de femme en l'absence de son mari, après la naissance de sa seconde fille et la mort de la première. Elle pensait à lui comme à Dieu. Son retour la foudroie d'un bonheur « facile à croire, impossible à exprimer. M. de La Fayette est revenu aussi modeste *(sic)* et aussi charmant que vous l'aviez laissé *. Il est en ce moment dans la disgrâce du Roi, avec défense de se montrer dans aucun lieu public. La personne du monde la plus distinguée et la plus aimable, voilà celle que Dieu nous a conservée au milieu des plus énormes dangers... Quand je réfléchis à mon partage d'être sa femme, je suis bien reconnaissante envers Dieu. Je me trouve si loin d'être aimable comme lui que j'en suis affligée [199]. » Dire qu'il craignait une bouderie pour l'avoir quittée sans prévenir ! Elle lui eût volontiers demandé pardon. Bon prince, il lui accorde aisément ces quelques jours, le cadeau du Roi pour elle, avant de retrouver avec appétit Aglaé d'Hunolstein, au beau corps devenu si expert chez Philippe de Chartres à Mousseaux. Aglaé ne lui parle pas de Dieu au lit et ne le fait plus languir. C'est elle qui en veut, et elle n'est pas la seule. Gilbert découvre les vertus érotiques de la gloire. « A mon arrivée, j'ai eu l'honneur d'être consulté par tous les ministres et, ce qui vaut bien mieux, d'être embrassé par toutes les femmes [200]. »

Mais il était devenu incapable de s'en contenter. Une part de lui-même restait irrépressible. Lettre à Maurepas, lettre à Vergennes, lettre à Franklin, lettre au Roi, celle de l'élève qui demande la levée de la retenue. Les excuses de La Fayette dans ce monde à l'envers, il le faut bien — ça se fait. « L'amour de ma patrie, l'envie de voir l'abaissement de ses ennemis, un instinct politique que le dernier traité semblerait justifier **, telles sont, Sire, les raisons qui décidèrent le parti que je pris dans la cause américaine... Le genre de mes torts me donne le droit d'espérer que je pourrai les effacer. C'est aux bontés de Votre Majesté que je devrai le bonheur de m'en laver par les moyens qu'Elle daignera me donner de La servir, dans quelques pays et de quelque manière que ce puisse être [201] », la descente en Angleterre, ou à défaut les Indes, d'Orient ou d'Occident, peu importe, le Sénégal ou Gibraltar, et le Canada, son cher vieux rêve, le Canada... Vergennes et Maurepas commencent à le connaître. On va le laisser s'agiter dans le vide et faire tomber son ébullition au tournis des fêtes.

Il est enfin reçu à la Cour, où le Roi l'écoute et ne répond rien, où la Reine lui donne en passant sa main à baiser, où il se fond dans les figures de ballet et les commensaux des tables de jeux. Il redevient ce jeune noble un peu provincial qu'il était l'autre année. L'Amérique a seulement servi à lui donner de l'assurance. Pas de lampions. Pas de vivats. Quelques bals. Huit vers de mirliton ajoutés pour une

---

* Lettre d'Adrienne aux deux tantes de Gilbert, qui vivaient dans son château natal de Chavaniac, en Auvergne.
** Le traité d'alliance entre la France et les États-Unis. Cette lettre ne manque pas, en effet, d'un certain « instinct » politique naissant. Pas un mot à Louis XVI de l'Indépendance et de la République, ces épouvantails. La Fayette se place dans le vieux cadre de la stratégie européenne.

séance au texte de l'œuvre immortelle d'un sieur Rochon de Chabannes,
jouée à la Comédie-Française, « *L'Amour français*, comédie en un acte ».
La « marquise de Sernette » s'avance sur la scène et montre à « Damis »
La Fayette bien en vue, au premier rang de la loge des Noailles :
« Voyez ce courtisan à peu près de votre âge.
... La gloire seule échauffe, embrase ses esprits.
Il vole la chercher sur un autre hémisphère [202]. »
A cela se bornera son « triomphe », très en dessous de celui qu'on a
fait payer si cher au duc de Chartres six mois plus tôt. Le peuple l'ignore.
On trouve à son propos trois ou quatre entrefilets dans les gazettes.
Rien de plus. Quant à la politique et à la stratégie, on l'en exclut.
Le maréchal de Broglie fait manœuvrer ses troupes en Normandie ;
nous venons de récupérer le Sénégal, mais nous avons perdu Pondichéry ; puisque le comte d'Estaing n'a rien pu pour les Insurgents, qui
pourrait réussir là où il a échoué ? Au moins s'emploiera-t-il à protéger
nos Isles. Reste le Canada ? Mais non, grand Dieu ! N'y touchons pas !
La Fayette est le seul à vouloir marcher sur Québec et Montréal.
Ni le roi de France, ni le Congrès américain ne souhaitent une expédition au Nord, pour des motifs semblables quoique diamétralement
opposés. Les Français s'alarment déjà de la croissance du monstrueux
poupon américain. Vergennes, dans sa correspondance diplomatique,
s'affaire à le contenir au Sud : les Espagnols garderont la Louisiane.
Au Nord, nous n'allons pas tirer les marrons du feu pour ces républicains aux dents longues. Il est bon que la couronne anglaise garde ses
possessions canadiennes, comme une épée de Damoclès prête à tomber
sur New York, Newport et Boston. Un cordon sanitaire de troupes
coloniales des monarchies isolera ce foyer d'infection. De leur côté,
les Insurgents ne voulaient pas donner la moindre facilité à des Français en mal de revanche. Washington avait tiré la sonnette d'alarme
devant les fantaisies de son cher petit marquis * : « La France possède
déjà la Nouvelle-Orléans sur notre droite. Elle aurait certainement,
ce qui serait fort à craindre, le pouvoir de faire la loi aux États-Unis,
si elle avait, de plus, le Canada sur notre gauche... Une fois que cinq
mille Français seraient entrés à Québec (et sous ce prétendu nombre,
ne pourrait-on pas en introduire deux fois plus ?), supposons qu'ils
déclarent que leur intention est de garder le Canada, comme un
gage de sûreté pour les sommes dues à la France par les États-Unis,
quelles plaintes pourrons-nous faire ?... Je crois lire dans la figure de
certaines personnes autre chose que le zèle désintéressé de simples
alliés **... La haine contre l'Angleterre peut inspirer à certains d'entre

---

* Dans une lettre au Congrès du 13 novembre 1778.
** Il ne visait pas ici La Fayette, mais il n'était pas loin de croire ce
dernier « manipulé » par le cabinet de Versailles dans ses desseins canadiens. Il était loin du compte et prêtait trop d'imagination à Vergennes
et à Louis XVI. En fait, ceux-ci auraient pu songer à saisir cette occasion grandissime, et il n'est pas exclu que Beaumarchais le leur ait suggéré. Les historiens qui ne manquent jamais de vilipender l'aveuglement de Voltaire, trente ans plus tôt, à propos des fameux « arpents
de neige », passent sous silence cette timidité de l'intouchable Vergennes.

nous un excès de confiance pour la France [203] », ce qui n'était nullement
son cas. Quels bons alliés ! La France faisait la guerre à l'Angleterre
tout en voulant la maintenir en force au-dessus de l'Amérique, hérissée
de méfiance contre cette même France. Et les diplomates tournaient
cette roue-là comme des écureuils, dans leurs cages dorées de Madrid
ou de Londres.

Qu'il ne se mêle pas de cela, Jocrisse de La Fayette. L'Amérique
lui colle à la peau. « Au milieu des différents tourbillons qui m'entraînaient je ne perdais pas de vue notre Révolution *(sic)* ; accoutumé
aux grands intérêts soutenus par de petits moyens, je me disais que le
prix d'une seule de nos fêtes eût remonté l'armée des États-Unis [204]. »
Il faut le calmer, l'éloigner, sinon il va se prendre pour un ministre des
affaires d'Amérique. On lui donne un régiment pour calmer sa frin-
gale *, les dragons du Roi. On s'arrange pour lui faire croire que c'est
par faveur toute spéciale de la Reine, le voilà flatté. La garnison est
à Saintes, il est vrai, une ville bien pâle quand on revient des bords de
l'Hudson. Mais colonel à vingt-deux ans, ce n'est pas si mal. Et on lui
laisse espérer qu'il pourra un de ces jours embarquer ses soldats sur
deux ou trois vaisseaux confiés à John Paul Jones ** pour fondre
comme un aigle sur une ville anglaise. Il part en Saintonge le 20 mai.
On ne se sera pas trop mal tiré de son retour. Sa femme est
enceinte ***.

Mais la Reine est fâchée. Le 15 mai, elle a dû avouer à Mercy-
Argenteau qu'elle ne pouvait rien révéler à sa mère des préparatifs
de guerre français. « La Reine me confia qu'elle voyait bien en effet
qu'on s'occupait à persuader au Roi de parler le moins que possible
d'affaires sérieuses avec son auguste épouse, que M. de Maurepas était
l'auteur de cette réticence, qu'il avait défendu au marquis de La
Fayette de parler à la Reine de l'expédition dont ledit marquis va être
chargé, que ledit La Fayette *(Mercy écrit comme avec une charrue)*
avait confessé ce fait à la Reine, qui en était fort irritée contre le vieux
ministre [205]. » Contre Maurepas seulement ? Marie-Antoinette traitera
toute l'année La Fayette comme s'il n'existait pas. Elle ne l'aimait déjà
guère auparavant, à cause de sa gracilité ; elle préfère les hommes bien
en chair, comme Besenval ou Guines, comme son père. Gilbert vient
de laisser passer l'occasion de se faire apprécier en lui refusant une
complicité tacite ; qu'il aille au diable ! ces affaires d'Amérique sont
déjà si assommantes !

... Celles de Bavière sont terminées. On a signé le 13 mai à Teschen
une paix de fortune après une guerre manquée. Beaucoup de coups
d'épée dans l'eau du Danube. Les Wittelsbach vont régner à Munich,
et l'Autriche n'aura pas la Bavière. Demi-victoire de Frédéric, victoire

---

* Ou plutôt on « consent à le lui laisser acheter » à son propriétaire, le
marquis de Créquy, pour 80 000 livres : environ 400 000 francs lourds.
** Voir ci-dessus p. 17.
*** Et il devra régler, avant le 1er octobre, 190 000 livres de billets à
ordre souscrits par lui avant son départ de Bordeaux, soit un petit million de francs lourds. Sa fortune le lui permettra.

surtout de Marie-Thérèse sur son fils, qui étouffe de rage. L'aiglon ne deviendra pas aigle. Marie-Antoinette aurait pu faire l'économie de ses larmes l'année dernière. Elle vient, en guise de consolation, de s'offrir une rougeole, des vraies vacances parce qu'on la sépare trois semaines de Louis XVI. « Je l'ai empêché de s'enfermer avec moi. Il n'a jamais eu la rougeole et, surtout dans ce moment où il y a tant d'affaires, il aurait été fâcheux qu'il gagnât cette maladie. Nous nous écrivons tous les jours. Je l'ai vu hier, de dessus un balcon en plein air [206] », du petit Trianon, aux aménagements tout neufs, où elle s'est établie pendant ces trois semaines « pour changer d'air », mais aussi pour en profiter enfin : elle n'avait encore jamais pu y coucher. Rumeur à la Cour parce que ses quatre « gardes-malades », ceux qui « se sont emparés de la chambre de la Reine depuis sept heures du matin jusqu'à onze heures du soir et n'en sortaient que pour le temps de leur repas », ont été les ducs de Guines et de Coigny, le baron de Besenval et le comte Esterhazy. Voilà le genre de crimes qu'on imputait à la Reine : être malade en compagnie des bonshommes qui lui plaisent. « La Cour mit en question quelles seraient les dames choisies pour garder le Roi, au cas où il tomberait malade [207] », et Marie-Thérèse recommence à geindre : « La compagnie de ces quatre messieurs dont ma fille a fait le choix pendant sa maladie m'a bien affligée [208]. » Que de bruit pour rien! La seule qui ait vraiment pris son cœur, Yolande de Polignac, est recluse à la Muette avec une rougeole aussi, et celui qui est en train de le prendre sans le vouloir, sans le savoir encore peut-être, n'est pas assez introduit pour avoir droit aux petites entrées. C'est pourtant là l'événement secret du printemps 1779, perçu fugitivement par quelques observateurs avertis, comme Creutz, l'ambassadeur de Suède, qui écrit le 10 avril à Gustave III — n'est-ce pas son métier?

« Je dois confier à Votre Majesté que le jeune comte de Fersen a été si bien vu de la Reine que cela a donné des ombrages à plusieurs personnes. J'avoue que je ne puis m'empêcher de croire qu'elle avait du penchant pour lui. J'en ai vu des indices trop sûrs pour en douter [209]. »

Elle n'est pas tombée. Elle penche.

15/ avril 1779
Vengeur de toutes bassesses

On vient de pendre, en mars, dans la bonne ville d'Alençon, « deux pauvres diables accusés et convaincus d'avoir forcé un tronc d'église [210] ». Ils sont déjà oubliés, sauf de Jacques Hébert, qui s'est indigné de la disproportion entre la faute et le châtiment. Il est vrai que lui-même s'attend à être d'un jour à l'autre accablé par la même

lourde main de justice, et que c'est sa propre affaire qui a si vite détour-
né l'attention des bonnes gens, au point qu'ils restent comme indiffé-
rents à la guerre en marche. La Normandie redevient cependant le
tremplin pour conquérir l'Angleterre. Rouen et Le Havre, pleines de
soldats, sont loin au nord, mais le troisième point de rassemblement de
l'armée d'invasion, Saint-Malo, est à l'ouest d'Alençon, traversée depuis
des semaines par les divisions de Navarre, de Touraine, de Normandie
et du Roi, venant des frontières [211]. C'est le grand roulage et le piétinement de la troupe jetée d'est en ouest par le renversement de l'Histoire,
« sur une belle route de pierres brunes, ayant une apparence de fer,
bien cimentées », à travers la « moyenne Normandie », ce petit pays
des Marches encastré entre le Perche, l'Houlme et l'Auge, donc entre
le bocage et la plaine. Ni la richesse, ni la pauvreté : l'aisance. « De
bonnes terres bien encloses, bien bâties, et passablement cultivées,
avec de l'engrais [212]. » Pesamment installée sur les deux bords de
l'Orne, Alençon est une grosse ville mère-poule dont les habitants ne
s'entretiennent ces jours-ci que de Jacques Hébert. Lui-même ne se
soucie que des deux tribunaux d'Alençon, le vrai, celui des juges du
bailliage, qui doit se prononcer sur son cas, et celui de l'opinion publique
à douze mille voix. La guerre peut attendre ; d'ailleurs l'Angleterre
attend. Mais la décision qui va briser ou sauver sa jeunesse va être
prise incessamment.

Qu'est-ce qu'il a donc fait, Jacques Hébert, pour passer en justice
à vingt et un ans? Un aîné de si bonne famille! Il est issu de « la portion
supérieure du tiers état [213] », cette bourgeoisie des gros artisans, de
plus en plus impatientée de la place sur laquelle continuait de camper
la noblesse. Son grand-père — un autre Jacques Hébert — avait fait
un apprentissage de maître ès orfèvre à Grenoble, sous Louis XIV,
mais était venu très jeune s'implanter ici, dans cette bonne ville de
foires, de marchés, d'industries naissantes, où le commerce allait
rondement. Il faisait bon y tailler les bijoux, vrais ou faux, qui vont
si bien avec les dentelles en points d'Alençon, et les manchettes pour
l'hiver, dont le prix d'une seule paire peut monter à deux mille livres *.
« Dans la mine de Hertre, à deux lieues de la ville, il se trouve, parmi des
pierres à bâtir, de faux diamants, qui portent le nom de diamants
d'Alençon. Ils sont parfois si brillants que des connaisseurs s'y sont
mépris [214]. » Jacques Hébert l'ancien avait taillé sa vie en marge de
cette carrière-là, en épousant une fille de gros marchands, une sœur
de prêtre. Quatre filles : des couvées d'orfèvres, mais aussi de magistrats. Un fils unique, encore un Jacques, le père du nôtre, maître-
orfèvre comme de bien entendu, avait pris son vol à partir de là, de
pignon en pignon : échevin, adjoint au maire, lieutenant de la bourgeoisie, trésorier de la paroisse, pour finir « prieur-consul » — on dira
plus tard « président du tribunal du commerce » — autrement dit
l'arbitre et le premier parmi ses pairs. Toutes raisons valables pour
épouser noble et haute dame Marguerite Beunaiche de La Houdrie,

---

* 10 000 francs lourds! A ce tarif-là, elles partaient à la Cour. Mais on
en trouvait à 100 ou 200 livres la paire.

née dans le joli manoir d'un hameau du bas Maine, Izé. Elle avait trente ans, lui soixante. De cet appariage classique, jusque dans la différence d'âge, entre la bourgeoisie et la noblesse, était né un enfant de vieux, Jacques-René Hébert, le 15 novembre 1757. Marraine : la sœur de sa mère, Anne-Marie, épouse de messire Louis de Bastard, écuyer, seigneur de la Paragère et des Hayes, sieur de Boissey-en-la-Pallu *. Ce couple-là pouvait en remontrer aux autres en matière de fécondité tardive : quand le cousin et contemporain d'Hébert, Louis-Estienne de Bastard, était né deux ans après lui, son père, l'écuyer, avait quatre-vingt-huit ans. On vient de le marier, ce cousin, ce compagnon de jeux, avec une demoiselle Challemel des Moulins **. Presque une noce de seigneurs à cent invités, au premier rang desquels on remarquait la jolie petite figure un peu fille de Jacques Hébert, à la mise soignée, aux manières agréables, « beau garçon en dépit de sa taille exiguë ». Vous pariez qu'il épousera bientôt une noble lui aussi? Ne pariez pas trop vite. Rien n'est moins sûr. Vous savez bien qu'il traîne un fil à la patte depuis deux ans. Qui voudrait s'encombrer de lui après l'esclandre chez l'apothicaire à cause de la veuve Coffin? Et surtout après son affiche scandaleuse, un coup de griffe sur les murs d'Alençon? Il s'est pris pour un publiciste. Il ne s'en remettra pas. Et il est vrai, quand on le regarde de plus près pendant cette noce, que quelque chose en lui est absent de la fête et leur échappe à tous par l'insolence du regard, par la bouderie. Il va poser des problèmes, Jacques Hébert.

Sa prime éducation n'en avait pourtant pas posé d'insurmontable, malgré la mort de son vieux père quand il était encore enfant, trop tôt pour qu'il entrât de plain-pied dans la lignée des orfèvres. C'était presque une aubaine pour sa mère, une dévote qui rêvait d'un fils évêque ou avocat. Elle avait bradé la boutique et s'était engagée par-devant notaire à « lui faire apprendre la langue latine et à l'envoyer aux classes du collège de cette ville (Alençon). Après quoi, s'il ne se porte pas à l'état de prêtrise ou à faire son droit, ladite dame s'oblige à lui faire apprendre un métier convenable à son état et condition [216] ». Pas de chance : le collège d'Alençon, renommé du temps des jésuites, balbutiait son enseignement depuis leur renvoi, à travers un chœur disparate de prêtres rameutés de-ci de-là. Hébert avait quand même acquis le latin, vaille que vaille, et des notions utiles de rhétorique. Il aimait parler en public. Ses camarades l'écoutaient volontiers; ils le trouvaient « aimable et gracieux ». Lui se trouvait « paresseux et espiègle *** »; tout cela va bien ensemble. La prêtrise? Aucune envie.

---

* Dans le département actuel de la Mayenne. Le nom de « Pallu » signifie qu'il y avait des salines par-là, donc des paludiers.
** Ce cousin noble d'Hébert, Louis-Estienne de Bastard, émigrera en 1792; « Je ne le croyais pas si attaché à sa gentilhommerie », soupirera le rédacteur du *Père Duchesne* [215].
*** Selon son propos, en 1793, à un ancien condisciple, Desgenettes, qui deviendra l'un des grands médecins des armées de l'Empire.

La basoche? On verra *. La politique? A peine une teinture, un soupçon d'intérêt à propos des tentatives de Turgot et de la question des grains; la guerre des farines avait effleuré la Normandie, le temps d'un frisson. Turgot va rester le grand homme écrasé de sa jeunesse. Mais Hébert avouera qu'il avait espéré quelque temps en Necker : « *Je ne me donne point pour un homme d'esprit, mais, sacrebleu, quand je vis cet honnête homme, ce brave intendant du Languedoc* **, *ce Turgot dont l'âme était si belle et dont les vues étaient si droites, foutre! quand je le vis chassé du ministère, je jurai comme un rendoublé de tonnerre* *** *... On me dit ... qu'il y avait une cabale infernale qui porterait infailliblement un étranger, un Genevois à la tête des finances... Comme les sacrés badauds, bientôt après nous nous imaginâmes effectivement que le Genevois allait nous faire tomber les alouettes toutes rôties dans le bec. Foutre, nous étions dignes du sort que nous nous préparions* [217]. »

La grande affaire de ses dix-huit ans, ç'avait été la Denise Coulombet, femme Coffin, une de ces luronnes providentielles qui protègent les villes de province de l'assoupissement et font le désespoir des mères de famille comme des putains, parce qu'elles détournent les jeunes garçons des unes et des autres. Elle avait été mariée à l'apothicaire Coffin, le temps de faire naître et courir un distique par les rues d'Alençon :

> « Si tout cocu avait des cornes,
> Coffin serait un vrai bigorne ****. »

Veuve joyeuse, elle s'en était donné. Puisqu'on ne prête qu'aux riches, on lui attribuait la moitié des joyeux drilles de son quartier, entre l'église Notre-Dame, l'hôtel de ville et le collège, où le fait d'être externe procurait bien des facilités à Jacques Hébert pour passer et repasser, le nez au vent, devant l'officine que Denise Coffin continuait à tenir sans difficulté : les bonshommes se bousculaient pour l'aider. Elle avait trente-six ans, le double de son âge, et s'intéressait aux jeunots. Rencontre facile, initiation bienveillante. Jacques Hébert lui est redevable d'une heureuse découverte de la sexualité, mais c'était un sentimental, et il a tout gâché en confondant l'amusette et l'amour. Eh! dix-huit ans... Attendrie, elle l'avait supporté deux mois, en tâchant de lui cacher l'autre côté de sa vie. Jusqu'au 14 avril 1776.

Ce jour-là, deux autres de ses amants s'étaient empoignés dans l'officine, un médecin nommé Clouet, qui excipait de son droit d'ancien-

---

* Le terme servait, depuis le XVIᵉ siècle, à désigner l'ensemble des avoués, clercs, procureurs, etc., tout le petit monde des gens de justice. Le mot vient des basiliques, pris dans leur première utilisation, celle d'édifice public.
** *Sic :* Turgot n'avait jamais été intendant du Languedoc, mais du Limousin. Hébert donne, dans ce texte de 1790, la mesure de son information sur les événements de sa jeunesse. Ce passage en italique, et ceux qui vont suivre, extraits du *Père Duchesne*, sont directement inspirés, à onze ans de recul, par les faits évoqués ici.
*** « Rendoublé » : terme de foire qui signifie « fieffé ». En l'espèce : il jure avec force.
**** Enclume aux extrémités relevées en pointe.

neté, et l'élève apothicaire Latour, qui ne remplaçait pas seulement le défunt devant les mortiers, les chaudrons et les alambics. Latour était en hausse. Clouet ne supportait pas la baisse. Mauvais endroit pour une explication d'honneur, une boutique d'apothicaire où tout est fragile. Les dignes personnages jouent la finale d'un acte de Molière en s'envoyant à la figure les pots de faïence pleins de « confections, compositions, baumes, emplâtres, onguents, parfums, sirops, huiles, conserves, miels, sucres, cires, autres drogues et épiceries ». Les bonbonnes d'huile éclatent. Les poudres sortent en nuages des sacs éventrés. On était au matin de Quasimodo ; les voisins accourent, et parmi eux, à trois maisons, le jeune Hébert, qui comprend tout d'un seul coup en entendant les injures des combattants. Naïf, mais pas obtus. Il n'a pas le temps de pleurer sur ses illusions. Il lui faut s'employer à éviter le drame. Le docteur Clouet, supérieur en poids, s'acharne maintenant sur le petit Latour avec ce qui lui est tombé sous la main, une bouteille, un pilon, une spatule — un couteau, affirmeront Hébert et Latour, ce qu'il niera. Mais il crie, ça c'est sûr :
— Je veux le tuer, votre coquin de garçon !
Il l'aurait peut-être fait sans Hébert. Sanguins, ces Normands... Il n'avait pas besoin d'aller si loin. Femelle jusqu'au bout, la veuve Coffin réagit comme la biche devant un vieux cerf, et prend le parti du plus fort. Elle renvoie Latour. Elle élude Hébert, et tente de jouer sur leur idylle toute fraîche pour lui faire faire un faux témoignage en faveur de Clouet, qui arrange l'affaire de justesse à l'amiable devant l'avocat Desgenettes * : il paiera les soins de Latour, couvert de pansements, le crâne tondu, il le dédommagera... Pas de scandale !
Oui, mais le médecin n'avait pas encore versé un sou un mois plus tard, et les deux jeunes éconduits se trouvaient camarades d'infortune. Leur vengeance avait refroidi. Elle était bonne à servir en six grandes affiches anonymes manuscrites, placardées dans la nuit du 16 au 17 mai aux portes de Notre-Dame, de l'Hôtel de l'Intendance, du Bureau des Finances, et sur deux maisons du carrefour Porchaine. Alençon s'était éveillée tout émue au premier pamphlet de Jacques Hébert, dont chaque exemplaire était surmonté de deux couteaux aux lames laborieusement ensanglantées à la peinture **. Un travail de plusieurs jours, cette maquette pour les limbes du *Père Duchesne*. La naissance d'un souffle.
« L'an de grâce 1776, le 16 mai, par-devant nous, Honneur vengeur de toutes bassesses et de tous sentiments qui peuvent dégrader l'homme, oyez le cri public et les plaintes de l'innocence opprimée. Gilles-Fiacre-Barrabas Clouet ***, docteur, dit-on, de la Faculté de Montpellier,

---

* Père du futur médecin. Et cousin d'un autre jeune étudiant d'Alençon, Valazé, que nous retrouverons à la Convention parmi les girondins.
** Les couteaux voulaient rappeler l'arme dont Clouet s'était servi contre Latour, d'après ses accusateurs.
*** La première cible du futur Père Duchesne se prénommait en réalité Michel. Mais Hébert donne aussi là le premier témoignage de sa faculté d'utilisation des expressions populaires saisies au vol, en l'affublant de

atteint et convaincu d'avoir voulu, par une conduite inouïe, ajouter
au titre d'empoisonneur celui d'assassin... avons déclaré et déclarons
ledit Gilles-Fiacre-Barrabas Clouet indigne de toutes sociétés humaines
et, pour ce, l'avons condamné et condamnons à être banni de tous
lieux où pourraient se trouver l'honnêteté, l'humanité et la raison ;
ordonnons audit Clouet de garder son ban sous peine à lui d'être contraint de se reléguer avec les bêtes farouches dont il a l'humeur sangui-
naire [218]. »

Il n'y avait pas dans ce canular de quoi fouetter un chat, mais la
solidarité des gens de bien avait joué contre Hébert et Latour, et plus
fortement contre le premier, seul capable, sans doute, de concevoir
et de rédiger un pareil placard. Clouet avait porté plainte devant les
magistrats. Hébert et Latour avaient nié en rigolant. « Nous, les auteurs
de cette affiche ? Prouvez-le ! » Une étrange coalition, bien du cru,
l'avait tenté : les juges, les prêtres et les bouchers. A la demande des
premiers, les seconds avaient lancé leurs foudres en chaire pour mettre
toutes les paroisses de la ville dans le coup : le grand vicaire d'Alençon
avait solennellement prononcé le *monitoire*, trois dimanches de suite
avant le prône de la grand-messe. Injonction était faite aux fidèles,
sous peine d'excommunication, de révéler aux autorités religieuses ce
qu'ils savaient sur les auteurs des placards. Les prêtres communique-
raient ensuite les renseignements aux magistrats *. Bougres de curés !
La religion, c'est fini pour Jacques Hébert à partir de ces messes-là,
où il s'est trouvé inopinément cerné par l'appareil de l'Église, donc
menacé, dénoncé, vomi, par la Mère universelle. Tous contre un. « On
invoqua contre moi Dieu et le diable. »

« *C'est foutu, nous ne nous laisserons pas mettre dedans par les jean-
foutres de calotins. Leurs confessions, leur purgatoire, leurs absolutions,
leurs indulgences ne sont plus aujourd'hui que de la graine de niais.
Les prétendues clefs de Saint-Pierre, avec lesquelles les engueuseurs* *
de Papes ouvraient autrefois les deux battants du grand salon du Père
éternel, ne nous semblent plus que des rossignols avec lesquels le pontife
latin voudrait encore crocheter nos maisons et nos coffres, pour enlever ce
que nous possédons* [220]. » « O Dieu, délivrez-moi de ceux qui nous haïssent :
en conséquence, délivrez-nous de ces bougres de Prêtres qui prenaient notre*

---

trois prénoms qui servaient alors d'injures : *Gilles,* « l'homme niais qu'on
bafoue » ; *Fiacre,* l'homme qui fait mal les choses, par extension de
mauvaise voiture ; *Barrabas,* homme « connu comme Barrabas à la Passion du Christ ».
* Le monitoire était une ressource puissante pour les enquêteurs laïcs,
qui pouvaient ainsi compenser la faiblesse de leurs effectifs en enrégi-
mentant la foule des dévots, la peur du diable aidant à la peur du gendarme. La méthode était très utilisée en Normandie, où le cahier du
clergé d'Evreux pour les États généraux de 1789 protestera contre « la
légèreté et l'indiscrétion avec lesquelles on ordonne les monitoires pour
des causes même ridicules, ce qui expose au mépris et à la dérision des
censures qui doivent être réservées pour les causes les plus importantes [219] ».
* * « Enjôleurs ». La parole d'Hébert qui précède cette citation est encore
une confidence à Desgenettes.

blé dans nos champs, notre vin dans nos caves, nos filles et nos femmes dans nos maisons et nous foutaient dedans quand nous osions parler. Du même mouvement, Hébert se met à prendre en grippe ses compatriotes encuraillés. Rien de pire qu'un Normand, si ce n'est un curé normand :

« — *As-tu perdu ton âme? disait un Normand à un de ses compatriotes qui venait de faire un faux serment* [221].

« — *Et toi les bœufs? reprit l'autre.*

« *Eh bien, foutre, presque tous les calotins pensent comme le dernier Normand* *. »

« *Quant aux bouchers, pour les faire entrer dans le devoir, il n'y a qu'à permettre à tout le monde de vendre de la viande et nous en aurons, dans peu, d'excellente et à bon marché* [222]. » Leur corporation était la plus puissante d'Alençon, grand carrefour de bestiaux, où « cette espèce d'hommes brutale et même féroce » s'était taillé à coups de hache la première place dans la commune, en 1560, quand ils avaient aidé les catholiques à liquider les calvinistes, « alors très nombreux et très puissants dans le pays », par un massacre qui avait précédé de douze ans la Saint-Barthélemy. Ils y avaient gagné le privilège de défiler en tête de la procession de la Fête-Dieu, couperet au poing, accompagnés de leurs chiens « qui s'affolaient et mordaient parce qu'on leur marchait sur les pattes, ou bien qui poussaient des hurlements effroyables chaque fois que les couleuvrines du château tonnaient pour saluer le Saint-Sacrement [223] ». Les bouchers et leurs chiens avaient pris au sérieux le monitoire, et parcouru des nuits durant les rues d'Alençon, trop contents, sous prétexte de rechercher les colleurs d'affiches, d'affirmer leur suprématie dans une ville où ils se voulaient la milice des curés. Hébert n'oubliera plus ces aboiements. Pieux, mais prudents, les bourgeois se barricadaient et ne dénonçaient toujours pas. Il avait failli s'en tirer, mais la salope était sortie de son trou. Sa bonne fée du printemps, Denise Coffin, l'avait perdu en apportant au juge un billet doux qu'il lui avait écrit le 14 février 1776 : « Madame, en vain, loin de vos charmes [224]... » La comparaison de l'écriture avec celle des affiches avait convaincu les experts. Il s'en souviendra, de son premier amour! Qu'on ne lui reparle plus de serments éternels. « *Si on brûlait tous les époux et les épouses qui s'empoignent, sans compter tous ceux qu'on ne connaît pas, le bois coûterait cent francs la voie* **... *V'là ce que c'est que notre foutu mariage.* » Il restera un partisan acharné du divorce, qui « *diminuera de trois quarts, foutre, le nombre des célibataires, des putains, des cocus et des bâtards légitimes. La bougre de calotte et la foutue aristracasserie (sic), qui se tiennent par le cul comme des hannetons, s'y opposent. Mais, foutre, ça seul prouve que le divorce est bon* [225]. »

En attendant, le voilà depuis trois ans traînant cette affaire comme une casserole à la queue d'un chien. Sorti du collège, il ne trouvait pas

---

* Lire : « comme le second interlocuteur ».
** La voie de bois pesait en moyenne 750 kilos à Paris : ce qu'on pouvait porter en un seul voyage de voiture.

de place chez les procureurs d'Alençon. Sa mère le boude, parce qu'il
n'a pas soutenu ses espérances. Sa famille l'abandonne aux prêtres
et aux bouchers. On le montre du doigt. Il se sent lentement expulsé
de sa ville natale comme un corps étranger. Il flotte entre deux vies.
Dernier espoir : une sentence d'acquittement, qui le réhabiliterait.

Mais, le 17 avril 1779, « lesdits Hébert et Latour sont déclarés violemment soupçonnés d'avoir écrit les libelles affichés ; pour réparation
de quoi ils sont solidairement condamnés à tous les dépens du procès ;
défense à eux de récidiver sous (menace de) plus grande peine, et les
avons taxés de cent vingt livres * pour le rapport et délibération de la
présente [226]. » Ce n'est pas grand-chose ; on pouvait craindre pire.
D'autres se seraient accommodés de la légère correction, mais Jacques
Hébert n'est ni riche, ni aimé. L'humiliation le pousse à bout. Cette
peine, infâmante malgré sa bénignité, risque de l'empêcher de faire
carrière judiciaire. Un jugement injuste brise sa ligne de vie, comme
celles de Beaumarchais, de Linguet, de Fabre d'Églantine, de Mirabeau.
D'ailleurs, tout le monde est déçu : Hébert parce qu'il est condamné,
Clouet parce qu'il demandait trente mille livres de dommages, et les
bonnes gens parce que le procès s'en va en eau de boudin. Les deux
parties font appel au parlement de Normandie, qui siège à Rouen,
Clouet pour plus, Hébert pour moins. Bonne occasion pour lui de
quitter Alençon sans secousses. Une de ses cousines, Germaine Massieu,
a épousé un procureur à Rouen. Peut-être l'aideront-ils ? Il part à la
fin d'avril, en secouant la poussière de ses souliers sur son enfance.
A mesure qu'il se rapproche de Rouen, « où l'on travaille nuit et jour à
préparer deux millions de cartouches », il s'aperçoit que la Normandie
bouge. Sur la route qui le mène à Rouen par Bernay, « on voit arriver
de tous côtés des trains d'artillerie, des munitions de guerre, des provisions de toutes espèces, des chevaux de remonte, etc [227]... » Peut-
être va-t-on vraiment envahir l'Angleterre à partir du Havre sous le
commandement du maréchal de Broglie, dont Hébert peut apercevoir
le château au passage, un domaine vaste comme Versailles, « entouré
d'une si grande multitude de haies taillées, doubles, triples et même
quadruples, que le duc de Broglie doit entretenir la moitié des pauvres
du bourg à les tailler [228] ».

Le cours de la Seine emporte Hébert au courant du siècle. Il n'en
pense pas moins : « *Que de familles honnêtes dépouillées, que d'innocents
sacrifiés ! Que de grands favorisés, enrichis des dépouilles des malheureux !
Que de scélérats impunis ! Nom d'un foutre ! A toutes ces idées, mon sang
bouillonne... Au foutre cette armée de robinocrates* ** *!... Au foutre cette
Basoche, école de rapine et de brigandage* [229] ! »

---

* 600 francs lourds.
** Traduction moderne de « au foutre » : « j'emmerde ».

16/ août 1777
O liberté, idole des âmes fortes!

Au cœur de Paris, Manon Phlipon faisait écho à la querelle du petit
étudiant d'Alençon contre « la gent ecclésiastique, en général peu
humaine et peu respectable *. Toute cette prêtraille qui annonce un
Dieu d'amour n'a guère de charité : indifférence, orgueil, intolérance,
égoïsme, voilà ce qui la caractérise. Je pourrais ajouter encore, pour
un bon nombre, bassesse et corruption la plus affreuse qu'il soit possible d'imaginer [230]. » Ce n'est pas, bien sûr, à Jacques Hébert qu'elle
écrivait ces lignes, mais aux deux témoins de sa vie close, ses correspon-
dantes d'Amiens, Henriette et Sophie Cannet. De semaine en semaine,
ces deux jeunes filles, elles-mêmes hantées par la crainte de monter en
graine dans les marais picards, où les soupirants n'étaient pas légion **,
ont été les confidentes d'une aventure immobile, ignorée des contemporains : la libération intérieure d'une fille de vingt ans. Manon a
rompu les amarres qui attachaient les jeunes gens et spécialement les
filles, à une éthique de l'obéissance : papa, l'époux, le Roi, le bon Dieu.
Il lui a fallu au moins trois ans, de 1776 à 1779. Mais elle est au bout,
et cela s'est passé entre les quatre murs de sa petite chambre, à côté
de l'atelier de son père le graveur. « Dure nuit. Le sang séché fume sur
ma face ; le combat spirituel est plus dur que la bataille d'hommes ***. »
Elle étouffe de plus en plus dans ce décor trop étroit pour pouvoir y
ouvrir ses ailes. On dirait une mouette s'éveillant dans une basse-cour.
« En vérité, je suis bien ennuyée d'être femme : il me fallait une autre
âme, ou un autre sexe, ou un autre siècle. Je devais naître femme spar-
tiate ou romaine, ou du moins homme français... Mon dépit a l'air bien
fou, mais réellement je me sens comme enchaînée dans une classe et
une manière d'être qui n'est pas la mienne. Je suis comme ces animaux
de la brûlante Afrique qui, transportés dans nos ménageries, sont forcés
de renfermer, dans un espace qui les contient à peine, des facultés faites
pour se déployer dans un climat fortuné, avec la vigueur d'une nature
forte et libre. Mon esprit et mon cœur trouvent de toutes parts les
entraves de l'opinion, les fers des préjugés, et toute ma force s'épuise
à secouer vainement mes chaînes. O liberté, idole des âmes fortes,
aliment des vertus, tu n'es pour moi qu'un nom [231]! »
     Tel quel, son itinéraire spirituel la conduit en avance des filles de

---

* Sur Manon Phlipon, future madame Roland, voir dans le tome I,
p. 287, la première séquence qui lui est consacrée ; le récit, p. 382, de sa
visite manquée à Jean-Jacques Rousseau, ainsi que ses impressions
devant une exécution capitale, p. 452. Pour l'intelligence et la cohésion
de sa biographie, je suis contraint ici à une exceptionnelle remontée dans
le temps : août 1777 nous permettra de mieux comprendre avril 1779.
** Elles étaient filles — orphelines — d'un des plus riches marchands
d'Amiens, et habitaient avec leur mère.
*** Arthur Rimbaud.

son temps et même de la plupart du nôtre, par ce cheminement d'une religiosité rousseauiste à l'agnosticisme, orienté vers un athéisme tolérant. « J'ai des élans qui me déplacent quelquefois avec une rapidité surprenante, mais ils me transportent presque toujours avec avantage. C'est un vaisseau que des vents puissants promènent sur une surface immense... Je me convaincs de plus en plus, par ma propre expérience, que l'unité du moi intérieur est le pivot de la félicité [232]. »

« La première chose qui m'a frappée, lorsque j'ai réfléchi tranquillement, c'est que la religion proprement dite ne pouvait, ne devait avoir pour but que le bonheur des hommes... A ce seul trait, combien de choses furent ébranlées pour moi! Je ne pus digérer, entre autres, que tous ceux qui ne pensaient pas comme moi fussent perdus éternellement; que tant d'êtres innocents, d'hommes vertueux, de peuples doux fussent livrés à des flammes cruelles parce qu'ils n'auraient pas entendu parler d'un pontife romain, prêchant une morale sévère qu'il pratique lui-même rarement. Je trouvai ce principe absurde, atroce et impie. » Donc : « si l'intolérance prêchée par mon église est un dogme abominable, cette église enseigne quelquefois le faux et n'est pas infaillible... Quoi? tout ce système, dont j'admirais au moins la liaison * et la plus grande partie de la morale, n'est appuyé que sur une pomme mangée? C'était bien la peine d'envoyer un Dieu incarné pour sauver quelques hommes du naufrage de tous, sans égard pour le plus grand nombre!... L'édifice croule à mes yeux... C'est la société, l'établissement de la propriété, ce sont les lois, les gouvernements, les préjugés qui modifient l'homme, l'altèrent, le perfectionnent ou le dépravent... Les déistes mettent l'homme sur la scène, mais ils l'estropient de mille manières, le rendent malheureux autant qu'ils veulent et, sur une dépravation de fabrique humaine, établissent la nécessité d'une Révélation et d'un Réparateur [233]. » « Je médite paisiblement et je vogue dans mes idées, cherchant le vrai de bonne foi et demeurant inébranlable sur les principes de la morale **. Je sens chaque jour la nécessité de les avoir indépendants de tout système religieux [234]. »

Ce n'est pourtant pas pure victoire de la raison. Elle demeure toute sensibilité dans une grande partie d'elle-même, très vulnérable aux sortilèges des orgues et de l'encens. « J'ai été dans ces derniers jours en cérémonie d'église : je réfléchissais sur le pouvoir des choses qui font impression par les sens, et j'éprouvais combien elles tiraillent l'imagination et l'esprit... Si l'on m'obligeait de vivre dans un couvent, je deviendrais dévote comme sainte Thérèse. » Mais l'humour équilibre le tout, par exemple quand elle va entendre chez les aveugles, aux Quinze-Vingts, « un certain abbé Beauregard, après lequel tout le monde court aujourd'hui. C'était une presse horrible. Duchesses, prêtres, femmelettes, gens de toute espèce, on s'étouffait, et le tout pour un déclamateur le plus déplaisant que je connaisse, le ton très faux, l'air d'un

---

* La cohérence.
** La plus stricte petite morale bourgeoise qui fût : virginité, chasteté, sobriété, économie, quant-à-soi. Autant elle bat la campagne dans le domaine religieux et philosophique, autant elle reste cantonnée pour les mœurs dans les idées et même les réflexes reçus.

charlatan, l'ensemble détestable. Tel est l'homme du jour. Lorsqu'il faisait quelque criaillerie bien forcée, sans rien dire qui vaille, je voyais des femmes bâiller d'admiration, et certain personnage à côté de moi s'écriait à mi-voix :

— « Ah! comme il sue!

« J'ai parti *(sic)* d'un éclat de rire, et je revins on ne peut moins édifiée [235]. »

A vingt-deux ans, elle a fait le point, comme un petit capitaine de soi-même, dans un texte daté du 10 mai 1776 qu'elle gardera par-devers elle, quitte à le montrer à tel ou telle avec parcimonie : « Extrait de mon âme, ou le point de vue du moment [236]. » Elle y articule en un système cohérent ce qu'elle a laissé courir au fil de ses confidences. Elle souhaite le bonsoir à son enfance et à ses dévotions, non sans indulgence. « Je rentrai en moi-même, j'interrogeai la nature, je regardai à mes côtés, j'écoutai l'expérience; je vis ma route, et je la suivis... Je veux être heureuse, de la manière la plus convenable au bien de mes semblables, la plus conforme aux lois établies, la plus solide pour la durée de mon bonheur. Je crois ne pouvoir l'être qu'en écoutant la raison et en pratiquant la justice. Voilà mon désir et ma foi. » Et puisqu'il faut ruser pour éviter la persécution, elle feindra, mais sans bruit, comme Galilée ou le curé Meslier *. Le 12 avril 1777, par exemple, « j'ai trouvé le moyen de sortir seule une matinée. Je me suis confinée dans une église où l'on a cru que je faisais mes Pâques et je l'ai laissé croire. S'il avait fallu absolument les faire réellement, je les aurais faites pour contenter tout le monde, par le même principe qui me ferait aller à la mosquée si je vivais à Constantinople... Quant à mon confesseur, il n'aura pas été étonné de ne me point voir, puisqu'il sait ma façon de penser [237]. » Elle ne préjuge pas pour autant de son évolution. Elle doute de ses convictions, comme du reste, sans affolement : « Ainsi, fixée à jamais dans les principes de ma conduite et de mon bonheur, je vogue pour le reste dans l'incertitude [238]. » « Je suis toujours dans la balance du doute et j'y dors paisiblement suspendue, comme les Américains dans leurs hamacs [239]. »

Bon, mais elle ne vivra pas seulement de spéculations platoniciennes. Et l'amour? Ou du moins, car ce mot-là n'a pas cours, « l'établissement », comme on disait du mariage d'une fille en milieu bourgeois? Pas encore casée à vingt-deux, vingt-trois, vingt-quatre ans, elle commençait à se croire vieille, et son père ne la détrompait pas. Mais autant elle refusait de confondre en religion le sentiment et la raison, autant elle s'obstinait à ne pas vouloir se marier sans envie. Et comme elle est difficile, on ne voit pas très bien comment elle va s'en sortir. Son histoire pendant ces trois années-là, de 1776 à 1779, n'est que

---

* Curé d'Etrépigny, près de Mézières, de 1689 à sa mort en 1733, l'abbé Jean Meslier fut un excellent prêtre, aimé de ses paroissiens qu'il confortait dans leur croyance. Mais il laissa un testament et des papiers révélant qu'il avait perdu la foi et était depuis longtemps un athée convaincu, de tempérament révolutionnaire. Son personnage avait fasciné Voltaire.

l'interminable calendrier d'une hésitation, de Pahin à Roland, en
passant — entre autres — par Sainte-Lette et Sévelinges, sans leur
concéder seulement le petit doigt. Dans ce domaine-là, où donc est
passée sa lucidité? Elle « barbouille », comme elle dit. Il faut y voir
clair à sa place.

Au début de 1776, tout est Pahin, nous le savons — ou plutôt
M. de La Blancherie, qui s'est gentilhommé en sacrifiant à la mode,
grâce au nom du quartier des blanchisseurs où sa mère vivait à Langres.
On s'anoblit comme on peut, et la fille d'un graveur a le droit de prendre
au sérieux ce genre de noblesse. C'est même une des raisons qui l'avait
rendue attentive à Pahin de La Blancherie, jusqu'à cette grande crise
de l'hiver 75-76 où c'est sûr, elle l'aime, elle est prise, elle en frissonne,
elle avoue, lui, rien que lui — pour se reprendre sitôt la lettre envoyée,
via Sophie Cannet. Paroxysme et retombée, presque dans le même
mouvement. Au printemps, Pahin est en pleine décrue, non à cause des
premières visites de Roland, qui ne parvient pas à s'imposer, ni même
à cause de l'influence croissante de Sainte-Lette, mais parce que Manon
a exorcisé d'un seul coup toute la charge d'attirance qu'elle éprouvait
en la lui révélant. Une expulsion. Une délivrance. Elle en a un peu
honte, comme d'une exhibition, et se met à lui trouver toutes sortes de
défauts. Elle n'a pas de mal : ils crèvent les yeux. Cuistre plus qu'écrivain; pédant plus qu'érudit; intéressé plus qu'amoureux. D'ailleurs
tout s'est passé par écrit, il demeure barricadé dans ses études à Orléans
au lieu de venir se jeter à ses pieds; un galant, ça? Le vieux Sainte-
Lette occupe sans effort la place vide, voilà un « philosophe », un vrai.
« Il est venu dîner avec nous le jeudi saint. Nous avons causé d'une
manière qui me donne envie de le revoir encore. » Il soumet à Manon
quelques vers sur *Le double tableau de la vie par un homme de cinquante ans* *, d'une platitude qu'elle dénoncerait chez tout autre, mais
voilà... « Après avoir lu ces vers, je me promenais, en rêvant, d'un côté
de la salle. M. de Sainte-Lette se promenait sur une ligne parallèle. »
Nul danger d'une agression terrifiante, un baiser, voire un serrement
de main. C'est la paix du Grand Nord sur la carte du Tendre. « Il a
la démarche fière, le regard de l'aigle, l'air sombre et pénétré; sa voix
est sonore, sa prononciation nette, accentuée avec force; tous les
mots qui sortent de sa bouche portent une pensée, une image, et leur
expression énergique va remuer l'âme dans tous les sens. » L'âme, rien
que l'âme. Tout va bien. « J'étais plongée dans la rêverie, et j'expri-
mais d'un ton modeste quelques réflexions auxquelles il répondait.
Notre entretien était coupé par des silences qui faisaient une scène
muette dont un spectateur intelligent se serait occupé [240]. » C'est fait.
Elle possède l'art de nous rendre intelligents au spectacle de sa petite
parade pour la saison 1776, en compagnie de « ce vieux monsieur » « à

---

* Joseph-Charles de Saintelette (le nom s'écrivait en fait d'un tenant),
né en 1717, était donc au bord de la soixantaine. Lorrain d'origine, colon
d'inclination, il avait commercé d'un peu tout, et notamment des
Nègres, de la Louisiane à Pondichéry, où il finissait sa vie comme
« lieutenant de police de la ville et de ses environs ».

l'âme de feu, de salpêtre et de soufre », donc si différent de son père, ce Phlipon mou, et d'autant plus rassurant que même l'ombre d'un autre sentiment ne peut s'étendre sur leur amitié, puisqu'il va repartir aux Indes incessamment. A la fin de l'été 1776, « M. de Sainte-Lette fait ma société ordinaire. Je le vois trois ou quatre fois la semaine... » Pas lui seul. Roland est parvenu à reconquérir du terrain, quoiqu'elle ait bien compris que, pour celui-ci, la frontière est moins tracée entre le flirt et l'amitié. « Je t'avoue que Sainte-Lette et M. Roland sont deux hommes qui me gâtent ; je vois en eux cette élévation d'âme, cette sensibilité, cette droiture de cœur, ce tour d'esprit que j'ai toujours jugés seuls dignes de fixer mon estime. Par quelle singularité fais-je la connaissance, dans ma vie assez solitaire, de deux êtres rares dans leur espèce [241]? » La cote de Roland n'a pas cessé de monter depuis les déconvenues des premiers entretiens. Le 2 mai : « M. Roland sort présentement après avoir passé ici près de deux heures. J'ai acquis pour lui, pendant ce temps, une plus grande portion d'estime que je n'en avais. J'ai admiré la justesse de ses raisonnements, l'agrément de sa conversation, la solidité de son esprit, le nombre de ses connaissances [242]. » Le 24 juin : « La connaissance de M. Roland me flatte et m'intéresse... Il me paraît joindre une âme honnête et sensible à un esprit éclairé et juste... Il est vrai et franc... Il a une philosophie douce et vraie... Enfin, il me paraît tout propre à faire un ami solide [243]. » Le 5 juillet : « Je ris avec moi * quand je songe à l'impression de ses premières visites et au ton dont je te parlais de sa personne. Il lui a fallu du courage pour braver le dégoût des tentatives [244]. »

Non, décidément, Pahin de La Blancherie ne fait pas le poids. Revenu à Paris, trop tard, il s'était rendu place Dauphine pour une visite si glacée, si peu en rapport avec la lettre de Manon en janvier, qu'il a bien compris qu'elle avait changé de planète. En juillet, elle le rencontre par hasard dans les jardins du Luxembourg. « Je lui vis un plumet à son chapeau. Ah! tu ne saurais croire (à Sophie) combien ce maudit plumet m'a tourmentée. Je me suis tournée dans tous les sens pour le faire cadrer avec sa philosophie, avec cette façon de penser qui me le faisait aimer [245] »... Peine perdue. Le 25 juillet, « l'enthousiasme a disparu, et il rentre pour moi dans une classe ** où je ne m'allierais pas sans frayeur [246]. » Le 21 décembre 1776, lorsqu'un faible regain le conduit de nouveau chez elle, elle lui signifie courtoisement son congé, « et je finis par conclure qu'en souhaitant qu'il réussît dans ses affaires j'espérais que, quelque jour, peut-être engagés chacun de notre côté, nous pourrions être amis. » *Exit* Pahin. Mais ce qui donne à Manon une telle sérénité, c'est déjà Roland, alors qu'elle croit avoir seulement choisi l'amitié, cette forme apaisante du sentiment ***.

---

* « Je ris toute seule. »
** « Un genre d'hommes ».
*** Pahin de La Blancherie avait pourtant une certaine personnalité, et Manon ne se serait pas ennuyée avec lui. Fondateur d'un « Salon de correspondance », sorte d'académie libre, il connaîtra maints avatars de 1778 à 1788, sans jamais pouvoir se stabiliser. A bout de ressources,

Elle pense à lui. Cela signifie déjà beaucoup pour une fille de son âge
et de sa condition. Au fil de ses visites de plus en plus fréquentes, elle
apprend à connaître ce bonhomme qu'elle avait pris d'abord pour un
quelconque notable de province. Il a quelque chose dans le ventre.

Le tableau qu'elle parvient à se faire de lui, dans les sept premiers
mois de leurs relations, avant qu'il ne parte pour un long voyage en
Italie, est déjà aux couleurs de la politique, ou du moins de l'économique et du social. Ce qui plaît à Manon, en Roland, c'est qu'il est
toujours en train de faire ou de projeter quelque chose d'intéressant.
Son métier le met de plain-pied avec son temps ; elle se croirait, pour
un peu, courtisée par un petit Turgot.

Il est né dans le Beaujolais. Sa famille, nombreuse et ramifiée, sa
mère, en tout cas, habite encore là-bas, non loin de Lyon. Quatre
frères prêtres. Lui n'a pas voulu : l'industrie, les « arts », voilà ce qui
le passionnait. Il était déjà « élève surnuméraire des Manufactures à
Rouen, agrégé par le Ministre du Commerce au corps des inspecteurs
des Manufactures », l'année de la naissance de Manon. Mais il lui avait
fallu pâlir ou plutôt, s'agissant de lui, jaunir dix années en rédigeant
des mémoires sur les matières premières des étoffes, le blanchissage
des toiles et les teintures sur coton avant d'être nommé sous-inspecteur
des manufactures à Clermont-de-Lodève *, dans ce coin du bas Languedoc où l'on fabriquait depuis Colbert une bonne partie du drap qui
habillait l'armée. Il avait plu à Trudaine par ses capacités de surmenage ** et sa rage d'inventorier les techniques. « Je compris que toutes
les productions de la nature, comme celles des Arts *(au sens encyclo-
pédique bien sûr : les Arts et Métiers)* étaient du ressort d'un inspecteur. Je crus que son zèle, comme ses connaissances, ne devaient trouver de bornes que là où il ne restait plus rien à faire [247]. » Il cherchait
la crève, il l'avait trouvée en 1765 : une sorte de jaunisse endémique.
Il continuait à se tuer de travail à Amiens, où il avait été nommé inspecteur des manufactures en 1766. Le drap, la toile, la laine, l'indigo
n'avaient plus de secrets pour lui, et il en parlait des heures durant avec
cette ferveur qui rend intéressant n'importe quel causeur hanté par
son sujet. Mieux : il combattait la routine, prônait les innovations,
traquait le gaspillage et protégeait les ouvriers. Les fabricants d'Amiens
ne l'aimaient pas. C'était un bon point de plus aux yeux de Manon.

Et puis, comme elle, il aime tant les Anciens ! « Ah, pour l'amour
des Grecs... » Roland pousse son avantage et la laisse tant qu'elle veut
croire à l'amitié, alors qu'il a, dès le mois de mars 76, caressé l'idée
d'aller au-delà. Ni libertin ni pudibond, il aimait les femmes, et il ne
tenait pas à finir vieux gars. Deux ou trois fois déjà, il avait manqué

---

il émigrera en Angleterre vers 1791. Devenu fou, il croira réincarner
Newton et se fera appeler « Newton La Blancherie ». Il mourra à Londres
en 1811.
* Aujourd'hui Clermont-l'Hérault.
** Sur Trudaine de Montigny, le petit Colbert de cette période, voir
tome I, p. 461.

l'occasion du mariage « de convenance et d'inclination » qui l'effarouchait un peu. A tout hasard, il courtisait tièdement Henriette Cannet. Mais, par indécision pathologique, et aussi parce qu'il a senti qu'une Manon Phlipon ne s'enlève pas à la hussarde, il ne dévoile pas encore son jeu, si jeu il y a, dans cette première phase.

Le 7 août 1776, il entame un long voyage d'études en Italie, une sorte d'enquête commerciale et industrielle pour le compte de Trudaine. Non sans poser un jalon : « Le jour de son départ, il dîna chez mon père avec Sainte-Lette ; en me quittant, il me demanda la permission de m'embrasser ; et, je ne sais comment, mais cette politesse ne s'accorde jamais sans rougeur pour une jeune personne, lors même que son imagination est calme.

« — Vous êtes heureux de partir, lui dit Sainte-Lette de sa voix grave et solennelle. Mais dépêchez-vous de revenir pour en demander autant [248]! »

Il devait passer seize mois sans la revoir. Le jalon restait posé.

La voilà bien, avec tous ces graves messieurs qui la courtisent, puis s'en vont au bout du monde! Roland en Italie, Sainte-Lette à Pondichéry... Mais on dirait qu'ils se passent le flambeau. Le petit théâtre de Manon Phlipon aurait risqué de tourner au désert si Sainte-Lette ne lui avait présenté Firmin de Sévelinges, « son bon ami, qui vient de perdre sa femme *(en septembre 1776)*. Je n'ai jamais vu de veuf si pénétré, si accablé ; c'est une de ces âmes exaltées dont tous les sentiments sont plus qu'ordinaires. Sa douleur est muette et tranquille, mais il est abîmé en elle. Son aspect est semblable à celui du ciel avant l'orage [249]. » Un petit noble du Soissonnais, où il était « receveur de la ferme des tabacs * ». Cinquante-six ans, philosophe et blessé : tout ce qu'il faut pour un interlude.

Le 27 octobre 1776 : « M. de Sainte-Lette est sur son départ. Je le regrette singulièrement ; il est heureux pour moi que cet homme n'ait pas dix ans de moins, je l'aurais aimé plus que je n'eusse voulu... Il me laisse la connaissance de son ami, son autre lui-même. Je la cultiverai avec plaisir [251]. » Le 9 novembre, c'est un adieu qu'elle sait définitif : « Tous les beaux projets de M. de Sainte-Lette ne m'empêchent pas de regarder son départ comme l'instant d'une séparation éternelle ; ce n'est pas à son âge que l'on fait six mille lieues impunément [252].» Dernier dîner chez Manon, en compagnie de Sévelinges et de deux autres amis de leur génération. Une minuscule académie vieillissante et mélancolique, présidée par une jeune fille. « Il manquait M. Roland. Je l'ai regretté. Mon imagination m'a transportée à sa suite, je fus distraite quelque temps. Nous avons cependant causé gaiement et, ce qui est fort plaisant, nous nous sommes quittés à peu près de même,

---

* La ferme des tabacs était une compagnie détenant le monopole de l'importation ou de la fabrication, puis de la vente à prix taxé du tabac en France, au profit du trésor royal, non sans enrichir au passage des délégués régionaux. Rendement : 23 millions de livres en 1777, soit 115 millions de francs lourds [250].

M. de Sainte-Lette en me baisant la main, et moi d'un ton fort
enjoué *. » Ils semblent n'avoir pas dit mot de la guerre qui couvre ce
départ de son ombre : combien de temps les Anglais nous laisseront-ils
Pondichéry? Sévelinges, lui, va repartir à Soissons. C'est moins dangereux et c'est moins loin. On a convenu de correspondre; Manon a
daigné lui confier « quelques-uns de mes cahiers... J'entends : mes bar-
bouillages... Il y a là quelques-unes de ces réflexions philosophiques
un peu hardies qui se font, dans ce pays, sous la cheminée **... Il y a
mille misères qui ne valent rien, et la totalité ne fut jamais écrite pour
d'autres que pour moi; mais, enfin, c'en est fait [253]. » C'est un abandon,
mais sans danger lui aussi, pas celui qui eût déjà comblé Sévelinges, et
dont il va rêver bientôt.

1777, une longue année plate. Lettres aux sœurs Cannet, par bras-
sées, lettres ambiguës à Sévelinges, pas de lettres à Roland. Où l'aurait-elle joint? Ce serait à lui d'écrire, et il n'écrit pas. La philosophie
de Sévelinges ne va pas jusqu'à lui faire supporter le veuvage; il se
monte la tête dans son coin, un peu par la faute de Manon, jusqu'à
effectuer à la mi-juillet une sortie maladroite. Pas psychologue pour
un sou, il lui offre tout à trac d'aller vivre avec lui à Soissons. « Ce
serait déjà philosopher, dit-il, que de prendre la résolution d'y venir;
vous êtes libre de vous faire accompagner par une amie; vous serez
logée très loin de moi, sur mon jardin, etc. » Elle fait dix pas en arrière
devant ce pas de clerc en avant : « C'est la plus jolie chose du monde,
mais les circonstances, les pères, leurs préjugés, opposent des barrières
sans nombre [254]. » N'en parlons plus. « Adieu, mes tendres amies.
J'ai rêvé de M. Roland. Il m'ennuie de n'en rien savoir [255]. » Son nom
revient huit à dix fois sous sa plume entre janvier et août, toujours
pour s'inquiéter et souligner son silence. Elle approfondit pourtant la
connaissance qu'elle a de lui : il lui a laissé des manuscrits en dépôt.
Pour un peu, elle les apprendrait par cœur : « Le développement naïf
de ton âme dans des ouvrages que j'avais médités, savourés, éleva,
nourrit, fortifia l'opinion que tu m'avais donnée de toi-même [256]. »
Si Roland ne lui écrit pas, c'est par loyauté. Il ne se sent déjà plus
capable de lui envoyer des lettres indifférentes, mais ne veut pas encore
s'engager. Sa famille lui propose un mariage « arrangé » avec une demoiselle de bonne famille. Il discute âprement, en Lyonnais près de ses
sous, de la dot, du trousseau, des « espérances », et l'affaire traînera
pendant qu'il parcourt l'Italie, de Turin à Naples.
Aggravée par ce silence, la crise d'août 1777 est très dure : Manon
Phlipon se sent abandonnée de tous, quand il lui faut affronter son
père en face pour arrêter la dégradation du quotidien. « Rien n'est si
affreux que d'être obligée de ne plus respecter ce que l'on aime »...
« Si l'infortune me menace, comme j'ai lieu de le croire, j'apprendrai

---

* Sainte-Lette mourra un an plus tard, le 17 novembre 1777, à Pondichéry.
** « En secret, dans le silence des veillées sous le manteau de la cheminée. »

un métier »... Mais lequel? Ni les lectures, ni la plume ne servent de
rien aux filles. « Si notre bien me le permet encore, je demanderai ma
retraite au couvent. » Or Gratien Phlipon ne sait même plus lui-
même le passif et l'actif de son atelier. Fin juillet, sa fille fait venir un
notaire pour un inventaire qui blesse le pauvre homme à mort. « Nous
ne mangeâmes point, dormîmes guère... » « Mon père me hait ». Bilan
catastrophique : le bien de la petite maman Bimont, inaliénable en
principe, a fondu de vingt mille à six mille livres *. Ce n'est pas encore
la misère, mais c'est l'impasse. Nulle évasion solitaire possible avec
une si petite somme.

Pas drôles, les vingt-quatre ans de Manon Phlipon place Dauphine.
Le père et la fille, après le heurt, ont repris un tête-à-tête fêlé. « Je
conserve, comme j'ai toujours fait, et comme je le dois, le soin et les
égards du respect, mais j'aperçois à la dérobée l'espèce de rancune
qu'il me porte. Il me craint comme un surveillant incommode... Nous
sommes comme sont tant de maris et de femmes, qui se font honnêteté,
ne s'aiment guère et le savent bien, mais le cachent aux autres [257] »...
« Tu ne sais pas ce que c'est que de faire chaque soir au coin du feu
des cents de piquet avec son père, sans dire mot que pour compter son
jeu. J'aimerais autant réciter mon chapelet [258]. » Ça ne devait pas être
drôle non plus pour ce pauvre bonhomme qui tentait de vivre, d'avoir
tout le temps sur lui les yeux de diamant de ce petit gendarme auquel
rien n'échappait, pas même la vérole : « Il est le 2 août, sept heures du
matin ; je suis déjà seule avec ma fidèle Mignonne *(sa domestique)*.
Déjà depuis une heure mon père est sorti. C'est l'histoire de tous les
jours, hélas ! sa santé, son bien, son bonheur... tout est perdu. Il coule
dans ses veines un venin secret dont il pallie les mauvais effets par de
légers remèdes pris en cachette. Celle qu'il va voir matin et soir est
infectée de ce poison [259]. » Les Philipon tournaient en effet au couple
ranci.

L'été passe, l'année tourne, Roland n'écrit toujours pas. Manon
frôle la dépression. « Pour augmenter la crise, il faut qu'un nouveau
mariage soit encore mis sur le tapis ** », mais rien à faire. « J'aime
l'espèce, mais j'abhorre des milliers d'individus. Je me contenterais de
les mépriser, s'ils me laissaient tranquille. La recherche que font de moi
ceux qui ne peuvent me plaire me les rend haïssables. Il faut que je
tienne mon âme dans mes mains, pour l'empêcher de s'écarter de la
modération... J'ignore si c'est l'effet d'une imagination exaltée, de
l'illusion, de l'enthousiasme, mais j'avoue que je ne me sens pas faite
pour les choses ordinaires [260]. »
« Je sacrifie, contre mon gré, le temps, qui est le plus précieux de
mes biens, à faire une toilette que je hais, pour voir des gens que je
n'aime guère. Les propos légers et badins sortent de cette même bouche
qui pousse des sanglots la nuit sur un oreiller. Le rire habite sur mes

---

* De cent mille à trente mille francs lourds.
** Avec un avocat de Reims, présenté par une tante qui recommandait
« cette bonne pâte à mari ».

lèvres, et mes larmes serrées dans mon cœur y font à la longue, malgré sa fermeté, l'effet que produit sur une pierre l'eau qui, tombant goutte à goutte, la mine insensiblement. Le courage ne détruit pas la sensibilité [261] », mais c'est quand même grâce à lui qu'elle tient bon, son beau petit courage tout nu, sans Dieu, sans homme. Les livres, seulement, au cocktail maintenant équilibré : « Je me retire avec délices dans ce petit cabinet où Montaigne, Massillon, Bossuet, Rousseau, Fléchier, Helvétius, Voltaire, me tiennent compagnie tour à tour [262]. » « J'ouvrais Pascal dernièrement ; je fus un peu choquée du ton de despote dont il présente ses idées. Je l'ai été plus encore de le voir blâmer aigrement Montaigne, peu après s'être servi d'une de ses pensées [263]. » Elle est armée. « La tranquillité qui me reste, et dont j'espère toujours jouir, est bien indépendante de toutes les révolutions de la vie... J'apprécie comme je le dois l'avantage et l'utilité des épreuves que je subis dans un âge où communément on ne connaît encore que le bonheur. J'ai philosophé très jeune, il fallait bien que j'exerçasse promptement les principes que j'avais adoptés si tôt [264]. »

Pour la distraire un peu, si peu ! elle fait connaissance chez ses cousins Trude, des libraires, d'un de ces amoureux bizarres et transis dont elle se passait difficilement, l'abbé Bexon. « C'est un petit abbé bossu, assez jeune *, spirituel, grand littérateur, auteur d'une nouvelle *Histoire de Lorraine*, dédiée à la Reine (Marie Leczinska), correspondant de M. de Buffon, peu fortuné, logeant par hasard dans un petit appartement meublé que Mme Trude s'est avisée de louer [265]. » Il tombe malade. Elle le plaint. Trop ; la voilà de nouveau contrainte à rétrograder : « Le petit abbé bossu se porte beaucoup mieux. Je n'ai pas été le voir. Parce que, premièrement, il commençait à se lever et n'avait besoin que des soins de la domestique. Secondement, j'ai craint, à sa mine tant soit peu suffisante, qu'il ne se crût recherché plus qu'il ne le serait effectivement par moi. » Ce mouvement de repli va l'empêcher de prêter à un ami de Bexon, le jeune François, de Neufchâteau, l'attention que mérite ce drôle d'oiseau lorrain. Il a pourtant une réputation de nature à intéresser Manon. On parle de lui dans Paris en l'appelant « le littérateur ». Mais il n'a que vingt-sept ans, et se trouve chez un monsieur qui vient de lui déplaire. « Il est résulté de tout cela que je ne suis pas entrée en connaissance avec le littérateur, qui passe souvent en disant bonjour et adieu sans rien de plus [266]. » Elle a tort, mais comment aurait-elle pu savoir ?

---

* L'abbé Bexon était né en 1748.

17/ août 1777
Le cri de guerre de la raison

Ce jeune homme, que Manon Phlipon avait à peine regardé dans l'escalier des cousins Trude, était en train de vivre une étrange aventure, à mi-chemin de l'anecdote littéraire et du fait divers. Les salons en faisaient des gorges chaudes. François de Neufchâteau accédait à la célébrité par l'insolite d'une disparition *. En ce mois d'août 77, on se demandait un peu partout s'il était encore en vie. Il le cherchait, il cultivait son personnage de mort-vivant. Pourtant il était loin d'être inconnu, même avant. On parlait de lui comme d'un Mozart des lettres. L'enfant prodige de la Lorraine.

François, c'est son nom de famille, celui de ses aïeux paysans, de son père « maître de petite école » qui apprenait à lire, à écrire et à chanter la messe à quelques enfants du bourg de Saffais, à mi-chemin de Lunéville et de Nancy, dans ce qu'on appellera plus tard les Vosges. Il était né là, en 1750, le gars François, dont on se serait bien moqué si l'on avait su qu'il se ferait appeler un jour « de Neufchâteau », vu que cette petite ville à deux mille âmes, énorme au regard de la poussière des hameaux lorrains, était bien plus loin au sud-ouest, et que ses parents n'y avaient jamais mis les pieds. Son prénom, c'est « Nicolas, fils légitime de Nicolas François, régent d'école à Saffais, et de Marguerite Gillet, son épouse [267] », de la famille des fondeurs de cloches de Sommerécourt. Il devait y avoir une bonne fée près du baptistère de Saffais, parce que les choses avaient rondement marché pour lui, comme pour cette petite Champenoise, soi-disant Lorraine, née trois cent quarante ans plus tôt à Domrémy, donc plus près que lui de Neufchâteau. La même mise sur l'orbite du royaume de France, par pulsions successives de curés et de gentilshommes influents.

Première étape : la Lorraine du bon roi Stanislas, le père de Marie Leczinska, qui finissait tranquillement ses jours en embellissant Nancy. François est né en sursis de France, puisque Stanislas jouissait en viager d'une Lorraine qui ne deviendrait province française qu'à sa mort, en 1768, mais était déjà soumise de fait à Louis XV et dépendante du royaume.

A huit ans, Nicolas François suit son père dans une transplantation aux confins du Barrois et de la Champagne, à Liffol-le-Grand. Cette fois, Neufchâteau est à moins de trois lieues et devient la ville à l'hori-

---

* François de Neufchâteau sera président de la Législative, ministre de l'Intérieur, puis membre du Directoire, donc « roi, pour un cinquième de la France », et enfin président du Sénat de l'Empire. A l'Académie française, il signalera et encouragera, en 1817, les débuts de Victor Hugo. C'est également pour ne pas rompre l'unité du récit à propos de la découverte de quelques futurs révolutionnaires (François, Pache) que je continue à intercaler une tranche chronologique de 1777 et 78 dans l'année 1779.

zon de son enfance. Un curé voisin, celui de Rouceux, est un esprit
éclairé. Il est en train « de faire planter le long des routes des noyers,
châtaigniers, ormes, frênes, et en donne l'exemple à ses dépens sur
un tronçon de la route de Neufchâteau à Nancy ». Il sent le fagot, cet
abbé Huel. Il a publié un livre qui a fait un peu de bruit par là, sur
les *Moyens de rendre nos religieuses utiles et de nous exempter des rentes
qu'elles exigent* [268]. En Lorraine! Le diable gagne partout. L'abbé Huel
s'intéresse à la frimousse éveillée du petit Nicolas François. Il le recommande au plus proche seigneur, Claude-Antoine Labbé, comte de
Morvilliers, qui le recommande lui-même à un « haut et puissant »
protecteur, le bailli d'Alsace. Vaucouleurs n'est pas loin non plus,
dont le sire décida du destin de Jeanne en lui prêtant trois bidets et
deux soldats. De main en main, comme au furet, Nicolas François
se hisse hors de sa condition.

Ce bailli n'était pas plus d'Alsace que Leczinski n'était de Lorraine.
Il descendait des Hénin-Liétard, en Flandre française, où une petite
ville nommée Alsace et tombée dans leur marquisat avait permis la
confusion. Tout le monde les croyait de l'Est, où ils s'implantaient
d'ailleurs progressivement, autour de Neufchâteau, depuis deux générations. Le bailli d'Alsace, homme des Lumières, cherchant à se désennuyer de la province par les lettres et les bonnes œuvres, va prendre
tant à cœur la cause de François qu'on chuchotera qu'il en est le père
naturel [269].

Voilà toujours le François dépanné. 1764 : le bailli le fait placer
au collège de Neufchâteau, et y paie sa pension. Des prêtres du coin,
formés par les jésuites, bons rhétoriciens, lui font couler le goût des
lettres dans le sang. 1765 : Monnoyer, « imprimeur de la ville et du
collège », publie une plaquette de quarante-quatre pages, les *Poésies
diverses du sieur François, pensionnaire au collège de Neufchâteau*,
qui n'a pas encore quinze ans. L'auteur en fera l'hommage à son
« illustre protecteur », le bailli d'Alsace :

« Je viens, sur mes pipeaux sauvages,
Pour t'offrir un tribut que mon cœur a dicté [270]. »

Pas si sauvages que ça, les pipeaux. Bien policés, bien réglés aux
goûts du jour. Tout ce qu'il faut pour l'engouement des salons. C'est
un Mozart, on vous dit. La promesse d'un talent? Non! La révélation d'un génie. L'*Almanach des Muses* en informe la France : « L'enfant répond à tout avec modestie et précision, parle familièrement de
tous les auteurs anciens et modernes, raisonne politique, morale et
histoire, même de guerre, avec beaucoup de sens. Il dit et fait sur-le-
champ les plus jolies choses du monde pour les dames [271] », qui commencent à rêver de ce Chérubin-là. Fier de son prodige, le bailli l'emmène
courir la France et le produit à Dijon — où l'académie le reçoit le
28 juin :

« Quelle vaste carrière à mes yeux se présente!
Des sages rassemblés par l'amour des beaux-arts
Sur les faibles essais de ma Muse naissante
Jettent de propices regards [272]. »

Académicien à Dijon pour la Saint-Jean, il l'est à Lyon pour son

petit Noël, et à Marseille le 15 janvier suivant. Mais la Lorraine alors?
Un peu de patience. De retour, François est élu à l'académie de Nancy
le 7 juin 1766. Le voilà quatre fois académicien à quinze ans. Dans
l'euphorie, on lui fait grâce d'une virgule. Nicolas François, de Neufchâteau, devient François de Neufchâteau pour le restant de ses jours
et par la grâce des gazettes, sans que nul n'y trouve à redire. C'est
l'anoblissement à meilleur compte *.

Il envoie ses vers à Voltaire, qui lui répond poliment :
« Il faut bien que l'on me succède
Et j'aime en vous mon héritier [273]. »
On l'oriente vers la Mecque des lettrés, Paris, à partir de son tremplin
provincial. Il se jette dans l'ombre du cuistre-roi, Palissot, « l'ennemi
de Jean-Jacques ». Palissot n'y va pas de main morte dans le *Mercure
de France* : si Rouen a donné Corneille à la France, La Ferté-Milon
Racine, Château-Thierry La Fontaine et Paris Voltaire,
« Enfin c'est aujourd'hui le tour de la Lorraine :
Son âge d'or commence à vous [274]. »
... A ce garçon de dix-sept ans? François ne sera pas en reste :
« Palissot est un très bel esprit et, ce qui est mieux encore, un très bon
cœur... Je devrai à ses conseils une façon de penser mâle [275]. » C'est
lui qui le dit. Les vers de François sont eunuques, ses opéras mièvres,
ses pièces plates. A dix-neuf ans, il a tout de l'épicurien littéraire, un
hanneton de coin de cheminée.

Sophie Arnould se charge de le secouer **. « Elle a aimé François de
Neufchâteau comme Aspasie aima Socrate [276] », pas en courtisane donc,
ni même en initiatrice, mais elle troublait tout homme intéressant,
avec ses grands yeux-miroirs. Il y croit, il y va de bon cœur, « oubliant
tout pour ne songer qu'à elle et, ma foi, c'est songer à tout [277] ». Elle
n'ira jamais plus loin que l'attention apparemment choisie qui distri-
buait tant d'illusions à tant d'autres. Son amant de l'année, c'était le
prince d'Hénin, un parent du bailli d'Alsace justement. Qu'est-ce qu'il
se croit, le petit François? « J'aime sans espérance. Plaignez-moi. »
(Le 13 juillet 1769.) C'était le cadeau le plus utile que Sophie Arnould
pouvait faire aux vingt ans d'un enfant gâté *** : enfin l'échec. Un
dégoût de Paris. La secousse. Il s'aperçoit de toutes les mauvaises
odeurs de la grande ville. Revoir les bords de la Meuse, respirer « l'air
froid et rongeur » de son pays, « pernicieux aux personnes délicates »,
selon le petit abbé bossu qui l'assure à Manon Phlipon, « ce qui est

---

* Dix ans plus tard, le parlement de Nancy, pourtant, demandera pour
la bonne règle à François de Neufchâteau justification de « son titre ».
Il répondra placidement qu'il s'agit d'une habitude ancienne.
** Sur Sophie Arnould, l'actrice la plus célèbre du temps, voir tome I,
p. 48, son rôle dans la création de l'*Iphigénie* de Gluck.
*** Ce flirt de quatre mois devient, sous la plume de Lenôtre, une aventure à la Pygmalion : « La complaisante Sophie s'intéressa à ce paysan
des Vosges, mal vêtu, plein de gaucherie... Elle fit de lui en peu de temps
un Parisien discret, fin, sachant écouter [278]. » Le « paysan des Vosges »
était quatre fois académicien depuis trois ans quand il rencontre Sophie,
qui ne lui a rien apporté d'autre qu'une déception.

causé par les montagnes des Vosges, qui y font régner presque toujours
le vent du Nord... Les montagnes couvertes de sapins arrêtent les
brouillards et augmentent la fraîcheur. On n'y voit point de villages,
ou très peu. Les maisons sont éparses... Un air d'indépendance et de
fertilité... Les mœurs simples et pures [279]... » Il y retourne. « Je fais mon
paquet, je quitte Paris », en 1770, mais pas pour une chaumière :
l'évêque de Toul le reçoit à sa maison des champs, « Moselli », un petit
paradis plein de valets et de jolies femmes qui lui font oublier Sophie.
Il songe à se faire abbé de ces paroissiennes-là. On lui offre au séminaire
de Toul une chaire d'éloquence, de poésie et d'histoire, qu'il occupe
(à vingt ans) avec un aplomb restauré. « Je sortis de ma (première)
harangue très fatigué, très applaudi et très modeste *(sic)*. » Mais il
ne se méfie pas assez. Le séminaire n'est pas comme les salons de Toul
où il « parle en impie sur quelques points de l'Écriture sainte ». On le
rend responsable « de bien des désordres » qui secouent les élèves cette
année-là. Une contestation dans le chœur : les petits abbés voulaient
vivre à Thélème [280]. François pouffe aux vêpres; il hausse les épaules
au sermon. On ne lui marchande pas le petit collet pour si peu, ou
plutôt l'évêque ne saurait refuser cela au protégé du bailli d'Alsace.
Le voilà « reçu en théologie, quoiqu'il n'ait jamais étudié la philosophie en latin ». Il en profite « pour infecter plusieurs de ses condis-
ciples du poison de l'incrédulité, grâce à son babil séduisant ». Beau
théologien! C'est à Toul qu'il devient compère d'un autre jeune diacre,
Bexon, que Manon Phlipon appellera, en bonne Parisienne, « le petit
abbé bossu », sans comprendre la valeur cachée de ce provincial
« possédé du démon de la célébrité et du brochurisme *(sic)* », mais
surtout de l'agriculture, sur laquelle François et lui rédigent un « dictionnaire à l'usage des gens de la campagne : *La Botanique mise à la
portée de tout le monde* [281] ». Bexon va jusqu'à la prêtrise. François se
reprend avant. Re-Paris, au *no man's land* entre l'Église et les lettres :
le droit. Mars 1772 : « Je suis avocat. Je suis jaloux de réunir les roses
de la littérature aux épines de la jurisprudence [282]. » « Il travaille avec
Panckoucke, un peu libraire, beaucoup journaliste. Il travaille avec
Linguet, un peu clerc, déjà polémiste *. Mais il n'est plus à l'aise dans
sa peau de Paris. « Ce mélange de gloire et de gain m'importune [283]. »
Il se brouille avec le bailli. Il cherche une petite charge près de Nancy,
enfin décidé à « ne pas monter bien haut peut-être, mais tout seul ».
Vient le temps des secousses. 1775 : « M. François de Neufchâteau
a été mandé sur l'ordre des avocats. Il s'y est rendu et il a reçu une
semonce sur plusieurs chefs, tels que ses liaisons avec Maître Linguet,
son goût pour la poésie, etc. [284] » Il rue dans les brancards. Il regimbe
contre « ces tracasseries », c'est son mot. On lui fait grief de sa chère
poésie, on veut l'empêcher d'épouser la fille — bien dotée — d'un
professeur de danse à l'Opéra, Dubus. Ils vont voir. J'épouse. « Mésal-
liance » pour les avocats, qui lui claquent la porte au nez. Sa femme

---

* Et se trouve présent aux scènes qui marqueront, en mars, l'expulsion
de Linguet hors du barreau. Voir tome I, p. 168.

meurt « d'une fièvre putride » (Linguet écrira « de chagrin ») après trois
mois de mariage. François a eu le temps d'acheter la place de lieutenant
général du Roi au bailliage de Mirecourt * — avec l'argent de sa belle-
mère, dont il est presque amoureux. Marié, veuf, consolé, fonctionnaire,
en moins d'un an, il demeure ancré dans sa Lorraine et dans les « belles-
lettres ».

Est-ce le repos déjà, sans la fatigue, la retraite sans avoir travaillé?
Tant d'hommes de ce temps-là se rangent avant trente ans! François
en a vingt-quatre quand il s'intéresse « aux principes et aux vertus
des eaux minérales de Contrexéville [285] », qui jaillissaient près de Mirecourt et guérissaient (de la pierre, disait-on) quelques malades : Turgot,
puis Necker, refusent les crédits d'aménagement. Mais il y a bien quand
même cent personnes par saison à se presser dans le pré du sieur Brunon,
près des deux sources couvertes par un kiosque, ou du ruisseau qu'elles
nourrissent sur deux cents toises. De l'eau fraîche, des sapins partout,
la forêt, tout ce qu'il faut pour soigner « la goutte du talon gauche »
dont ce pauvre François est atteint si jeune. « Je souffre de douleurs
abominables. » Alors, on pose le sac?

Pas encore. La sève est trop vive. En 1777, l'année où il va rencontrer Manon, François publie « un conte osé » dans l'*Almanach des
Muses* : *La Consultation épineuse*, donnée par un avocat égrillard à une
cliente peu bégueule [286]. L'imagination s'échauffe, à Mirecourt ou à
Contrexéville, entre deux cures. Un tour à Paris? Telle est la vie des
provinciaux aisés, au rythme d'un pendule, chez soi pour le bon air et
Paris pour l'aventure. Celle-ci, la dernière, entre deux portes des salons,
ressemble à une scène de Sedaine ou de Beaumarchais. Qui est cette
« demoiselle de la Cour, très jolie en vérité », dont les journaux, y compris les *Annales* de Linguet, tairont le nom en révélant à l'Europe,
au printemps 1777, que François de Neufchâteau se préparait à l'épouser, quand?... Impossible de savoir son nom.

... Quand il fait machine arrière à la dernière minute. « La mariée
et les convives allaient se mettre à table », avant le notaire et le curé,
Dieu merci pour François, tant pis pour l'historien. Pas de trace. Ni
contrat, ni registre. Quoi qu'il en soit, « l'époux » n'est pas au rendez-
vous. Il disparaît. *La Gazette française de Londres* en fait un petit conte
cruel : s'il a rompu, c'est parce qu'il s'est trouvé cornard avant d'être
mari. De chagrin, de dépit, « il vit dans Paris comme un anachorète, ne
voyant que fort peu de monde et n'allant presque nulle part [287] ».
François sort de l'ombre pour confirmer à peu près la chose dans une
lettre publiée le 10 juillet : « Il n'est que trop vrai, Monsieur, qu'à la
veille de jouir de mœurs qui devaient faire le bonheur de ma vie, j'ai
appris à mes périls qu'il ne fallait que je comptasse sur rien. Croyez-moi,
si j'étais libre de révéler l'injure de mon sort, j'intéresserais, j'atten-
drirais, je ferais frémir d'horreur et de pitié tout à la fois les mêmes
lecteurs que vous n'avez prétendu qu'égayer. » Et comme pour prouver
qu'il n'y a pas de quoi rire, il se perd dans Paris, mais laisse dire qu'il

---

* Une fonction de petit sous-préfet.

a fait naufrage en partant beaucoup plus loin : « Le renversement de
sa fortune et des persécutions violentes l'ayant laissé sans ressor *(sic)*,
il a voulu s'embarquer pour le Nouveau Monde. Mais sa chaloupe a été
submergée par un coup de vent dans la rivière de Bordeaux. On ne croit
pas que personne s'en soit sauvé [288]. » Quel dommage ! « Il voulait
publier l'Histoire universelle des calembours chez toutes les nations. »
C'est signé Linguet, qui ne perd pas son temps à vérifier les rumeurs
de Paris colportées à Londres, surtout si elles sont dramatiques, puisque
son tempérament le pousse à tout dramatiser. Le régime de Louis XVI
a poussé un jeune écrivain de valeur à la noyade, c'est dans l'ordre de
cet ordre qui venait d'exiler Linguet. Une victime de plus...

Et il est bien vrai qu'il a touché le fond en cette année 1777,
François de Neufchâteau, toutes certitudes ébranlées. Un dérange-
ment général. Il a vraiment couru jusqu'à Bordeaux, chez des amis,
une ville hors de ses horizons habituels. Il y a passé des mois suspendus. Il a écrit à Voltaire : « Un revirement de fortune joint à des
persécutions cruelles m'a conduit loin de mon pays et me laisse fort
incertain de ce que deviendra mon sort [289]. » Quand la *Correspondance
secrète*, en septembre, doit se résoudre à le ressusciter, elle fournit une
explication qui en vaut une autre : « L'idée lui vint de s'essayer à l'oubli
des hommes, en faisant courir le bruit de sa mort [290]. » Ce n'est qu'au
début de 1778 qu'il se réinstallera prudemment en lui-même,
reprendra une carrière de « périodiciste » au *Journal de Paris*, et tournera des billets doux à « Mme la Comtesse de C... » :
« Lorsque des gazetiers maudits
D'un trait de plume me noyaient,
... Blessé même par l'amitié,
Je doutais presque de mon être.
J'étais presque un homme enterré.
Mais, puisque vous m'avez pleuré,
Je sens qu'il est doux de renaître [291]. »
Entre-temps, il avait croisé Manon Phlipon sans y prendre garde.
Il visait plus haut. Elle lui accorde, un peu plus tard, davantage
d'attention, sans excès : « C'est un homme doux, timide, sensible,
intéressant, mais d'un caractère peu stable, bizarre et inconstant, peut-
être à force de délicatesse... J'ai su de l'abbé *(Bexon)* que son ami avait
appris que celle à laquelle il voulait s'unir était enceinte... Trompé et
trahi, désespéré, il ne sut que fuir [292]. » Elle passe à autre chose, elle
l'oublie et n'en parlera plus. Leurs destins n'auront fait que s'effleurer.

Il va guérir. Il retrouve avec joie ses campagnes et ses salons lorrains
pour y promener de grands yeux un peu saillants au-dessus d'un gros
nez solide, sensuel, un nez fait pour flairer le vent. Il vivra. Il travaillera.
Il écrira. L'appétit de tout lui revient. « Je veux m'occuper de la police
champêtre (à Mirecourt). Adieu, mon ami. Ligue offensive et défensive
contre les méchants, et foutre des sots*. Voilà le cri de guerre de la
raison, et nous le crierons aussi bas qu'il le faudra pour n'avoir pas une
trop forte armée à combattre [293] ».

---

* Traduction moderne : « Mort aux cons. »

18/ septembre 1777
Un verre d'eau et une pomme rouge

De temps à autre, Manon Phlipon tentait de secouer son fardeau.
Changer de décor, oublier son père et les « vieux » soupirants. « Nous
avons été à la promenade du côté des boulevards, que je hais, et dans ce
faubourg où se fait la procession des Pardons... Je me suis amusée de
tout ce remuement, qui me faisait bien rêver; c'est quelque chose de
fort singulier qu'une foule immense, formée de toutes sortes de personnes
rassemblées par le désir de voir... quoi? un homme estimable? un fait
surprenant? des monuments curieux? non, mais quelques centaines de
polissons, vêtus en prêtres, occupés à jeter avec grâce un encensoir
et des fleurs devant le Dieu de la foi, l'objet de la fête, il est vrai,
mais bien le moins fêté. On applaudissait des mains quand les encen-
soirs allaient bien ensemble; puis on fléchit le genou devant le dais,
en regardant les femmes bien coiffées qui sont aux fenêtres.
   « J'ai admiré la belle porte Saint-Denis tout à mon aise : c'est
un monument exquis que je n'avais pas encore remarqué *. Nous
allâmes vers le soir au-delà des barrières, où je vis la verdure avec un
plaisir délectable, en respirant le bon air [294]. »
   La quête du bon air, cette obsession des Parisiens, qui respiraient
les délices du ruisseau dès que les chaleurs venaient. Manon va, toutes
les fois qu'elle peut, s'aérer à la campagne — c'est-à-dire à Vincennes.
L'abbé Bimont, un oncle qu'elle aime bien, est « chanoine de la Sainte-
Chapelle », à quelques pas du donjon où croupissent Mirabeau et Sade.
Manon trouve qu'il règne à Vincennes « un certain air de paresse qui
modifie ceux qui le respirent [295] ». « Je fais la folle pour nous amuser;
je prends un violon, tandis qu'un bon chanoine en lunettes prend sa
vieille basse qu'il fait résonner sous un archet tremblotant. Un troisième nous accompagne avec une flûte glapissante, et nous faisons un
concert propre à faire fuir tous les chats. Cependant, enchanté de ses
prouesses, chacun des calotins finit et s'applaudit. Je me sauve au
jardin, j'y cueille la rose et le persil [296]... »
   Un jour de septembre 1777, elle s'évade encore, mais d'un saut par-

---

* Or elle habite, et elle a passé presque toute sa jeunesse, à un kilomètre
et demi de là. Rien ne prouve mieux le confinement dans lequel vivaient
les Parisiens, chacun dans son quartier en ignorant le reste de la ville.
Faute du moindre transport public urbain, ceux qui ne possédaient ni
chevaux ni voitures ne pouvaient se déplacer qu'à pied, et ne le faisaient que pour des motifs utilitaires.

dessus la Seine, pour rendre visite à Greuze. Elle le connaissait depuis
deux ans, grâce à Pahin de La Blancherie. Le peintre l'avait accueillie
avec cette attention particulière qu'il réservait à toute jolie fille de
« type français » capable de l'inspirer. Elle lui avait prodigué, à propos
d'une de ses compositions sucrées, *la Bienfaisance*, les compliments
sans lesquels il ne supportait pas d'interlocuteur :

— « Si je n'aimais pas la vertu, ce tableau m'en donnerait le goût [297]. »

Ils se sont revus deux ou trois fois. Il la taquine en disant du mal
de Rubens, l'anti-Greuze. Elle n'est plus une étrangère pour lui. Et
puis, c'est la fille d'un confrère : de graveur à peintre, il y a compa-
gnonnage. Elle tourne à sa gauche à la sortie du Pont-Neuf, suit le quai
le long de l'imposante façade du Vieux Louvre « large et lourd », et
passe sous l'énorme voûte pour franchir ce qu'on nomme toujours
les « guichets », à cause des grilles derrière lesquelles se retranchaient
les rois Valois. Les guichets ont sauté, l'entrée de la grande cour est
libre, on accède sans contrôle à la petite république des artistes,
qu'on rencontre tout de suite grâce au bariolage de leurs toiles et de
leurs estampes offertes de guingois sur les gros murs humides du
passage. Un petit coin de Florence dans Paris : le Louvre enfin utile
et gai. Pour une fois qu'un palais sert à quelque chose ! Voilà un siècle
et demi que le bon roi Henri a donné « le sous-sol, le rez-de-chaussée,
l'entresol et le premier étage » de la galerie neuve aux artistes que son
bon plaisir choisissait, « pour y exercer leurs talents et leur industrie
librement, avec la faculté d'enseigner des apprentis qui pourraient
s'établir dans toute l'étendue du royaume [298] ». Partant de là, et profitant de la désertion du Louvre par les rois à partir de la Fronde, les
artistes en avaient grignoté presque tout l'intérieur, en ancêtres des
squatters ou en descendants des castors, comme on voudra. Pas seulement les peintres ou les architectes, mais une nuée de sauterelles-
cigales, des ébénistes, des sculpteurs, des tapissiers, des orfèvres, des
écrivains. « Lorsqu'ils avaient obtenu l'autorisation de disposer d'une
ou deux salles, ils y construisaient leur maison, chacun selon son goût
et ses moyens. On maçonnait, on creusait des conduits de cheminée
et des cages d'escalier dans l'épaisseur des énormes murailles, on
entresolait *(sic)* les pièces [299]. » Ils ont flanqué des balcons par-ci par-là,
des terrasses fleuries sur le toit grâce à de la terre chipée dans les jardins, et des tuyaux de poêle qui pointent partout, et, au milieu de la
cour devenue caravansérail, un agglomérat de baraques biscornues,
des poulaillers, des écuries, des lavoirs, des cordes où le linge pavoise
au petit bonheur. Le Louvre danse ; il rit *.

Manon s'enfonce comme chez elle dans cet écho de son petit bazar
interne. Elle suit l'interminable couloir, long comme la grande galerie,
sur lequel s'ouvrent vingt-six petits paradis de la liberté. Fragonard
est au 2. Pigalle était au 3, avant de chercher du large. Le jeune Hubert

---

* Napoléon y mettra bon ordre en mai 1806, quand il sera scandalisé
par ce spectacle. « Ces bougres-là finiront par brûler mes conquêtes ! »
Ordre d'expulsion dans les huit jours. Le Louvre se rendormira.

Robert est au 10; sa femme, après madame Chardin, s'occupe de l'entretien des lanternes et de la propreté du couloir. Joseph Vernet loge
tout au bout. Manon trouve Greuze au 7.

Cinquante-deux ans. Une grande gueule de Bourguignon qu'on
verrait bien chez Restif, à labourer ou à lier les trains de bois. Un
menton lourd, lancé en avant pour dire merde à tout le monde. Un
caractère de cochon. Voilà quinze ans déjà qu'il a scandalisé la Cour
en refusant au Dauphin, père de Louis XVI, de faire le portrait de la
Dauphine :

« — Je demande, Monseigneur, à être dispensé de cela, parce que je
ne sais pas peindre de pareilles têtes [300]. »

Et mufle, avec ça! Ils sont tous pareils, à Tournus. Il avait la coquetterie de l'agressivité. Mais tant de rudesse, tous ces angles, ce tas de
muscles noueux, aboutit à des pinceaux effarouchés. Le violent Greuze
peint à la douce, nuance les couleurs et noie les contours. Pas simple,
le bonhomme. Il fournit de la mièvrerie à foison à ces gens qu'il n'arrête
pas de bousculer. Il leur sert *La Cruche cassée* depuis dix-huit ans.
A preuve : il en montre encore une nouvelle version à Manon Phlipon
« avec une honnêteté toute particulière. C'est une petite fille naïve,
fraîche, charmante, qui vient de casser sa cruche; elle la tient à son
bras, près de la fontaine où l'accident vient d'arriver; ses yeux ne sont
pas trop ouverts, sa bouche est encore demi-béante; elle cherche à se
rendre compte de l'événement, et ne sait pas si c'est mal. Il ne se peut
rien de plus piquant ni de plus joli. » C'est cela qu'il attend d'elle et
de son temps, des adjectifs enrubannés. Greuze le dur a choisi de faire
mignon pour des mignonnes. « Il a paru flatté *(de mes compliments)*.
Il n'a point critiqué Rubens cette année. J'ai été plus satisfaite de sa
personne. Il m'a raconté avec complaisance ce que l'Empereur lui
avait dit d'obligeant *(lors de sa visite à Paris)*. Je demeurai chez lui
trois quarts d'heure... Il y avait médiocrement de monde, il était presque tout à moi [301] », délivré pour quelques minutes du monstre qui
lui rongeait la vie, sa femme, son démon, sa plaie, au visage couvert
de fard, aux lèvres de sang, aux yeux bleus à faire peur — celle-là
même, Gabrielle Balbuti, qu'il avait immortalisée en modèle initial
de la fille à la cruche cassée, rue du Petit-Lion-Saint-Sulpice, la première fois qu'il lui avait fait l'amour pour sa damnation ici-bas : le
mariage avait suivi. Est-ce elle, Gabrielle, qui mène tapage à l'étage
au-dessous, avec ses visiteurs? Il ne se risque plus à la déranger quand
elle est en compagnie, Greuze égaré dans une scène pour Fragonard ou
Boucher. Elle ne tire pas le verrou. Il l'a surprise déjà maintes fois
sans dire autre chose que « O madame, ô madame »... Il se retirait
en larmes, ses grands bras ballants, et continuait de la peindre telle
qu'il l'avait aimée, toute niaise, pour la vendre, la vendre et la revendre : elle a chaque jour davantage besoin d'argent.

Quel dommage qu'il n'ait pas insisté pour faire le portrait de Manon
Phlipon en ces jours-là, quel manque! Il laisse repartir jusqu'à son
nid de la place Dauphine le modèle idéal pour une incarnation de
la petite bourgeoise du règne de Louis XVI, *copyright by Mr. Greuze.*

« Ah, si je me mêlais de ta toilette *(à Sophie)*, tu serais jolie quelquefois.
Je suis folle des *rémotis* * et de la simplicité, mais on peut mettre avec
cela un je ne sais quoi bien piquant. Il y a un certain art (qui n'est pas
tout à fait de l'art) d'éveiller ou de réprimer à volonté les idées par
l'à-propos des couleurs, la forme des vêtements, l'air de la coiffure,
l'assortissement du tout... Que sais-je? Ne me trouves-tu pas bien
profonde en matière de toilette, moi qui reste toute l'année en camisole,
et qui, malgré les *escaliers*, les *chiens couchants* **, etc., me coiffe toujours avec mes deux grandes boucles du temps jadis [302]? » Nom de Dieu,
si Greuze avait voulu! « Il fait si chaud *(le 19 juillet 1777, à onze heures
du soir)* que je suis, à peu de chose près, comme dans l'état de nature;
ma fenêtre est ouverte, mais heureusement je n'ai pas de voisins en
vis-à-vis ***. Le temps est chargé et lourd; il ne fait point de vent.
J'ai, pour tout rafraîchissement, un grand verre d'eau, que je vide et
remplis sans cesse. J'attends le matin avec impatience pour aller me
baigner [303] », dans un grand baquet d'eau fraîche qui constitue la « salle
d'eau » des appartements parisiens. Voilà pour le Greuze d'été. Quant
à l'hiver : « Le temps a été clair et serein *(le 17 décembre 1777, au soir,
à six heures)*. J'habite la petite cellule que tu connais; munie d'un
morceau de pain, d'un verre d'eau et d'une pomme rouge, je mange,
je croque, j'écris quelques mots et, tout en rêvant, je viens de mettre
mon doigt dans l'encre, croyant faire autre chose. Je me porte bien, et
je serais gaie si j'avais quelqu'un avec qui l'être [304]. »

19/ avril 1779
J'étrangle mes pensées

Ça vient. Elle pense à Roland quand elle écrit « quelqu'un », et
lui-même, pendant son voyage en Italie, n'a pas oublié la jeune fille
en camisole de l'été 1776. Rentré le 16 septembre 1777 dans le giron
de sa vieille mère, à Villefranche-en-Beaujolais ****, il écrit dès le lendemain à Manon. Le projet de mariage arrangé qu'on mijotait pour
lui a échoué une fois de plus. Sa carrière s'assombrit : Trudaine est

---

* Du latin *removere*, expression qui tombait en désuétude : les choses
rejetées ou mises à l'écart, démodées.
** Deux nouvelles modes de coiffures venues de la Cour à Paris en 1776-
1778.
*** Voir tome I, p. 289 la description de « l'asyle » que Manon Phlipon
s'était aménagé place Dauphine. Sa fenêtre donnait sur le quai de la
Seine.
**** Villefranche-sur-Saône.

mort. Roland a perdu son protecteur. Necker n'a pas l'air chaud pour les inspecteurs des manufactures. Unique adresse de la consolation : « Mademoiselle Phlipon, chez M. son père, graveur, quai de l'Horloge du Palais, à Paris :

« Mademoiselle, après un si long espace, une suite de tant d'événements, de crises de tant d'espèces, puis-je croire qu'il ne soit pas hors de saison de me rappeler à votre souvenir [305]? » Six pages. Elle flambe aussitôt, et cache pour la première fois quelque chose aux sœurs Cannet, à cause des vagues projets ébauchés entre Henriette et Roland. Mais sa joie passe entre les lignes : « Je n'ai pas encore vu M. Roland. Je l'attends avec une sorte d'empressement. Je l'estime et je l'aime. Une si longue absence rend son retour plus intéressant [306]. » Elle n'a pu retenir une réponse extasiée : « Paris, le 2 octobre 1777. Je suis pénétrée, ravie, désolée : je vous plains, je vous gronde, je vous... Je voudrais posséder plusieurs langues et pouvoir me servir de toutes à la fois [307]. » Elle n'en peut plus de solitude. Roland est sa dernière chance, elle l'a compris d'un seul coup, mais elle a tort de l'avouer si vite. Tout emportement le terrifie. Il tombe malade, c'est vrai, un retour de fatigue après le long voyage, pas au point de ne pouvoir griffonner quelques lignes dans son lit. Il s'en garde bien. Elle attendait une autre lettre dans la quinzaine. Elle aura droit à deux mois de silence, puis à quelques billets prudents. Leur aventure est quand même engagée, mais comme une affaire, et par moments comme une escrime, deux pas en avant, un pas en arrière. L'amour?...

Toute l'année 1778, ils vont jouer à cache-tampon. Février : il débarque enfin à Paris, et lui rend presque aussitôt visite; impossible de tricher quand ils sont face à face, il s'offre, mais alors c'est elle qui recule, sous prétexte de ménager Henriette Cannet, qui ne comprend pas grand-chose aux allusions de Manon : « Que dirais-tu, ma chère, si j'avais trouvé un second (sic) tel que je puis le souhaiter, désirant vivement de s'offrir à moi, et que la délicatesse m'eût fait un devoir cruel de le refuser, par des considérations résultant d'un premier engagement de sa part *, et de mon peu de fortune? Cette épreuve n'est pas la moindre de toutes celles que j'ai subies, elle est encore récente (le 24 février) : je devrais dire présente. »
Dès qu'ils se voient, Roland brûle, mais Manon s'attiédit; sitôt éloignés, elle s'échauffe et il se refroidit. A ce jeu, c'est lui qui a les réflexes les plus élémentaires, au moins en face. Tu veux ou tu ne veux pas? Elle se réfugie dans l'amitié amoureuse. « Au retour de M. Roland, je me trouvai un ami; sa gravité, ses mœurs, ses habitudes, toutes consacrées au travail, me le faisaient considérer pour ainsi dire sans sexe (sic), ou comme un philosophe qui n'existait que par la raison. » Brrr... On gèle. Pas l'ombre d'une réponse, chez elle, au désir de l'autre,

---

* Qui trompe qui? Il n'y a jamais eu « engagement » entre Roland et Henriette, mais des « ouvertures ».

honnètement avoué. Elle a l'excuse de la lucidité. Son regard s'est
une fois pour toutes posé sur lui voici deux ans ; elle n'idéalisera jamais
le physique de « cet homme de quarante et quelques années, haut de
stature, négligé dans son attitude, avec cette espèce de roideur que
donne l'habitude du cabinet... De la maigreur, le teint accidentellement
jaune, le front déjà peu garni de cheveux et très découvert n'alté-
raient point des traits réguliers, mais les rendaient plus respectables
que séduisants. » On touche au pôle Nord. En cherchant bien, pourtant,
« un sourire extrêmement fin et une vive expression... une voix mâle [308] »
réchauffent timidement sa vision. Mais elle reste au-dessous de zéro.
Elle attend désespérément de cet homme la seule libération maintenant
possible pour elle : un mariage d'inclination, c'est le mot juste. Si la
tendresse venait par-dessus le marché, ce ne serait pas de refus. On
verra.

De février à juin 1778, Roland s'accommode bon gré mal gré de
son rôle de prétendant officieux. Il vient souvent la voir, raconte son
voyage et parle des anciens Romains. Mais Manon garde Sévelinges
en réserve, comme un autre fer au feu — ou comme une sorte de refuge,
peut-être, contre l'empressement de Roland. Pour tout compliquer,
Sévelinges, qui lui écrit fidèlement de Soissons, jette dans la balance
une offre de nature à la tenter : le mariage blanc. « J'avais pressenti
les souhaits de M. de Sévelinges avant qu'il s'expliquât clairement ;
je vis dans sa proposition la preuve touchante de l'estime la plus profonde... Le célibat dans le mariage... Combien cette idée serait chimérique pour les trois quarts de mes semblables! Il semble qu'il n'y
avait que M. de Sévelinges et moi qui puissions la concevoir... L'exécution m'en paraîtrait délicieuse... J'ai vingt-quatre ans bientôt, je
puis me connaître. Je sais combien les affections du cœur, les occupa-
tions de l'esprit peuvent distraire de toute autre chose [309]. » Roland,
heureusement, ignorera cette aberration. Tout « philosophe » qu'il soit,
il l'en aurait giflée, et on le lui pardonnerait. Manon devient exaspé-
rante à force de tourner en rond. « Je me suis peinte plus indifférente
que je ne le suis réellement ; avec toute ma modération, je sens fort
bien parfois que les jours ne sont qu'une moitié de la vie, mais je
rongerais mes ongles jusqu'à la racine plutôt que de jamais laisser
rien entrevoir d'approchant à un homme, fût-il mon mari. » Ça promet.
D'ailleurs Sévelinges, à la réflexion, se dérobe en mars. C'est un
velléitaire : « On ne doit promettre, Mademoiselle, que ce qu'on est
sûr de tenir [310]. » Elle est vexée, le rabroue, le boude et l'oublie. Roland,
décidément, c'est quand même autre chose.
... Oui, mais Roland repart à Amiens en juin, sans qu'aucune décision n'ait été prise, sinon celle de correspondre, en cachette des sœurs
Cannet. C'est lui qui continue à demander le secret, preuve qu'il se
ménage encore d'autres chances. Elle lui en veut un peu de l'obliger
à cette dissimulation : « Vous êtes venu établir un quartier de réserve
au sein de la plus grande confiance.[311] » Leurs lettres sont gourmées,
le climat reste froid. D'ailleurs Roland, dans sa recherche d'une situation stable, va d'Amiens à Rouen où il fréquente, en réplique des sœurs

Cannet, deux demoiselles Malortie qu'il avait connues dix ans plus tôt et qui l'attendent depuis, à tout hasard. Ce valétudinaire plantait des graines de vieilles filles en terres picarde ou normande. C'était son côté ravageur.

Les six derniers mois de 1778 ne sont qu'un long tunnel pour Manon Phlipon, une période suspendue, dont le pire est qu'elle pourrait durer toujours. Si Roland ne revient pas, l'horizon restera bouché. Le *modus vivendi* de la résignation est bien installé entre son père et elle, comme dans tant de familles. Et tant de filles ont glissé ainsi doucement à une vie rance... Un seul fait à signaler. Elle rencontre en passant Jean-Nicolas Pache *.

En voilà encore un qui prépare son évasion. Mais pas en navigateur solitaire, comme François de Neufchâteau. Pache, c'est le genre embarquement familial avec les enfants, les livres et le chien. Manon fait sa connaissance chez un certain Gibert, un employé des postes (ami de ses cousins Trude), qu'elle fréquentait sans empressement, sa femme ayant « plus de figure que de douceur ». « J'ai vu, chez M. Gibert, le spectacle le plus intéressant : un ménage heureux. C'est le premier à mes yeux. J'ai vu un philosophe marié, un époux éclairé, un père tendre et sage, un homme de trente-deux ans, revenu de toutes les illusions, même de celles du savoir, exercé par l'adversité, instruit par l'étude dans tous les genres, par l'expérience, les voyages, l'observation, la sensibilité, le bon sens ; devenu maître d'une fortune médiocre, satisfait de cet avoir, renonçant à l'espérance et à la facilité d'acquérir des biens plus considérables, se choisissant une patrie dans le pays de Vaud, sur les bords du lac de Genève où il va mener la vie des patriarches, avec une compagne vertueuse, qui a peu d'esprit, encore moins de connaissances et de babil, mais un caractère heureux, une douceur inaltérable, des inclinations bienfaisantes, des goûts simples, un jugement sain, un extérieur passable, et la plus grande vénération pour son cher époux. » Ils partaient donc pour une sorte d'envers de l'aventure, un demi-siècle d'ennui heureux, le bonheur suisse.

Manon omet de noter — mais le savait-elle? — que cette destination n'a rien que de normal, puisque les parents de Jean-Nicolas Pache sont Vaudois et lui ont toujours donné cette idée-là du bonheur, dans le pavillon de garde du bel hôtel, rue de Varennes, où ils étaient portiers du maréchal de Castries, l'un des hommes qui monte à la Cour et convoite le ministère de la Guerre. Le maréchal s'était intéressé au jeune Jean-Nicolas, si doux, si bien élevé. Pas un reproche à sa jeunesse, on n'en fait plus des comme ça. Il avait soigné son éducation en le confiant à de bons maîtres, non sans une idée derrière la tête, puisqu'il lui avait donné la charge de précepteur de ses enfants, dont il était l'aîné de justesse. Pache, comme Dupont **, était de ces petits

---

* Il sera ministre de la Guerre du 18 octobre 1792 au 2 février 1793. Il sera ensuite maire élu de Paris, à tendance montagnarde et même hébertiste, de mars 1793 à mars 1794.
** Sur Dupont de Nemours, voir tome I, p. 118.

bourgeois que les bons nobles triaient avec soin pour les cultiver en serre. Un investissement humain. Quelque chose craque pourtant en Pache, puisqu'il refuse Paris et s'en va, de même que Dupont était parti pour la Pologne. Il est au moins capable d'insatisfaction. Mais son départ a des allures si sages... Manon Phlipon en est rêveuse : « Je dînai *(chez Gibert)* avec eux avant leur départ... Il y a des êtres vertueux auxquels le bonheur n'a pas été refusé... La physionomie du mari porte pour caractère l'emblème d'une âme noble et forte, le sérieux de la raison et du sentiment, joints à je ne sais quelle douceur honnête que donnent l'urbanité, les lumières et la politesse. La figure de la femme est celle de la naïveté : intéressante. Sans beauté comme sans parure, blanche, modeste, c'est la candeur ingénue et la nature aimable dans toute sa simplicité [312]. » *Made in* Rousseau.

Pache n'ira d'ailleurs pas en Suisse. Parti de Paris le 27 octobre 1778 dans une voiture bourrée de malles, il met cap au sud, par la vallée du Rhône. Manon apprendra en décembre que « le lieu de sa retraite n'est pas celui qu'il avait d'abord choisi. Des raisons particulières ont tourné les pas de cet homme intéressant vers le midi du Languedoc. Il est arrivé dans le lieu de sa résidence et commence à réaliser ses projets [313] », à Castries, au nord de Montpellier, où il était passé de l'hôtel parisien au superbe château de son bienfaiteur. Un peu intendant, un peu écrivain public, un peu concierge, il croit de bonne foi prendre sa retraite au soleil du Languedoc. A trente-deux ans.

1779. Dès le nouvel an, ça chauffe, enfin! Le 3 janvier, Manon écrit à Roland une longue lettre et débouche sur un marivaudage en italien, qui va devenir leur langue de convention. « *Quando voglio servirmi di quel agradevole linguagio, balbetto, bisbiglio lentamente com'un bambino* * », et elle bafouille ainsi pendant des pages et des pages jusqu'à l'adieu qui est un appel : « *Addio! v'aspetto con letizia* **. Mon père vous dit mille choses honnêtes [314]. » Le 24 janvier, Roland arrive à Paris et vient loger à l'hôtel de Rome, rue de la Licorne, dans le fouillis des ruelles de la Cité entre Notre-Dame et le Palais de Justice, donc à quelques pas d'elle. Il vient la saluer sur-le-champ. Il fait envoyer au père Phlipon des canards d'Amiens en terrine, c'est à peu près le seul agrément qu'il trouve en cette Picardie où il n'a jamais pu s'acclimater et qu'il appelle « la Béotie ». Manon l'en remercie avec des accents qui ne trompent pas : « Lundi *(8 février)* à trois heures du matin... L'honnêteté attentive qui accompagne tous vos procédés vous fait mettre à contribution jusqu'à la Béotie et tirer d'elle ce qu'il y a de plus en réputation pour l'offrir à vos amis [315]. » Le 21 février, elle colore sa lettre d'images propres à émouvoir un homme seul : « De mon lit... Il n'est pas sept heures. Je m'éveille, et

---

* « Quand je veux me servir de ce parler charmant, je bafouille, je traîne comme un enfant. »
** « Adieu! Je vous attends avec joie. »

la première émotion que j'éprouve est celle d'un sentiment qui me
ramène vers son objet... Ayez soin de votre santé, de votre bonheur;
il ne vous serait pas pardonnable de troubler la félicité de ceux qui vous
chérissent [316]. » Ça brûle. Il vient la voir tous les jours. La première
lettre d'amour, où l'italien permet de glisser au tutoiement, est du
16 mars : « *Che fai tu adesso, mio amico? Pensi tu a me, che t'amo, che
te scrivo* [*]?... » Il croit pouvoir foncer. Balourd! « *Questo primo dolcis-
simo bacio*, impétueusement ravi (dans la première semaine d'avril),
me fit un mal affreux. La répétition de ce délit, trop faiblement évitée,
augmentait mon agitation et mes regrets [317]. » Baroud d'honneur : elle
s'enfuit à Vincennes, sous prétexte d'aller voir « son petit oncle ».
Ça ne brûle plus. Exaspéré, Roland repart à Amiens. Elle s'aplatit :
« Vous me désespérez, vous me faites haïr la vie; sachez me connaître
davantage ou laissez-moi mourir... Aveugle ingrat! Je pourrais être
heureuse sans que tu fusses heureux? Tu me le dis et tu ne rougis pas! »
Il s'explique le 22 avril : « Je n'ai ni métaphysique à étaler, ni anti-
thèses à faire [**] : je n'ai qu'un cœur, qui n'est même plus à offrir.
Il est franc, sensible à l'excès, il t'aime. Voilà tout ce que je vaux, et
il me suffit de valoir par là [318]. » Elle revient à Paris, au chevet de sa
bonne, qui est atteinte « d'une fluxion de poitrine ». Elle entame un
plaidoyer de vingt pages, sans trop savoir de quoi elle se défend au
juste : « N'espérez pas de m'amener au point de répondre à vos empres-
sements avec ce parfait retour que je sens devoir être le complément
de la volupté. Je suis passive malgré moi. Je voudrais ne pas l'être et,
dans le dépit de me trouver telle, je me défends en désespérée de devenir
rien de plus [319]. »

    « Il est plus de minuit, tout se tait, tout est mort, je n'entends plus
que les gémissements de la souffrance. » Mignonne est à l'agonie, sa
presque maman, la bonne qu'on « prenait sous le bras » pour aller
déranger Greuze ou Rousseau. Est-ce un signe que la vie change?
Il y a parfois des chiens fidèles ou des vieilles nourrices qui savent partir au bon moment pour marquer les transitions, comme au théâtre.
Manon ne s'est jamais bien occupée des états d'âme de la veuve du
soldat Mignon, qu'on payait à peine et qui tenait la maison propre.
Une domestique a-t-elle une âme? On a l'esprit de classe, chez les
Phlipon, presque autant qu'à Versailles. On se passionne pour les Cafres
ou les Hottentots, mais on ne s'est jamais demandé ce que pensait
Mignonne, et on se préparait à la congédier. Après tout, c'est mieux
qu'elle meure, pour elle, pour nous. « Je savais que la résolution était
prise de se défaire de Mignonne... J'avais le cœur serré en la soignant;
je souhaitais et je redoutais à la fois son rétablissement. On l'administra
lundi. Sa tête était saine et présente. Elle connaissait très bien sa
situation. *J'ai toujours souhaité*, me disait-elle, *de mourir avec vous*

---

[*] « Que fais-tu à cette heure-ci, mon ami? Penses-tu à moi qui t'aime,
qui t'écris?... »
[**] Il eût écrit, en notre temps : « Je ne suis doué, ni pour les grands
mots, ni pour les boniments. »

(sic), je serai contente » — et peut-être Manon comprend-elle que vraiment quelque chose d'elle-même meurt avec Mignonne : sa vie de jeune fille, cette longue enfance d'adulte. « Hier *(le 27 avril)*, à dix heures du matin, elle tomba dans une agonie douloureuse, insensiblement le tour des yeux se noircit, les lèvres devinrent livides, les narines s'écartèrent et la vue s'éteignit. Tant qu'elle put balbutier, elle me nomma, me voulait à son chevet, prenait ma main dans les siennes. Bientôt celles-ci se ridèrent et jaunirent, la force les abandonna, la connaissance se perdit tout à fait et les dents se serrèrent... Le chirurgien et le confesseur qui étaient venus la voir me firent leur dernier adieu [320]. »

Elle reçoit chaque semaine des lettres de Roland enfin enflammées, mais d'une écriture déguisée, pour que le père Phlipon croie qu'elles proviennent des sœurs Cannet. Non seulement son père, mais ses grands-parents, ses cousins, tournent autour d'elle. Les familiers ont un flair de vautour pour sentir l'éclosion de quelque chose de neuf, n'importe quoi, chez une jeune fille. Sa joie leur fait l'effet d'une charogne à becqueter. « Je ne sais comment cacher ma lumière et me soustraire à la vigilance de mes obligeants importuns. J'étrangle mes pensées, je sens la contrainte à chaque lettre que je trace... » — « Si tu voyais *(à Roland)* leur air dur ! Il m'arrache et me rend indignée [321]. » Elle est plus excédée qu'émue, à bout de nerfs plus à cause de Roland que de Mignonne, dont elle expédie l'oraison funèbre : « J'ai employé ses opinions *(religieuses)* à la consoler et lui adoucir ses derniers moments ; mais avec une âme simple, un esprit borné, après une vie dure et laborieuse, on meurt sans beaucoup d'efforts [322]. » Il en faut plus, apparemment, à une âme compliquée et un esprit ouvert pour se fiancer, si l'on peut appeler cela des fiançailles. Enfin, nous y voilà quand même.

Ultimatum de Roland, le 30 avril : « J'exige, par tous les droits qu'a l'amitié de demander et d'obtenir, que tu me dises *oui* ou *non*. » Capitulation de Manon, pour la bonne règle, le 6 mai 1779 : « Si tu n'entends pas ce *oui*, quel autre te faut-il ? »

20/ juillet 1779
Des jeunes gens lui en voulaient

Difficile de dormir à Angoulême, le 18 juillet 1779. Les grandes chaleurs d'été prolongent au cœur de la nuit l'accablement du jour. L'air manque dans cette touffeur des douze lieues du pays mou entre la Garonne, la Dordogne et la Charente. Et les quelques toises d'altitude de la « montagne » d'Angoulême, suffisantes pour permettre de dominer la plaine, ne donnent pas plus de respiration aux douze mille habitants de la ville perchée [323].

Minuit moins le quart *. Ceux qui ne dorment pas, et ceux que le vacarme arrache à un sommeil tourmenté, entendent avec résignation la galopade habituelle dans les petites rues en pente — mais tout Angoulême est pente — qui entourent l'enclos du séminaire, près de l'antique cathédrale Saint-Martial toute déglinguée. Des pierres de la façade tombent au passage des jeunes gens qui viennent faire enrager les lazaristes, comme chaque nuit depuis trois mois. « Ils se font un jeu cruel de briser les vitres du séminaire, avec des pierres si grosses » — dont celles fournies par la vieille église — « que les bois des croisées en sont brisés aussi. Les officiers de police n'avaient porté aucun remède à ces excès [324]. » D'abord parce qu'il n'y a pas plus de « forces de l'ordre » à Angoulême que dans les autres villes de province : à peine quelques commissaires et quelques archers; ensuite parce que tout le monde sait que la bande des chahuteurs appartient à la jeunesse aisée de la bourgeoisie montante, celle qui distille et vend l'eau-de-vie, l'eau d'or de l'Angoumois. « Le vin du pays est si bon marché que le baril contenant deux cents bouteilles coûte 24 francs ** : on boit ce vin dans les ménages comme la bière chez les Hollandais [325]. » Les jeunes ont dû forcer sur la chopine, aujourd'hui qu'il a fait si chaud, c'est dimanche, quoi faire d'autre que semblant de couper la soif avec le vin qu'on sert tout frais à la sortie des caves, on croirait boire du raisin vert et des groseilles? On ne va pas aller se coucher comme des poules sans avoir réglé leur compte aux robes noires. Pour une fois qu'on a trouvé de la distraction dans ce pays dormant! « Angoulême ne possédait ni académie, ni société de lecture, ni journal; la ville restait, en ce domaine, dépendante de Bordeaux, La Rochelle ou Limoges [326]. » Les gens de la place du Minagé, barricadés chez eux, grincent des dents et disent du mal des jeunes, mais, après tout, ils échappent eux aussi à l'ennui en tendant l'oreille à la cavalcade des fils de bourgeois qui s'appellent pour rire « les canonniers » depuis qu'ils bombardent le séminaire. Celui qui les mène, c'est Thiron, à vingt-sept ans faire encore le gamin, c'est une honte, mais il y a aussi Merchadier, le fils de l'avocat, Maulde d'Anais et les frères Mioulle. Les « libertins », ce nouveau mot. Voilà le fruit de l'esprit du siècle. De notre temps, on les tenait plus serrés. Oh! d'un côté, les soutaniers ne l'ont pas volé, à ce qu'on dit. « Le supérieur du séminaire nourrissait très mal les étudiants. Il n'avait d'égards que pour les chanoines et les nobles [327]. » Ces gars-là nous vengent, après tout. Le tiers état d'Angoulême se lave les mains des pavés lancés par ses enfants, les voilà qui s'introduisent dans l'enceinte du séminaire « au moyen d'une brèche qui

---

* L'heure a été précisée au quart d'heure près par Jacques Roux dans sa *Lettre à Marat* de juillet 1793. Jacques Roux, dit « le curé rouge », sera l'un des *leaders* des Énragés de l'An II.
** Ce qui met le prix moyen de la bouteille de vin de table à soixante « anciens francs ».

s'était faite au mur de clôture de la maison [328] ». Et vlan, crac, boum, la canonnade, la valse des pierres dans les fenêtres, la symphonie du verre cassé, les cris de joie, la fête.

Mais un coup de feu change tout.

On a tiré sur le groupe des jeunes gens, au jugé, d'un angle du bâtiment. Un coup de fusil chargé à plomb, la chasse au gibier humain de ces enfants qui nous exaspèrent. Un corps reste à terre, avec une sale plaie au flanc, le plus jeune des frères Mioulle, il a vingt ans. Il avait vingt ans [329].

Son père est avocat. Il porte plainte dès le lendemain, avant les obsèques de son fils, qu'on lui avait ramené agonisant, dans le silence de la ville foudroyée. Porter plainte contre les dirigeants d'un séminaire, voilà encore un signe des temps. Dans un pays si chrétien! Mais la bourgeoisie fait corps autour de la famille meurtrie : ce sont les prêtres qui ont tué. Pas moyen d'éluder l'enquête. Qui tenait l'arme? Qui a commandé le feu?

Arnaud de Viville, lieutenant criminel d'Angoumois *, est un homme bien contrarié. Aucun noble n'impose ici son arbitrage entre les prêtres et les plaignants. Le duc d'Angoulême est un marmot; c'est le fils aîné du comte d'Artois. La famille la plus influente de la région est celle des La Rochefoucauld, dont une bonne ville porte le nom à six lieues de là vers le nord-est, et qui avaient reçu Charles Quint. Mais « la famille n'y passe que quelques jours de l'année, ayant des maisons beaucoup plus considérables dans différentes parties du royaume [330]. » Le magistrat est accablé de sa toute-puissance. Il faut bien s'en servir : le Père Collot **, supérieur, est « décrété de prise de corps » en même temps que le procureur-syndic (autrement dit l'intendant) et le secrétaire du séminaire. On les conduit avec égards à un local qui ne sert plus guère : la prison de « l'official », celle de l'évêque d'Angoulême, entretenue à tout hasard depuis les temps pas si lointains où l'on y entassait les parpaillots. Pas question d'enfermer des prêtres dans une prison civile. Leurs interrogatoires commencent, avec la permission de l'évêque. Ce ne sont tout de même pas eux qui ont fait feu, « puisqu'il est défendu aux ecclésiastiques de se servir d'armes eux-mêmes ». L'homme qui a tiré, c'est le cuisinier du séminaire, André-Eloy Ancellet, un frère lai, le mot vient de laïc, en voilà un qu'on pourrait pendre à la rigueur, mais il se défend comme un beau diable, et le père de la victime lui donne raison : les prêtres l'avaient mis en faction avec un fusil chargé, en lui donnant mission d'intimider une bonne fois les insolents. L'avocat Mioulle signale qu'il manque un responsable du guet-apens, celui que la rumeur publique accuse bien haut : un certain abbé Roux, le professeur de philosophie.

C'est peut-être le professeur auquel « les jeunes en voulaient le plus »,

---

* On dirait aujourd'hui « le commissaire principal ».
** Rien à voir avec Collot d'Herbois.

si l'on en croit le témoignage de Pierre Gillardie, « garçon de Rivaud, le liquoriste [331]. » Il n'était pas aimé des élèves. Un pisse-froid. Il l'avouera : « Il est vrai que je suis extrêmement sévère dans mes principes, que j'ai porté la sévérité au point de rejeter de ma classe de philosophie les parents * de ceux qui me recevaient avec égard, parce qu'ils n'avaient pas la capacité requise. Il est vrai que mon amour pour la justice m'a suscité des ennemis' irréconciliables [332]... »

Le nom de l'abbé Roux revenait en refrain dans les huées de ces trois derniers mois, et le cuisinier ne cache pas qu'il a, tout autant que les autres, pris part à la décision de l'armer. Où donc est-il passé, ce père fouettard? Il a quitté le séminaire dans la nuit, il s'est réfugié chez ses parents, non loin d'Angoulême. C'est suspect, on dirait un aveu. A-t-il craint d'être mis en pièces? Qu'on l'arrête et qu'on l'interroge, lui aussi.

Il ne se cachait pas. Il attendait. On cherche, on trouve Jacques Roux le 31 juillet au village de Pranzac où il était né vingt-sept ans plus tôt et avait été baptisé à l'église Saint-Cybard « le vingt-troisième août 1752, fils légitime de M. Gratien Roux et de demoiselle Marguerite Montsalard [333] ». On est à quatre lieues à l'est d'Angoulême sur la route de Limoges, après qu'on a passé le pauvre village de Touvre, maudit depuis 1610 parce que Ravaillac y était né. Au nord, la forêt de la Braconne, tout entière aux La Rochefoucauld. Au sud, la forêt d'Horte et celle du Bois-blanc. Le pays est plus vert que la plaine de Saintonge, de l'autre côté d'Angoulême, où la Charente a du mal à couler dans le calcaire son chemin en zigzag semé d'îles vers Jarnac, Cognac et Saintes. Jacques Roux a passé une enfance calme dans ce lacis de petits chemins bordés de vignes parcellées, « un pays de craie bien boisé », bien peuplé, trop même pour nourrir son monde : les paysans se marchent sur les pieds dans la multitude des petits hameaux en ac ; rien qu'autour de chez Jacques Roux, on trouve Bunzac, Ronzac, Mornac, Marsac, Magnac, Grassac et Souffrignac. Quatre maisons à chaque carrefour, où l'on meurt de faim sur le garde-manger : la terre est bonne, elle rendrait bien, mais il est interdit de la cultiver par ses propriétaires, sauf des lopins tolérés à ces locataires en insécurité perpétuelle que sont les paysans. « La quantité de terres en friche est étonnante ; c'est le trait dominant du terrain pendant toute la route... Toutes les fois que vous rencontrez un grand seigneur, même quand il possède des millions, vous êtes sûr de trouver ses propriétés en friche... Les seules marques que j'aie encore vues de la grandeur *(des nobles, signale un voyageur anglais entre Barbezieux et La Rochefoucauld)* sont des jachères, des landes, des déserts, des bruyères et de la fougère. Cherchez le lieu de leur résidence, quelque part qu'il soit, et vous le trouverez probablement au milieu d'une forêt bien peuplée de daims, de sangliers et de loups. Oh! si j'étais seu-

---

* Au sens de « élèves apparentés à ceux, etc. ».

lement pendant un an législateur de France, je ferais bien danser tous ces grands seigneurs * ! »

A Pranzac, il n'y avait qu'un tout petit marquisat tombé par alliance dans l'apanage des Pérusse des Cars, seigneurs en Limousin, où ils avaient bataillé contre les initiatives démoniaques de l'intendant Turgot. François-Marie des Cars, le chef actuel de la famille, laisse tomber en ruine son château de Pranzac et réside le plus souvent à Jolignac, près de Limoges. Autant dire que l'officier Gratien Roux **, juge assesseur, qui exerce par procuration les droits seigneuriaux, est le notable de Pranzac, ou cherche en tout cas à le paraître, avec la complicité de sa femme, qui se fait appeler « de Montsalard », on sait qu'il s'agit d'une manie générale ***. Signe particulier du bonhomme : un manque d'imagination gênant pour les historiens. Il a baptisé Marie quatre de ses filles, et Jacques quatre de ses fils, ce qui les fait numéroter comme des rois par les archivistes : Jacques I, Jacques II, etc. On aura d'autant plus de mal à s'y retrouver que les aînés étaient les parrains des puînés, et que les extraits baptismaux les mélangent allègrement. Le nôtre était devenu Jacques premier par la mort du premier Jacques. L'avait-on consulté sur son avenir? Il ne s'est jamais plaint d'avoir été, par faveur du comte François-Marie, orienté vers la prêtrise, avec un autre de ses frères. C'était ce que Gratien Roux pouvait espérer de mieux pour leur « promotion », la carrière militaire, qu'il avait lui-même suivie à grand-peine, devenant sans avenir pour les roturiers. Jacques avait bien travaillé. L'évêque d'Angoulême — un Broglie comme par hasard : la famille possédait d'immenses domaines autour de Ruffec — l'avait ordonné prêtre en 1776. L'abbé Roux est « chanoine de Saint-Cybard » (une dignité ecclésiastique attachée à l'église de son baptême), auxiliaire desservant de la paroisse Saint-Martial, aumônier du collège Saint-Louis, et enfin professeur de philosophie et de physique au séminaire, où les lazaristes, peu doués pour l'enseignement, faisaient appel à toutes les capacités disponibles depuis qu'ils avaient recueilli là l'héritage des jésuites ****.

Des heures et des heures à tartiner de l'Aristote et du saint Thomas d'Aquin pour former une génération de petits curés dissertant dans le vide, inépuisablement, sur l'essence, l'existence, la substance et la grâce. Rien à voir avec la notion de philosophie des encyclopédistes. Descartes, dans cet enseignement-là, était encore un dangereux novateur, qu'on manipulait comme un explosif. Fabricant de moulins à paroles, Jacques Roux montre bien, dans le procès-verbal de ses interrogatoires, qu'il sait parler pour ne pas dire grand-chose et dévier les

---

* Arthur Young, après cette sortie digne de ce qu'écrira Jacques Roux, ajoute paisiblement : « Nous soupâmes chez le duc de La Rochefoucauld. »
** Il avait acheté un bon prix sa « patente » de lieutenant pendant la guerre de Sept Ans.
*** Son fils signera lui-même « Jacques Roux de Pranzac » la première brochure qu'il fera imprimer, en 1787.
**** Jacques Roux, prêtre séculier, n'appartenait donc pas à l'ordre des lazaristes, mais lui était « prêté » par l'évêque.

questions directes. Quant à l'humour, il ne le manie pas plus apparemment que beaucoup de Charentais, mais se montre, contrairement à eux, dépourvu d'aménité. Un buisson d'épines, l'abbé Roux. La faute en est-elle au surmenage? Au caractère? A une orientation imposée qui le met mal dans sa peau? Peut-être simplement au fait d'être retenu plus d'un mois dans cette prison feutrée où on le tourne et le retourne chaque jour avec précaution sur un gril tiède.

Au premier septembre, le lieutenant criminel a sa religion éclairée, c'est le cas de le dire. Il ne tirera rien des accusés. Ils avouent seulement avoir armé le cuisinier, peut-être sur la suggestion initiale de Jacques Roux. A partir de là, ils plaident collectivement la légitime défense. Les vauriens ont menacé le frère lai, allez savoir s'ils ne voulaient pas envahir le collège. Il a tiré pour leur faire peur. Il ne voulait tuer personne. Nul ne lui a commandé le feu, mais faut-il tant regretter la bonne leçon donnée à ces jeunes gens qui se croyaient tout permis? La ville est retournée à son assoupissement. Jacques Roux fait aigrement consigner par le greffier qu'en ce qui le concerne il a toujours « agi contre les vices de son temps, lutté contre la diffusion des ouvrages séditieux parmi ses élèves *, et pris le parti de l'évêque contre la municipalité, dans leur querelle pour la direction du collège Saint-Louis ». Mais il aurait quand même beaucoup à dire, si on le pousse à bout, sur ces histoires de nourriture et de préséances envers les enfants de nobles [334]...

Les accusés vont-ils s'entre-déchirer, au risque de faire rebondir l'affaire? L'évêque a recommandé qu'on passe l'éponge, et derrière lui il y a les Broglie, les ministres, la Cour, si l'on n'étouffe pas l'écho de ce coup de feu intempestif et la plainte d'un avocat sur le cadavre de son fils ; il n'avait qu'à mieux l'élever.

« Un mois et demi après cet événement, le supérieur, les prêtres et moi furent mis en liberté et restitués à leurs *(sic)* fonctions [335]. » Il crâne un peu, l'abbé Jacques Roux. *Des* fonctions, mais pas les mêmes. Le diocèse est vaste, et les lazaristes y ont maintes maisons. On arrange l'affaire à la douce, entre prêtres. Le supérieur Collot démissionne. Son successeur, le père Poirier, « réorganise » les cours et « libère » l'abbé Roux de sa chaire de philosophie. Il donnera encore quelques leçons de physique, mais par intermittence. L'évêque l'a également « libéré » de ses tâches paroissiales à Angoulême. On a justement besoin d'un vicaire à Varaignes, non loin de Pranzac ; on le rapproche donc de ses parents, et ses nerfs seront apaisés par l'air de la campagne. Si quelqu'un chante que le coup de feu du cuisinier Ancellet n'a pas seulement brisé le fil de la vie du jeune Mioulle, mais celui de la carrière du professeur Jacques Roux, on lui répondra que les desseins du Bon Dieu sont insondables.

---

* Le contexte du procès-verbal semble incriminer le *Dictionnaire philosophique*. Mais le nom de Voltaire brûlait trop les lèvres pour le prononcer à l'Official.

21/ juillet 1779
Les plus belles occasions

27 juin 1779. Si la chaleur augmente encore, on va tous crever. Le
bailli Pierre-André de Suffren de Saint-Tropez pique sa rogne habituelle, dans la pénombre de la « teugue », ce toit de toile tendu sur la
dunette du *Fantasque*, ancré en rade de Fort-Royal, à la Martinique *.
Qu'est-ce qu'on fout là, sacré nom de Dieu, à ne rien foutre depuis
six mois? Il en a gros sur le cœur contre son « général » des occasions
perdues, ce d'Estaing de malheur qui semble avoir emmené la flotte
de Toulon pour la mettre en couveuse, en marge des Amériques. On
s'est dégonflé devant New York; on s'est effondré à Newport; et maintenant on roupille aux Isles du Vent. Voilà ce que c'est que de confier
les vaisseaux de Provence à un Auvergnat. D'Estaing gère sa flotte
comme un troupeau de bœufs. Du moins est-ce l'opinion du plus mauvais coucheur de France et de Navarre. Suffren a-t-il décoléré un seul
jour depuis qu'il bourlingue à tous vents? Ça fait trente-six ans déjà, il
n'en a que cinquante-deux; la mer a été sa patrie, son champ, son
couvent, ses délices, et il doit encore se contenter du commandement
d'un vaisseau de soixante-quatre canons dans l'obédience du *Languedoc*,
qui en a quatre-vingts, et sur le château duquel ce connard de d'Estaing
promène sa suffisance! Suffren sait bien qu'il est puni pour son mauvais
caractère et pour son franc-parler. On n'aime pas, à Versailles, ceux qui
appellent un chat un chat, mais il ne faut pas compter sur lui pour
châtrer son langage, ou le châtier, c'est la même chose. Et tant qu'à les
faire caguer, comme on dit dans son pays, ça vient de l'italien *cagare*,
les faire chier... ILS n'ont jamais rien fait d'autre avec lui. Ce n'est pas
maintenant qu'il va se gêner.
   « Notre général ne sait, ne veut et ne peut rien faire. En restant dans
un port, on ne fait qu'une sottise, qui est celle d'y être. Nous affamons
la colonie **. La faim nous fera bientôt partir, et si le convoi *(de renfort
et de ravitaillement venant de France)* qu'on attend n'arrive pas, je ne
sais comment on fera. » Il écrit ces choses à sa maîtresse, Marie-Thérèse de Saillans d'Alès, une veuve commode pour la seule forme
d'amour possible aux chevaliers de Malte, puisqu'ils ont fait vœu de
chasteté : quelques vacances à deux, au château de Bourigoille, quand
Suffren relâche à Toulon. On dirait qu'il mâchonne sa lettre; il
écrit comme il parle, et il parle comme il chique :
   « Imaginez-vous un général de mer dont le moindre défaut est de

---

* Fort-de-France depuis 1848 — Suffren est né le 13 juillet 1726 à
Saint-Cannat, près de Lambesc. « Surtout prononcez *Suffrin* et non
Suffrenn, à la provençale », supplie Jean de La Varende [336].
** C'est-à-dire que les réquisitions pour le ravitaillement des quelque
dix mille hommes de d'Estaing en légumes, en fruits, mais surtout en
viande fraîche, troublaient l'économie déjà fragile de la Martinique,
gênée par le blocus anglais.

n'être point marin... Notre second officier général est le comte de Breugnon * qui, de l'imbécillité, est tombé dans l'enfance. Osez à présent ne pas vous plaindre... Jamais campagne n'a été si ennuyeuse. Nous avons eu la douleur d'avoir les plus belles occasions et de n'avoir profité d'aucune, et nous avons la certitude de n'être capables de rien [337]. »

« Monsieur de Suffren avait du génie, de la création (sic), beaucoup d'ardeur, une juste ambition, un caractère de fer. C'était un de ces hommes que la nature a rendus propres à tout. Très dur, très bizarre, extrêmement égoïste, mauvais coucheur, mauvais camarade [338]... », écrira le jeune aspirant Las Cases **, qui va bientôt servir presque enfant sous les ordres de cette montagne de chair si puante que certains officiers délicats sont incommodés à son approche. Suffren ne se lave jamais. Ayant épanché sa bile, il arrache ses cent cinquante kilos à la chaise longue de rotin où il se prélassait et envoie promener sa chique à travers la figure d'un de ses deux ou trois valets de chambre-matelots, si jeunes, si beaux, « les mignons de Suffren », dont il s'entoure par prédilection sans se soucier des commentaires. Il n'apprécie rien autant que les jeunes garçons, sinon les belles filles, mais comme celles-ci ne se trouvent qu'aux escales, il faut bien s'arranger à bord entre hommes, et il y encourage vivement ses marins, par la parole et par l'exemple. Il favorisait systématiquement les « mariages de traversée ou de campagne », facilités par le fait que les hommes n'ont qu'un grabat pour deux. Leur capitaine aime les apparier selon les différences d'âge, un vétéran avec un novice, comme faisaient les généraux grecs. Le *Fantasque* est une drôle d'agence matrimoniale. Quand ils « se mettent en ménage », les hommes « luttent contre le mal du pays et celui de la payse », affirmait tranquillement Suffren, au nez des officiers les plus collets montés, non sans jubiler devant leurs sursauts. « Tout pour le bord, messieurs, et rien pour le bordel. Moins de risque de vérole; pas d'enfants; plus de mélancolie : les garçons mariés entre eux sont ceux qui se comportent le mieux au combat. Ils s'entraident. Ils sont toujours de bonne humeur [339]. » A destination de ceux qui n'ont décidément nul goût à cela, Suffren a fait placer trois barils bien graissés remplis de suif, dans un coin sombre, près des cabinets. De hauteur variée, ils sont percés de trous aux diamètres différents : « la grandmère », « la fille », et « la fillette ». Le bailli partait de son énorme rire triste en se vantant à leur propos, rien que pour scandaliser, « de faire faire de l'équitation à ses hommes, même en pleine mer, et sans cheval à bord, messieurs [340] ».

Quand il sort de dessous la teugue, les matelots n'ont rien de plus pressé que de se trouver une occupation urgente à l'autre bout du navire. Il irradie la hargne du grand bonhomme frustré de grandes

---

* Commandant du *Tonnant*, de quatre-vingts canons également. En cas d'empêchement de d'Estaing, le commandement en chef lui aurait échu.
** Futur auteur du *Mémorial de Sainte-Hélène*.

actions, et malheur à qui passe à portée de sa garcette, ou simplement de son poing de portefaix quand il juge un bordage crasseux ou un nœud mal serré. « Qui dit voile dit poigne. » L'autre jour, il a fendu le crâne à un pauvre bougre qu'il a saisi à la gorge et envoyé bouler contre un plat-bord, d'une extrémité du pont à l'autre. On le craint d'autant plus qu'il se déplace rapidement, avec l'étonnante agilité des obèses, sur les colonnes de ses mollets fortifiés par des années à tenir bon malgré le roulis.

Mais ses lieutenants ne peuvent pas le fuir, eux. Ils n'ont d'ailleurs pas à craindre qu'il porte la main sur des gentilshommes ; ses saillies suffisent à les accabler. Le chevalier de Campredon, le marquis de Sérignan, qui doivent se présenter à lui les cheveux bouclés et poudrés, la culotte blanche serrée aux genoux, étouffant sous une cravate à triple tour par-dessus leur longue veste de satin, voient venir à eux avec résignation pour l'engueulade quotidienne le capitaine le plus débraillé de la marine du Roi. « De tenue et de tournure bizarres, Suffren a plus l'apparence d'un boucher anglais que d'un Français. Cinq pieds cinq pouces *, très corpulent, des cheveux rares sur le dessus du crâne... Bien qu'il fût tout à fait gris, il n'usait ni de poudre, ni de pommade, ne portait pas de boucles et avait une courte queue de trois à quatre pouces attachée avec un vieux bout de filin. Il portait une paire de vieux souliers dont on avait coupé les talons, une culotte déboutonnée... Des bas de coton ou de fil, jamais propres, lui pendaient sur les jambes. Une chemise de tissu grossier trempée de sueur [341] » bâillait sur sa poitrine de gorille. Pour se protéger du soleil des Caraïbes, foin du tricorne réglementaire : vissé sur sa tête, le vieux feutre gris à larges bords dont lui a fait présent son frère, l'évêque de Sisteron. Ceux à qui ça ne plaît pas... Qui donc est maître à bord ? Eux ou lui ?

— Rien en vue, messieurs ?

— Rien, monsieur.

Dialogue rituel. On dirait celui de Colomb et de ses officiers sur la *Santa-Maria* perdue entre deux mondes. Mais ceux-là cherchaient la terre. Sur chacun des trente vaisseaux français immobilisés dans l'immense rade naturelle que le mont Pelé, au nord, domine de sa masse vert foncé, les longues-vues tournées vers la mer attendent l'apparition des voiles du convoi de Brest. A force de guetter La Motte-Piquet, qu'on nous promet depuis Noël, on pourrait bien voir nous fondre dessus les Anglais de l'amiral Byron.

Pour le moment, la guerre toute neuve entre la France et l'Angleterre se réduit à la guerre des Isles, où les Puissances, comme on dit, les États qui ont des vaisseaux et de la poudre à gaspiller, s'empoignent au petit malheur depuis deux ou trois siècles à chaque fois qu'elles en décousent sur le continent. Cette fois-ci, c'est une vraie partie de saute-mouton dans les Petites Antilles, celles qu'on appelle les Isles du Vent, parce que leur chaîne, en forme de bouclier avancé des Amériques,

---

* En fait il en avait davantage et mesurait plus de 1,80 m.

reçoit de plein fouet les grandes rafales des alizés qui leur apportent à travers l'Atlantique tous les cadeaux de l'Europe : le christianisme, l'esclavage; l'alcool, la syphilis, le travail et les fusils. L'infortune des Isles du Vent vient de leur exiguïté, qui permet à un petit nombre de colons et de soldats de les subjuguer *, tandis que c'est toute une affaire de s'enfoncer dans les grandes « Isles de dessous le Vent », au nord-ouest : La Havane, Hispanola ** (où les Français tiennent Saint-Domingue), la Jamaïque et Porto Rico. Au balcon de la chaîne des Petites Antilles, les rares Caraïbes survivants des grands massacres de la conquête ont l'habitude d'assister en spectateurs aux entr'égorgements de ceux qui ont égorgé leurs aïeux, pour les remplacer par les Noirs de la traite. Français, Anglais, Hollandais, Portugais, Espagnols... même les Danois s'en étaient mêlés.

Français et Anglais sont seuls aux prises, depuis quelques mois. Saute-mouton, cache-cache ou chat perché? Quelle île appartient à qui, et pour combien de temps? Les ports du continent ne sont plus sûrs depuis qu'ils passent des Insurgents aux *tories* comme à la main chaude. Où se ravitailler, réparer, calfater, remâter, réarmer, sinon aux Isles du Vent, à portée de la mer libre? Encore faut-il y être chez soi. Or les hasards des combats et des traités avaient saupoudré l'Océan d'une poignée de billes de toutes les couleurs. Points d'attache fixes des Français : la Guadeloupe et la Martinique. Mais les Anglais tenaient la Dominique, juste entre les deux, la Grenade en bas, et Antigua tout en haut. Faute de grandes opérations, les marins laissés à eux-mêmes par leurs ministres, si loin là-bas à Versailles ou à Londres, essaient de mettre un peu d'ordre dans tout ça. En septembre 1778, le marquis de Bouillé a envoyé trois frégates conquérir la Dominique. Six heures de combat pour douze lieues carrées de forêt. La France tenait trois « grandes petites îles » d'affilée. Mais l'amiral Barrington, en décembre, s'était vengé sur Sainte-Lucie, enlevée en une journée. La flotte anglaise pouvait relâcher dans l'excellent havre du Gros-Ilet, à cinq lieues sous la Martinique. D'Estaing arrivait sur ces entrefaites, après sa piteuse prestation, les oreilles encore bruissantes des huées américaines à Boston ***. Il avait fait tourner trois jours durant ses vaisseaux autour de Sainte-Lucie. Suffren, excédé du manège, lui avait écrit : « Nous pouvons encore attendre des succès. Mais le seul moyen d'en avoir, c'est d'attaquer vigoureusement l'escadre ennemie... Détruisons-la ! L'armée de terre *(anglaise)* manquant de tout, serait bien obligée de se rendre [342]. » Attaquer; foncer; tout casser. Suffren ne vivait que pour ça depuis son entrée dans les gardes-marines en 1743. Voilà trente-six ans que des branleurs comme d'Estaing le font tourner en rond. Les navires de guerre sont-ils faits pour la guerre ou pour des croisières

---

* Il en est encore ainsi en 1974, pour le malheur des mouvements autonomistes à la Guadeloupe et à la Martinique.
** Respectivement, aujourd'hui, Cuba et l'île partagée entre Haïti et la république Dominicaine.
*** Sur l'échec de la flotte française aux États-Unis en 1778, voir ci-dessus p. 91.

de plaisance? Dans l'autre camp, un aspirant de vingt et un ans, Horatio Nelson, se rongeait de dépit devant la pusillanimité de ses chefs.

D'Estaing, comme d'Orvilliers, se comportait en conservateur de sa flotte. Il avait abandonné Sainte-Lucie et était rentré pour se pelotonner à Fort-Royal de la Martinique à partir du 30 décembre, en suppliant Sartines de le comprendre et de le plaindre après cette campagne où il avait été « de chute en chute, et d'un malheur à l'autre [343] ». Là-dessus, des mois de dispute entre d'Estaing, qui tout geignard qu'il fût, se pavanait de son titre ronflant de « vice-amiral des mers d'Asie et d'Amérique », et la belle brute de quarante ans qui gouverne les Isles du Vent avec une poigne de fer, François-Claude-Amour de Bouillé, un cousin de La Fayette *. Ils ont passé six mois à écrire des lettres haineuses à Versailles pour se dénoncer mutuellement. Aucun n'acceptait d'obéir à l'autre. Entre-temps, la flotte de Byron est venue renforcer Barrington à Sainte-Lucie, et les petites divisions de Grasse, puis de Vaudreuil (quatre, puis six vaisseaux), ont rejoint d'Estaing. La foudre s'accumule dans les Caraïbes, il va bien falloir que l'orage crève. Mais d'Estaing s'obstinait à attendre La Motte-Piquet.

— Vous pouvez toujours vous user les yeux dans vos sacrées lunettes, lance Suffren aux guetteurs, « de sa voix de provocation nasillarde ». Quand vous verrez les Anglais, vous me préviendrez. J'ai faim.

Il a toujours faim. Il revient à sa chambre de plein air, s'accoude à la table sur laquelle il mange de côté, faute de pouvoir loger sa bedaine. Pas de fourchette : « A-t-on l'habitude de caresser les femmes avec un instrument? » Il désosse la volaille à mains nues ou d'un coup de dent et il sauce les plats à la cuiller. Sa seule consolation par ici, c'est qu'ils sont pimentés comme il les aime, au gingembre, au safran, au fenouil amer et à l'ail emportés de Provence, renforcés des poivrons rouges qu'on lui livre chaque matin de Derrière-le-Bois ou du Petit-Paradis, et dont chacun emporte la moitié de la gueule plus sûrement qu'un boulet. C'est tant mieux : il la rince au tafia blanc. Il s'empiffre « à la grosse mordienne ** », en gentilhomme du siècle des Valois. Il fait mettre de côté pour la nuit, comme en-cas, près de la collection de ses livres d'histoire — rien que l'histoire, contemporaine si possible, pas un recueil de poésie, pas un roman — des pyramides de pains fourrés d'oignon, de ciboulette et de morceaux de cochon de lait. Entre deux bâffrées, il allume une énorme *chiroute* dont il a fait provision en passant à La Havane, ces cigares géants auxquels il est en train de convertir ses officiers, mais il la mange presque autant qu'il la fume : « la chiroute, c'est bon pour donner soif [344] » — comme s'il en avait besoin!

Suffren : une machine à jouissance en mouvement perpétuel. De la table aux fesses des mignons, de la chiroute au combat, mais ce bonheur-

---

* Il sera le massacreur des Suisses de Nancy en 1790 et « l'organisateur » de la tentative de fuite de Louis XVI stoppée à Varennes.
** Sans se gêner, sans façon.

là lui manque plus que tout, et sa rareté le rend mélancolique : la tuerie, sa vraie joie. Ça vient, monsieur le bailli. Des cris au ras de la mer, de bateau à bateau : « Voile! voile! » Une trentaine de bâtiments à l'horizon. Les Anglais de Byron? Non, ce sont bien les renforts attendus. L'arrivée de La Motte-Piquet va permettre la grande sortie de la flotte française des Isles du Vent. On va se battre.

22/ juillet 1779
Laver nos vieilles injures

Il y a de tout, dans la marine de Louis XVI. Gargantua, mais aussi Eliacin. Le jeune garde-marine Aristide Aubert du Petit-Thouars, embarqué sur le *Fendant*, l'un des navires de Vaudreuil, et qui a, parmi les premiers, aperçu les voiles de La Motte-Piquet, est une sorte d'anti-Suffren par la finesse des traits, la gracilité des membres et la réserve des propos. A chacun ses plaisirs. Le sien est de servir chaque matin la messe de l'aumônier. Mais l'approche de la bataille le trouve en extase lui aussi : « Je brûle de vous marquer * que nous avons lavé nos vieilles injures. Que je suis donc heureux d'être dans la marine!... Le temps presse; je vole à la gloire [345]. » Il a dix-neuf ans.

On dirait qu'il n'a jamais eu le temps de vivre, et l'aura-t-il un jour? Son angoisse exprime la fièvre du cadet chez les hobereaux : Aristide est le dernier des quatre fils de Gilles Aubert du Petit-Thouars; ils portent ce prénom devenu patronyme dans la branche aînée; un de ses frères, celui qui se passionne pour la botanique, s'appelle même Aubert Aubert. Tribu de nobles besogneux poussés sur les sables de la Loire, près de Chinon. Chance de départ : la faveur de Mme de Montespan, déjà répudiée par Louis XIV, mais toujours riche et puissante, qui se trouvait en mal de bonnes œuvres à l'abbaye de Fontevrault. Elle avait payé leurs dettes, doté les filles, mis le pied des garçons à l'étrier des guerres. Les du Petit-Thouars étaient devenus seigneurs en Saumurois. Gilles Aubert avait relancé leur destin en épousant Marie Gohin de Boumois, l'héritière d'un merveilleux château sur la route d'Angers **. Un mariage en forme de roman : Gilles plaidait auprès de Marie la cause d'un riche prétendant, son ami,

---

* Lettre à son oncle, qui était alors gouverneur de Saumur. Aristide du Petit-Thouars entrera dans l'histoire comme « le héros d'Aboukir », en se faisant tuer héroïquement sur le pont du *Tonnant* à la fameuse bataille, le 1er août 1798.
** Où j'ai situé l'intrigue (imaginaire) de la troisième partie d'*A peine un printemps*.

dont elle ne voulait pas. Lui-même se trouvait trop gueux. Mais Marie
de Boumois l'avait interrompu :
« — Eh, monsieur, quand on parle si bien pour les autres, pourquoi
ne pas parler pour soi [346] ? »
Sept enfants. De quoi pulvériser les biens des du Petit-Thouars
et des Boumois. Pour comble de souci, aucun des quatre Aubert-
machin-chose n'avait voulu se faire prêtre ; c'était bien la peine d'être
issu d'une famille dévote en un pays si pieux, ce coin d'Anjou où les
croix poussent comme les pommiers. Tous à l'armée, aux grades
intermédiaires, puisqu'ils n'avaient pas les moyens d'acheter un
régiment. Heureusement, l'oncle de Saumur se décarcassait pour caser
l'un, pousser l'autre, orienter le troisième. Aristide avait eu droit aux
pensions, tout enfant, parce que ses parents étaient morts de bonne
heure — fini le roman, adieu la chance. Une école pas vilaine, d'abord.
« J'ai eu le bonheur de faire mes études à La Flèche, j'avais six ans,
chez Mme G..., la femme vertueuse d'un honnête maître d'école. Elle
ne me fouetta jamais qu'une fois, un jour que j'avais appelé son directeur Monsieur Saucisse, alors qu'il se nommait Boudain [347]. » A partir
de ses neuf ans, il allait connaître pire : à La Flèche toujours, on l'avait
fait passer au collège où l'on formait les enfants de nobles pauvres
à la discipline militaire. Rien de mieux pour ça que le fouet, le pain sec
et la prison — à douze ans, parce qu'il jouait avec des petits soldats
de bois. A treize ans, il tentait l'évasion et la ratait, parce qu'il s'était
trop longtemps agenouillé devant la statue de la bonne Vierge protectrice de la maison, pour lui demander pardon avant l'escampette.
Mais il était déjà sauvé, pour avoir lu *Robinson Crusoé*. Il s'était au
moins évadé par le rêve. Il a écrit à quinze ans l'histoire de *Barbogaste-
le-Hérissé*, qui réussit à s'échapper du collège, lui, se fait mousse, puis
matelot et devient naturellement grand amiral [348].
Petit lieutenant exilé à Thionville et à Metz, Aristide avait continué
de refuser l'armée de terre et d'accrocher son espoir à l'Océan. La menace
de guerre l'avait comblé : il fallait des officiers bons aux calculs pour
les vaisseaux du Roi. Reçu second de l'école navale de Rochefort,
Aristide s'était senti devenir Barbogaste. L'auteur rejoignait son personnage. « Je me crus maréchal de France lorsqu'on me fit garde de la
marine * », et qu'il a pu revêtir, à dix-sept ans [349], leur bel uniforme bleu
et rouge, sous le tricorne bordé d'or, la couronne de sa jeunesse. Il
s'est battu sur la *Gloire* à Ouessant, et il a escarmouché sous les ordres
du marquis de Vaudreuil sur la côte de Sénégambie **. Ils ont ricoché,
Vaudreuil et lui, à bord du *Fendant*, d'Afrique aux Antilles en épousant
les alizés, tandis que Lauzun rentrait à Versailles, mais comme on
prend un relais sur la route de Londres. On se donnait rendez-vous

---

* Colbert avait établi trois compagnies de ces « gardes » à Brest, Rochefort et Toulon, comme une pépinière d'officiers de marine. Tout en servant comme simples soldats ou lieutenants, ils poursuivaient leurs
études.
** Voir ci-dessus, page 77, la « conquête » de la Sénégambie par Vaudreuil et Lauzun. Et pour Ouessant, page 35.

au banquet de la victoire, pour sabler le champagne avec les Anglais vaincus.

Aristide-le-Hérissé a gardé l'air fragile de l'enfant qui a forcé le destin de justesse, émerveillé mais inquiet; il pose un peu partout l'œil critique de celui qui lit beaucoup et pense par soi-même. Il a fait justice, l'un des premiers, des calomnies contre Philippe de Chartres, qu'il avait vu à l'œuvre à Ouessant, et il n'est pas tendre pour « le système de circonspection » adopté par d'Orvilliers ce jour-là [350]. Quant à son jugement sur d'Estaing, dont l'indécision fait bouillir les officiers, Aristide recoupe presque mot pour mot les imprécations de Suffren : « Notre arrivée *(celle de la division de Vaudreuil)* rendit l'égalité à M. d'Estaing qui, depuis qu'il était dans ces parages, tour à tour supérieur et inférieur, n'avait pas su profiter de ses forces dans le premier cas et, dans le second, n'avait dû sa tranquillité qu'au peu de talents et d'activité de l'amiral Byron. Cet amiral Byron avait cependant fait le tour du monde, mais il n'est pas le seul à qui ce grand voyage n'a servi de rien. Byron manque d'activité, M. d'Estaing de jugement; ces deux généraux étaient dignes de se mesurer [351]. » Mais enfin lui aussi sent bien que ça va barder et se prépare à ces quelques minutes vers lesquelles marche un marin des années durant pour y brûler sa vie. Un maigre : il est tout hâve, il ne lui reste que la peau sur les os depuis qu'il a chopé la dysenterie ou le typhus, on ne sait pas trop, entre l'Afrique et les Isles. « Une cruelle épidémie qui détruisit les trois quarts de notre équipage *. Je vous épargnerai ce tableau fort triste », puisqu'aussi bien les matelots sont faits pour mourir en silence, aucun d'entre eux ne sachant lire ou écrire — ces animaux-là savent-ils seulement parler? « Je fus moi-même en proie à la contagion et j'étais en délire lorsque nous arrivâmes à la Martinique [352]. » Guéri, il va pouvoir découvrir les Antilles dans le mouvement de la bataille.

Voilà bien le sort des marins de combat; comment s'étonner s'ils ont toujours les nerfs en pelote? La bonace à perte de vie, et puis tout bouge d'un seul coup, le décor s'anime comme les automates des grandes horloges de Vaucanson. Quand midi sonne, on y va tous ensemble. Adieu la sieste! « Le convoi est arrivé », s'écrie d'Estaing; « ces quatre mots disent tout [353]. » Ils ne savent pas, les autres, ces gamins de tous les âges, combien il lui en a coûté de passer pour un lâche, faute de munitions, de cordages, de voilures de rechange. Le ravitaillement, c'est l'obsession d'un amiral. Une bataille, même gagnée, aurait changé sa flotte en une collection de coques vides. Ce ne sont pas les huit vaisseaux de combat de La Motte-Piquet qui importent, mais les quarante-cinq navires marchands qu'ils escortent, dont sept remplis à ras bord par Beaumarchais **, comme un grand magasin des mers.

Conseil, dès le lendemain, sur le *Languedoc*, des deux maigres et

---

* 360 morts à bord du *Fendant*.
** Sur le rôle de Beaumarchais comme fournisseur des États-Unis, même avant la guerre, voir tome I, p. 389.

des trois gros : d'Estaing et La Motte-Piquet semblent des échalas
en regard de Grasse, de Vaudreuil et de Suffren. L'enragé imprévu,
c'est d'Estaing; il ordonne le branle-bas sans désemparer. Pour un peu,
les autres demanderaient un délai, surtout La Motte-Piquet : « Partir
trois jours après une longue traversée, malgré le besoin d'eau et de
rafraîchissements et sans avoir égard au nombre de mes malades?... »
Mais La Motte-Piquet, de sa vie, n'a jamais différé le combat. Après
tout, prendre ce risque-là, « c'est une des plus belles actions maritimes
qu'un officier général puisse accomplir [354]. » Battons le fer tant qu'il
est chaud. Les grandes tempêtes de juillet vont se lever, et d'Estaing,
depuis Newport, les craint plus que tous les vaisseaux d'Angleterre.

Bien, mais où va-t-on? La Barbade serait utile, cette grosse perle
détachée du collier des Antilles, loin vers l'est; on s'y tiendrait en
sentinelle avancée... Mais nul ne commande aux vents, et ceux-ci
nous arrivent justement de la Barbade. Autant remonter un mât de
cocagne. On va se laisser porter par eux en rusant un peu, on descendra
plein sud jusqu'à la Grenade; elle offre un bon mouillage à portée des
Espagnols du Venezuela, qui se décideront bien un de ces jours à nous
donner la main. On va prendre la Grenade, pour se dédommager de
Sainte-Lucie. Vingt-cinq vaisseaux appareillent le 2 juillet, et vont
mouiller le soir même devant l'objectif, en face de l'anse Molenier,
au fond de laquelle les Anglais ont naturellement baptisé Saint-George
le seul port de la Grenade. Une journée à glisser sur un miroir, nulle
part la mer n'est aussi pure et le ciel aussi clair que par ici, comme une
réponse de l'une à l'autre. La mer des Caraïbes est une fosse insondable,
entourée par les pointes de mille et mille montagnes immergées, les
Isles. Pourquoi dit-on toujours que l'Eden se situait dans les vallées
d'Orient? On le dénicherait volontiers à la Grenade, par exemple,
trois lieues sur trois de paradis vert fou, la même odeur de vanille et
de citron qu'à la Martinique, on respire l'île avant de la voir. Les
bâtiments des Français manœuvrent lentement pour éviter les batteries côtières, et ressemblent à des petites îles ambulantes, dorées par
le soleil couchant, qui se préparent maladroitement à violer l'endormie.

« Et tout cela se fait dans le plus grand désordre, note aigrement
du Petit-Thouars, car c'était là le faible de M. d'Estaing. » Mais désordre
ou non, les choses ne peuvent pas mal tourner. La prise de la Grenade
est un coup de poing de deux mille hommes sur une garnison de six à
sept cents, blottis au fond d'une langue bleue tirée par la mer jusqu'au
fond de l'anse : « l'hôpital » de Saint-George, un fort en réalité, est
entouré de quelques maisons de bois (sans vitres, comme dans toutes
les Antilles). De part et d'autre de la rade, les fortins juchés sur
les mornes, comme on appelle ici les collines arrondies, font leur
devoir sans illusions : des petits crachats perdus dans l'eau.

Le 3 juillet n'est qu'un va-et-vient de chaloupes sous leur nez, entre
les vaisseaux et la terre ferme, où d'Estaing jette ses soldats, si on
peut appeler ainsi « les gens de sac et de corde » (ceux qu'on serrait
dans un sac, il n'y a pas si longtemps, pour les flanquer à l'eau), des
métis, des forbans espagnols, des pirates, des flibustiers, des bagnards

évadés, recrutés au hasard des ports américains ou antillais pour
combler les vides que les épidémies ont creusés dans les troupes trans-
portées. Encadrés vaille que vaille par les officiers et les sergents survivants, ils y vont tout aussi vaillamment que les recrues du régiment
de Hainaut, sauf à tirer de travers, mais leur emportement est d'autant plus sincère qu'ils sont entraînés par le grand chef enfin libéré
lui aussi de son bagne, Jean-Baptiste-Charles-Henri-Hector d'Estaing,
l'épée nue à la main, rajeuni de vingt ans dans son uniforme rouge
qui le désigne aux tireurs anglais; on dirait son cousin La Fayette;
ces Auvergnats ne savent pas vieillir. Il a laissé sa défroque de marin
quelque part entre la dunette et la coupée du *Languedoc*. Il se retrouve
le colonel d'infanterie bon pour tous les coups durs, à Sumatra, à
Madras, à Bender, quand il conquérait les Indes pour le Roi, et qu'il
était félicité, à demi-nu dans son habit brûlé, sur les débris du fort
Malborough, par le grand chef de son printemps, M de Lally, dont
le Roi allait faire plus tard couper la tête... D'Estaing n'aurait
jamais dû passer dans cette marine où les officiers le snobent. C'est si
facile, sur terre, pas de vent ni de ravitaillement à calculer, on n'a qu'à
courir en traînant mille braves dans ce sable si fin, si doux qu'on y
enfonce comme dans la neige des jeux de son enfance autour du château de Ravel. Il n'y avait pas de danger que la terre du Gévaudan
fût plantée de ces drôles d'arbres en étoiles, les cocotiers tout courbés
par le vent. Ceux-là au moins, on connaît leur nom. Mais comment
appeler ces arbustes avec lesquels il faut se battre au corps à corps
pour écarter du chemin leurs hampes violettes, roses ou orange? Un
assaut rempli de couleurs et de parfums. Les balles se perdent dans les
fougères géantes. On dirait une bataille que personne ne prend tout à
fait au sérieux. « Les chaloupes volent comme à la régate, tandis qu'au
bruit du canon et des mousquets, des milliers d'oiseaux multicolores
s'envolaient des arbres et fuyaient vers l'intérieur [355]. » Pas seuls : les
civils, c'est-à-dire les planteurs, leurs familles et leurs esclaves refluent
vers le cœur de l'île, dans un petit exode bigarré, pour y attendre que
la guerre tourne. Certaines familles ne savent plus si elles sont anglaises
ou françaises, depuis le temps que les îles changent de main. On verra
bien ce que nous serons demain matin.

... Français. Tout se joue dans la nuit du 3 au 4. D'Estaing et ses
grenadiers se ruent à l'assaut « du morne de l'hôpital » dans un grand
désordre de cris et de coups de feu. Il y a là ceux qui dansaient à Trianon
six mois plus tôt, les frères Dillon et le vicomte de Noailles, tout heureux de jouer aux Indiens; on aura enfin quelque chose à mettre sous
les petites dents de la Reine quand elle s'ennuiera cet hiver. Le comte
de Vence saute avec d'Estaing dans la tranchée, les canonniers anglais
se rendent, mais l'un d'eux lève son pistolet sur Vence; le grenadier
Houradour, un gars du Hainaut, abat l'Anglais d'un coup de mandrin
qui traîne par là. D'Estaing l'embrasse :
— Tu as sauvé mon ami. Je te fais officier...
Houradour sera lieutenant et bien sûr n'ira pas plus loin, mais son
coup de mandrin lui économise dix ans de patience pour aller

jusque-là *. On s'empare des quatre pièces de 24 que ces « Rosbifs »
à l'esprit lent n'ont pas eu le temps d'enclouer, et « on les tourne
contre le fort dans lequel s'était retiré le gouverneur. Ainsi menacé
d'être foudroyé à chaque instant par une artillerie qui dominait le
lieu de sa retraite, le lord Macartney ** fut obligé de se rendre, deux
heures après, à discrétion. On fit sept cents prisonniers, et l'on prit sur
les ennemis trois drapeaux, cent deux pièces de canon et seize
mortiers [356]. » Les habitants commencent à redescendre prudemment
vers les plages.

    ... Arrêtez! Rien n'est joué : voiles anglaises en vue le 6 juillet, à la
pointe du jour! Qui sait si la Grenade n'aura pas été française à peine
vingt-quatre heures? L'armée navale de Byron cherche la flotte de
Louis XVI. D'Estaing, heureux à terre, est redevenu sur son vaisseau
amiral un pauvre homme embarrassé. Il tarde à commander l'appareillage. « Le calme empêche cette manœuvre et ses vaisseaux restent
dans un assez grand désordre [357] »; Suffren est au bord de l'apoplexie.
De Grasse parle d'aller se jeter contre les Anglais sur un brûlot. Du
Petit-Thouars observe flegmatiquement : « Nous étions cependant
vingt-quatre contre vingt et un (navires). La partie n'était pas égale. »
Et ce foutu « calme » qui paralyse les Français dans l'anse Molenier
cesse en haute mer où un bon petit vent permet aux Anglais de s'approcher rapidement. Vont-ils nous prendre au piège comme des
rats?
    Du sang-froid, les enfants, tout s'arrange parce que l'amiral des
autres est aussi couillon que le nôtre. Byron est persuadé que Macartney
tient toujours et fonce pour prendre d'Estaing entre deux feux. Ça lui
vaut de recevoir, sur la Princesse-Royale une belle bordée des forts où
les artilleurs du Hainaut sont prêts à le recevoir. Le formidable vaisseau
de quatre-vingt-dix canons doit virer de bord sous le feu, et la ligne
d'attaque anglaise en est désunie. Les Français ont le temps de sortir
une quinzaine de vaisseaux, cahin-caha, c'en est assez pour que la
bataille s'engage au plus près de l'île, d'Estaing s'appuyant du mieux
possible sur les forts. C'est bref et c'est très dur. Beaucoup plus qu'à
Ouessant ***. Un chaos de toiles, de bois, de poudre, de gerbes salées,
de cris, de sifflets et de sang sur les ponts. Deux heures de duels entre
éléphants des mers, Languedoc contre Princesse-Royale, Tonnant contre
Prince-de-Galles, César contre Conquérant. La Motte-Piquet, la cuisse
cassée par un boulet, commande le feu, couché sur un matelas, au
milieu des soixante morts et des cent blessés de l'Annibal. Le capitaine
Montaut engage dans la mêlée un bateau si lourd et si maladroit qu'on
l'avait appelé l'Hippopotame. Il fallait être Beaumarchais pour l'ache-

---

* L'épisode sera l'objet d'un grand nombre d'estampes populaires l'année
suivante.
** Nous le retrouverons en 1793... comme ambassadeur d'Angleterre
en Chine.
*** Combat d'Ouessant : voir ci-dessus p. 35.

ter, l'armer à soixante canons, en faire le protecteur de sa flotte marchande et le rebaptiser *Fier-Roderigue*. Un officier de La Motte-Piquet,
un certain La Pérouse, l'avait réquisitionné au passage et empêché
de rallier l'Amérique. Montaut avait crié comme un putois..., mais
puisqu'il faut se battre, il y va et il meurt sur la dunette, ce 6 juillet
à onze heures, d'aussi bonne grâce que les messieurs rouges. C'est la
chance d'un fils « d'officier bleu » qui se trouve là, Honoré Ganteaume,
voué à moisir à La Ciotat, où il était né voici vingt-quatre ans. On ne
peut passer de la marine marchande à la « royale », quand on sort de
rien, que grâce à des cadeaux du bon Dieu. En voilà un. Ganteaume
s'était engagé, tant qu'à faire, comme « chef de prise », dans la flotte de
Roderigue, Hortalez et Compagnie *. Il est aux côtés de Montaut
quand celui-ci tombe. Le commandement revient en droit au frère du
mort, un incapable. Ganteaume l'assume de fait et parvient à ramener
au port un *Hippopotame* à demi-démâté, fumant, aveugle. Le frère
de Montaut, un noble, aura la croix de Saint-Louis. Ganteaume aura
l'accès à la marine de guerre.

   A midi, vraiment, ça chauffe. Les généraux des deux flottes luttent
sans conviction contre les caprices des vents à grands défilés de signaux
multicolores glissant sur les drisses, mais leurs monstres leur échappent
des mains. Chacun pour soi, ou presque. Sur le *Fantasque*, Suffren
connaît enfin la béatitude : il a profité de la pagaille pour « attaquer à
un poste d'honneur qui ne m'était pas destiné » et il a « essuyé, pendant
une heure et demie, le feu des vingt et un vaisseaux anglais. Les gens
désintéressés diront du bien *(de moi)* et mes ennemis n'oseront pas en
dire du mal [358]. » Le *Fantasque* a tiré à lui tout seul mille six cent cinquante-quatre coups de canon. Il compte quarante-trois blessés et
vingt-deux morts, dont le chevalier de Campredon, l'aimable second
de Suffren, qui lui fera une brève oraison funèbre : « J'ai le cœur navré
de la perte de mon second, qui jouait si bien du *piano forte*. » Beaumarchais, lui, se résignera encore mieux à celle de Montaut. Il écrira à
Sartines : « Le brave Montaut a cru ne pouvoir mieux faire, pour me
prouver qu'il n'était pas indigne du poste dont on l'honorait, que de
se faire tuer... Je vois les Anglais qui se rongent les ongles de leur défaite,
et mon cœur saute de plaisir [359]. »

   L'un des seuls officiers à y voir clair dans la mêlée générale est du
Petit-Thouars, qui prend un instantané du moment où la bataille
navale de la Grenade est gagnée par d'Estaing, mais mal. Les Anglais
abandonnent le terrain, trop heureux de s'en tirer à bon compte.
« Nous désemparâmes et démâtâmes plusieurs des vaisseaux ennemis et
il ne s'agissait plus que de les serrer », le *Grafton*, le *Cornwall* et le *Lion*

---

* Cela signifie qu'il devait prendre éventuellement le commandement
des équipages de prise des bâtiments interceptés. Ganteaume, que nous
retrouverons au passage en l'An II, sera vice-amiral, comte, pair de
France, etc. à partir de la faveur de Napoléon. Il fut « de tous les officiers
de la marine française, celui qui, de nos jours, réunit le plus de titres
et d'honneurs » d'après le dictionnaire de Lebas en 1842.

notamment. « Déjà Byron avait fait la part du feu et, sans leur donner le moindre secours, s'éloignait à toutes voiles. » Le chef anglais semble prêt à lâcher non seulement son arrière-garde, mais une demi-douzaine de transports de troupes, qui attendaient au large la fin du combat. « M. d'Estaing retint auprès de lui onze frégates qui auraient pu s'emparer de ces bâtiments, sans aucune défense, et cette prise aurait assuré la conquête de toutes les Isles du Vent qu'on avait dégarnies pour porter secours à la Grenade. Au lieu de pousser une victoire qui pouvait avoir des suites si décisives, notre général eut peur pour sa nouvelle conquête. Il y retourna..., craignant que la Grenade ne fût en dérive pendant son absence, comme si la meilleure manière d'en assurer la possession n'était pas de poursuivre les seuls ennemis qui pussent l'attaquer... En entrant dans la marine, M. d'Estaing s'était imaginé qu'il réunissait les talents de Tourville et de Duguay-Trouin. En conséquence, au lieu d'apprendre à virer de bord, il n'avait songé qu'à ses victoires et à ses conquêtes futures... Il me semble que plus on est disposé à admirer un bon général, plus on doit être strict dans ses jugements [360]. »

Enfin, c'est fini. On pourra dire tout haut à Versailles que la première bataille franco-anglaise près des Amériques est gagnée, même si de Grasse, Vaudreuil et Suffren vont répétant *mezzo voce* que « jamais, au grand jamais, la France ne trouvera une si belle occasion ». « Si d'Estaing avait été aussi marin que brave, nous n'aurions pas laissé échapper quatre vaisseaux démâtés [361]. »

Bah ! On va en faire une belle estampe : deux soldats rigolards brandissant les drapeaux anglais capturés au-dessus d'un fruit ouvert sur ses grains écarlates.

« Les rieurs sont pour nous. L'Anglais est bien malade.

Et, grâces au Destin, nous tenons la Grenade [362]. »

En réalité, Français et Anglais ont fait match nul aux Isles.

On lèche ses plaies. On dresse un bilan. Les Français ont tiré plus de vingt mille coups de canon. Ils ont cent soixante-seize tués et près de mille blessés. L'aspirant Besson de Ramazane, tout étonné de se trouver encore en vie sur le pont du *Diadème*, écrit à « sa chère maman » : « Voici le premier combat que je vois, mais je vous réponds que, pour le premier, il a été bon. De l'aveu de tout le monde, il a été très meurtrier... Les boulets tombaient à bord et sifflaient comme grêle. Un combat est une belle chose, mais après [363]. »

« Les hommes », comme on dit sur la dunette, oh, les hommes... Huit à neuf mille ont fait sans trop comprendre ce que leur disaient de faire les quelque cinq cents messieurs qui feignaient d'y comprendre quelque chose... Ils ont écorché la peau de leurs mains et de leurs pieds dans les hunes en manœuvrant, ils ont brûlé leurs gorges et leurs poumons autour des pièces dans les entreponts, leur carcasse est passée au moulin des mâts qui les fauchaient, des balles ou des éclats de bois qui leur rentraient dans la peau. On donne double ration de tafia aux valides. On transporte les blessés à l'hôpital de Fort-Royal de la Martinique, « le plus important des Antilles. Les estropiés reçurent six cents écus ou six Nègres *. » Ces derniers demeurent, tout compte fait, ceux qui y comprennent encore le moins [364].

23/ juillet 1779
L'esprit de révolte est un dangereux exemple

Le 19 juillet 1779, les Parisiens se régalent d'un spectacle inhabituel. Que font donc tous ces braves garçons qui pataugent dans la Seine, où l'on dirait qu'ils tiennent debout comme Jésus sur la mer de Tibériade? Ils s'entraînent à passer la Manche. « On a fait sur l'eau, depuis le Pont-Neuf jusqu'aux Invalides, différents exercices de scaphandre **, tendant à démontrer la sûreté et l'utilité de ce corselet. Il est certain que ce vêtement pourrait être d'un grand secours s'il conférait toute la liberté des mouvements » aux fantassins qui vont marcher sur Londres ces jours-ci, « puisqu'on parle fortement d'une descente en Angleterre [365] ». On vend même allègrement la peau du Lion : « Le public nomme déjà aux places du gouvernement britannique. On fait le comte de Vergennes Vice-Roi de toute l'Angleterre ; M. de Sartines Lord-Maire et Premier Lord de l'Amirauté ; M. Necker Premier Lord de la Trésorerie. On envoie le Roi (d'Angleterre) et toute la famille royale britannique à Chambord, où ils seront traités avec tous les honneurs dus à leur rang... Les royaumes d'Angleterre et d'Écosse, ainsi que d'Irlande, seront remis aux domaines de la Couronne de France [366]. »

Effervescence réduite. Le peuple ne bronche pas. Ses seuls informateurs, les curés du dimanche, ne lui parlent pas des projets de « la Descente »; eux-mêmes en ignorent tout. Les gazettes se taisent, qui pourraient enfiévrer les bourgeois. Mais enfin, il y a dans l'air des salons de Versailles et de Paris, c'est là « le public », cette « ivresse dont les têtes françaises sont saisies parce que c'est contre les Anglais qu'on fait la guerre [367] ». Et si c'était vrai? Si l'aventure de Guillaume recommençait après sept siècles? Les soldats français à Londres : la face du monde changée...

Même ceux qui rêvent ne savent rien. L'été 1779 est celui du grand brouillard. On entend vaguement des bruits d'armes en Normandie, mais qui, quoi, comment? Un comte d'Egmont, à Paris, suit comme

---

* Plus exactement : récompense attribuée par le gouverneur de la Martinique en espèces ou en matériel humain à ceux des invalides qui accepteraient de s'installer à la colonie.
** Le mot, tout neuf, ne servait pas encore à désigner des appareils de plongée. Il s'agissait d'un « corset garni de liège grâce auquel on se tenait sur l'eau sans savoir nager » — l'ancêtre des bouées de sauvetage.

tant d'autres les événements à tàtons. Il écrit à un duc d'Harcourt :
« Il me paraît impossible de rien comprendre à tout ce qui se fait et
se prépare... Le temps expliquera ces énigmes, car tout me paraît en
être [368]. » Un Suédois de Paris, le chevalier de Kageneck, qui se tient
pourtant à la source des nouvelles, puisqu'il sert dans les gardes du
corps de Louis XVI, écrit le 10 juillet à son ami de Stockholm, Alströmer : « Si vous vous attendez à apprendre de moi où est M. d'Orvilliers
avec sa grande flotte, ce qu'il a fait depuis qu'il a quitté Brest et même
ce qu'il fera, vous êtes dans l'erreur; nous n'en savons rien, et peut-
être M. de Sartines ne le sait-il pas mieux. Cette incertitude n'est pas
consolante [369]. » Le principal péché de la Cour, porté au comble par
l'asthénie de Louis XVI, c'est celui d'omission de toute information,
au point que ceux qui devraient renseigner les autres ne sont pas eux-
mêmes informés. Le serpent se mord la queue.

L'anxiété n'en est que plus grande chez ceux qui se doutent de quelque chose, à défaut de savoir. Le jeune ambassadeur de France à
Madrid, Montmorin, prend son métier au sérieux* ; sa mission au
cœur du « pacte de famille », entre Bourbons de France et d'Espagne,
fait de lui le correspondant le plus assidu de Vergennes. « J'attends
à tout moment un courrier de vous, et je n'entends pas un cheval
galoper sans que le cœur me batte. C'est un état pénible lorsqu'on
est aussi loin que je suis [370]. » Celui-là comprenait l'enjeu.

Où en est l'échiquier mondial? Match nul en Amérique, entre les
Insurgents et les Anglais, match nul aux Antilles entre Anglais et
Français. Lauzun a repris les forts d'Afrique. Les Anglais ont fait
tomber Pondichéry et raflent l'un après l'autre les comptoirs français
des Indes. Faute de troupes ou d'alliés, l'Angleterre est incapable de
porter la guerre en Europe, comme elle l'a fait déjà tant de fois.
A la France de jouer. En Amérique? L'échec de d'Estaing n'y encourage
pas. En Égypte, ne fût-ce que pour poser un jalon vers les Indes?
On y songe, et tout est prêt dans les bureaux — mais là seulement. **
« Le moment est venu d'acquérir ce pays salubre (sic) à trois mille
lieues de la Provence », assure l'ambassadeur de France à Constantinople. On en fera « l'entrepôt du commerce de l'univers [371]. » Vergennes
n'est pas chaud : on toucherait à trop d'intérêts. La Russie se fâcherait,
voire l'Autriche. Et les Turcs ont encore de la ressource. Tant qu'à
faire la guerre à l'Angleterre, ne faudrait-il pas frapper à la tête?

Le conseil du Roi flotte à hue et à dia, mollement, sans vue d'ensemble, sans nerfs et sans cerveau directeur. Louis XVI attend qu'on
décide à sa place. Maurepas se ratatine ; il a toujours froid, même en
juillet. Sartines est hanté par la fragilité de la marine à peine renais-
sante : si la flotte est détruite, c'est la disgrâce. Le garde des sceaux,
Miromesnil, s'enfouit dans ses dossiers, et Necker dans ses comptes.

---

* Armand-Marc, comte de Montmorin-Saint-Herem, né à Paris en 1745,
sera ministre des Affaires étrangères de 1787 à 1791, et mourra massacré
à l'Abbaye, le 2 septembre 1792.
** Les plans élaborés à ce moment serviront de base au projet de Bonaparte, moins de vingt ans plus tard.

Celui-ci n'en pense pas moins : l'abaissement de la plus grande puissance protestante le rendrait vulnérable, moralement du moins. Raison de plus pour ne pas piper ; un hérétique est surveillé de près par ceux qui le tolèrent aux finances, mais lui refusent l'entrée du Conseil. Il a mission de remplir les caisses. Il les remplit. « Ce monsieur Necker, que l'on a tant de fois prédit ne pas tenir un mois *, jouit encore de la confiance du Roi et du mentor *(Maurepas)*... On est persuadé, à Madrid et à Lisbonne, que M. Necker est un tel homme que, tant qu'il sera à la tête de nos finances, le trésor royal ne désemplira point... Cette bonne réputation a procuré déjà de grandes ressources dans ces deux capitales, sur la simple signature du directeur des finances [372]. » Le principal tort de Turgot était de n'être pas riche, on s'en aperçoit maintenant.

Le ministre de la Guerre? C'est Montbarrey, prince de quelques arpents dans le fouillis des domaines franc-comtois. Ils sont tous princes non-régnants là-bas. Il a remplacé l'acariâtre Saint-Germain, qui avait secoué l'armée à tort et à travers par ses réformes alternées de bigoterie et de raison. Pas de danger que Montbarrey réforme quoi que ce fût : c'est un jouisseur, un cynique **, qui affiche jusque dans ses bureaux « une fille Renard, méprisable à tous égards », prétendent Artois et Chartres, ce qui le rendrait plutôt sympathique, mais il est défendu par le parti du scepticisme. Monsieur et Maurepas. Le ministre a bien d'autre chose à penser qu'à la guerre, ces jours-ci : il marie sa fille, « âgée de vingt et un ans, au fils du prince de Nassau-Saarbrück, qui n'a que treize ans. On glose fort sur ce mariage [373]. » Voilà une affaire d'État, une vraie.

« L'espèce d'inactivité de tant de forces réunies ne laisse pas que de faire murmurer beaucoup de gens... On assure même que le Roi, de crainte que la Reine ne le lui arrachât, a voulu ne pas savoir le secret des opérations projetées, lequel n'est su que du comte d'Aranda *(l'ambassadeur d'Espagne)*, de MM. de Maurepas et de Sartines, et non du prince de Montbarrey [374]. » Rumeur de cour, imbécile et fausse. Mais *si non è vero...*, elle témoigne d'un état d'esprit. Et d'un moral de fer à Versailles.

On en arrive à oublier Vergennes. Un peu parce qu'il aime l'ombre et le silence. Mais aussi parce que Charles Gravier de Vergennes se fond dans sa propre grisaille, « comme un manteau accroché à un mur ». L'essentiel a pourtant dépendu de lui, tant qu'on en restait à la diplomatie, ce vestibule des guerres. Or Vergennes n'a nulle envie de voir un seul soldat français à Londres. Il est le ministre des Affaires étran-

---

* Il est maître des finances à part entière depuis juin 1777, sans en avoir le titre. Taboureau a fini par se lasser de son rôle de potiche et a démissionné. Ne voulant pas donner un poste de ministre d'État à un protestant, on a nommé Necker « Directeur général des Finances » et non « Contrôleur » — nuance. Voir, sur Necker, tome I, p. 406.
** Il laissera des *Mémoires* agréables à ceux qui ne souhaitent pas se casser la tête.

gères le moins anti-anglais que la France ait eu depuis longtemps. Il a
bloqué les tentatives de reconquête du Canada. Quant à la Descente,
« pourquoi frapper au cœur une nation indispensable dans la balance de
l'Europe [375]? » L'asticoter, l'humilier, la gêner, certes. La détruire?
Jamais. Vergennes, prophète par prudence et précurseur timoré,
exprime les sentiments de cette France « évoluée » qui commence à
éprouver envers l'Angleterre l'aigreur amoureuse d'un conjoint par
raison, résigné au meilleur et au pire : le divorce à la rigueur; pas
l'homicide.

A Chanteloup, Choiseul se lamentait [*] :

« — J'ai toujours très bien traité les filles; il y en a une que je néglige
(la du Barry) : elle devient reine de France ou à peu près... Les ambassadeurs, on sait ce que j'ai fait pour eux sans exception, hormis un seul.
Mais il y en a un qui a le travail lent et lourd, que tous les autres
méprisent, qu'ils ne veulent plus voir à cause d'un ridicule mariage;
c'est M. de Vergennes, et il devient ministre des Affaires étrangères [376]! »

Son secret, Monseigneur? Il travaille. Il ne fait que cela, dix à
douze heures par jour dans l'aile gauche du château de Versailles,
en marge de la fête à perpétuité. Un tâcheron plus résigné qu'ardent :
« Chaque moment est un pas vers la vieillesse; c'est le sort commun
de l'humanité; il est moins affreux lorsque notre vie n'a pas été tout à
fait oisive et inutile. Celle que je mène doit me mettre à l'abri de toute
inculpation... Je me trouve à la fin de la journée sans m'être aperçu
qu'elle s'écoulait. J'ai assez de besogne dans mon cabinet pour n'être
pas curieux de me livrer au tourbillon des sociétés, des plaisirs et,
peut-être, de la médisance. La promenade me fait du bien; la répétition
m'en serait quelquefois nécessaire, mais la faculté ne m'en est pas
toujours donnée. Les affaires s'entassent autour de moi et, malgré la
célérité que je mets dans leur expédition, je dois craindre qu'elles
ne m'écrasent sous leur poids [377]. » Il y faudrait quand même un bon
poids, d'autant que Vergennes s'empâte, en menant cette vie-là, des
bajoues, deux mentons, du bedon, mais sa charpente est de nature à
supporter la graisse, en bon bois de la Bourgogne, où il est né voici
soixante ans [**]. Tout est large chez lui, bien assis, carré, tracé : le front
haut, la bouche serrée, les rouleaux soignés, mais sans apprêt, de la
chevelure, le regard scrutateur, un peu en défense, et le grand nez qui
tombe loin et droit, pour équilibrer tout ça. Il sue l'ennui. Le prince
de Ligne n'en revenait pas de savoir que Vergennes utilisait Beaumarchais : « N'est-ce pas curieux de voir le ministre le moins gai qu'il y eût
jamais en France employer un farceur [378]? » Le moins gai, le plus lent.
Heureusement, il se tait beaucoup. C'est pire, quand il s'essaye à
causer : « En public, il a la manie de raconter, de plaisanter, et l'espérance fallacieuse de faire rire; ses histoires interminables faisaient
bâiller, sa bonhommie ne déridait personne, surtout lorsqu'il dévidait

---

[*] D'après Chamfort.
[**] A Dijon, le 29 décembre 1719, dans une famille de magistrats. Petite
noblesse de robe.

ses souvenirs de Turquie. » Record battu quand il écrit : sa plume coule en tonnes et en tonnes de ciment toutes les combinaisons de cette Europe qui s'échafaudaient lentement sous son grand crâne. Le style de Vergennes est celui du mamamouchi. Cinquante mots pour une évidence. La France et les États-Unis ont-ils intérêt à s'entendre durablement ? Il prend son élan. Allons-y ! « Nul intérêt ne pouvant diviser deux peuples qui ne communiquent entre eux qu'à travers de vastes espaces de mer, les rapports nécessaires de commerce qui s'établiraient entre eux formeraient une chaîne, sinon éternelle, du moins d'une très longue durée, laquelle, animant et vivifiant l'industrie française, appellerait dans ses ports ces denrées plus nécessaires que précieuses que l'Amérique produit, qu'elle versait auparavant dans ceux d'Angleterre et qui, en alimentant l'industrie de cette nation, ont tant contribué à l'élever à ce degré étonnant de richesse où nous la voyons arrivée [379]. » Ouf. Respirait-il parfois ?

On comprend mieux pourquoi il lui faut du temps à son bureau, et pourquoi Louis XVI l'apprécie. Sans doute, Choiseul l'avait-il disgracié par exaspération, après une carrière simple comme un sillon à travers des postes diplomatiques d'importance croissante : Lisbonne, Trèves, Hanovre, et l'ambassade de Constantinople, où il avait failli tout perdre en gagnant sa femme. Il s'en vantait : « C'est un phénomène rare dans ce siècle qu'une femme et un mari qui s'aiment, et, qui plus est, osent l'avouer [380]. » Les Vergennes ronronnaient solennellement, mais ce n'était pas précisément Tristan et Yseult. Il avait attendu, pour épouser Anna du Viviers à Saint-Louis des Français de Constantinople, que cette veuve plantureuse lui ait donné deux fils, Constantin et Louis, et que l'aîné ait atteint l'âge de raison. Leur liaison, elle, atteignait la cote d'alerte : entre le scandale de la rupture et celui du mariage sans permission du Roi avec la veuve du chirurgien Testa, Vergennes avait choisi l'honneur et le confort, autant que l'amour. Il en était loyalement récompensé par cette belle femme-coussin, fille d'un petit gentilhomme savoyard, mais formée aux mollesses de la Turquie où elle était née. Elle lui suffisait.

On l'avait cru, il s'était cru fini. Un mariage-retraite en Bourgogne, pour y devenir seigneur de vignes et de bois. Il en était sorti, parce qu'il avait baisé la main qui le frappait. Monarchiste jusqu'à l'idiotie, Vergennes s'aplatit dans d'interminables formules d'adulation. Louis XV aimait les gens couchés. On avait eu besoin de coiffer le jeune roi de Suède d'un ministre de France un peu complice, pour le guider dans l'élaboration de son coup d'État. Vergennes avait su aider Gustave III et faire pencher la Suède vers la France. Un travail de spécialiste. Sa docilité avait plu en son temps au Dauphin court-circuité du siècle par la mort, mais qui se venge en téléguidant du Paradis les choix de son fils.

De fil en aiguille, les Affaires étrangères de la France sont ainsi tombées aux mains de l'homme le moins capable de comprendre l'insurrection américaine. Il savait parfois s'exprimer sans trop de longueurs, quand il trahissait son obsession : « L'esprit de révolte, en quelque endroit qu'il éclate, est toujours un dangereux exemple.

Il en est des maladies morales comme des maladies physiques : les unes et les autres peuvent devenir contagieuses. Cette considération doit nous engager à prévenir que l'esprit d'indépendance, qui fait une explosion si terrible *(sic)* dans l'Amérique septentrionale, ne puisse se communiquer aux points qui nous intéressent dans cet hémisphère [381]. » Il prend le temps de gérer habilement sa fortune qui s'arrondissait comme lui, tranquillement. Il a de grands intérêts dans la traite [*].

Quoi qu'il en pense, il a bien fallu que Vergennes fît son métier, après la déclaration de la guerre. Sa mission la plus urgente était, face à la suprématie maritime anglaise, de dérouiller et de remettre en marche la vieille machine grinçante du pacte de famille. On réveillait le nœud de vipères en cherchant à débloquer une situation figée. « On assure que le Roi Catholique tombe en démence, dont les prémices ont été marquées par une aveugle condescendance, qui a fait renaître l'Inquisition, qui a fait reléguer à Paris le comte d'Aranda [**], qui a rendu inutiles les escadres montées à grands frais [382]... » Charles III ne devient pas fou ; sénile seulement. Le bon vieux réflexe du Bourbon recroquevillé dans ses chasses et ses dévotions : qu'on le laisse mourir en paix ! Il a passé la main à son ministre Florida-Blanca, qui fait son petit dictateur dans l'ombre du Roi, une tradition très espagnole. C'est lui qui est chargé de tenir la dragée haute à Montmorin, que Vergennes supplie « de tirebouchonner M. de Floride-Blanche *(on francise le nom en deçà des Pyrénées)* et de tirer de lui à quelle époque à peu près nous pourrions espérer que l'Espagne se montrera [383] », c'est-à-dire entrera officiellement en guerre contre les Anglais et enverra sa flotte se joindre à la nôtre. Mais le moyen de tirebouchonner ce bonhomme acariâtre, cassant, blessant, qui traite notre ambassadeur comme il a traité le pape et les cardinaux [***] ? Il trouve « don-quichottesque » l'alliance avec les États-Unis ; l'Espagne serait bien trop bonne de « tirer encore une fois *(sic)* la France du bourbier [384] ». « Il est attaché à son système et je crois *(Montmorin dixit)* que personne au monde n'est capable de l'engager à s'en écarter. Tantôt violent, tantôt froid ou flegmatique, il est, sous ses formes opposées, également attaché à son opinion [385] », qui ne manque pas de cohérence : rien pour les Insurgents, tout contre la Grande-Bretagne — à condition que Versailles soit d'accord. L'Espagne, qui sent chauffer la poudrière de ses Amériques, voue au bûcher les démons bostoniens. Elle ne fera rien pour les encourager. Mais profiter de ce que l'Angleterre a les mains liées là-bas pour casser la tête à l'éternelle concurrente ! Venger la grande Armada !... « Si nous faisions la guerre aux Anglais, il faut la

---

[*] A la mort de Vergennes, on constatera que sa fortune aura triplé pendant son ministère, grâce aux spéculations que ses informations privilégiées lui permettaient.
[**] Sur l'évolution rétrograde du règne de Charles III et sur le renvoi du « ministre éclairé » Aranda, voir tome I, p. 564.
[***] Sur le rôle de Florida-Bianca dans la suppression des jésuites et au conclave de 1776, voir tome I, p. 155.

leur faire comme les Romains aux Carthaginois [386]. » Pas de détails.
Pas d'atermoiements. « Mon avis serait que les deux Puissances
unissent leurs forces maritimes, ce qui pourrait former une armée
navale de soixante vaisseaux de ligne et plus, et fissent une descente
en Angleterre et traitassent la paix à Londres [387]. » En guise d'en-cas,
on essaiera de reprendre Gibraltar, cette verrue sur l'honneur de
l'Espagne. La place est bloquée en juillet du côté de la terre par les
soldats (espagnols) commandés par un duc (français) au service de
l'Espagne, Crillon, et, du côté de la mer, par des espèces de baleines
maladroites au dos chargé d'engins : les prasmes de M. d'Arçon,
convoyées depuis Toulon par les vaisseaux que d'Estaing avait laissés
au comte de Sade *.

Voilà tantôt un an que Floride-Blanche pousse et que Vergennes
retient. La Descente, ce dernier n'y croit pas : « Il ne faut pas se flatter
de pouvoir la tenter avec moins de soixante-dix vaisseaux de ligne et
au moins soixante-dix mille hommes effectifs de troupe, dont dix-
mille de cavalerie. Si l'on considère ce que cela demanderait en bâtiments de transport, en artillerie, vivres, munitions et toutes espèces
d'attirail de guerre et de services personnels, il y a de quoi s'effrayer [388]. »
Il n'ignore pourtant pas que les espions mis en place depuis longtemps
par le comte de Broglie ont chiffré très précisément l'état des forces
anglaises : les Français n'auraient à combattre, au maximum, que
cinquante-quatre mille hommes, dont quatre mille deux cents cavaliers, et encore sont-ils répartis « tant en Angleterre qu'en Écosse et
dans les îles de Guernesey [389] ». C'est tout ce qu'il reste sur place de
l'armée anglaise après la ponction d'Amérique.

Quant au moral... En dessous de zéro. L'Angleterre est vermoulue,
du moins dans sa classe dirigeante. Le vieux Chatham vient de mourir
en vociférant comme Jérémie ; les *tories* et le Roi, en quête de boucs
émissaires, réveillent l'antipapisme. En réaction, les catholiques sont
prêts à la révolte et risquent de former une « cinquième colonne ».
Au Parlement, Fox et Burke mènent contre le gouvernement des
assauts si violents que Lord North éclate en sanglots au banc des
ministres. « Ce qu'il y eut pour lui de plus fâcheux dans cette scène,
fut que ses pleurs n'attendrirent personne [390]. » George III clôt la
session au lendemain de la déclaration de guerre officielle de l'Espagne,
le 3 juillet. Hurlement de Burke : « O quelle longue nuit, quelle nuit
obscure! Quelle triste et funeste nuit a été cette session entière, et
quel moment choisit-on pour y mettre un terme? Celui où nous nous
trouvons avoir à la fois sur les bras la France, l'Espagne et l'Amérique [391]. » Lord Shelburne déborde d'optimisme : « Je ne doute pas que
nous ne puissions défendre les deux petites îles de la Grande-Bretagne
et de l'Irlande d'une manière qui étonnera toute l'Europe. Mais quel
sera le fruit de ce dernier effort? Nous n'en serons pas moins un peuple
mort et rayé du nombre des puissances de la terre [392]. » La cavalerie

---

* Un cousin de Donatien-Aldonse. La prasme était un navire à fond plat
pouvant porter une artillerie puissante. Prononcer « prâme ».

de Saint-George elle-même est aux abois, si l'on en croit Beaumarchais, très excité, plein de ragots financiers comme toujours : « On agite tout haut dans les cafés de Londres où l'on devrait se retirer en cas de Descente. Les avis se sont réunis pour l'Écosse, parce qu'on craint une invasion à Londres et, dans ce cas, chacun songerait à réaliser ses effets en or. Un homme très profond qui me mande ces choses me dit :

« — Il y a cent contre dix à parier que, trois jours après la Descente, la Banque fera capot, faute de numéraire [393]. » Une Lady Rivers, amie intime de Pitt, écrit à un correspondant français : « Dès que vous aurez abordé nos côtes, le découragement de la Nation sera aussi extrême que son ancienne sécurité. Votre projet d'invasion dont tout le monde parle rend tout secret inutile : l'Angleterre est perdue [394]. »

Est-ce un de ces moments de l'Histoire où il suffit de pousser une porte? Pour Vergennes, c'est non et non. « Je pourrais annihiler l'Angleterre, que je m'en garderais comme de la plus grande extravagance [395]. » Faute de pouvoir les calmer, il tente de dévier les bravaches sur l'Irlande. C'est un dogme à la cour de France depuis les Stuarts : une princesse endormie là-bas dans les brumes attend quelques vaisseaux amis pour se soulever contre les anglicans. Aujourd'hui, on pourrait mobiliser aussi ses presbytériens, « grâce à l'appât de l'établissement de cette démocratie qui est l'idole de leur fanatisme [396] ». Et il est vrai que les trois millions et demi de catholiques irlandais, désespérés sous la pression du fisc et les brimades britanniques, gagnés par la contagion de l'*Independence*, sont au bord de l'insurrection. Qu'est-ce que ces *White boys*, ces *Garçons blancs*, qui courent la campagne dans le Sud, près de Waterford, là où ils pourraient si bien donner la main à un corps de débarquement français? Des jacques? Des croquants? Des maillotins? On les rebaptise à l'américaine : « Il y a dix à douze ans que ces *Insurgents* ont commencé de paraître, d'abord en petit nombre, et bientôt cette association secrète s'est augmentée par gradation dans presque toutes les provinces de l'Irlande. Le gouvernement, alarmé, y a opposé la force et l'extrême rigueur, la sévérité et la persécution en augmentant le nombre... Ils s'assemblent plusieurs fois tous les hivers par des feux qu'ils allument la nuit sur les hauteurs. Les signaux se font voir dans toute la province et, dans le moment, ils vont prendre tous les chevaux des seigneurs protestants et leurs armes et vont ainsi, montés et armés, faire ce qu'ils appellent des actes de justice [397]. » Floride-Blanche, de son côté, a envoyé un émissaire aux catholiques d'Irlande, un prêtre « zélé et propre à faire passer dans le peuple cet esprit fanatique qui produit les Révolutions [398] ». Une révolution irlandaise? Le mot suffisait à épouvanter Vergennes. Même là, il tempère ou temporise. « Il convient de la préparer de manière que nous ne paraissions pas la provoquer et que nous ne soyons pas engagés à la soutenir [399]. » S'il a eu un grand dessein, c'est bien celui de faire sortir tous les agités du monde hors de leurs terriers par des cajoleries, pour les laisser étrangler au bon moment. La planète purifiée de sa mauvaise herbe... On chante à Paris, en mai 1779 :

« Vergennes gobe-mouches,
Ministre sans talents,
Laisse l'Anglais farouche
Battre les Insurgents;
Valet bas et soumis
De toute l'Angleterre,
A George III il a promis
Qu'on serait toujours de ses amis
Pendant son ministère [400]. »

« On assure que le comte de Vergennes, avant de se déclarer pour les Américains, avait offert à la cour de Londres de lui fournir des secours pour soumettre ses colonies; qu'il fit proposer verbalement à Lord Bute de l'aider à réduire le parti de l'opposition et à rendre le Roi d'Angleterre aussi souverain que le nôtre [401]. » Vilaines rumeurs *, pas plus fondées que celles qui commencent à flotter autour de Marie-Antoinette. Mais, dans ce cas aussi, elles naissent à partir d'un comportement donnant prise aux calomnies. La constante de la ligne de vie de Vergennes fait de lui l'antirévolutionnaire par essence, l'homme qui a mis la main, en Suède, à la restauration militaire du pouvoir absolu d'un roi. D'où « le bruit que des négociations secrètes sont en cours entre Vergennes et le Roi George III en vue d'établir un traité avantageux pour la maison de Bourbon, si la Monarchie absolue était rétablie en Angleterre [402]. » Et comme nul n'ignore que c'est là l'ambition de George, pourquoi ces deux « grands esprits » ne se rencontreraient-ils pas en rêve?

Certains faux bruits sont plus vrais que la vérité. Ils éclairent le décalage d'intention entre le principal ministre français chargé de coordonner la Descente et ceux qui se ruent vers les côtes normandes ou bretonnes en se prenant pour les croisés de 1779.

24/ avril 1779
Dans ma position femelle

« Le repos me tue totalement », gémit « Charlotte-Geneviève-Louise-Auguste-Andrée-Thimothée d'Eon de Beaumont, ci-devant Docteur consulté, Censeur écouté, Auteur cité, Dragon redouté, Capitaine célébré, Négociateur éprouvé, Plénipotentiaire accrédité, Ministre respecté, aujourd'hui pauvre fille majeure [403] », du moins consent-elle à le prétendre et accepte-t-elle de féminiser ses prénoms et de signer

---

* Nul document sérieux ne peut les confirmer.

« la chevalière d'Eon », de même qu'*elle* porte la guimpe et la coiffe *.
Comme *elle* jouerait volontiers la Jeanne d'Arc de cette croisade-là!
Tirer l'épée contre les Anglais qui se sont tant moqués d'*elle*... Ils
verraient bien si *elle* est un homme ou pas.

D'Eon harcèle Maurepas : « Je suis forcée de vous représenter très
humblement et très fortement que l'année de mon noviciat femelle
étant entièrement révolue, il m'est impossible de passer à la profession...
Dans cet état, je ne puis être utile ni au service du Roi, ni à moi, ni à
ma famille **, et la vie trop sédentaire ruine l'élasticité de mon corps
et de mon esprit... Je vous renouvelle mes instances, monseigneur,
pour que vous me fassiez accorder par le Roi la permission d'aller
comme volontaire servir sur la flotte de M. le comte d'Orvilliers. J'ai
bien pu, par obéissance, rester en jupes en temps de paix, mais en
temps de guerre cela m'est impossible [404]. »

Non mais, qu'est-ce qu'il se croit, cet agité? Il commence à leur casser
les oreilles. Imagine-t-on ce phénomène en jupons au milieu des matelots et des soldats du Roi? Il y aurait une émeute. Quant à reprendre
sa peau d'homme, n i ni, fini. Il a perdu deux ans plus tôt son dernier
combat d'arrière-garde, non sans remplir les gazettes, selon sa coutume,
de son inévitable brouille avec Beaumarchais. C'était fatal : ils avaient
joué au plus fin avec une mauvaise foi mutuelle si évidente que c'en
devenait de la franchise. Deux truands au partage d'un butin : les
papiers secrets de Louis XV *** contre les écus de Louis XVI. Des mois
de chicane, chacun lâchant le moins possible, tout en glissant de la
comédie amoureuse à celle de la colère. Non, décidément, Beaumarchais
n'épouserait pas demoiselle d'Éon; il ne pensait même plus à cette
affaire; il faisait maintenant la cour à l'Amérique. La « chevalière »
avait donc gardé ses habits d'homme et s'était incrusté(e) à Londres
dix-huit mois, rien que pour les contrarier tous. Mais d'Éon avait
signé son abdication. On le tenait en l'affamant. Il avait bien fallu
qu'il revînt à Versailles, épuisé, furieux — mais toujours en grande
tenue de capitaine de dragons. De quoi? Vergennes avait tenu la plume
de Louis XVI pour écraser l'insolent :

« De par le Roi

« Il est ordonné à Charles-Geneviève, etc. d'Éon de Beaumont
de quitter l'habit uniforme de dragon qu'elle a coutume de porter,
et de reprendre les habits de son sexe, avec défense de paraître dans
le royaume sous d'autres habillements que ceux convenables aux
femmes.

« Fait à Versailles, le 27 août 1777 [405]. »

D'Éon s'était agenouillé, comme ces condamnés qu'on forçait à

---

* Sur le chevalier d'Eon, et les circonstances dans lesquelles Beaumarchais lui a fait prendre les habits de fille en novembre 1775, voir tome I,
p. 279. Rappelons qu'il s'agit d'un homme au point de vue physiologique.
** « Ma mère, ma sœur, mon beau-frère et trois neveux au service du
Roi. »
*** Dont ceux concernant les projets pour la Descente, qu'il devenait
urgent de récupérer.

l'amende honorable avant la roue. La Reine lui avait fait don d'un
éventail et envoyé sa couturière, la Rose Bertin, pour confectionner
son trousseau de fille. Il n'allait quand même pas les remercier? « Le
rôle de lion me serait plus facile à jouer que celui de brebis ; et celui de
capitaine de volontaires de l'armée que celui de fille douce et obéissante... Après le ciel, le Roi et ses ministres, Mlle Bertin aura le plus
de mérite à ma conversion miraculeuse. » Et il signait : « Le chevalier
d'Éon pour peu de temps encore [406] », le temps d'aller recevoir en habits
masculins l'hommage de Tonnerre à son héros, « plus de douze cents
personnes avec canons, fusils et pistolets » dévalant les ruelles d'une
petite ville en hauteur aux toits bleus sur les maisons pointues. La
fête avait secoué le pays jusqu'à Auxerre. La vieille maison de famille
délabrée « ressemble présentement au château du baron de Tunder-
trumtrum * ; il n'y a plus que les portes et les fenêtres, et la rivière de
l'Armançon dans les jardins [407] », mais on est en Bourgogne, on met
en perce chaque soir deux feuillettes d'un des vins les meilleurs du
monde **, devant cette maison ruinée, pour communier au sang du
bon Dieu de Tonnerre qui râpe la gorge et vous envoie au ciel. On a
quand même gagné quelque chose ensemble, « mes compatriotes, tant
de la ville que des campagnes voisines, depuis les plus grands jusqu'aux
plus petits », sur ces ministres de la cruauté qui voudraient réduire
l'aventure du chevalier d'Éon à une curiosité anatomique. « Les gens
du commun manifestèrent leur joie avec un tel enthousiasme, en tirant
force de coups de mousquets et de pétards, qu'ils mirent le feu dans les
écuries et faillirent incendier les greniers voisins [408]. » Tonnerre : le
seul endroit où chacun connaît sa mère et sa nourrice et ne le prendra
jamais pour une fille, même s'il est contraint à se déguiser.

Feu d'artifice pour l'enterrement d'une vie de garçon, mais non
suivi de mariage. Revenu à Versailles, il y « prenait l'habit de fille »
comme on entre en religion, au matin du 21 octobre 1777, « en la fête
de Sainte-Ursule, patronne des onze mille vierges et martyres en Angleterre », et il allait ensuite communier dans plusieurs églises le même
jour ***. Tant qu'à être femelle... « J'espère me délivrer ainsi de tous
les défauts et de tous les dangers inhérents à la condition mascu-
line [409]. » Il a dû se trouver très proche de Sade ou de Mirabeau, ce
matin-là, dans la seule forme de protestation qu'on leur laissait : le
blasphème.

Un an à tenter de se faire à sa nouvelle condition de bête curieuse,
dans de petits appartements, rue de Conti ou rue de Noailles, à Versailles. « Je m'efforce, dans la retraite, de m'habituer à mon triste
sort. » Il fallait changer « d'habits, de chemise, de logis, de résolution,
d'avis, de langage, de couleur, de visage, de mode, de note, de façon de

---

* Personnage farfelu des *Aventures du baron de Munchausen*, que
les enfants d'alors connaissaient plus que les contes de Perrault.
** La capacité des « feuillettes » variait de 114 à 140 litres selon les
régions.
*** D'Eon était — entre autres — docteur en droit canon et avait rédigé
— entre autres — des traités sur les Pères de l'Église.

faire... Depuis que j'ai quitté mon uniforme et mon sabre, je suis aussi sot * qu'un renard qui a perdu sa queue! Je tâche de marcher avec des souliers pointus et de hauts talons, mais j'ai manqué me casser le col plus d'une fois. Au lieu de faire la révérence, il m'est arrivé d'ôter ma perruque et ma garniture à triple étage, que je prenais pour mon chapeau ou pour mon casque [410]. » On s'était bousculé pour voir cela de près le 23 novembre 1777, où *elle* s'était présentée à la cour. A quoi bon tant d'efforts pour convaincre si peu? « Elle oublie souvent de mettre ses gants, et découvre des bras de cyclope. Elle a la gorge couverte jusqu'au menton, pour qu'on ne s'aperçoive pas si elle en manque. Et tout cela ne contribue pas peu à favoriser l'opinion des incrédules [411]. » Il les cherchait, il les provoquait. Ils avaient voulu se fabriquer une chevalière? Il leur servait un grenadier en jupes. Tel quel, il était devenu l'une des attractions majeures des années 77-78. On l'envoyait chercher en carrosse, comme une fille d'Opéra. Les La Rochefoucauld, les Polignac, les Breteuil, les Rohan, les d'Aguesseau, etc. Trop encombrant tout de même à Versailles, on l'avait relégué dans un ermitage doré au Petit-Montreuil, à deux pas. On le payait pour se taire? Il leur écrivait. Sa logorrhée ne guérissait pas : vingt pages parfois à Vergennes pour se désennuyer sur le compte de Beaumarchais, qu'il haïssait, avec le temps, d'une haine presque amoureuse. « Je serai toujours en état de faire la barbe à tous les Barbiers de Séville [412]. » Mais il commençait, sinon à entrer dans son personnage, du moins à s'en servir. Le féminin vient sous sa plume, comme une raison supplémentaire d'en appeler au monde entier : « Je suis outragée par un histrion qui n'eût pas osé regarder en face le chevalier d'Éon, par un plébéien qui faisait carillonner des pendules, quand l'Europe retentissait de mes exploits guerriers et politiques... Je le dénonce et le livre à toutes les femmes de mon siècle, comme ayant voulu élever son crédit sur celui d'une femme, obtenir des richesses sur l'honneur d'une femme, et enfin venger son espoir frustré en écrasant une femme. » Il y venait donc? Comme pour toutes les expériences de sa vie, à grandes enjambées. Il publiait des « Lettres aux femmes » dans les gazettes : « Victoire! mes contemporaines, victoire et quatre pages de victoire!... Ombre de Louis XV, reconnaissez l'être que votre puissance a créée *(sic)*!... Femmes, recevez-moi dans votre sein, je suis digne de vous [413]! » Elles ne risquaient pas de fuir cette occasion. Les couvents chics avaient guerroyé pour *la* recevoir : les dames de Hautes-Bruyères, les filles de Sainte-Marie, les demoiselles de Saint-Cyr... Une dragonne au couvent! Quels romans, si d'Éon avait cherché la femme! Une dame de Durfort, religieuse de Saint-Cyr, lui écrivait le 20 octobre 1778 : « Quand on a autant de courage, de fermeté, de constance, d'intrépidité, de valeur, en un mot, quand on est grande comme vous, Mademoiselle, il ne faut qu'un effort pour devenir sainte. » Il en était convaincu. Comme beaucoup d'hommes célèbres, il lui fallait d'énormes

---

* Cette lettre à Vergennes, de novembre 1777, est tout entière écrite au masculin. « Changer de note = de façon de vivre. »

compliments, quitte à se les délivrer quand les autres ne lui en donnaient pas de trop. Réponse à la nonne : « J'ai couru toute ma vie comme une vierge folle après l'ombre des choses... Ma seule consolation est qu'au milieu du désordre du camp, des sièges et des batailles, ainsi que dans l'horreur des cabinets de la politique, j'ai eu le bonheur de conserver intactes la paix intérieure et la pureté de mes mœurs et de ma foi. Moi seule sait tout ce qu'il m'en a coûté pour m'élever au-dessus de moi-même [414]... »

Il aurait pu enfler tout doucement, et se recycler en grasse chanoinesse gavée d'encens et de gâteaux. Mais « je ne suis heureuse qu'en fumée. » D'Éon n'a jamais pu s'installer. Il est irrépressible par vocation, un peu comme Beaumarchais qu'il voue aux cent mille diables parce qu'il aperçoit un reflet de lui-même dans ce roturier. Il n'a jamais connu le calme. Il ne sait pas ce que c'est. On le croit content? « Je suis honteuse et malade de chagrin de me trouver en jupes au moment où l'on va entrer en guerre *(à Sartines, le 7 juin 1778)*... Je n'ai l'âme ni d'un moine, ni d'un abbé, pour manger, en ne faisant rien, la pension que le feu Roi a daigné m'accorder. » Il essaie de tricher, de « gratter » ce qu'il peut sur ce statut dans lequel il se débat. Ne pourrait-on au moins lui permettre de reprendre ses habits d'homme « les jours ouvriers de la semaine, pour que je puisse entretenir ma santé par l'exercice du cheval, de la chasse et des armes, et que je ne sois obligée de porter mes habits de fille que les fêtes et dimanches [415]? » Rêve de chauve-souris.

Silence. L'engrenage de la raison d'État le broie doucement, sans répondre. Il supplie : « Pendant la durée de la guerre seulement? » ... Silence et silence et silence, la réponse du régime à tous les suppliants. La monarchie, ce mur ou cette tombe, c'est selon. On meurtrit ses propres poings à cogner dessus. Une fois de plus, d'Éon s'y blesse au point d'exploser maladroitement. Mais quand une explosion est-elle adroite, à moins d'être calculée? Quel impair, cette lettre à Maurepas, ce cri de février 1779, qu'il termine crescendo : « Dans ma position femelle, je suis dans la misère avec les bienfaits du feu roi, qui suffiraient pour un capitaine de dragons *(ce serait encore à voir ; il a toujours été un gros mangeur d'argent)*, mais qui sont insuffisants pour l'état qu'on m'a forcé de prendre. M. le comte de Maurepas doit comprendre que le plus sot des rôles à jouer est celui de pucelle à la Cour, tandis que je puis jouer encore celui de lion à l'armée [416]. » Passe pour les termes, on y est habitué, et il en a tant écrit! Mais son procédé passe leurs bornes : il fait de cette lettre une sorte de tract mondain tiré à quarante exemplaires sur les presses d'un imprimeur parisien, et il en envoie le texte aux princes du sang et « à plusieurs grandes dames de la Cour ». Voudrait-il fonder un « parti d'Éon »? Rien n'est plus intolérable aux muets qui gouvernent le royaume, Louis XVI, Vergennes, Maurepas, que l'appel à l'opinion publique, d'où qu'il vienne.

2 mars : ordre du Roi « à la chevalière d'Éon » de se retirer à Tonnerre. *Elle* en donne décharge au messager, promet de s'y conformer dès qu'*elle* sera guérie, car *elle* est atteinte d'un flux de poitrine... qui ne

l'empêche pas de se promener huit jours plus tard dans Versailles en uniforme de dragon. D'Éon n'en pouvait plus de son rôle de monstre de foire. Il vaut mieux que ça. Tout, plutôt que le manège qu'on lui fait tourner depuis deux ans. Il les cherche. Il les trouve.

Au 20 mars, de grand matin, la scène commence à se répéter dans ce récit, les mêmes figurants, le même scénario, seuls changent les personnages : Beaumarchais, Mirabeau, Sade ont déjà entendu ces pas lourds dans l'escalier, ce cliquetis d'armes.

— Ouvrez, au nom du Roi !

Le sieur de Vierville, major de la prévôté de l'hôtel du Roi, fait irruption avec cinq ou six gardes dans le petit appartement de la rue de Noailles, au pavillon Marjou, que d'Éon avait aménagé comme un écrin, dans un goût efféminé. Les gendarmes progressent avec précaution sur les tapis d'Orient, entre les bois de rose, les rideaux à l'italienne, les meubles de marqueterie... Dans l'ombre d'une alcôve en toile de Jouy, près d'une coiffeuse couverte de flacons dignes d'une cocotte, un corps à demi-nu, une voix perçante :

— Que voulez-vous ?

— Mademoiselle, j'ai reçu l'ordre de m'assurer de votre personne.

La « demoiselle » avait été, la veille, « saignée aux deux bras »; ceux-ci, dignes d'un portefaix, brandissent une carabine « chargée à mitraille » que d'Éon, par une vieille habitude d'agent secret, gardait à son chevet. Braves, les assaillants lui sautent dessus. *Elle* en assomme deux. Quel hercule, cette pucelle! Les autres « fouillent son lit, ses meubles, tâtent et retâtent sa personne » non sans perplexité, « s'emparent de ses papiers ». « On ne lui laissa que son innocence. » Le contraire eût été plaisant [417]. On descend le prisonnier à bras-le-corps, on le jette dans une voiture à six chevaux, fouette cocher, adieu Versailles. Ses clameurs ont ameuté le quartier. C'est la chevalière, le chevalier d'Éon, appelez-le comme vous voudrez, qu'on réduit à son destin.

Il n'en mourra pas. Les semaines qui suivent permettront une fois de plus aux historiens royalistes d'affirmer que les bastilles étaient douces. En fait, ses ravisseurs ont quelque peine à lui en trouver une convenable. Ils ont carte blanche, pourvu que les ministres n'entendent plus parler de lui. On ne le maltraite pas. On le laisse s'égosiller, à la fois fier et furieux de l'aventure, dans la lourde voiture lancée à un train rapide sur la route de Bourgogne et qui atteint Joigny le soir même. Nuit à l'hôtel. Puis, étape à Auxerre, où l'on essaie de le fourguer aux bernardines. N'est-il pas amateur de couvents? Mais les dames qui l'invitaient libre le refusent prisonnier. Il faut pousser jusqu'à Dijon où le pont-levis du château s'abaisse devant sa voiture comme devant celle de « Mirabeau-fils », trois ans plus tôt. Et c'est le même brave homme de gouverneur, le comte de Changey, réveillé en pleine nuit, qui va devoir s'accommoder « d'une prisonnière capitaine de dragons et chevalier de Saint-Louis [418] ».

D'Éon n'est pas trop mal tombé. On le traite — à ses frais — en seigneur. Chaque jour à dîner (donc vers trois ou quatre heures de l'après-midi), du potage, du bouilli; un poisson (truites, anguilles, saumons) ou des écrevisses; du gibier ou de la volaille (poulardes, bécasses ou bécassines), des légumes, des entremets, du café, des eaux-de-vie de là-bas, on croirait boire du bois qui chauffe — le tout arrosé du clos-vougeot des bénédictins *. On peut tenir à ce régime, surtout quand on se doute bien que ça ne va pas durer. D'Éon est gardé en prison juste le temps d'une dernière négociation, pour que tout le monde sache à Tonnerre, quand il y réapparaîtra en fille, qu'il y a été contraint et forcé par la main du Roi. L'auréole de la persécution fera supporter sa coiffe aux voisins. On ne se moquera pas de lui chez lui : on le plaindra. C'est tout ce qu'il demande — faute de pouvoir maintenant prétendre à autre chose. Une défaite ouatée. Être brisé avec égards. Il pourra crâner, et, pour lui, c'est très important. « On me donna l'ancien logement qu'avaient occupé ci-devant la duchesse du Maine, le marquis de Nesle et le comte de Lauraguais. Je n'y suis restée que dix-neuf jours, parce que M. le comte de Changey fit savoir à M. de Maurepas que toute la noblesse et le militaire de Dijon et de vingt lieues à la ronde venaient, hommes et femmes, lui demander à dîner pour avoir le plaisir de manger avec moi, et qu'il serait ruiné si cela continuait longtemps; que, de plus, il s'assemblait tous les jours et surtout les dimanches et fêtes, des deux mille personnes dans la cour du château pour me voir ** ; que tous les officiers et soldats de sa garnison étaient plus disposés à m'obéir qu'à lui-même [419]. » En fait, son beau-frère, O'Gorman, s'occupe de lui, aidé par le marquis de Vergennes, frère du ministre, et l'évêque de Mâcon. On fait une fois encore alterner les menaces et les promesses sur cet écorché vif à bout de souffle. Veut-il vraiment être interné dans un couvent pour le restant de ses jours? On fait semblant de l'y préparer. Il fait semblant de le craindre et se laisse une fois de plus arracher un papier de ferme propos : « ma soumission aux ordres du Roi de porter toute ma vie mes habits de femme, et de me retirer chez moi, près de ma mère. » Il est à Tonnerre le 10 avril.

Le chevalier d'Éon ne fera plus jamais la guerre. La Descente se fera — ou ne se fera pas — sans lui.

---

* Dépense totale « de bouche » du chevalier d'Eon pour ses trois semaines de détention à Dijon : 476 livres, soit 2 500 francs lourds environ.
** La cour en question peut contenir deux ou trois cents personnes au plus. Dire que d'Eon méprisait Beaumarchais!

25/ avril 1779
La tourbe des nations

Rush en deux temps : 1778 et 1779. L'année où l'on fait comme si,
et l'année où l'on se prend à y croire. Il faut, pour y voir clair, remonter
un an en arrière pour comprendre les deux campagnes d'un seul regard.
  Fersen, l'un des premiers, a été volontaire, en septembre 1778 *. Par
besoin de fuir les yeux mouillés que la Reine commençait à poser sur
lui? On l'a prétendu, mais c'est peu vraisemblable. Il n'y a rien de
sérieux entre elle et lui. Il continuait seulement l'interminable périple
de sa jeunesse. La guerre à visiter, comme un pays de plus. « Je
songeai d'aller en Normandie voir le camp qu'il y avait sous les ordres
du maréchal de Broglie. Je proposai à Steding d'être du voyage **.
Il y consentit et il fut résolu que nous partirions le 10 (septembre).
Nous fîmes faire nos uniformes d'après le nouveau costume. Madame
de Boufflers marqua beaucoup de curiosité de les voir, et nous allâmes
chez elle, ainsi habillés, une couple de jours *(sic)* avant notre départ.
Elle trouva l'habit très leste ***, mais seulement mon uniforme seul
joli *(sic)* [420]. » La route des guerriers amateurs passe par le chemin
des écoliers : deux semaines à muser en Normandie. Caen, Lisieux,
Bayeux, les vergers, le pays des bœufs et des pommes, mais aussi des
fabriques de toiles dans chaque ville. Près de Bayeux, toutes les routes
sont creusées d'ornières par les caissons. Les fourrages sont trop tôt
coupés, les fermes vidées par les réquisitions. L'armée d'Angleterre
campe autour de Vaussieux, sur deux lieues carrées. Le bleu et le blanc
des uniformes tranchent sur le vert du Bessin, accru par les torrents
de pluie qui noient les herbages depuis quinze jours. La Manche ne
risque pas de nous mouiller davantage. Mais pluie ou pas, c'est l'ordre
rigoureux de l'armée en manœuvre; les canons, les faisceaux, les tentes
sont disposés régulièrement, comme pour dessiner d'immenses figures
de géométrie entre lesquelles vont les hommes, eux-mêmes alignés
à une main près. Et là où Broglie commande, les buffleteries brillent
comme à la parade. On dirait qu'il transforme la boue en cire. Quarante-
huit bataillons d'infanterie, trente escadrons de cavalerie, soit trente
mille hommes au moins, presque toute « la division de Bretagne »,
sont concentrés là, prêts à s'embarquer en trois jours au Havre et à

---

* Sur Fersen et le début du « penchant » de Marie-Antoinette pour lui,
voir ci-dessus, pp. 66 et 97.
** L'un de ses meilleurs amis, un colonel suédois. Les « nouveaux
uniformes » en question, à la fois moins encombrants et plus luxueux
par leur surcharge en perfilages dorés, avaient été imposés par le comte
de Saint-Germain. Mais on ne les portait encore... qu'à Paris.
*** « Se dit des vêtements qui, légers et dégagés, laissent aux mouvements toute leur liberté » (Littré).

Saint-Malo *. Fersen traverse en hâte le rideau des hommes qui le saluent et le conduisent au quartier général, comme à un suprême salon après tant d'autres, où la présentation effraie ce grand timide, hanté par la peur d'être moqué. « Nous descendîmes chez le Maréchal, au quartier général. Il faisait un temps affreux, une pluie horrible et un froid très vif. Nous étions fort embarrassés l'un et l'autre de nous présenter ainsi, sans être connus, dans un habillement aussi extraordinaire, et notre embarras augmenta considérablement en voyant la quantité de monde qu'il y avait et qui allaient tous nous examiner. Le premier moment, quand nous entrâmes dans la chambre où étaient tous les aides de camp et les officiers, fut horrible, et j'aurais voulu, pour beaucoup d'argent, n'y pas être. Cependant, il fallait prendre son parti. » Il a bien tort d'avoir peur : son nom est un sésame. Tout homme ayant fait la guerre de Sept Ans sait que le vieux comte de Fersen était le chef du parti pro-français en Suède. « Nous dîmes que nous étions Suédois, et que nous avions des lettres à remettre au maréchal. Un moment après, les portes s'ouvrirent, et les officiers entrèrent pour l'ordre **. On nous fit entrer aussi, et je trouvai un petit homme fort bien mis, qui avait l'air fort éveillé », Victor-François, maréchal-duc de Broglie, prince du Saint-Empire, le vainqueur de Bergen, le champion d'une vieille guerre perdue où la France avait eu les héros qu'elle pouvait. Et il est vrai que Broglie était le moins obtus des généraux de Louis XV et qu'il aurait peut-être pu forcer le destin sans sa querelle de chiffonniers avec le prince de Soubise et tout le clan Pompadour : les Rohan, les Choiseul... Sa disgrâce en pleine gloire, seize ans plus tôt, l'avait désigné à la faveur de Louis XVI, un peu comme celle de Maurepas, dans ce régime à bascule. Fersen le découvrait en retour provisoire de fortune, dans une soixantaine trépidante ***. L'avenir est aux Broglie, ils en étaient sûrs, et s'ils avaient raté l'Allemagne en 1765 et l'Amérique voici deux ans, ils espéraient bien ne pas rater l'Angleterre. Victor-François sait faire bonne mine aux étrangers capables de le rendre populaire en Europe, et déploie toute l'affabilité conquérante des hommes hantés par leur courte taille. Fersen est séduit par « ce petit homme rempli d'esprit. C'est surtout à la tête de ses troupes que sa vitalité se déploie. Il rajeunit et a la vigueur d'un homme de trente ans. Il n'est jamais fatigué. Ses conversations étaient amusantes. Il a une excellente mémoire et raconte fort bien. »

La guerre se prépare sur un air de menuet. Faute de se battre, on danse. « Le maréchal nous présenta à sa femme, à sa fille, à sa sœur, etc. Les jours qu'il n'y avait pas de manœuvres, pour faire passer

---

* Le terme de « division » employé depuis peu grâce aux réformes de Saint-Germain ne signifiait pas encore une unité militaire mobile, mais un brassage des trois armes : infanterie, cavalerie et artillerie, dans un espace géographique donné.
** Ce qu'ils appellent aujourd'hui le *briefing*.
*** Le duc de Broglie est né en octobre 1718. Son frère, le comte, en juillet 1719. Sur les combinaisons des deux frères pour accéder au commandement des forces américaines, grâce à La Fayette, voir tome I, p. 421.

l'après-midi, qui était fort long, le maréchal faisait danser. Toutes les dames qui avaient leurs maris au camp y venaient des environs. » Beaucoup de ces grands officiers ont des châteaux normands, c'est une commodité. « Il y avait Mmes de La Châtre, de Simiane, de Navarès, de Villequiers, la marquise de Coigny... Madame de Cajol et ses trois charmantes filles étaient le principal ornement du bal... On faisait au maréchal une sorte de cour pendant son souper. Je trouvai cette mode un peu singulière, mais je m'y mis à la fin. » Le service est à volonté : on n'a qu'à siffler ou à claquer dans ses doigts pour voir à ses pieds le soldat-chien, le soldat-laquais dont les farces de tréteaux sont remplies depuis que le monde est monde et l'armée l'armée. Des hommes sans nom : les Nègres ne sont pas seuls à être débaptisés. La Verdure, La Rose, Joli-Cœur, La Jeunesse, Beauregard, La Grimace, Sans-Souci, Champagne, Picard, Le Lorrain appartient à son colonel sous peine de mort, comme l'esclave à son planteur, et parfois depuis trente ans, par signatures renouvelées à partir de l'engagement que les racoleurs lui ont extorqué entre deux vins sur le coin d'une table de four *. Il a gardé une drôle de gueule sous le style impeccable de l'uniforme et des gestes. Deux soldats sur trois proviennent de la ponction régulièrement opérée grâce aux *capitulations* entre les recruteurs et les recrutés dans les villes et les campagnes « à même la cohue des vauriens, des meurt-de-faim, des batteurs d'estrade, des maraudeurs [421] ». Coup double : on débarrasse la société et on gonfle les effectifs, « tant pour leur bien que pour celui du public, de tous les vagabonds, gens sans aveu et fainéants capables de porter les armes [422] », quitte à les pendre s'ils pillent sans permission. « L'armée est le ruisseau où l'on pousse toutes les immondices du corps social. » On commence à s'en indigner chez ceux qui voient le mal partout, les encyclopédistes, les « turgotiens », ces empêcheurs de faire la guerre en rond. Comment se fait-il « qu'une société ramasse ce qu'elle a de plus vil pour en faire des soldats? » Le comte de Saint-Germain, avant de quitter le ministère, a beaucoup réfléchi à cela, et donné une réponse sans appel : « Il serait à souhaiter que l'on pût former les armées d'hommes sûrs, bien choisis et de la meilleure espèce. Mais, pour former des armées, il ne faut pas détruire une nation, et ce serait la détruire que d'en enlever ce qu'elle a de meilleur. Dans l'état actuel des choses, les armées ne peuvent guère être composées que de la tourbe des nations, de tout ce qui est inutile et nuisible à la société. C'est ensuite à la discipline militaire à épurer cette masse corrompue, à la pétrir, à la rendre utile [423]. » Ainsi le camp de Vaussieux, où les hommes ne se plaignent pas. Une recrue coûte à l'engagement quatre-vingt-douze livres pour l'infanterie, cent onze pour un hussard **. Ce n'est pas mettre trop cher la peau d'homme. Quant à sa solde, elle est en principe de six sous par

---

* On appelait « fours » les cabarets spéciaux où les racoleurs rabattaient les jeunes gens, souvent à l'aide des filles, pour les enivrer et leur faire signer l'engagement. Il y en a plus d'une quinzaine près du Pont-Neuf à Paris en 1779.
** 500 et 650 francs lourds.

jour *, rarement versés, parce qu'on retient dessus le prix des rations de vivre et de tabac.

« Pauvre soldat » — ce pléonasme.

Mmes de Broglie, de Simiane ou de Coigny ne risquaient pas de subir le traitement infligé aux « filles de mauvaise vie » auxquelles le duc de Broglie faisait « une guerre continuelle. Au lieu de les faire fouetter, comme cela s'est pratiqué jusqu'à présent, ce qui ne les empêche pas de revenir quatre jours après, on leur noircit le visage avec une drogue qu'on m'a assuré qui durait plus de six mois. Si cela est vrai, il est certain qu'elles ne reparaîtront pas, car cela fait horreur à voir sans leur faire aucun mal [424]. » Bien loin de ces catins-là, le beau Suédois réconforté se sent chez lui sous la tente ducale : « Au sortir du souper, on apporta une table d'échecs ; le maréchal se mit à jouer, et nous fîmes la conversation avec les dames... Enfin tout le monde nous faisait des politesses, on nous regardait comme Français, et j'aurais volontiers passé un couple de mois de cette façon, mais le camp devait finir le 30 septembre », comme un feu de bois qui s'étouffe, faute de pouvoir s'étendre. En 1778, il était trop tôt. Ne sera-t-il pas trop tard en 1779 **?

Trop tard en tout cas pour les Broglie. Quant le projet de Descente prend consistance, ils sont déjà renvoyés à leurs chères études. On dirait que ces deux pauvres frères quasiment jumeaux sont voués à recevoir les coups de pied au cul de l'Histoire. Mais peut-être les cherchent-ils. A voir leur façon de se tenir sur le podium... En observateur superficiel, Fersen a été incapable de saisir tout ce qui grinçait derrière le décor du camp de Vaussieux, cette opérette sifflée. D'abord, il y manque le second rôle : le duc est frustré du comte. On a privé Broglie de Broglie, et il s'en trouve manchot. Victor-François voulait avoir comme chef d'état-major, son *alter ego*, son double, leur attelage avait si bien marché pendant la dernière guerre, l'un paraissant, l'autre agissant. Le duc lançait au bon moment les forces que l'autre calculait, puis accumulait. Et le comte, ce petit bonhomme aimable, traînait une ombre trois fois plus grande que lui : le Secret du Roi. Il avait commandé un réseau d'espions par toute l'Europe pendant que son frère menait à l'assaut des soldats visibles. La Descente lui revenait de droit : dix ans plus tôt, il en avait préparé les contours à une toise près en arpentant les côtes de la Manche. S'il y avait un homme indispensable en ce moment, c'était lui.

Eh bien, non. Louis XVI avait nommé un Broglie, mais pas les deux. Caprice du Roi, de Maurepas, de Montbarrey? Répugnance à remettre en lumière l'homme qui en savait tant? Le duc avait supplié, tempêté : « Votre Majesté est trop sensible à la tendresse fraternelle pour ne pas faire cesser une séparation que tant de motifs rendent aussi cruelle... Comment pourrait-Elle se résoudre à causer le désespoir de deux frères

---

* Environ deux francs lourds.
** La dépense totale du camp de Vaussieux en 1778 fut de 11 millions 644 835 livres, soit un peu plus de 58 millions de francs lourds [425].

qui ne peuvent longtemps y résister? » Il s'était cassé le nez contre le
bon plaisir, tout maréchal-duc qu'il était. On l'avait envoyé préparer
une opération « relative aux pays, aux côtes, aux moyens qui me sont
absolument étrangers, tandis qu'un travail fait sous sa direction,
par ordre du feu Roi, et suivi pendant quinze années, les ont rendus
familiers à mon frère [426] », ... qu'on expédie commander à Metz, à sa
place, en guise de consolation.

Le comte de Broglie avait tout supporté jusqu'ici, mais tant va la
cruche à l'eau... Traite-t-on un chien comme ça? L'homme tranquille
avait explosé. La démission, le scandale, un procès (perdu) au secrétaire du cardinal de Rohan, un abbé Georgel, accusé de l'avoir calom-
nié; la fuite au chagrin, dans les marécages de Ruffec, par-delà les
Charentes, où il va faire semblant de devenir maître de forges après
avoir rêvé de gouverner Londres. Il est parti là-bas la mort dans
l'âme *.

Cette séparation n'était pas de nature à donner bon moral au duc.
Même sans y être aidé par le cerveau de son frère, il s'était rendu
compte qu'on ne lui faisait commander qu'une répétition. Faute de
flotte et de renforts espagnols, on avait passé l'été à vider sur le terrain
une querelle académique entre Guibert, partisan de « l'ordre mince »
à la prussienne pour les batailles, et Mesnil-Durand, avocat de « l'ordre
profond » traditionnel. Faut-il attaquer en larges lignes de soldats
se modelant au terrain et à la résistance ennemie, si espacées que
l'artillerie adverse n'y ferait guère brèche? Frédéric a gagné ses batailles
ainsi. C'est la tactique de l'avenir. Mais dès qu'on parle de novation,
certains voient le diable, et le duc de Broglie en est. Vive l'assaut en
colonnes-béliers, les hommes serrés les uns derrière les autres dans des
rangs étroits! Si les boulets emportent les premiers, les autres passent,
et chaque officier tient son corps bien en main.

L'ordre mince risque de changer nos bataillons compacts en volées
de tirailleurs perdus dans les blés, vous voulez rire, jeune homme.
La querelle du linéaire et du perpendiculaire avait enflammé les
salons, tous pour Guibert **. « Quoique la querelle entre les Gluckistes
et les Piccinistes soit toujours ce qui nous occupe essentiellement,
on a bien voulu faire un peu de diversion à ce puissant intérêt en
faveur de l'*Ordre profond* et de l'*Ordre mince*... On dit que l'ordre mince,
adopté par le plus grand homme de guerre de nos jours *(Frédéric)*,
était comme cette musique ultramontaine qui pouvait bien convenir
à toutes les autres nations de la terre, mais qui ne conviendrait jamais
à la nôtre [427]. » Mesnil-Durand et Guibert se bombardent à coups de
volumes in-8^0. Réfutations, réponses aux réfutations, réfutations des
réponses. Le maréchal de Broglie ferme sa porte à Guibert, qu'on a
pourtant détaché à son état-major. Le comte de Broglie, dans son exil

---

* Il mourra le 16 août 1781, dans une auberge de Saint-Jean d'Angély;
des « fièvres putrides » gagnées dans les marais autour de Rochefort.
Mais aussi de chagrin.
** Sur Guibert, l'amant de Julie de Lespinasse, voir tome I, p. 322.

volontaire, dit à tout le monde « que M. de Guibert avait traité dans son livre M. de Mesnil-Durand comme un polisson, et son frère *(le duc)* comme un sot. Il est donc vrai que l'intolérance tient si fort à la nature humaine qu'il n'y a point d'opinion, point d'état qui n'en soit susceptible. » Des guerriers intolérants ! A-t-on idée ?

La guerre de 1778 s'est donc passée dans les plaines de Vaussieux entre la moitié des troupes de Broglie, commandées par Broglie même, selon les principes de « l'ordre profond », et l'autre moitié, commandée par le marquis de Rochambeau, selon l'évangile de saint Guibert, prophète de l'attaque en lignes. Fersen et beaucoup d'autres ont regardé cette agitation avec des yeux ronds. Les salons ont donné la victoire à Rochambeau. Tout le monde sait que les batailles de manœuvre se gagnent sur le papier. Et comme Rochambeau écrit mieux que son général, il ne s'est pas privé d'être juge et partie : « Toujours est-il *(selon lui)* que, d'une façon constante, toutes les fois que les deux troupes manœuvrant l'une dans l'Ordre mince, l'autre dans l'Ordre profond, furent mises en présence, l'avantage sembla rester à l'Ordre mince [428]. » Ce n'est pas si sûr. Les spécialistes n'en sont pas convaincus, et l'un des spectateurs les plus lucides, Dumouriez, qui commande la place de Cherbourg *, observe avec bon sens que Guibert et Mesnil-Durand avaient tort « tous les deux, parce qu'ils défendaient leur système exclusivement [429] ». Or Dumouriez aurait apparemment quelques raisons d'être partial envers Guibert, son ami de quinze ans. Ils se sont connus pendant la campagne de Corse et « la jalousie n'a jamais traversé leur liaison ** » *(sic)*. On va bien voir : « Guibert a plus paru, Dumouriez a plus agi ; l'un toujours à Paris, opulent, recherché ; l'autre toujours en province, malaisé, solitaire. Les jouissances de Guibert étaient plus brillantes, celles de Dumouriez étaient plus solides. Il disait souvent à son ami :

« — Nous sommes les deux rats de la fable. Tu es le rat de ville, je suis le rat des champs [430]... »

Une amitié à la sauce habituelle, nourrie d'aigreur et d'envie. On ne s'y fait pas de cadeau, ou alors ils sont empoisonnés : « Guibert a ambitionné les honneurs de l'Académie ; Dumouriez *(toujours d'après lui-même)* n'a jamais regardé l'art d'écrire et de parler que comme la voiture des idées. » Après tout, le rat des champs devait prendre un certain plaisir à renvoyer Mesnil-Durand et son « ami » dos à dos. Il avait quand même raison d'affirmer qu'on ne se bat pas à coups de systèmes.

Faute d'ennemis, les hommes étaient rentrés dans leurs cantonnements, Fersen à Versailles et le duc de Broglie au château de Broglie, pour y passer, pensait-il, un hiver. Nenni, monseigneur, c'est à jamais, sauf événements imprévisibles. La Cour avait jugé perdue cette campagne livrée contre elle-même par l'armée française. Au printemps

---

* Sur Dumouriez, sa vie d'espion au service du comte de Broglie et son embastillement, voir tome I, p. 37.
** Selon Dumouriez, qui parle de lui-même, dans ses *Mémoires,* à la troisième personne. La citation suivante est également de lui.

de 1779, le commandement des troupes de Bretagne — on disait aussi
d'Angleterre — a été donné au comte de Vaux, « conduit par Guibert,
et qui le laissait trop apercevoir », *dixit* Dumouriez. Le duc de Broglie,
sans qu'on daigne lui fournir d'explication, est laissé à demeure,
étouffant de rage, dans son Versailles normand.

26/ septembre 1779
Le dégoût et la maladie

1779, c'est plus sérieux. Témoin de valeur : l'enfant Chateaubriand,
attristé par le rétrécissement de sa vie au gros château de Combourg,
sous la chape de la névrose paternelle, après tant de liberté, tant de
gaieté chez sa grand-mère de Saint-Malo *. « Des troupes furent can-
tonnées à Combourg. M. de Chateaubriand ** donna, par courtoisie,
successivement asile aux colonels des régiments de Touraine et de
Conti... Vingt officiers étaient tous les jours invités à la table de mon
père. Les plaisanteries de ces étrangers me déplaisaient ; leurs promenades troublaient la paix de mes bois. C'est pour avoir vu le colonel
en second du régiment de Conti, le marquis de Wignacourt, galoper
sous des arbres, que des idées de voyage me passèrent pour la première
fois par la tête...
    « Une chose me charmait pourtant : la parade. Tous les jours, la
garde montante défilait, tambour et musique en tête, au pied du perron,
dans la cour Verte. M. de Causans proposa de me montrer le camp de
la côte *(à Saint-Malo)*. Mon père y consentit... Je parcourus les rues
du camp. Les tentes, les faisceaux d'armes, les chevaux au piquet,
formaient une belle scène avec la mer, les vaisseaux, les murailles et
les clochers lointains de la ville. Je vis passer, en habit de hussard,
au grand galop sur un barbe ***, un de ces hommes en qui finissait un
monde, le duc de Lauzun [431]. »
    Il est donc là aussi, celui-là ? Mais bien sûr : au grand rendez-vous
du printemps. Lauzun revient d'Afrique avec son Sénégal sous le
bras, dont nul ne lui sait gré. Il attendait des compliments ; on lui fait
la gueule. « Je ne fus pas trop bien reçu à Versailles quand j'y arrivai...
L'expédition du Sénégal avait plu au Roi, on *(les ministres)* en était

---

* Sur la prime enfance de Chateaubriand, voir tome I, pp. 203 et 509.
En 1779, il a dix ans.
** C'est toujours ainsi que François-René mentionne son père dans
les *Mémoires d'outre-tombe*. Et il appellera sa femme « Madame de Cha-
teaubriand ».
*** De « barbarie » : cheval d'Afrique du Nord.

fâché; on me sut presque mauvais gré de l'avoir pris... Je n'eus ni grade ni traitement. M. de Sartines voulut me donner une gratification en argent, que je refusai... Il avait dispersé mon corps *(la « légion de Lauzun »)* sur tout le globe, il ne me restait plus de moyens de servir convenablement... Je lui donnai ma démission, et ne cherchai plus à le voir [432]. » Il a fait trois petits tours à Marly, pendant le « voyage » habituel, et a trouvé le décor changé. Yolande de Polignac et son clan règnent sur Marie-Antoinette, qui n'a plus d'yeux que pour Fersen après avoir tant regardé Coigny. Lauzun, c'était il y a trois ans, trois siècles. « On n'a pas idée de la manière dont je fus traité par la Reine, et par conséquent par tout le reste. A peine me regarda-t-on. » A une heureuse exception près : Lauzun est tout de même regardé à suffisance par les beaux yeux de Louise-Marthe de Conflans d'Armentières, marquise de Coigny *, l'une des femmes les plus jolies et les plus vives de la Cour, à qui le prince de Ligne vient de prédire qu'elle sera « dans cinquante ans une madame du Deffand pour le piquant, une madame Geoffrin pour la raison, une maréchale de Mirepoix pour le goût ». Elle traverse le désert des glaces illuminées où chacun tourne le dos à celui que la Reine boude. Elle s'assoit à ses côtés, lui sourit, l'écoute. Il a quarante ans. Elle en a vingt-six. Il est piégé. Nulle n'a fait tant d'impression sur lui, même la princesse Czartoryska. C'est midi, l'heure du grand amour. « Madame de Coigny me parla. J'en fus d'une reconnaissance vraiment ridicule. Je lui trouvai bien de l'esprit et bien de la grâce... Tout le reste me devint indifférent... Elle occupait mon esprit, il était extravagant d'y penser. »

Mais cela ne guérit pas l'alacrité de son caractère, ni ne tempère la cruauté du regard qu'il porte sur l'état-major d'une Descente enfin mise à l'ordre du jour. Vaux a donc succédé à Broglie pour le commandement suprême. Quel beau chef, à en croire Lauzun, et quels seconds! « M. de Vaux était, comme à son ordinaire, pédant, plat et médiocre, et, sous l'air de l'austérité, toujours le plus vil adulateur de la faveur.

« Cette armée était si drôlement composée en officiers généraux, que je ne puis m'empêcher d'en parler... M. de Puységur, major général, se moquait de ses généraux et de ses confrères, et branlait plus de cent fois la tête en parlant d'eux. M. le marquis de Créquy, aide de camp de confiance du général en chef, l'aidait à nous faire une chère empoisonnée, et employait le reste de son temps à faire de petites méchancetés subalternes, dont quelques-unes étaient assez plaisantes. M. le comte de Cergny... fumait dans l'antichambre du général pour avoir l'air d'un vieux partisan et faisait des mémoires sur la guerre dès qu'on entrait dans sa chambre. M. le marquis de Langeron, lieutenant-général, bonhomme loyalement ennuyeux, grand diseur de quolibets, quand il priait quelqu'un à dîner, lui disait : — Voulez-vous venir manger avec moi un œuf coupé en quatre sur le cul d'une assiette d'étain? M. de Rochambeau, maréchal de camp commandant l'avant-

---

* Elle avait épousé, en 1775, le frère cadet du duc de Coigny.

garde, ne parlait que de faits de guerre, manœuvrait et prenait des
dispositions militaires dans la plaine, dans la chambre, sur la table,
sur votre tabatière, si vous la tiriez de votre poche; exclusivement
plein de son métier, il l'entend à merveille. M. le comte de Caraman,
tiré à quatre épingles, doucereux, minutieux, arrêtait dans la rue tous
les gens dont l'habit était boutonné de travers, et leur donnait avec
intérêt de petites instructions militaires; il se montrait sans cesse un
excellent officier, plein de connaissances et d'activité. M. Wall, maréchal de camp, vieux officier irlandais, ressemblant beaucoup, avec
de l'esprit, à l'arlequin balourd, faisait bonne chère, buvait du punch
toute la journée, disait que les autres avaient raison, et ne se mêlait
de rien. M. de Crussol, maréchal de camp, attaqué d'une maladie mal-
honnête, avait le cou tout de travers et l'esprit pas trop droit *. »
Lauzun pourra-t-il être plus féroce envers les Anglais?

   La Fayette ** n'aurait pas manqué le rendez-vous pour un empire.
« Mon sang bouillonne dans mes veines *(le 10 juin)* ... Mon imagination s'avance souvent en pays ennemi, à la tête d'une avant-garde
ou d'un corps léger de grenadiers, de dragons et de chasseurs... L'idée
de voir l'Angleterre humiliée et écrasée me fait tressaillir de joie [433]. »
Arrivé l'un des premiers au Havre, pour y attendre l'embarquement
de son régiment, il trouve un air américain à cette petite ville « bien
alignée, bien bâtie; il y a même une assez grande quantité de maisons
remarquables. Les rues sont larges [434] », mais c'est le port qui l'attire
chaque jour, et surtout, au-delà du port, « la rade très grande et fort
sûre où l'ancrage est bon, bien abritée par de hautes falaises [435] ».
« Me voici en face du port, Monsieur le comte *(à Vergennes, le 13 août)*.
Jugez si je suis content, et si mon cœur appelle le vent du sud qui
nous amènera monsieur d'Orvilliers... Nous y voici donc, et nous touchons enfin aux grands événements [436]. » Hélas! la rade est vide, ou
quasiment, et même si le vent vient du sud, il n'amène que l'odeur
des foins brûlés par le soleil d'août. Il lui faudrait d'abord souffler un
bon coup d'ouest-nord-ouest pour saisir quelque part dans l'Océan
l'armada errante, l'engouffrer dans la Manche et l'amener à pied
d'œuvre, sous la falaise.

   On attend. Tout le monde attend. La Fayette trépigne et Lauzun
maugrée. Chartres s'est agité par là, lui aussi, mais en vain ***. On n'a
pas concrétisé sa nomination dédaigneuse de l'an dernier; il est toujours officiellement « colonel-général des troupes légères »... si légères
qu'elles n'existent pas. Il court le long des côtes depuis le printemps,

---

* La caricature de Wall, singulièrement poussée, laisse ignorer qu'il
était « l'homme de l'expédition d'Irlande » au cas où l'on aurait tenté
celle-ci. Il s'y était battu en 1745 aux côtés du prétendant Stuart. Les
plans très détaillés qu'il rédige ces temps-ci pour Maurepas serviront
à l'élaboration de l'expédition avortée de Hoche vers l'Irlande en 1796.
** Voir ci-dessus p. 92.
*** Sur le début de disgrâce du futur Philippe Egalité, voir ci-dessus
p. 46.

sous le nom de comte de Joinville, pour attraper des soldats au filet, flanqué de ses inséparables Genlis et Fitz-James. Le Havre, mais aussi Saint-Malo, Saint-Servan. Il jurait qu'il allait s'embarquer avec seulement un domestique, pour se joindre à l'avant-garde, même sans troupe à lui. Les autres sont encore en plein espoir qu'il est déjà de retour à Paris : sa querelle avec Sartines s'est envenimée depuis un an; elle a transpiré dans les gazettes. Louis XVI se délecte à humilier son cousin, au bénéfice de son ministre. C'est même la seule décision, pendant l'été, de ce roi évanescent, que personne, et surtout pas lui-même, n'imaginerait allant inspecter ses armées, à une journée de Versailles, avant la grande tentative. Le 20 juillet, Louis XVI a fait écrire à Philippe par la Reine une lettre « amicale », ô douce famille, qui, « pour lui épargner la forme sévère d'un ordre », lui notifie l'interdiction de se joindre à l'armée [437]. On le condamne à sa loge d'Opéra; c'est une lettre de cachet masquée.

Plus en haut, plus à l'ouest, à Cherbourg, Dumouriez attend lui aussi, sans trop d'illusions, en vieux routier des grands desseins pourris. Philosophiquement, il a rédigé les plans détaillés qu'on lui demandait pour orienter et canaliser la Descente, car enfin c'est très bien de s'embarquer pour l'Angleterre, en admettant qu'on y parvienne, mais où donc débarquer, où s'implanter? Dumouriez répond : l'île de Wight. « Elle est infiniment importante. Tous les bois de construction pour la fabrication des frégates étaient à Cowes », le port le plus septentrional de l'île. Une Angleterre privée du bois dont elle fait ses vaisseaux deviendrait un aveugle sans bâton. « L'hôpital où se trouvaient plus de deux mille matelots malades était à Newport, au centre de l'île. Tous les grains et les farines de Portsmouth étaient à Sainte-Hélène », le petit port du Nord-Ouest. « Une fois dix mille Français établis dans cette île, il eût fallu que l'Angleterre levât une armée pour les en chasser [438]. » Et Wight, c'est déjà une tête de pont, à proximité immédiate de Portsmouth qu'on pourrait facilement neutraliser en comblant la passe qui sépare l'île de sa rade. Dumouriez, méticuleux comme toujours, calcule à un tonneau près les navires qu'on y coulerait, « amarrés par de gros câbles ». Mais à quoi bon? Dès le 21 juillet, il a compris : « Voilà la marée passée. Point de nouvelles de M. d'Orvilliers. La lenteur espagnole achèvera de tout perdre... Nos officiers de marine eux-mêmes sont-ils bien pressés de s'engager dans la Manche à l'arrivée de l'arrière-saison? Je prévois de ceci des suites funestes. Nous montrerons le tuf *. Les Anglais, déjà presque revenus de leur étonnement, calculeront avec certitude le peu qu'ils ont à craindre d'une réunion de forces mal ameutées *(sic)*, de notre peu de volonté, de notre langueur... C'est trop faire le rôle de Cassandre, mais ma lettre porte la teinte lugubre de notre quartier général. » Au 1er août, rien n'avait changé, sinon en pire : « Le temps s'écoule, la saison s'avance, le dégoût se met dans l'officier, la maladie dans le soldat [439]. »

---

* Littré : « se dit lorsque, après s'être fié à de belles apparences, on découvre que ce qui est dessous y répond mal. »

Elle s'était surtout mise dans le marin, ce marin que les soldats attendaient désespérément. « L'amiral Scorbut » est en train de sauver les Anglais mieux que n'auraient pu le faire toutes leurs flottes combinées.

Au printemps de 1779, l'Amirauté de Londres ne disposait plus que de trente-cinq vaisseaux dans la Manche [440]. Sartines souhaitait additionner vingt vaisseaux espagnols aux trente français disponibles à Brest. On aurait pu se battre à presque deux contre un. Français et Espagnols avaient pris les îles Sisargas comme balise de rendez-vous, une poignée de rochers au large de la Galice, près du port de La Corogne. Il fallait donc d'abord que la flotte de Brest vînt au sud, comme pour chercher une cavalière au bal, ces Espagnols qui se faisaient tant prier, afin de remonter bras dessus, bras dessous à des centaines de lieues au nord. Que de temps, que de vents perdus! Avant l'appareillage, déjà... une épidémie de « flux intestinal * » avait atteint quatre mille matelots. Il avait fallu embarquer deux mille soldats pour combler les vides. Mais quand ils devront manœuvrer les voiles...

D'Orvilliers, sur la *Bretagne*, suivi de toute la flotte, arrive en vue des Sisargas le 10 juin. Le vieil amiral est ragaillardi : « Le changement d'air nous a entièrement délivrés de l'épidémie qui nous a fait tant de mal à Brest. Ce commencement de bonté divine anime ma confiance. » Mais « le nombre des capitaines médiocres est encore plus grand cette campagne que la dernière [441]. » Et son moral s'affaisse pendant les dix-neuf jours mortels où l'on tire des bordées au large en attendant les Espagnols qui s'attendent eux-mêmes dans des périples compliqués dignes de tortues des mers, entre Cadix et La Corogne. Dix bâtiments en vue le 2 juillet. Est-ce tout? Non pas : l'autre moitié va suivre. Mais quand, au nom du ciel? A croiser en vain, les vaisseaux sont frappés d'anémie. « Il est à craindre que la maladie ne se propage dans nos vaisseaux, où nous avons des fièvres putrides et de la petite vérole *(le 12 juillet)*. » Le contraire eût été un miracle, jusqu'où n'allait pas la bonté divine. « On avait embarqué des matelots chétifs, des convalescents en grand nombre et des malades; on avait puisé de l'eau à des sources malsaines. On est parti sans oseille et sans citron. Une catastrophe est inévitable. » Dieu passe aux Anglais en frappant le fils unique du commandant suprême, qui servait près de d'Orvilliers comme enseigne de vaisseau. Le 22 juillet, « le Seigneur m'a ôté tout ce que j'avais dans ce monde » — juste au moment où apparaît au loin la gigantesque silhouette de la *Santisima-Trinidad*, le vaisseau-amiral espagnol aux cent quatorze canons, l'un des plus formidables monuments des mers qui exhibe tout l'or du Pérou sur sa poupe, quitte à l'alourdir. Un temple d'orgueil mouvant, dont le grand-prêtre est un petit vieillard encore plus nul que d'Orvilliers. L'amiral don Luis de Cordoba y Cordoba a soixante-treize ans. Selon d'Estaing, « il n'a

---

* Sans doute une espèce de dysenterie, peut-être avec des cas de typhoïde. Elle sévissait dans tous les ports de Bretagne en 1779.

combattu en chef que des Maures et n'a point, de l'aveu des Espagnols, d'existence personnelle [442]. » « Sa valeur morale se ressent de l'affaiblissement de sa tête, et sa fermeté n'est plus que de l'entêtement. » Deux gâteaux, dont l'un effondré, emmènent enfin le 30 juillet vers des chimères la flotte la plus imposante réunie depuis l'Invincible Armada. Cent quatre voiles sur l'Océan, en comptant les corvettes, les bombardes, les brûlots, les flûtes et l'hôpital [443]. Montmorin en frémit — enfin ! — d'espoir : « Jamais la Maison de Bourbon n'a développé des forces aussi considérables sur la mer [444]. » Mais le vent froid souffle du côté d'où on ne l'attendait pas : l'éternel enthousiaste, l'homme qui reconstruit chaque jour le monde, Beaumarchais, n'espère rien de bon des Espagnols. Son séjour à Madrid l'a édifié à leur propos : « J'ai toujours un petit glaçon dans le coin de ma cervelle étiqueté *Espagne*. J'ai beau faire, je ne parviens pas à changer cette idée-là. Dieu veuille que je me trompe [445]. »

Il ne se trompe pas. D'abord on va tout doux, trop doux. Pas question de filer droit vers la Manche. Il faut apprendre à s'entendre et procéder « à un énorme travail d'écritures pour uniformiser le système des signaux ; car les Espagnols, à la profonde surprise de d'Orvilliers, n'avaient point encore eu connaissance du code français de manœuvres »... que Sartines aurait pu leur communiquer depuis un an. « On dut improviser tout un corps de signaux », sous la direction du major général de la flotte au nom prédestiné : du Pavillon. « Les vaisseaux de d'Orvilliers, pour la plupart bons marcheurs, sont ralentis par la nécessité de ne pas aller plus vite que les lourdes machines des Espagnols. » Ce n'est plus une flotte de guerre, mais une procession, que le vent du nord-est repousse vers l'Espagne, comme toujours : « C'est l'ascendant ordinaire de l'étoile anglaise sur la nôtre [446]. » On tourne en rond. Et quand les vents soufflent comme il faut, on fait quand même du surplace, parce que les amiraux hésitent à portée d'un immense convoi marchand anglais de quatre cents voiles, un coup fumant qu'on rate après l'avoir éludé. Dix jours encore de perdus. « Le temps se passe... L'eau et les vivres n'ont pas été prévus pour une station aussi prolongée. On doit les rationner » à quelques heures des ports français, c'est un comble. Chaque bâtiment renferme un cloaque. « Pour la table des commandants plus que pour les besoins des équipages, on a embarqué des bœufs, des moutons, des porcs, des volailles, qu'on fait vivre pêle-mêle avec les hommes. Bien des épidémies ont pour cause première cette cohabitation avec les animaux. Les provisions d'eau s'épuisent très vite à entretenir le bétail, au plus grand dommage de la propreté et de la santé générale [447] » — une eau déjà croupie dans les tonneaux six heures après l'aiguade et qu'on doit filtrer trois fois à travers des serviettes pour en exprimer la lie.

La *Curieuse* revient déposer vingt malades à Vigo. Puis la *Couronne* : quarante. Cinquante sur le *Saint-Esprit*, en pleine mer, trop tard pour les débarquer. Soixante sur la *Bretagne*. Au début de juillet, la moyenne est de seize morts sur chaque vaisseau de la flotte. On ne peut pas combattre dans cet état-là : on s'arrête encore à la hauteur d'Ouessant, pour attendre un convoi d'eau et de ravitaillement venant de Brest.

Il ne reste que dix jours d'eau à bord des vaisseaux français. On la mendie aux Espagnols. Le 8 août, d'Orvilliers sonne le tocsin : « Il manque à la seule *Ville-de-Paris* deux cent quatre-vingts hommes, et je lui ferai fournir cent hommes par les frégates de sa division pour le combat. Je n'ai pas la même ressource pour les chirurgiens * qui lui manquent; cette espèce *(sic)* manque dans tous les vaisseaux, qui conséquemment, ne peuvent s'entraider [448]. » Le 12 août, il y a au moins autant de matelots malades que de valides au moment où un bon vent du sud-ouest souffle enfin et pousse le plus immense hôpital ambulant de l'histoire à proximité de Plymouth. La cour des Miracles va-t-elle conquérir l'Angleterre?

Vingt-trois mille sept cent cinquante hommes, au total, sur les seuls bâtiments français; douze mille sont en train de mourir, les déportés de la mer [449]. Moins de dix pour cent d'entre eux ont été volontaires, et encore : à douze ans, les orphelins étaient changés en mousses, de l'italien *mozzo*, un jeune garçon tout frais, celui qui est en même temps marin et domestique [450]. « Ruyter avait commencé par être valet et mousse de vaisseau; il n'en fut que plus respectable », affirme Voltaire. Ils deviennent tout à fait marins pour crever ensemble, les *classés*, c'est-à-dire les gens de mer arrachés aux paroisses des pays côtiers par le « système des classes » inventé sous Colbert pour garnir les vaisseaux du Roi. Enlevés par les sergents à la pêche, au labourage, à la famille. « Les avantages que Colbert avait voulu leur assurer avaient à peu près disparu ou étaient comme illusoires, et le système ne se perpétuait plus que par ses vexations. Même en temps de service **, les paiements des équipages ne se faisaient que d'une manière très irrégulière. Il y avait encore à compter avec la misère des populations maritimes [451]. » Le bailli de Mirabeau, l'oncle de Gabriel, au cuir pourtant tanné par la vie sur les galères de Malte, en avait été scandalisé : « Gravelines a l'air d'une ville ravagée par une longue peste, où les maisons sont entières, mais vides... J'ai vu à trois ou quatre reprises des troupes de femmes de matelots se jeter aux pieds du gouverneur en demandant miséricorde, et montrant de petits enfants pâles et décharnés. Leurs maris sont morts ou prisonniers en Angleterre; beaucoup aussi se sont enfuis pour éviter d'être enrôlés... L'idée d'être déplacés de chez eux et envoyés à la guerre en a fait mourir, le cœur serré... » « Toutes les autorités quelconques se croisent à ce sujet. Les commandants, les intendants, les inspecteurs, les maires, les syndics, les maltôtiers ***, tout instrumente sur ce malheureux peuple [452]. » Ceux de la grande flotte de 1779, Bretons pour la plupart, « arrivent dans nos ports excédés de fatigue et de lassitude. Ils ne

---

* Terme employé pour le médecin-apothicaire embarqué. Il n'impliquait nullement la notion d'opération chirurgicale.
** Hors des brèves périodes de navigation, les marins de combat étaient parqués à terre dans des casernes. On les renvoyait parfois dans leurs foyers, quand ils encombraient trop, pour des « permissions ».
*** « Percepteurs ». « Se croisent » signifie « se contrarient ».

savent où aller ni où se mettre. Ils remplissent les cabarets, ils s'y noient dans le vin. Ils restent couchés plusieurs nuits entières dans les rues de Brest, et finissent par être malades ou hors d'état de servir [453]. » On a embarqué ceux qui tenaient encore debout. Les voilà dans l'entrepont depuis deux mois, en pleine puanteur des bêtes et de leurs excréments. Les cloisons intérieures, ni peintes, ni même passées à la chaux *, laissent filtrer les odeurs, les microbes et la moisissure. Ils n'ont pour la plupart qu'un vêtement sans rechange, tout crasseux, qui leur colle à la peau jour et nuit. Si les embruns le trempent, il sèche sur eux. Ni bain, ni toilette, ni rasoir. La vermine grouille sur les grabats. « Pauvre marin » — encore un pléonasme.

Jean Guénolé, de Saint-Guénolé, par exemple, il y a dix-sept familles du même nom là-bas, sous Penmar'ch. Il a trente-deux ans. Il est « classé » depuis ses vingt-cinq ans et n'a revu sa femme que six fois en six ans, le temps de lui faire six enfants [454]. Entre-temps : l'arsenal de Brest ou celui de Rochefort, les manœuvres, et maintenant la croisière sur le *Triton*, un vaisseau neuf de soixante-quatre canons commandé par M. de la Clocheterie, Jean Guénolé en est tout fier, c'est son capitaine qui menait la *Belle-Poule* à l'entrée de la guerre. Il saura parler aux Anglais. La guerre, la politique, tout se réduit pour le matelot breton à la haine de ces gens qu'il ne connaît pas et qu'il mélange avec les démons de la danse macabre peinte sur les murs de son église. L'ennemi héréditaire, un lait de nourrice, un catéchisme. Le prendre d'abordage, enfin! le saisir à la gorge... Jean Guénolé en serait presque heureux. A condition de cesser de mijoter dans cette merde. Mais il est trop tard, pauvre Jean **! Il respire avec peine. Le voilà « hors d'haleine, presque suffoqué au moindre mouvement, les cuisses s'enflent et se désenflent, il paraît des taches rouges, brunes, chaudes, livides, violettes... Les gencives sont gonflées avec douleur, démangeaison, chaleur, et saignent pour peu qu'on les presse. Les dents se déchaussent et s'ébranlent. On sent des douleurs vagues par toutes les parties internes et externes du corps [455]. » Il n'y a pas à s'y tromper : c'est le scorbut, une de ces maladies fabriquées par l'homme pour l'homme. Les bêtes ne l'ont pas. Elle vient de l'hygiène du bord. Ou plutôt de l'absence totale d'hygiène. « Le scorbut est une maladie terrible lorsqu'il est confirmé; elle est vraiment contagieuse, et le cadavre d'un scorbutique, lorsqu'il vient à pourrir, est une semence terriblement efficace pour en étendre l'infection au loin. On le confond souvent avec la maladie hypocondriaque ***. » Ne pas confondre le « scorbut

---

* Elles le seront à partir de 1780, en raison justement du désastre de cette épidémie.
** Victor Hugo songera à nommer « Jean Jeanjean » le héros des *Misérables*. Le prénom du malheur. « On l'a fait Jean sans lui demander son avis » (dicton populaire).
*** Autrement dit avec la neurasthénie. Le scorbut était en fait une maladie de carence alimentaire en vitamine C (acide ascorbique). Il entraînait une décalcification diffuse accompagnée d'hémorragies d'importance croissante, notamment gingivo-dentaires.

des riches, produit par les vapeurs, que la saignée, le régime exact, les évacuants *(sic)* peuvent guérir » avec « le scorbut des pauvres ». Le premier est un luxe de la bonne société. « Il était jadis inconnu dans nos contrées », car « il vient d'Angleterre avec le *spleen* ». Le second, bien différent, ne frappe pas seulement les marins : « la misère, la disette et les calamités publiques font naître cette maladie », qui donne l'occasion au rédacteur anonyme de l'article *scorbut* dans l'*Encyclopédie** d'une envolée digne de Bossuet. Une phrase d'un seul tenant, mais quelle belle phrase pour une vilaine maladie! « Les Anglais, les Hollandais, les Suédois, les Danois, les Norvégiens, ceux qui habitent la Basse-Allemagne, les peuples du Nord, ceux qui vivent dans un climat très froid, surtout ceux qui sont voisins de la mer, des lieux qu'elle arrose, des lacs, des marais; ceux qui habitent des lieux bas, spongieux, gras, situés entre des lieux élevés et sur les bords des rivières et des fleuves; les gens oisifs qui habitent des lieux pierreux pendant l'hiver; les marins qui se nourrissent de chair salée enfumée, de biscuit, d'eau puante et croupie; ceux qui mangent trop d'oiseaux aquatiques, de poisson salé endurci au vent et à la fumée, de bœuf, ou de cochon salé et enfumé, de matières farineuses qui n'ont point fermenté, de pois, de fèves, de fromage salé, âcre, vieux; ceux qui sont sujets à la mélancolie, à la manie, à l'affection hypocondriaque et hystérique, et à des maladies chroniques, et principalement qui ont fait un trop grand usage de quinquina; tous ceux-là, dis-je, sont sujets au scorbut. »

Jean Guénolé, de Saint-Guénolé, ne verra jamais la bataille. Ses dents sont noires. Tout le sang de son pauvre corps s'en va comme d'une éponge par les lèvres, la bouche, les gencives, l'œsophage, l'estomac, et ces ulcères qui ont poussé en huit jours sur sa peau. La fièvre « chaude, maligne, intermittente » lui verse le seul opium possible et l'emporte vers la mer, à travers le cauchemar et la mort. C'est le commandant du *Triton* qui préside, missel en main, à la mise en sac du cadavre jeté par-dessus bord sitôt poussé le dernier soupir. L'aumônier du navire est lui-même hors de combat. Jean-Timothée Chadeau de la Clocheterie a enseveli dix-neuf de ses marins en un mois dans le grand linceul salé [456].

Montmorin, à Madrid, est malade lui aussi — du «scorbut des riches ». « Au lieu de cette célérité, sur laquelle nous comptions, des vents contraires et obstinés nous ont fait perdre le temps le plus précieux... Tout cela répand un noir sur mon âme qui s'affecte à un point qui prend sur mon physique [457]. » Vergennes se plaint plus hypocritement : « Mon cœur de citoyen souffre de tout ce qui entrave la gloire de sa patrie... » Sans doute, mais pourquoi crie-t-il si vite à l'échec? « Quel beau moment que nous avons eu et qui nous échappe sans qu'il y ait de la faute de personne. » Or il écrit ceci le 23 juillet, le lendemain du jour où les Espagnols ont rejoint les Français sous les Sisargas. Rien

---

* Sans doute s'agit-il du docteur Bordeu, le médecin de Louis XV et de Mme de Pompadour.

n'est joué, tout commence peut-être? Mais non. « Les éléments s'arment contre nous, ils arrêtent les coups de notre vengeance... », le 23 juillet, toujours. L'été finissait de bonne heure pour le comte de Vergennes [458].

Pourtant, le 16 août encore, d'Orvilliers lui envoie ce qui pourrait être l'amorce d'un bulletin de victoire : « Monseigneur, l'armée combinée est, dans ce moment, en calme et mouillée à la vue de la tour de Plymouth... Il est d'autant plus important d'accélérer le combat que la situation des vaisseaux français devient chaque jour plus mauvaise, tant relativement aux maladies qui les dévastent qu'à la petite quantité d'eau et de vivres dont ils sont munis [459]. » C'est le tournant de l'été. « Devant l'avance de la flotte gallispane *(sic)*, les escadres anglaises, inférieures en nombre, se repliaient en direction des Sorlingues. Les côtes britanniques se trouvaient sans protection. L'Angleterre a passé trois jours dans une bien inquiétante situation; ce fut pendant le 13, le 16 et le 17 de ce mois *(août)* que dura ce temps de troubles, de terreur et de consternation [460]. » Un exode s'amorce vers l'intérieur. Les prisonniers français détenus à Plymouth se soulèvent. Ils y croient, eux. On a toutes les peines du monde à les réduire. La Bourse de Londres dégringole.

Affolement inutile. Les Français partaient vaincus d'avance. Le 17 août, d'Orvilliers apprend que les plans ont changé à la dernière minute. Plus question de l'île de Wight. C'est en Cornouailles qu'il faut jeter les troupes du comte de Vaux. On s'y établira, on s'y fortifiera pendant l'hiver, avant d'en sortir l'année prochaine pour marcher sur Londres. Le nouveau plan est du comte d'Aranda. Dumouriez, furieux, repart à Cherbourg creuser des bassins. La Cornouailles! Une péninsule de cailloux! « Ce n'est pas en faisant à l'ennemi une piqûre au pied qu'on parvient à le tuer [461]. » Et comment y toucher? Les marins français, absents de la Manche depuis des décennies, y naviguent à l'aveuglette. Ils en connaissent moins bien les ports et les récifs que ceux de la mer des Antilles. Naturellement, Sartines a oublié de munir ses vaisseaux de pilotes. D'Orvilliers tente de les enlever sur place. Mais « je n'ai rencontré aucun pêcheur où je puisse prendre des pilotes pratiques... De sorte que nous naviguons comme au hasard et sans connaissance des dangers et des courants de la côte; les Espagnols en gémissent plus que nous, et ne cessent de faire entendre leurs cris [462]. »

Et pourtant, de l'autre côté de la Manche, tout est quasiment prêt : des dizaines de chalands sont bourrés de vivres, de munitions, de matériel de guerre, aux embouchures de la Seine et de la Rance. On n'attend plus que le *top* de départ pour y faire monter les troupes. Mais qui donnera le signal? Vergennes ou d'Orvilliers? Ils se renvoient la balle. A Honfleur, le duc du Châtelet prend le parti d'en rire : « Il y a une chose claire au milieu de cette ambiguïté, c'est que le ministère n'a pas encore de projet déterminé... La Cour, qui a varié de projet et qui n'a rien voulu décider (ce qui convenait fort à l'ignorance et à l'indécision de nos ministres), a voulu jouer sur deux cordes, entre Wight et Falmouth, et a laissé à M. d'Orvilliers à décider laquelle il fallait mettre la première en branle... Nos ministres ont fait comme

les gens faibles qui ne savent jamais désirer les choses qu'à demi au
moment de l'exécution, et qui sont charmés de ne donner que des
ordres conditionnels et embrouillés... Je vous jure qu'ils sont plus
empêtrés que nous ne le serons *(en cas d'embarquement)*, car ils tiennent
la queue de la poêle. Il est vrai qu'ils ne courent pas le risque d'y être
frits [463]! »

Pour faire bonne mesure, voilà le gros temps. « La mer est décidément le grand saint de ces hérétiques [464]. » La tempête contraint d'Orvilliers à lever le mouillage de Plymouth. Il erre dans la Manche comme
un énorme Poucet, en quête de signes. Il n'y a guère « que la situation
de son âme qui soit plus triste » que celle de sa flotte. « La grosse mer,
le vent forcé, la foudre *(qui vient d'endommager gravement le* Protée *et
la* Conception*)*, tout rend la communication impossible, et c'est par
des bouteilles fermées hermétiquement, filées sur des bouées, que
j'essaie de vous faire passer ces lettres [465]. » Les voiles perdues ne peuvent plus être remplacées. Il n'y a plus assez d'hommes disponibles
pour la manœuvre. « Les entreponts sont infectés. » Les matelots
meurent comme des mouches. L'*Actif* ne peut plus mouiller sa grosse
ancre : il ne saurait comment la lever. Une bataille navale n'aurait
pas décimé la flotte davantage. Le problème n'est plus de savoir où
l'on va frapper l'Angleterre, mais comment on arrivera à regagner
Brest.

Conseil de guerre le 25 août sur la *Bretagne*. On rentre, non sans un
simulacre vers les Sorlingues, pour l'honneur, pour intimider l'amiral
Hardy. Si celui-ci avait su! A un contre trois, il pouvait foudroyer
les Français. Leur nombre l'intimide. Il se dérobe. Du 10 au 14 septembre, d'Orvilliers fait franchir le goulet de Brest à la flotte la plus
belle jamais vue de mémoire de Breton, mais tous ces monstres sont
pourris, et l'admiration des spectateurs se change en consternation
quand ils voient le revers du décor. Un petit cadet picard, le chevalier de Mautort, n'oubliera jamais ce contraste : « Nous vîmes rentrer
l'armée combinée des flottes française et espagnole. Elle était composée
de plus de cent vaisseaux de guerre. On ne peut pas se faire l'idée
d'un coup d'œil plus majestueux, plus imposant. Mais on était doulou-
reusement affecté en apprenant que notre seule escadre rapportait
plus de huit mille malades. Le premier soin fut de les débarquer, et en
peu de temps il en périt un grand nombre. Je voyais passer continuellement sous mes fenêtres les voitures couvertes qui portaient les morts
en terre [466]. » Quant aux malades, c'est la population d'une ville;
il faut les transporter jusqu'à Landerneau et chasser les sœurs de trois
couvents pour leur faire place.

D'Orvilliers n'a que la force de se traîner à Moulins, pour s'y ensevelir « dans la retraite la plus profonde * ». On va chansonner à son
tour celui qui avait fait chansonner le duc de Chartres. « Grand dévôt
n'est qu'un petit homme — Vice-Amiral des Capucins [467]. » On se
prépare à lever les camps du Havre et de Saint-Malo, où le comte de

---

* Il y mourra le 14 avril 1792.

Vaux est accablé par la prostate. C'est l'occasion d'un bon mot pour Maurepas : « La Descente n'eut lieu que dans la culotte de M. de Vaux. » Vergennes soupire de soulagement : « Je garde dans mon intérieur l'équinoxe, non *(seulement)* comme le terme de la campagne de mer, mais comme celui où l'exécution de toute grande entreprise sur l'Angleterre devient moralement *(sic)* impossible. » Marie-Antoinette hausse les épaules : « Le public se plaint fort que M. d'Orvilliers, avec des forces si supérieures à celles des Anglais, n'ait pu les joindre pour les combattre, ni empêcher aucun de leurs vaisseaux marchands de rentrer dans leurs ports [*]. Il en aura coûté beaucoup d'argent pour ne rien faire, et je ne vois pas encore d'apparence qu'on puisse traiter de paix cet hiver. » Une consolation : « La santé du Roi et la mienne sont très bonnes, et nous vivons ensemble de manière que je pourrais avoir bientôt des espérances, quoique je ne puisse encore compter sur rien [468]. »

Un dauphin nous paierait de tout. Qui sait?

Quant au responsable de cet immense gâchis, si l'on s'en prenait à un Nègre? Extrait de la *Correspondance secrète* : « On a donné vingt coups de nerfs de bœuf bien appliqués au petit nègre de la duchesse de Chartres, *Scipion*, pour avoir répandu dans les jardins du Palais-Royal la nouvelle de la mort du comte d'Orvilliers et de seize vaisseaux pris par les Anglais. Ce petit misérable,

« ... *animal inutile*
Malin, gourmand, sallimbanque, indocile »,

« espiègle, du reste, mal élevé, s'était ingéré *(sic)* de dérouter ainsi la curiosité publique. La moitié de Paris en a été dupe deux jours durant [469]. »

« La moitié de Paris »? Quatre cent mille âmes. Pas mal, pour un Négrillon.

27/ septembre 1779
Le diable n'y perd rien

On l'appellera « l'abbé Siéyès », mais peut-être n'a-t-il jamais eu la foi. Il ne l'avait plus, en tout cas, et depuis longtemps déjà, quand il a été ordonné prêtre, en la fête de la Très Sainte Trinité de l'an de grâce 1772, à vingt-quatre ans [470]. « Les prétendues vérités historiques

---

[*] Lettre à sa mère du 15 septembre. Il est significatif que Marie-Antoinette ne songe pas à évoquer la possibilité de la Descente proprement dite. On ne trouve pas trace du projet dans sa correspondance.

n'ont pas plus de réalités que les prétendues vérités religieuses [471] »
— et encore : « Au moment où ma raison se dégagea saine des tristes
préjugés dont on l'avait entourée, l'énergie de l'insurrection entra dans
mon cœur [472] », bien avant l'été de 1779, celui de l'accomplissement pour
ce jeune prêtre obscur enfoui dans la petite Bretagne de Tréguier,
à deux pas, mais à un monde de la rumeur des camps dont il se fichait
bien *. Qu'avait-il à faire de l'invasion de l'Angleterre, quand on enterrait sa jeunesse?

Il avait la mélancolie des transplantés. De Fréjus à Tréguier, quoi
de commun, sinon la mer, mais ce n'est pas la même. Les vents de la
Manche le glaçaient jusqu'à l'os. Saine, pourtant, salubre, cette gifle
du nord-ouest qui vient de Perros-Guirec et n'est pas plus arrêtée
qu'un cheval au galop par les landes de Tréguignec ou de Penvénan.
De quoi chasser tous les miasmes et fortifier les carcasses — mais le petit
abbé s'enfermait dans sa bibliothèque et construisait des murailles
de livres. Il était né dans un pays stagnant, Fréjus, le *Forum Julia*
que César aimait. Les seules joies de l'enfant Sieys avaient eu goût
de vase. « Le port, autrefois assez grand pour contenir les flottes qui
se sont battues à Actium, est comblé aux trois quarts. La mer s'est
retirée d'une demi-lieue. Il a crû des roseaux dans le port, qui n'a plus
de communication avec l'eau vive, de sorte que la chaleur, en attirant
des exhalaisons fétides, répandait des maladies dans le pays... L'air
y est tellement malsain dans l'été que, depuis cinquante ans **, la
population de la ville est diminuée de moitié et même des trois quarts,
ce qui fait une grande perte, même à l'État, parce que cela diminue
les bras et les impositions. Du temps du cardinal de Fleury ***, Fréjus
était porté à soixante-dix feux sur les registres des États. Il n'est pas
de quatorze aujourd'hui ****. Les rues sont petites, sales et mal
bâties [473] »; mais qu'il y faisait tiède! Et les ruines au coin des rues
racontaient majestueusement une histoire oubliée : la porte Dorée,
où César avait fait planter d'énormes clous d'or dans les pierres,
« l'arène où combattaient les bêtes sauvages », l'aqueduc qui amenait
l'eau de dix-huit lieues... « Aujourd'hui que les aqueducs sont inter-
rompus et les conduits bouchés, une seule petite fontaine approvi-
sionne tout Fréjus. Cette fontaine tarit la moitié de l'année, et alors
on boit de l'eau de puits à moitié salée [474]. » Jamais Emmanuel Sieys
ne trouvera meilleure eau à son goût. Des géants avaient construit le
pays déchu où son rêve était né. Un rêve étranglé. La chevauchée,

---

* Sieys, l'une des figures les plus méconnues de ce temps, sera « l'homme
qui ouvrira la Révolution (par sa fameuse brochure) et qui la fermera »
(par le 18 brumaire). Entre-temps, il va y jouer un rôle plus important
qu'on ne l'a dit. Il mourra en refusant les sacrements, le 20 juin 1836.
** Récit de voyage écrit en 1782.
*** Premier ministre de l'enfance de Louis XV, qui avait été auparavant
évêque de Fréjus, de 1698 à 1715.
**** Ne pas confondre *feux* et *foyers*. Il s'agit ici d'une unité fictive
d'imposition, pour les communautés urbaines. Un feu, en Provence,
selon le *Dictionnaire des Institutions* de Marion, « était ce qui était réputé
valoir 50 000 livres » (250 000 francs lourds).

la conquête... Il se réveillait prêtre, embobiné à perte de vie dans la traîne d'un évêque. « Un aigri », dira-t-on, dit-on déjà. L'étiquette est fabriquée. Elle lui colle à la peau depuis le séminaire, où ses professeurs faisaient chorus : « Sieys montre d'assez fortes dispositions pour les sciences; mais il est à craindre que ses lectures particulières ne lui donnent du goût pour les nouveaux principes philosophiques. » « On pourra en faire un chanoine honnête homme et instruit. Du reste, nous devons vous prévenir *(à son « protecteur », Mgr de Lubersac)* qu'il n'est nullement propre au ministère ecclésiastique. » Pourquoi tant de précautions? Le registre du petit séminaire de Saint-Sulpice ne tournait pas autour du pot : « C'est un sournois [475]. » On croirait le début du monologue d'un président de cour d'assises, résumant la vie d'un accusé au procès de l'Histoire. « Siéyès, la taupe de la Révolution *, levez-vous! A quinze ans déjà, vos éducateurs... »

A tant faire que de l'accuser, commencez donc par l'interpeller correctement. Emmanuel-Joseph Sieys est né à Fréjus le 3 mai 1748. L'orthographe de son nom a hésité tout autant que celle d'un Robespierre ou d'un Bonaparte. Lui-même en arrivera, sur la fin, à signer Siéyès. Il s'est en tout cas toujours prononcé sans ces deux accents, et s'écrivait généralement Sieys **, selon l'euphonie.

Son père, Honoré Sieys, avait presque cinquante ans à sa naissance et va mourir dans deux ans ***. Rejeton de petite bourgeoisie : le père Sieys était à la fois receveur des droits royaux et directeur des postes, une double situation de nature à enrichir son homme, sauf à Fréjus. Plus haut dans le temps, on trouve des Sieys orfèvres ou peintres. Sa mère était fille de notaire, et il n'y a rien d'autre à en dire. Emmanuel va se marrer franchement dans quelques mois (en février 1780), quand le vieil Honoré se mettra en tête de fabriquer des armoiries à la famille : « Quelle preuve avez-vous que vos armes soient vraiment de vos ancêtres? Savez-vous seulement où votre père était né?... Tout ce que je sais, c'est que M. votre père, M. votre oncle, étaient des peintres de petite ville, ce qui ne doit donner de l'orgueil à personne [477]. » Il souhaitait, dès sa jeunesse, qu'on appelât seulement les hommes « Jean fils de Pierre ou Louis fils de Georges, etc. [478]. »

Il est le quatrième de six enfants : trois frères, deux sœurs. Celles-ci « sont ce que j'aime le mieux au monde », mais de loin : elles se sont faites religieuses. Son frère aîné lui a barré, par sa seule existence, la route des emplois civils ou militaires ****. Emmanuel était d'autant plus voué à la prêtrise que son père débordait de dévotion et jouait au patriarche. Ce père, il ne l'aime qu'en surface. Un rapport de respect.

---

* Mot prêté à Robespierre.
** De Camille Desmoulins à son père, le 3 juin 1789 : « L'abbé dont vous n'avez pas déchiffré le nom est l'auteur du livre trois fois réimprimé : *Qu'est-ce que le Tiers?* L'abbé Syeyes. On prononce Syess [476]. »
*** Le 24 décembre 1782.
**** Cet aîné, Joseph-Barthélemy Sieys, sera député du Tiers de Draguignan aux États généraux, puis maire de Fréjus. Il profitera sans complexes de la fortune et de la réputation de son cadet.

glacé, non dépourvu d'ironie quand les sujets religieux viennent dans
leur correspondance : c'est l'abbé qui élude les formules pieuses. Il
ne pardonnera jamais à Honoré de l'avoir poussé vers l'Église : « Vous
m'avez mis sur le chemin. J'attends seulement que vous ne m'aban-
donniez pas... Au reste, j'ai vos lettres, que je garde précieusement,
et je pourrai toujours vous mettre sous les yeux vos propres paroles [479] »,
à propos des histoires d'argent qui ont empoisonné sa scolarité. Son
père le poussait, non sans hypocrisie, vers un dépouillement évangélique auquel il se refusait fermement. Il avait passé, enfant, des jésuites
de Fréjus aux doctrinaires de Draguignan, avant d'avoir la « chance »,
dont il ne se félicitera guère, d'être recommandé pour le séminaire
de Saint-Sulpice par quelques auxiliaires de l'évêché de Fréjus, en quête
de clercs valables. Il était venu à Paris à dix-sept ans, sans joie. « Le
voilà séquestré décidément de toute société humaine raisonnable *,
ignorant comme l'est un écolier de cet âge, n'ayant rien vu, rien connu,
rien entendu, et enchaîné au centre d'une sphère superstitieuse qui
dut être pour lui l'univers. Il se laissa aller aux événements comme on
est entraîné par la loi de nécessité. Mais, dans sa position si contraire
à ses goûts naturels, il n'est pas extraordinaire qu'il ait contracté
une sorte de mélancolie sauvage, accompagnée de la plus stoïque
indifférence sur sa personne et sur son avenir. Il dut y perdre son
bonheur; il était hors de la nature [480]. » Stoïque, vraiment? Pas au
point de s'empêcher de « gémir sur sa jeunesse sacrifiée et sur tant de
liens tyranniques qui devaient garrotter encore son triste avenir...
Et comment ne pas plaindre cette multitude de tendres enfants qu'une
erreur antique, fortement établie, semblait attendre à leur entrée dans
le monde, pour les marquer comme la part d'une superstition qui
n'était certes pas leur ouvrage? A peine ces innocentes créatures
commençaient-elles à compter parmi les êtres susceptibles d'une culture
particulière, que des soins barbares et applaudis, que des préjugés
paternels les arrachaient impitoyablement au cours de leur nature,
pour les élever, disait-on : c'était pour les sacrifier, hors des regards
de toute sagesse, à un régime inhumain, sépulcral, où les plus misérables
instituteurs s'étudiaient à les torturer physiquement, moralement,
à les façonner, les dresser au service de je ne sais quelles chimères.
Et ce crime se commettait au nom de la Divinité, comme si Dieu avait
besoin du service des hommes, comme s'il pouvait désirer qu'on lui
montât sa maison, son sérail ainsi qu'au roi de la terre! O faiblesse de
la raison! O force des habitudes! Et le Gouvernement le souffrait! »
On voit bien que Sieys bout sous sa froideur acquise — depuis ce
temps-là, le temps de Saint-Sulpice.

Il a souffert sa jeunesse dans l'un des trois établissements plantés
en marge de la rive gauche par les disciples du cardinal de Bérulle et
de Monsieur Olier. Trois fabriques de curés qui pouvaient damer le pion

---

* Texte de Sieys sur la formation des prêtres, écrit en l'An II. C'est
l'autoportrait de ses vingt ans.

aux noviciats des jésuites. Le grand séminaire pour les nobles; le
petit séminaire, pour les bourgeois encore capables de payer, mais
moins; les robertins, où l'on triait les graines de saints parmi les gueux
doués. Sieys avait eu droit au petit séminaire. On le menait tous les
jours en cortège à la Sorbonne, déjà engoncé dans l'habit de clerc,
pour y suivre un enseignement « plus solide que brillant, plus profond
que vaste [481] ». Le séminaire lui-même n'était qu'une pension aux
régimes enchevêtrés, où les sulpiciens proprement dits servaient de
répétiteurs plus que d'enseignants : l'essentiel s'ingurgitait en Sorbonne,
des tonnes et des tonnes de théologie et de philosophie religieuse. Jésus-
Christ, les Évangiles? A peine. Mais cinq ans d'abstractions et de subtilités, pour aboutir à la soutenance de trois thèses en fin de licence, la
mineure, la majeure et la sorbonnique : « six heures sur les sacrements
en général et sur chaque sacrement en particulier; douze heures sur
l'Incarnation, la Grâce, les vertus théologales, les actes humains, les
péchés, les lois, la conscience; dix heures sur la religion, l'Église,
l'Écriture Sainte, et les principaux faits de l'histoire ecclésiastique [482]. »
Une forte teinte de gallicanisme; des tentatives inspirées par Leibnitz,
chez les professeurs évolués, « pour établir une sorte de passerelle entre
la métaphysique et la religion [483] »; une solide armature contre le jansénisme, qui épouvantait les gens d'Église beaucoup plus que l'esprit
libertin. Qui dit jansénisme dit ascèse et renoncement, en opposition
au mode de vie du haut clergé et au luxe du baroque dégoulinant.

Sieys a facilement assimilé tout cela, mais distraitement. « C'est
un sournois. » Sa vraie vie était ailleurs. Ici, mais au-delà. Une école
à l'envers de l'école, un collège secret où il était son propre maître.
Le séminaire n'était pas un couvent; on y fichait la paix aux pensionnaires sans histoire. La grande bibliothèque commune aux trois maisons a été le voyage de ses vingt ans, comme pour un jeune abbé de
Talleyrand-Périgord, hautain, boiteux, que Sieys y a côtoyé dans les
années 70. « Enrichie par le cardinal de Fleury, elle était nombreuse
et bien composée. J'y passais * mes journées à lire les grands
historiens, la vie particulière des hommes d'État, des moralistes,
quelques poètes. Je dévorais les voyages... Parfois il me semblait qu'il
y avait dans ma situation quelque chose de moins irrévocable, à
l'aspect de ces grands déplacements, de ces grands chocs dont les descriptions remplissent les écrits des navigateurs modernes [484]. » Même
lieu d'évasion pour le grand seigneur et le roturier, fourvoyés dans la
même impasse, et qui ne se sont peut-être jamais parlé. Mais Sieys a
été plus profond que Talleyrand. Aucun récit de voyage ne suffisait
à le dépayser. « Entraîné par ses goûts, et peut-être obéissant au seul
besoin de se distraire, de consumer son activité **, il parcourait indis-
tinctement et sans règle toutes les parties de la littérature, étudiant
les sciences mathématiques et physiques, et cherchant même à s'ini-

---

* C'est Talleyrand qui parle. Sur sa jeunesse de séminariste, voir tome I,
p. 212.
** Autre passage du texte autobiographique, où Sieys parle de lui-même
à la troisième personne.

tier dans les arts, surtout dans la musique [485]. » Oui, la musique, qui
tiendra une grande place dans sa vie. « Il a une voix charmante, un
peu faible et voilée dans la conversation, mais douce et expressive dans
le chant [486] », surtout quand il fredonne « l'air du *Devin du Village*,
de Jean-Jacques Rousseau, qui se module sur quelques notes seulement [487] ». La querelle des gluckistes et des piccinistes n'a pas de
secret pour lui. Il amasse des montagnes de dossiers « sur la musique
et les sons de la gamme, un aperçu d'une langue musicale, deux cahiers
d'airs, avec notes et index y afférents [488] » — mais ce n'est encore qu'un
pan de son univers. Cet étudiant maigre au petit collet est un bouli-
mique des choses de son temps. Quand il imagine un jour sa bibliothèque idéale — celle qu'il ne pourra jamais se procurer, il en est sûr,
avec quel argent? — le catalogue « s'étend à toutes les disciplines, à
tous les pays et à tous les temps » : sciences, droit, histoire, poésie,
théâtre, roman. Des jésuites aux encyclopédistes. Des Allemands aux
Italiens, aux Espagnols et à un monceau d'Anglais. Déjà, dans ce qui
lui tombe sous la main, il navigue à l'estime, en autodidacte laissé à
lui-même. Ses professeurs ne l'aident qu'en théologie. Sieys arrive à
vingt-cinq ans plus cultivé que la plupart des seigneurs de son temps,
mais d'une culture sauvage. Il y a gagné, accessoirement, l'habitude
de ne se fier qu'à lui-même en matière de jugement. « Je n'attaque les
opinions de personne. Je ne fais qu'en chercher une, et je puis me tromper. Aussi ne prétends-je endoctriner qui que ce soit. Ceci n'est que
pour moi », écrit-il en ces jours de 1779 où nous le trouvons à Tréguier,
en train de rédiger un cahier de trente-deux pages *Sur Dieu ultramètre et sur la fibre religieuse de l'homme* [489]. Ce Dieu-là, pris comme une
sorte de mesure suprême, un « ultramètre », est celui du vicaire savoyard
beaucoup plus que des sulpiciens. Il est reposant pour l'esprit de le
planter au bout de la dispute, physique ou métaphysique, en solution
provisoire des énigmes, quitte à l'oublier là-bas. Une religion du coup
de chapeau, mais démarquée du christianisme. Tendre la joue gauche?
Non! « La religion d'Odin *, celle du combat, a forgé des générations
au courage et à la lutte » — observe le petit abbé perdu au fond de la
grande salle tapissée de livres, fleurant bon aux parfums des vertus
sulpiciennes : la cire et l'encens.
    Peut-on imaginer contraste plus criant qu'entre cet aventurier de la
lecture solitaire et les maîtres d'un monde qu'ils croient en place pour
l'éternité, sur la réforme duquel Sieys rédigeait déjà des pages et des
pages? « Il faudrait que chaque section de l'Europe *(sic)*, que chaque
quartier eût son temple de l'humanité où se rendraient les malheureux
pour recevoir des secours et les heureux pour les donner. » Des fêtes à
caractère social, « remplaceront la superstition [490] ». Sieys dans les
années 70, au temps du chevalier de La Barre, des folies de Mousseaux
et de Bagatelle et des diamants de la du Barry... Les pays qu'il découvrait, faute de naviguer? Locke d'abord, le simplificateur de Descartes,

---

* Odin ou Wotan, dieu des Germains et des Scandinaves, donnait la
couronne aux rois et la force aux guerriers.

« le plus grand manieur d'idées de son siècle... parce qu'il a ruiné d'un coup les vieilles rhétoriques et les vieilles grammaires... et parce qu'il a donné à l'impression, à la sensation, une place qu'on ne leur avait pas encore reconnue [491] » : le Newton de la philosophie. Mais déjà, sur le même relief de réflexion, Sieys découvrait Condillac, un disciple de Locke qui allait plus loin dans le « sensualisme » — et sait-il en 1779 que l'abbé Bonnot de Condillac, un abbé de son espèce, qui ne célèbre jamais la messe, même s'il oblige ses domestiques à la fréquenter, vit ou plutôt survit encore recroquevillé dans la belle coquille de son château de Flux, près de Beaugency? Antoinette, sa nièce préférée, lui tient lieu de famille et d'amis. N'est-ce pas un peu pour lui qu'elle a quitté son mari? « D'un abord froid, d'une conversation lourde et peu animée, il était humain et compatissant envers les pauvres, qu'il cherchait à arracher à la misère par le travail [492]. » Encore un de ces violents à froid, qui combattent du haut de leur lutrin *. De Condillac à Sieys, il y a eu filiation quand le second a dévoré le *Cours d'Études* rédigé par le premier pour l'Infant de Parme sur « toutes les choses qui ont concouru à former les sociétés civiles, à les perfectionner, à les défendre, à les corrompre, à les détruire ». Sieys a trouvé là « les gouvernements, les mœurs, les opinions, les abus, les arts, les sciences, les révolutions, leurs causes, les progrès de grandeur, et la décadence des empires [493] ». Mais Sieys n'était déjà plus à Saint-Sulpice : on avait empêché Condillac de publier son cours pendant dix ans, et c'est finalement Turgot, en 1775, qui l'a fait venir au jour. Fils de Locke, fils de Condillac, Emmanuel Sieys va de l'abstrait au concret, de l'âme au corps, et de l'individu au social. Voilà déjà sept ans qu'il a écrit — à vingt-quatre ans, l'année de son ordination — pour lui, pour lui tout seul, « que la raison tardive va présider à l'établissement d'une société humaine, et je veux offrir le tableau analytique de sa constitution. On me dira que c'est un roman que je vais faire. Je répondrai : tant pis... Assez d'autres se sont occupés à combiner des idées serviles, toujours d'accord avec les événements. Quand on les médite, plein du seul désir de l'intérêt public, on est obligé à chaque pas de se dire que la saine politique n'est pas la science de ce qui est, mais de ce qui doit être. Peut-être un jour se confondront-elles; et l'on saura bien alors distinguer l'histoire des sottises humaines de la science politique [494]. »

En 1776, Sieys a été l'un des premiers à se procurer la traduction du traité d'un obscur « professeur de philosophie morale à l'université de Glasgow **, Adam Smith, dont on publiera en France, avec vingt ans de retard, les *Recherches sur la nature et les causes de la richesse des*

---

* Condillac va mourir le 3 août 1780 « d'une fièvre putride, bilieuse et vermineuse très répandue dans le canton de Beaugency ». On appelait cela « les fièvres de Loire ».
** Adam Smith est né en 1723. Il mourra en 1790. On avait déjà traduit de lui — et méprisé — en 1764, sa *Théorie des sentiments moraux*, sous le nom pompeux de *Métaphysique de l'âme*. Son traité sur *la Richesse des nations* le place parmi les écrivains précurseurs du marxisme.

nations. Si Sieys a eu un maître livre, c'est celui-là (aussitôt soumis à sa critique et à ses commentaires, puisqu'il était armé pour ne jamais accepter les leçons toutes cuites). Adam Smith lui aussi allait de l'abstrait à l'économique. Toute sa vie l'avait conduit de la spécula-tion philosophique à l'étude de la condition réelle des hommes. « Il partait de la Nature, comme tout le monde *(en son temps)*. L'homme n'avait qu'à suivre le code de la Nature. Seulement *(chez Smith)* le code de la Nature parlait un autre langage. La valeur suprême devenait le travail. Déjà résonnait le bruit des tissages. Déjà la cellule n'était plus la famille, mais l'usine [495]. »

1779. Si les bonnes gens de Tréguier avaient su quel équipage était arrivé chez eux dans les malles de l'abbé Sieys ! Bien plus dangereux que ceux des raids de John Paul Jones : Adam Smith ; Locke ; Condil-lac ; mais aussi Helvétius ; Diderot ; Montesquieu (qu'il met en pièces) ; Rousseau (avec lequel il prend ses distances) ; Descartes, dont il se réclame sans cesse, ne fût-ce que contre ses maîtres, puisque « dans les cours de l'Université [*], l'œuvre de Descartes était tout au plus com-mentée d'une manière succincte, et en vue d'une réfutation » ; Voltaire, dont Sieys préfère les aspects polémiques et critiques — et même les premiers ouvrages d'un frère aîné de Condillac, l'abbé Bonnot de Mably, quel beau doublé de philosophes dans cette famille du Dau-phiné ! Les critiques mondains couvrent Mably de quolibets parce qu'il prêche — en écrits — aux rois. Un utopiste, un chimérique de plus [**] !... Sieys a aimé sa dénonciation de la démesure de Louis XIV, dans le *Droit public de l'Europe fondé sur les traités.* Et il n'a pas trouvé ce texte excessif, lui. Il commençait à prendre le relais en griffonnant des pages et des pages à son tour, à partir de sa petite bibliothèque idéale pour contestataire du siècle.

John Paul Sieys, le pirate immobile, avait introduit tous les démons à Tréguier sans que nul ne s'en doute. L'image même du cheval de Troie, ou du ver dans le fruit. Qui se serait méfié d'un chanoine de plus dans ce « nid de prêtres et de moines, cette ville tout ecclésiastique, étrangère au commerce, à l'industrie, un vaste monastère où nul bruit du dehors ne pénétrait, où l'on appelait vanité ce que les autres pour-suivent, et où ce que les autres hommes appelaient chimère passait pour la seule réalité [496] » ?

Il est en effet devenu chanoine, autrement dit l'un de ces quinze à vingt mille parasites qui cumulent les douceurs du siècle avec la sécurité de la moinerie. Payés pour chanter l'office dans une cathédrale où ils ne mettent souvent jamais les pieds. Seule condition : le célibat — mais comme un confort supplémentaire. Sieys a patienté deux ou trois ans à tourner dans Paris, avant que son nom ne vînt sur la *Feuille,*

---

[*] Selon la remarque de Paul Bastid. (On appellera Sieys « un Descartes de la politique ».)
[**] Et encore Sieys ignorait-il, comme tout le monde, que Mably gardait dans ses cartons, depuis 1758, le manuscrit *Des droits et des devoirs du citoyen* : un brûlot impubliable à l'époque.

cette liste magique où les candidats à la prébende se bousculaient en attendant le bon plaisir du Roi, lui-même harcelé par les évêques distributeurs. Déception en 1773 : « Si la chose eut réussi, je devenais tout, au lieu que je ne suis rien *. » Chance en 1774 : un bénéfice sur la collégiale de Pignans, près de Fréjus. C'était encore symbolique, parce qu'il fallait attendre, par une sorte de viager, la mort du chanoine en titre, mais Sieys avait le pied à l'étrier. A preuve : le jeune Jean-Baptiste de Lubersac, « aumônier du roi ** » à trente-cinq ans, s'est pris de sympathie pour lui et lui a procuré un autre bénéfice, à Tréguier celui-ci, au moment où ce prélat de cour devait y séjourner quelque temps pour mériter son titre d'évêque : une sorte de « période épiscopale ». On trouve en Bretagne et en Provence « certains sièges disgraciés qui, dans un intervalle de dix-huit ans, viennent d'avoir au moins cinq évêques; c'est à peu près comme s'ils n'en avaient point du tout. On les appelle des sièges de passage [497]. » Tréguier en l'occurrence : une antichambre en basse Bretagne pour l'évêque et le petit abbé provençal qu'il y avait emmené sous son bras pour lui servir d'on ne sait trop quoi, secrétaire, factotum, et qui se retrouvait double chanoine en attendant mieux.

Comme il les méprisait! Depuis le séminaire déjà, depuis Paris, où « je crois vraiment voyager chez un peuple inconnu. Il me faut en étudier les mœurs. Dans la solitude, je me suis formé à l'amour du vrai et du juste. Je n'entendis rien d'abord au langage oblique de la société, à ses mœurs incertaines [498]. » Ah! tout ce qu'il avait dans la tête et qu'il s'entraînait à cacher!

Sieys inaperçu. Taille moyenne, cheveux châtains, long nez busqué, pâleur d'intellectuel, bouche mince et peu expressive, démarche lente et molle, épaules étroites, regard « dénué de flamme et comme tourné vers le dedans [499] ». Une santé branlante : il se plaint dès maintenant, dans chaque lettre, de la vessie, des reins, de varices, de hernies. Il est à demi chauve et son crâne « recouvert d'écailles farineuses » saupoudre sa soutane de pellicules. Le contraire d'un séducteur, mais qui séduirait-il? Il ignore les femmes, la femme. « Une indisposition naturelle lui en interdit le commerce ***. » « Je ne sais quel destin au bras de fer qui ne m'a pas quitté depuis ma naissance » veille pour lui interdire ce paradis-là. Il ne s'en plaint pas trop. Il se suffit.

Mais là où il rouspète, et sans se gêner, c'est quand on lui coupe l'herbe sous le pied. Faute de tempérament, il a épousé l'ambition.

---

* Lettre à son père du 25 juin 1773, seize ans avant sa fameuse formule : « Qu'est-ce que le tiers état? Tout. Qu'a-t-il été jusqu'à présent? Rien. »
** Sous le « grand aumônier », on trouvait, outre le confesseur du Roi, huit aumôniers comme Lubersac, servant par quartiers pour bénir les repas du Roi, lui présenter l'eau bénite à ses prières, et tenir ses gants ou son chapeau pendant l'office.
*** Selon Talleyrand, confirmé par Étienne Dumont : « Il avait peu de sensibilité pour les femmes, ce qui tenait peut-être à une disposition faible et maladive. » Théodore de Lameth a prétendu le contraire, d'après des ragots de salon sans fondement.

Croit-on qu'il se laissera faire? L'année dernière déjà, une lourde déception : Mgr de Lubersac, qui est aussi premier aumônier de Madame Sophie, la plus jeune des filles de Louis XV, avait laissé son protégé postuler pour un poste de chapelain dans la maison de cette pauvre princesse grise et molle. Versailles! La Cour! Sieys en avait eu la fièvre. Mais « mon évêque m'a joué *. Il n'est pas assez délicat pour me rendre des services qui ne tournent pas à son profit. Son dessein serait de me faire son âme damnée à Tréguier. C'est la seule raison qui peut l'avoir engagé à me manquer de parole de la manière la plus plate et à me faire manquer Madame Sophie *(sic)*... J'ai fait semblant d'être dupe, mais le diable n'y perd rien... Si mon dessein n'était de m'assurer à tout événement ** le canonicat de Tréguier, je lui aurais dit ma façon de penser. Patience! Je ne crois pas plus aux promesses de tous ces gens-là qu'aux prédictions de l'almanach. Mais j'ai l'air d'y croire, parce que je ne puis pas faire mieux [500]. »

Il avait raison de se prêcher la patience à lui-même, puisqu'un peu plus tard, on le trouve enfin désigné comme « clerc de chapelle ordinaire de Madame Sophie », une sinécure. Il sera dispensé de service effectif tant qu'il reste attaché à monseigneur de Lubersac ***. Ce n'est pas précisément le genre de dispense qu'il souhaite. Mais enfin il se poussait.

Les soucis lui viennent du côté habituel : son père, son frère, la famille, Fréjus, d'où les lettres mettent un mois à traverser la France, mais si seulement elles pouvaient se perdre en route! Il n'est pas encore dépanné qu'on l'assassine d'appels au secours. Le vieil Honoré s'est mis en tête de faire suivre la même carrière qu'Emmanuel à son troisième fils, Jean-François. S'il pouvait être admis au séminaire de Tréguier, sous la tutelle de son aîné... Si ce dernier pouvait lui céder le canonicat de Pignans... « Il est juste que vous paraissiez décemment à Versailles, » écrit plaintivement Honoré, « mais il est juste aussi que Jean-François ait un sort qui le mette à l'abri du mauvais temps *(sic)*. » Pauvre Emmanuel, chargé de famille sans être marié! Il biaise comme il peut, il fait le sourd : « Je suis bien affligé du triste état des yeux de ma bonne mère... » « Je dépends des événements et je ne puis rien par moi-même... » On ne roule pas le vieux si facilement. Ultimatum paternel : « Écrivez-moi au plus tôt *(à propos de Jean-François)*. Je suis dans ma quatre-vingtième année. » — « Je souhaite fort, mon cher père, que les chaleurs de l'été ne soient pas nuisibles à votre santé... » Le 5 août 1779, le cher père explose : « Votre réponse du 6 mai dernier sur le nouvel état que désirerait prendre votre frère Jean-François ne fut pas satisfaisante pour moi... L'indifférence que vous avez paru y prendre, les difficultés que vous y avez trouvées ont été un prétexte honnête de ne pouvoir ni vouloir vous priver d'aucun des avantages

---

* Lettre à son père du 3 avril 1778.
** « Quoi qu'il arrive. »
*** Quand Madame Sophie mourra, en 1782, Sieys gardera le titre de « chapelain retraité » de la princesse, et touchera 767 livres par an à cet effet jusqu'en 1789 : quatre mille francs lourds.

que vous avez obtenus... Cet oubli que vous avez fait de l'amitié que vous devez à vos frères cadets et de votre reconnaissance envers moi nous a été un coup de poignard ; j'en ai été malade tout le mois de juillet [501]. » Emmanuel n'est pas homme à rétorquer « Crève donc ! » Il promet, il s'engage à tout, à rien, et parvient à éviter la brouille familiale. Il a la tête ailleurs : en finir avec Tréguier. Tout est bon pour sortir de l'impasse. Mgr de Lubersac, en marche vers les honneurs, vient d'obtenir l'évêché de Chartres. Bon prince, il offre d'y emmener Sieys, qui lui a donc bien caché sa haine. C'est un énorme diocèse, une cathédrale à portée des voyages royaux — on y a sacré Henri IV — une ville de pèlerinage presque aussi fournie que Lyon en prêtres, diacres, moines et bonnes sœurs. L'évêque est placé à la tête d'une véritable administration : quatre-vingts chanoines et seize vicaires généraux. L'abbé Sieys veut-il être l'un d'eux, et même un peu plus : un des six grands vicaires qui forment un petit gouvernement ? Il ne se fait pas prier et saisit la chance aux cheveux. « Le cap des tempêtes est enfin doublé [502]. » « Pour moi, j'ai tellement le goût, la passion d'avoir un état, c'est-à-dire un manoir avec mon pot-au-feu, qu'il ne faudrait pas vous étonner si vous me voyez prendre une cure, j'entends une cure riche, d'autant plus qu'il y a à parier que cela ne dérangerait aucun de mes projets [503] », des projets encore flous, mais qui commencent à émerger de ses cahiers : un destin de philosophe politique, une carrière de diplomate ou de conseiller des puissants. Il descend du nord-ouest à l'ouest et se rapproche de tout cela en émigrant de Tréguier à Chartres en ces jours où la France renonce à envahir l'Angleterre. « Je n'ai pas encore à me plaindre, puisque mon cours n'est pas encore achevé. Ou je me donnerai une existence, ou je périrai [504]. »

28/ septembre 1779
De l'autre côté du bleu

Cela pourrait commencer comme une parabole : « En ce temps-là, un saint homme se mit en route vers le lieu où le Seigneur se manifestait à une jeune femme... » La première rencontre de Dom Gerle et de la voyante Suzette Labrousse a lieu en septembre 1779 *. Elle a trente-deux ans. Il en a quarante-trois. Il vient presque en voisin, et s'était promis depuis longtemps de faire cette enquête pour démêler ce qui est du diable ou du bon Dieu dans ce qui se passe à Vanxains. Non qu'il

---

* Dix ans plus tard, Dom Gerle connaîtra une gloire fugitive en devenant l'un des personnages les plus pittoresques de la Constituante. David l'a placé au premier plan de son tableau sur le serment du Jeu de Paume.

ait autorité pour en trancher au nom de l'Église : les réguliers ne marchent pas sur les brisées des séculiers *, et la décision appartient à l'évêque de Périgueux. Mais Dom Gerle est l'une des personnalités les plus respectées du diocèse, les curés l'invitent à prêcher aux jours de fêtes, et lui-même est ébranlé par l'écho des vaticinations de la Suzette. Une certaine tonalité à laquelle il est sensible. Il veut en avoir le cœur net.

Il quitte donc à dos de mule la chartreuse Notre-Dame de Vauclaire, dont il est le prieur, *Vallis Clara*, un petit bâtiment qui mérite si bien son nom, tout rond, tout humble, accroché à un monticule au-dessus des eaux abondantes de la rivière l'Isle. Il aura moins de sept lieues à faire au nord sur la grand-route d'Angoulême qui lui fera trouver Vanxains peu avant Ribérac. Une journée de voyage à travers ce coin béni du Périgord, déjà plus chaud, plus méridional que l'Angoumois de Jacques Roux **, qui se situe un peu plus haut. Tous les paysans, par ici, saluent le beau moine blanc, leur seigneur : officiellement, il vient pour régler la perception de la dîme, soit le dixième des grains, des vins et des bêtes produits en un an sur les terres des chartreux qui possèdent une partie du pays entre Aubeterre et Ribérac et concilient fort bien ce détail avec leur vœu de pauvreté. La grande forêt de la Double, que Dom Gerle traverse pour aller d'une vallée à l'autre, de l'Isle à la Dronne, de Montpon (la ville sous son prieuré), à Ribérac, la forêt, donc, appartient pour une part aux trappistes de la Bonne Espérance d'Echourgnac où il est fraternellement reçu à déjeuner. Grandes embrassades entre les grands silencieux de l'Église : les trappistes qui se taisent tout le temps, mais qui trichent en gesticulant dans leur langage de sourds-muets, les chartreux au silence de pierre coupé par le bavardage hebdomadaire du *spaciment*, la promenade de détente où ils redeviennent libres. Dom Gerle, supérieur de sa minuscule communauté (un prieuré n'est pas une abbaye, et il ne règne que sur six pères et huit frères lais, qui ne lui donnent pas moins du « Révérendissime »), s'octroie un spaciment à lui tout seul pour le service de Dieu, sous les frondaisons à peine roussies par les chaleurs d'août, entre Mussidan, Brantôme et Périgueux. Une forêt heureuse d'où l'on débouche sur des villes blessées par la folie des hommes, les guerres de Religion, comme ils ont appelé leurs massacres d'il y a deux siècles : les soldats de Charles IX n'avaient pas laissé pierre sur pierre de Mussidan, arrachée aux hérétiques en 1569. On a vite et bien rebâti depuis. « Toute la campagne est charmante autour de Mussidan. Le long de cette route, toujours des haies, toujours des maisons, d'une propreté qui annonce l'aisance et qu'on ne peut comparer qu'à la Flandre. » Une « chaîne immense de châtaigniers » commence à quelques lieues, avant Périgueux. Elle court jusqu'à Limoges et donne la châtaigne en nourriture de base aux « Limosins ». Mais on est encore ici

---

* Clergé « régulier » : celui qui suit une règle, donnée par un fondateur d'ordre : « la règle de saint Benoît » — Clergé « séculier » : les prêtres qui vivent dans « le siècle » et dépendent de leur évêque.
** Sur Jacques Roux et Angoulême, voir ci-dessus p. 130.

sous « des marronniers d'une excellente qualité [505] ». On lâche les porcs dans la forêt pour dénicher les truffes entre toutes ces drôles de petites rivières qui joignent les étangs et que la mule de Dom Gerle franchit comme sans y penser : le Babiot, le Farganaud, la Duche et la Chaulaure. Passée la Rizonne, il arrive à Vanxains. Les gens vont bien vite s'apercevoir que le bon père ne vient pas seulement pour compter la dîme.

Dix à douze maisons aux toits de chaume, de part et d'autre de la route. La vieille église bossue, à ras du sol, est flanquée d'une étrange verrue toute blanche en pierres neuves : le petit ermitage que Suzette Labrousse, « la Déborah ribéraquoise », comme on l'appelle dans le pays *, a voulu se faire bâtir pour que sa maison jouxte celle du bon Dieu « avec une porte de communication directe qui lui facilitât l'entrée de l'église en tout temps, et de nuit, et de jour [506] ». Ses parents ont beau être les plus gros cultivateurs du bourg, tous les habitants réunis n'auraient pas eu assez d'argent pour payer une telle fantaisie. Bon prince, l'évêque de Périgueux, Mgr de Flamarens, « a donné trois cents francs pour les premières dépenses ** ». Il n'était pas fâché de « fixer » sur place cette grande gueule de fille aux tendances plutôt itinérantes jusque-là, qui risquait de bouter le feu aux quatre coins d'un paisible diocèse. Mieux vaut qu'elle joue la recluse à Vanxains, dont l'archiprêtre se réjouit de l'exhiber aux passants. Viendra la voir qui voudra.

Dom Gerle devra justement patienter un jour ou deux avant de faire la connaissance de Suzette, qui est à Périgueux, pour la troisième ou quatrième fois, en train de tarabuster ce grand seigneur d'évêque qui se moque d'elle et tente de noyer sa flamme dans des flots d'onction.

« — Je suis bien malheureuse d'être ainsi un objet de contradiction pour beaucoup de monde. Parmi les personnes que je connais, les unes me prennent pour folle, les autres pour menteuse et hypocrite. Seuls, les bons habitants de Vanxains éprouvent pour moi un peu de respect, et même de l'affection. L'idée de ma mission me poursuit sans cesse. La nuit, des voix semblent me presser : *Lève-toi et marche!* me disent-elles au milieu du silence [507]. »

Par tempérament — et par devoir d'état — l'évêque ne peut que gagner du temps en la calmant du mieux possible.

— Vous ne croyez point à l'authenticité de ma mission, monseigneur? Rendez-moi les écrits que je vous ai confiés. Je vais les brûler devant vous.

... Comment lui avouerait-il qu'il en a lui-même flanqué la moitié au feu, sans trop les lire?

— Mais non, ma fille, je ne vous imposerai point ce sacrifice. Vos

---

* Déborah, prophétesse, mais aussi chef de tribu juive, mena les Hébreux à la victoire contre les Chananéens. Voir *Livre des Juges*, V.
** 1 500 francs lourds environ. L'oratoire existe encore aujourd'hui : adossé à la partie sud-ouest de l'église, il sert de sacristie. Rien n'y évoque le souvenir de Suzette Labrousse.

manuscrits sont aux mains de savants théologiens, des messieurs de Paris. Il faudra vous soumettre à leur jugement, bien sûr, mais ils ne se prononceront pas si vite. Pourtant... croyez-vous *vraiment* tout ce que vous dites?

— Plus qu'à ma vie même.

Cette fille est inguérissable. L'évêque n'avait pas pu tenir son rôle jusqu'au bout :

— Je me garderai bien d'exposer votre cas. On me croirait fou.

Il lui avait condamné sa porte, mais est-ce qu'on peut faire faire antichambre à Jeanne d'Arc? Elle apparaissait périodiquement sur le seuil de l'évêché, dans un grand bruissement d'ailes d'anges :

— Monseigneur, je viens savoir votre réponse sur ce que contenait le manuscrit...

Il ne restait plus qu'à prétendre l'avoir envoyé au Pape. C'est pour connaître la réponse de Pie VI qu'elle vient de retourner à Périgueux, où Mgr de Flamarens a pris médecine dès qu'on lui a signalé la Suzette aux portes de la ville. En cet heureux temps, se purger permettait de refuser de recevoir sans fâcher quiconque. «Profondément désappointée, Suzette retourna à Vanxains » — où ses voix s'étaient occupées d'elle. Divine surprise : elle trouve Dom Gerle installé chez ses parents.

Il avait été reçu comme le Saint-Père en personne. Des heures et des heures devant le feu de la veillée à entendre les Labrousse et les Courcelles, les deux familles alliées, lui conter l'évangile de leur Suzette. Ils y croyaient tous, de tout leur cœur, et cela suffit à impressionner le fils de gens qui leur ressemblent comme des frères, là-bas en Auvergne, les Gerle, et les Chalini, c'est le nom de sa mère; Christophe-Antoine Gerle a reçu la foi du charbonnier à peine les yeux ouverts, au fil de veillées semblables, dans la ferme paternelle proche de Riom. Il faisait moins bon chez lui que chez les Labrousse. Une terre plus ingrate; une bise qui gelait chaque hiver ses pieds nus dans les sabots. A-t-il jamais pensé à autre chose qu'à servir Jésus-Christ? Il avait grandi dans un monde transfiguré, où le merveilleux se mêlait au quotidien. Il avait appris à lire dans la Bible. Il avait fait ses écoles en dévorant tout seul les Pères de l'Église et saint Augustin. Il n'avait jamais eu envie de faire carrière dans l'Église mondaine. La chartreuse correspondait à son grand besoin de silence. Nul caquet n'y gênait le dialogue perpétuel qu'il poursuivait avec la Vierge et les saints. *Stat Crux dum volvitur orbis* [*], c'est la devise de son ordre, celle de sa vie. La cellule où il passe trois fois par nuit de la planche du sommeil au prie-Dieu de la prière dont le pupitre supporte l'énorme livre imprimé en rouge et en noir, pour réciter, seul, en même temps que les autres moines à la même minute, chacun chez soi, les trois nocturnes des matines; le poêle que la règle oblige à entretenir pour ne pas mourir de froid en hiver; le petit atelier attenant où il doit bricoler cinq heures; le minuscule jardin clos où il fait pousser des simples pour le frère infirmier; et,

_____

[*] « La Croix reste plantée au cœur du monde qui change. »

chaque semaine, le grand rire collectif du *spaciment* dans la forêt...
Peu de contemplatifs ont une vie mieux équilibrée qu'un chartreux *.

Le voilà hors de tout cela pour se pencher sur cette femme à genoux
devant lui. « Bénissez-moi mon père. » Le moine et la voyante, scène
mille et mille fois jouée dans les mystères de toutes les religions. Dom
Gerle, bâti en hauteur, se déploie comme un jour sans pain dans cette
robe de laine blanche, si commode, où le corps est libre comme l'air et
dans laquelle il fait si bon être tout nu l'été. Sa figure est longue et
haute, sillonnée des rides de l'ascétisme, avec deux énormes yeux
d'enfant sous la coupole de la tête rasée. Suzette est elle aussi « d'une
taille un peu au-dessus de la moyenne ; elle est mince et vive par nature,
et ses efforts pour paraître raide et froide ne réussissent pas toujours.
C'était une assez belle jeune fille », mais la montée de l'hystérie et les
délectations de la pénitence ont donné « une expression vague et louche
à ses yeux très bleus, qui eussent été parfaitement beaux ». Elle a
coupé ras « ses cheveux d'un beau châtain tirant sur le blond ambré ».
Son corps n'a plus d'âge dans l'ample costume des paysannes péri-
gourdines, à capeline grise rabattue qui lui donne une allure de religieuse. Elle en est une, mais de son ordre à elle. Elle choisit ses
macérations. Elle mène son oraison à sa guise. Elle a refusé tous les
couvents qui se la disputaient : Notre-Dame, Saint-Benoît et Sainte-
Claire de Périgueux, les ursulines de Libourne, les petites dames de
Ribérac ou d'Aubeterre. « Je préfère de me retirer seule *(sic)*. C'est
ainsi que Dieu le veut de moi [509]. » Elle sait si bien ce que Dieu veut
d'elle! C'est cela qui a fait venir Dom Gerle jusqu'à Vanxains : rencontrer un être informé « de la connaissance au monde et de soi-
même ».
Deux jours durant, elle va se raconter à lui.

... « Les premières paroles que mes parents me firent entendre me
frappèrent si vivement qu'il me semble les entendre encore... Ils me
dirent que Dieu était présent partout, qu'il était le bienfaiteur universel et la récompense des bons... Dès lors je n'eus plus qu'un désir :
voir ce Dieu... Ce désir devint si ardent qu'il ne me laissa bientôt plus
aucun repos; c'était une véritable obsession, une sorte de maladie
délicieuse... » Elle allait souvent chercher Dieu au fond de la prairie
de ses parents, « là où croissent le genêt aux fleurs d'or et la bruyère
aux clochettes roses. Je me couchais sur le dos et je contemplais longuement le ciel, parce qu'on m'avait affirmé que Dieu habite de l'autre
côté du bleu... Lorsque les nuages se poursuivaient dans le ciel, et se
perdaient ensuite derrière les immenses forêts de la Double, j'espérais
toujours qu'il m'apparaîtrait dans une éclaircie... » Mais Dieu conti-

---

* Dans un rapport qu'il avait été chargé de rédiger pour l'Assemblée
générale du clergé en 1771 sur la décadence des ordres monastiques,
Loménie de Brienne signale que « l'Ordre des chartreux est certainement
celui qui, depuis son institution, a le moins dégénéré et qui offre encore le
plus d'édification [508]. »

nuait avec elle comme avec tout le monde son éternelle partie de
cache-cache ; elle commençait à aimer souffrir de son absence, et des
contusions que lui faisaient ses frères et sœurs quand ils la trouvaient
pâmée au pied d'un arbre et la secouaient rudement, « la faisant ainsi
tomber du ciel en terre ». « J'avais neuf ans, et le désir de monter au
ciel pour voir Dieu m'obsédait de plus en plus. Le repos était devenu
presque impossible pour moi. Enfin je n'y tins plus, et je résolus de
mourir. Aussitôt cette résolution arrêtée, je devins plus calme. Cependant, je me demandai pendant plusieurs jours comment mourir. J'appris
un matin qu'un paysan des environs s'était empoisonné en avalant
par mégarde une araignée cachée dans un raisin où il mordait à belles
dents. Mon parti fut pris à l'instant. Je me mis à faire la chasse aux
araignées et à d'autres petits insectes venimeux. Au bout de quelques
heures, j'en eus réuni un certain nombre dans une petite boîte, faite
avec deux cartes à jouer, et, sans la moindre répugnance, j'allais
les absorber, lorsque ma mère, qui enseignait le catéchisme à mes
frères et sœurs, leur dit, à propos du cinquième commandement,
qu'il n'est pas plus permis de se donner la mort que de la donner à
autrui.

« Ce fut pour moi un coup de foudre ; je m'enfuis à l'église, je me
couchai au pied de l'autel et témoignai mon regret à Dieu, de ce que,
ne voulant pas se montrer à ceux qui sont ici-bas, il leur défendait
aussi de mourir pour l'aller voir chez lui [510]. »

Faute de ce festin d'araignées, elle a choisi le suicide au ralenti,
comme Catherine de Sienne et tant d'autres filles dans ce cas. « Elle
vit dans son corps un ennemi qu'elle se prit à combattre de mille
manières. » Elle a composé une sorte de cocktail de suie et de fiel de
bœuf, qu'elle jetait dans ses aliments, et avec lequel « elle se rinçait
la bouche plusieurs fois par jour ». Elle garnissait son lit de cailloux et
de pots cassés. Elle a tenté (vainement) de se défigurer en s'appliquant
sur le visage un masque de chaux vive. « Elle aurait donné sa vie pour
une communion ; elle aurait, au milieu de certains transports, dévoré le
crucifix lui-même [511] », ce christ de facture janséniste, dont le corps
blanc hurlait sur une grande croix noire, au-dessus du lit de sa mère,
et dont la contemplation « des gouttes de sang peintes sur ses pieds »
se traduisait parfois, chez Suzette, « par des cris et des sanglots qui
attiraient l'attention de tout le voisinage » — jusqu'au jour où Jésus a
daigné lui parler, enfin, dans la vieille église où elle s'était faite enfermer un soir. « Je priais en regardant la nuit s'étendre sur le chœur.
La lampe du sanctuaire vacillait comme si elle eût voulu s'éteindre.
Je me rapprochai, car je ne pouvais plus voir la porte du tabernacle
derrière laquelle était l'hostie et, dans l'hostie, Jésus. A ce moment,
je me sentis comme transportée par un accès d'amour extraordinaire,
et une voix me dit :

— « Quitte la maison de ton père et de ta mère. Va parmi le monde
en inconnue et en mendiante, parce que je veux, par une simple fille,
réduire plusieurs Grands du monde et remédier à plusieurs maux de
mon Église. »

Elle a obéi, mais à sa manière. Elle a vagué « parmi le monde » res-

treint du Périgord et d'un morceau de Guyenne, pas plus loin que
Libourne — mais le monde parcouru par Abraham fut-il beaucoup
plus étendu, à partir d'Ur en Chaldée? Ni inconnue, ni mendiante,
en tout cas. On se pressait pour l'entendre, voire la confisquer. Ses
parents, aidés par maints dévots de la région, ne l'ont jamais laissée
dans le besoin. Dix ans d'une errance relative avant de revenir s'in-
cruster au flanc de son église baptismale. « Je fus enfin ramenée à
mon cher Vanxains. Là du moins, j'allais pouvoir me retrouver avec
moi-même... » Chère solitude! Le monde viendra la voir, faute qu'elle
aille à lui. Voici Dom Gerle.

29/ décembre 1779
Toutes les formes de l'ambition

Au printemps de cette même année 1779, une autre folle de Dieu,
la Normande Catherine Théot, a prétendu choisir elle aussi sa liberté *,
plus tardivement que Suzette. A cinquante-cinq ans, Catherine en avait
assez de prêcher pour rien. Les prêtres qu'elle harcelait l'avaient
fourrée au couvent des miramiones, avec les filles « repentantes ** ».
Mais de quoi se serait-elle repentie? D'entendre Dieu lui causer depuis
trente ans? C'est le monde qui devait promptement se repentir, d'après
elle, et les Grands changer de vie, surtout ceux de l'Église. Sinon Paris,
comme Sodome et Gomorrhe... Elle les importunait. Elle vient de
faire le mur des miramiones. Cette grande bonne femme « sèche et
presque diaphane, comme l'antique Sibylle de Cumes [512] », provoquait
des petits rassemblements sur les parvis de Saint-Eustache et de
Notre-Dame. Tout le monde ne se moque pas d'elle quand elle prêche
un changement des mœurs. Une folle de cette espèce peut toujours
devenir dangereuse. Le lieutenant de police l'a fait arrêter rue Geof-
froy l'Asnier, en avril. Un long interrogatoire, mené par le commissaire
Chenon, a convaincu les autorités qu'elle était une émeutière en puissance. On vient de l'enfermer pour de bon à la Salpêtrière ***.

---

* Catherine Théot rencontrera Dom Gerle après 1789, quand elle se fera
appeler « la mère de Dieu ». Il croira en sa mission et jouera un rôle, avec
elle, dans la soi-disant fabrication d'un culte de Robespierre qui servira
de prétexte, entre autres, aux thermidoriens.
** Petit ordre parisien fondé sous Louis XIII par Marie Bonneau de
Miramion, veuve d'un conseiller au Parlement. Les « miramiones »
tenaient Sainte-Pélagie : elles ont donc failli détenir Sophie de Monnier.
*** Sur la Salpêtrière, à la fois asile et prison des pauvres, voir tome I,
p. 462.

Combien sont-ils à errer par ce monde chrétien dont le Christ semble le dernier souci? Des dizaines et des dizaines de Jean-Baptiste, prophètes, voyantes, ermites de carrefour, mangeurs de crapauds, convulsionnaires, flagellants. Impossible de les embastiller tous : c'est une race de cancrelats. Pour un qu'on encabane, une douzaine sortent du même trou. Comment la police du pape pourrait-elle arrêter Benoît-Joseph Labre, « le pouilleux de Dieu », dont l'odeur suffit à scandaliser le si joli, si mignon cardinal de Bernis, l'ambassadeur parfumé du roi de France *? Bernis s'indigne : « Nous avons ici un spectacle qui édifie les uns et scandalise les autres [513]... » : ce mendiant qui a fait vœu de ne jamais se laver ni se couper les cheveux et qui erre au Colisée en annonçant « qu'un feu terrible va bientôt tout balayer, que les abbayes vont flamber, que les prêtres seront persécutés... » Si on le fait taire, le peuple criera. Il n'aurait pas pu rester en Artois, dans l'épicerie de ses parents? Il est vrai que les monastères l'ont rejeté, de Boulogne jusqu'à Rome. Benoît-Joseph Labre n'en a pas moins toujours trouvé asile chez des pauvres, dans la longue chaîne de son pèlerinage indécis. On ne l'oubliera jamais, par exemple, chez Pierre Vianney, un paysan de Dardilly, près de Lyon, sur le seuil duquel il s'était écroulé à demi-mort un soir de neige **.

... Et les deux cent cinquante-six missions de l'abbé Bridaine : « Suivez-moi! Je vais vous conduire chez vous!... » Dociles, les foules le suivaient au cimetière [514]. Et les prêches apaisants du frère Ambroise, qui vient de mourir en Languedoc : « Donnez à Dieu votre cœur et tenez-vous en repos [515]. » Et tous les Sacré-Cœur exhibés sur les murs, cousus sur les oreillers, glissés dans les alcôves, un viscère ruisselant de sang dans les visions de la visitandine Marianne Galipaud, à Nantes, où les jansénistes de la ville protestent contre l'influence des « cordicoles » par des inscriptions sur les murs : pourquoi ne pas adorer aussi les plaies du Christ, son flanc, ses yeux, ses pieds?... Les libertins ne demandaient pas mieux que de poursuivre la litanie ***. En Espagne, le capucin Diego de Cadix rassemble des villages entiers en leur découvrant son torse ensanglanté par le port d'un pourpoint de feutre intérieurement garni de pointes acérées. Cinquante-deux blessés graves par flagellation ont été relevés sur la voie publique à Séville, après la procession du Vendredi Saint de 1779 [516]. Dans son mini-diocèse de Sainte-Agathe des Goths, près de Capoue, le vieil Alphonse de Liguori, tout branlant, tout déjeté, conduit les processions en faisant illuminer par les torches l'image horrifique d'un damné brûlant en enfer [517], mais l'avalanche des infirmités et des disgrâces qui l'accablent ces jours-ci (notamment les brimades que Pie VI lui fait subir) ne l'empêchent pas

---

* Sur Bernis, le protégé de Mme de Pompadour, et son rôle dans l'élection de Pie VI, voir tome I, p. 155.
** Jean-Marie Vianney, le petit-fils de Pierre, naîtra dans cette maison en 1786 et deviendra le fameux curé d'Ars.
*** Il y avait, dès 1740, sept cent deux confréries du Sacré-Cœur en Europe. Sa fête officielle n'était, en 1780, autorisée qu'en Pologne, d'où Marie Leczinska, membre de la confrérie du Sacré-Cœur, avait apporté un puissant renfort aux « cordicoles » français.

de s'abandonner aux délices de la lévitation quand le Seigneur l'appelle *. Son infirmier, le frère François-Antoine, son confesseur, le père Volpicelli, ont grand mal à le ramener au sol quand il s'envole soudain et se cogne au plafond « immobile entre ciel et terre, dans la posture d'un homme agenouillé, et le visage resplendissant ». Pendant sa messe, « il monte dans l'espace avec la légèreté d'une plume, bien qu'il fallût habituellement le secours de deux personnes pour l'aider à se mouvoir sur terre [518]. »

« *Introibo ad altare Dei* **... »

Un autre clerc se prépare à célébrer sa première messe dans quelques semaines. Il n'y a pas de danger qu'il s'envole à ce moment-là. Le seul risque, s'il avait conservé du ressort, serait que Talleyrand se sauve à toutes jambes hors du chœur et loin de toute église. Mais comment un pied-bot courrait-il ***? « *Ad Deum qui laetificat juventutem meam*... » Le Dieu de Talleyrand a empoisonné sa jeunesse, parce que sa nourrice l'a laissé tomber d'une commode. On aura bientôt du mal à l'imaginer capable de pleurer. Pourtant c'est bien « en proie à une crise de larmes et de désespoir » qu'un de ses amis noceurs, le jeune Choiseul-Gouffier, le trouvera au vendredi des quatre-temps de l'Avent, le 17 décembre 1779, à vingt-cinq ans et dix mois, la veille du jour où il va être ordonné prêtre pour l'éternité, « selon l'ordre de Melchisédech », dans la chapelle de l'archevêché de Reims [519]. Accablement? Rage, selon Choiseul-Gouffier, qui ne pourra se retenir, en le voyant dans cet état, de lui suggérer de tout casser plutôt que d'engager sa vie dans l'équivoque. Talleyrand s'y refusera. Il parlera « de sa mère, de la douleur qu'elle éprouverait, de l'éclat qui en résulterait :

« — Non, mon ami, il est trop tard. Il n'y a plus à reculer. »

Voilà déjà quatre ans que l'évêque de Lombez, un La Mothe-Fénelon, l'avait averti devant Dieu et devant les hommes, dans les formes liturgiques, un samedi de la Passion, à Saint-Nicolas du Chardonnet, avant de lui conférer le diaconat : « Jusqu'à cette heure, vous êtes libre... Cet ordre une fois reçu, vous ne pourrez plus en briser les engagements, et vous serez à jamais engagé au service de Dieu... Pendant qu'il en est encore temps, réfléchissez. Mais si vous persistez en votre sainte résolution, au nom du Seigneur, avancez [520]. » Sainte résolution à trame de faiblesse, de veulerie, de complaisance et d'ironie. Le diaconat lui avait permis de quitter Saint-Sulpice et de s'installer une garçonnière rue de la Harpe, où il s'était bien vite trouvé couvert de filles et d'amis, grâce à l'argent que son père lui versait en récompense de sa docilité. Une belle carrière d'abbé de cour s'était ouverte sous les pas traînants du jeune Charles-Maurice de Talleyrand-Périgord, qu'on appelle pour

---

* Alphonse de Liguori sera béatifié, puis canonisé (en 1810) avec une rapidité exceptionnelle. Pie IX, en 1871, le proclamera docteur de l'Église.
** Premiers versets (avec la citation qui va suivre) du psaume XLII, que le prêtre catholique récitait en latin avant de monter à l'autel : « J'accéderai à l'autel de Dieu — le Dieu qui réjouit ma jeunesse », etc.
*** Sur la jeunesse de Talleyrand et sa présence au sacre de Louis XVI, voir tome I, p. 212.

le moment l'abbé Périgord, voilà bien le seul mot commun entre lui,
le chartreux et la pieuse fille qui se rencontrent ces jours-ci, près des
terres de ses aïeux. Sa famille se disait issue des comtes de Périgord
dont l'un, le comte Aldebert, avait balancé le fameux « Qui t'a fait
roi? » dans les gencives d'Hugues Capet. Ancienneté difficile à prouver,
même pour les plus fins généalogistes. Le comte de Provence ne les
ratait pas : « Les Talleyrand ne se trompent que d'une lettre dans leurs
prétentions : ils sont du Périgord, et non de Périgord [521]. » Pour ça oui :
princes de Chalais, comtes de Grignols, marquis d'Excideuil, barons de
Beauville et de Mareuil, leurs châteaux périgourdins veillaient à tous
les terriers de la forêt de la Double. Charles-Maurice a goûté là-bas
les seules heures sans rancune de sa vie, à Chalais, dans le château de
sa grand-mère, l'unique femme qui l'ait aimé dans son enfance. S'il
s'est demandé un jour ce qu'il y avait « de l'autre côté du bleu », c'est
par ici : « Les mœurs de la noblesse en Périgord ressemblaient à ses
vieux châteaux * ; elles avaient quelque chose de grand et de stable.
La lumière pénétrait peu, mais elle arrivait douce... Chalais était un
des châteaux de ce temps révéré et chéri... Auprès du prie-Dieu de ma
grand-mère, il y avait une petite chaise qui m'était destinée [522]. »
Chalais n'était qu'à moins de cinq lieues de Vanxains ou de Montpon,
mais un univers séparait cette petite chaise-là du grabat de Dom Gerle,
et la distance n'a fait que s'agrandir, au sein de la même Église, depuis
qu'on a nommé l'abbé de Talleyrand-Périgord « promoteur de l'Assemblée du Clergé de France », une fonction juteuse où l'on peut jouer
d'un pouvoir à l'autre, du religieux au profane, en se faisant un nom
et en touchant des deux mains : « J'observai avec soin la manière dont
les affaires se conduisaient dans ce grand corps L'ambition y revêtait
toutes les formes. Religion, humanité, patriotisme, philosophie, chacun prenait là une couleur!... » « L'intervention de la conscience dans
tous ces démêlés pécuniaires avait donné aux pièces de cette grande
affaire ** un caractère d'éloquence que le clergé seul sait avoir... »
« Les cinq années d'humeur, de silence et de lecture qui, au séminaire,
m'avaient paru si longues et si tristes, ne furent plus tout à fait
perdues pour moi... Je passai en Sorbonne *(comme externe, de 1775 à
1777 ; il pense ici à sa tanière dorée de la rue de la Harpe)* deux ans occupé
de toute autre chose que de théologie, car les plaisirs tiennent une
grande place dans les journées d'un jeune bachelier. L'ambition prend
aussi quelques moments, et le souvenir du cardinal de Richelieu, dont
le beau mausolée était dans l'église de la Sorbonne, n'était pas décou-
rageant à cet égard. Je ne connaissais encore l'ambition que dans sa
bonne acception ; je voulais arriver à tout ce que je croyais pouvoir
bien faire [523]. » Il ne faudra quand même pas trop le secouer, au jour
de son ordination. Il est plein de larmes.

---

* Texte écrit de la main de Talleyrand, à propos de son enfance.
** L'Assemblée du clergé avait pour principal objet (la grande affaire),
de déterminer tous les cinq ans le montant de l'impôt qu'elle « consen-
tait » — ou plutôt qu'elle se laissait arracher avec moults gémissements,
par le Roi, sous la fiction d'un « don gratuit ».

« Va réduire plusieurs Grands du monde... Va remédier à plusieurs maux de mon Église.. » Ce refrain des voix de Suzette Labrousse a touché Dom Gerle au cœur, dès le premier entretien. Elles appuient, les voix, elle appuie, la voix de la Suzette, sur une fibre chez lui : la sensibilité à leur siècle des enfants de lumière. Une certaine colère dans le regard, quand il descend du ciel et se pose sur la terre. Cette colère d'apocalypse qui court à travers les cahiers qu'elle va continuer à gribouiller chaque jour *. Un pathos. Un brouillamini avec, de-ci, de-là, une robustesse de réplique à la Jeanne d'Arc — ou à la Rabelais : « Si mon projet réussit, il enverra les uns dans l'autre monde, les autres aux antipodes, et moi au diantre bouilli... Si je ne me trompe pas, nous touchons au temps où tout sentiment ne sera qu'UN... La condition de ce dit plan sera un événement de joie qui fera faire aux mortels des oh! et des ah! sans fin... » Quel plan? Quel projet? Elle ne le sait pas, bien sûr, elle est incapable d'en dessiner les contours. Elle est toute nouée dans sa névrose et bâillonnée par sa difficulté d'expression. Mais c'est à la tonalité de son message que Dom Gerle est sensible, plus qu'à ses termes : il y a rencontre entre eux, quand elle affirme que « les intelligences mystiques de France, ne s'occupant plus depuis longtemps que de choses terrestres, se sont si fort métamorphosées en matière qu'elles ne sont maintenant dans leur sphère que comme une masse informe [524]. » Il la comprend. Peut-être est-il le seul, mais il suffit à lui donner la caution qu'elle attend. Dom Gerle est l'anti-Talleyrand — ou l'anti-Sieys. Comment ne comprendrait-il pas ce que dit la Suzette :

« Vous dépouillerez le vieil homme pour vous revêtir de l'esprit de Jésus-Christ. La vue de son image est un bloc de lumières qu'on chercherait en vain au-dedans de soi-même. Elle vous donnera un tact dans la pratique des affaires que toute la science humaine ne communiquera jamais... C'est un fardeau que le soin temporel pour les ministres de l'Église. Ils sont comme les adorateurs des riches et des Grands de la terre... Ils disent vrai, mais ce sont leurs actions qui sont mensongères. Qui pourra les croire, en voyant dans leurs œuvres cet énorme relief qu'ils donnent aux Grands [525]? »

Dom Gerle la bénit encore et retourne à son prieuré, songeur et heureux. Ils se retrouveront. Il emporte ses manuscrits, et lui ne les brûlera pas. En échange, il lui laisse la paix du cœur. Un homme d'Église l'a prise au sérieux : « Enfin! Dieu a daigné me manifester sa volonté par la bouche d'un vénérable religieux. Il m'a pressée de me mettre en marche *(le 29 septembre 1779)* et d'annoncer au clergé de France et à celui du monde entier plus tard que l'heure de réformer les abus qui se glissent dans l'Église de Jésus-Christ est arrivée. Que les grands seigneurs prennent garde! ... Comme je témoignais au R.P. Gerle mon étonnement parce que tous les autres prêtres m'avaient traitée comme une folle, il m'a répondu :

---

* Une faible partie en a été publiée par l'évêque Pierre Pontard en 1791, sous le titre *Énigmes de Mlle La Brousse* (sic) *commencées en 1766.*

« — Souvenez-vous que les prophètes aussi ont été jugés comme fous. Mais les terribles événements qu'ils annonçaient s'exécutaient tout de même [526]. »

30/ décembre 1779
Arrivez avec une de vos filles

Un voyage des Isles vers la France, sur une flûte à peine armée de quatre canons et ballottée aux vents d'équinoxe, c'est pure folie *. Le filet des croisières anglaises tendu sur l'Atlantique cherche à intercepter les vaisseaux français aux approches des « ports d'Amérique » : Brest et Rochefort. L'*Isle-de-France* a beau être escortée par la majestueuse *Pomone*, une frégate qu'on entr'aperçoit de temps à autre à travers les grains, les imprudents qui regagnent à son bord la métropole en temps de guerre risquent de se retrouver à Londres au lieu de Paris. Ainsi le petit équipage de Marie-Josèphe-Rose Tascher de La Pagerie **, perdue parmi les paumés du sucre et de l'indigo, les officiers malades et les scribes mutés. Qu'est-ce qu'une fille de seize ans vient faire sur cette galère?

Se marier. Rien n'est plus urgent. Mieux vaut braver le naufrage ou la captivité que de manquer un Beauharnais. Le fils d'un ancien gouverneur des Isles du Vent, vous rendez-vous compte? C'est un demi-dieu, pour une créole. La tante Marie-Euphémie, celle qui a tout combiné patiemment en France depuis des années, a bombardé M. Tascher de lettres comminatoires : « Hélas! que je ne puis-je voler et vous aller chercher! Venez, venez, c'est votre chère sœur qui vous en conjure! » Les tempêtes, les Anglais? La tante s'en moque bien : « D'autres partis considérables sont proposés à la famille *(Beauharnais)*. L'ardeur du jeune homme peut se refroidir à force d'attendre [528]. »

On vient! On arrive! Tenez bon, Marie-Euphémie, le temps d'une traversée! Il a fallu attendre le premier transport disponible, et l'*Isle-de-*

---

* Navire de transport pour les passagers, mais surtout pour le fret, les lourdes proportions de la flûte lui permettaient de coller à la mer. Colbert en avait fait construire une vingtaine « à grand ventre, de quatre à cinq cents tonneaux, pour être naviguées par peu d'hommes [527] ». Le mot vient d'ailleurs de l'espagnol *fusta* ou de l'italien *fusto* : « bois », « poutre », « fût ». Rien à voir avec la musique, et encore moins avec cet instrument-là.

** Devenue veuve d'Alexandre de Beauharnais, et surnommée « Joséphine », elle épousera en 1796 le général Bonaparte et occupera le trône de France, après Marie-Antoinette, sous le vocable d'Impératrice Joséphine, de 1804 à sa répudiation en décembre 1809.

France ne peut pas marcher plus vite que le vent. On est parti de Fort-Royal le 29 août. Comptons un mois, un mois et demi jusqu'à Brest; les dernières semaines où Marie-Josèphe-Rose sera encore « Yéyette ». Après son mariage, tout le monde l'appellera Rose.

La moins pressée de tous, « Yéyette » ne fait rien non plus pour freiner le mouvement. Elle est toute soumission, depuis toujours. Non par crainte, car son enfance a été douce, mais par tempérament, et puis parce qu'elle n'a jamais subi que des bonnes choses : la passivité est sa manière d'être. Elle vogue vers un prince charmant, doué, toujours selon la tante Renaudin, « d'une figure agréable, d'une taille charmante, de l'esprit, du génie *(sic)* ; et, ce qui est d'un prix inestimable, toutes les qualités de l'âme et du cœur sont réunies en lui [529] ». Son prix estimable est encore plus intéressant : Alexandre de Beauharnais annonce quarante mille livres de rente immédiatement et vingt-cinq mille autres livres « d'espérances » à la mort de son père *. Voilà de quoi faire battre le cœur du beau-père plus que celui de la fiancée. Marie-Rose suit donc docilement Joseph-Gaspard Tascher (on prononce *Taché*), ce beau quadragénaire à l'air avantageux de ceux qui essaient de faire carrière grâce aux femmes : par sa légitime, Rose-Claire des Vergers de Sanois, par sa sœur, la fameuse Renaudin, par ses maîtresses de-ci de-là, au bonheur des Isles, et maintenant par sa fille aînée. Il emmène aussi vers la France une autre de ses sœurs, Rosette — enfin, Marie-Françoise, la vieille fille nécessaire pour chaperonner Yéyette. Mme Tascher est demeurée aux Trois-Islets. Il fallait bien laisser quelqu'un pour faire marcher la plantation, et Rose-Claire n'aime ni voyager, ni paraître, ni s'exprimer. Elle sera un silence de l'Histoire **. Un autre silence vivant accompagne Yéyette : la mulâtresse Euphémie, dont la demi-existence ne vaut pas qu'on lui donne un nom entier. Les Nègres des Isles ont droit, comme les chiens, à une identité sommaire. On a choisi Euphémie en guise de suivante, comme on aurait pris Faisan, Manon, Théodule, Appolino ou Dorothée [531].

Récapitulons : M. Joseph-Gaspard Tascher de La Pagerie, flanqué de sa sœur Marie-Françoise et de la mulâtresse Euphémie, conduit sa fille Marie-Josèphe-Rose au lit du vicomte Alexandre de Beauharnais, qui n'est pas plus vicomte que lui-même n'est de La Pagerie. Mais si l'on voulait pinailler, en ce siècle où chacun s'anoblit aux enchères...

Alliance entre deux familles voisines de berceaux : le Blésois pour les Tascher, la Sologne pour les Beauharnais. Mais les premiers s'étaient

---

* 200 000 francs lourds de revenus annuels (sur des plantations coloniales; de la bonne sueur de Nègre) et 125 000 « espérés », soit un total de 325 000 francs par an.

** Née en 1736, elle mourra aux Trois-Islets de la Martinique, le 2 juillet 1807, l'année de Friedland et de Tilsitt. Napoléon (qui ne l'avait jamais vue) interdira qu'on publie la nouvelle de la mort de cette autre « Madame Mère », ce qui eût obligé la cour impériale à prendre le deuil. « Tout signe de douleur fut donc expressément interdit, non seulement à l'Impératrice, mais aussi à ses enfants [530]. »

depuis cinquante ans enracinés dans les Isles, où les seconds n'ont fait que passer.

Les Tascher? Des gentilshommes de province, ni gueux, ni riches. Des petites fortunes militaires au service du Roi. La branche de celui-ci tient à Blois, où un aïeul avait possédé, près de la ville, sous Louis XIV, la terre de la Pagerie, vendue depuis longtemps, quitte à en garder le nom. Un des fils de ce Tascher-là s'était suffisamment poussé dans les ordres pour devenir un des dix ou douze aumôniers de la Dauphine, mère de Louis XVI, et lui arracher quelques faveurs pour la tripotée de ses frères et sœurs. L'aîné de cette escouade, Gaspard-Joseph, père de Joseph-Gaspard, avait débarqué un beau matin des années 1730 à la Martinique, pour y glaner déjà à droite, à gauche, quelques terres, déjà une femme plus riche que lui, une Boureau de La Chevallerie. Il n'avait quand même pas pu décoller d'une condition difficile : quelques emplois subalternes à Fort-Royal. Cinq enfants, nés autour de 1740. Les deux fils (dont Joseph-Gaspard) avaient pu faire un petit tour, grâce à l'abbé Tascher, parmi les pages de la Dauphine. Mais ils étaient revenus trop vite traîner dans les pas de leur père et partager ses soucis. Une de ses filles, heureusement, allait se charger de la revanche : Marie-Euphémie était devenue la maîtresse du gouverneur nommé en 1755 pour défendre les Antilles contre les Anglais, François de Beauharnais.

Les Beauharnais? Des terres et des chasses en Sologne, dont ils ont pris prétexte pour se parer des titres de marquis, de comte ou de vicomte. Des mariages « heureux » et habiles leur ont procuré des plantations à Saint-Domingue, à partir desquelles leur fortune a fait boule de neige, en dorant leur petite noblesse ; mais ce sont des parvenus, et un généalogiste ne le leur enverra pas dire : « M. de Beauharnais n'est pas susceptible des honneurs de Cour *. Sa famille est d'une bonne bourgeoisie d'Orléans... Une de ses branches, connue sous le nom de seigneurs de La Bretesche, a été condamnée par jugement de M. Machault, intendant d'Orléans, du 4 avril 1667, comme usurpatrice de noblesse, à deux mille livres d'amende [532]. » Guère plus nobles qu'un Beaumarchais, donc, et moins que les Tascher, mais beaucoup plus riches et mieux placés auprès des ministres. On les trouve dans la marine depuis une génération.

Ils avaient atteint leur point culminant avec ce poste de gouverneur des Isles du Vent décroché par François, un coup de chance, le pied à l'escalade des postes élevés... Non. Ce drôle de bonhomme semble s'être consacré à une seule et unique opération : la conquête durable de Marie-Euphémie de Tascher, installée chez lui dès 1756, au titre de dame de compagnie de sa femme, qui était une de ces douces créatures typiques des mariages du temps, venue au monde pour se taire et faire des enfants. Son mari, lui, Beauharnais, cherchait pour sa maîtresse un époux complaisant, qui consoliderait la « position » de Marie-Euphémie

---

* En l'espèce, le droit de monter dans les carrosses du Roi pour suivre ses chasses, sollicité par Alexandre en 1786.

et lui permettrait de la garder auprès de lui. Il s'était donc attardé
en janvier 1759 à la Martinique, le temps nécessaire pour la marier
à un sieur Renaudin; mais ce temps avait été fort utile aux Anglais
pour s'emparer de la Guadeloupe, dont les quatre mille défenseurs
attendaient désespérément le gouverneur et ses renforts. François de
Beauharnais était arrivé en effet — au lendemain de la capitulation des
Français. Loin de tenter de bousculer les Anglais mal installés, il s'en
était dignement retourné à la Martinique à bord d'un vaisseau corsaire
dont le nom hautement symbolique de *Zomby* allait alimenter maints
pamphlets chez les colons de la Guadeloupe déchaînés contre ce gouverneur à la manque, dont ils auraient bien voulu que le Roi fît couper
la tête, comme celle de Lally-Tollendal. N'est-il pas aussi coupable
de perdre une grande île que les comptoirs des Indes? Après quinze
ans, on chante encore à la Guadeloupe des couplets de nature à écorcher les oreilles des Beauharnais.

> « Soyons fidèles aux Bourbons,
> Imitons les anciens colons,
> Sans chefs, sans munitions,
> Manquant de provisions [533]... »

Le conseil du Roi s'était ému. Mais on s'était contenté de destituer
Beauharnais et de le laisser sans emploi, à la Martinique, où beaucoup
le défendaient contre les Guadeloupéens. Après tout, tant qu'il était
en poste, les Anglais n'y avaient pas pris pied. A preuve : ils avaient
conquis la Martinique elle aussi trois ans plus tard *. Entre-temps, le
« marquis » de Beauharnais avait finalement quitté l'île, la tête haute
et auréolée de la réputation des disgraciés. Il rejoignait Mme Renaudin,
expédiée en France par un autre bateau. Il laissait à Fort-Royal
un nouveau-né trop fragile pour supporter le long voyage : Alexandre-
François-Marie de Beauharnais **, confié aux bons soins des Tascher
de La Pagerie. Mme Renaudin est sa marraine. Elle les a tous ensor-
celés, dirait-on. Le marquis de Beauharnais ne rêvait que d'elle pendant leur brève séparation : « Que de choses j'aurais à vous dire,
madame, s'il était question de vous faire part de toutes les inquiétudes
que nous avons eues à votre sujet et pendant votre voyage. Mais vous
connaissez mes sentiments pour vous... En France, que nous dirons
du mal de ce pays-ci, madame [534]!... »

Vingt ans ont passé. Elle règne sans partage maintenant dans l'hôtel
parisien du « marquis » — par la mort de la petite Mme de Beauharnais,
et par l'expulsion du Renaudin de service, accusé de tentative
d'empoisonnement. Elle règne sur la jeunesse de son filleul, Alexandre,
qu'on a fait revenir des Isles âgé de cinq ou six ans. Plus que marraine,
mieux que mère, elle est complice et confidente; il l'aime bien, il lui

---

* Capitulation du 13 février 1762. La Martinique et la Guadeloupe ont
été rendues au roi de France par le traité de Paris en 1763.
** Né le 28 mai 1760. « Joséphine » naîtra dans la même Martinique,
le 23 juin 1763, neuf jours après la signature du traité qui rendait l'île
à la France.

raconte ses fredaines. Elle règne par correspondance sur la famille
de son frère, où trois nièces lui sont nées. Sans doute songe-t-elle depuis
toujours à ce mariage d'infante pour cimenter son empire. Marie-
Euphémie Renaudin a gagné le combat d'une vie quand François de
Beauharnais a écrit, le 23 octobre 1777, à Joseph-Gaspard Tascher :
« Mes enfants jouissent à présent * de quarante mille livres de rente
chacun. Vous êtes le maître de me donner Mademoiselle votre fille
pour partager la fortune de mon chevalier *(qu'il appelle aussi de temps
en temps, pourquoi pas? « le vicomte »)*. Le respect et l'attachement
qu'il a pour Mme de Renaudin lui fait désirer ardemment d'être uni
à une de ses nièces. » Laquelle? Penser à l'aînée semblait logique, mais
Alexandre faisait un caprice : « Je vous avoue que mon fils, qui n'a
que dix-sept ans et demi, trouve qu'une demoiselle de quinze ans est
d'un âge trop rapproché du sien [535]. » Le « vicomte » voulait, tant qu'à
être marié comme un prince, une petite poupée docile. Il avait choisi
Catherine-Désirée, treize ans... La pauvre enfant était morte le même
mois, d'une « fièvre maligne ». Qu'à cela ne tienne : Joseph-Gaspard
offre la troisième, Marie-Françoise, onze ans, ça va-t-il? Il ose quand
même rappeler que l'aînée « a une fort belle peau, de très beaux bras,
et désire infiniment venir à Paris... » Mme Renaudin secouait son frère
courrier par courrier, quel empoté! « Arrivez avec une de vos filles,
avec deux! Tout ce que vous ferez nous sera agréable. Il nous faut une
enfant à vous [536]. » Le « marquis » faisait écho : « Celle que vous jugerez
le mieux convenir à mon fils sera celle que nous désirons » — et, sur
les papiers nécessaires pour faire publier les bans à Fort-Royal, il a
laissé en blanc les nom et date de naissance de la fiancée.

Va pour Marie-Josèphe-Rose...

Une fille des Trois-Islets. Elle a campé dans une enfance verte;
la douceur de la matrice a duré plus longtemps pour elle que pour
d'autres, dix ans de quiétude près de ce petit village proche de la mer,
mais qui lui tourne le dos, une trentaine de paillotes et une église en
bois ** dans le vallon de la rivière Croc-souris, où Marie-Rose allait se
baigner toute nue comme tout le monde dans ce mélange d'eaux
et de nymphéas lui-même cerné par une inondation de palétuviers,
de palmiers, de bananiers, de manguiers, de cocotiers. Un monde vierge
ou quasiment. Un chemin qu'on doit défendre chaque jour à la hache
contre un double mur végétal donne accès à la baie de Fort-Royal,
où les bateaux viennent s'abattre après la traversée, comme de grands

---

* « A présent » signifie « après la mort de leur mère ». Alexandre a un
frère aîné, François, né en 1756, et qui était demeuré en nourrice en
France pendant la péripétie antillaise de leur père. François de Beauharnais suivra une carrière militaire, sera député — fermement royaliste —
à la Constituante, émigré, puis diplomate au service de Napoléon.
** L'église, quoique restaurée, est restée la même, sous la charpente en
forme de carène renversée. Une plaque près du baptistère rappelle le
baptême de Marie-Joséphine *(sic)* Tascher de La Pagerie, impératrice
des Français.

oiseaux à bout de souffle. Pas de plage. Les hautes herbes poussent jusque dans la mer. Tout près, trois dos de baleines vertes sont plantés là pour toujours : les islets Charles, Sixtain et Tebloux. C'est à peine si quelqu'un peut tenir debout sur chacun d'eux. Ils ont donné leur nom au village. La plantation de La Pagerie se trouve à quelques centaines de pas, plus à l'intérieur.

C'était le palais des Tascher : une centaine d'esclaves, vingt mulets, trois chevaux, dix vaches et quelques moutons dans les bâtiments épars et rafistolés du mieux possible après le typhon de 1766, qui avait arraché les toits. Les maîtres se sont repliés dans un étage de la sucrerie. Un campement, oui, provisoire, pour durer. Marie-Rose a été élevée par sa bonne nourrice noire, la Marion, au-dessus de l'odeur du tafia tiède et du craquement des cannes rompues. Le sucre était le commencement et la fin de tout, chez elle comme partout aux Antilles *. Toutes ses notions d'économie s'y réduisaient. Comment aurait-elle pu comprendre que son père s'essoufflait à trouver le capital de base qui lui eût permis, comme à tant d'autres, de changer son sucre en or? Les Tascher n'ont même jamais disposé de quoi remonter leurs bâtiments **. Mais que viennent les quarante mille francs par an de Beauharnais!... Joseph-Gaspard a de quoi rêver, le temps d'un océan.

Ils laissent derrière eux des Isles inquiètes. L'amiral d'Estaing, une fois conquise la Grenade, a conduit sa flotte aux rivages de l'Amérique, pour intimider les Anglais en voie de reconquérir le Sud. Mais ne vont-ils pas en profiter pour fondre à nouveau un de ces jours sur nos grandes Isles du sucre? A tout hasard, on fait majestueusement manœuvrer la milice : quelques bataillons de pauvres bougres se disputent les fusils autour des forts de la Martinique ou de la Guadeloupe.

Dans cette dernière île, un planteur de la Basse-Terre, Jacques Coquille dit Du Gommier ***, vient de lever et d'équiper à ses frais une compagnie de « cinquante volontaires créoles, mulâtres et noirs [538] ». Donc de quelques blancs ou métis rétribués pour faire marcher des esclaves prêtés par les colons. Voilà qui le rajeunit et l'arrache à la morosité d'une retraite précoce. Jacques Coquille a quarante ans, c'est le début de la vieillesse aux colonies, mais il refuse que ce soit vrai pour lui. Certes, il est riche, dix fois plus que les Tascher, il possède une partie appréciable des plantations de la Guadeloupe, les Coquille sont devenus une petite dynastie sucrière là-bas depuis que les deux frères aînés, Robert-Germain, le procureur général, et

---

* Y compris pour leur gouverneur : le salaire de François de Beauharnais, pendant son séjour aux Isles, a été de 60 000 livres de sucre par an [537].
** Les bâtiments de la sucrerie existent encore et ont été transformés en « musée Joséphine » à La Pagerie.
*** Dugommier, nommé commandant en chef en 1793 des troupes de la Convention chargées de reprendre Toulon, saura faire confiance au capitaine d'artillerie Buonaparte. Il sera donc le premier agent de son destin national... et de celui de Joséphine.

Jacques, le nôtre, ont épousé le même jour les deux filles d'un riche sucrier de la Grande-Terre. Et il y a aussi les oncles, les cousins, tous ces Coquille qu'on différencie par leur surnom, Coquille Sainte-Croix, Coquille Champ-Fleuri, Coquille Vallon-Court, et le Robert Coquille sénéchal de Marie-Galante, à une heure de voile *. Jacques Coquille a pris le nom de la concession que son père avait obtenue dans les bois du Gommier, à la Basse-Terre. Il tient de lui aussi une noblesse toute neuve grâce à l'édit royal de 1769 qui la conférait « aux officiers des Isles du Vent après quarante ans de service ».

La vraie vie de Jacques tient dans ce mot d'officier. La vie de son père. La sienne. Les armes — l'armée. Un bagarreur. La routine des plantations l'insupporte presque autant que celle de la pension du père Colin, faubourg Saint-Antoine de Paris, « très renommée pour les principes épurés de la moralité et des humanités », où on l'avait envoyé faire ses classes voici trente ans. Il s'était révélé là, comme il est aujourd'hui vis-à-vis des autorités et des gros planteurs, « vif, dissipé, loquace, aimé de ses camarades et vivant avec eux dans une grande intimité, impatient du joug scolaire, peu appliqué dans sa classe où pourtant, grâce à son intelligence facile, il n'était pas des derniers, donnant plus d'une fois de l'humeur à ses maîtres, leur disant avec franchise qu'il ne fallait pas lui imposer un genre de travail qui ne lui causait que du dégoût [539]. » A quinze ans, son plus beau souvenir : l'entrée dans la compagnie des cadets gentilshommes des colonies, à Rochefort ; son plus bel habit : la veste de drap bleu sur le justaucorps gris-blanc aux boutons dorés, le chapeau bordé d'un galon d'or fin... « Il s'est fait remarquer à l'école de Rochefort par son amour du métier des armes et par son goût pour l'artillerie. » A vingt ans, son baptême du feu, quand les Anglais, déjà, toujours, ont bloqué l'île d'Aix et menacé Rochefort ; il commandait la batterie de Fouras, à l'embouchure de la Charente. Rendez-vous pris, il les avait retrouvés un an plus tard à la Guadeloupe abandonnée par M. de Beauharnais, puis à la Martinique où il avait été fait prisonnier après s'être battu comme un lion. Et puis la paix, la réforme — à vingt-six ans ! —, le mariage triste et riche, les époux ne s'entendent pas, ils vivent aussi loin l'un de l'autre qu'on peut l'être à la Guadeloupe. La grisaille et l'ennui dans un des plus beaux coins du monde. Fallait-il déjà se cuire au tafia ? La nouvelle guerre avait ressuscité Jacques Coquille. L'inquiétude des autres devenait son espérance. L'année passée, il a embarqué ses volontaires sur un navire de d'Estaing et s'est battu sous Sainte-Lucie. On va lui donner dans quelques jours le commandement d'un autre bataillon, mais des vrais volontaires cette fois, des Blancs. Il aura la croix de Saint-Louis « pour la bonne volonté et l'ardeur qu'il montre à être de toutes les actions de guerre ». A chaque réveil, il guette les voiles anglaises du haut des mornes. Et si elles ne se montrent pas, il rêve d'aller les chercher aux Amériques.

---

* Celui-là sera député, inexistant, à la Constituante. Le sénéchal était une sorte de juge à un tribunal de simple police.

... Marie-Rose Tascher ne dira jamais ce qu'elle a souffert ou pensé pendant ce passage d'un monde à l'autre. Son père se lamente, et il y a de quoi. Lettre de Joseph-Gaspard à Mme Renaudin, du 13 octobre : « Nous sommes à Brest, où nous venons de débarquer fort éprouvés par une longue et terrible traversée où j'ai cru périr dix fois. On craint pour ma vie. Ma fille s'empresse à me soigner [540]. » La lettre n'arrive que le 20 octobre à Noisy-le-Grand, dans la jolie petite maison de campagne un peu à l'est de Paris que le « marquis » de Beauharnais a offerte à Marie-Euphémie. Le fils, le filleul, le fiancé, bref Alexandre s'y trouve au lit, malade lui aussi de la Bretagne où il a passé l'été en garnison au Conquet, à la fin des terres du côté d'Ouessant, en préparant la Descente. Il est jeune capitaine au régiment de la Sarre. Du Conquet, il avait écrit à sa marraine : « C'est sur les côtes d'Angleterre que je voudrais me frayer un chemin vers la gloire, trop heureux si je peux vous dater un jour une lettre de Portsmouth ou de Plymouth. » Faute de Portsmouth, l'automne le trouvait soignant sa bronchite à Noisy, nullement disposé à demeurer en vigie au bout du monde en attendant que sa fiancée sorte des brumes.

Ils se sont manqués. Quinze jours de pluie et de vent sur la ville grise dans un garni bondé du quartier Saint-Louis, au chevet d'un père malade, c'est le premier cadeau de la France à Yéyette. Alexandre survient enfin le 27 octobre, à cheval depuis Morlaix, suivi de Mme Renaudin en voiture *. Une chance : c'est un vrai beau garçon « très galant, très sûr de lui, très pimpant dans son uniforme de drap blanc à revers et parements gris argentés [541] ». Une tête un peu fuyante, le front, le nez glissant, quelque chose d'insaisissable dans le comportement, peut-être par excès de timidité, sous la carapace de morgue aristocratique. Il est un Beauharnais, son port et sa cravate proclament qu'il le sait. Une fatuité de son âge qui passera peut-être — mais aussi de son rang; passera-t-elle? Quelque chose, cependant, accroche au fond du regard; une certaine réflexion. Il n'a pas tout perdu de sa jeunesse, comme tant de ses camarades. Il a fait de bonnes humanités au collège du Plessis, rival de Louis-le-Grand, « le collège qu'ont fréquenté les enfants des familles riches qui ne voulaient point entendre parler des jésuites [542] ». Et son « précepteur particulier », l'excellent M. Patricol, l'a emmené apprendre la langue et les mœurs allemandes à l'université de Heidelberg, avant d'être engagé au château de la Roche-Guyon, chez les La Rochefoucauld. L'élève avait suivi le maître : Alexandre, quasiment adopté par ces grands seigneurs libéraux qui rendaient au centuple la bouderie dans laquelle on les tenait à la Cour **, avait terminé son éducation chez eux en y respirant

---

* Alexandre de Beauharnais, député de la noblesse aux États généraux, sera président de la Constituante le jour de la fuite du Roi, en juin 1791. A ce titre, il sera « presque roi » pendant cinq jours.
** Voir tome I, p. 64 le regard cruel que la Rochefoucauld-Liancourt, grand maître de la garde-robe, portait sur l'agonie de Louis XV.

Rousseau, Voltaire, Diderot, après avoir dévoré Werther *. La duchesse d'Enville de La Rochefoucauld était la meilleure amie de Turgot ; elle faisait passer un souffle d'air dans la petite société non conformiste qui trouvait son paradis sur ces « montagnes de craie normandes », près de la boucle de la Seine à Vernon. Les La Rochefoucauld étaient à la fois fiers et fâchés de descendre de Louvois. La Roche-Guyon « est un des plus singuliers endroits du monde. La roche de craie a été coupée perpendiculairement pour faire place au château ; la cuisine, qui est fort grande, des vastes voûtes et des caves très étendues, bien remplies (soit dit en passant), avec une variété d'offices, sont toutes taillées dans le roc, et n'ont qu'un frontispice de briques ; la maison est vaste, contenant trente-huit appartements. La duchesse actuelle y a ajouté un beau salon de quarante-huit pieds de long, bien proportionné, avec quatre belles pièces de tapisseries des Gobelins, et une bibliothèque bien garnie. On montre ici l'encrier qui appartenait au fameux Louvois, ministre de Louis XIV, connu pour être le même dans lequel il trempa sa plume pour signer la révocation de l'édit de Nantes, et sans doute aussi l'ordre donné à Turenne de brûler le Palatinat [543]. » Alexandre de Beauharnais avait trouvé une contre-Martinique dans ce « château ducal où, à l'agrément exquis d'une grande vie opulente, aristocratique, raffinée, se mêle comme une élégance nouvelle l'exposé de doctrines d'égalité devant la loi, d'égalité devant la couleur, de bienveillance et de philanthropie [544] ». « Égalité devant la couleur ?... » Aurait-il appris là à se distancier de son père, sinon à s'en séparer ? Une petite faille s'ouvre en lui, un entrebâillement à autre chose. D'où son manque d'enthousiasme pour ce mariage imposé avec la fille d'un petit possesseur d'esclaves. Mais il n'en était pas à refuser les revenus de ses terres de Saint-Domingue. Et il appartient à une génération qui sait se marier sans joie ni plaintes. Au surplus, le petit paquet de créole mal déboulé qu'il découvre n'est pas trop vilain. Alexandre a même le bon ton de rassurer son père : « Mlle de La Pagerie vous paraîtra peut-être moins jolie que vous ne l'attendez, mais je crois pouvoir vous assurer que l'honnêteté et la douceur de son caractère surpassent tout ce qu'on a pu vous en dire [545]. » Il souhaitait une femme-enfant ? Il peut être rassuré, c'en est une. Des beaux cheveux châtain clair, une peau éblouissante. Elle sait battre des cils sur des yeux langoureux. Elle a un drôle de petit nez en trompette et un balancement des hanches qui promet au libertin. Que si elle ne tient pas ses promesses, il lui restera la ressource des maîtresses qui ont pavé son chemin depuis trois ou quatre ans déjà, cette dame de Caumont qui l'appelait « son cabri, à cause des poils fols que j'ai au bout du menton », ou Marie-Laure de Longpré, une femme mariée plus âgée que lui de onze ans, rencontrée en Bretagne « dans le plus misérable endroit qu'il soit possible de voir », ce Conquet où elle s'ennuyait si fort que les préliminaires avaient été courts. Mme Renau-

---

* Sur Goethe et son influence sur la jeunesse européenne en ces années-là, voir tome I. p. 337.

din recevait confidence de tout cela et comptait bien continuer ce rôle, en bonne marieuse-maquerelle : « Qui l'aurait dit, que je dusse être si heureux au Conquet? Oui, je ne vous le cacherai pas : votre chevalier *(sic)* a goûté le bonheur dans ces cantons-ci. Il est aimé d'une femme charmante... Son mari... a ordre de passer trois semaines dehors. Je souhaite de tout mon cœur que rien ne l'oblige de rentrer plus tôt [546]. » Mme de Longpré mettra au monde dans quelques mois un enfant de cet été — prénommé Alexandre.

Le « vicomte » ne se fait donc pas trop de souci et passe en gentilhomme les quelques semaines de formalités nécessaires à son mariage, à commencer par une voiturée de quinze jours en novembre pour emmener tout son monde de Brest à Paris par la route, ou plutôt le grand chemin de Guingamp et de Rennes. Les routes ne sont pas pires à la Martinique : certains jours, le « cabriolet bien conditionné » acheté quarante louis à Brest * enfonce dans la boue jusqu'aux moyeux. Le fiancé acquitte, toujours en gentilhomme, le coût exorbitant du voyage : trois mille huit cents livres **. Mme Renaudin se charge de l'achat du trousseau, d'autant plus volontiers qu'elle le paye avec l'argent du « marquis » de Beauharnais : 20 672 livres ***. De surcroît, elle donne à sa nièce (mais en gardant l'usufruit) sa petite maison de campagne de Noisy-le-Grand, « une sorte de vide-bouteilles où se fait la noce comme si l'on se cachait [547] », le 13 décembre 1779. On est cependant près de Paris, à peine au-delà de Vincennes et de Nogent, au seuil de la Brie, et le « vide-bouteilles » se trouve « dans une situation très agréable, sur une colline qui domine la rive gauche de la Marne [548] ». Mais il est vrai qu'il n'y a pas grand monde dans la petite église du XIIIe siècle **** où un lointain cousin Tascher, « prieur de Sainte-Gauburge » donne la bénédiction qui fait de Yéyette « la haute et puissante Dame Marie-Josèphe-Rose, vicomtesse de Beauharnais ». Les gens de la Cour et de la haute noblesse ignorent ce mariage de parvenus dont le véritable officiant a été le notaire, le 10 décembre, à l'hôtel parisien des Beauharnais.

Autre formalité : la nuit de noces. Rose y trouve ce qu'elle en attendait. Alexandre y éprouve une surprise dont il ne fera état que plus tard, celle de découvrir que sa femme n'est pas vierge. Est-on jamais pucelle aux Isles? Les Tascher ont « donné à danser », pendant le dernier carnaval, aux cent cinquante officiers de l'amiral d'Estaing. Parmi eux, un beau lieutenant de dix-neuf ans, Scipion du Roure. Mais un certain Tercier, capitaine au régiment de la Martinique, a aussi fréquenté assidûment la Pagerie *****. A quoi bon chercher? Rose le sait-elle elle-même? Au matin, Alexandre de Beauharnais

---

* Quatre mille francs lourds.
** Près de 18 000 francs lourds! Mais le prix du cabriolet y est inclus.
*** Environ 100 000 francs lourds.
**** Horriblement replâtrée et restaurée aujourd'hui.
***** Il sera général vendéen et se vantera — mais sous l'Empire... — de cette aventure.

se montre galant jusqu'au silence et ne fait pas d'histoires avec cette histoire. Il a de quoi se consoler. « Elle avait le plus joli petit con qui soit au monde », dira son second mari. A l'homme qui s'en émerveille, elle apprend (mais c'est parce qu'on le lui a appris) à comparer ce paysage-là à celui des « Trois-Islets de la Martinique [549] ».

31/ février 1780
Je ne sais quels pressentiments

Roland et Manon Phlipon avaient rompu le 28 septembre 1779 *.
Ils se marient le 4 février 1780, à l'église Saint-Barthélemy de la Cité.
Preuve qu'il ne faut jamais désespérer de rien. Mais ils en arrivent là
comme ensanglantés par une longue querelle conjugale avant la lettre.
Un mariage est souvent laid. Que dire de celui-ci?

Elle avait dit *oui* le 6 mai, ou du moins le lui avait écrit, puisqu'il
est à Amiens, elle à Paris, et que le procès qu'ils vont se faire en forme
de lettres d'amour va s'étirer au rythme de la poste : deux jours,
trois jours pour une réponse. Le 9 mai, il exulte apparemment : « Tu
es à moi, tu en as fait le serment; il est irrévocable... Je m'occupe de
ta demeure *(une maison qu'il allait louer rue du Collège)*. Songe que
tu dois l'habiter dans le courant de l'année... Je voudrais que les choses
pussent s'arranger du 15 août au 15 de septembre. » Il semble donc
décidé à marcher rondement. La noce pour cet été. Mais alors pourquoi
demander à Manon un autre *oui*, dans la même foulée? « Surtout, je
voudrais, de ta part, le secret le plus inviolable, et qu'aucun genre
d'amitié ne pût le partager. Me le promets-tu? Dis *oui (c'est lui qui
souligne)* et je suis tranquille [550]. » Autrement dit, nous sommes fiancés,
mais devant Dieu. Silence auprès des sœurs Cannet (que lui-même
rencontre chaque semaine) et auprès du père Phlipon. Roland, de son
côté, ne dira rien à sa mère et ses frères. A quoi bon cette clandestinité?
Ils sont majeurs l'un et l'autre au regard de la loi, maîtres de leurs
actions et de leurs biens, et il ne s'est rien passé de « mal » entre eux,
certes! Mais elle est une fille pauvre, et c'est de cela qu'il a honte. Elle
s'en doutait, elle l'avait loyalement prévenu, c'était même une des
raisons de sa résistance.

Lui croit urgent d'attendre. Les siens, à Villefranche, exercent depuis

---

* Voir ci-dessus, p. 130, comment leurs fiançailles s'étaient péniblement décidées.

des années une pression sur lui pour qu'il fasse un mariage d'argent : il est le seul des garçons à n'être pas d'Église. L'unique héritier des Roland de La Platière. Il leur a opposé sa force d'inertie. Mais il n'a pas le courage de leur annoncer tout à trac qu'il épouse la fille sans dot d'un graveur parisien. Alors, il faut attendre. Que le Saint-Esprit les informe, ou quoi? Il n'en sait rien. On verra. Elle n'est pas dupe, et cette restriction la blesse. Mais elle joue le jeu : « Tu peux toujours m'écrire avec la même confiance : c'est moi qui reçois ordinairement le facteur; dans l'autre cas *(quand il s'agit de son père)*, le timbre d'Amiens fait croire que ce sont les amies qui m'écrivent. »

A vingt-cinq ans, il lui faut se cacher comme si elle en avait quinze. Et leur correspondance dégénère en torrents de guimauve. Cette fille qui écrivait des lettres si pleines à ses amies, on la dirait stérilisée. Elle devient creuse, mièvre, ennuyeuse. Elle se met à son diapason. Il ne lui parle que de lui. Elle en rajoute. La liasse jaunie de ces fiançailles tristes forme un volume de trois cents feuillets principalement consacrés aux excès de bile et aux coliques de Jean-Marie Roland. La guerre avec l'Angleterre, la révolution d'Amérique, la vie des lettres ou des arts, leurs lectures en sont presque complètement absentes. Un tête-à-tête sinistre.

On bêtifie les projets : « Je me plais à me représenter près de toi, occupée des soins qui doivent être mon partage, participant à toutes tes affections et travaillant toujours à les rendre agréables; sortant rarement ou bien avec toi, parce qu'aucun lieu ne me plaira comme ta maison et que rien ne me dédommagera de ta présence... Tu m'éclaireras, je penserai avec tes idées, je vaudrai mieux et je t'en aimerai davantage, s'il est possible » (d'elle à lui, le 11 mai). Et, de lui à elle, le 15 mai : « Je t'ai bien dit que je m'occupais de ta demeure; je viens de l'arrêter * ; je t'y place, je t'y vois partout... Mais je ne l'arrangerai guère, mon amie : ce sera ton affaire. Je n'entends rien à ces détails, et je n'ai guère le loisir de m'en occuper. Ce sera la cabane de Philémon et Baucis ** . » Réponse : « Peu importe que ce soit cabane ou temple que j'habite avec toi. Partout où nous serons ensemble, la tendresse et l'honneur auront des autels et des adorateurs. » Style des enfants de Rousseau. Mais la grogne s'en mêle dès le départ, venant de lui.

Elle est trop sotte, aussi, dans son jacassin! Son flirt à peine ébauché avec le « vieux » Soissonnais, Sévelinges, lui pèse sur la conscience. Elle n'a rien de plus pressé que d'envoyer à Roland toutes les lettres qu'elle a reçues du bonhomme *** . Il lui passe un savon dès le 15 mai : « Les bras me sont tombés et j'ai été déconcerté. (Comment as-tu pu) ne pas découvrir un esprit incertain, faible, inconséquent et faux? (Comment as-tu pu) le croire, être sa dupe, le reconnaître,... le distinguer parmi les mortels? » Si elle se permet de contre-attaquer, en lui rappelant que lui-même la serrait d'un peu près l'autre hiver, il se

---

* De la louer.
** Héros d'une fable mythologique grecque sur la permanence de l'amour et de la fidélité conjugale.
*** Sur Sévelinges et son offre de mariage blanc, voir ci-dessus, p. 126.

fâche aussitôt. Le 12 juin : « Bon Dieu! mon amie *, dans quelle encre
as-tu toi-même trempé ta plume? Comme tu es raide! Comme tu te
complais à outrer en tous sens!... »

Là-dessus, un jeune apprenti graveur d'une vingtaine d'années
se révèle un amoureux transi en voie d'échauffement. Il faisait marcher
non seulement l'atelier du père Phlipon, mais le petit train de la maison,
depuis la mort de Mignonne. Les courses, la cuisine, le gros ménage.
Un gentil petit homme à tout faire, dont le zèle émouvant venait de
ce qu'il regardait Manon avec les yeux que Restif de la Bretonne, un
autre apprenti, avait eu à Auxerre pour « Mᵐᵉ Parangon », la femme de
son maître imprimeur. Ici, il s'agissait de la fille du patron, mais,
comme dans l'histoire de Restif, elle était à la fois inaccessible et pro-
vocante. Elle avait joué avec le garçon d'un angélisme exaspérant :
« Je trouvai dans nos élèves des aides attentifs et zélés, surtout dans
le plus ancien : L. F. ** ; son bon cœur, son dévouement à la maison,
se montrèrent ouvertement dans cette circonstance *(la maladie mortelle de Mignonne)*. Pressé par l'ouvrage, levé dès quatre heures du
matin pour le faire, il savait trouver des moments de loisir pour partager
mes peines... Plus avide que jamais de mes conseils et de mes leçons,
il les requérait sans cesse. Toujours, elles roulaient sur les mœurs et
s'appliquaient à sa situation... » Quels délices et quel supplice, ce professeur de vingt-cinq ans à la peau de lait mal cachée! Il en est tombé
malade à son tour, le pauvret : « Il me désole. Je le veille toutes les
nuits. Sa faiblesse est extrême. Rien n'est bon que ce que je donne et
ce que je veux... Il pleure et se tourmente parfois comme un enfant;
son esprit et son corps ont également besoin de mes soins ⁵⁵¹. » Quand
donc comprendra-t-elle ces choses? Des soins de ce genre, on en crève-
rait : « L. F. se désole quelquefois jusqu'à perdre le sommeil et le manger. C'est une tête qui m'effraie. Je crains beaucoup de lui avoir fait
mal en le soignant trop bien ⁵⁵². » Tout aurait pu continuer cahin-caha
si le *povero giovane*, comme elle l'appelle, n'avait pas le premier pressenti ses fiançailles, avec le flair des soupirants. Le voilà qui fait des
caprices, puis des scènes de jalousie. Au lieu de s'en tirer toute seule
de son mieux, elle met ce tableautin sous les yeux de Roland, qui
s'empresse de dramatiser : « Le jaloux qui nous a veillés *(sic)* m'obsède
plus que je ne l'aurais cru, plus que je ne saurais dire. » Elle est cependant toute prête à larguer ce naufragé malencontreux, en le faisant
écœurer par de nouvelles conditions de travail, quitte à le noyer tout
à fait : « Obligé de se nourrir et loger à ses frais, n'ayant plus d'appointe-
ments réglés, payé seulement par pièce ou à la journée suivant l'ouvrage, ne s'étant fait ni connaissances ni pratiques, il sera nécessairement obéré ***, au moins pendant un intervalle de temps; il y a tout

---

* Chez lui, chez elle, on compte au moins six « Bon Dieu » en trois mois.
** On ne le connaîtra que par ses initiales ou des appellations comme
« le jeune homme », « l'apprenti », etc. L'atelier de gravure de la place
Dauphine tournait avec Phlipon et deux apprentis.
*** Accablé de dettes.

à craindre que l'inquiétude, l'impatience, sa mauvaise tête et le besoin n'en fassent sous six mois un franc libertin ou un soldat *(sic)*. » Un chien crevé de plus au fil de l'eau, comme tant d'apprentis quand ils n'agréaient pas assez à leurs patrons pour passer compagnons. Celui-là en devient fou de chagrin. « Il a eu ce matin *(le 1er juin)* un accès de désespoir dont j'ai craint les plus horribles effets ; je m'aperçus de l'orage ; je le veillai de près et l'arrêtai fort heureusement dans un moment de fureur où il s'était armé d'un couteau qu'il tournait contre lui-même. Je lui tins les deux mains pendant plus d'un quart d'heure en faisant succéder, suivant ce qui se passait sur son visage, les exhortations douces aux réprimandes sévères. » « Je veux vaincre mon chagrin, me disait-il avant-hier *(le 4 juin)*. Je vais chercher au-dehors seulement assez d'ouvrage pour suffire aux dépenses de mon entretien. Sitôt que cet objet sera fixé, je ne veux plus recevoir d'argent d'ici *(de chez Phlipon)* et j'y travaillerai quand même pour être nourri, sans rien autre chose. Mais si vous sortez *, ajouta-t-il avec un air de résolution et d'humeur, je ne réponds plus de moi... Au reste, s'il faut être tout à fait malheureux, je ne le serai pas longtemps. » Le 19 juin, « des accès de chagrin et d'impatience le portent fréquemment à des résolutions dont je ne préviens l'effet qu'à force d'art et de ménagement. Sa santé s'altère. Il faut qu'il devienne, sous quelque temps, malade, mort ou fol. Il est déjà tout cela à demi » —— et Roland s'en repaît, à l'autre bout du fil, lui qui se bat depuis si longtemps pour les droits des apprentis, à Lodève comme en Picardie. Mais il s'agit ici d'*un* apprenti. Il est facile de se battre dans l'abstrait pour le bonheur des hommes, à condition de ne pas s'encombrer du malheur d'un seul. Et celui-ci passe la mesure. A la fin de juillet, L. F. ne parle de rien moins que de prendre la route d'Amiens pour aller poignarder Roland. Elle tente de le calmer par des flots de bonnes paroles, mais ne parvient qu'à semer la panique chez Roland en lui transmettant une sorte de sténographie du mélodrame. Il prend la menace très au sérieux : « Je ne pense pas sans quelque horreur au dessein prémédité d'un assassinat, et je ne trouverais point du tout agréable de me voir gourmander ** par cette crainte. Pourrais-tu croire que, si mes affaires m'appelaient à Paris en ce moment, je dusse craindre d'être exposé à cet assassinat, ou que je ne dusse pas plutôt en prévenir hautement le ministère public ? » Cette fois, ce n'est pas seulement à la misère qu'on enverrait le jeune exalté. C'est aux cabanons de Bicêtre. Manon freine. Peut-être a-t-elle senti qu'elle a trop bavardé. Le 22 juillet : « Respirons, mon ami. Tout finira. Tout est fini. Je serais en droit de te dire, avec mon air auguste et mes périodes carrées, que ton amie peut faire des héros, non pas des monstres. » Elle est sûre d'avoir apaisé la crise à force de bonnes paroles. « Il est et sera ce qu'il doit être : honteux de ses excès, animé du désir d'en effacer jusqu'au souvenir,

---

* « Si vous n'habitez plus ici. »
** « Tourmenter, contrarier sans cesse ».

jaloux de mon estime, ne pouvant supporter l'idée d'en être privé...
Il ne voit plus en moi que la femme d'un autre, la tienne. Son respect
et ses égards s'étendront sur toi; je veux qu'il t'aime, qu'il reste avec
mon père après mon départ, qu'il lui serve de fils et d'appui. » Roland
lira sans plaisir un plaidoyer où l'avocate s'échauffe pour son client :
« Non, celui qui vécut honnête homme jusqu'à vingt-trois ans ne devient
pas un scélérat en deux jours. Un naturel heureux que je vis, pendant
huit années, docile à la voix de la raison, touché de l'exemple du bien,
prompt à le suivre, ne se détruit pas tout à coup. » Plus tard (le 24 septembre), quand ils seront au bord de la rupture et nageront dans l'amertume, elle reparlera de L. F. à Roland, rien que pour la vengeance
d'un revers de plume cruel : « O mon ami, comme on aime à vingt
ans!... »

Mais « ce pauvre jeune homme » n'est qu'une ride sur les vagues de
la vraie querelle : tout tourne autour du père Phlipon. Rien ne peut se
conclure tant que sa fille ne l'a pas mis dans le coup. Et Roland élude,
en mai et en juin. Il y met une sorte de coquetterie du silence. Il y a
un combat en champ clos entre l'inconscient des trois personnages :
les deux seuls vrais hommes de la vie de Manon, ceux avec lesquels
il est question de vivre, ç'a été son père, ce sera Roland. Un jaloux
en veut presque toujours, dans ces cas-là, plus au père qu'aux galants.
Or Manon n'en peut plus d'attendre, si Roland s'accommode encore
aisément de sa petite vie de célibataire. Deux fois, trois fois, en mai,
elle le presse doucement. Peut-elle préparer son père, petit à petit?
Roland se fâche le 31 mai : « Les personnes sensibles sont soupçonneuses
et défiantes, mon amie. On ne jouit point du bonheur des belles âmes
sans quelques atteintes cruelles. Mais il ne faut pas être injuste, et tu
l'es déjà à mon égard. » Il en veut, d'ailleurs, à ce qu'il appelle « sa
sensibilité », ce *vibrato* qui lui fait parler de toute chose avec un ton
au-dessus. « Tu me peins la promenade du Luxembourg d'une manière
assez intéressante. Cependant ton âme s'y est trop sombrement exaltée·
Je ne sais pourquoi, des pressentiments noirs viennent trop souvent la
troubler... J'aimerais tant à te voir une âme plus tranquille, un cœur
plus content, une jouissance plus douce. » Facile à écrire! Il est à
cinquante lieues d'elle et il exerce un métier passionnant. Elle s'ennuie
à longueur de temps au milieu d'un tunnel. Belle jouissance! Mais
qu'est-ce donc, cette fille qui refuse de se taire quand elle éprouve
quelque chose? Elle ne se « tient » pas très bien, au sens propre du mot,
Manon Phlipon. Se « tenir », se « contenir » : la loi des constipés,
qui voudraient les hommes dans des brancards, comme des chevaux.
Elle ne sait pas garder la discrétion de rigueur entre un fiancé grincheux et un père offensé. Roland s'explique le 25 juillet. « Comme tu
passes d'un état à l'autre, et physique et moral! Ce n'est pas une des
choses qui m'étonnent le moins. Je t'avoue que je ne saurais me livrer
aux extrêmes avec la même rapidité; d'autant plus que tu accompagnes
tout cela d'amples dissertations sur la cause et les effets, les moyens
et les résultats, le vraisemblable et le certain, le bien et le mal, le bon
et le mauvais, le joli et le laid, le fort et le faible, le chaud et le froid,

le grand et le petit, etc., etc., etc., etc., etc., etc., etc., * et de périodes,
non seulement carrées, mais à toutes faces **, de rondes, de pointues,
de longues et de brèves... » On appelle ces textes « les lettres d'amour
de Roland à Manon Phlipon ». On croirait plutôt des pièces versées au
futur dossier d'un divorce. Le foie du pauvre homme est constamment
à l'épreuve. A quoi sert d'aller le soigner pendant quinze jours dans les
boues et les bains de Saint-Amand-les-Eaux, en Flandre, si c'est pour
trouver à son retour des lettres de « sa bonne amie » dont « le ton a
furieusement rabattu de la bonne disposition *** que je rapportais
de mon voyage? Il ne serait pas à désirer que j'en reçusse souvent de
cette nature. Il est vraisemblable que je n'oublierai celle-ci de ma vie. »
Roland n'aime pas cette jeune fille. Il la désire. Il en a peur. Elle le
déconcerte. Faute de pouvoir la mépriser, il concentre sa hargne sur
le point faible de Manon : ce père, dont elle a eu l'imprudence de lui
révéler les misères, quitte à les exagérer. Elle se défend comme elle
peut, dignement : « Ma famille, commune et obscure dans sa plus grande
partie, n'est flétrie d'aucune tache qui s'étende sur moi; ma fortune,
réduite à zéro dans le moment présent par l'obligation d'aider mon père,
très bornée dans tous les cas, mais enfin pouvant devenir quelque
chose, n'est plus une difficulté pour l'homme délicat qui voulait et
pouvait s'en passer » (le 11 septembre). Ces petites leçons au passage ne
contribuent pas à le détendre. Seule elle était avant Roland; elle est,
maintenant, deux fois plus seule. Car son père ne l'aide évidemment pas.

« Je comparais mon père d'aujourd'hui *(le 9 juin : lettre à Roland, la
maladroite !)* sombre, muet, glacé, repoussant ****, à ce père d'autrefois,
presque idolâtre de sa fille... » | « Il paraît ne pouvoir souffrir sa maison,
ni ma présence. Il ne mange plus au logis, ne me regarde pas, et dit
à tout le monde, excepté moi, qu'il veut être seul et vivre comme un
garçon » (le 10 juin). Ainsi fournissait-elle à Roland le matériau de sa
guerre. Elle s'en aperçoit trop tard, le 27 juin, quand elle croit tout
arrangé par l'intervention d'une de ces cousines commères qu'on a
toujours sous la main dans ces cas-là, une demoiselle Desportes, chargée
de sonder le père Phlipon. « Baise ma lettre, tressaille de joie; mon
père est content, il t'estime, il me chérit; nous serons tous heureux.
Paix, salut, amitié, joie par toute la terre. Si tu savais comme nous
nous sommes embrassés, comme ce pauvre petit cœur a palpité de
douleur, d'attendrissement, de crainte et d'aise! Ah, que j'ai pleuré!
Ce bon papa, il m'aime tant qu'il ne peut s'en défendre. Va, la nature
est bien forte dans le cœur des pères! » Bon. Alors, ça y est, tout est
réglé, il suffira d'une lettre de Roland à M. Phlipon, la dernière formalité?... Elle reçoit une douche glacée de style cuistre : « Je suis ravi de

---

* Cette fois, ce n'est plus de la sténographie, mais une sorte de bande
sonore. Sept *et cætera*, pas un de moins. Une traduction écrite de l'exaspération. On croirait entendre le *crescendo*.
** Des divers aspects ou points de vue que présentent les choses : « Le
ton de voix change un discours de face » (Pascal).
*** « De la meilleure santé. »
**** Au sens de « hostile; qui me repousse ».

ton contentement. Et si je ne mets pas autant que toi de cet enthousiasme qui honore ton cœur dans cette affaire qui l'intéresse aussi
essentiellement, c'est que je n'en ai pas autant désespéré.» Mis au pied
du mur, il recule, il tergiverse. Normalement, c'est lui qui devrait
« faire la demande » à Phlipon. Il prétend au contraire. Mais a-t-on
déjà vu un père offrir la main de sa fille à un homme qu'il connaît à
peine? Phlipon élude à son tour. Le 9 août, il se décide pourtant à
franchir ce pas, sur les instances de sa fille. Roland trouve la lettre
raide et répond de même. Ils se cherchent. Entre ces deux dindons,
une jeune fille martelée. « Je n'obtins *(de mon père)* que des choses
dures, humiliantes même, ajoutées à l'éternel refrain qu'on pouvait
le mettre en tiers dans le secret quelques mois plus tôt... » La tension
devient insupportable en août. Chaque mot blesse l'un ou l'autre.
Le 3 septembre, elle en a assez : « Tu parais ne plus tenir à nos projets
que par ménagement pour moi et par attachement à ta parole. »
Elle offre de la lui rendre. Nouvelle panique chez lui devant une résolution quelle qu'elle soit. « Ton père ne m'a point répondu *(le 4 septembre)*.
Son ton, ses propos, ses prétextes m'irritent. Aurais-je jamais dû
m'attendre à un affront aussi sanglant?... Je n'aurais jamais cru
qu'il pût être aussi insensible, aussi dur, aussi cruel, aussi inconséquent. » Le lendemain, il reçoit un « accord » de Phlipon en forme d'in-
sulte : « Vous m'avez fait l'honneur, Mr. *, de m'écrire : je dois avoir
celui d'y répondre... » Il a exigé que sa fille lui communique les lettres
reçues de Roland. Elle a refusé. « Cela me détermine avec regret à
vous dire qu'elle peut jouir entièrement de son privilège de majorité
pour accélérer la définition ** de cette affaire [553]. » Roland étouffe.
De colère? Sans doute. Mais peut-être aussi de soulagement. Son commentaire est un défoulement. Ce n'est pas sur Phlipon qu'il s'acharne
à coups de pied, c'est sur elle. Quelle fille fière supporterait qu'on lui
parle de son père ainsi? « Prendre un prétexte si faux, et, j'ose dire,
si bête ***, c'est déceler une âme qui me fait horreur; un homme qui,
se déshonorant par bassesse de caractère, en viendrait au point de le
faire pour désoler quelqu'un que sa conduite ferait rougir. » Il écrit
du même ton à « cet homme insensible, injuste, faux, dépravé, incapable de retour ». Manon a de la chance qu'ils soient bourgeois : nobles,
ils se couperaient la gorge. Elle sent se refermer sur elle toutes les
cloisons de sa vie. « J'ai dormi trois heures *(le 3 septembre)*. En suis-je
mieux? Je n'ai repris des forces que pour souffrir. » Le mariage? N'en
parlons plus. Mais il lui est devenu impossible de continuer à vieillir
chez son père. Le suicide? Elle y songe, le temps d'un sursaut : « J'ai
retiré d'un lieu secret, près de mon lit, j'ai pris et jeté par ma fenêtre
une petite fiole d'eau-forte **** que je m'étais procurée pour un autre

---

* Textuel : « Il n'y a pas jusqu'aux Mr. ainsi abrégés qui n'aient leur
singularité », fait aigrement observer Roland.
** « L'achèvement. »
*** La communication de la correspondance.
**** Acide nitrique étendu d'eau. Elle n'avait pas de peine à s'en pro-
curer; les graveurs s'en servent pour attaquer le cuivre : « une eau-forte ».

usage. » La nouvelle n'attendrit pas Roland. Il ne s'en lamente que
davantage, en parfait égoïste : « Bon Dieu, en quel état tu mets ton
âme !... Moi qui comptais tant sur elle pour apaiser la mienne, en adoucir l'aigreur, en calmer l'amertume ! »

Elle se résout pour le couvent, après une longue lettre où elle remet
Roland à sa place (le 11 septembre) et fait le bilan de ses propres erreurs.
Elle s'est livrée trop entièrement, mais ne le regrette pas : « Mon
attachement, ma franchise, en me peignant à mes yeux tout entière,
te montrèrent la compagne qui pouvait embellir tes jours en s'unissant
à toi... Il semblait qu'à ton gré je ne fusse pas assez ferme dans l'espérance dont je me nourrissais, mais que l'expérience des malheurs
accompagnait de je ne sais quels pressentiments... Je te vois craindre,
hésiter, presque te repentir ; mon devoir se trace en caractères sombres,
effrayants, je le suis intrépidement, je te dégage et m'immole moi-
même. » Quant à son père, « il est plus inconséquent que vicieux. »
Consciente de l'avoir enfoncé dans l'esprit de Roland, elle le défend,
bien tard, mais noblement : « Est-il aujourd'hui différent de ce qu'il
était et de ce que je te peignais il y a peu ? Comme tu charges le tableau !
Eh ! c'est assez que ses défauts, ses travers fassent mon tourment et
s'opposent aux liens que tu me forças d'accepter ; soulève tes noirs
crayons et n'accable pas sa fille. Sa conduite n'est pas réglée, il a l'âme
étroite, dure, et l'esprit revêche ; cinq ou six des siens qui savent sa
manière de s'arranger ne l'aiment point et ne l'estiment guère ; bon
nombre de personnes n'ignorent pas qu'il eut et qu'il peut avoir encore
une maîtresse ; le public soupçonne qu'il n'est pas aussi riche qu'il lui
avait plu de l'imaginer : mais enfin ce n'est point un homme noté,
déshonoré, méprisé, il n'a rien fait pour l'être et généralement on le
regarde comme un honnête artiste faisant encore son état pour augmenter ses moyens ou fournir à ses amusements. Mille font ce qu'il fait ;
mille encore le font avec aussi peu de délicatesse et même de droiture ;
on sourit et l'on pardonne à ceux d'entre eux qui savent le couvrir
d'un vernis de politesse ou de l'apparence d'un état plus relevé et
d'un débris de fortune plus considérable. »

Phlipon écrit lui-même le 23 septembre une nouvelle lettre qui aurait
pu tout arranger, mais elle vient trop tard, comme dans une comédie
de Molière ; il y prend d'ailleurs le ton d'un bonhomme Chrysale,
qui ne manque ni de jugeote, ni de répartie : « Je conviens de bonne
foi que ma première lettre n'a rien d'agréable... Convenez aussi que
votre réponse sent un peu l'injure en plus d'un endroit. Mais soit dit
en deux mots : oubliez l'une, et je ne me souviendrai plus de l'autre...
Faites de ma lettre ce que je fais de la vôtre ; jetez-la au feu. De pareilles
lettres doivent être lacérées... S'il est encore temps, je vous donne avec
une entière satisfaction et un parfait plaisir mon consentement et mon
approbation. Je vous agrée du meilleur de mon cœur ; je serais très
tranquille sur le sort de mon enfant, si cette affaire peut avoir lieu. »
Il y a même un joli petit coup de patte en passant : « Si vous avez
remarqué en elle des qualités qui peuvent vous convenir, je m'en félicite d'autant plus que je vous crois très connaisseur... Ainsi, Monsieur,

tout dépend présentement de vous, tant il est vrai qu'il y a du remède
à tout, en y exceptant la mort [554]. »

La porte reste donc entrebâillée, mais Roland n'en profite pas.
Il rompt, sur sa lancée, le 28 septembre : « La lettre de ton père est aussi
peu réfléchie que la précédente. Elle prouve un homme sur lequel il y a
bien peu à compter... J'ai cru au bonheur, c'est une chimère... Je te
mandais que j'allais m'enterrer dans le travail; ce fut un projet.
C'est une nécessité. »

Elle n'en peut plus, de ces bonshommes. Le 6 novembre 1779, elle
se retire comme pensionnaire au couvent de la congrégation des augustines de Notre-Dame, rue Neuve Saint-Étienne * au faubourg Saint-
Marcel, où elle avait passé une année assez douce de son enfance en 1765.
Encore Paris, déjà les champs, beaucoup de jardins, une fontaine et
des grands arbres. Là, elle avait rencontré les demoiselles Cannet,
pendant sa petite crise mystique. Elle y cherche les traces de ses douze
ans et retrouve la chère sœur Sainte-Agathe (par bonheur attachée au
service des pensionnaires, comme une sorte de bonne à tout faire) qui
était quasiment tombée amoureuse d'elle voici quinze ans, et ne
demande qu'à recommencer **. « Il est des âmes qui n'ont pas besoin
de culture. La nature l'avait pétrie de soufre et de salpêtre ; son énergie
contrainte porta au suprême degré la sensibilité de son cœur et la
vivacité de son esprit... Sans avoir reçu de grands secours de l'éducation, elle était supérieure non seulement à ses compagnes *(les converses)*,
mais à la plupart des dames du chœur... *(Lors du premier séjour)*,
elle épiait mes goûts à mon insu et cherchait à les satisfaire ; à la chambre, elle faisait mon lit avec complaisance... Elle m'embrassait avec
tendresse, m'emmenait quelquefois dans sa cellule où elle avait un
serin charmant, familier, caressant, à qui elle avait appris à parler ;
elle me donna secrètement une seconde clef de cette cellule, pour que
je pusse y entrer en son absence... J'y trouvais (souvent) un petit billet
bien tendre, auquel je ne manquais pas de répondre ; elle gardait
ces réponses comme de précieux bijoux, et me les montrait ensuite
bien fermées dans son oratoire. Bientôt, il ne fut bruit au couvent que
de l'attachement d'Agathe pour la petite Phlipon [555] », un attachement
qui avait traversé quinze ans de séparation. « Mon Agathe m'écrivait
de temps en temps de ces lettres tendres, dont l'accent, tout particulier à ces colombes gémissantes qui ne pouvaient se permettre que
l'amitié, était encore avivé chez elle par son âme ardente ; les petits
coffres, les jolies pelotes et les bonbons les accompagnaient [556]. »
Celle-là au moins ne lui manquera pas. En ce Noël 1779, celui de la
nudité du cœur, Manon Phlipon a même l'impression qu'il ne lui reste

---

* A l'emplacement de l'actuelle rue Rollin, près de la rue Monge.
** Sœur Sainte-Agathe, née en 1741, avait prononcé ses vœux en 1758.
Née Angélique Boufflers (sans lien avec la famille noble de ce nom),
« le défaut de dot avait assigné sa place parmi les sœurs converses ».
L'image de « l'âme pétrie de soufre et de salpêtre » est familière à Manon.
On l'a trouvée sous sa plume à propos de Sainte-Lette, ci-dessus p. 109.

que sœur Sainte-Agathe, comme un premier jalon sur la longue route d'une vie de vieille fille [557].

Elle s'y installe, on dirait, pour toujours. « J'aurais à donner des détails très piquants sur cet état où je commençai d'user des ressources d'une âme forte. Je calculai sévèrement ma dépense, en mettant de côté pour des cadeaux à faire aux gens de service de la maison. Des pommes de terre, du riz, des haricots, cuits dans un pot avec quelques grains de sel et un peu de beurre, variaient mes aliments et faisaient ma cuisine sans me prendre beaucoup de temps.

« Je sortais deux fois la semaine : l'une pour visiter mes grands-parents ; l'autre pour me rendre chez mon père, donner un coup d'œil à son linge, emporter ce qu'il était nécessaire de lui raccommoder. Le reste du temps, fermée sous mon toit de neige, comme je l'appelais, car je logeais près du ciel et c'était dans l'hiver, sans vouloir faire de société habituelle avec les dames pensionnaires, je me livrais à l'étude, je fortifiais mon cœur contre l'adversité ; je me vengeais, à mériter le bonheur, du sort qui ne me l'accordait pas. Tous les soirs, la sensible Agathe venait passer une demi-heure près de moi ; les douces larmes de l'amitié accompagnaient les effusions de son cœur. Un tour de jardin, aux heures où chacun était retiré, faisait ma promenade solitaire. ... Je n'étais pas toujours sans mélancolie, mais elle avait ses charmes ; et si je n'étais point heureuse, j'avais en moi tout ce qu'il fallait pour l'être [558]. »

Mais « le pire n'est pas toujours sûr ». « M. Roland, étonné, affligé, continua de m'écrire en homme qui ne cessait point de m'aimer, mais que la conduite de mon père avait blessé. Il vint au bout de cinq ou six mois et s'enflamma en me revoyant à la grille », le 12 janvier 1780 exactement : donc après deux mois, et non cinq ou six. D'après les souvenirs de Manon, on dirait que le temps a quand même paru long à la pensionnaire des augustines [559].

Leur histoire est, comme eux, pétrie de contradictions. A peine ont-ils rompu qu'ils recommencent à s'écrire des lettres chargées de nostalgie. Elle y va de bon cœur : « Je brûle toujours de les recevoir, ces lettres déchirantes que je dévore et qui me tuent. Je les couvre de baisers et de larmes. Leurs expressions me navrent, et je n'en chéris pas moins la main qui les trace. J'ose croire que les miennes, dictées par l'égarement, m'ont trahie lorsqu'elles t'ont tristement affecté. Ah ! mon cœur n'était pas fait pour abreuver le tien d'amertumes... » (le 4 décembre). De son côté, il n'en peut plus. Pauvre Roméo ! « Tes lettres, mon amie, m'ont trouvé dans une révolution de bile telle que je n'en ai jamais éprouvée, puisque je l'ai vomie toute pure, sans avoir rien pris pour cela... Je me trouve tout mal à l'aise et, quoique purgé, mon estomac est en mauvais état ; j'ai le dévoiement *, je digère fort mal, je suis très jaune » (le 10 décembre). Cahin-caha, il se traîne jusqu'à l'hôtel de Lyon, en bas de la rue Saint-Jacques,

---

* « La colique. »

donc près du couvent de « son amie » — qu'il revoit pour la première
fois depuis ce *oui* et ce *non* étirés sur des mois de correspondance.
Entre-temps, un brave homme de bénédictin, Pierre, un des frères de
Roland *, s'est révélé artisan de réconciliation. Enfin un Roland qui
ne la traite pas de haut! Il devient même son allié. Il apprivoise le
père Phlipon. Manon, le trouve « homme d'esprit, de mœurs douces
et d'un caractère aimable... Il prêchait la liberté dans sa paroisse
comme il y pratiquait les vertus évangéliques; avocat et médecin
de ses paroissiens, trop sage pour un moine [560] », il entreprend de guérir
ces deux-là de leur connerie. Le 12 janvier, ils se revoient, ils se *voient*
enfin, de part et d'autre de cette grille du parloir que les nonnes impo-
saient même à leurs pensionnaires.

De Roland, le lendemain : « Triomphe dans ta retraite, mon amie!
Quel est donc ton empire, et dans quel état m'as-tu jeté! » Le 21 janvier,
le bénédictin se charge des démarches « officielles » de l'un à l'autre,
et auprès de Phlipon. Roland parvient même à la simplicité : « Ne nous
faisons pas de monstres pour le plaisir de les combattre... Mon amie,
ma bonne amie! je te verrai dimanche. Ne me donne pas de chagrin :
tu en as trop eu. » Il n'y a plus de raison de traîner, du moment que
tout le monde est d'accord. En ce temps-là, les mariages, une fois
décidés, pouvaient se faire sur-le-champ ou presque. Et l'approche
du carême ajoute une raison de se hâter. Au lendemain du mariage
célébré dans la paroisse des Phlipon, celle où Manon, enfin
Mme Roland, avait été baptisée vingt-cinq ans plus tôt, Roland expédie
aux quatre horizons des faire-part bâclés à la diable. « Ne m'en voulez
pas si vous n'avez pas été instruit plus tôt. Tout s'est raccommodé,
arrangé, déterminé en cinq ou six jours, et mes amis, comme mes
parents d'ailleurs, n'en ont pas su davantage... Mon adresse actuelle
est chez M. Phlipon, rue de Harlay, près le Palais *(de Justice)* à Paris. »

C'est là que Manon passe sa première nuit de femme, dans le décor
de sa jeunesse close, à quelques pas de son père. La notion de voyage
de noces n'existait guère. Et Roland, dès le lendemain, avait du travail
à Paris, des bureaux à parcourir, des commis à bousculer. « Je ne me
dissimulai point qu'un homme qui aurait eu moins de quarante-cinq ans
n'aurait pas attendu plusieurs mois pour me déterminer à changer de
résolution, et j'avoue bien que cela même avait réduit mes sentiments
à une mesure qui ne tenait rien de l'illusion... Enfin si le mariage
était, comme je le pensais, un lien sévère, une association où la femme
se charge pour l'ordinaire du bonheur de deux individus, ne valait-il
pas mieux exercer mes facultés, mon courage, dans cette tâche honorable que dans l'isolement [561]? »

---

* Dom Roland (1732-1789), de la congrégation de Cluny, était alors
prieur d'un petit monastère à Ozay, et curé du village voisin, Longpont,
près de Paris.

32/ avril 1780
Les années que j'ai perdues

Au premier jour de 1780, Vergniaud est à bout de nerfs. Il n'en peut plus, à vingt-six ans. « Je suis un fardeau pour moi-même. Je suis accablé par une mélancolie qui m'ôte l'usage de mes facultés. J'ai beau faire mes efforts pour la cacher aux yeux de ceux que je vois, elle reste toujours. Je ris par convulsion *(sic)* et mon cœur partage rarement la fausse joie qui se peint sur ma figure [562]. » C'est à son beau-frère François Alluaud, son bienfaiteur, son seul ami, qu'il ouvre ce cœur flétri par une longue jeunesse dans l'impasse. En voilà encore un qui a été ballotté entre la basoche et l'Église sans trop savoir ni comment ni pourquoi.

Son malheur est venu du manque d'argent. Au point où il en est, Vergniaud envisage encore de se faire curé, comme on se laisse tomber dans un puits. Il suffirait que les siens, là-bas, à Limoges, le poussent d'un mot... Sa lettre de vœux est un appel à leur décision. Seul, il n'a pas le courage. Mais s'ils prennent leur responsabilité, il y aura un abbé Vergniaud :

« Mon cher frère *(Alluaud)*,

« Voici une nouvelle année. Je souhaite qu'elle soit pour vous, pour ma sœur et pour toute votre famille une époque de bonheur. Quant à moi, qui n'espère pas beaucoup l'être *(heureux)*, je serai du moins consolé si j'apprends que vous l'êtes. Les années que j'ai perdues je ne sais comment, toujours séduit par des espérances qui n'ont jamais été réalisées, me reviennent sans cesse à l'esprit et ajoutent beaucoup à la situation cruelle où je suis depuis quelque temps. Si je croyais que l'état ecclésiastique pût me procurer une existence que je ne puis obtenir par un autre état, je le reprendrais, et ne croyez que ce soit par inconstance *(sic)*. Je l'ai pris la première fois sans savoir ce que je faisais; je l'ai quitté parce que je ne l'aimais pas, et je ne le reprendrai que par nécessité. J'écris aujourd'hui à mon père. Ses conseils et les vôtres me décideront. S'il était possible de gagner ma vie d'une autre manière, je le préférerais sans doute, mais mon parti est pris, et je n'attends que la réponse de mon père et la vôtre.

« Paris, 1er janvier 1780 [563]. »

Prêtre, lui? On ne va pas le laisser faire ça, c'est un trop beau garçon, les filles l'aiment tant! Pas d'une beauté fadasse. Il est plus plébéien qu'aristocrate, les traits un peu épais, lourdement taillé, mais à son avantage. Et sa candeur l'empêche d'avoir l'air fat. De taille moyenne, « de stature robuste et carrée », il a « le nez court, large, fièrement relevé des narines; ses lèvres un peu épaisses dessinaient fermement sa bouche * ». On s'avisera plus tard « qu'elles ont été modelées pour

---

* Selon Lamartine, qui avait enquêté auprès de son neveu, François Alluaud, fils de celui à qui Vergniaud écrit en 1780. Lamartine a vu

jeter la parole à grands flots », mais ce n'est pas pour cela que les Parisiennes les regardent aujourd'hui. Il respire une saine sensualité. « Ses yeux noirs et pleins d'éclairs semblaient jaillir sous des sourcils proéminents. Son front large et plan avait ce poli du miroir où se réfléchit l'intelligence ; ses cheveux châtains ondoyaient aux secousses de sa tête... La peau de son visage était timbrée par la petite vérole... Son teint pâle avait la lividité des émotions profondes. Au repos, nul n'aurait remarqué cet homme dans une foule. Il aurait passé avec le vulgaire sans blesser et sans arrêter le regard [564]. » C'est bien ce qui lui arrive dans la diligence de Limoges où il s'embarque un matin de février 1780, avec un baluchon qui ne pèse pas plus lourd que ses quinze ans de Paris, adieu la capitale ; la route d'hiver, en quarante-huit relais, tire un long trait sur une moitié de vie ratée. Quelle sera l'autre? On ne parierait pas six sous dessus. Mais enfin les Alluaud sont de braves gens, si son père est un pauvre homme. On va lui remonter le moral chez nous, et chercher une solution qui ne soit pas de désespoir. Le pays natal portera conseil.

Vergniaud va donc devenir avocat de justesse, grâce à François Alluaud. Et le même sursaut fera de ce Limousin un Bordelais d'implantation, donc un Girondin.

« Le trentun may mille sept cent cinquante trois a ete baptise dans cette églize Pierre Viturnien fils de sieur Pierre Verniau * et de Catherine Baubiat, son Epouse, né le même jour rüe du clocher.

« A été parrein, Pierre Viturnien Dassier ancien Grefier au Bureau des Finances de Limoges et marreine demoiselle Catherine Baubiat qui ont signes avec moy

« LAGENESTE, Vicaire [565]. »

La messe devait être plaisante, à Saint-Michel-des-Lions, si ce vicaire se débrouillait en latin aussi bien qu'en français. Le parrain se nommait en réalité Pierre-Victurnien (et non Viturnien) Dachès, et non Dassier. C'était le frère de Marie Dachès, grand-mère paternelle du nouveau-né **, la marraine étant la sœur de son grand-père maternel. Ce prénom bizarre de Victurnien (une déformation limousine de Victorien?) ne s'attachera pas à Vergniaud, qui, contrairement à l'usage, se fera toujours appeler Pierre, de son premier prénom.

Pas trace de noblesse. Sur leur acte de mariage, trois ans plus tôt, ses parents sont identifiés, le père comme « âgé d'environ trente ans, bourgeois et marchand de la présente ville », la mère comme « fille de sieur Pierre Baubiat, bourgeois de la présente ville », idem [566]. Les uns

---

aussi le meilleur portrait de Vergniaud jeune : un médaillon de François Dumont, actuellement au musée d'Art ancien de Bordeaux.
* Orthographe originale du « Registre servant aux baptèmes, mariages et enterrements de la paroisse de Saint-Michel-des-Lions de Limoges ». Le nom de *Verniau* est une erreur de scribe : le registre de l'année 1750, au 3 février, orthographie correctement *Vergniaud* pour le mariage de ses parents.
** Vergniaud est donc né quarante ans, jour pour jour, avant la journée du 31 mai 1793, début de la catastrophe des Girondins.

et les autres étaient enracinés à Limoges depuis plusieurs générations,
dans la même paroisse Saint-Michel-des-Lions. Vergniaud est né
presque au pied de la vieille église que les voyageurs jugeaient alors
« mi-gothique, mi-arabe *(sic)*, mais pas finie [567] ». Sa maison natale *
a un rez-de-chaussée en pierre, comme toutes ses voisines, et deux
étages de « bois torché de plâtre » surmontés de mansardes pointues.
Elle ne « blesse ni n'arrête », elle non plus, le regard, toute enserrée
dans le bloc blanc et gris des rues marchandes où son enfance a été
circonscrite, comme celle de Manon Roland place Dauphine. Seule différence : « les rues de Limoges sont peu droites, étroites et en pente ».
Mais la cité des bourgeois, poussée en marge de la vieille ville épiscopale endormie, est en train de faire éclater les remparts, et Pierre-
Victurnien n'avait guère de mal à trottiner jusqu'aux « dehors de la
ville, plantés partout de belles allées de frênes qui donnent beaucoup
d'ombre. Il y a même plusieurs places beaucoup plus modernes
(en 1780) que le reste de la ville, hors de son enceinte ; celles-là sont
grandes et assez bien bâties [568]. »
      Le petit Vergniaud aurait pu frétiller comme un poisson dans ce
flot de quinze à vingt mille âmes : Limoges industrieuse et riche au
milieu d'une province pauvre, dont ses bourgeois regardaient les
paysans de haut. Qu'ils mangent leurs châtaignes. Nous, nous fabri-
quons « tout ce que la vie ordinaire emploie : des chapeaux, des serges,
des siamoises, des étoffes de laine, etc. » sans parler de « la manufacture
de porcelaine faite avec la même pâte que celle de Sèvres **, car l'on
fait venir d'un endroit, à dix lieues d'ici, la terre dont la porcelaine de
Sèvres est formée [569]. » Il entendait parler de ça tous les jours, comme un
berger des moutons ou un bûcheron des coupes. Mais assez tristement,
et voilà encore une ressemblance avec les premières années de Manon
Phlipon. Le père Vergniaud trafiquait de vivres, des fourrages surtout,
et en fournissait aux régiments qui stationnaient à Limoges, plaque
tournante des cavaliers que le Roi pouvait envoyer vers les déserts
du Languedoc à la chasse aux hérétiques ou vers les contrebandiers
de la frontière espagnole. Or la disette chronique des années soixante
avait progressivement conduit le « bourgeois et marchand » à la ruine.
L'intendant du Limousin, un nommé Turgot, luttait de son mieux
contre la famine des plus pauvres, notamment par des distributions
gratuites prélevées sur les réserves, mais, fidèle à ses idées, laissait
filer le prix des grains sur les marchés. En 1770, hausse de cinquante
pour cent. En 1771, « il fut impossible à M. Vergniaud de remplir ses
engagements *** . Il se dépouilla des biens dont il pouvait librement
disposer, vendit les domaines qu'il possédait aux environs de Limoges,

----

* Qui existe encore, méconnaissable, au 10 de la rue du Clocher, ancien
numéro 23, au coin de la rue Gaignolle, au cœur de ce qui est devenu
« le vieux Limoges ».
** Le kaolin se trouvait à proximité de Saint-Yrieix. Quant aux « siamoises », c'étaient des étoffes de soie et de coton imitées de celles que les
ambassadeurs du Siam avaient offertes à Louis XIV.
*** Selon une notice biographique de François Alluaud fils.

et ne se réserva pour toute ressource que quatre maisons, sur lesquelles la fortune de sa femme était assise. La valeur de ses maisons représentait à peine le montant des dettes qui restaient à payer [570]. »

Ce n'était pas la misère — mais cette réduction du patrimoine à la dot immobilière de la demoiselle Baubiat signait l'échec d'une vie de commerçant et plaçait l'enfance de Pierre-Victurnien sous l'ombre croissante de la gêne. Il ne s'en était pas trop aperçu tant qu'il restait chez lui, où on ne l'avait laissé manquer de rien, sinon peut-être de gaieté. Le bon abbé Roby, un jésuite camouflé, était venu le dégourdir à domicile et lui donner le goût des lettres. C'était un érudit, un vrai, de ceux qui savent faire aimer ce qu'ils aiment : l'abbé avait traduit l'*Énéide* en patois limousin et en récitait des passages entiers, le soir, à la veillée. Est-ce de lui qu'est venu à Vergniaud le goût de parler comme on chante? Au collège de Limoges, on le traitait en petit Monsieur, mais ça ne le menait pas loin. A Paris, vers ses quinze ans, la gueule de l'argent s'était refermée sur lui : le même piège que pour Robespierre *, à cela près que le père de Vergniaud vivait encore, mais à quoi bon?

Turgot, toujours en son temps limousin, lui avait procuré une bourse au collège du Plessis, rue Saint-Jacques, au flanc du collège Louis-le-Grand où Robespierre, justement, se rongeait. Ils ont été voisins de cafard, mais ne risquaient pas de se rencontrer : faute d'habits, ni l'un ni l'autre ne sortaient. Au Plessis-Sorbonne (où Alexandre de Beauharnais allait passer un peu plus tard) c'était du solide et du gris. Des bonnes humanités. Il y avait vingt boursiers sur deux cents élèves. On ne les brimait pas. On ne les aidait pas. Vergniaud en est sorti en 1775 sans laisser trace de récompenses ni de punitions dans les registres. « Nul n'aurait remarqué cet homme dans la foule... » Alors? Le droit, l'Église? Toujours le même refrain. Brissot, déjà, lui aussi... Vergniaud avait fait le petit séminaire de Saint-Sulpice, comme Sieys **, deux ou trois ans, puis s'était arrêté avant le diaconat. Il n'était pas incroyant, mais n'avait pas la moindre vocation. Alors! Alors? En 1778, à vingt-cinq ans, pas d'*état*? Inclassable, Pierre-Victurnien? On le croyait indifférent à lui-même. Il prenait sur lui, pour cacher son angoisse.

Heureusement, il avait une sœur aînée, mariée de bonne heure et sans doute heureuse avec un notable de Limoges sensiblement plus âgé qu'elle et qui lui faisait un enfant par an. Le brave François Alluaud, ingénieur géographe des ponts et chaussées, traitait son jeune beau-frère comme un fils de supplément et lui envoyait un louis ou deux par chaque courrier pour son argent de poche, mais surtout lui donnait le sentiment d'un point d'appui. Il l'avait recommandé à un autre Limousin de Paris, le sieur d'Ailly, directeur des Vingtièmes au Contrôle général. La franc-maçonnerie de l'aide régionale créait presque des obligations. Lettre de Vergniaud à son beau-frère, en novembre

---

* Pour la jeunesse de Robespierre, voir tome I, p. 555.
** Pour la jeunesse de Brissot, voir tome I, p. 78. Pour Sieys, voir ci-dessus, p. 181.

1778 : « M. d'Ailly m'a donné sa parole pour un Contrôle des Vingtièmes *... Je n'ai plus actuellement d'autre désir que de me rapprocher
de ma famille. M. d'Ailly n'a pas pu me le promettre, mais il m'a dit
qu'il ferait ce qu'il pourrait [571]. » Il échappait à la prêtrise pour la
bureaucratie. Le 3 janvier 1779, un an avant sa dépression : « J'espère
que je vais commencer une carrière moins triste que celle que j'ai
parcourue jusqu'à présent. » Mais ce n'était qu'espérance. Vergniaud
se trouvait sur la liste d'attente, comme un fils de noblesse en mal de
régiment. La promesse était d'un héritage, celui d'une place à un pupitre, quand le titulaire en viendrait à se retirer ou à mourir. D'Ailly
faisait patienter Vergniaud avec des arguments cyniques : « J'espérais
que ce serait au commencement de ce mois, mais je serai probablement
obligé d'attendre jusqu'à la fin. M. d'Ailly m'a dit qu'il n'en était pas
encore mort, mais de prendre patience, que nous étions dans un mois
de gelée, et qu'il en partirait assurément quelqu'un [572]. » Janvier,
février, mars... Il faut croire que les bureaux des Vingtièmes étaient
bien chauffés. Les fesse-cahiers tenaient bon. Vergniaud n'était pas
plus avancé au printemps, à l'été, à l'automne. Encore une année
perdue. Il suivait les événements, mais du point de vue de Sirius,
comme pour parler d'autre chose que de lui, sans approfondir. « Heureux accouchement de la Reine, dont la santé va de mieux en
mieux [573]... » « Le marquis de La Fayette est revenu d'Amérique.
On prétend qu'il apporte des nouvelles intéressantes [574]... » En fait, il
n'était pas pressé de s'enterrer dans la paperasse. Il ne harcelait guère
d'Ailly. Il attendait quelque chose, un signe, une chance. Il faisait
trois petits tours par-ci par-là dans quelques salons bourgeois où la
protection de Turgot l'avait accrédité. Celui de l'académicien Thomas,
notamment, un « poète » sentencieux mais gentil, ami des philosophes
et pontife à la mode. Vergniaud rimaillait — pas mieux. On l'applaudissait donc :
     « A ce bouquet charmant que pour toi l'on a fait
     Je vois, gentille Eglé, qu'aujourd'hui c'est ta fête [575]... »
     Il s'ennuyait à mourir.

     A-t-il pu faire, vers la fin de 1779, trois petits tours aussi dans les
bureaux du Contrôle? Vergniaud a-t-il été percepteur un trimestre?
Quand il appelle au secours, il ne l'est déjà plus. En tout cas, il a caché
pendant quelques semaines aux siens que ce filon-là s'était épuisé.
Soit qu'il n'ait pas assez insisté auprès de M. d'Ailly. Soit qu'il se soit,
d'entrée, fait vider pour inaptitude. Alluaud ne lui en a pas voulu et a
passé l'éponge en évitant la crise familiale. « Vergniaud ne put vaincre
l'antipathie qu'il ressentit bientôt pour ce genre d'occupation. Il

---

* C'est-à-dire un poste de « surnuméraire » dans les bureaux où se tenait
le registre général de cette imposition, relativement nouvelle et encore
approximative, du vingtième du revenu annuel des propriétaires fonciers.
D'Ailly — mis en place par Turgot — supervisait l'ensemble à Paris.
Mais Vergniaud pouvait espérer, s'il se cramponnait, une place au bureau
des Vingtièmes de la généralité de Limoges.

perdit, par sa faute, un bureau que M. Dally *(sic)* lui avait donné, n'osant pas l'avouer à son père, dans la crainte de le mécontenter. Il s'en excusa par un subterfuge dont il ne tarda pas à lui demander pardon [576]. »

L'aveu. L'appel. Le retour. Limoges.

« Au mois de février 1780, Vergniaud quitte Paris où il avait perdu un temps précieux, et revient chez son père sans état et sans savoir ce qu'il deviendrait.

« Son beau-frère le surprit un matin improvisant un discours. Étonné de la facilité de son élocution :

— Que ne prends-tu donc l'état d'avocat [*]?

— Je ne demanderais pas mieux! Mais comment subvenir à ma dépense jusqu'à ce que je sois en état de plaider?

— Je t'aiderai.

« Et cette réponse de son beau-frère décida de son avenir [577]. »

François Alluaud a été le petit bon dieu du moment décisif dans la vie de Vergniaud. *Avocat*, le mot de la catalyse. Tout prend son sens, même les erreurs et les mécomptes. Il sent qu'il est fait pour plaider, depuis le ventre de sa mère. Les bagages ont été vite faits.

Avocat, mais où donc? A Paris, dont il a bu la lie, et où les robins se marchent sur les pieds? Non pas; il va faire carrière à Bordeaux, la grande ville dont le poids et l'influence ont longtemps équilibré ceux de Paris auprès des Limousins. Leur autre capitale. Bordeaux n'est qu'à cinquante lieues de Limoges. C'est la porte de la région sur la mer et le négoce. Le Limousin était d'ailleurs du ressort du parlement de Bordeaux, le plus fier du royaume avec ceux de Rennes ou de Paris, et dont les magistrats avaient drôlement dérouillé dix ans plus tôt, du temps de Maupeou. Ce sont eux qui jugent tous les procès de par ici. « Bordeaux était un pays parlementaire. Les parlements avaient nourri partout l'esprit de résistance et souvent créé l'esprit de faction contre la royauté. Bordeaux était une ville de commerce. Le commerce, qui a besoin de la liberté par intérêt, finit par en contracter le sentiment. Bordeaux était la ville coloniale, la grande échelle de l'Amérique en France... Enfin Bordeaux était une terre mieux et plus tôt exposée aux rayons de la philosophie que le centre de la France... Bordeaux était le pays de Montaigne et de Montesquieu, *(dont)* l'un avait librement sondé les dogmes religieux, l'autre les institutions politiques. Le président du Paty y avait fomenté, depuis, l'enthousiasme de la philosophie nouvelle [578]. » Il est bon pour un jeune homme d'avoir une Mecque à son horizon; Bordeaux remplace Paris dans la vision de Vergniaud. Et Du Paty, justement, le président du Paty, le héros des conflits de 1770, le prisonnier de Louis XV à Pierre-en-Scize [**],

---

[*] Le dialogue a été cent fois répété dans la famille. Le petit François Alluaud pouvait le répéter par cœur sous la Révolution.

[**] La prison d'État des environs de Lyon où l'on avait pensé enfermer Mirabeau.

Vergniaud l'a rencontré chez Thomas, bien sûr : la bande à Turgot.
Il a regardé de très bas, humblement, ce « Romain de la Guyenne »,
un homme presque de sa génération, sept ans de plus que lui à peine et
déjà légendaire, le Malesherbes de Bordeaux, aussi maigre que l'autre
est épais, à l'apparence ravagée par le travail et, dit-on, les persécutions.
On n'oublie pas une pâleur comme ça. Vergniaud a su se faire remarquer de du Paty, peut-être à cause de son admiration. Or du Paty,
réhabilité par le rappel des parlements, vient d'obtenir non sans mal
— car la Cour se méfie de ce philosophe — d'être nommé président
à mortier *. C'est vers lui que Vergniaud court dans le regain de ses
vingt-cinq ans, comme vers le Mahomet de cette Mecque-là.
    ... Courir, façon de parler. « Les chemins du Limousin sont très
beaux depuis que M. Turgot a été intendant », et a supprimé la corvée.
Tout au long de la grand-route de Limoges à Périgueux, des canton-
niers salariés s'affairent « en bonnet de cuir uniforme » à réparer les
dégats du gel. Mais quand on sort du Limousin, c'est la caillasse. « Tous
les voyageurs distinguent la ligne de démarcation [579]. » Même pour un
homme jeune, l'épreuve devient rude, et Vergniaud rouspète : « Les
chemins du Périgord sont si beaux, les postes si bien montées, qu'il
nous a fallu treize heures, quatre chevaux et une paire de bœufs pour
aller de Périgueux à Mussidan, c'est-à-dire pour faire cinq postes et
demie **... Je ne crois pas, mon cher frère (Alluaud), que les chemins
de l'enfer puissent être plus mauvais que ceux du Périgord [580]. »
    Il n'en mourra pas. « Après des cahotements qui m'ont secoué les
entrailles et tout meurtri, je suis enfin arrivé sans autre accident à
Bordeaux », le 20 avril 1780. « La superbe ville de Bordeaux, que très
peu de cités au monde égalent pour le commerce et la beauté... L'une
des plus fertiles vallées de l'Europe ; des collines couvertes des vignobles
les plus productifs que l'on puisse peut-être trouver au monde. » Il
éprouve la même sensation de joie et de liberté que Brissot, cinq ans
plus tôt, quand il s'était évadé de Chartres à Paris. Le printemps
d'une vie rencontre celui d'une ville. « Tout le pays n'est qu'un village
continu, tout doré et fortifié par un soleil bienfaisant. Qui n'a pas
contemplé ce tableau si animé n'a pas vu ce qu'il y a de plus beau en
France [581]. » Certes, ce ne sera pas du gâteau. Le 6 mai encore, « il n'a
point trouvé de places chez les procureurs ». Il a pris pension dans une
triste gargote à cinquante livres par mois***. Mais rien n'est perdu
tant qu'il n'a pas rencontré du Paty. Celui-là ne le laissera pas tomber.
Mieux encore : Vergniaud a repris du cœur au ventre. Il sait ce qu'il
veut et où il va. « Croyez que je ferai tous mes efforts pour mériter ce
que vous faites pour moi (à son beau-frère, bien sûr) et pour effacer la
mauvaise impression que ma conduite passée pourrait vous avoir
laissée sur mon compte [582]. »

---

* Le mortier était le nom du bonnet fourré dont se coiffaient, dans leurs
fonctions, les présidents des parlements. Ce titre était l'un des sommets
de l'ordre judiciaire.
** Trente-cinq kilomètres.
*** 250 francs lourds !

33/ avril 1780
Je l'ai aimée à la folie

Benjamin Franklin n'épousera pas Mme Helvétius. Il manque de
justesse le port de ses soixante-quinze ans. Adorable vieux satyre!
Avril 1780 lui fait remonter à la bouche le goût amer qu'il croyait
avoir oublié depuis si longtemps : celui des blessures au cœur. Voilà
qui lui apprendra à faire le jeune homme *.
Il a toujours su souffrir en épicurien. Il faut l'observer de bien près
pour discerner une fêlure dans sa bonne humeur, cet après-midi
comme tant d'autres où le Citoyen des Deux Mondes reçoit à dîner
ses meilleurs amis, de deux à six heures. « En politique, il est grand —
A table joyeux et franc — Tout en fondant un empire — Vous le
voyez boire et rire — Grave et badin — Tel est notre Benjamin. »
« C'est pour un de ces dîners, à je ne sais plus quel anniversaire de sa
fête ou de la liberté américaine » qu'un autre sacré jouisseur, l'abbé
Morellet **, a composé cette chanson-là sur l'air de *Camarades, lam-*
pons ⁵⁸³! « On ne combattit jamais — Pour de plus grands intérêts —
Ils veulent l'indépendance — Pour boire des vins de France — C'est là
le fin — Du projet de Benjamin... »
Ils reprennent tous les six la romance, au dessert, quand on a libéré
les valets. Comme on boit bien, comme la chère est fine, chez le vieux
monsieur, et comme il sait l'assaisonner par une de ces conversations
les plus drôles de ce temps, avec sa voix où l'accent de Boston roule
les mots d'esprit comme des galets!... « L'Anglais, sans humanité —
Voulait les réduire au thé — Au grand chagrin — De leur frère Benjamin. » Les trilles et les *crescendi* de la romance en bergerie sont poussés
par la belle voix de Cabanis, le médecin à la mode, soutenue par les
basses des deux prêtres-commensaux, Morellet et l'abbé de La Roche,
et repris par les propriétaires du lieu, le financier Le Ray de Chaumont
et sa jeune épouse. Une autre femme, moins jeune, mais d'une soixantaine toute rose, bat la mesure de sa main constellée, c'est *Minette*
Helvétius, aux yeux rieurs de l'enfance à toujours, la Madone de ces
mécréants : « Notre-Dame d'Auteuil ». Elle sait bien que les bons-

---

* Sur Franklin, devenu « ambassadeur des Provinces Unies » auprès
de Louis XVI, depuis mars 1778, voir tome I, pp. 26, 178, 396 et 601.
** Sur Morellet, l'abbé « philosophe » grand ami de Turgot et de Franklin,
voir tome I, p. 171.

hommes chantent pour elle — et que c'est de sa faute si Franklin,
lui, se tait un peu trop souvent ce soir et oublie de reprendre au
refrain, quand il pose sur elle ses yeux de myope. Un amoureux, c'est
toujours bête, mais combien plus quand il ressemble à un gros œuf
ridé !

« Si vous voyez nos héros — Braver l'Anglais et les flots — C'est
pour faire à l'Amérique — Boire du vin catholique — Vin clair et fin
— Comme l'aime Benjamin », ces vins qui pétillent dans les flacons et
les flûtes, à votre santé, mes amis ! Du bordeaux rouge et blanc, dont
quelques très vieux crus, du champagne et « du mousseux blanc »,
du bourgogne rouge et du xérès pour arroser les deux plats principaux de viande et de volaille (ou de gibier), suivis de « deux plats
d'entremets, deux plats de légumes et un plat de pâtisserie, avec hors-
d'œuvre de beurre, cornichons, radis, etc. Deux plats de fruits pour
l'hiver (quatre en été), deux compotes, une assiette de fromage, une
de biscuits, une de bonbons [584] ». « Ce n'est point mon sentiment —
Qu'on fasse un débarquement — Que faire de l'Angleterre? — On n'y
boit que de la bière ! — Fâcheux destin — Au dire de Benjamin. »
Que la guerre est donc loin, cette guerre dont on l'accuse d'être l'inspi-
rateur ! Presque aussi loin que Paris, là-bas, à une lieue, une lieue et
demie, qui commence à sentir mauvais dans sa boucle de Seine grise.
Ici, c'est « la montagne de Passy », son air vivifiant, « ses bains minéraux chauds dont Franklin usait trois fois par semaine, et la société
charmante qui s'assemblait au printemps et en été dans ce village [585] »,
mais aussi de part et d'autre de Passy, sur les autres collines qui sépa-
raient le bois de Boulogne de la Seine et de la plaine de Grenelle : à
Chaillot, à Auteuil. Tous les gens « de bonne compagnie » qui voulaient
fuir Paris, sans accepter Versailles, avaient trouvé refuge ici, entre
Charybde et Scylla. Une conspiration de la douceur de vivre. Les
joyeux libertins n'ont que quelques pas à faire au-delà des hautes
portes-fenêtres pour se promener de plain-pied dans les jardins de
l'hôtel de Valentinois, où Le Ray de Chaumont prête à son hôte une
espèce de trianon d'un étage, « la basse-cour », comme on appelle cette
partie des communs, même si elle est aménagée. Une basse-cour à
intimider bien des paysans. Les lilas commencent à fleurir. Franklin
va bientôt pouvoir recommencer à prendre ses « bains d'air » quotidiens,
tout nu sur son grand lit et se cachant à peine, des heures durant :
c'est le seul remède possible, assure-t-il, contre la sénescence, maintenant que la goutte lui interdit les vrais bains qu'il prenait sur les
berges de la Seine, peu après son arrivée [586].

Voilà deux ans et plus qu'il a planté sa tente ici, et qu'il laisse les
gens venir à lui, sans gaspiller ses forces à trop aller vers eux. Turgot
et Beaumarchais; Choiseul et Lauraguais; les La Rochefoucauld;
les Broglie et les Noailles; les maçons de la loge des Neuf Sœurs;
les Américains et les Anglais de Paris, qui n'ont pas encore appris à se
croire différents; les autres ambassadeurs du Congrès, Silas Deane,
Arthur Lee, John Adams, toute une persécution de travail, ah, les
collègues ! Franklin s'entend mieux avec cent Français qu'avec eux;
John Adams, surtout, ce porc-épic qui se prend de plus en plus pour le

nombril de l'Amérique *. Il avait la gueule de bois chaque fois que
Franklin buvait. Et quand il le surprenait à peloter une jolie visiteuse,
damnation! Or pourquoi Franklin s'en priverait-il? « Vous parlez de la gentillesse
des Françaises pour moi. Mais les Français sont la nation la plus polie
du monde. S'il est entendu que vous aimez le mouton, vous aurez du
mouton. Quelqu'un, apparemment, a publié que j'aimais les dames.
Aussitôt, tous m'ont offert des dames, ou des dames se sont offertes
d'elles-mêmes à embrasser, c'est-à-dire baiser leur cou. Car embrasser
la bouche ou les joues n'est pas de mode ici. Le premier procédé paraît
grossier, et l'autre enlève la peinture [587]. » Elles venaient donc par
bataillons mondains le consoler du va-et-vient des vrais bataillons
dans le labyrinthe américain, et des hésitations de M. d'Estaing. Nulle
victoire en vue depuis Saratoga. Le Sud à nouveau menacé. L'invasion
de l'Angleterre renvoyée aux calendes grecques. Flux et reflux des
événements d'un continent à l'autre. Ancré à Passy, Franklin restait
placide, et sa patience imprégnait lentement les Français.

Il met une main sur le bras de l'abbé Morellet, et lui fait reposer
une carafe :
« — Quand vous voyez votre voisin à table verser du vin en son verre,
ne vous hâtez pas à y verser de l'eau. *In vino veritas*, dit le sage. Pourquoi voulez-vous noyer la vérité? Il est vraisemblable que votre voisin
sait mieux que vous ce qui lui convient. Peut-être, il n'aime pas l'eau
(sic). Peut-être, il ne veut pas qu'un autre observe combien peu il en
met dans son verre. N'offrez l'eau qu'aux enfants, mon ami [588]. »
Les dames sont en train de remuer le *punch* à la manière qu'il leur a
montrée. Beaucoup de rhum blanc et guère de sirop. Franklin enchaîne :
« — Il est vrai que Dieu a aussi enseigné aux hommes à réduire le vin
en eau. Mais quelle espèce d'eau? L'eau-de-vie. Et cela, afin que par là
ils puissent eux-mêmes faire au besoin le miracle de Cana, et convertir
l'eau commune en cette espèce excellente de vin qu'on appelle *punch*.
Mon frère chrétien, soyez bienveillant et bienfaisant comme lui, et ne
gâtez pas son bon breuvage. »
Le *punch* aidant, la soirée s'attendrit. « Franklin aimait beaucoup les
chansons écossaises. Il se rappelait, disait-il, les impressions fortes et
douces qu'elles lui avaient fait éprouver. Il nous contait qu'en voyageant en Amérique, il s'était trouvé, au-delà des monts Alléghanys,
dans l'habitation d'un Écossais, vivant loin de la société, après la
perte de sa fortune, avec sa femme qui avait été belle et leur fille de
quinze à seize ans ; et que, dans une belle soirée, assis au-devant de leur
porte, la femme avait chanté l'air écossais *Such merry as we have been* **,
d'une manière si douce et si touchante qu'il avait fondu en larmes,

---

* Sur le Bostonien John Adams, l'un des « pères fondateurs » des États-
Unis, voir tome I, p. 365. Il était arrivé en janvier 1780 pour stimuler
l'aide française.
** « Nous sommes aussi joyeux que nous l'avons été. »

et que le souvenir de cette impression était encore tout vivant en lui
après plus de trente années [589]. »

Les larmes qui perlent encore ce soir-là à ses gros yeux, l'histoire
finie, viennent-elles vraiment de trente ans plus tôt? Elles naissent de
l'avant-veille, où « Mme Helvétius a passé la journée à dire avec
lui beaucoup de folies », selon Morellet qui sait toujours tout. Mais les
vraies folies ne venaient pas d'elle. Il l'a demandée en mariage.

Il a été la voir en voisin, de Passy à Auteuil. Il s'est assis avec précaution pour ne pas écraser un des dix-huit chats angoras qui campent
dans le grand salon bleu et or et y font la loi. Ils sont, jusqu'en juin,
« habillés de longues robes fourrées, sans doute pour conserver la leur
et les garantir du froid, en les empêchant de courir. Ces étranges figures
sautent à bas de leurs bergères, et les visiteurs voient traîner des queues
de brocart, de dauphine, de satin, doublées des fourrures les plus précieuses. » Franklin leur est complice. Il aime sans doute encore plus
Mme Helvétius à cause de ces chats qui vont et viennent par la chambre,
« semblables à des conseillers au parlement, avec la même gravité,
la même sûreté de leur mérite [590] ». Insensiblement, par des paraboles
obliques et une prudente glissade de l'humour à l'amour, il a tenté
de la convaincre de se charger d'un gros chat fourré de plus, à peine
plus encombrant que *Musette*, *Marquise* ou *Aza*... Elle riait. Elle faisait semblant de ne pas comprendre. « Mme Helvétius les appela tous
par leur nom... Tout à coup la porte s'ouvrit, et on apporta le dîner
de ces messieurs dans de la vaisselle plate, qui leur fut servie tout
autour de la chambre. C'étaient des blancs de volaille ou de perdrix,
avec quelques petits os à ronger. Il y eut alors mêlée, coups de griffes,
grognements, cris, jusqu'à ce que chacun fût pourvu et s'établît
en pompe sur les sièges de lampas * qu'ils graissèrent à qui mieux
mieux. »

Franklin attendait toujours, lui. Voulait-elle une déclaration en
bonne et due forme? Il s'était mis à ses genoux, tout vacillant, tout
craquant. Il l'aimait comme elle était, ronde et potelée, pas très soignée de sa personne, fripée, froissée, mal poudrée, sa gorge débordante,
ses fossettes et ses rides, cette femme qui avait reçu depuis trente ans
tout ce que l'Europe comptait d'intelligences : la veuve d'Helvétius...
Franklin prétendait épouser une institution vivante.

Elle l'aimait aussi. Mais elle était plus sage que le Sage. Elle lui
avait montré sur sa cheminée la réduction en plâtre du monument
qu'elle faisait exécuter pour le tombeau de son mari : une femme pleu-
rant sur un mausolée. Elle ne riait plus, Notre-Dame d'Auteuil.
Helvétius est mort voici neuf ans **, là, tout près, dans la chambre
à côté :

----

* Étoffe de soie à grands dessins tissés en relief. On s'en servait beaucoup sous Louis XV et Louis XVI pour couvrir les sièges.
** Le 26 décembre 1771, âgé de 56 ans. Il n'avait, de son vivant, publié
que *De l'Esprit*, condamné et brûlé pour athéisme et immoralisme le
6 février 1759. Ses autres ouvrages sont posthumes.

« — Me voici, mon ami. Cette femme, c'est moi. Comment pourrai-je changer [591] ? »

Helvétius, le premier d'eux tous. Celui qu'ils trouvaient entre eux plus grand que Voltaire et Diderot. Le Galilée de la philosophie, contraint à la monstrueuse rétractation de 1758 pour sauver la vie du censeur qui l'avait autorisé à publier *De l'Esprit* : « Je souhaite très vivement et très sincèrement que ceux qui auront eu le malheur de lire cet ouvrage me fassent la grâce de ne point me juger d'après la fatale impression qui leur en reste. Je souhaite qu'ils sachent que dès qu'on m'en a fait apercevoir la licence et le danger, je l'ai aussitôt désavoué, proscrit, condamné, et ai été le premier à en désirer la suppression... Je n'ai voulu attaquer aucune des vérités du christianisme, que je professe sincèrement dans toute la rigueur de ses dogmes et de sa morale, et auquel je fais gloire de soumettre toutes mes pensées, toutes mes opinions, et toutes les facultés de mon être [592]... » *De l'Esprit* n'en avait pas moins été brûlé sur le grand escalier du Parlement, et Helvétius s'était tu pour le restant de ses jours. On peut survivre à Auteuil, même bâillonné, quand on est riche, aimé, entouré... « L'orage passe et l'ouvrage reste », lui avait écrit Voltaire [593]. *Eppure si muove* [*] !... Son livre commençait à courir en cachette, de main en main, par toute l'Europe, le texte peut-être le plus irréligieux du siècle... Minette, la gentille Lorraine, avait peuplé de sa tendresse tourbillonnante le silence de cet enterré vivant.

C'est précisément ce qui fait s'obstiner Franklin. Lui a-t-elle vraiment répondu? Une femme si intelligente, si gaie, jouer ainsi la veuve éplorée? Qu'elle laisse donc les morts ensevelir les morts. Il n'a pas dormi de la nuit. Il lui a envoyé le lendemain la plus jolie lettre d'amour qu'on puisse écrire à soixante-quinze ans. Il revenait à la charge sous forme d'un apologue :

« Chagriné de votre résolution, prononcée si positivement hier au soir, de rester seule, pendant la vie, en l'honneur de votre cher mari, je me retirai chez moi. Tombé sur mon lit, je me crus mort, et je me trouvai dans les champs Élysées. On m'a demandé si j'avais envie de voir quelques personnages particuliers? — Menez-moi chez les philosophes. — Il y en a deux qui demeurent ici près de ce jardin; ils sont très bons voisins et très amis l'un de l'autre. — Qui sont-ils? — Socrate et Helvétius. — Je les estime prodigieusement tous les deux; mais faites-moi voir premièrement Helvétius, parce que j'entends un peu de français, et pas un mot de grec... Il m'a reçu avec beaucoup de courtoisie... — Vous ne me demandez donc rien de votre chère amie, Mme Helvétius? et cependant elle vous aime excessivement; il n'y a qu'une heure que j'étais chez elle. — Ah! dit-il, vous me faites souvenir de mon ancienne félicité; mais il faut l'oublier pour être heureux ici. Pendant plusieurs années, je n'ai pensé que d'elle; enfin je suis consolé. J'ai pris une autre femme, la plus semblable à elle que je pouvais

---

[*] « Et pourtant elle tourne », parole prêtée à Galilée après sa rétractation sur la rotation de la terre. Stendhal, selon Guy Besse, voyait en Helvétius « le plus grand philosophe qu'aient eu les Français ».

trouver; elle n'est pas, c'est vrai, tout à fait si belle, mais elle a autant
de bon sens et d'esprit, et elle m'aime infiniment; son étude continuelle
est de me plaire... — J'aperçois, disais-je, que votre ancienne amie
est plus fidèle que vous, car plusieurs bons partis lui ont été offerts
qu'elle a refusés tous. Je vous confesse que je l'ai aimée, moi, à la folie,
mais elle était dure à mon égard, et m'a rejeté absolument pour l'honneur de vous. — Je vous plains, dit-il, de votre malheur, car c'est
une bonne femme et bien aimable... A ces mots entrait la nouvelle
Mme Helvétius; à l'instant, je l'ai reconnue d'être Mme Franklin,
mon ancienne amie américaine. Je l'ai réclamée, mais elle me disait
froidement : — J'ai été votre bonne femme pendant quarante-neuf
années et quatre mois, presque un demi-siècle, soyez content de cela.
J'ai formé ici une nouvelle connexion qui durera à l'éternité... Mécontent de ce refus de mon Eurydice, j'ai pris tout de suite la résolution
de quitter ces ombres ingrates, et de revenir ici en ce bon monde
revoir le soleil et vous. Me voici; vengeons-nous [594]... »

C'était si bien tourné qu'elle hésitait encore le lendemain. On hési-
terait à moins. « Vengeons-nous... » Se venger à deux du malheur, voire
du bonheur passé, de la solitude et des imbéciles... Elle ne savait plus
très bien où elle en était. Elle a donc été demander conseil à Turgot,
son fidèle ami. C'est ce qui a perdu Franklin. Les conseils font toujours
perdre le goût des folies. D'ailleurs, elle trichait en consultant un vieil
amoureux transi. Elle jouait de l'un contre l'autre. Allumeuse un peu,
non, Mme Helvétius? « M. Turgot était lié avec elle dès le temps qu'il
était en Sorbonne, raconte Morellet-la-commère, c'est-à-dire vers 1750,
lorsqu'elle était encore Mlle de Ligniville, et qu'elle demeurait chez
Mme de Graffigny, sa tante... Passionné pour la littérature, il s'était
fait présenter à Mme de Graffigny, qui rassemblait chez elle beaucoup
de gens de lettres; mais il quittait souvent le cercle pour aller jouer
au volant en soutane avec *Minette*, qui était une grande et belle fille
de vingt-deux à vingt-trois ans. Et je me suis souvent étonné que de
cette familiarité ne soit pas née une véritable passion. Mais quelles que
fussent les causes d'une si grande réserve, il était resté de cette liaison
une amitié tendre entre l'un et l'autre [595]. »
Si Turgot avait aimé, c'était elle. Mais Mme de Graffigny, en ce
temps-là, avait coupé court à l'idylle :
« — Mes pauvres enfants, vous êtes fous! Elle n'a rien, et M. Turgot
n'a rien [596]. »
Deux ans plus tard, *Minette* avait Helvétius, la gloire, le plus beau
salon d'Auteuil et trois cent mille livres de rente *. Turgot allait rester
pauvre et devenir Turgot. Mais, il a pris une revanche bien glacée.
Il n'a pas refusé ce genre de conseil d'ami. Il aime bien Franklin,
pourtant — pas jusqu'à devenir son compère dans ce cas-là. Il a trop

---

* Un million et demi de francs lourds par an. Helvétius avait obtenu
tout jeune une charge de fermier général, grâce à son père, médecin de
la reine Marie Leczinska. Il s'en était défait dès que possible pour une
vie oisive.

souffert, Turgot, il est trop malheureux depuis sa disgrâce, bon à rien qu'à mourir stoïquement, quand il secouait la France à bras-le-corps il y a quatre ans. Il a maigri. Il ne peut presque plus marcher. Il est tout blanc, sous la double voûte noire de ses énormes sourcils. Un regard d'homme roué vif par la goutte. *Minette* en a entendu de belles! « Enfantillages séniles!... Mais enfin, quel âge avez-vous tous les deux? » Et, pour porter l'estocade, l'argument imparable :

« — Du reste, ma bonne amie, il en sera comme vous voudrez, mais si vous prenez cette décision, c'est tout votre salon qui s'en va. »

Le soir même, elle avait dit à Franklin un non qui était non. « Continuons comme avant, mon ami... Je viendrai dîner demain. »

La compagnie s'en va, le dernier couplet chanté. « Après notre victoire — Nous leur apprendrons à boire — A verre plein — A la santé de Benjamin. » Mais lui continue plutôt d'entendre la complainte écossaise, *Such merry as we have been*, un petit air qui continuera de flotter dans sa vieillesse. Il en a vu d'autres. Ce ne sera qu'une cicatrice de plus. Il reste de ces trois jours de fièvre et de ce souper un texte que Morellet va pouvoir afficher à l'ordre du jour des gazettes confidentielles. Mme Helvétius lui a confié le récit de la rencontre aux champs Élysées. Grimm le publiera dès la fin avril. Le chagrin de M. Franklin devient la petite affaire des Deux Mondes. Il ne s'en plaindra pas : un si joli chagrin...

34/ avril 1780
Les vents tournent du bon côté

Avril 1780. Second voyage de La Fayette vers l'Amérique. Ce n'est pas précisément celui qu'il espérait. Mais il y va quand même en avant-garde de la France. Du moins c'est ainsi qu'il se présentera, puisque six mille soldats français doivent le suivre à deux mois près. Belle revanche sur les affres de son aventure de 1777 : Bordeaux, Los Pasajès *... Il a vingt et un ans.

Franklin lui avait fait porter par son petit-fils, sur ordre du Congrès, une belle épée d'honneur, pendant le triste été où Gilbert se morfondait au Havre. « Grâce aux excellents artistes que présente la France, je vois qu'il est facile de tout exprimer, excepté le sentiment que nous

---

* Sur le premier départ de La Fayette, voir tome I, p. 420. De même, sur son retour en France et son attente de la descente en Angleterre, voir ci-dessus, p. 93.

avons de votre mérite et de nos obligations envers vous [597]. » Eau
bénite de républicains, mais La Fayette l'avait prise comme un encou-
ragement à la relance. Puisque la Descente n'aura pas lieu, il en était
revenu à son idée-force : l'envoi d'un corps expéditionnaire au secours
de Washington. Voilà un an qu'il mène pour cela un beau combat de
plume et d'antichambres. Faute d'investir Portsmouth, il assiège
Vergennes, avec l'autorité que lui donne sa connaissance acquise là-bas
du terrain et des hommes. Le général de La Fayette s'est converti
en avocat, et vient de gagner son procès. La force des choses l'a aidé
au bon moment : l'Angleterre demeure invulnérable, l'Inde est perdue,
la partie est nulle dans les Isles. Cette guerre d'Amérique, il faut bien
la faire quelque part. En Amérique, ma foi?...

Le plaidoyer de La Fayette en juillet 1779, solide et documenté,
avait fourni à Vergennes des arguments de nature à consoler tous ceux
qui se lamentaient du grand dégonflage. Le calcul du ministre rencontrait le rêve du volontaire, pour des motifs différents : l'un épargnait
Londres, l'autre sauvait Philadelphie. On entend là les premières
gammes d'un apprenti politique. « Vous me demandez, Monsieur
le comte *(de La Fayette à Vergennes)*, quelques idées sur une expédition
en Amérique... Les côtes désolées, les ports détruits, le commerce
gêné, les points fortifiés d'où partent ces invasions *(anglaises)* : tout
semble appeler nos secours maritimes et terrestres [598]. » Vingt-six
feuillets d'une belle écriture moulée, dont le calme apparent camoufle
une effervescence. Il ne pouvait s'empêcher de musarder de-ci de-là et
de reprendre ses chimères : pourquoi pas le Canada, Terre-Neuve,
la Floride? Par moments, on croirait entendre Beaumarchais : « L'idée
d'une révolution en Canada *(sic)* paraît charmante à tout bon Français et si des vues politiques la condamnaient, vous avouerez, Monsieur
le comte, que c'est en résistant aux mouvements du cœur. » Il n'insiste
pas trop, il sait que Vergennes ne veut pas en entendre parler. Il revient
donc à l'essentiel, quitte à rabâcher : « Je ne peux, sans trahir ma conscience, cesser de répéter qu'il est très important pour nous d'envoyer
un corps de troupes en Amérique. » Il en calcule les moindres détails,
le nombre d'hommes (quatre mille trois cents), les ports d'embarquement, les vaisseaux nécessaires, les subsistances, les points d'ancrage
là-bas : Block Island si l'on assiège Newport, ou Sandy Hook, « sur la
côte de Jersey, vers les premiers jours de novembre, un des plus beaux
mois qu'il y ait dans toute l'Amérique indépendante. Cet armement
semblerait alors menacer New York. Nous trouverions à notre arrivée
des pilotes pour différents autres points... » « Novembre! » « A *notre*
arrivée!... » La Fayette ne guérira jamais de croire au père Noël.
Toute l'année 79 et le printemps 80 passeront avant l'expédition.
Et ce n'est pas à lui qu'on la confiera. Dieu sait pourtant s'il leur a
cassé les pieds pour. Presque autant que le duc de Broglie. « Il nous
faut des officiers qui sachent s'arranger, vivre de peu, se refuser tous
les airs et particulièrement le ton vif et tranchant, se passer pour un an
des plaisirs, des femmes et des lettres de Paris. Ainsi nous devons
prendre peu de colonels et de gens de la Cour, dont les façons ne sont
nullement américaines. » Il enfonçait ingénument ces pailles-là dans

les yeux de ses amis. Quant à sa propre poutre... « Quoique j'aie commandé, avec assez de bonheur, un plus grand nombre de troupes et, je l'avoue franchement, que je crois me sentir capable de les mener, mon intention n'est pas de faire valoir ces titres; mais répondre de ce que fera un inconnu serait une extravagance. » Après tout, mieux valait qu'il se proposât, puisque personne ne s'en chargeait. « Si j'étais chargé de manier les caractères américains, je répondrais sur ma tête d'éviter les inconvénients et de faire parfaitement recevoir nos troupes. » Il soupirait pourtant, en espérant qu'on ne le prendrait pas au mot : « On me trouvera, je pense, trop jeune pour ce commandement. » On ne l'avait pas contredit sur ce point.

Pendant tout l'hiver, il avait été le moustique de ce char de l'État qui marchait au pas des bœufs. Maurepas s'écriait que « ce jeune homme serait capable de démeubler Versailles pour aider les Américains [599] ». Il était à Paris quand un fils lui était né à la veille de Noël. Il l'avait aussitôt fait baptiser George-Washington, et avait continué de tarabuster Maurepas, non sans raison : « C'est de bonne heure, au printemps, qu'il est important d'arriver *(en Amérique)*, et ce qui serait bon au mois de mai n'aura plus le même effet si l'on en retarde l'exécution. On doit au moins compter sur une traversée de deux mois; c'est à la fin de février qu'il faudrait être prêt; c'est dans quinze jours qu'on doit écrire en Amérique, c'est dans quatre que je voudrais voir commencer avec activité des préparatifs [600]... » Il les affolait, tout en continuant à s'offrir : « L'amitié intime du général *(Washington)*, la confiance de l'armée et du peuple *(américains)*, enfin ma *popularité* suivant l'expression anglaise, me donnent cette hardiesse... » « Le Congrès m'a préféré en 1778 à tous les autres officiers généraux pour un commandement en chef de grande importance... » « Peu de maréchaux de camp ont mené autant de troupes à la guerre que moi où quelquefois j'ai été heureux... »

Au début de février, il avait enfin appris leur décision, à force de les secouer. On se gardait de lui donner le commandement du corps expéditionnaire, ne fût-ce qu'en raison de son idolâtrie pour Washington. Mais on se débarrassait de lui en l'envoyant préparer le débarquement et servir d'intermédiaire entre les forces américaines et françaises. A la tête de ces dernières, Louis XVI met Rochambeau, un vieux briscard des guerres d'Allemagne, qui a l'avantage d'être en dehors des intrigues de cour et de ne tenir à aucun clan: ni Broglie, ni Noailles, ni Choiseul, ni Polignac.

La Fayette, même déçu, est parti comme un trait. Une année d'Europe a suffi pour lui redonner le mal d'Amérique. Et là-bas, tout de même, on le regarde comme un vrai général. Il emporte assez d'argent pour équiper une division à ses frais : cent vingt mille livres *. Son intendant s'arrache les cheveux : le jeune seigneur a déjà mangé plusieurs années de revenus. Il faut vendre des terres. « Monsieur le marquis, vous achetez votre gloire aux dépens de votre fortune [601]. »

---

* 600 000 francs lourds.

Vendez, mon ami, vendez... La Fayette n'est pas un homme d'argent.

Jean-Baptiste Donatien de Vimeur, comte de Rochambeau, cinquante-cinq ans, vient de perdre son père, mort dans leur domaine
du Vendômois au bout d'une longue vie rabougrie d'infirme à la
naissance. La nouvelle avait trouvé le fils à Paris, où il attendait,
comme beaucoup d'autres officiers de « l'armée d'Angleterre », de savoir
quel vent les emporterait. Il avait commandé la berline et les chevaux
pour rentrer à Thoré, démêler la succession et prendre une sorte de
retraite sous le Gué-du-Loir, entre Montoire et Vendôme *. Des
guérets foisonnants de gibier et des moines à foison pour les dimanches
des gentilshommes dévots, dans les prieurés voisins. Un petit château
confortable et un peu troglodyte, taillé dans la pierre tendre du coteau
qui domine à peine le Loir. De quoi vieillir à soleil doux jusqu'à cent
ans. Mais il n'y partait pas de bon cœur, il ne se trouvait pas rouillé.
Alors, ce messager du prince de Montbarrey, comme un archange...
« Le Roi vous demande, monsieur le comte. » Toute une vie d'officier
général est bâtie pour attendre cet éclair-là. Les chevaux commandés
pour Vendôme allaient le conduire à Versailles. « Dans une monarchie,
vient d'écrire d'Estaing à Silas Deane, les hommes sont comme des
jetons. Le souverain les fait valoir ce qu'il veut [602]. » On avait flairé
l'homme qu'il fallait, en repoussoir de l'éclat de La Fayette. La grisaille de Rochambeau était assortie à la couleur de cette guerre, mais
c'était un beau gris. Son style était un peu dix-septième siècle, au combat comme à la plume, qu'il se piquait de manier, mais lourdement,
comme il faisait toute chose. Un des hommes tranquilles de l'armée
Il devrait pouvoir s'entendre avec Washington, sans se laisser marcher
sur les pieds. Ses aïeux paternels remontent aux croisades, et sa famille
maternelle est de bonne bourgeoisie foncière. (Un de ses oncles de ce
côté-là, Michel Bégon, a colonisé la Martinique et en a ramené le bégo-
nia.) Il avait un frère plus âgé et se destinait docilement à l'Église,
en cadet discipliné, quand la mort de son aîné l'avait orienté vers
l'armée. C'était tangent. L'évêque de Blois l'appelait déjà « son petit
grand-vicaire ».

Mais nécessité fait loi : le bon évêque avait conjuré le jeune homme
« d'oublier tout ce qu'il lui avait dit jusqu'à ce jour. Il lui fallait
servir sa patrie avec le même zèle dont il aurait pu servir Dieu dans
l'état ecclésiastique [603] ». Il s'y était appliqué, puisqu'il était modelé
à obéir. Au maréchal de Belle-Isle, d'abord, dans la Bavière dévastée
des années quarante. « Le Danube était gelé au point de porter des
voitures » et il avait attrapé la crève. « L'ordre pour un changement
de quartier arriva au moment où j'étais le plus malade. La nature,
la jeunesse, la force de la fièvre me faisaient suer dans mon lit de
douleur comme si j'avais été dans le poêle le plus chaud [604]. » C'est

---

* Le village s'appelle aujourd'hui Rochambeau-Thoré. Le château,
demeuré dans la famille, prête à une belle promenade au long des bords
du Loir, à une dizaine de kilomètres de Vendôme.

comme ça qu'on forme un soldat. L'Hudson, même gelé, ne lui fera
pas peur.

Et la prise de Namur. Et la bataille de Laufeld, sous le maréchal
de Saxe. « Deux coups de *biscaïen* * l'avaient frappé au crâne et à la
cuisse, l'un entré dans la tête par le coin de l'œil en frottant et labou-
rant l'os de la tempe, l'autre, une balle de fer grosse comme un œuf
de pigeon, lui ayant percé la cuisse de part en part sans casser l'os [605]. »
Solide, la carcasse! Louis XV, qui était là, s'en était assuré d'un coup
d'œil. Et le siège de Maestricht. Et la prise de Port-Mahon aux Baléares,
sous le maréchal de Richelieu : le plus beau souvenir de sa vie, la croix
de Saint-Louis à trente ans. Vous voyez bien que cet homme-là est
fait pour battre les Anglais. A Klostercamp, il commandait le régiment
d'Auvergne — et c'est lui que le chevalier d'Assas avait appelé en
mourant sous les baïonnettes. Rochambeau se morfondait dans la
paix depuis dix-sept ans, comme tant d'autres. Le vent d'Amérique
l'avait ranimé. Modeste (relativement), il se trouve (relativement)
surpris de sa faveur subite. Mais il avait su se montrer habile sans
excès, au bon moment, l'année passée, en remportant sur son chef,
le maréchal de Broglie, la victoire de l'ordre en ligne selon Guibert,
aux manœuvres de Vaussieux **. Pas courtisan, Rochambeau? Non.
Mais il s'était tenu dans la bonne marge.

Il connaît son métier. Montbarrey lui annonce au début de janvier,
un bon mois avant d'en informer La Fayette, qu'on va lui confier
« un secours de quatre mille hommes que le Roi voudrait expédier
dans l'Amérique du Nord [606] ». Il en demande aussitôt plus. « J'accepte
avec la plus vive reconnaissance la marque de confiance dont le Roi
veut bien m'honorer... Mais un corps de quatre mille hommes est
bientôt réduit *** », il en sait quelque chose d'après la guerre d'Allemagne où « les troupes sous mes ordres furent réduites des deux tiers
dans les trois batailles de Laufeld, Krevelt et Klostercamp ». Il demande
au moins douze bataillons : six mille hommes. On les lui promet. Puis
un détachement de cavalerie. Il l'aura. Mais « jusqu'à quel point puis-je
aider les alliés *(les Américains)* en argent, en lettres de change, en
denrées de toute nature? Des gens qui manquent de tout ont tous les
besoins ». Coup d'arrêt : « Ce que le Roi envoie avec ses troupes est
uniquement destiné à l'entretien du corps. » Précision : « Vous serez
sous les ordres de M. le général Vasinghton *(sic)*, généralissime des
troupes du Congrès... Les projets et plans de campagne ou d'expéditions particulières seront ordonnés par lui », mais « les intentions
du Roi sont qu'il ne soit fait aucun dispersement des troupes françaises [607] ». Il s'agissait pour ainsi dire d'une aide bloquée. Si les choses

---

* Énorme fusil à longue portée que les Espagnols avaient inauguré en
Biscaye. C'était une sorte de petit canon portatif. Ses projectiles com-
mençaient à être appelés eux aussi des « biscaïens ».
** Sur le camp de Vaussieux et le petit coup de pouce donné par Rocham-
beau contre Broglie, voir ci-dessus, p. 169.
*** Au sens de la diminution des effectifs.

tournaient trop mal sur le continent, Rochambeau devra se retirer
à Saint-Domingue.

Pesamment, mais sûrement, les ordres des bureaux dégelaient le
mécanisme des convois. Six à huit petits torrents humains confluaient
vers Brest en mars, de Lamballe, de Quimper, d'Hennebont, de Crozon,
de Camaret, de Landerneau. De bons régiments français : le Bourbonnais, le Soissonnais, le Saintonge, mais aussi d'autres au nom de
leur colonel allemand : Anhalt, Royal-Deux-Ponts, dont les soldats
sont pour la plupart levés en Alsace et vont se trouver en face de leurs
voisins Hessois vendus aux Anglais. C'est l'équinoxe sur « les chemins
rompus de Bretagne, qui effraient tellement les rouliers qu'ils refusent
de transporter les effets et les vivres à jours fixes », d'où des retards.
C'est aussi l'équinoxe de la guerre d'Amérique.

Le 6 mars, La Fayette est parti de Paris pour la seconde fois. Quel
changement! Il vient d'être complimenté par le Roi, encouragé par
la Reine. « Étampes, à dix heures. Je m'arrête un instant ici, mon
cher cœur, pour te dire combien je suis malheureux de te quitter...»
Il n'avait pas passé plus de dix jours d'affilée auprès d'Adrienne depuis
son retour. Elle se réinstallait dans un chagrin émerveillé par la politesse
de l'adieu : « Blois, le 7 mars à 10 heures : Ma santé est bonne, mais
je suis bien triste et je donnerais tout au monde pour vous revoir encore
une minute. » « Ce 10 mars 1780 : Me voici depuis hier à Rochefort, mon
cher cœur, et ce matin je vais me rendre à bord de la frégate l'*Hermione* », un beau trois-mâts armé pour lui tout seul comme pour un
prince, et commandé par un officier prévenant, La Touche-Tréville.
« J'ai été infiniment content de M. de La Touche... Les vents
tournent du bon côté, et j'espère que nous aurons un temps superbe. »
« ... A bord de l'*Hermione*, ce 13 mars à neuf heures du soir, c'est
un moment bien cruel, bien déchirant, mon cher cœur, que celui
où je vais vous écrire. Voici l'instant d'appareiller » et de larmoyer
six pages durant. « Est-ce à moi, mon cœur, qui suis si heureux par
vous, de vous rendre malheureuse en vous quittant? Adieu! Adieu... »
Or, le 18 mars, coucou le revoilà : « Le mauvais temps joint à la perte
d'une grande vergue nous a obligés à regagner Rochefort... Cette
petite contrariété va nous retenir ici jusqu'à ce que le beau temps
permette notre sortie. Une fois l'équinoxe passé, nous aurons des vents
superbes », mais il fallait laisser le temps à ce bon dieu de vent d'Amérique de ricocher à loisir sur les avancées de l'Europe; chaque année,
c'est la même poisse, on croirait que le Nouveau Monde repousse le
Vieux. Le 20 mars, on peut se risquer : « L'équinoxe est passé... Notre
frégate étonne par sa bonté et par sa marche. M. de La Touche vient
encore d'ordonner qu'on évitât toutes les voiles qui se rencontreraient,
et nous irons droit au premier port américain. On me comble ici d'honnêtetés et, comme les premières secousses du mal de mer sont passées,
j'ai de grandes espérances pour cette seconde sortie... Il faut vous
quitter *(cette fois, c'est la bonne)*; ce moment est horrible. Adieu,
adieu encore une fois. Je vous aime à la folie [608]. »

Départ de La Fayette, de Rochefort, le 20 mars, donc. Arrivée de Rochambeau à Brest le 26, presque clandestinement. Nul ne sait encore ce qui se prépare vraiment, et l'opinion reste accablée. « Après l'effort colossal de la campagne de 1779, il semble que tout se rapetisse ; du moins sur les côtes de France, la grande guerre est comme finie. Du moment où la marine de Louis XVI a laissé échapper l'occasion unique de terminer la guerre par un coup de tonnerre, il semble qu'il n'y ait pour elle plus rien à faire en ces parages. Des escadres puissantes et nombreuses continuent à sortir du port de Brest », qui devient le point central de l'éclatement de la guerre. « C'est pour aller à Gibraltar, aux États-Unis, aux Antilles, dans l'Hindoustan. Ce n'est plus pour aller conquérir la route même de Londres [609]. » Comme seuls quelques initiés savent où vont ces convois, pour toute la France, et même pour la Cour, c'est la bouteille à l'encre.

Mais enfin Rochambeau est à Brest. Son aspect inspire confiance : une grande figure bien française, « bien de chez nous », avec son long nez aquilin, ses rouleaux de cheveux blancs soignés, et sa tempe marquée par le biscaïen de Laufeld, comme un label de guerrier. Haute stature et démarche lente des gens qui ont les pieds sur la terre. Conversation rassurante de ceux qui n'ont pas trop d'idées, mais de la mémoire et de la constance. Il va en avoir bien besoin par ici, où il tombe au milieu d'une sorte de pagaille organisée, très symbolique des vingt-cinq ans du Roi. Du côté de la guerre, ça marche. On prévoit la moindre giberne. Mais du côté de la marine, ça foire. A quoi sert de masser les régiments si rien n'est là pour les embarquer? Le prince de Montbarrey a rédigé une instruction minutieuse pour Tarlé, l'intendant général du corps de Rochambeau : il devra veiller « à ce que les effets et denrées du Roi soient bien emballés et répartis sur les bâtiments destinés à les transporter... » L'hôpital ambulant, par exemple, qu'on fait venir de Saint-Malo : « on doit compter sur un nombre considérable de malades et de blessés. » On a rassemblé 10 000 chemises, 10 371 paires de souliers, 1 200 capotes, 4 000 couvertures, 1 210 tentes, 1 000 marmites, 1 000 gamelles, 1 000 bidons, 1 000 serpes, 1 000 pelles et bêches, 1 000 pioches, 1 050 haches [610]. Mais où sont les bâtiments qui achemineront tout cela? Nulle part et partout : à l'Orient, à Saint-Malo, à Rochefort, à Bordeaux, voire au Havre. La rade de Brest est quasiment vide. Les préparatifs de l'expédition semblent conçus par un hémiplégique : tout est prêt sauf les vaisseaux, à qui l'on a donné beaucoup trop tard l'ordre de concentration. « Le résultat, écrit Rochambeau à Montbarrey, est que la possibilité de tous les moyens dans le port de Brest est de n'embarquer que cinq mille hommes pour pouvoir partir le 8 avril, si le vent et la cour de Londres le permettent *... J'ai réduit, au prorata du tiers de troupes de moins, les approvisionnements d'artillerie, de vivres, hôpitaux, effets de rechange... » C'est un gros handicap pour un corps expéditionnaire

---

* Au total « 5 034 officiers, bas-officiers, caporaux et soldats, dont 295 officiers et 13 cadets gentilshommes ».

qui s'attend à débarquer sur une terre brûlée par la guerre et devait
à l'origine emporter six mois de provisions, sur les conseils de
La Fayette. On ne charge que pour deux mois et demi de farine, de
bœuf salé, de lard, de riz, de sel et d'huile.

Le marin désigné pour conduire la petite armada est un contemporain de Rochambeau, un vétéran qui attendait lui aussi depuis vingt
ans, le chevalier de Ternay d'Arsac. Il a gouverné l'Ile de France *.
Il a forcé, pendant l'autre guerre, le blocus des Anglais qui empêchaient
ses vaisseaux de sortir de la Vilaine. Il vient de commander aux Antilles,
mais sous d'Estaing, dans la Manche, mais sous d'Orvilliers. Son
heure sonne enfin. Il devrait exulter. Il gémit : « A-t-on bien calculé
les difficultés d'un pareil transport? Est-il absolument nécessaire pour
l'expédition projetée? La guerre dans le Nouveau Monde ne se fait
pas avec cet attirail immense que je traîne après moi [611]. » Voudrait-il
transporter des hommes tout nus? Pour achever de donner bon moral
au chef d'escadre, voilà le gros temps : huit jours de pluie consécutifs,
au début d'avril, sur les trente-deux transports enfin réunis cahin-
caha **, le *Fantasque*, le *Saumon*, l'*Écureuil*, l'*Aventure*, le *Père-de-
famille*, la *Vénus*, l'*Aimable-Marie*, etc. On attend encore trois flûtes
de l'Orient ***. Le 12 avril, l'embarquement de quatre régiments est
achevé : Bourbonnais, Soissonnais, Saintonge et Royal-Deux-Ponts;
les autres rejoindront quand ils pourront. Plus la « légion de Lauzun »
ressuscitée : cinq à six cents Allemands; plus, en guise d'artillerie, le
deuxième bataillon du régiment d'Auxonne, cinq cents hommes avec
un équipage de campagne (mobile) et un équipage de siège, plus lourd :
les forçats du bagne de Brest ont été requis pour les aider à charger,
non sans suer sang et eau, leurs quelque cinquante pièces, les meilleurs
canons du monde coulés d'après les plans de M. de Gribeauval, qui
vient de renouveler l'artillerie de la France. Plus un détachement
de vingt-six ouvriers et de seize mineurs. Il ne manque pas même la
prévôté, c'est-à-dire la justice militaire, avec son lieutenant de la maréchaussée, son procureur du Roi, son greffier et les deux *caporaux-
schlagueurs* de service pour les raclées.

Le 17 avril, tout le monde est casé tant bien que mal. Pas trop
serré. Chaque soldat tient, selon la règle, la place de deux tonneaux.
Rochambeau est prêt. « Si le temps se nettoie, j'irai coucher à bord
du *Duc-de-Bourgogne (un beau vaisseau de 80 canons, doublé de cuivre
comme on fait depuis peu pour contrarier la pourriture des coques)* au
plus tard demain, pour profiter, sous les ordres de M. le chevalier
de Ternay, du premier vent du nord. » Du nord, bien sûr : le vent ne
souffle jamais d'est à la pointe d'Europe, il faut cueillir « le vent
d'Angleterre » et se laisser porter par lui jusqu'aux Açores ou plus
bas, pour attraper les alizés qui feront enfin remonter les vaisseaux
vers l'ouest-nord-ouest... « Si le temps se nettoie. »

---

* L'île Maurice.
** Pour un cubage total de 12 800 tonnes.
*** Rappelons qu'il s'agit du port de Lorient.

On ne part pas sans argent. L'intendant Tarlé a transbordé
2 625 000 francs sur différents navires *, mais en piastres espagnoles :
on n'accorde aucune confiance au taux des livres-papiers que les
Américains émettent. La piastre a cours partout là-bas, et surtout
dans les Isles.

Alors, ça y est? On s'en va? Immense agitation sur les deux longs
quais bordés par les magasins et les bâtiments du bagne. Les voiles
jouent à cache-cache avec le soleil et montent aux vergues dès qu'il
se montre entre deux grains, puisqu'il amène le vent du nord. 23 avril.
La rade la plus belle d'Europe est en gésine : les transports défilent
en tête pour aller mouiller à l'entrée du goulet où les pilotes vont
manœuvrer au juste pour franchir ce sacré passage dont les îlots ont
éventré tant de coques. Restent dans le cirque immense aux rives
rouges — on dirait un lac — une dizaine de vaisseaux de ligne et de
frégates groupés autour du *Duc-de-Bourgogne* pavoisé d'étamines
multicolores : les signaux attendus. C'est oui; c'est non. Deux transports maladroits reviennent : ils se sont abordés. Il faut réparer la
Comtesse-de-Noailles, mauvais présage pour un bâtiment qui porte le
nom des parents de La Fayette. Tant pis, on part sans elle. Non, non!
Le vent a tourné à l'ouest entre-temps. « Heureusement qu'il pleut
aussi sur Portsmouth! » écrit Rochambeau. Tout le monde y pense,
personne n'en parle : si la flotte anglaise, bien supérieure en nombre,
survenait en voisine au moment du grand départ, elle pourrait faire
un beau massacre. Le secours étranglé...

On recommence d'attendre le bon plaisir de Dieu. Mais « les régiments
se fatiguent à bord dans cette longue attente. Ils ont chacun de douze
à quinze malades; Bourbonnais en a cinquante à lui seul. » Le coup du
scorbut, comme l'année dernière?

35/ mai 1780
Saint-Louis et Philadelphie

La Fayette dispose d'un bon mois de vacances en pleine mer, dans
la solitude des voyages au long cours. Puisque La Touche-Tréville
a ordre « d'éviter toute voile », son passager n'a même pas le souci
d'écrire au cher cœur. Il est tout silence. Il peut prendre le temps de

---

* Soit treize millions de francs lourds. La dépense totale prévue par
Necker pour le corps de Rochambeau pendant un an est de
6 336 000 livres (trente-deux millions de francs lourds), divisée en
dépense *ordinaire:* la solde des six régiments (1 980 000 livres) et la
dépense *extraordinaire* (4 356 000 livres) pour les frais de l'expédition.

relire les vingt pages d'instructions méticuleuses que Vergennes a
rédigées pour lui :

« M. le marquis de La Fayette, se rendant en Amérique, s'empressera
de joindre le général Washington, qu'il préviendra, sous la condition
du secret, que le Roi, voulant donner aux États-Unis un nouveau
témoignage de son affection et de son intérêt pour leur sûreté, s'est
résolu de faire partir au commencement du printemps un secours de
six vaisseaux de ligne et six mille hommes de troupes d'infanterie
régulière [612]... » Sa mission n'est pas mince : c'est lui qu'on charge de
faire donner à l'escadre française, quand elle sera en vue des côtes,
le *top* du débarquement par « quelques-uns des officiers français qui
lui sont attachés, lesquels seraient porteurs chacun d'une lettre de sa
part qui attesterait au commandant de l'escadre française qu'il peut
entrer librement et sûrement dans le port... S'il n'arrive aucun officier
français porteur d'une lettre de M. le marquis de La Fayette, et qui
donne des renseignements sur la manière d'atterrir et sur la possibilité
du débarquement, l'escadre se repliera *(de Rhode Island, prévue en
principe)* avec son convoi sur Boston, où elle attendra des avis du
général Washington... Le mot de reconnaissance *(des messagers)* sera
Saint-Louis et Philadelphie. »

... Mais il devait être *Marie et Boston* si « les vents poussent l'escadre
dans le sud, où elle chercherait alors à reconnaître les caps de la Virginie ». Vergennes avait donc tout prévu, avec ce génie du détail
qui était sa meilleure qualité. L'idéal? Prendre New York, « le point
central des Anglais, l'arsenal dont ils font partir les foudres dont ils
menacent l'Amérique ». Mais latitude est laissée à Washington de
faire porter l'effort au Sud, dans ces régions où La Fayette avait touché
terre trois ans plus tôt et que les Anglais ont réoccupées en partie;
Georgetown, Charlestown sont menacées. Savannah est perdue...
Ils n'avaient pas eu grand mal : les *tories*, nombreux en Georgie, leur
ont ouvert les portes. D'Estaing s'était cassé les dents sur Savannah,
les cuisses plutôt : deux jambes abîmées par les balles en menant en
vain ses troupes à l'assaut des remparts. Il n'avait pas pu recommencer
le coup de la Grenade *. Les Américains ne conservent décidément
pas bon souvenir de lui : un échec par an chez eux. Ils s'en fichaient
bien de la Grenade! D'Estaing les a laissés tomber au Nord en 1778
et s'est fait battre en 1779 devant une capitale d'État. Il est revenu
à Versailles cet hiver doublement brisé : la carcasse, le moral. « M. d'Estaing, armé de ses glorieuses béquilles, est parti de Brest pour se rendre
à Versailles à petites journées... Le brave peuple breton a couvert
sa voiture de couronnes de laurier », sans savoir que c'était pour un
enterrement, « mais les officiers de la marine, qui craignent d'avoir un
chef aussi sévère », et surtout n'ont jamais supporté son côté fantassin,
« lui ont rendu très peu d'honneurs. Le Roi a envoyé ses litières au-
devant de ce grand homme. Comme il s'est déclaré ouvertement

---

* Pour la prise de la Grenade, voir ci-dessus, p. 144. Peu après cette
opération, d'Estaing avait quitté les Isles et tenté de surprendre Savannah, capitale de la Georgie, avec 3 000 hommes, en septembre 1779.

l'antagoniste du ministre de son département *, on ne saurait prévoir quel effet son apparition produira [613]. » La Cour ne l'avait pas trop mal reçu : Versailles manquait de vainqueurs à montrer, et l'on y avait beaucoup gonflé la prise de la Grenade, faute de mieux. Mais c'était une victoire à béquilles, le temps d'un tour de galerie et d'une messe du Roi. Le retour d'opinion avait brûlé d'Estaing, comme un retour de flamme. Il était parti se soigner chez lui; en Auvergne, du moins, on le fêtait sincèrement. A Versailles, « faute de tribune, les salons étaient nos champs de bataille », observe le petit Ségur, qui vient de se distinguer sur ce terrain-là, « de sorte que si le gouvernement jouissait pleinement de l'autorité d'action, nous savions nous emparer de l'autorité d'opinion [614]. » Cette autorité a beaucoup servi La Fayette : la petite bande de l'*Épée de Bois* campe à Trianon **. Il leur doit « ce vent superbe » qui le pousse au billard américain, en ricochet du retour manqué de d'Estaing et du désastre de d'Orvilliers. Mais sur ce point au moins, Gilbert a perdu ses illusions : il sait comment on le recevra lui aussi au retour, s'il échoue.

4 avril. Fersen arrive à Brest, où il est attaché à l'état-major de Rochambeau. Enfin, du sérieux! Il tient sa chance de guerre ***. « Me voilà arrivé ici, ma chère amie *(sa sœur)*, première étape de ma destination. Je suis parti de Paris le 23 mars, mais les mauvais chemins et les mauvais chevaux m'ont forcé d'employer six jours à faire un chemin qu'on fait sans cela en trois ou quatre. Je suis dans une joie parfaite de penser que nous allons partir, que je vais faire la guerre et que j'accomplirai quelque chose. Je suis parfaitement bien traité par tout le monde ici; le général *(Rochambeau)*, qui connaît beaucoup mon père, a beaucoup de bonté pour moi, et nous sommes six aides de camp auprès de lui. Nous avons de l'occupation toute la journée; il n'y a que les soirées qui sont un peu longues. La société est peu gaie à Brest. Mais il y aura bientôt la ressource du spectacle qui commencera. Il y a ici beaucoup de jeunes gens de Paris et de la Cour, qui sont colonels dans l'armée ou aides de camp; je suis fort bien avec eux tous, ils paraissent être de mes amis, nous soupons souvent ensemble [615]. »

Bien sûr, ils sont là tous ou presque tous, les petits amis de Marie-Antoinette. Le salon prolongé. « La majeure partie de la récente promotion militaire s'est faite sous les auspices de la protection de la Reine ****. Tous les Polignac ont joué dans cette occasion un grand rôle, moins pour eux que pour leurs amis, mais ces derniers ont obtenu au-delà

---

* Sartines, passé de la Police à la Marine. On sait qu'il avait hérité d'une flotte amoindrie. Il faisait ce qu'il pouvait pour la remonter, mais par velléités. Il était commode pour les chefs d'escadre de le charger de tous les péchés de la marine.
** Sur le petit groupe des jeunes gentilshommes qui se réunissaient au cabaret de l'*Épée de Bois* quelques années plus tôt et sont presque tous installés dans la faveur de la Reine, voir tome I, p. 257.
*** Sur son passage à l'armée du maréchal de Broglie, deux ans plus tôt, voir ci-dessus p. 164.
**** De Mercy-Argenteau à Marie-Thérèse, le 18 mars 1780.

de ce que raisonnablement ils auraient pu désirer... Le Roi s'est prêté
avec complaisance à tout ce que la Reine a voulu; il s'est occupé lui-
même à former des listes qui ont été refondues plusieurs fois selon les
intrigues des prétendants qui y obtenaient des changements [616]. »
Les voilà au rendez-vous enfin réussi, Lauzun et les frères Dillon,
et Damas, et Noailles, et Charlus (le fils du maréchal de Castries),
et Montmorency. Ségur les rejoindra. C'est la bousculade. Ont-ils
changé? Mais pourquoi changeraient-ils? « Le comte Arthur de Dillon,
colonel en second de la légion de Lauzun, a disparu pendant plusieurs
jours. On l'a cherché partout. Il est enfin rentré de Nantes avec deux
coups d'épée », allez savoir de qui! De son cousin peut-être, ou de son
colonel... On passe le temps comme on peut sous la pluie. Rochambeau,
qui les connaît bien, a haussé les épaules et prévenu le ministre, sans
se fâcher :

« Je viens de lui faire ordonner des arrêts dans son vaisseau pour
soigner ses blessures et punir sa faute [617]. »

En marge de cette coterie remuante, l'œil de Rochambeau distingue
quelques officiers d'avenir, qu'il tient à s'attacher personnellement.
Ainsi « le comte Charles de Lameth, capitaine à la suite de La Roche-
foucauld-Dragons *, très joli sujet (sic), intelligent, qui a du détail »
et « le sieur Mathieu Dumas, sous-lieutenant au régiment Médoc-
Infanterie **, excellent dessinateur, qui a le coup d'œil militaire, parle
et écrit l'anglais. » Le même rapport à Montbarrey enchaîne de Dumas
à Fersen, du bas officier roturier au noble suédois, comme si Rochambeau pressentait que sa petite expédition brassait deux mondes :
« Enfin le comte de Fersen, Suédois, colonel à la suite du service de
France ***, parle bien anglais, vivement recommandé par M. l'ambassadeur de Suède [618]. » Et par la Reine, mais cela va sans dire.

Pas plus que les autres, d'ailleurs. Il est l'un de ses familiers, ni plus
ni moins, et les choses n'ont guère changé depuis que le comte de Creutz
a signalé au roi de Suède, l'an dernier, le « penchant » de Marie-Antoinette pour Fersen. Elle continue de pencher, mais dans le ton de la
tour de Pise. Inclinaison stable. Un chuchotis se fait entre initiés à
ce propos, comme plus tôt à propos de Coigny, de Besenval, de Lauzun
ou d'Artois. « On parle de rencontres et d'entretiens prolongés, pendant

---

* Il s'agit de l'aîné des Lameth. Il jouera un grand rôle à la Constituante. Ses frères, Alexandre, Théodore et Augustin, vont d'ailleurs
participer aussi à La guerre d'Amérique. La faveur conjuguée des Broglie auxquels il était apparenté, et des La Rochefoucauld qu'il fréquentait,
avait valu à Charles d'être inscrit sur la liste des capitaines de ce régiment,
en attente d'un poste disponible.
** Mathieu Dumas, d'une famille de petits magistrats montpelliérains,
est né en 1753. Il est entré à quinze ans dans le corps de techniciens
militaires qui deviendra le génie. Député à la Constituante, il sera l'un
des commissaires chargés de ramener Louis XVI de Varennes, après la
tentative de fuite si mal organisée par Fersen.
*** C'est-à-dire inscrit sur la liste des colonels appelés à bénéficier,
quand il serait disponible, d'un régiment français.

les bals de l'Opéra, de regards échangés à défaut d'entretiens, pendant
les soirées intimes de Trianon; on avait vu la Reine, assurait-on,
chanter au piano les couplets passionnés de l'opéra de *Didon* :
    « Ah! que je fus bien inspirée
    « Quand je vous reçus dans ma Cour...
    « A ce moment, elle cherchait des yeux Fersen et dissimulait mal
son trouble [619]. »
    Mais l'anecdote court depuis un an, on la ressort à chaque nouveau
départ, vrai ou faux, de ces messieurs vers les Amériques. Elle n'a pas
l'art de cacher ses emballements, on le sait, on commence à bien la
connaître depuis dix ans qu'on interprète chacun de ses soupirs. C'est
justement à cause de ce comportement habituel, dont on sait maintenant qu'il ne tire pas à conséquence, qu'on ne prend pas plus Fersen
au sérieux que les autres.
    Lui-même s'est comporté prudemment. Nulle fatuité. A-t-il seule-
ment réalisé ce qui lui arrive? Jusqu'à ce départ, y compris, il ne semble
pas. Il a d'autres femmes en tête. La grande affaire de 1778, pour lui,
avant son retour en France, avait été un projet de mariage avec une
jeune héritière anglaise, une demoiselle Leyel, agréable et toute
chargée des millions de la Compagnie des Indes orientales. Il avait été
de Stockholm à Londres, pour un échec : « La fille m'a assuré qu'elle
ne voulait pas quitter ses parents et qu'elle ne changerait pas d'avis...
J'ai cependant insisté, j'ai dit tout ce que l'amant le plus passionné
peut dire, mais en vain. » Il en restait blessé, mais d'amour-propre.
« Puisque cette affaire est rompue, suivons d'abord l'objet militaire.
Je suis jeune, j'ai encore beaucoup de choses à apprendre... Mon idée
serait donc *(en novembre 1778)* de laisser les choses aller leur train
tout naturellement. Si elle m'aime et continue de m'aimer, on pourra
toujours renouer, et je crois que dans quatre ou cinq, même six ans,
il sera assez temps de s'en occuper sérieusement. Pendant ce temps,
je pourrais peut-être faire quelque campagne. Le père Leyel est vieux
et maladif. S'il mourait, tout obstacle de sa part cesserait, tout son
bien me viendrait tout de suite [620]... » Il n'avait rien de romantique,
l'homme du Penchant. Mais il cueillait ce qui poussait à son passage,
sans insister, sans s'écorcher. Deux hivers durant, entre les « campagnes », il avait courtisé — de loin — une veuve qui avait de beaux
restes, la baronne de Korff [*], et de plus près la comtesse de Fitz-James,
encore une amie de la Reine. Les meilleures soirées, pourtant, lui
ont été données par Julie, une femme de chambre de l'ambassade de
Suède. A Brest, il est tout habité par « une jolie comtesse un peu rousse »
rencontrée quelque part en Suède et qui lui écrit par intermittences.
La bien-aimée, c'est elle. La confidente, c'est Sophie, la petite sœur
à laquelle on ne cache rien. « Vous me demandez malicieuse-
ment comment j'ai découvert que Mme Homberg, que j'avais jugée
rousse à la première inspection, ne l'est point. C'est qu'alors je ne

---

[*] Dont le passeport servira dans douze ans pour la « fuite à Varennes ».
Suédoise d'origine, elle était veuve d'un ministre de Russie à Paris.

l'avais vue qu'une seule fois en passant, qu'elle est d'un blond un peu
foncé et qu'elle mettait beaucoup de poudre rousse. Depuis qu'elle
n'en met plus, elle n'est plus rousse [621]. »

27 avril. Fersen attend, comme eux tous, le grand vent qui va balayer
ça. Il est embarqué sur le *Jason*, soixante-quatre canons, « dans la
rade de Brest ». Il crève d'impatience. « Nous sommes toujours à bord
et il nous est défendu d'aller à terre, à moins que ce soit pour affaires.
Vous sentez que tout le monde en a *(des affaires)* ou s'en fait. J'en ai
assez souvent. J'aime la terre, et le séjour de vaisseau est affreux.
J'y suis cependant en bonne compagnie et avec des gens que je connais...
Les vents sont toujours contraires, et l'on ne sait quand nous pourrons
partir, à notre grand désespoir... Adieu, ma meilleure amie. Un frère
qui vous adore. »

Le même jour, à l'autre bout de l'Océan, l'*Hermione* arrive en vue
de Boston. La Fayette accroche le premier maillon de la chaîne en
écrivant à Washington « qu'il vient pour lui communiquer une nouvelle de la plus haute importance » et qu'il le prie, « s'il se trouve
au nord de Philadelphie, d'attendre son arrivée » — car il ignore où
est le quartier général et comment la guerre tourne. La lettre n'atteindra le général en chef que le 7 mai, à Morristown, bien plus au sud-
ouest à l'intérieur des terres où il tient bon de justesse, à hauteur de
New York. Mais dès le 28 avril, bon signe : les Bostoniens font à
La Fayette un accueil qui le paie de tout. Quelle revanche sur la
froideur de Philadelphie, trois ans plus tôt [*]! « La réception que tout
le peuple a daigné me faire est au-dessus de toute description... On
a su mon retour par les personnes qui ont été chercher des pilotes.
C'est après midi que j'ai débarqué au milieu d'une foule immense »
dans cette « aïeule des autres cités américaines, qui ressemble parfaitement à une vieille et grande ville d'Angleterre [622]. » La joie, le choc,
la première prise de foule, comme la découverte d'une drogue incomparable. Une ville se jette au cou de celui qui passe encore inaperçu
en France. Ils y croient, eux. « L'on m'a reçu au bruit du canon, au
son de toutes les cloches, de la musique qui marchait devant nous,
et des hurrahs de tout le peuple qui nous entourait. C'est de cette
manière que j'ai été conduit à la maison que le conseil et l'assemblée
des représentants de Boston m'avaient fait préparer. Il y avait une
députation de ces corps pour me recevoir; de là j'ai demandé à me
présenter aux deux Chambres [**] réunies à cet effet, et j'ai tâché de me
rappeler mon anglais, pendant une heure que j'y ai resté. Le soir, le
peuple s'est assemblé devant ma porte et y a fait un grand feu de joie,
avec beaucoup d'acclamations qui ont duré jusqu'à plus de minuit [623]. »

Le 1er mai, il prend à franc étrier la route de Morristown. Il croit
Rochambeau déjà parti, peut-être à mi-chemin. Il n'y a pas une minute
à perdre pour préparer le débarquement.

---

[*] Voir tome I, p. 523.
[**] De l'État du Massachussets.

C'est le jour où le mauvais vent se calme enfin sur Brest. La pluie n'est plus qu'une caresse de Bretagne. Le 2 mai 1780, l'escadre appareille à cinq heures du matin « par une première pointe de vent du nord que l'on espère de voir se renforcer ». « En mer, à bord du *Duc-de-Bourgogne*, le 3 mai », Rochambeau fait partir la dernière lettre vers cette France dont la fortune lui est confiée : « Nous avons eu la plus belle partance et nous naviguons par le meilleur vent de nord-est, sans accident et traversant le golfe *(de Gascogne)* avec le temps que nous pouvions désirer [624] ».

Le grand départ, enfin! On finissait par n'y plus croire. Finalement, pas cinq mille hommes, mais c'est quand même tout un pan du vieux monde à Dieu vat vers le nouveau. Ceux qu'on n'a pu prendre faute de place sont au bord du suicide. « Le départ du chevalier de Ternay *** va me faire verser des larmes de sang », écrit l'un d'eux [625]. Certains ont tenté de resquiller jusqu'à la dernière minute. Ainsi ces deux frères, Louis-Alexandre et Charles-Louis Berthier, un presque vieux, un presque môme, ils ont douze ans de différence, les enfants du gouverneur des hôtels des ministères militaires à Paris. L'aîné a déjà fait belle carrière : ingénieur géographe des camps et des armées du Roi, capitaine d'infanterie au régiment du Soissonnais, il a travaillé dur pour ses vingt-sept ans ****. Et le jeune est déjà capitaine de dragons « à la suite », c'est-à-dire officier dans quelques mois. Qu'est-ce qu'ils foutent là le 3 mai, en veste et culotte de toile, deux ébouriffés gesticulant sur le pont du *cutter* d'arrière-garde *****, qui colle comme une mouette au majestueux *Duc-de-Bourgogne?* Rochambeau est inflexible et désolé. Il a été mis là pour ça. Il écrit à Montbarrey, justement par le *cutter* : « Messieurs Berthier nous ont remis vos lettres et celles de M. de Sartines, dans l'instant que nous avions passé le raz. Ils s'offraient à passer avec nous comme matelots. » Mais il n'y a pas moyen de charger un mousse de plus. « M. le chevalier de Ternay n'a pu leur assigner une place sur son vaisseau, ni sur aucun de sa flotte... Les pauvres jeunes gens sont intéressants et au désespoir, mais le chevalier ne sait véritablement pas où les fourrer [626]. » A la queue, les Berthier, comme les autres! La gloire attendra ******.

Deux autres laissés pour compte, déjà célèbres, eux, se rongent les ongles dans les honneurs de la Cour : Philippe de Chartres, décidément écarté des responsabilités, et John Paul Jones, en bisbille avec les autorités de partout. Il a pourtant remporté victoire sur victoire,

---

* Rappelons qu'il commande l'escadre.
** Général de la Révolution, Louis-Alexandre Berthier sera « le bras droit de Napoléon ». Maréchal d'Empire, prince de Wagram et de Neufchâtel, il épousera une princesse de Bavière et se suicidera, à Bamberg, pendant les Cent-Jours. Le frère puîné ici présent fera également les guerres de la Révolution et de l'Empire et deviendra général.
*** On commençait aussi à nommer *cotre* ce petit navire de guerre à un seul mât.
**** Les frères Berthier rejoindront l'armée d'Amérique, avec quelques autres officiers, le 30 septembre 1780.

dont une au clair de lune, près de Hull, sur une vraie petite flotte anglaise. Mais on craint son caractère et ses réparties. On vient de l'étouffer d'hommages à Versailles, tandis que le comte de Provence se démarquait à tout hasard de cette folie américaine dont il n'augure rien de bon.

« — Voilà Mandrin bien honoré, a-t-il dit en parlant de l'accueil que Paul Jones a reçu à la Cour. Il ne reste plus qu'à élever des trophées à Cartouche-Washington [627]. »

36/ mai 1780
Les charlatans du corps scientifique

Le *Journal de Paris* du 6 avril 1780 convie les Parisiens à une leçon de choses originale :

« M. Fillassier, membre de plusieurs Académies, se propose de donner quelques cours d'expériences sur la nature du feu, d'après les découvertes de M. Marat, docteur en médecine *.

« La beauté, la nouveauté du spectacle qu'elles offrent, en rendant visible un être ** qui joue un si grand rôle dans la nature, suffiraient seules pour exciter la curiosité; mais elles ont un objet plus important, celui d'étendre les connaissances de l'esprit humain.

« Chaque cours consistera en huit leçons, durant lesquelles on fera les diverses expériences qui servent à établir la nouvelle théorie du feu... Les premiers cours seront ouverts le 18 de ce mois; ils se feront dans la grande salle, hôtel d'Aligre, rue Saint-Honoré, près la Croix du Trahoir. Comme la plupart des expériences de M. Marat exigent la présence du soleil, on ouvrira en même temps deux cours pour profiter du temps favorable, l'un de une heure à deux et l'autre de quatre à cinq heures après midi. » On s'inscrivait à « ce cours intéressant, chez M. Jombert fils aîné, libraire du Roi ***, rue Dauphine, chez lequel on trouve le grand ouvrage de l'auteur sur le feu [628]. »

Voudrait-il faire maintenant concurrence à Lavoisier? « Philosophe, physicien »... pourquoi pas « voyageur aérien »? Il y a du Cyrano dans le Marat de ce temps-là. Il aura trente-sept ans dans un mois. Il est toujours médecin des gardes du corps du comte d'Artois, soigne sa clientèle de jolies mondaines et continue de rédiger en douce des diatribes vengeresses contre la société dont il profite. Mais il creuse aussi le sillon ouvert par ses traités sur les maladies des yeux et son livre sur la nature de l'homme. Le voilà auteur des *Découvertes de M. Marat sur le feu, l'électricité et la lumière, constituées par une suite d'expériences nouvelles :* c'est cet ouvrage, publié en 1779, qu'on achète

---

* L'abbé Fillassier était « l'élève et préparateur » de Marat, et accessoirement son secrétaire. Notre tome I suit Marat de la publication des *Chaînes de l'Esclavage* en 1774, p. 50, à son installation à Paris et à la publication du *Plan de législation criminelle* en 1777, p. 507.
** « Un élément » : le feu.
*** Cela signifie que ce libraire est parvenu à vendre au moins un livre à la Cour.

rue Dauphine. C'est lui que Jean-Paul Marat va présenter en audiovi-
sion au public nouveau de la fin du siècle, tous ces badauds de l'esprit,
affamés de savoir le qui, le comment, le pourquoi, depuis que le démon
de la curiosité agite l'Europe éclairée. On ne sait plus où courir entre
les « Lycées », les « Musées », les « Cours privés », les « Expérimenta-
tions » qui fleurissent au Jardin du Roi et gagnent les deux rives de
Seine. Huit heures chez ce drôle d'oiseau tout brun qui prétend dissé-
quer le soleil de Paris? On y va — entre autres. Mais qu'il est donc
bizarre! Du feu, il passe à l'homme. Ou à l'âme. Est-ce qu'il sait? Il
cherche. Démarche d'autodidacte, incapable de cloisonnement intellectuel. Il brasse ici l'optique, la physique et la chimie, en les assaisonnant
d'un soupçon de métaphysique. Les bonnes gens qui vont se presser
six mois durant à l'hôtel d'Aligre pourront y admirer un engin biscornu,
de la taille d'une lunette d'approche : le « microscope solaire » de
M. Marat. Il s'agit de capter le feu du soleil, père de tout autre feu, d'en
embraser des objets quelconques et de « rendre visible le fluide igné, la
matière électrique, l'air lui-même [629] »... avec l'arrière-espoir de voir
surgir l'âme au détour d'une étincelle, et pourquoi pas l'Être suprême?
Marat croit en Dieu, puisque Rousseau y croyait. L'athéisme d'un
Diderot ou d'un Condorcet l'exaspère, peut-être parce qu'il l'humilie
— ou qu'il lui fait envie, allez savoir. Au passage, il n'est pas fâché de
combattre les théories diaboliques d'un de ces hommes sans Dieu,
Lavoisier, en se rangeant dans la cohorte de ceux qui refusent la néga-
tion du phlogistique, la découverte de l'oxygène, et la destitution du
feu hors de son rôle d'élément fondamental, avec l'air, la terre et l'eau *.
Marat se bat pour l'honneur du feu, non sans une aigreur issue peut-
être de son manque de conviction. C'est le Marat domestiqué des
années 80, quoique déjà censuré : non seulement son *Plan de législation
criminelle* n'a pas été primé par la « Société économique de Berne », mais
Miromesnil ** a fait saisir au passage les exemplaires imprimés à Neuchâtel, et en a fait arracher « les passages subversifs » — donc un grand
nombre de pages, toutes celles qui plaidaient pour le coupable contre les
honnêtes gens, vilipendaient la torture et la peine de mort, suggéraient
que le crime est le produit d'une société de hiérarchie et de privilèges.
« Le droit de posséder découle de celui de vivre... Rien de superflu ne
saurait nous appartenir légitimement, tandis que d'autres manquent
du nécessaire [630]. » Marat reprenait là une affirmation des Pères de
l'Église, mais ils se sont tus à ce propos depuis mille ans, et on ne va
pas laisser ce fils de « maître de langues » sardo-suisse prendre leur
relève ***. Bien d'autres, à commencer par Helvétius, ont subi avant

---

* Sur les recherches et les découvertes de Lavoisier, voir tome I, pp. 240
et 482.
** Garde des Sceaux depuis l'avènement de Louis XVI.
*** Jean Mara, « maître de langues », mais aussi « peintre dessinateur »,
né à Cagliari, en Sardaigne, était en fait sujet de Frédéric II, puisque
fixé depuis 1747 à Boudry (lieu de naissance de son fils Jean-Paul), en
principauté de Neuchâtel, enclave prussienne dans les cantons suisses.
Jean Mara mourra en 1783, laissant un héritage de 638 florins : moins
de 5 000 francs lourds.

lui ce supplice du bâillon. Marat ne s'y résigne pas. Le silence que ces gens lui imposent lui fait passer le goût de leur pain. Il continue quand même cahin-caha, cette moitié de lui-même mise entre parenthèses, à faire semblant de devenir un savant. Il transforme en salle de dissection une partie de son bel appartement de la rue de Bourgogne. L'Hôtel-Dieu tout proche lui fournit les cadavres à volonté, mais il lui faut aussi des animaux vivants : « J'ai fait un arrangement avec un boucher du quartier qui me fournit des brebis, des veaux, des cochons et même des bœufs, si j'en ai besoin. Comme il reprend le tout, je paie suivant le dégât que sa viande a souffert [631]. » Les vastes écuries du palais des Bourbons, à sa porte, logeaient les gros animaux, le temps de leur supplice. Marat vivisecteur, donc, mais en passant. Il place au premier plan de 1780 la recherche physique : « On parle beaucoup d'un nouveau Newton, qui est le fils de M. Marat, de Genève (sic). Ce physicien a inventé une nouvelle manière de voir les secrets de la nature. Il a d'abord eu toute l'Académie contre lui », écrit un Genevois de passage à Paris [632], « mais il la sut forcer à être le témoin de ses découvertes et, qui est plus, à les signer ».

Non, non, erreur ou « intox » venant de Marat lui-même : le petit drame de mai va le prouver. L'Académie — celle des Sciences, en l'espèce — était bel et bien « toute contre lui ». Mais elle ne change pas. Bien au contraire : quand il la met au pied du mur et tente de « forcer » sa caution, elle se dérobe avec éclat et casse le rêve de Marat — un de plus.

Les choses commencent pourtant bien. Affluence, intérêt des initiés, bienveillance de quelques faiseurs d'opinion. Marat avait voulu Franklin, il l'avait eu. Or Franklin, cette année, fait la pluie et le beau temps à Paris. Bon prince, il se rend, l'un des premiers, à l'invitation personnelle qu'on lui a délivrée dans les formes. Sa voiture n'a qu'à longer la Seine, en descendant de Chaillot par la rue Saint-Honoré, pour arriver à ce nœud des vieilles rues de la rive droite convergeant vers le Pont Neuf, la Croix du Trahoir, près de la Halle aux blés. On laisse la voiture à la fontaine, sommée de la croix, « qui fournit de l'eau d'Arcueil » et vient d'être reconstruite « sur les dessins et sous la conduite de feu M. Soufflot, qui a été obligé de former (sic) une habitation nécessitée dans cet endroit pour y placer les Juges lors des exécutions [633] ». Celles-ci ont lieu place du Trahoir « depuis un temps immémorial, lorsque la place de Grève est embarrassée, ou lorsque les délits se sont commis dans ce quartier », où il y a beaucoup de voleurs au rendez-vous des marchands. « C'est pour cette raison qu'on y avait planté une croix, afin que les patients l'eussent devant les yeux, et qu'elle fût leur consolation dans le dernier moment. Beaucoup d'écrivains ont cherché l'origine du nom Trahoir. Les uns l'ont fait venir de trahere, « tirer », d'autres du verbe « trier », parce qu'autrefois ce carrefour était un marché où l'on triait les bestiaux qu'on achetait. » Franklin va une fois de plus trier ce qui est de sa compétence à ce marché-là, le bon grain de l'ivraie des sciences, mais dans le style qui fait maintenant corps avec lui : la politesse du silence. Trébuchant sur les pavés ronds, il gagne la salle où on lui offre un fauteuil au premier rang, à l'hôtel d'Aligre, devant l'estrade où Marat se démène comme un sorcier et expose au foyer du microscope solaire une boule métallique qu'il fait chauffer. « En regardant sur la toile, où son ombre va se peindre, on aperçoit autour de la boule une sphère ondulante de vapeurs sensibles [634]. » Mais Franklin, qui ne voudrait jamais passer l'heure la plus grave sans divertissement, signale qu'on dispose d'une boule de remplacement. Essayez donc, mes amis. Moment ineffable. « M. Franklin, ayant exposé sa tête chauve au foyer du microscope solaire, nous l'aperçûmes ceinte de vapeurs ondulantes, qui se terminaient en pointes torses ; elles représentaient l'espèce de flamme que les peintres ont fait l'attribut du Génie. » Si Michel-Ange s'était trouvé là, Franklin aurait pu servir de modèle à une réplique de son Moïse. Marat va-t-il être tenté d'isoler la substance du génie, comme un autre phlogistique ? Quelques jours plus tard, on ne rit plus.

Le premier heurt s'était déjà produit avec Lavoisier. Du moins ce dernier est-il le plus célèbre des académiciens contre lesquels Marat avait livré son combat d'avant-garde. Il en attend donc davantage, quoiqu'il batte ses théories en brèche. Il n'en sera que plus fâché. Il avait sollicité « l'approbation de l'Académie des Sciences », pour avoir, vis-à-vis des savants européens, la caution qui lave l'expérimentateur du soupçon d'amateurisme. Mais les académiciens délégués pour assister à ses cours avaient débarqué, semble-t-il, sans le prévenir, par un après-midi nuageux, où rien n'était possible. Ils l'avaient fait exprès, bien sûr — selon Marat, qui les avait reçus « avec assez peu d'égards *, et paraît s'être montré surtout arrogant envers Lavoisier, en déclarant qu'il ne se souciait pas trop que celui-ci voie ses expériences [635] ». D'où prévention des milieux académiques à son égard. On fait traîner les choses. Qu'il attende, ce fagot d'épines. Mais un drôle de grelot commence à remuer dans sa tête à propos « *du coryphée des charlatans, le sieur Lavoisier, fils d'un grippe-sol **, apprentif* (sic) *chimiste, élève de l'agioteur genevois* (Necker), *administrateur de la Caisse d'escompte, secrétaire du Roi, membre de l'Académie des Sciences* [636] ».

Lavoisier n'incarnait pourtant pas l'Académie. Condorcet, si : puisqu'il en était devenu le secrétaire perpétuel en 1773, à trente ans. C'est à lui que Marat écrit des lettres de plus en plus comminatoires en avril 1780, pour que l'Académie lui fasse enfin part « de sa résolution au sujet de ses expériences ». Condorcet ne se presse pas. Par négligence ? Par agacement ? Cette affaire, de toute façon, a si peu d'importance à ses yeux... Ses tâches de secrétaire perpétuel ne prennent qu'une mince partie de l'activité débordante dans laquelle ce célibataire

---

* D'après Gérard Walter.
** *Coryphée* au sens figuré : celui qui tient le premier rang dans une secte. Quant au « grippe-sol », il s'agit du père de Lavoisier, qui était procureur. Lavoisier avait acquis, comme Beaumarchais, le titre honorifique de secrétaire du roi. Ce texte est extrait de l'*Ami du Peuple* en 1791.

désespéré s'ensevelit de plus en plus, depuis que la douce amitié de
Julie de Lespinasse ne ralentit plus son tournis *. Il prend très au
sérieux sa charge d'inspecteur des monnaies, procurée par Turgot,
et caresse un projet d'unification et de simplification des poids et
mesures. Il travaille à une suite littéraire monumentale : les *Éloges*
de soixante et un savants, membres ou correspondants de l'Académie
des Sciences depuis sa fondation. Il voudrait en faire une sorte d'histoire biographiée des sciences modernes, « leur *histoire* plutôt que leur
éloge, car on ne doit aux morts que ce qui est utile aux vivants : la
vérité et la justice ». Ce n'est pas assez : il applique l'essentiel de sa
réflexion à une tentative de mariage des mathématiques et de la politique. Ah, si c'était possible ! Mettre en équations Machiavel et Caliban...
Condorcet vient de rédiger un *Essai sur la probabilité des décisions
rendues à la pluralité des voix*, mais ce n'est que la première pierre de la
Mathématique sociale dont il voudrait faire l'ouvrage de sa vie. Alors,
les agitations d'un Marat, en marge de tout cela... L'Académie,
d'ailleurs, est harcelée par un nuage de moustiques-inventeurs qui
prétendaient changer le monde chaque matin. Et le communiqué-
massue du 10 mai, qui écrase le pauvre Marat, n'a dû paraître qu'une
chiquenaude à Condorcet quand il y appose sa signature pour une sorte
d'ampliation du secrétaire perpétuel **. « Comme ces expériences sont
en très grand nombre, que nous n'avons pu par là les vérifier toutes
avec l'exactitude nécessaire ; que d'ailleurs elles ne nous paraissent
pas prouver ce que l'auteur imagine qu'elles établissent, et qu'elles
sont contraires, en général, à ce qu'il y a de plus connu dans l'optique,
nous croyons qu'il serait inutile d'entrer dans le détail pour les faire
connaître, ne les regardant pas comme de nature à ce que l'Académie y
puisse donner sa sanction ou son attache [637]. »
.. « Contraire à ce qu'il y a de plus connu »... dans l'optique, dans
la physique, dans le droit criminel, voilà bien l'accusation qu'attendait Marat. Il la cherchait. « *J'oserais me flatter de n'avoir pas manqué
mon but, à en juger par l'indigne persécution que n'a pas cessé de me faire
l'Académie royale des Sciences ***, lorsqu'elle se fut assurée que mes découvertes sur la lumière renversaient ses travaux depuis un siècle... Comme
les d'Alembert, les Caritat (Condorcet), les Leroi (sic), les Meunier, les
Laplace, les Monge, les Cousin, les Lavoisier et les charlatans du corps*

---

* Désespéré surtout par le refus de la jeune Adrienne de Meulan, qu'il
avait aimée, dans les années 70, « jusqu'à vouloir s'ôter la vie ». Sur
Condorcet, voir l'index de notre tome I, et les pages 321 à 325, sur le
rôle de Julie de Lespinasse dans sa vie. Nous le retrouverons de façon
plus approfondie à son mariage, en 1786.
** Ce communiqué a été rédigé et signé auparavant par les trois « commissaires » délégués par l'Académie auprès de Marat : Le Roy, Cousin
et Sage. Nulle mention de Lavoisier. Celui-ci avait été spectateur, mais
non expert désigné.
*** Texte postérieur de treize ans, rédigé à la veille de sa mort. Je rappelle
que, comme pour Hébert ou Sade, je présente en italiques les textes
qui ne sont pas contemporains à la séquence en cours, mais s'y rapportent directement.

scientifique voulaient être seuls sur le chandelier, et qu'ils tenaient dans leurs mains les trompettes de la renommée, croira-t-on qu'ils étaient parvenus à déprécier mes découvertes dans l'Europe entière [638]? »

Décalage. Marat rugit de cet outrage, qui l'empêche, il en jure, d'éclipser Newton. Condorcet, pendant ce temps, écrit paisiblement, au détour d'une lettre à d'Alembert : « Je reprocherais (parfois) aux académies d'être trop faibles. L'affaire de M. Marat en est une preuve. Le seul tort de l'Académie a été d'avoir d'abord eu l'air d'accueillir des expériences données comme nouvelles, mais qui en étaient connues, et qui n'avaient de neuf que le jargon systématique dont l'auteur les avait revêtues. Les académies ont deux utilités incontestables : la première, d'être une barrière toujours opposée au charlatanisme dans tous les genres, et c'est pour cela que tant de gens s'en plaignent ; la seconde, de maintenir les bonnes méthodes dans les sciences [639]. »

Lequel était le charlatan duquel? Marat, quant à lui, n'en démordra pas : « *Cette espèce de charlatans est toujours au milieu de nous, courant les cercles,... engraissés par le gouvernement et dévorant, dans l'oisiveté et les plaisirs, la substance du malheureux artisan, du pauvre laboureur... Il ne faut pas se contenter de prendre le nom de savant pour escroquer les bienfaits du prince, ou plutôt l'argent des pauvres* [640]. »

Nuance, pourtant : les clameurs de Marat ne faisaient pas plus de mal à Condorcet que le vol d'un bourdon. Mais le verdict de l'Académie rejette Marat dans la foule des funambules et des marchands d'orviétans. Il ne sera pas accrédité. Ses expériences du printemps 1780 ne déboucheront sur rien de constructif. Il se cogne aux murs de ce nouveau cul-de-sac, il a mal, il crie. C'est de mauvais goût.

Et pourtant... « L'amour du bien et de la gloire sont les seules passions constantes qu'il ait connues. Ces passions deviennent celles de tous les hommes éclairés, et c'est pourquoi il y a contre eux une ligue si puissante ; ils ont pour ennemis tous ceux qu'agitent leurs petites passions particulières... » S'agit-il d'un texte sur Marat? Ou de Marat? Non pas : c'est Condorcet qui a écrit ces lignes à Turgot, à propos de Voltaire [641]. Et ce même Condorcet vient de se brouiller avec Maurepas en refusant de prononcer à l'Académie l'éloge de La Vrillière, enfin trépassé, le cousin du vieux mentor. Il est en train de préparer « un ouvrage clair, modéré, bien muni d'autorités *(sic)*, qui contiendrait le récit de tous les assassinats, massacres, séditions, guerres, supplices, empoisonnements, noirceurs et scandales qui forment depuis 1774 ans l'histoire du clergé catholique * ». Guerre aux prêtres ; guerre aux privilégiés. Ce n'est pas Marat qui vient d'écrire : « J'ai peur que ce Necker ne nous fasse mourir de faim en voulant faire avancer ses plans sans convulsion **. C'est une triste chose que vingt millions d'hommes ballottés entre des fous, des imbéciles et des fripons [643]. » La phrase est de Condorcet, encore lui. L'harmonie dans l'opposition, et même dans l'indigna-

---

* Le projet était ainsi exposé à Turgot en 1774, mais Condorcet y travaillait encore en 1780. Cela donnera son *Almanach anti-superstitieux* [642].
** « En voulant procéder à des réformes sans secousses. »

tion politique (sinon sociale), est complète entre ces deux hommes dont
l'un — Condorcet — ignore l'autre du haut de sa position d'homme
« arrivé » et dont le second — Marat — vient de lui vouer une rancune
inexpiable. Ils portent sans le savoir le même regard sur la société de
leur temps.

Et ils se rejoignent encore dans leur hostilité commune à Lavoisier,
le fermier général, l'ennemi de Turgot, que Condorcet dénonçait à
celui-ci en termes véhéments peu avant sa disgrâce *. Or Lavoisier
vient de rédiger, à la demande de Mᵐᵉ Necker, pour être mis sous les
yeux de son mari, un rapport terrible sur la Conciergerie du Palais de
Justice ** et l'organisation des prisons de Paris, « pleines de fange,
de vermine, de corruption », en dressant un catalogue des mesures
« pour remédier à ce tableau si affligeant pour l'humanité [644] ».

Marat, Condorcet, Lavoisier... 1780, c'est l'an I du malentendu.

37/ mai 1780
A la veille de tout ce qui se prépare

Marat n'est pas abandonné du ciel et de la terre. La persécution, ou
du moins l'obstruction académique, lui attire la sympathie du petit
monde des marginaux. L'un d'eux vient lui tendre la main ces jours-ci :
Jacques-Pierre Brissot; c'est le début d'une amitié. Les voilà compagnons de colère ***.

Le déclic de la rencontre? Difficile à repérer. Un sous-lieutenant
des gardes d'Artois, Marivetz, a peut-être conduit Brissot chez Marat [645].
De toute façon, le premier cherchait à rencontrer le second, justement
à cause du petit remous d'opinion soulevé par ses « expériences »
dans les milieux parascientifiques. En 1780, Brissot songe aussi à se
faire physicien, faute de mieux. La vie a fait de lui, comme de Marat,
une sorte d'animal sans horde ni tanière, le nez au vent. Mais ils ont,
l'un et l'autre, le cœur si plein et tant à dire! Leur alliance provisoire
vient d'abord d'une confluence de destins.

Ils se retrouvent, plusieurs fois par mois, au cours de chimie d'An-

---

* Voir tome I, p. 317.
** D'où il partira vers la guillotine, avec vingt-sept autres fermiers
généraux, le 8 mai 1794. La première chute de Necker aura, entre-
temps, empêché ce rapport d'être suivi d'effet. Jusqu'à 1789, les prisons
de Paris demeureront des porcheries.
*** Sur Brissot, voir son arrivée à Paris, tome I, p. 78, son rôle auprès
de Linguet, p. 168, et pendant les derniers jours de Voltaire, p. 599.

toine Fourcroy. Voilà un homme qui semble réussir où ils achoppent
l'un et l'autre. Battu des vents, contrarié par les notables, Fourcroy
s'impose aux Parisiens. Brissot le prendrait volontiers pour modèle :
« La facilité avec laquelle le jeune Fourcroy * développait les étranges
phénomènes de la décomposition des corps m'enflamma pour la chimie.
Je la saisis *(c'est-à-dire : j'allai à ses cours)* avec une ardeur opiniâtre...
Il avait commencé sa belle réputation, malgré les petitesses et les
jalousies de la Faculté de médecine, qui avait failli l'arrêter dans ses
travaux en lui refusant des titres qu'il fut forcé d'acheter. Ses cours
attiraient la foule. Autant Marat éprouvait de difficulté à s'exprimer,
autant il mettait d'hésitation, d'incohérence et d'âpreté dans ses
leçons **, autant Fourcroy y déployait de netteté, d'élégance, de facilité. Son organe était pur, agréable, comme son langage ; il mettait la
science à la portée de tout le monde [646]. » Un véritable vulgarisateur,
ce que rêve d'être avant tout « le personnage d'une quarantaine
d'années », rencontré par Brissot devant l'estrade de Fourcroy, ce
Jean-Paul Marat « petit, carré d'épaules, le teint jaune [647] », que Jacques-
Pierre trouve « taillé en sapajou, peu fait pour plaire », mais qui le
séduit cependant parce qu'il est « infatigable dans le travail, et habile
dans l'art de faire des expériences ». Brissot n'a-t-il pas « entendu un
jour Franklin lui rendre hommage? Ses expériences sur la lumière
l'avaient enchanté. Je n'en dirai pas de même de celles sur le feu ou
l'électricité... » « La curiosité, le désir d'apprendre me l'avaient fait
rechercher ; l'envie de lui être utile, parce qu'il me paraissait opprimé,
m'avait fait entretenir sa connaissance... Insensible aux plaisirs de la
table et aux agréments de la vie, il consacrait tous ses moyens à ses
expériences de physique, jour et nuit occupé à les répéter ; il se serait
contenté de pain et d'eau, pour avoir le plaisir d'humilier l'Académie
des Sciences [648]. » De son côté, Marat nourrit un préjugé favorable
envers ce petit jeune homme famélique aux grands yeux si bien ouverts
partout, sur tout. Il sait que Brissot se mêle de journalisme, de politique, et qu'on l'a déjà catalogué comme un mauvais esprit. « Ce fut
un titre (à mes yeux) pour le distinguer de la foule des ignorants [649]. »
Pourquoi tant chercher à se justifier d'avoir été compères? L'envie
les prend, en mai 1780, de faire ensemble un bout de chemin.

Brissot en avait assez de la sinuosité. Les six ans qu'il vient de
passer depuis son départ de Chartres ressemblent à une progression
dans un labyrinthe.
Quelques jalons : Paris, l'année de ses vingt ans, celle de la mort
du Roi. Il grossoie consciencieusement dans le quartier du Temple,

---

* Antoine Fourcroy est né en 1755. Nous le retrouverons à la Convention. L'audace de sa pensée et le brillant de sa parole lui avaient aliéné
les autorités de la Faculté de médecine, qui lui barraient le chemin normal des concours et des bourses. Il vient d'acheter le grade de docteur
grâce à une collecte faite par ses amis, et d'ouvrir un cours payant,
comme Marat.
** Texte de Brissot postérieur à leur brouille, douze ans plus tard.

chez le bon procureur Nolleau, dont il devient sans joie « limonier de l'étude », autant dire premier clerc *. Tout vaut mieux que Chartres et la famille, c'est d'accord, mais il attendait quand même autre chose de la grand'ville. Nolleau meurt. Son beau-frère, un sieur Aucante, lui succède et montre la même bienveillance envers le jeune Jacques-Pierre. « Il me laissait toute la latitude possible pour mes travaux (de formation personnelle) et me traitait en ami. Il m'avait deviné. Un jour *(de 1776)* il me dit :

« — Vous resteriez éternellement chez moi que vous n'en apprendriez pas davantage. Livrez-vous à la littérature ou au barreau, mais quittez la chicane [650]. »

Sans un sou, facile à dire! Mais tout Brissot attendait ce signal-là. Il se jette à l'eau douteuse des salons littéraires, vaguement piloté par un certain Guillard, son ami d'enfance. « Il fallait vivre. Ma mère, à qui je m'étais adressé, m'avait accordé secrètement quelques secours pour trois ou quatre mois, mais les besoins devenaient urgents. J'imaginai que de petites brochures sur les matières qui fixaient alors les esprits me procureraient quelque argent. » Il gribouille donc d'assez vilaines petites choses, dont un *Pot-Pourri* vaguement porno et trop précisément cancanier. Le lieutenant de police Le Noir fronce le sourcil. On menace Brissot d'une lettre de cachet. Il fuit à Chartres, le temps d'une « maladie de faiblesse » que sa mère soigne au quinquina ; nouveau départ, à peine rétabli, vers Paris, vers la misère. Réduit aux expédients, il se débat dans une sombre histoire de lettres de change cautionnant un achat de bijoux par un aventurier allemand... La merde. Il n'avait ni l'âge (encore mineur), ni le capital nécessaires pour signer ce genre de billets. Le Noir consent à ne pas embastiller ce gibier trop mince. Mais le voilà marqué.

Swinton le tire d'affaires, un gros Anglais à la John Bull qui dirige à Londres le *Courrier de l'Europe*, un million d'exemplaires, le journal-putain de ce temps-là. Rien que des ragots et des bavardages, mais une certaine teinte libérale qui lui donnait des gants d'opposition. On avait besoin d'un scribouillard pour en surveiller une édition française à Boulogne, la guerre empêchant la diffusion de la feuille sur le continent. Pourquoi pas le petit Brissot? Mais oui, pourquoi pas? « Bayle, me disais-je, a bien été précepteur ; Postel goujat de collège **, Rousseau laquais d'une marquise ; je puis bien être gazetier. Honorons le métier, il ne me déshonorera point. Au lieu de ces anecdotes insipides et de ces chroniques scandaleuses, parlons des constitutions et des intérêts des peuples... »

C'est comme ça qu'on se retrouve en 1778 à Boulogne au service

---

* Terme populaire : le limonier était le cheval le plus robuste de l'attelage, celui sur lequel on comptait pour entraîner les autres.
** « Goujat » au premier sens signifiait « valet d'armée », mais aussi d'autres collectivités : la plus pauvre espèce de domestique qui soit. Pierre Bayle, auteur du *Dictionnaire historique et critique*, est le père de la pensée critique moderne. Moins célèbre, Guillaume Postel fut un orientaliste en renom du XVIᵉ siècle.

des pires marchands de soupe, en train de détailler les coucheries
d'actrices dans la rubrique des *Variétés*. Goujat de plume. Quant à
changer la face du monde... La découverte de la mer avait sauvé
Brissot du pire désespoir : le mépris de soi. Un enfant de la Beauce,
un garçon de Paris jeté aux rives de la Manche, c'est tout l'un ou tout
l'autre. Il s'émerveille ou s'enfuit. Ici, la mer agit comme un révéla-
teur, en suscitant le Brissot romantique. « Avec quelles délices
j'allais la contempler dans mes promenades solitaires, près des débris
de cette tour d'Odre, qui reportait mon imagination vers les temps
si lointains de ces gigantesques Romains. Tous les soirs j'y allais, et
c'était chaque fois un spectacle nouveau! Comme les Tuileries, le
Palais-Royal me paraissaient insipides et mesquins, en comparaison
de cette imposante perspective!... La nature agrandit l'âme, la société
la rétrécit. Montrez-moi des hommes, des palais, des maisons, je ne
suis plus qu'un homme ordinaire, petit, passionné, mécontent de moi.
Placez-moi en face des Alpes, de leurs torrents, de leurs sommets
blanchis, je ne tiens plus à la terre, je suis loin de mon corps, je suis
moi. » Son œuvre préférée est celle de Shakespeare, une autre mer,
aussi déconcertante que la vraie, et cette préférence distingue déjà
Brissot de la plupart des lettrés de son temps *. Il l'avait lu dans le
texte, pendant ses longues périodes d'ennui à Chartres, où la riche
bibliothèque de Dom Mullet, un bénédictin en rupture de couvent,
lui avait donné asile et permis d'apprendre l'anglais, l'espagnol et
l'italien. « J'aime le sifflement des vents qui annonce l'orage, ces
arbres agités, ce tonnerre qui éclate ou gronde, et ces torrents de
pluie qui roulent à grands flots. Mon cœur frémit, ému, froissé, déchiré ;
mais c'est une émotion qui lui paraît douce, car il ne peut s'en arracher. Il y a pour moi dans cet instant un charme horrible, un plaisir
que je sens mieux que je ne peux le définir : voilà sans doute l'impression que produisent Shakespeare et les dramaturges qui l'ont imité...
Ce n'est point un défaut de goût, mais un besoin d'âme. »

Il ne perdait donc pas tout à fait son temps par là. Son romantisme
lui servait, comme à tant d'autres, d'autoplaidoyer pour une jeunesse
manquée, mais prouvait qu'il n'avait pas baissé pavillon. Il raffermis-
sait son style. Il creusait son désir. Il attendait son heure à Boulogne
aussi bien et même mieux que dans beaucoup d'endroits; de préférence près du port, dans la partie basse de la ville, sous la couronne
des remparts perchés, à l'endroit où « le quartier neuf » et les quais
s'étendent à loisir dans les sables, de part et d'autre de l'embouchure de la Liane. Il aimait jusqu'à l'odeur de goudron séchant sur

---

* Le passage qui vient d'être cité est par contre d'une orthodoxie rousseauiste qui frôle le conformisme. Il n'avait jamais vu les Alpes... Sur
les réactions de « l'intelligentsia » française d'alors devant Shakespeare,
que Voltaire n'aimait pas, mais que Diderot défendait, voir tome I,
p. 458. On ne pouvait l'appréhender que dans le texte original. Les
traductions françaises du temps l'affadissaient et l'émasculaient au-delà
du supportable.

les quilles au calfat; il redevenait le fils du traiteur de la rue du Cul-
Salé dans les grosses lippées déjà flamandes. « Là, ma dangereuse
facilité me laissait entraîner à tout ce qu'on voulait, à des repas longs
et bruyants, au jeu de cartes, que j'ai toujours détesté, à des conversations frivoles et puériles. Boulogne, au moins la basse ville, était
peuplée de commerçants riches, aisés, accoutumés à la bonne chère,
et à se traiter tour à tour. Je me rappellerai toujours avec reconnaissance l'estime et l'amitié qu'on m'a témoignées dans les maisons
Cavilliers, Casin, Coilliot, etc * », mais surtout chez Mᵐᵉ Dupont, cette
veuve habile à gérer, en trichant avec la guerre comme ils font tous à
Boulogne, le comptoir d'exportation vers l'Angleterre monté par son
mari. Elle a trois jolies filles pour un homme seul, dont deux sont
affublées de prénoms franco-anglais : Lucy, Nancy, Félicité. Jacques-
Pierre penche vers la dernière, mais Félicité est « promise » à un autre.
Il butine donc ici ou là, distraitement. Il demeure aux aguets d'autre
chose. A preuve : il apprend, en dépouillant les gazettes, que la Société
économique de Berne met en concours des textes sur la législation
criminelle **. Deux ans avant de faire la connaissance de Jean-Paul,
Jacques-Pierre tente la même chance — en vain — avec une *Théorie
des lois criminelles* inspirée surtout de Linguet, qui effraie les bons
Suisses. Qu'importe? Il devient déjà le frère de Marat. L'un et l'autre
n'existent plus que pour détruire l'ordre établi. « Trop jeune encore,
(témoigne Brissot), et trop pressé de publier mes idées, je cédai à l'impatience de débuter par un grand ouvrage et de me signaler en frappant à mon tour la tyrannie politique qui m'avait toujours révolté.
J'avais dès lors juré de consacrer toute ma vie à sa destruction. La
tyrannie religieuse succombait sous les coups des Voltaire, des Rousseau, des Diderot; je voulais attaquer la tyrannie politique et briser
l'idole des gouvernements qui, sous le nom de monarchie, pratiquaient
le despotisme. »

Autre coup pour rien : une étape à Londres, mais oui, malgré la
guerre, pour aller sérieusement étudier les moyens de transformer le
Courrier de l'Europe en brûlot contre le roi d'Angleterre sous le nez
de celui-ci. Drôle de guerre! Le voyage, en tout cas, était licite, grâce
aux « bateaux de monsieur Minet »... qui faisaient tranquillement leur
publicité dans le même *Courrier de l'Europe:* « Le sieur Mariée, de
Douvres, a l'honneur d'informer le public que quatre navires appelés
Bye-boats, appartenant à M. Minet... ont reçu des cours de Londres
et de Versailles la permission de passer et repasser de Douvres à Calais
et de Calais à Douvres, de prendre à l'ordinaire des passagers à bord
sans qu'ils aient à craindre d'être molestés par les vaisseaux de
guerre ⁶⁵². » Il en coûtait une demi-guinée, soit douze livres de

---

* Sainte-Beuve naîtra à Boulogne, apparenté à la famille Cavilliers.
Il écrira en 1835 qu'il « n'a jamais ouï un mot de doute sur l'intégrité
constante de Brissot en ces années calomniées, et sa pauvreté en tout
temps vertueuse ⁶⁵¹ ».
** Ce thème avait stimulé Marat au point de lui faire concevoir son *Plan
de législation criminelle*. Voir tome I, p. 514.

France *. Payait-on un supplément pour assister aux combats, du
balcon des *Bye-boats?* Quoi qu'il en soit, Brissot a fait chou blanc à
Londres. « Tout était mensonge dans ce que me dit Swinton. »
1779. Un Paris pire. La faim. L'appel aux parents. Réponse du
père Guillaume Brissot : « Votre mère est toujours dans la même
situation *(de troubles mentaux croissants)...* Votre retour à Dieu,
sincère et soutenu, pourrait, peut-être, lui procurer quelque soulagement, et c'est par là que vous devez commencer. » Jacques-Pierre
touche le fond en vendant sa plume de ci, de là, quitte à rédiger des
articles, ô rage! pour un *Dictionnaire ecclésiastique de toute la
France.* Il mourait de mal-être. La rencontre de Mentelle lui sauve la
vie.

Edme Mentelle, un homme-carrefour, ou un homme-chaînon, comme
on voudra **. Né et venu au monde pour tendre la main et offrir un
point d'appui au bon moment. Il connaissait Mme Dupont, la bonne
veuve de Boulogne. Elle lui envoie Brissot. Professeur à l'École militaire, il est « géographe du Roi », pour lequel il vient de construire un
énorme globe terrestre à double paroi où les terriens découvrent enfin
la terre telle qu'elle est : politique, mais physique par-dessous. Tout
le monde jouait alors à Bougainville. Mentelle vient de publier sept
volumes *in-8°* sur « l'Espagne, le Portugal, l'Italie et la Turquie
d'Europe ». Il est, pour le moment, connu et bien payé. Mais « jeune,
il avait été comme moi sans appui *(écrit Brissot).* Ma situation, semblable à la sienne, l'émut, et il me traita en frère. Le talent que son
épouse développait sur le clavecin attirait chez elle les musiciens les
plus habiles, comme l'excellent caractère de son mari y amenait les
hommes de lettres les plus célèbres. » Mentelle a cinquante ans et une
bonne gueule toute pendue à un gros pif bourgeonnant; c'est un soleil
humain. Il connaît Mme Roland, son mari, ses amis, et Dupont de
Nemours, et Fourcroy, et Laplace, et Lavoisier, et cent autres... Voilà
Brissot dépanné. On l'aime, on le comprend, on lui donne des travaux
intéressants.

Autre chance : Guillaume trépasse. Jacques-Pierre fait un aller-
retour à Chartres, le temps d'enterrer son père, et de couper tout à
fait le cordon ombilical d'avec une mère maintenant folle à lier et la
tripotée de ses frères et sœurs bigots. « Qu'est-ce encore que les liens
qui nous attachent à de pareils individus? Il n'en existe plus que
deux : la pitié et la reconnaissance. » Le traiteur avait pris soin de
réduire au minimum la portion d'héritage de ce fils mécréant, sans
pouvoir l'empêcher de toucher la première somme de sa vie. « J'avais

---

* 60 francs lourds environ. D'après Brissot, il s'agissait d'une liaison
intermittente, qui cessera en 1779. « Je quittai Calais par le dernier
paquebot pour Douvres. »
** Il sera le témoin et l'ami des dernières heures de Brissot et de
Mme Roland.

quatre mille francs *! C'était un trésor pour moi. Il me semblait devoir
être inépuisable. » S'il en profitait pour se donner un état et cesser
de flotter hors classe? Avocat sans avoir fait d'études? Rien de plus
facile avec de l'argent. On achetait à Reims « ce harnais grotesque [653] »
en huit jours. « Le voyage que je fis dans cette ville me convainquit
de l'avilissement de son Université... On y vendait tout, et les degrés,
et les thèses, et les arguments. Je rougis pour les docteurs qui m'in-
terrogeaient,... car ils me questionnèrent ou feignirent de me question-
ner très sérieusement sur la question de savoir si les eunuques peuvent
se marier. Après avoir payé cinq à six cents livres pour cette pantalon-
nade, je revins à Paris et me présentai au Parlement », avec d'autant
plus de hâte que Jacques-Pierre a retrouvé, chez Mentelle, Félicité
Dupont, délivrée de son premier engagement. Ils s'aiment. Brissot
se voit au port, avocat, marié...

Le Parlement lui ferme la porte au nez. Son grade acheté ne lui
sert à rien devant le corps épais de l'Ordre de Paris, dominé par les
gros bouffis comme Gerbier, et qui rejette férocement tout postulant
ayant approché Linguet **. « Avant d'être inscrit sur le tableau, il
fallait faire un noviciat de quatre années. Ce noviciat s'appelait le
stage... L'esclavage s'étendait bien plus loin. Les vénérables anciens
(que Brissot appelle aussi « les matadors de l'Ordre ») prétendaient
jusqu'au droit d'enchaîner les idées des jeunes aspirants... A peine
eussé-je assisté à quelques-unes de leurs conférences que, me croyant
de nouveau sous la férule et sur les bancs de l'école, je pris la résolution de renoncer au Palais. »

Brissot sera un avocat qui ne plaidera jamais. Sa vie continue d'être
bloquée à droite, à gauche, comme celle de Marat. C'est l'année de
leur rencontre. Jacques-Pierre a les mêmes réflexes de persécuté que
Jean-Paul. « J'étais coupable, aux yeux de mes inquisiteurs ***, d'un
forfait abominable : je venais de mettre au jour **** ma *Théorie des
lois criminelles!* Moi, néophyte, oser censurer les jurisconsultes!...
Oser fouler à mes pieds de vieilles lois qui assassinaient l'innocent!
Je devais être proscrit et je le fus bientôt. »

Lequel des deux est le plus agressif des deux camarades? En ce
moment, Brissot, sans doute. « J'étais ergoteur, caustique, intolérant,
violent dans les disputes, et j'appelais cela de la philosophie... On me
regardait comme un sauvage dangereux. » Chez Mentelle, un beau
matin, il s'en prend à Laplace, l'un des papes de la géométrie *****, à

---

* 20 000 francs lourds. Ses grades en droit lui en coûteront environ 3 000.
Roland et Danton prendront aussi de cette façon leurs grades en droit
à Reims.
** Sur Linguet et son expulsion en 1775 de l'Ordre des avocats, voir
tome I, p. 165.
*** Qui lui reprochaient aussi les malheureuses lettres de change de 1776,
sur lesquelles il n'aimera jamais s'attarder.
**** « Je venais de publier. »
***** Laplace, né en 1749, sera haut dignitaire de l'Empire et de la
Restauration. Élève et disciple de d'Alembert, il était déjà professeur
de mathématiques à dix-neuf ans dans une école militaire.

propos de Marat, justement, que l'homme établi ridiculise. Brissot lui rive son clou :

« — Monsieur, vous ressemblez aux théologiens du xvie siècle qui croyaient accumuler des raisons en accumulant des mots [654]. »

Il ose même s'attaquer au « grand prêtre d'Alembert ». Il met en pièces l'Académie à l'occasion de la réception de La Harpe : « Tout cela n'était pas seulement long, froid, dogmatique et soporifique, mais encore souverainement emphatique et déplacé. Ces petits grands hommes, leur encensoir à la main, louant les rois, les reines, les ministres, les morts, les vivants et eux-mêmes, avaient quelque chose des marchands d'orviétan, débitant leurs drogues sur la place publique *... J'observais avec peine *(chez Mentelle)* que les hommes de lettres, les académiciens se haïssaient, se déchiraient réciproquement. La sécheresse de leur âme me révoltait autant que leur hauteur et leur morgue... Les géomètres prenaient parti suivant les goûts des seigneurs dont ils piquaient la table. »

Brissot, Marat, Linguet... Il commence à se former une sorte de ligue des écorchés vifs, dont l'anti-académisme est le point de rencontre.

« — Quel âge avez-vous? » a demandé Linguet à Brissot, l'autre jour, à Londres.

— Vingt-six ans.

— Heureux mortel! Vingt-six ans! et à la veille de tout ce qui se prépare [655]... »

Quant à Marat, il a son idée sur Brissot. Une sorte de projet d'association qui traduirait leur démarche commune, et montre qu'il jugeait quand même le jeune homme plus sociable que lui. « Plein du désir de le voir prospérer, je *(Brissot)* ne cessais de lui amener de nouvelles connaissances pour être témoin de ses expériences. ... Il s'était aperçu cependant de sa difficulté à parler et à se modérer dans la discussion. Il cherchait un homme de lettres qui eût le talent de la parole, et qui pût développer pour lui ses théories. Il me fit plusieurs fois la proposition d'être son suppléant. »

Il s'en faut de peu. Brissot va hésiter toute cette année sur le bord d'un engagement durable avec Marat. Mais « mon sens intérieur m'en éloignait plutôt qu'il ne m'en approchait ». Il reste en arrière de la main, suffisamment pour ne pas se lier par contrat.

Il y a un cadavre entre eux : celui de Voltaire. Marat l'exècre. Brissot l'aime. Il aime aussi Rousseau, et prie qu'on le laisse avoir le cœur et l'esprit assez grands pour cette double fidélité. « J'aimais trop la philosophie pour faire métier de la combattre. J'étais trop attaché dans le fond à la cause des encyclopédistes pour m'unir à ses ennemis déclarés. » Au cœur de leur amitié neuve et de leur alliance, c'est le germe de la rupture.

Brissot décide donc d'aider Marat, mais librement et à l'occasion.

---

* Expression populaire du xviiie siècle : l'orviétan était une drogue-miracle venue, paraît-il, d'Orvieto, en Italie.

Pas de structures à leur accord. Et il commence à rédiger son traité sur *la Recherche de la Vérité et les moyens d'y parvenir.* « Aucun de mes ouvrages ne m'a procuré des jouissances plus douces », parce qu'il s'y voit tel qu'il est devenu, enfin fier de lui, sûr de sa plume comme un ouvrier de son outil, Jacques-Pierre Brissot, homme libre. Félicité s'est donnée à lui. Il l'épousera quand il pourra.

38/ mai 1780
Persévérer à genoux

Victor de Mirabeau est mort, à cinq ans, le 8 octobre 1778 *. « Sophie-Gabriel *(sic)*, fille de dame Marie-Thérèse-Sophie Richard de Ruffey, épouse de messire Claude-François de Monnier, est décédée, âgée de deux ans seize jours, l'an du Seigneur mil sept cent quatre-vingts, le mardi vingt-troisième mai, chez Jacques Quillet, chez lequel elle était en nourrice, dans la paroisse de Notre-Dame de Deuil, diocèse de Paris [656]. »

Entre la mort de son fils et celle de sa fille — qu'il n'aura jamais connue — Mirabeau a passé cinq cent quatre-vingt-dix jours de prison à Vincennes pour avoir aimé une femme mariée. Et ce n'est pas la fin. Mais une modification s'effectue en lui pendant ce long voyage autour des murs d'un cachot. On pourrait intituler cette période de sa vie : « Chronique de la mise d'un homme à genoux ».

Son père a changé d'objectif depuis la mort de l'héritier du nom. Ce n'est plus la peau de Gabriel qu'il veut. C'est sa capitulation. Il faut rabibocher son mariage, le temps d'un coït. Il faut l'amener une bonne fois dans le camp paternel, et lui faire déclarer la guerre à sa mère et à sa sœur **, ne fût-ce que pour attester publiquement de sa reddition. C'est la grande année de l'Ami des Hommes, qui obtient de Maurepas une sorte de carnet de chèques en blanc sur toutes les prisons d'Église : pas moins de quatre lettres de cachet pour enfermer la marquise dans un couvent, deux autres contre Louise de Cabris. Quant à son fils, il le tient pour de bon. Sans doute Mirabeau-père approche-t-il du bonheur autant que sa neurasthénie le lui permet. Il fait parade de ses victoires en rapportant à son frère (le bailli) un dialogue qu'il vient d'avoir avec un quidam :

« — Votre procès avec madame la marquise est-il fini?

---

* Voir ci-dessus, p. 55.
** Sur les querelles sauvages des parents de Mirabeau, voir notamment tome I, p. 485.

— Je l'ai gagné *.
— Et où est-elle?
— Au couvent.
— Et monsieur votre fils, où est-il?
— Au couvent *(Vincennes !...)*.
— Et madame votre fille de Provence?
— Au couvent.
— Vous avez donc entrepris de peupler les couvents?
— Oui, monsieur, et si vous étiez mon fils, il y a déjà longtemps que vous y seriez... Je sais que je suis, à en croire certains, le Néron du siècle. Mais que m'importe? Si j'étais sensible au toucher, il y a longtemps que je serais mort. Le public n'est point mon juge [657]. »

« Il est certain que, tant que mon petit-fils eût vécu, j'eusse fermement insisté sur ces paroles à moi données *(par les ministres)* de tenir le père clos et d'en perdre même la trace... » Oui mais voilà : il importe de le faire à nouveau procréer légitimement. Or on ne peut pourtant pas lui conduire Émilie, à cette fin, au donjon de Vincennes. Et le marquis constate par ailleurs une résistance insolite de son propre milieu au martyre de son fils, qui lui fait éprouver qu'on n'est plus au temps béni de Louis XIV. Mais où sont les bastilles d'antan, où nul ne pouvait empêcher de faire mourir Fouquet? « Cette race de grenouilles froides qu'on appelle des amis à Paris sont lassés et effrayés [658]. »

La tâche, ardue mais réalisable, est clairement délimitée : il faut libérer Gabriel, à condition de l'avoir brisé : « Si l'on peut dompter cette tête hargneuse, vide et féroce, c'est par l'humiliation... Il n'y en a pas de plus profonde pour lui que de s'agenouiller devant sa femme, de la prier, d'avouer lui devoir tout; c'est là où il faut l'amener. L'acheminement est encore bien faible, mais patience! Ou il crève, peu m'importe, il faut cela ou rien... Cet homme *(il parle de son fils, bien sûr)* n'est rien que par orgueil. En lui ôtant l'orgueil, il n'est plus qu'une bulle de savon crevée. » Le traitement de base est déjà en cours : des mois et des mois « dans un lieu où l'on n'a pour toute compagnie dans des voûtes gothiques et lugubres que les hurlements nocturnes des souterrains et autres voisinages, sont une médecine qui doit renouveler une tête. Il faut du malheur à l'homme. » S'il survit, une fois dompté, le fils rendra grâces à son père, celui-ci n'en doute pas — mais il y a un drôle de pressentiment dans la bonne conscience du marquis : « Le siècle des gens de sa sorte arrive à grands pas, car il n'est aujourd'hui ventre de femme qui ne porte un Artevelde ou un Masaniello ** . »

---

* Il chantait pouilles trop tôt. Gagné « au pénal » si l'on veut, en obtenant la sanction de l'internement. Mais l'affaire continuait au civil, et une immense fortune en dépendait encore.
** Artevelde : révolutionnaire flamand du xive siècle; Masaniello : révolutionnaire napolitain du xviie. L'un et l'autre ont atteint une puissance trop éphémère pour mettre leurs vues en pratique, et ont été massacrés. Leur histoire a été racontée par leurs vainqueurs.

Processus envisagé : A/ une lettre du captif à sa femme, avouant ses torts et demandant la reprise de la vie commune; B/ une lettre d'Émilie à Mirabeau-père, accordant ce pardon et « intervenant » pour obtenir la grâce; C/ une nouvelle lettre de Gabriel, attestant son ferme propos de rentrer dans la bonne voie et quémandant une liberté provisoire dans la dépendance de son père, investi par le Roi du pouvoir discrétionnaire de le faire réincarcérer à la moindre incartade. Moyennant quoi, il serait transféré de la prison d'État à une semi-liberté familiale.

Restait un détail : Sophie. Et leur petite fille. Quelle importance? A Gabriel de se dépatouiller comme il voudra. Il n'avait qu'à ne pas s'encombrer de bonnes femmes. La marquise de Monnier est recluse à Gien; qu'elle s'y fasse oublier.

Pour opérer, il faut un chirurgien. Il n'est pas de la dignité du marquis d'agir en personne. D'ailleurs, il se tient, depuis douze ans (le premier internement de Gabriel, au fort de Ré), à la même attitude : son fils meurt à ses yeux quand il est en prison. Il ne lui répond jamais. Mais l'Ami des Hommes dispose d'un intermédiaire idéal, le petit Dupont, de Nemours *, son commensal de service. L'Ami des Hommes lui trouve « de l'esprit et du talent », quoiqu'il lui reproche d'être « tout d'une pièce, l'esprit romanesque et d'ailleurs toujours occupé de lui et de son rôle dans les affaires [659] ». Tel quel, Dupont semble fait de toute éternité pour la mission qu'on lui confie.

Le 8 mai 1779, après vingt-trois mois de secret où il n'a reçu d'autres visites que celles des geôliers ou des censeurs, Mirabeau voit paraître un ami, du moins le croit-il, sur le seuil de sa chambre. Un visage de sa jeunesse. Il serre Dupont dans ses bras.

Prise de contact du pêcheur et du gros poisson, pour un dialogue de feinte et de patience, entrecoupé de pauses tactiques, et qui durera encore un an plus tard. Leur premier entretien est un face à face d'apparente tendresse, où chacun prend mesure de l'autre pendant quatre heures durant, avec trop d'optimisme. « Il est à point, pense Dupont, je n'en ferai qu'une bouchée. » Et Gabriel : « Il est toujours aussi niais. Je lui ferai croire ce que je voudrai. » Physiquement, des deux, Pierre-Samuel Dupont n'a pas changé. La disgrâce de son cher Turgot a passé sur lui comme l'eau sur les plumes d'un canard. Il reste d'ailleurs attaché, d'un peu loin, au Contrôle général, et travaille pour Necker à l'inspection des manufactures ou du commerce. Pour le reste? Il implante en Gâtinais des « prairies artificielles ». Il est heureux, sans problème, avec sa femme et ses enfants. Une grande satisfaction de soi commence à modeler son visage mou, tout autour du nez cassé. Il aura trente ans à la Noël de 1779. Mais « quoique chaud et

---

* Il faut conserver la virgule : Dupont de Nemours n'est encore que M. Dupont ou du Pont, selon ses signatures. Sur sa jeunesse, ses liens avec les physiocrates, sa tentative avortée de réformer l'instruction publique en Pologne, et ses travaux dans l'ombre de Turgot, voir tome I, p. 118, 195 et 302.

même fougueux, il n'a point eu de jeunesse... Il ne paraît que trente ans. Tout le monde le croit plus jeune que moi à la première vue [660]. »

Gabriel-Honoré de Riqueti, comte de Mirabeau, a effectivement six mois de plus que Dupont, mais paraît un vieillard. Ses yeux usés lui sortent de la tête. Il est tout bouffi, tout blanchâtre. Il pisse de la boue. Il est habité par un bataillon de douleurs itinérantes. « Depuis plus d'un an, je marche les pieds nus dans mes souliers; depuis six mois, mes culottes laissent à découvert des choses qu'il m'est très inutile de montrer, puisqu'il n'y a point de femme ici [661]. » Il sait très bien que tout son espoir de regain est suspendu à la négociation qui s'engage. Quant à Dupont, que risque-t-il en cas d'échec? Une légère contrariété.

Mirabeau n'est pas dupe longtemps. Dès juillet 79, « mon opinion me montre Dupont comme concerté avec mon père et lambinant par prétextes, mais, dans le fait, pour se conformer aux vues et moyens de mon père [662] ». Raison de plus pour jouer serré. Gabriel ne repousse point l'idée d'écrire à sa femme, et va même jusqu'à recopier un modèle apporté par Dupont; ce dernier se porte volontaire pour aller en Provence chercher la réponse d'Émilie, et pour s'entretenir au passage de la Loire avec Sophie, si cela peut arranger les choses. Il bourdonne partout, il se mêle de tout. Mirabeau le laisse faire, bien décidé, au départ, à ne pas laisser aliéner sa liberté intérieure, qu'il identifie encore à son amour pour Sophie.

Émilie, une fois de plus, apporte de l'eau au moulin de son scepticisme, par une réponse glaciale : « Je sens parfaitement, Monsieur, l'horreur de votre position, mais vous m'avez mise dans le cas de ne pouvoir faire cause commune avec vous... Je suis donc contrainte à me borner à désirer que Monsieur votre père fasse ce que vous souhaitez de lui; et quoique je ne puisse pas coopérer à votre bonheur, je serais charmée de vous savoir heureux. » En voilà au moins une qui ne s'est pas mise d'accord avec le vieux, et Gabriel en serait presque consolé. « J'éprouve une satisfaction secrète en voyant à combien de titres j'ai droit de mépriser cette âme vile et gangrenée [663]. » Mais le sang commence à lui monter à la tête devant l'apathie — calculée — de Dupont, et sa manière doucereuse de prendre éternellement le parti de son père. Il y a quelque chose de curé dans cette attitude : « Je me plains de son peu de bonne foi, de l'écorce politique qui enveloppe son amitié, du parti qu'il semble avoir pris de me donner tort en tout. » Mirabeau se heurte à un mur de caoutchouc. Dupont plie, mais ne rompt pas. C'est l'amitié de la dragée haute. « Il fut doux comme un mouton, et l'est toujours en parlant... Je n'y puis plus tenir, et je lui articulai le plus horrible des griefs de mon père contre ma mère et contre moi :

— Comment s'appelle l'action d'un père qui dit à tout Paris que son fils a couché avec sa femme *, et qui le dit sans le croire? Qui de

---

* Bien comprendre : « que j'ai couché avec ma mère ». Cette rumeur d'inceste poursuivait Gabriel depuis son départ du Bignon. Elle est en effet vraisemblablement due aux excès de plume ou de paroles du marquis.

nous deux a commencé la guerre? Comment la finir [664]? »

« Il en revint à ses généralités ordinaires : que je ne pouvais sortir avec honneur que de l'aveu de mon père », devant lequel il faut maintenant s'aplatir d'autant plus que la défection d'Émilie fait du marquis le seul maître du jeu. « Nous nous quittâmes bons amis » le 7 août — pas pour longtemps. L'automne, l'hiver, les trouvent parfois s'engueulant comme des chiffonniers. Mirabeau se débat dans le filet qui se resserre. Un dialogue de sourds étiré sur dix mois :

« — Votre père a pu être sévère... Mais quand a-t-il été injuste?

— Sa conduite envers moi n'est point sévérité. C'est un attentat contre la nature, la justice et les lois... Quand mon père a-t-il été injuste? Depuis que j'existe.

— Votre père vous fait grâce en vous croyant fou. C'est l'opinion de vous la plus avantageuse qu'il puisse avoir.

— Si mon père me fait grâce en me croyant fou, il doit du moins étudier ses devoirs envers un fou, et ces devoirs ne sont pas de me tuer. »

On arrive toujours à mettre un casuiste hors de lui. Dupont explose :

« — Je dirai avec votre père que vous êtes porté à la folie, que vous avez été fou; parce que je ne veux ni dire ni croire que vous avez été dépravé et dénaturé.

— Si vous ne pouvez excuser ma conduite passée qu'en disant que je suis fou, ou dépravé et dénaturé, ne vous mêlez plus de mes affaires — car je vous avertis que je ne suis pas fou.

— Il faut vous blâmer, mon cher comte, vous maltraiter, vous gronder avec amertume. Regardez donc que tous ceux qui ont été liés avec vous, que vous avez aimés ou qui vous ont aimé, n'en ont été payés que par des malheurs.

— Non, mon cher Dupont, il ne faut pas gronder amèrement l'infortune. Il faut la respecter. Il faut surtout ne pas juger un homme, que l'on n'ait * assez de données pour cela. Je suis digne d'entendre la vérité; mais vous n'êtes pas de bonne foi avec moi. Vous n'êtes même pas généreux. Vous m'avez vu et entendu avec le parti pris de me donner tort en tout [665]. »

Ils se fâchent sans se brouiller. Ils se revoient, s'embrassent, recommencent à se disputer, se deviennent indispensables dans un rapport de cruauté mutuelle. Dupont n'est pas de taille à dissimuler jusqu'au bout. Il avoue : « Mon envie et mon projet sont de vous voir résigné, touché, attendri, renonçant à toute justification ou récrimination dont vous vous êtes ôté le droit, si vous l'aviez, abjurant tout esprit de division et de guerre, criant merci et rien autre chose au père que vous avez offensé [666]. » Or Dupont avait bravé le sien à vingt ans! Sans doute ne se l'est-il jamais pardonné. Il s'engage de plus en plus personnellement au dressage de Mirabeau, comme si toute sa conception du monde et de la vie restait suspendue à la primauté du père. Son anxiété devient telle qu'on croirait les rôles changés. C'est lui le

---

* « Sans avoir ».

prisonnier de structures dont il n'imagine pas qu'un homme puisse les contester sans châtiment. Pour lui aussi, pour sa sécurité morale et celle des millions de petits Dupont dont il est le délégué auprès du fauve en cage, il faut que Mirabeau cède. L'ordre ou la mort.

« — Je lui ai montré assez clairement que je n'étais pas sa dupe. Il s'est mis à vouloir me prouver que je ne devrais, dans aucun cas, désirer ma liberté autrement que par mon père. Je lui ai dit que je ne pensais point du tout ainsi.

— Vous me ferez, dit-il, un tort irréparable.

— Quel tort?

— Celui de démentir mes assertions.

— Devrais-je me laisser tuer par mon père plutôt que de me sauver de ses coups?

— Oui.

— Grand bien vous fasse ce sentiment! Pour moi, je ne tends point le cou au cordon.

« Là-dessus, il s'est beaucoup débattu avec l'air fort sombre [667]. »

Et quand Mirabeau commence à plier sous le besoin, sous le chagrin, simplement parce que le temps passe, qu'il est épuisé et veut désespérément vivre encore quelques mois, son bourreau d'ami lui délivre quelques ineffables consolations : « La seule loi de notre état déplorable est *Malheur aux vaincus*. On doit savoir gré aux plus forts quand ils n'en abusent pas... Vous êtes un prisonnier de guerre, d'une guerre que vous n'auriez pas dû faire, dont vous ne pouvez vous empêcher de vous repentir... Si vos démarches *(auprès de votre père)* étaient malheureuses, mon ami, il faudrait les recommencer, en varier la forme, persévérer au fond, mais persévérer à genoux [668]. »

Gabriel y vient, mais non sans protestations. Il est de tempérament hérétique. On peut tout exiger de lui, sauf le silence.

« — Je ne m'accoutume point, mon cher Dupont, à vous voir donner raison à tout le monde contre moi, lorsque le droit est le plus évidemment de mon côté [669]. »

Du Con de Nemours * s'octroie le mot de la fin :

« — Même à torts égaux, le public et les gens en place sont toujours pour les pères contre les enfants, et ils ont raison. »

---

* Il ne s'agit pas d'une coquille. Le mot de Dupont est à rapprocher de celui de Malesherbes, diamétralement opposé, sur les querelles entre pères et enfants. Voir tome I, p. 335.

39/ mai 1780
Faire bander tout l'univers

Et Sophie de Monnier, pendant ce temps? Elle est aux premières loges
de son propre étranglement. La correspondance du prisonnier de Vincennes et de la recluse de Gien permet à celle-ci de savourer goutte à
goutte l'amertume de la modification.

Dès septembre 1777, ils ont pu s'écrire, quand elle était enfermée,
enceinte, chez la demoiselle Douai. Le Noir * ne demandait pas
mieux; il voyait « dans ces permissions d'écrire, un grand secours pour
calmer la fermentation des esprits échauffés par la solitude et la captivité [670] ». Intelligent, ce grand geôlier de France. Il utilisait au mieux
les soupapes de sécurité. Tant de prisonniers étouffaient, faute de
savoir écrire!... Ceux-là, au moins, vont pouvoir se défouler. Ils en
profitent. Chaque semaine, des torrents d'encre. Leur santé, leurs
souvenirs, leurs rêves, leurs lectures, leurs pensées, mille et mille fois
rabâchés. Un ton souvent agaçant, celui de gens parlant trop haut
dans une pièce close. Ce n'est pas de leur faute : ils savent que ces
lettres seront lues par le premier commis du secret, Boucher, le bras
droit de Le Noir, mais par Le Noir aussi, et par d'autres, à la Cour
ou dans les bureaux. Ils jouent donc une sorte de parade d'amour à
la mode, dans le ton de Rousseau. Mais une profonde tendresse en tisse
la trame et tiendra jusqu'au point final. Certains cris ne trompent
pas, comme celui de Gabriel à Sophie (non daté mais de juillet 1779) :
« Tu ne me laisses pas un instant de relâche. Tu m'accompagnes la
nuit, tu me suis le jour, tu m'interdis l'étude; je n'ai plus d'esprit et
de mémoire, et de sentiment, et de sensations, et de facultés que pour
toi... Je vis, je respire, je souffre, je jouis en toi. Ah! Sophie, tu m'aimes.
Je le crois; oui, je le crois; mais je mérite ta tendresse : la mienne n'a
ni bornes, ni expressions. Peut-être la devinerais-tu mieux dans mes
yeux, dans mon silence, dans mes soupirs, que dans mes lettres. J'en
suis bien mécontent de ces lettres! mais que veux-tu? l'amour tue
l'esprit; il éteint la verve. Comment combiner des mots, quand on
ne sort pas du délire de la passion; et comment écrire sans combiner
des mots [671]? »

Quant au désir? La seule issue possible pour Gabriel est l'écriture
érotique. Pas question de se déchaîner sous les yeux des censeurs. Ils
essaient donc, un an durant, de faire l'amour au jus de citron déposé
dans les marges ou entre les lignes, et qui apparaît si le papier est
réchauffé. Procédé découvert en mars 1779. Les employés de Le Noir
n'en sont guère effarouchés; ils en entendent d'autres dans les bordels

---

* Rappel : il s'agit du lieutenant de police de Paris, ennemi de Turgot
et de Mirabeau-père, donc plutôt porté à la bienveillance envers Mirabeau-fils.

contrôlés. Cependant, pour la bonne règle, ils doivent mettre le holà. L'encre sympathique disparaît des marges. Mais Sophie à Gien et Mirabeau à Vincennes ont su se faire quelques amis, intéressés ou non : une correspondance parallèle peut être mise en place *. Ce n'est pas là que Sophie excelle : le repos sexuel ferait même partie de son confort au couvent des Saintes-Claires. Mais elle porte sa bravoure sur ce terrain aussi, par exemple quand elle dessine courageusement de mémoire un phallus érigé sous la devise « Je te suce », présenté comme ces flammes de chevalerie qui somment certains blasons [672]. Gabriel doit l'inciter à la prudence : tout de même, si des lettres de ce genre étaient saisies... Au début de mars 1780, il lui envoie un alphabet cryptographique qui servira pour le chiffrage des passages compromettants, érotiques ou politiques, c'est toujours de liberté qu'il s'agit. Les lettres de Sophie vont se mettre à ressembler à une bouillabaisse de mots, de chiffres et d'hiéroglyphes amalgamés. Mirabeau passe des heures et des heures à les déchiffrer laborieusement avec délices. Le temps suspendu...

Autre thème abondant, qui n'a pas besoin d'être secret : leur fille, ce petit bout de chou confisqué, Gabriel-Sophie, comme ils écrivent avec l'affectation de marier les deux genres de prénom, le masculin, le féminin. On les en a privés. Sophie réclame à tous les échos qu'on la lui rende à Gien, où certaines pensionnaires peuvent en effet avoir leur enfant chez elles. Oui mais des veuves, madame, ou des jeunes filles-mères, au repentir cautionné par leurs parents. Où irait-on si les femmes adultères triomphaient? Elle n'est pas malheureuse, Gabriel-Sophie, elle ne manque de rien. La demoiselle Douai, qui connaît les bonnes adresses, l'a placée en nourrice chez un sieur Jacques Quillet, maçon à La Barre, près de Deuil, sous la forêt de Montmorency. C'est le plein nord de Paris, la campagne, le bon air : les quelque mille habitants de Deuil fournissent de la piquette depuis des siècles aux moines de Saint-Denis. Mirabeau est, à vol d'oiseau, non loin de la petite. La bienveillance de ses geôliers lui permet de s'en occuper plus assidûment que Sophie, par visiteurs interposés. De Bruguières s'en mêle, leur policier chéri, leur camarade-mouchard, celui qui les avait convoyés de Hollande à Paris **. Il va deux ou trois fois constater en personne les bons soins de la mère Quillet. On échange, de pécheur à pécheresse, les nouvelles de l'enfant du péché. Un enfant que leur honneur met bien au-dessus des enfants bénis. Mais Gabriel et Sophie ne sont ni Henri IV, ni Louis XIV, ni Gabrielle d'Estrées, ni la Montespan. La légitimation des bâtards, cette honnêteté fugitive réservée aux souverains, a été

---

* L'historien — par ailleurs ingénieux et appliqué — de cette correspondance, M. Paul Cottin, écrit (en 1903, il est vrai, quand la ligne de points régnait encore chez les historiens) : « La plupart des lettres que Sophie reçut du comte par ce moyen ont été, dans une intention respectable, détruites, en raison de leurs gravelures (sic), par M. Lucas de Montigny, fils adoptif de Mirabeau. »
** Voir leur voyage à trois, tome I, p. 498.

bannie des mœurs officielles par Louis XV, qui aurait dû en légitimer trop.

Mirabeau a eu un pressentiment dès juillet 1778 : « Ta fille m'inquiète. Cependant c'est une inquiétude vague et peu raisonnée... Dans tous les cas, ô ma Sophie, songe que tu es amante avant d'être mère. Tu me dois plus qu'à ta fille. C'est pour moi qu'il faut vivre, aimer la vie, soigner ta santé... Un ancien a écrit ces mots touchants : *Les funérailles des enfants sont toujours prématurées lorsque les mères y assistent*... Notre fille, j'ose l'espérer, sera en tiers de notre union, mais ne va pas croire qu'elle soit immortelle, ni que son enfance se passe sans accidents... Que l'amour soit ton égide contre les inquiétudes dévorantes et, s'il le faut, hélas! le contrepoison d'une cruelle douleur [673]. » Lui a-t-on rapporté que l'enfant était chétive ou mal soignée? Il ne semble pas. Mais il partageait les préventions de Rousseau contre toute mise en nourrice. « Procure-toi un livre de M. Fourcroy [*], intitulé : *Les enfants élevés dans l'ordre de la nature*... Tu y verras si je t'ai conseillé en étourdi, et si j'ai bien étudié l'éducation physique des enfants. Tu y verras, en soupirant, combien l'usage des nourrices empruntées est dangereux. »

Un an plus tard — et pourtant son fils est mort entre temps — ces sombres pensées sont loin. « Imagine-toi que ce petit démon (c'est ma fille dont je parle), en voyant mon homme *(le visiteur)*, commença par l'examiner très sérieusement avec deux grands yeux qui ne finissent pas; qu'après cela elle se familiarisa avec lui de tout son cœur; mais que, dans le temps qu'elle était sur ses genoux, ayant aperçu Mlle Thérèse, sa sœur de lait, qui prenait une chaise, elle sauta à bas, courut à Thérèse, la souffleta, prit la chaise et la mit où elle voulut... Du reste elle était très bien tenue, fort propre, fort grasse, et blanche comme un lis. On la fit déshabiller. La petite dévergondée fit sa toilette devant un homme. Elle n'a pas un bouton sur son corps, pas une tache de piqûre sur son linge. En un mot, elle se porte à merveille [674]. »

En septembre 1779, « la petite est très bien portante, d'une constitution très saine, de la plus belle carnation possible et assez vigoureuse. Elle sort d'un dévoiement [**] venu à la suite de ce que la nourrice appelle *petite vérole volante*, et qui n'est qu'une ébullition, germe ou symptôme de germe de dents. Elle n'en a que seize. Les alvéoles sont gonflées et elle va en faire... Elle est très jolie; donc elle ne me ressemble pas, mais elle a d'autres rapports avec moi : elle est turbulente, méchante et bruyante comme dix légions de diables, tape des pieds, crie, tempête, je crois même qu'elle jure, boit du vin, et en boit si bien qu'on a été obligé de lui ôter son gobelet, qu'elle avait à moitié vide; elle dit sans cesse *je veux, je veux, je veux* [675]. »

La petite fille n'est donc pas cause de souci pour sa mère au printemps de 1780. De chagrin, si, mais à perpétuité. Le tourment lui vient de son autre enfant, ce gros poupon irrépressible dont elle

---

[*] Preuve supplémentaire de ce que Fourcroy était le vulgarisateur « dans le vent ». Sur Fourcroy, Marat et Brissot, voir ci-dessus p. 260.
[**] Une colique.

comprend bien vite qu'il cherche des excuses pour LEUR céder. Qu'à
cela ne tienne, elle lui en fournit plus qu'il n'en veut. Par esprit de
sacrifice ; par dignité ; par ce qu'on appellera plus tard du masochisme.
Sophie de Monnier tend constamment les mains vers Mirabeau, mais
ce sont des mains ouvertes. Elle ne s'accroche pas. Elle donne de bon
cœur, en faisant semblant d'y croire, dans la combinaison qu'il écha-
faude à partir du refus d'Émilie : Gabriel va se remettre complètement dans la main de son père, opérer sans pudeur un retournement
des alliances familiales, aider l'Ami des Hommes à réduire la marquise de Mirabeau et Louise de Cabris, puis faire jouer cette alliance
contre les Marignane. Uni à son père, et pour une fois soutenu par
lui, y compris financièrement, il fera un procès à Émilie, le gagnera,
puisqu'elle ne veut pas reprendre la vie conjugale, et obtiendra une
séparation de biens avantageuse. Le divorce, n'en parlons pas : en 1780,
cette hypothèse, dans la France très chrétienne, paraît une utopie
aussi farfelue que l'établissement d'une république. Mais, une fois
réhabilité, légitimement séparé de ma légitime, je m'engagerai dans
la première armée venue, française ou pas, je deviendrai colonel,
général, conseiller politique, Sophie viendra me rejoindre avec notre
fille, nous vivrons ensemble, mieux que mariés, à la barbe des bigots
du monde entier, dans notre cabane au bord du fleuve, tout nus sous
l'ombre des saules...

D'une pauvre petite voix, Sophie disait doucement oui, oui, bien
sûr. Ça marchera comme ça. Que faut-il que je fasse pour? Elle signait
tout ce qu'on voulait. Elle écrit même une lettre si noble au marquis
de Mirabeau qu'il en reste pantois. Bon Dieu, si seulement son damné
fils avait connu cette jeune femme avant leur mariage à tous deux!
Mais ce qui est fait est fait... Et l'autre tordu s'en mêle, le sac à vin,
Boniface de Mirabeau, ce cadet dégénéré qui réussit par la grâce de
son père à faire toutes les bêtises prêtées à son aîné en en tirant fortune et gloire *, le « chevalier », comme on dit. Il revient au Bignon
vers la mi-septembre 1779 après une de ses fugues habituelles, mais
cette fois si prolongée qu'il lui faut innover en affabulation. Bonne
occasion de déchaîner son côté commère et de patauger dans le drame
de Gabriel. Il raconte qu'il a été voir Sophie à Gien, qu'il s'est introduit
aux Saintes-Claires déguisé en nonne, qu'il a été hébergé par Sophie,
qu'elle lui a révélé le chiffre de la correspondance, qu'elle a été fort
aimable avec lui et même tellement aimable que, s'il avait voulu...
Salaud! Sophie en reste bouche bée. « Le chevalier de Mirabeau est
apparemment un odieux monstre, qui cherche à me compromettre...
Je ne lui ai point écrit, ni n'ai rien reçu de lui. Je ne l'ai point vu;
il n'est pas même venu à Gien. Tout cela est un conte fait à plaisir
par lui... Pour le convaincre de mensonge, qu'on lui demande mon
signalement [676] ! » On ne punira pas le chevalier pour si peu. Il pourra
s'embarquer pour les Amériques, lui, et partira même avant le convoi

---

* Sur « Mirabeau-tonneau », et la dénonciation qu'il avait déjà faite
de son frère au château d'If, voir tome I, p. 229.

de Rochambeau, avec la petite division navale de M. de Guichen qui
va renforcer les garnisons des Isles. Son frère hausse l'épaule : « Il
n'y sera très précisément bon à rien, qu'à se tuer un peu plus vite avec
les Négresses qu'avec les putains de France ; et moi *(si je partais
là-bas)* j'y serais un intrépide soldat et un utile officier [677]. » L'Amérique,
à l'arrière-plan de son supplice. Tout ce qui se passe, tout ce qui va se
passer là-bas sans lui, c'est trop bête. « Hélas, si nous étions à Boston,
tu serais *(Sophie)* maintenant à peu près tranquille, moi utile et estimé,
ma fille américaine, c'est-à-dire née au milieu de la plus respectable
nation qui soit sur la terre. Elle aurait à présent un frère qui deviendrait un petit héros, et je doute que la France m'eût jamais revu [678]. »
La politique, comme une autre Amérique à son horizon, même dans
ses lettres à Sophie qui n'y comprend pas grand chose. Leur condition
ne changera que quand changera celle de tous. Existe-t-il un autre
moyen pour sortir de là que de faire sauter l'Europe ? La subversion
devient le soupirail de son cachot. Jamais il n'a été si loin dans la
prise de conscience. Il mendie sa libération, comme un acte de bienfaisance. Mais il n'en pense pas moins, Mirabeau-la-poudrière : « Les
princes entendent vanter tous les jours leur bienfaisance au-delà
même des limites du pays où leur despotisme nécessite le mensonge
ou le silence. Grâce à nos infâmes flatteries, tandis qu'ils désolent
d'immenses contrées, sur lesquelles ils n'ont d'autres droits que les
désirs de l'ambition la plus effrénée qui fut jamais, ils se croient
peut-être de bonne foi acquittés envers l'humanité, parce qu'ils ont
fait deux ou trois bonnes actions, qui ne leur ont rien coûté que de
vouloir, qui n'intéressent que deux ou trois particuliers, qui font
récrier les courtisans, et excitent l'enthousiasme des sots. Trahirons-
nous toujours la vérité, pour ceux-là même que nous n'avons aucun
intérêt à flatter ? Conspirerons-nous sans cesse contre notre propre
tranquillité et celle de nos semblables ? Nous divinisons des actions sur
lesquelles l'être le plus ordinaire, l'âme la plus vulgaire rougiraient de
balancer, lorsque l'éclat de la couronne leur donne de la publicité,
et nous gardons un lâche silence !... Que dis-je ? le plus souvent nous
nous épuisons en éloges sur des forfaits qui armeraient les tribunaux
humains contre tous autres que les princes [679]. »
Cette diatribe n'est pas extraite d'un manuscrit. Elle se trouve
dans une lettre à Sophie. Il n'y a pas que des bergeries dans leur correspondance, mais ne s'adresse-t-il qu'à elle ? On dirait qu'il cherche
un public. Ou une issue. « Je suis né gentilhomme dans un pays esclave,
c'est-à-dire que je suis né l'esclave des esclaves. Mais je sais qu'il y a
des chemins éternellement et infailliblement ouverts à la liberté [680]. »
Pour lui, ce seront les chemins de la parole.

... Même s'il s'égare dans des méandres, par les détours du désespoir et de la provocation. Sophie peut suivre, semaine par semaine,
l'enlisement de ce grand esprit dans la mythomanie, à laquelle il est
prédisposé, mais qui devient ici sa meilleure défense contre la laideur
de vivre. Au début de l'année 1780, on lui permet enfin de l'exercice
physique, pour arrêter sa détérioration. On lui accorde « la liberté

des galeries », c'est-à-dire la faculté de se promener à l'intérieur de
l'enceinte du donjon, dans la galerie circulaire. Il y a deux mondes à
Vincennes : le donjon qui est une bastille, et le château, qui est une
sorte de maison de retraite supérieure, aux logements disputés par les
nobles décavés. Un Louvre sans artistes. C'est là que le chanoine Bimont, le « petit oncle » de Manon Roland, finit ses jours *. Du
donjon au château, six cents toises, dix siècles. « Le château de Vincennes ** est une espèce de petite ville de province. Les habitants
s'y sont partagés en sociétés et en coteries où les passions de toutes
espèces forment l'esprit qui les anime, et c'est cet esprit, en général
républicain *(sic)*, qui les entraîne à désirer tout ce qui peut leur procurer l'indépendance la plus absolue... De tout ce dessus ***, il résulte
une espèce de confédération générale des habitants pour s'adresser
aux princes *(du sang, notamment les Condé)*, que les courses et la chasse
amènent journellement dans ce château [681] », où plusieurs femmes sont
logées, pas seulement des douairières, mais leurs filles, leurs nièces,
leurs demoiselles de compagnie. Dès que l'homme à la grosse tête,
dont la réputation a traversé les murs, se promène par là, elles affluent
aux fenêtres qui s'ouvrent en face, et lui offrent les premières figures
féminines qu'il aperçoit depuis plus de deux ans. « Une Provençale
passable et deux fort jolies filles d'avocat », ce sont les geôliers qui le
renseignent, et il aurait trouvé la Tarasque *sexy*. Une autre « fort
jolie personne lui fait les yeux doux pendant une demi-heure », c'est
possible. Et aussi la belle-sœur du méchant gouverneur, « une brune
fort brune », on veut bien le croire, et même les rencontres multipliées
à partir de ce moment avec la propre femme de Rougemont ; elle a
trente ans de moins que son mari, voilà qui ramène Gabriel au temps
de Pontarlier [682]. Vraisemblables encore les chances du voyeurisme à
partir de la galerie « d'où le regard plongeait à l'aise dans quelques
appartements du pavillon du Roi, en particulier dans celui de
Mme de Sparre. On voyait très clairement dans le cabinet de toilette
de cette dame ; elle en avait fait abaisser la pierre d'appui à hauteur
de siège ». Délices partagées : voir, savoir qu'on est vu. On fleurte
délicieusement, avec un prisonnier. « Cette vue indiscrète fixa l'attention de Mirabeau. Il chantait à ravir en s'accompagnant sur toutes
sortes d'instruments que lui avait donnés ou permis M. Le Noir. Il
avait aussi une très belle lunette d'approche [683]. »
... Mais de là à soutenir que des nobles amies de ces dames s'intéressent à lui, elles aussi, à l'occasion de leurs visites à Vincennes !...
Madame de Genlis, la princesse de Guéménée, la princesse de Lamballe...
Non ? Eh si ! Mirabeau franchit allègrement le pas ; pourquoi ne les
verrait-il pas se faisant conduire à sa chambre ? Il se vante de cocufier
en prison le duc de Chartres, Vaudreuil et Lauzun. Il raconte tout

---

* Voir ci-dessus, p. 121.
** Selon une description, datant de 1777, faite par le gouverneur du don-
jon, Rougemont, la bête noire de Mirabeau.
*** « De tout ceci ».

cela à Sophie, ou le lui laisse deviner, en mélangeant le vrai, le possible et le faux, les allusions à son passé, un retour des mensonges d'il y a dix ans enrichis par les phantasmes d'une imagination déchaînée. La puérilité d'une invention d'enfant au service d'un érotisme décadent. Y croit-elle, Sophie? Elle fait comme si. « Prends toutes celles qui s'offrent, pourvu que je garde ton cœur. » Ce genre de cadeaux-là ne devait guère lui coûter : elle berçait son délire en se donnant les gants de la largeur d'esprit.

Autre enlisement : la pornographie. A partir de février 1780, « je travaille à un roman tout à fait fou intitulé *Ma Conversion*. Le premier alinéa te donnera une idée du sujet :

« *Jusqu'ici, mon ami, j'ai été un vaurien; j'ai couru les beautés, j'ai fait le difficile. A présent, la vertu rentre dans mon cœur. Je ne veux plus foutre* * *que pour de l'argent. Je vais m'afficher étalon juré des femmes sur le retour, et je leur apprendrai à jouer du cul à tant par mois... »*

« L'idée en est folle, mais les détails en sont charmants, et je te le lirai quelque jour, au risque de me faire arracher les yeux. ... C'est une bonne charge, et un vrai livre de morale [684]. »

C'est tout bonnement un pauvre ragoût pimenté sur les mésaventures d'un maquereau. La préface en forme de lettre à Satan donne quelque espoir, par l'ampleur de son ambition : « Puisse cette lecture faire bander tout l'univers. » Ça ne risque pas. Dès la première page, l'invention de Mirabeau tourne à la catastrophe, quand il décrit le dépucelage de son héros par « une dondon qui n'a plus que six mois à passer pour finir sa quarantaine » ... Une « vieille », pour ce temps-là. « Foin! Je ne bande point... Je deviens triste. Mes malheurs me tourmentent; des créanciers avides... Ah mon ami, voyez le cul de ma dondon, comme il bondit! Sa poitrine siffle, son gosier se serre, son con décharge, elle est en fureur, elle veut m'entraîner... Là, là, tout doux! La douleur me ressaisit; je pleure. L'or paraît... L'or! Sacredieu! Je bande et je la fous [685]. » Le voilà parti pour deux cents pages de coucheries lugubres où les pièces tintent de plus en plus fort au rythme mou des dondons. De quoi faire débander l'univers. Mirabeau n'est ni Restif, ni Sade. Encore un ratage. Mais on ne passe pas deux ou trois mois sur un thème librement choisi sans exprimer un état d'âme. *Ma Conversion* est celle de Mirabeau à l'or. Sa rédaction, au printemps de 1780, signale son ralliement à ceux qui dispensent la manne. L'érotisme cesse d'être une source de sa liberté, et devient un gagne-pain cyniquement avoué. Son moi se ternit par morceaux. Même la pensée de Sophie n'est plus un refuge en altitude : il a, sans le lui dire, déjà renoncé à reprendre la vie commune avec elle. Dupont peut l'annoncer triomphalement à l'Ami des Hommes en ce même printemps. Reste un coin pur : la politique, où il atteint la plus haute lucidité. Seul domaine où il refuse l'aliénation — pour le moment.

---

* Au sens de « faire l'amour », bien sûr. Le texte est fidèlement copié : il s'agit en effet du premier alinéa du livre, après deux pages de préface.

Même sa fille devenait prétexte à divagation. « J'ai mon plan sur cet enfant... Je vais te confier le plus secret et le plus chéri, qui ne peut se réaliser que dans la supposition que je sortirai bientôt d'ici, et que je ne puis dire qu'à toi [686]. » Plan détruit par les censeurs ou par les héritiers, mais facile à reconstituer : une utopie de l'inceste. Non seulement leurs enfants, mais « leurs petits-enfants et les enfants de ceux-ci doivent procéder d'eux-mêmes directement afin d'éviter tout mélange de sang, et de conserver pour lui, une Sophie, pour elle un Gabriel toujours jeunes [687] ». Programme roboratif pour un homme qui se proclame à l'agonie. Même à cela, Sophie acquiesce et ne bronche pas; preuve, s'il en fut, de sa certitude du pire. Il pouvait bien bâtir ce qu'il voulait en rêve. Elle le laisse dire.

Mirabeau n'aura pas loisir de cultiver une pépinière de petits Mirabeau. Le 28 mai 1780, il commence une longue lettre à Sophie, pleine des paroles inutiles qu'on dit dans ces cas-là : « Mon amie, le moment est venu de me prouver la force et l'étendue de ton amour... Notre enfant n'est plus! eh bien, je te reste [688]! » Ce n'était plus tout à fait vrai. Elle trouve encore la ressource de le remercier de lui avoir appris la nouvelle avant les bonnes sœurs et de la consoler si abondamment. Mais, si leur souffrance mutuelle est authentique, son expression sonne faux.

L'enfant « perçait des dents ». Elle a été atteinte, le 23 mai, chez sa nourrice, de convulsions mortelles, ou plutôt, comme on disait alors, d'une de « ces maladies qui sont en général reconnues pour spasmodiques, dont l'épilepsie, l'hypocondriacité, l'hystéricité, l'asthme convulsif, les palpitations de cœur, le hoquet, l'opistotone et l'emprostotone, l'incube, le priapisme, quelques espèces de coliques, et surtout la colique vulgairement appelée *de plomb* ou *des peintres*, le ris sardonique, l'éclampsie ou épilepsie des enfants, l'*hieranosos*, le *chorea sancti vili*, le *beriberi*, la toux, l'éternuement, le bâillement [689]... » Dieu avait eu le choix pour la sanction.

Sophie est rompue. Elle est passée sur la roue. Il y a quelque chose de hagard dans ses lettres à partir de ce moment. Gabriel écrit à sa sœur, Caroline du Saillant : « Il est bon que l'homme soit broyé, et Bacon a eu raison de le comparer aux herbes aromatiques. Mais, s'il est trop broyé, tout le parfum s'exhale, il n'est plus rien [690]. »

Il est dans cet état d'esprit quand il rencontre pour la première fois son cousin éloigné, son compagnon de malheur, Aldonse-Donatien de Sade, le 28 juin 1780 [691]. Celui-ci est également à bout. Il est enfermé au donjon depuis trois ans *. Il en devient fou furieux. On lui avait, comme à Mirabeau, lâché la bride pour quelques promenades. Il en a profité pour casser la figure à un geôlier qui l'importunait. M. de Rougemont lui a supprimé les sorties.

Sade est confiné dans sa cellule. Il hurle comme un loup. Sa voix

---

* Mis à part deux mois d'une évasion éphémère en direction de La Coste à l'été de 1778. Voir plus haut, p. 49, ses plaintes au ministre.

remplit trois étages de la tour pour prendre à témoins les autres prisonniers — qui s'en fichent bien — de la perfidie de sa belle-mère et de la cruaúté des ministres.

« — C'est le marquis de Sade, mestre de camp de cavalerie, qu'on traite de la sorte! Privé d'air et de lumière! Soutenez-moi tous, mes amis! C'est l'intérêt de chacun de vous! »

Silence des prisons, linceul de la révolte. Depuis le temps qu'on crie là-dedans!... Au lieu des échos que cet agitateur espère, il n'entend que le bruit de pas tranquille d'un prisonnier plus heureux que lui, en promenade sous ses fenêtres. Sade monte sur un escabeau, jette un regard à travers les grilles. Fait-il semblant d'ignorer l'identité de l'homme à grosse tête et aux cheveux éruptifs qu'il injurie d'entrée de jeu, parce que c'est un chouchou du gouverneur, un homme à qui l'on permet ce qu'on lui refuse? Ou bien est-ce une manière oblique de régler ses comptes avec l'image qu'il se fait de Mirabeau depuis des années?

« — C'est par ta faute, salaud, qu'on me prive de promenade! Giton du commandant, va donc lui baiser le cul au lieu de me narguer! »

Mirabeau ne répond pas tout de suite. Il s'encolère lentement. Il sait, lui, qui est son insulteur. Il le méprise, plus à cause de ce qu'on lui en a rapporté que pour ses crimes réels. Sade redouble :

« — Mais, foutu bougre, réponds donc! Dis-moi ton nom si tu l'oses, afin que je te coupe les oreilles quand je serai dehors!

« — Mon nom est celui d'un homme d'honneur, qui n'a jamais disséqué ni empoisonné de femmes! Et ce nom, je vous l'écrirai volontiers sur les épaules avec mon épée, si vous n'êtes pas roué auparavant! »

Puis Gabriel passe outre. La passe d'armes entre deux des hommes extraordinaires du siècle n'a pas duré plus longtemps qu'une bataille de fauves dans les cages du jardin du Roi.

40/ Juillet 1780
Maintenant, Monsieur, à vos ordres

De Washington à La Fayette, le 8 mai 1780 : « Je vous félicite bien sincèrement de votre heureuse arrivée en Amérique, et je vous embrasserai avec toute la chaleur d'un ami dévoué quand vous arriverez au quartier général, où un lit est préparé pour vous [692]. » Cette embrassade, hautement symbolique et pourtant sincère, a lieu dans la matinée du 10 mai, au camp de Morristown *. La Fayette a repris à Boston le rythme des grandes courses : près de cent lieues en deux jours sans retirer ses bottes, avec deux ou trois compagnons seulement, les pistolets à portée de main et le sommeil bref aux étapes : on respire le *tory* partout, on va d'une base à l'autre en pays libre sans savoir si l'on n'y sera pas fait prisonnier par ces braves gens qui vous saluent bien bas. Une Amérique pourrie comme son printemps, c'est mai ou mars? On se croirait au Canada.

Pas le temps d'avoir froid. Trop à faire. On est l'avant-garde de la France, elle nous suit, tenez bon, mes amis! On a décrit un arc de cercle assez haut pour tourner de Boston à Morristown en évitant New York, où l'araignée anglaise est tapie dans sa toile. On a passé l'Hudson à West Point. On s'est faufilé entre les étangs et les rivières de cette région des *mountains*, où les hommes sont perdus comme des poux dans la pelade des grands bois. Embusqués, à la place des Indiens il n'y a guère, les Américains épient les Anglais par-dessus l'épaule des *mountains*. On se tient à dix lieues près. On pourrait s'empoigner en une journée de marche.

Au bout de la piste poussiéreuse, enfin la découverte d'une troupe d'insurgents solide et « qui a bon air »! L'infanterie légère de Washington « est mieux habillée que le reste de l'armée », ce qui n'est guère difficile, le reste ne l'étant presque pas. Des cris de reconnaissance courent le long de la chaîne des sentinelles devant ce jeune homme fluet sous les beaux rouleaux de ses cheveux poudrés, en grand habit bleu, blanc et or de général, et qui salue avec tant de grâce les soldats de

---

* Sur les conditions du second départ de La Fayette et l'objet de sa mission, voir ci-dessus p. 245. Morristown est maintenant une ville de 40 000 habitants un peu vieillotte avec des vestiges de style colonial à 40 kilomètres à l'ouest de Manhattan, si l'on veut compter à partir du centre de New York. Un parc historique national y reconstitue le camp de Washington.

la dernière chance, taillés à coups de serpe dans leurs uniformes gri-
sâtres, coiffés, en guise de chapeau, d'une sorte de casque en cuir bouilli,
armés à la va-comme-je-te-pousse d'espontons *, de fusils dépareillés... Le noyau irréductible du Nouveau Monde. Pas d'argent, guère
de munitions, de l'honneur à revendre et, ici au moins, une bonne discipline. La Fayette peut prendre le trot entre deux rangées de tentes,
si drôles avec leurs cheminées extérieures qui masquent l'entrée pour
garder la chaleur. Au bout du grand camp des soldats, le petit camp
du commandant suprême : une prairie entourée de chariots, la plus
haute des tentes, et le grand monsieur qui s'avance majestueusement,
comme il fait toute chose. La Fayette dégringole du cheval dans ses
bras [693]. Il a préparé de longtemps sa petite phrase :

« — Mon congé expiré, je viens avec joie reprendre ma place à l'ombre
du drapeau. J'espère y trouver l'occasion de donner des preuves de
l'amour ardent, et j'oserai même dire patriotique, qui me lie à jamais
à l'Amérique [694]. »

On dirait qu'ils prennent la pose pour l'Histoire. Mais l'image est
promptement mise de côté, pour servir si Dieu veut. Washington est
affamé de nouvelles. Que lui apporte, au juste, le petit marquis, avec
son air de parrain au baptême? Il lui fait donner un cheval frais, dressé
personnellement par lui, à la bonne bouche, aux réflexes prompts, il
l'entraîne, loin du confinement de la tente, par les plaines encore tachées
de neige, pour une longue promenade à cœur ouvert où tout peut se
dire dans le grand vent. Gilbert suit de son mieux son grand bonhomme
de père adoptif, le meilleur cavalier de la Virginie depuis vingt ans,
« sautant les barrières les plus hautes et allant très vite, le tout sans se
guinder sur ses étriers, sans jamais laisser courir son cheval comme un
égaré [695]. » Voilà quatre ans qu'il essaie d'imposer le même rythme
à chacun des treize États, sans pouvoir empêcher le difficile attelage
de l'Amérique de partir à hue et à dia. « Je vois une tête se transfor-
mant graduellement en treize têtes. Je vois une armée se ramifiant
en treize armées. Et, au lieu d'avoir les yeux fixés sur le Congrès
comme sur le souverain régulateur, les États-Unis se considèrent
respectivement comme ne dépendant que d'eux-mêmes [696]. »
La Fayette croit le combler en lui annonçant l'arrivée de six mille soldats français, mais Washington ne montre qu'une joie de politesse ;
il en attendait trois fois plus, et surtout une flotte plus imposante.
Comment faire pour prendre New York sans bloquer l'embouchure
de l'Hudson? Le roi de France prétend le combler avec une aumône.
Les gouverneurs et les assemblées des États vont prendre prétexte
de la minceur de l'aide française pour refuser le moindre sursaut.

La Fayette parle, parle, il rebâtit les deux mondes, il prend
New York, et le Canada en prime, il délivre Charlestown, il signe la
paix à Londres... Washington pense, pense, sous son éternel sourire
triste : « Il nous sera impossible de donner à nos alliés, avec quelque
apparence raisonnable de succès, la coopération projetée... A moins

---

* Sorte de demi-piques. Un compromis entre la lance et l'épée.

que les États ne fassent à l'heure actuelle des efforts extraordinaires,
le secours destiné à nous sauver nous perdra et ne sera qu'un grand
malheur *... Épuisés, affaiblis comme nous le sommes déjà, les efforts
que nous ferons, trop faibles pour assurer le succès, n'en seront pas
moins de nature à nous laisser dans un état d'affaiblissement et d'ato-
nie d'où il nous sera très difficile, sinon impossible de nous relever [697]. »
Autrement dit, le moral est bon.

Enfin, on va faire comme si. Conférences, du 11 au 13 mai, sous la
grande tente, pour tenter de mettre au point un plan d'attaque combinée contre New York ; La Fayette le portera aux Français dès qu'ils
seront là. Les officiers de Washington sont si bien habitués au pessimisme de leur général, intégré à leur atmosphère avec la neige et la
boue, qu'ils en seraient plutôt aguerris. On travaille quand même.
Parmi les officiers généraux présents ces jours-là, Gilbert remarque un
petit bonhomme au bec d'aigle tout piaffant malgré une jambe amochée
par une balle anglaise : le général Benedict Arnold, un des vainqueurs
de Saratoga, compense le défaitisme des autres par son allant.

La Fayette est donc en mesure d'évaluer très vite le rapport des
forces. « Les troupes anglaises et allemandes, divisées sur New York et
ses dépendances, ne passent pas dix mille hommes. A ces troupes réglées,
on peut joindre quelques milices, quelques réfugiés et, en supposant
qu'ils retirassent leurs matelots des vaisseaux, ces trois sortes de troupes formeraient environ cinq mille hommes. C'est donc à quinze mille
hommes que nous croyons devoir évaluer l'armée ennemie [698]. » Mais
il y a aussi douze mille Anglais dans les Carolines, ceux qui viennent
de prendre une revanche sur Saratoga en faisant prisonniers les cinq
mille hommes du général Lincoln dans cette douce ville de Charlestown
qui avait abrité les premiers jours américains de La Fayette. Son beau
souvenir est piétiné. En face des Anglais, aujourd'hui, quoi? Pas
sept mille insurgents en armes, et pas pour longtemps. « Une armée
réduite à presque rien, manquant d'approvisionnements, sans aucun
des moyens indispensables pour faire la guerre, voilà ce que j'ai trouvé
ici. Si préparé que je fusse à un tel spectacle par nos misères passées,
j'avoue que je n'avais aucune idée d'une telle extrémité [699]. » Il avait
oublié que l'Amérique, c'est ça. Le soufflé de son enthousiasme est
retombé à la bise de Morristown. Reste à se battre lucidement, les
mains presque nues, comme au temps de la Brandywine. Chaque fois
que La Fayette se retrouve le dos au mur, il cesse de jacasser à tort et
à travers. Comptons : sept mille insurgents, plus six mille Français,
contre quinze mille Anglais... Diable! Et encore faut-il se hâter avant
que ceux des Carolines, rendus disponibles par leur victoire, ne viennent
renforcer la garnison de New York**.

---

* Extrait d'une lettre de Washington au Congrès, au lendemain de son
premier entretien avec La Fayette. Les dépenses militaires des États-
Unis étaient tombées de 24 millions de dollars en 1777 à 3 millions
en 1780 : on comptait sur l'or de la France pour compenser.
** Ce sera fait dans un mois. L'évaluation des forces respectives est

Mais s'il fallait toujours se battre en position de force... La Fayette
mène pendant deux mois une sorte de danse de l'acharnement, de
Morristown à Philadelphie et à Newport, secouant les uns, les autres,
tarabustant les assemblées et les gouverneurs pour obtenir des crédits,
mettant en place son dispositif de messagers et de pilotes dans l'attente
de Rochambeau guetté de semaine en semaine; on espérait son arrivée
pour le 31 mai, le 15 juin, le 30 juin... A-t-il donc fait naufrage? Si
encore on savait où il va surgir! Pourvu qu'il n'aille pas donner « sur
les caps de Virginie » pour s'y faire piéger! Qu'il ne s'attarde pas,
plus au centre, vers la Delaware où il perdrait du temps! C'est
à Newport, et là seulement, que Rochambeau peut être utile, à condition de ne pas perdre un seul jour.

Quand les voiles françaises sont enfin signalées en vue de Newport,
le 10 juillet, un tiers de la belle saison est déjà perdu. La Fayette se
trouve au quartier général. Il part sans perdre une minute. L'envoyé
de Louis XVI à Washington est devenu l'envoyé de Washington à
Rochambeau.

Lettre de Rochambeau le 11 juillet, « en mer, devant l'île de
Rhode *, à bord du *Duc de Bourgogne* » : « Nous sommes maintenant,
Monsieur, à vos ordres [700]. » Noble parole, mais c'est manière de dire.
Encore faudrait-il qu'il posât sac à terre. Tout le conduit à débarquer
prudemment : sa nature, la forte situation des Anglais de New York,
à cinquante lieues d'ici, et la menace pressante de leur flotte fantôme
aux quatre coins de l'Atlantique : les voiles de Damoclès.

A quelques encablures, sur la *Provence*, dont deux hauts-mâts ont
été fracturés par une tempête, Lauzun est au seuil de sa trente-sixième
existence **. Tout triste, avec beaucoup de vague à l'âme. La veille
de son départ pour Brest, il a « présenté aux Tuileries ses adieux à
Mme de Coigny »... « Je vis de ce jour-là à quel point je pouvais l'aimer.
Je fus dix fois au moment de le lui dire, à l'instant où j'allais m'en
séparer peut-être pour toujours... Je n'étais pas attaché à la vie; elle
pouvait me la rendre si chère. Je n'osai cependant pas. Ce qu'on pense
le plus profondément est souvent ce qu'on a le plus de peine à dire [701]. »
L'océan a secoué cela. Moins absorbé que quand il commandait l'expédition de Sénégambie, il a eu tout loisir d'observer la Marine, ce royaume
dans le royaume. Les officiers? « C'est un corps où l'on ne respire que
jalousie, insubordination; où tout ce qui n'a pas commencé par être
aspirant est abhorré, méprisé, et où chacun des officiers en particulier ont *(sic)* des préjugés que l'on ne pourrait détruire qu'en réformant

---

colorée par l'optimisme viscéral de La Fayette. Le général Clinton,
vainqueur de Charlestown, ramènera le 17 juin quatre mille hommes à
New York. Les Anglais vont se trouver à deux contre un. *
* Rhode Island. — Pour le personnage de Rochambeau et son laborieux
départ de Brest, voir ci-dessus p. 243. Il écrit, bien sûr, à Washington.
** Sur Lauzun (rappelons qu'il sera le Biron des armées révolutionnaires),
voir l'index du tome I et, ci-dessus, sa « conquête du Sénégal », p. 77,
sa description de « l'armée d'Angleterre » et son idylle avec Mme de Coigny
p. 171.

le corps entier et le recréant de nouveau [702]. » Il y faudrait donc une révolution, monsieur le duc? Abasourdi, Lauzun a entendu deux ou trois de ces soudards des mers frôler le duel parce que l'un d'eux soutenait que le Tibre baigne Constantinople, et qu'un autre confondait sur une carte la mer Noire et la Méditerranée.

Et les hommes? Seul, ou presque, parmi les gentilshommes embarqués, Lauzun a baissé le regard un peu plus bas que le bout de son nez : vers la condition des soldats et des matelots, qu'il était de bon ton d'ignorer. Ce n'est pas la première fois qu'il est le plus lucide de sa caste. « Enfermés six à sept cents sur le navire, ils peuvent à peine se remuer. Ils ont pour boisson de l'eau devenue rouge par son antiquité. Ils sont dévorés par les poux, les punaises et les puces. Tous ces pauvres matelots mal vêtus se rassemblent au milieu du gaillard d'arrière, s'assoient par terre et, dans des mangeoires comme celles des chevaux, on leur donne cinq fois la semaine, le matin du biscuit bien dur, quelquefois pas mangeable, avec un peu de vin ; à midi, à peu près même repas frugal, excepté qu'on joint à leur biscuit un morceau de viande salée ; le soir à cinq heures, une soupe faite tantôt avec des fèves et d'autres fois avec de la choucroute ; il serait préférable de leur donner ces légumes en particulier *, mais ce n'est pas l'usage sur les vaisseaux, et d'ailleurs cela donnerait de la peine aux officiers ; ils préfèrent dès lors ne pas y regarder. »

Ils préféraient, par temps calme, se rendre visite d'un bateau à l'autre ou simplement se rapprocher au mieux de la *Provence*, quand Lauzun faisait donner aubade à la musique de sa légion. Fifres, trompettes et tambours habillaient de dentelles ces bagnes pourris de la guerre en route. « Au soir du 18 juin, le temps était doux et beau, et la musique charma la flotte. »

Autres distractions? « Le 11 juin, on s'empara d'un petit navire chargé de morue, de hareng, d'huile et de biscuit. Ce fut un grand événement pour toute l'escadre. On autorisa chaque navire de guerre à envoyer prendre sa part de butin ; ce fut un pillage abominable. On se battit même à coups de sabre. Au plus fort de la bagarre, un marin tomba à la mer. Il ne savait pas nager. »

Au 20 juin, sérieuse alerte : six vaisseaux de guerre anglais au large des Bermudes. On sonne le branle-bas, et Lauzun est édifié par le discours du frère ligueur de service à bord de la *Provence*, un capucin :

« — Vous avez un excellent capitaine ; il a donné des preuves de courage et de talent. Faites un acte de contrition. Dieu vous pardonne tous vos péchés. Point de quartier à vos ennemis ! »

... Mais ceux-ci se dérobent à la nuit, et les officiers poussent des hauts cris parce que le chevalier de Ternay refuse d'engager la poursuite. Il a l'ordre formel de ne pas distraire une heure à la route d'Amérique. Pour capturer six vaisseaux, il risquerait d'en voir surgir à ses poupes vingt ou trente autres, la fameuse flotte de l'amiral Graves qui s'est lancée de Plymouth à sa recherche. Ternay accepte donc de

---

* « Cuits à part de la soupe. »

rejoindre, avec d'Estaing et d'Orvilliers, la panoplie des amiraux-
poules-mouillées qu'on épingle ces temps-ci aux murs des carrés. Il
en devient encore plus lugubre, si c'est possible, un vieux monsieur
plein de mort dont la tristesse transpire par toute la flotte. Ici aussi,
le moral est bon : « Jamais on n'avait vu un amiral moins entreprenant.
Il ne parlait à personne, et son air sombre a fini par réagir sur les
officiers. Tous sont envahis par la tristesse et l'ennui ; plusieurs sont
tombés malades », et encore mangent-ils relativement à leur convenance. Mais les hommes recommencent à souffrir l'éternelle passion
des gens de mer, voilà notre bon vieux scorbut, il y avait longtemps *!
Deux cent cinquante malades à bord de la *Provence*, autant sur le
Conquérant et le *Jason*, davantage sur le *Duc de Bourgogne*... On pourrait presque en prévoir le nombre scientifiquement au bout de l'équation disette plus vermine plus humidité plus manque d'hygiène et
d'exercice. La Descente en Amérique va-t-elle tourner comme la
Descente en Angleterre? Raison de plus pour se hâter. La mer change
de goût après deux mois, le ciel se fonce, des oiseaux, des algues...
Douceur de l'approche des terres, même si c'est vers une tombe.
Grand conseil des capitaines pour savoir où l'on ira d'abord chercher
des signaux d'approche. La côte d'Amérique va bientôt se déployer
comme un éventail, et l'on y touche toujours par le sud, à cause des
vents. Mais on sait Charlestown menacé, même si l'on ignore sa chute.
Alors, au milieu de l'éventail, remonter à partir du sud l'une des deux
grandes baies protectrices des vents, la Chesapeake vers Baltimore,
la Delaware vers Philadelphie? Mais pour y faire quoi? Parader?
Non, non, il faut aller plein nord, et s'installer au creux du pignon sur
la mer formé par l'avancée du Connecticut et du Rhode Island **.
On y sera à une journée de New York par bon vent d'est. « Rhode
Island est en notre possession », écrit La Fayette à Rochambeau à
une douzaine d'exemplaires envoyés par une flottille de messagers.
« Vous pouvez y entrer en sûreté, vous y serez attendu par des lettres,
des signaux et des pilotes, conformément à mes instructions. » Encore
une baie ouverte au sud, plus petite, plus ronde que les autres, où
l'île de Rhode se présente sur la carte comme une langue qu'on aurait
détachée de la bouche en l'y laissant baigner. Au-dessus de la langue,
l'embouchure de la Blackstone river, avec ses ports de pêcheurs aux
noms apaisants : Prudence, Providence. Posé comme une mouche sur
le bout de la langue, le port qui fut nouveau voici deux siècles, un
contemporain du Pont-Neuf : Newport, confortablement protégé des
tempêtes et des surprises, avec « une superbe rade, très sûre contre
les vents, et huit lieues d'une rivière navigable [703] ». La ville n'est
encore qu'une grosse bourgade de pêcheurs à deux mille habitants ;
c'est tant mieux. Les marins français, depuis la malaventure de
d'Estaing, ont conservé une sainte horreur de Boston, de ses foules

---

* Sur les ravages causés par le scorbut dans la flotte de la Descente, voir
ci-dessus p. 176.
** Comme pour New York, ne pas confondre ville ou lieu-dit avec l'État.
Le mini-État du Rhode Island tirait son nom de l'île. Voir notre carte.

hostiles et de ses rixes. A Newport, on sera comme chez nous, presque en position d'occupants.

Les habitants s'en doutent et font visage de bois. La température de l'accueil est au-dessous de zéro. Rochambeau et son état-major, qui se sont précipités en chaloupe vers la petite Jérusalem de leur croisade, parcourent les deux rues qui font la ville. Elles restent vides entre les volets clos des jolies « fermes » blanches. Les rares Américains rencontrés se dérobent aux effusions et envoient les arrivants loger au plus méchant vide-bouteilles de Newport. Le commandant de l'armée française passe sa première nuit américaine dans les mêmes conditions que La Fayette à Philadelphie trois ans plus tôt *. Elle n'avance pas vite, la grande alliance.

Léger réchauffement le lendemain. Une délégation de bonshommes empruntés, vêtus de noir comme pour un enterrement, vient complimenter Rochambeau du bout des lèvres. Le gouverneur de Newport est là, les magistrats, les gros marchands. On sent bien qu'il y a parmi eux des *tories* de cœur. Le général prend le parti de mettre leur froideur sur le compte du tempérament naturel, puisque chacun sait que les provinces du Nord sont peuplées de glaçons [704]. A Vendôme, après tout, ils ne sont guère plus exubérants, et voilà trente ans que Rochambeau sait comment les prendre. Il harangue donc ces messieurs de Newport du même ton que les notables des bords du Loir, et fait « une bonne prestation » en les subjuguant par sa familiarité de seigneur. Les uns craignaient que les arrivants fussent trop nombreux — nos champs, nos volailles, nos filles!... — et les autres sont épouvantés de leur faiblesse. Tout ce qu'ils peuvent réussir, c'est à faire tomber la foudre sur Newport! Aux seconds, Rochambeau affirme sans complexe que sa petite troupe n'est qu'une avant-garde ; aux premiers, il promet de faire pendre haut et court le moindre maraudeur. Ils se retirent en traînant les pieds, mais des attroupements se forment l'après-midi devant la *meeting-house*, c'est bon signe, les volets s'ouvrent, l'hôte du vide-bouteilles verse son meilleur vin clairet. Quand la nuit tombe, la cloche sonne au temple, un seul ding-ding doux et triste de cette cloche protestante que les Français confondent avec le tocsin. C'est l'invite à la liesse timide que les *whigs* de Newport offrent enfin aux visiteurs, comme une pauvresse perdue dans ses haillons qui dit peut-être. On allume des « verres de suif » aux quatre coins du clocher de bois ; on tire des pétards ; on brûle des fagots sur les places. Une douzaine de fusées d'artifice vont étouffer dans les embruns, au-delà des quais. Une toute petite fête salée. Il n'en faut pas plus pour réconforter les Français et les décider à débarquer demain. On a promis au gouverneur de camper hors de la ville, à proximité immédiate, pour déranger le moins possible. Il est vrai que les quelque mille scorbutiques et dysentériques confiés à l'hôpital de Newport augmentent d'un tiers la population de la petite ville ; on couche les

---

* Voir tome I, p. 523.

moins atteints à même la rue, sous des bâches. Que de malades à notre
secours !

Les opérations de débarquement se font du 13 au 20 juillet. Le 21,
panique au quartier général : les vigies signalent vingt et un vaisseaux
anglais au large. C'est la flotte de l'amiral Graves, augmentée des
vaisseaux remontés de Virginie. Ternay a eu raison de se hâter. Mais
voilà ses dix navires et les soldats de Rochambeau pris au piège avant
même d'avoir pu s'installer.

Il est bien question de menacer New York ! On est fait comme des
rats.

41/ septembre 1780
Les Français bloqués à Rhode Island

La Fayette arrive le 25 juillet 1780 à Newport. Cascade de déceptions mutuelles. Il espérait au moins six mille Français ; il en trouve
moins de quatre mille en état. Rochambeau attendait Washington
en personne ; il ne voit venir que La Fayette dont il se méfie à double
titre : trop impulsif et trop acquis aux Américains. La Fayette accourt
pour supplier Rochambeau d'attaquer New York au plus tôt ; Rochambeau demande l'aide de ces gens qu'il est censé secourir. Tout occupé
à se recroqueviller dans Rhode Island, il attend chaque matin l'assaut
des Anglais qui croisent sous son nez et il craint de s'effondrer au premier choc. Il appelle carrément Washington à la rescousse. La Fayette
en rougit : « Impossible de parler de nos grands projets * ; on est uniquement absorbé par l'attente de l'attaque de l'ennemi... Rien en vue
encore, si ce n'est les vaisseaux de guerre *(anglais)*. Mais les généraux
français, qui ne doutent pas un instant de leur venue, hâtent les préparatifs de défense [705]. » Telle est la première vision qu'il a du camp
des sauveteurs : un chantier. On dresse des batteries aux pointes de
terre, on ouvre des chemins dans l'île, on renforce les fortifications que
les Anglais avaient construites ici dix ans plus tôt. Poussière et chaleur
sur l'agitation dirigée de tous les hommes valides qui fouillent la terre
avec la crosse des fusils, faute de pelles. Rochambeau est partout,
ravagé d'angoisse, impassible ; il surveille et stimule tout, bien secondé
par Lauzun, qu'une activité intelligente rend à sa vraie stature. On
lui a confié « le commandement de la côte et de tout ce qui était à
portée des lieux où l'on pouvait débarquer [706] ». Que ses chers Anglais
surviennent, il saura les recevoir.

---

* De La Fayette à Washington, le 26 juillet à 7 heures du soir.

Mais La Fayette est effondré. Quelle absurdité, ces deux mondes à l'envers! Les Français n'ont-ils traversé l'océan que pour se faire assiéger, capturer peut-être? « Le nombre des malades est tel, d'après le rapport fait devant moi au comte de Rochambeau, qu'il n'aurait guère plus de trois mille six cents hommes en état de combattre, si l'attaque avait lieu d'ici quelques jours [707]. » Washington, nous voilà — au secours! « Le comte de Rochambeau m'a demandé à plusieurs reprises si vous n'enverriez pas un détachement de troupes continentales à son secours et si, dans un délai de douze jours, ce détachement pouvait arriver. Il aurait voulu que je prisse sur moi de vous écrire à ce sujet. Il a hésité à me le demander... »

Washington reçoit la lettre le 30, en plein branle-bas de combat. Il hausse les épaules et grommelle entre ses dents. Ces connards de Français n'ont pas besoin de lui faire un dessin. Il a tout compris quand il a su l'arrivée des Anglais sous Newport. Et il a réagi promptement, en stratège. Envoyer un détachement à Rochambeau, comme s'il avait lui-même trop d'hommes? Il n'en est pas question. On tâchera de le renforcer par des milices locales, levées sur place. Quant à l'armée de Washington, ultime réserve à ne gaspiller en aucun cas, il l'engage dans une partie d'échecs aux dimensions de six États. C'est tout ce qu'il peut faire, mais c'est beaucoup : marcher sur New York pour inquiéter le gros des Anglais. S'ils prennent peur, ils rappelleront les soldats qu'ils ont détachés vers Newport — à condition que les Français tiennent.

Ainsi va la fin de juillet, croit-on, vers des batailles fourrées. Le 1er août, Washington est à Peekskill, sur l'Hudson, à quinze lieues au nord de New York. Il a marché rondement vers le nord-est, pour y arriver en débusquant des *mountains*. Les Anglais peuvent le croire prêt à fondre de là-haut comme l'aigle. Il n'en a nulle intention, mais n'aura même pas besoin de faire semblant. Le 27 juillet pourtant, sir Henry Clinton dispose de six mille hommes de troupe embarqués sur ses transports. Qu'il les jette à Rhode Island, les Français n'ont pas fini les retranchements et seraient quatre contre six. Même si mille Anglais meurent, les autres passeront, ils écraseront le corps expéditionnaire de Louis XVI, une victoire mondiale, une guerre gagnée... Rochambeau n'a pas tort de faire le gros dos.

Pour rien. Le 31 juillet, Clinton débarque — mais chez lui, près de New York, où il renvoie dans leurs baraques ses six mille hommes abasourdis, des Allemands et des Anglais qui ont renoncé depuis longtemps à savoir ce qui se passait dans la cervelle des grands Messieurs. Leur général a baissé les bras sans avoir tiré ni reçu un coup de feu. Ce jour-là, l'Angleterre laisse passer sa plus grande chance. Clinton dira que c'est la faute de l'amiral Arbuthnot, qui a pris le commandement de la grande flotte. Arbuthnot incriminera Clinton. Ils forment — comme Rochambeau et Ternay dans le camp opposé — un commandement bicéphale, l'un sur terre, l'autre sur mer, et ils n'ont pas cessé de se chamailler depuis un mois. Mais Clinton ne s'est pas dégonflé dans une crise de nerfs : mis au pied du mur, il l'a trouvé trop haut. Il croit les Français plus nombreux, mieux retranchés,

plus résolus qu'ils ne sont. La marche de Washington sur New York
a produit l'effet voulu. Perdre New York pour prendre Newport? A
Dieu ne plaise! Les grands chefs opposés sont de la même famille :
d'Estaing ou Byron, d'Orvilliers ou Arbuthnot, Clinton ou Rochambeau, tous cousins par la débandade. Ce n'est pas le combat qui leur
fait peur, mais l'idée d'attaquer. Le conservatisme, comme une graisse,
est monté jusqu'au niveau suprême des armées. Il étouffe même la
guerre.

Quoi qu'il en soit, toute bataille est ajournée. On neutralise l'été.
Chacun aménage son trou, Rochambeau à Newport, Clinton à
New York, Washington sur l'Hudson et plus bas, en Caroline, un
certain lord Cornwallis, le commandant des Anglais dans le *South*
en voie de reconquête. La Fayette est rendu — provisoirement — à
son rôle militaire. « J'ai un commandement charmant, composé de
deux mille hommes environ d'infanterie légère... et conduits sous
moi par deux brigadiers. [J'ai aussi] cent *riflemen*, espèce de chasseurs
à demi sauvages, et une légion de trois cents hommes, moitié infanterie, moitié cavalerie. Ces deux mille quatre cents hommes forment
un camp volant, toujours en avant et indépendant de la grande
armée [708] », une « grande armée » qui ne comptait pas huit mille hommes.
Voilà donc La Fayette commandant un cinquième des forces de
l'Amérique, « colonel-général de ses troupes légères » — le rêve évanoui
du duc de Chartres *. Il continue à se ruiner en les équipant à ses frais
de cocardes pour les soldats, de sabres pour les officiers, d'étendards
pour les bataillons, et en les coiffant tous de hautes plumes noires et
blanches. Il l'a, son jouet.

Mais à quoi bon, si c'est pour garder ses soldats dans leur boîte?
Dès le 9 août, il envoie une immense lettre à Rochambeau et à Ternay
où il se prend un peu trop pour le seigneur de la guerre et, sous prétexte de résumer leurs entretiens, recommence à les tarabuster pour
qu'ils attaquent New York, ou plus exactement le fort de Brooklyn **,
car « je vous ai dit que les troupes américaines se chargeaient de New
York, et que le fort de Brooklyn, où vous pourriez opérer de concert
avec une division de notre armée, est un simple ouvrage de terre à
quatre bastions, avec un fossé et un appentis, contenant de mille à
quinze cents hommes », une partie de plaisir, autrement dit. « Je vous
ai représenté que Long Island était un pays riche... que nous devions
être sûrs d'y être joints par des milices de l'île... C'est d'après ces informations que mon opinion serait de commencer *(l'opération)* avant
d'avoir la supériorité maritime. » Quant au risque d'abandonner notre

---

* Pour Chartres (futur Philippe Égalité), voir ci-dessus p. 48, 173 et 251.
** Ce fort protégeait la pointe ouest de Long Island, en face de la langue
de Manhattan, où se confinait encore la ville de New York. Manhattan
n'était qu'une sorte de presqu'île de pêcheurs et de négociants, moins
importante que Boston en population. On appelait souvent Manhattan
« l'île de New York ». L'assaut sur Brooklyn impliquait pour les Français
un débarquement dans « l'île Longue ».

base toute neuve à Rhode Island, « si les Anglais ont le tort de s'en
emparer, une flotte supérieure, aidée par le continent, serait toujours
en état de la reprendre ». La Fayette, lui, n'était pas de la race des
planqués. Il pousse d'autant plus aux combats qu'il les gagne tous
d'avance, en quelques pichenettes. « J'ai fini par avoir l'honneur de
vous dire, Messieurs, que, pour opérer contre New York, il faut commencer au plus tard vers les premiers jours de septembre... Je vous
assure qu'il est important d'agir cette campagne *(sic)*, et que toutes
les troupes que vous pouvez espérer de France pour l'année prochaine,
ainsi que tous les projets dont vous pouvez vous flatter, ne répareront
point les fatals inconvénients de notre inaction [709]. »

Rochambeau était déjà vexé du retard de Washington à le rencontrer,
et furieux de sa position humiliante sous le blocus de la flotte anglaise.
Il prend la mouche, et répond à ce blanc-bec du haut de sa guerre de
Sept Ans : « Je me borne à attendre les derniers ordres de notre général
(Washington) et à lui demander en grâce un rendez-vous... On fera
plus en un quart d'heure *(d'entretien)* que par des dépêches multipliées... Pendant que la flotte française est observée ici par une marine
supérieure et rassemblée, *vos* * côtes de l'Amérique sont tranquilles,
vos corsaires font des prises très avantageuses, et *votre* commerce maritime a toute liberté. Il me semble que, dans cette douce position, on
peut bien attendre une augmentation de marine et de forces que le
Roi m'a assuré devoir envoyer [710]. »

La Fayette comprend qu'il a été trop loin et il rétrograde, mais à
regret : « Mon cœur ne peut qu'être affecté de vous voir donner à ma
lettre une tournure aussi défavorable, et à laquelle je n'avais jamais
songé... Je vous l'avouerai en confidence, au milieu d'un pays étranger,
mon amour-propre souffre de voir les Français bloqués à Rhode Island,
et le dépit que j'en ressens me porte à désirer qu'on opère *(sic)*...
Si je vous ai offensé, je vous en demande pardon pour deux raisons :
la première, que je vous aime ; la seconde, que mon intention est de
faire ici tout ce qui pourra vous plaire [711]. »

Bon, ça va, Rochambeau passe l'éponge le 27 août : « C'est toujours
bien fait, mon cher marquis, de croire les Français invincibles. Mais je
vais vous confier un grand secret, d'après une expérience de quarante
ans : il n'y en a pas de plus aisés à battre quand ils ont perdu la confiance
en leurs chefs... Sur quinze mille hommes à peu près qui ont été tués
ou blessés sous mes ordres dans les différents grades et les actions les
plus meurtrières, je n'ai pas à me reprocher d'en avoir fait tuer un seul
pour mon propre compte. » La leçon est vive ; le gamin comprendra-
t-il ? Ceci dit, embrassons-nous à la française : « J'ai jugé tout de suite
que la chaleur de votre âme et de votre cœur avait un peu échauffé
le flegme et la sagesse de votre jugement. Conservez cette dernière
dans le conseil, et réservez toute la première pour le moment de l'exécution. C'est toujours le vieux père Rochambeau qui parle à son cher fils

---

* C'est moi qui souligne ces possessifs au vinaigre, qui, sous la plume de
Rochambeau, font de La Fayette un citoyen américain.

La Fayette, qu'il aime, aimera et estimera jusqu'au dernier soupir [712]. »
A condition qu'il ne l'importune plus.

Passe d'armes inaperçue des officiers d'état-major. Ceux-ci ont assez
à faire pour s'installer, non sans morosité, dans ce trou perdu, en attendant Pâques ou la Trinité. « Vous connaissez les Français », écrit Fersen
à son père, « et ce qu'on appelle les gens de la Cour, pour juger du désespoir où sont tous nos jeunes gens de cette classe, qui se voient obligés
de passer leur hiver tranquillement dans Newport, loin de leurs maîtresses et des plaisirs de Paris ; point de soupers, point de spectacles,
point de bals, ils sont au désespoir... Nous avons eu ici des chaleurs
excessives dans le mois d'août, je n'en ai jamais senti de pareilles en
Italie. » Lui-même tient mieux le coup, en Suédois façonné par l'ennui
de Stockholm. « Il y a peu de société à Newport ; il y a cinq ou six maisons où on reçoit. Je n'en fréquente que deux, où je vais le soir me dilater *(sic)* et parler anglais. Il y a dans l'une, celle de Mme Hunter,
une jeune fille de dix-huit ans, jolie, aimable, gaie, très bonne musi-
cienne. J'y vais tous les soirs, je l'aime beaucoup, mais sans que cela
tire à conséquence [713]. » Il apprécie ces gens, qui lui rappellent les
petits hobereaux de Dalécarlie : « Les Américains *(aisés, s'entend — les
seuls qu'il fréquente)* se contentent d'un nécessaire qui, dans d'autres
pays, n'est réservé qu'aux gens d'une classe inférieure. Leur habillement est simple, mais bon, et leurs mœurs n'ont pas encore été gâtées
par le luxe des Européens. » Mais pourquoi faut-il que cette diablesse
de politique s'en mêle ? « C'est un pays qui sera fort heureux, s'il jouit
d'une paix longue et si les deux partis qui le divisent à présent ne lui
font subir le sort de la Pologne, et de tant d'autres républiques. Ces
deux partis sont appelés les *whigs* et les *torys (sic) :* le premier est
entièrement pour la liberté et l'indépendance, il est composé de gens
de la plus basse extraction qui ne possèdent point de biens ; la plupart
des habitants de la campagne en sont. Les *torys (sic)* sont pour les
Anglais, ou, pour mieux dire, pour la paix, sans trop se soucier d'être
libres ou dépendants ; ce sont des gens d'une classe plus distinguée, les
seuls qui eussent des biens dans le pays. » On voit bien de quel côté
son cœur penche. Allons ! rien ne vaut un bon despote éclairé à la
Gustave III.

Il n'y a pas de danger que Fersen aille se fourvoyer comme un
La Fayette dans les hordes de cette « république » dont la mention fait
grincer sa plume. Il se sent bien à sa place au camp d'une monarchie,
où Rochambeau fait régner un ordre rassurant. « On observe la discipline la plus exacte ; rien n'est pris aux habitants que de gré, et argent
comptant ; il n'y a pas encore eu une seule plainte contre les troupes.
Cette discipline est admirable. Elle fait l'étonnement des habitants,
qui sont accoutumés au pillage des Anglais et de leurs propres troupes. »
La Fayette a trouvé là au moins un sujet de fierté vis-à-vis de Washington : « Il est juste de reconnaître que la discipline française est telle
que pigeons et cochons peuvent circuler sans crainte entre les tentes.
Le camp, le croiriez-vous ? *(à Washington, le 31 juillet)* borde un
champ de blé dont pas un épi n'a été distrait ! Les *tories* n'en reviennent

pas [714]. » Sous l'ombre de la potence promise aux maraudeurs et la menace du *caporal-schlagueur*, trois mille pauvres bougres crèvent de faim sans une plainte ; c'est le métier. Faute des cinquante tonnes de vivres laissées à Brest et qu'on attend chaque matin comme les Hébreux guettaient la manne, on rationne les hommes en farine, en viande, en eau-de-vie, comme si Rhode Island n'était qu'un vaisseau plus grand que les autres au péril de la mer. Fersen lui-même a des ennuis d'argent, c'est tout dire *! « Tout est extrêmement cher ici, c'est doublé vis-à-vis de l'Europe. Les chevaux sont d'une cherté affreuse, cinquante louis c'est le prix ordinaire d'un bon cheval, qui coûte neuf livres à ferrer. Chaque chemise coûte à laver douze sols **. Mes domestiques ne pourraient pas vivre avec leur gage si je n'avais fait un arrangement avec les commis des vivres pour qu'ils leur fournissent des rations de pain et de viande au prix du soldat [715]. » Il est heureux que l'appartenance à l'état-major donne aux aides de camp des facilités de trésorerie dont ce simple soldat n'avait guère idée : « Si vous voulez bien, mon cher père, prendre des mesures pour me faire passer de l'argent, il faudrait envoyer l'ordre à M. Tourton *** de me faire passer une lettre de crédit de M. de Sérilly, trésorier général de la terre, sur le trésorier de notre armée [716]. »

42/ octobre 1780
Sans la vertu de quelques paysans...

On s'engourdit quand même. On reprend les habitudes : « Le 8 septembre, il y eut, à propos de futilités, un combat particulier entre M. Dillon et le vicomte de Noailles. Ce dernier fut blessé [717]. » Vont-ils s'entr'égorger ? Rochambeau éprouve le besoin de faire quelque chose, n'importe quoi, avant l'hiver. Faute de bataille, vienne au moins l'entretien « au sommet » trop attendu. Washington le propose enfin pour le 20 septembre, dans une ville du Connecticut à mi-chemin de Rhode Island et de l'Hudson : Hartford. On dirait un terrain choisi par le protocole, et c'est un peu ça. Les délégations sont calculées

---

* Sur l'affectation de Fersen à l'état-major de Rochambeau et les conditions de son départ de Brest, voir ci-dessus p. 247.
** Le cheval : 5 000 francs lourds ! 45 francs pour le ferrer ; 3 francs le blanchissage de la chemise. Le « prix de la ration du soldat » dont Fersen va parler, soit l'indemnité journalière pour vivre, était de 15 sous par jour : 4 francs lourds environ.
*** Le principal banquier des Suédois en France. Pour Sérilly, il faudra comprendre « trésorier général de l'armée de terre ».

comme deux ambassades. Washington annonce qu'il amènera La
Fayette, le général Knox, commandant son artillerie, et des ingénieurs ;
Rochambeau, outre l'inévitable amiral de Ternay, prend donc Fersen,
et Mathieu Dumas, que sa science en fortifications et sa pratique de
l'anglais ont rendu indispensable en deux mois *, avec le titre de « chef
du génie ».

Quelques voyageurs heureux de bouger enfin s'enfoncent le 18 septembre dans « le plus beau pays du monde », selon Fersen, « bien
cultivé, des situations charmantes, des habitants aisés, mais sans luxe
et sans faste [718] », cette large bande de bonne terre qui borde la mer
entre les cours nord-sud de la Blackstone et de la Connecticut. L'homme
la remue et la maîtrise par ici depuis le début des temps anglais, trois
siècles au moins. Mais si l'on s'éloigne par trop de la mer, l'Amérique
des pionniers reprend ses droits. Avec des marais d'abord, puis des
collines de plus en plus méchantes ; on va vers une chaîne de petites
montagnes, les *white mountains*, et la route devient si cahoteuse à son
approche qu'elle retarde la berline louée sur le continent, et qu'elle
finit par la casser.

Les villages se font rares. Un essieu se rompt à la tombée de la nuit.
Cinq ou six bonshommes chamarrés, dans le bel uniforme prévu pour
la rencontre, se trouvent perdus en plein désert. Fersen et Mathieu
Dumas, les seuls qui soient à cheval, partent en reconnaissance et
finissent par dénicher un forgeron, après des *miles* de marche à l'aveu-
glette. Ils se précipitent et offrent de vider leurs bourses, mais en vain.
Le bonhomme est une sorte d'ours qui serait malade comme un chien.
Il a les fièvres. Allez vous faire foutre.

« — Vous ne me ferez pas lever cette nuit, même si vous me donnez
votre chapeau plein de guinées [719] ! »

Or Washington sera demain au rendez-vous. Manquer à la politesse
française ? Jamais. Rochambeau, traînant un Ternay flageolant, s'en
va chez l'ours en personne et joue une carte à laquelle il n'est guère
habitué en Europe : celle de la démocratie élémentaire. A chaque
pays ses mœurs. Il met le manant dans le coup, par le truchement de
Dumas. La conférence suprême va-t-elle échouer par sa faute ? Le
grabat pue, des poules vont sur la table. L'ours ouvre un œil :

— Vous n'êtes pas des menteurs. Je vois ça à vos figures. La venue de
Washington est annoncée sur le *papier* de Hartford. Même qu'on a
préparé les lampions. C'est le service public que vous me demandez ?
Mais pourquoi donc vos gens me proposaient-ils de l'or ? Foi de Smith,
vous aurez votre voiture à 6 heures du matin.

L'Amérique, c'est aussi cela.

Elle reçoit le lendemain une France un peu fripée d'avoir dormi
dans sa berline, mais fort présentable quand même. Rochambeau
n'en est pas à un bivouac près, et son grand air est enfin de nature à
équilibrer celui de Washington. La Fayette entre les deux ne ferait

---

* Sur Mathieu Dumas, voir ci-dessus p. 248.

guère le poids, s'il ne devenait l'interprète indispensable. L'heure est d'abord à la cordialité. Coup de chaleur générale devant la grosse table de l'auberge, taillée dans un seul tronc, chargée à profusion de galettes, de bols de punch et de moques d'un cidre qui saoule presque autant *. Le soleil d'un septembre admirable par ici ravive encore la blancheur des sempiternelles petites maisons et frappe les voiles des bateaux de pêche pavoisés au long du quai de bois en l'honneur des deux grands chefs. Quel drôle de pays, capable d'offrir aux visiteurs un port en pleine terre, après des lieues de route bosselée! Un port de rivière, il est vrai, mais la Connecticut d'Hartford est plus large que la Loire à Nantes.

Fersen est conquis par Washington. « M. de Rochambeau m'envoya en avant pour annoncer son arrivée, et j'eus le temps de voir cet homme illustre de notre siècle, pour ne pas dire unique **. Sa figure belle et majestueuse, mais en même temps douce et honnête, répond parfaitement à ses qualités morales. Il a l'air d'un héros. Il est très froid, parle peu, mais poli et honnête. Il a un air de tristesse répandu sur sa physionomie, qui ne lui messied pas et qui le rend plus intéressant... Il avait en outre une escorte de vingt-deux dragons; cela lui était nécessaire, car il traversait un pays rempli d'ennemis [720]. »

« Le repas fut à l'anglaise, composé de huit ou dix grands plats, tant de viande de boucherie que de volaille, accompagnés de légumes de plusieurs espèces et suivis d'un second service de pâtisseries, comprises toutes sous ces deux dénominations de *pies* et de *puddings*. Après ces deux services, on ôta la nappe, et on servit des pommes et beaucoup de noix, dont le général Washington mange ordinairement pendant deux heures, tout en toastant *(sic)* et en faisant la conversation. Ces noix sont petites et sèches, et couvertes d'une écorce si dure que le marteau seul peut la casser; on les sert à demi-ouvertes, et on ne finit pas d'en éplucher et d'en manger... Les *toasts* avaient beaucoup de solennité : il y en avait plusieurs d'étiquette *(au Roi, à la Reine, aux princes, au Congrès, etc.)*, les autres étant suggérés par le général... A la fin du souper, on ne manque pas de demander aux convives de donner un *sentiment*, c'est-à-dire une femme à laquelle ils soient attachés par quelque sentiment, soit amour, amitié, ou simple préférence [721]. »

Cette ambiance-là ne peut être que propice à l'accord; il se fait rapidement sur l'urgence d'attendre. On en était convaincu de part et d'autre, mais on préférait l'entendre de la bouche du partenaire. Des opérations offensives, avec les forces dont on dispose, seraient suicidaires. On se résoud donc à hiverner tant bien que mal pendant que

---

* La moque (du hollandais *mokke:* aiguière) était, comme la chopine ou plus tard le bock, un récipient qui servait aussi de mesure.
** Le même Fersen a écrit quelques jours plus tôt les réflexions aigres douces qu'on vient de lire sur la « république » et les *whigs*. Mais « l'élite » européenne commençait déjà, un peu sous l'impulsion de La Fayette, à séparer Washington, l'homme exceptionnel, l'homme du destin, de son contexte politique. On cherchait un roi pour cette république.

Washington d'une part, La Fayette et Rochambeau de l'autre, secoue-
ront à coups redoublés l'Amérique et la France pour en faire sortir
les ressources nécessaires au printemps. On établit un rapport minutieux sous forme de dialogue en deux colonnes : à gauche, les propo-
sitions françaises; à droite, celles des Américains. Washington, dans
l'article 7, ne prend pas trop de gants pour résumer son opinion :
« La situation de l'Amérique rend absolument nécessaire que les
alliés lui prêtent un secours vigoureux, et qu'à tant d'autres obligations, à tant d'autres preuves de son généreux intérêt, Sa Majesté
Très Chrétienne ajoute celle d'aider les États-Unis de l'Amérique en
leur envoyant encore des vaisseaux, des hommes et de l'argent. »
L'expédition de Rochambeau n'a donc été qu'un amuse-gueule, et
l'avenir est sur les genoux du roi de France. Ici, tout le monde s'estime
heureux qu'on ait doublé le cap de l'été sans catastrophe. On se quitte
meilleurs amis.

La route à l'envers, comme un récit retourné. Serait-elle ensor-
celée? La berline commence à gémir près du gîte de ce diable de forgeron, et le même essieu rend l'âme à la même heure et au même
endroit, comme s'il était réglé pour ça. De meilleure humeur, puisqu'on est moins pressé, on se rend tous ensemble bras dessus bras
dessous chez l'ami Smith, toujours grelottant de sa fièvre quarte,
mais tout heureux de les revoir :
— « Je vois que vous voulez encore me faire travailler de nuit...
Allons! vous êtes de braves gens. Vous aurez votre voiture demain... »
Il se lève, il sort de son lit « et va vers sa forge comme dans l'état
de nature; il était si velu qu'on l'aurait cru fourré *(sic)* ». Pourtant
quelque chose le tourmente encore :
— « Messieurs, dites-moi, sans vouloir savoir vos secrets, avez-vous
été contents de notre Washington?... »
Chœur de louanges — mais il lui restait une question :
— « Et lui? L'a-t-il été de vous? »
Rochambeau l'endurci en est émerveillé. Il en arrive à contredire
l'analyse de Fersen : « Son patriotisme fut satisfait, et il nous tint
parole. Je ne prétends pas donner à croire que tous les Américains
ressemblent à ce bon charron; mais tous les cultivateurs dans l'intérieur des terres, et presque tous les propriétaires du Connecticut, ont
cet esprit public qui pourrait servir de modèle à bien d'autres [722]. »
Il a quand même écrit « presque »...
L'état-major français rentre à Newport le 23 septembre, relativement réconforté. Ce jour-là, Washington et La Fayette courent
pourtant le plus grand danger — et tout manque de déraper.

Ils inspectent ensemble les abords de l'Hudson pour vérifier que le
général Arnold * verrouille toujours solidement le fleuve à moins de

---

* Sur le général Arnold, voir ci-dessus p. 285.

quarante lieues au-dessus de New York, et garde les passages entre les États du Nord et ceux du Centre.

— Venez donc avec moi déjeuner à West Point, chez Arnold, propose Washington à La Fayette.

Quoi de mieux pour secouer les soucis qu'une des bonnes chevauchées dont il raffole? Voilà la petite bande des aides de camp, l'escorte et les généraux au trot pour la remontée de l'Hudson. Les eaux sont grossies par les pluies d'équinoxe, le vent tourmente les saules et les peupliers encore verts, on passe à Fishkill, où La Fayette a tant souffert voici presque deux ans. Tout va quand même mieux, non? Il vient de jouer le beau rôle entre les deux mondes, il a deux mille hommes à commander. Qui vivra verra; belle journée. Il y a de bonnes redoutes fraîches à West Point, où la guerre est à fleur de terre : on se canonne entre avant-postes deux ou trois fois par jour, et La Fayette est content de retrouver le général Arnold, un attaquant, lui, un héros comme il les cherche. Sa femme va nous recevoir à Robinson House, et la chère de la jeune et jolie Mme Arnold est renommée. Gilbert envisage avec beaucoup d'appétit de retrouver ces grands yeux qui lui avaient souri.

La Fayette et Washington s'attardent avec quelques officiers.

— Attablez-vous chez les Arnold sans nous attendre, à l'américaine, conseille Washington.

Lui aussi aime bien le côté baron-truand d'Arnold, un chef de bande comme au bon vieux temps, dont l'Indépendance a fait éclore sur le tard le tempérament de soldat, l'aigle du Canada, le trousseur de filles d'auberge, le pillard, le pirate. Washington a souvent passé l'éponge sur ses foucades. C'est malgré lui que le Congrès a fait passer Arnold devant un conseil de guerre, voici sept mois, pour malversations et abus d'autorité. Acquittement — mais le bonhomme à la patte folle en est resté blessé.

Quand Washington arrive à Robinson House, il trouve ses aides de camp décontenancés.

— Déjà fini, le festin?

— Arnold a des soucis, *milord*. Nous en étions à peine au punch quand on lui a remis un message. On venait d'arrêter un de ces espions anglais qui remontent souvent le fleuve en barque. Le général a paru fort agité. Il a fait seller un cheval et nous a demandé de vous dire qu'il allait jusqu'à West Point et revenait dans une heure.

— Et madame Arnold?

— Elle est au lit.

— A quatre heures?

— Un malaise *.

Washington ne se frappe pas. Rien n'est sûr à la guerre. Il propose à La Fayette de pousser un peu plus haut, à West Point même, dont

---

* Cet épisode est décrit minutieusement dans une lettre de La Fayette, le lendemain, au chevalier de La Luzerne, ambassadeur du Roi aux États-Unis.

ils inspectent les ouvrages. Tout est dans l'ordre. Mais pas d'Arnold au retour, quand la nuit tombe. Plus d'Arnold. Le héros est passé à l'ennemi.

Un groupe consterné entoure un beau jeune homme en vêtements civils, fier et sympathique, dont la pâleur est celle d'un homme perdu. Le capitaine André, adjudant-général de la grande armée anglaise, sait trop bien que tout espion pris sur place est condamné à mort. Mais que faisait donc le bras droit du général Clinton à rôder le long de l'Hudson, presque sous les fenêtres d'Arnold? Les Anglais manquent-ils d'espions au point d'utiliser leurs meilleurs officiers à de basses besognes?

— Ce n'était pas une basse besogne, *milord*. Il ne s'agissait de rien moins que de vous enlever. Lisez les papiers que portait cet homme sur lui et que les paysans qui l'ont arrêté ont saisis quand il voulait les manger :

« La copie d'un conseil de guerre fort intéressant, l'état de la garnison et des ouvrages, des observations sur les moyens d'attaque et de défense, le tout écrit de la main d'Arnold [723]. » Pire encore : celui-ci avait prévu le logement de ses hôtes « dans la maison du chevalier Smith », un notable local, un peu au-delà des fortifications et proche du fleuve. « Le projet était *(pour les Anglais)* de remonter subitement *(par l'Hudson)* à West Point et de faire tout le semblant d'une attaque. Arnold aurait dit qu'il avait été surpris par des forces supérieures »; retranché dans ses redoutes, il aurait laissé prendre Washington, La Fayette et les autres en levant les bras au ciel. « Et, sans le hasard,... sans une petite canonnade qui ne signifiait rien, et qui a attiré du monde sur le chemin naturel du major André, et l'a forcé à passer déguisé, enfin sans l'arrivée fortuite et la vertu de quelques paysans *(ceux qui l'ont arrêté)*, il n'y avait plus de possibilité d'éviter le malheur qui nous menaçait, et Arnold aurait peut-être continué de nous trahir après », pourquoi pas en tant que commandant suprême des forces américaines, car il eût été l'un des trois ou quatre candidats les mieux placés à la succession de Washington. Sa subordination lui était insupportable. Benedict Arnold est un « battant ». Il étouffe dans la guerre molle. S'il a quitté le parti anglais voici cinq ans et s'est retourné contre lui, c'était pour la bagarre — et Londres a crié à la trahison, du même ton qu'ils vont maintenant crier à Philadelphie; en guerre civile, on est toujours le traître d'une moitié des gens. Il a intrigué ferme afin de supplanter Washington aux yeux du Congrès, mais c'est fini maintenant; gagnée ou perdue, cette guerre sera celle de Washington, qui est en passe de devenir une institution. Revenir à temps chez les Anglais pour leur assurer deux ou trois victoires décisives peut hisser Arnold au rang suprême chez eux, à la place de Clinton l'inconsistant. Ceci ajouté à l'appât du gain — on lui a offert un pont d'or — à la pression du vent qui tourne mal pour les Insurgents, au réveil corrélatif de convictions *tories*... Arnold a choisi.

Savoir s'il ne s'ajoutait pas à tout ceci l'avantage d'une répudiation d'apparence accidentelle? « La malheureuse Mme Arnold, assure La Fayette, ne savait pas un mot de la conspiration. Son mari lui dit, avant de partir, qu'il fuyait pour toujours, et la laissa évanouie. En revenant à elle, elle est tombée dans des convulsions atroces et a entièrement perdu la tête. » Elle la retrouve suffisamment le lendemain pour convoquer à son chevet un Gilbert immédiatement frétillant. « Comme je suis assez lié avec elle *, elle m'a fait monter à sa chambre. Tous ceux qui sont ici sentent vivement le malheur de cette aimable femme, que sa figure et sa jeunesse rendent si intéressante. Elle va à Philadelphie... Le général Washington serait vivement affligé qu'on ne la traitât pas le mieux possible... Quant à moi, je l'ai toujours aimée *(sic)* et, dans ce moment, elle m'intéresse bien vivement. Nous avons la certitude qu'elle ne savait rien. »

Quelqu'un d'autre, à portée de secours de La Fayette, est beaucoup plus en danger que Mme Arnold. Le major André, qui n'a fait que son devoir en obéissant à ses chefs, est en péril de mort infâme. Il a le même âge, la même générosité que Gilbert; c'est presque son homologue anglais. « Un avenir plein de promesses semblait lui être réservé dans l'armée anglaise. » Mais, pour lui, point de terre-neuve ou de saint-bernard. « Nous interrogeons le chevalier Smith *(soupçonné de complicité)* en attendant l'adjudant-général André. J'espère que l'un et l'autre vont être pendus, mais plus particulièrement le dernier, qui est un homme d'influence dans l'armée anglaise, et dont la naissance très distinguée servira d'épouvantail aux espions de mauvaise compagnie *(sic)*. » Celui qui aboie ainsi à la mort a pourtant séjourné à Londres, fait sa cour au roi George et visité les ports de l'ennemi quinze jours avant de partir faire la guerre aux Anglais **. Et son ami Lauzun, de bonne compagnie, s'il en fut, a préparé l'expédition de Sénégambie dans les salons du *beau monde* londonien ***, puis s'est présenté devant Saint-Louis sous couvert du drapeau anglais. La Fayette n'y pense même pas. Sa délicatesse et même sa solidarité de classe s'arrêtent ce jour-là devant le seul péché inexpiable à la guerre comme à la vie : le flagrant délit. André s'est fait pincer; qu'on pende ce maladroit.

On peut compter pour cela sur Washington. Il a d'abord pris le temps de parer méthodiquement au plus pressé : les postes à doubler, les garnisons à mettre en garde, les enquêtes à lancer, car nul ne sait jusqu'où s'est étendue la conspiration. Le grand monsieur est incomparable dans ces cas-là : son visage n'a pas fait un pli quand on lui a montré les papiers saisis sur André. A tant faire que de s'attendre au pire sa vie durant, au moins que cela serve à ne pas broncher quand il arrive. Il fait donc son métier vite et bien, et rassure l'armée, sans un mot, par sa façon de faire face. Mais aussitôt après, à nous deux, mon gaillard. La cour martiale est commandée pour le 29 septembre : six majors-généraux et huit brigadiers-généraux, dont le marquis de

---

* Rapide! Trois ou quatre réceptions au plus.
** Sur le séjour de La Fayette à Londres, voir tome I, p. 423.
*** Sur les stratagèmes de Lauzun pour la prise de Saint-Louis du Sénégal, voir ci-dessus, p. 77.

La Fayette, ont à se prononcer « selon les lois et usages de la guerre »
sur le fait de savoir si oui ou non le capitaine André a été arrêté en
habits civils « le samedi matin 23 septembre vers 10 heures à Tarry-
town, sur la route de New York, par les paysans Paulding, Williams
et Van Wert, donc à l'intérieur des lignes américaines, alors qu'il
tentait de rejoindre, chargé des plans du général félon Benedict Arnold,
le *sloop* * de guerre ennemi, le *Vautour*, qui l'attendait, mais avait dû
reculer son ancrage, ayant été pris sous le feu d'une de nos batteries [724] ».
Froid, calme et désespéré, André ne conteste qu'une chose : l'appellation d'espion, qu'il estime injurieuse. Le général Clinton a écrit, d'égal
à égal, à Washington, pour lui demander grâce et prendre sur lui la
responsabilité. Washington fait le sourd. Au conseil de guerre, pas une
voix ne s'élève pour défendre l'accusé, qui est condamné à la pendaison.

Il lui reste deux : urs à vivre, le temps de faire confirmer la sentence
par Washington, retourné au quartier-général. André en profite
pour lui écrire en demandant au moins d'être fusillé : « Monsieur,
soutenu contre la crainte de la mort par le sentiment qu'aucune
action indigne n'a souillé une vie consacrée à l'honneur, j'ai la confiance
qu'à cette heure suprême Votre Excellence ne repoussera pas une
prière dont l'accomplissement peut adoucir mes derniers moments.
Par sympathie pour un soldat, Votre Excellence consentira, j'en suis
sûr, à adapter la forme de mon supplice aux sentiments d'un homme
d'honneur. Permettez-moi d'espérer que, si mon caractère vous a
inspiré quelque estime, si je suis à vos yeux une victime de la politique et non de la vengeance, j'éprouverai l'empire de ces sentiments
sur votre cœur, en apprenant que je ne dois pas mourir sur un gibet [725]. »

Le général a déjà fait lever ce gibet sur le front des troupes de
West Point. Certes, il pourrait encore lever le petit doigt, cela suffirait. Mais pour qui prend-on George Washington? Le major André
est pendu le 2 octobre à midi.

Oraison funèbre du malheureux par Washington : « André a subi
sa peine avec cette force d'âme qu'on devait attendre d'un homme de
ce mérite et d'un aussi brave officier. Quand à Arnold, il manque
d'âme [726]. »

La même, du même, par Fersen : « On dit que le major André est
pendu; c'est dommage. C'est un jeune homme de vingt-quatre ans
qui a *(sic)* beaucoup de talents [727]. »

La même, du même, par La Fayette — qui vient de signer
l'arrêt de mort — dans une lettre au cher cœur : « C'était un homme
intéressant, le confident et l'ami du général Clinton; il s'est conduit
d'une manière si franche, si noble, si délicate, que je n'ai pu m'empêcher de le regretter infiniment [728]. »

---

* Petit navire à mât vertical gréé comme un côtre. C'est la même étymologie que « chaloupe », du hollandais, *sloep*.

43/ novembre 1780
Du travail et du pain

« Au banquet de la vie, infortuné convive », Nicolas-Joseph-Florent
Gilbert a eu faim, et on ne lui a pas donné à manger. Toutes les formes
de la faim : celle du pain, celle de l'amour, celle de la gloire. Une faim
d'être. C'est d'elle qu'il meurt, en novembre 1780. « Savez-vous quel
trésor eût satisfait mon cœur? — La gloire : mais la gloire est rebelle
au malheur [729]. »

Quel est ce jeune homme à demi nu qui court en gesticulant et en
délirant le long de la Marne, en pleine nuit du 23 au 24 octobre 1780?
Un échappé de la petite maison des fous à douze lits, bien enclose par
ses vignes, là-bas, sur la colline de Charenton *? Il y retourne, alors,
puisqu'il vient des Carrières de Conflans et remonte la rive de la
Marne vers le fameux pont de Charenton, le premier quand on vient
de Paris; on peut bloquer tout le sud-est de la ville si on le tient;
Étienne Marcel, Henri IV et Condé l'ont appris. Mais ce fou-là n'a
rien de martial; la guerre des autres, il s'en moque bien, il est tout à la
sienne. Des appels au secours, des insultes à la lune, des rauquements
comme s'il étouffait, pourquoi donc porte-t-il si souvent les mains à sa
gorge? Le voilà maintenant dans le vieux Charenton, une poignée de
maisons bossues serrées en rond depuis mille ans autour du débouché
du pont **. Il se dirige droit vers le presbytère et y frappe à coups
redoublés en appelant M. le curé comme s'il y avait le feu. Il y a le feu
celui de l'enfer à éviter. Une domestique en chemise et en bonnet entre
bâille la porte, Elle identifie sans peine ce petit greluchon marqué de
variole, un condensé d'amertume :

— Monsieur Gilbert! Dans quel état êtes-vous donc!
— Allez réveiller monsieur le curé, vite! vite! Il me faut les sacrements. Je me meurs.

Le curé de Charenton-le-Pont n'aimait pas être tiré de son sommeil,
et encore moins de cette façon. Mais il lui faut pourtant bien se déranger
pour ce pauvre Florent Gilbert, un homme de lettres si chrétien, ça
ne court pas les rues par ces temps d'impiété. Monseigneur l'archevêque
l'héberge et lui verse des secours, c'est dire. Il faut raisonner l'agité,

---

* C'est seulement à partir de la Révolution que ce minuscule hôpital,
fondé par legs charitable en 1642, prendra l'extension qui en fera l'asile
d'aliénés le plus connu de France.
** Il n'en reste, bien sûr, rien aujourd'hui.

mais non, mais non, monsieur Gilbert, vous ne mourez pas, qu'est-ce que vous racontez, vous avez les fièvres seulement, vous êtes tout rouge, vous, si pâle à l'ordinaire. Bien sûr, on sait que vous n'êtes pas bien portant depuis votre chute de cheval au printemps près du mont Parnasse, votre pauvre tête qui saignait si fort, mais vous n'en êtes pas mort, vous voyez bien, on ne vous a même pas fait le trépan, la diète seulement, il fallait bien, c'est elle qui vous a mis si bas, une diète de trois mois, ajoutez-y les saignées... Ce n'est pas une raison pour quitter comme ça, en pleine nuit, dans une tenue peu décente, la maison de Monseigneur où vous êtes si bien ! ... Comment ? Que dites-vous ? La clef que vous avez mangée ? Calmez-vous, monsieur Gilbert, vous n'avez pas votre tête. Avez-vous si mal à la gorge, que vous y portez la main tout le temps ? Les sacrements, il n'en est pas question. Je n'administre que les vrais mourants. Allons bon, le voilà qui se sauve comme un dératé en vomissant des injures. Mais où courez-vous donc à cette heure ?

Chez l'archevêque. Gilbert n'a qu'un petit bout de chemin à faire pour le trouver à Conflans, où les évêques de Paris ont leur maison de campagne, un petit palais sur le coteau *. Là, gît Mgr Christophe de Beaumont, à perpétuité l'on dirait, puisqu'il ne se décide pas à mourir tout à fait depuis qu'il a enterré le feu roi **. On le porte parfois en chaise sur la terrasse d'où l'on voit le confluent de la Seine et de la Marne ; on l'emporte trois fois l'an à Paris pour qu'il préside aux grandes fêtes ; le reste du temps, il est ici, au premier étage, conservé dans la graisse des chanoines. Gilbert habite en effet un bâtiment des communs, mais cette fois il va au porche du château et déclenche toute une agitation de valets porteurs de flambeaux. On n'ose lui barrer le passage de force, il connaît le chemin et fait irruption en hurlant dans la chambre où repose une petite chose livide et gargouillante enveloppée de lainages, Sa Grandeur Christophe de Beaumont, archevêque de Paris :

— Les sacrements ! Les sacrements, Monseigneur ! Le curé me les a refusés, de connivence avec mes ennemis ! Ils veulent que je meure sans sacrements ! La clef m'étouffe ! La clef...

Il se roule par terre [730]. Trois domestiques lui sautent dessus, le lient, le jettent dans une voiture qui pénètre dans Paris une heure plus tard par la barrière de Vincennes et le conduit au pied de Notre-Dame, à l'hôpital où Beaumont a fixé le terme de sa course en quelques ordres bredouillés : l'Hôtel-Dieu. On y refuse toujours du monde, sauf aux évêques de Paris, qui ont trois salles à disposition. C'est là que Gilbert va mourir, en effet, mais il lui reste vingt jours d'agonie.

C'est beaucoup, pour remâcher trente ans d'une vie de chien. Il s'est battu de son mieux pour un bon Dieu qui ne l'a pas gâté. Grimm

---

* Les archevêques l'abandonneront après sa mise à sac lors des émeutes de février 1831.
** Sur Christophe de Beaumont, l'archevêque ennemi des jansénistes et des philosophes, et son rôle à la mort de Louis XV, voir tome I, p. 67.

lui prépare un enterrement de gueux, dix lignes dans la *Correspondance littéraire :* « Né à Fontenoy-le-Château, près de Nancy, de parents honnêtes, mais sans fortune, il avait été attiré dans la capitale par son goût pour les lettres. N'y ayant trouvé d'autres moyens de subsister que le pain de M. l'archevêque et le vin de maître Fréron *, il se crut obligé, sans doute par reconnaissance, d'employer tout ce qu'il pouvait avoir de génie et de malignité à déchirer les philosophes ; c'est une justice à lui rendre, personne n'a fait contre eux des vers d'une touche plus originale et plus vigoureuse... Il était tombé, depuis quelques mois, dans une maladie de vapeurs, qui a fini par troubler entièrement sa raison. Il s'était persuadé, comme Jean-Jacques, que les philosophes avaient soulevé tout l'univers contre lui, et qu'on en voulait à sa vie... Les derniers vers que nous avons vus de M. Gilbert sont la traduction d'un psaume **, où l'on a remarqué cette strophe touchante :

« Au banquet de la vie, infortuné convive,
J'apparus un jour, et je meurs ;
Je meurs, et sur ma tombe, où lentement j'arrive,
Nul ne viendra verser des pleurs [731]. »

« Et je meurs — Je meurs... » Ce n'est pas là folie. Gilbert délire à force de lucidité quand il passe en revue ce gâchis. Son premier malheur ou sa première faute, c'est la même chose, est-ce qu'on sait ce qu'on fait à quinze ans : avoir quitté Fontenoy-le-Château, son vallon encaissé entre les sapins aux marches de Lorraine, les rives du Coney qui conduit à la Saône, l'âpreté de la forêt autour d'Épinal... « Ainsi, je m'abusais. Sans guide, sans secours, — J'abandonne, insensé, mon paisible village — Et les champs où mon père avait fini ses jours », ce père cultivateur et grainetier, suffisamment aisé pour être nommé maire du village, et qui avait planté un noyer au verger, le jour de la naissance de Florent ***. Sa mère meurt quand il a neuf ans, ses frères ne l'aiment pas, son père ne le comprend pas. Il veut faire de lui un avocat, au sortir du collège de Dôle, et ce gamin prétend devenir un poète. Un *quoi ?* On s'en étranglerait. Sans doute la suspicion jetée sur sa raison le poursuit-elle depuis cette querelle dans la métairie du hameau des Molières :

« *Donnez-moi des pinceaux !* **** — Qu'exiges-tu d'un père ? ... Mon fils, crois-moi, surmonte un penchant téméraire ! ... Ah ! mon fils, je

---

* Polémiste catholique de talent, rédacteur de l'*Année littéraire* et porte-parole des anti-voltairiens, Fréron est le père du futur conventionnel thermidorien.
** Non ; il s'agit d'une poésie originale vaguement inspirée du style des psaumes.
*** Le 15 décembre 1750. Un biographe de Gilbert, J. Salmon, a déposé en 1858 à la Bibliothèque nationale, en même temps que le livre de comptes du poète, quelques feuilles de cet arbre devenu centenaire.
**** C'est Gilbert qui souligne ce cri, par deux fois ; le dialogue est reconstitué par lui dans son ode : *Le Poète malheureux,* ou *le Génie aux prises avec la fortune.*

suis pauvre, et tu n'as plus de mère; Bientôt tu vas me perdre :
où seront tes appuis? ... Par mes cheveux blanchis... — *Donnez-moi
des pinceaux !* — Eh bien, vis à ton gré! Je te livre à toi-même. »
     Un traîne-la-faim. L'ulcère croissant des dettes au creux de l'an-
goisse, dès ses vingt ans. « Je reconnais que feu mon père * doit au
sieur Desoye, procureur à Dôle, la somme de cinquante-huit livres
six sols pour restant de ma pension chez lui pendant six mois et demi,
à raison de douze livres par mois... Fait à Dôle, le 19 juin 1770 [732]. »
« Le talent rampe et meurt, s'il n'a des ailes d'or. » Gilbert a rampé
vers Paris, *via* Nancy et... Lyon. « Comme il était venu à Lyon avec
des vers, il entra à Paris avec quelques productions plus longuement
élaborées. Inconnu, sans ressources, profondément chrétien, il possédait toutes les qualités voulues pour ne pas réussir [733]. » Trois nuits à
coucher sur le Pont-Neuf, à côté du corps de garde. Son christianisme
ne l'empêche pas de s'adresser d'abord aux philosophes, et va être
consolidé par leur dédain; ce sera un christianisme de rancune. D'Alembert l'éconduit : « Qu'en reçus-je? Des dons? Non : des refus, la honte. —
Travaillez, disiez-vous, vous avez des talents. — Barbares! travailler!
Eh! Voulais-je autre chose? — A vos pieds prosterné, dévoré par la
faim, — Mes cris vous demandaient du travail et du pain. » Il les
trouve, chichement, dans le camp opposé, chez le père Fréron qui
l'appointe à son *Année littéraire*, comme on nourrit un chien d'attaque
pour mieux le dresser. Et chez Baculard d'Arnaud, « qui eut l'insigne
honneur d'être proclamé pendant une minute le rival de Voltaire »
et d'être mis en pièces par Beaumarchais, un grand vieillard « à la
figure lacrymale, au visage blême, et à l'œil bleu, terne, nez au vent,
soupirs continuels; comme ses rides lui déplaisaient fort, il les rame-
nait toutes vers le sommet de la tête, et, comme une femme fait de
son chignon, il les nouait avec un ruban ». Le moyen de ne pas devenir
neurasthénique, quand on est livré pieds et poings liés à ces amis-là?
Créateur de la « sensiblerie littéraire », Baculard d'Arnaud travaille à
coups de points d'exclamation et de soupirs mouillés. « Son humidité
larmoyante traverse les plus solides reliures [734]. » Gilbert ne larmoie
presque pas, lui, il mord. Il se croit poète avant tout; il est essentiellement polémiste **. « Je veux... Fouetter d'un vers sanglant ces
grands hommes d'un jour », comme une sorte de Marat ou de Brissot
de l'alexandrin, dans la même rage anti-académique. Qu'est-ce qu'il
leur a mis! Pan sur les abbés de cour! « Monsieur fait le procès au Dieu
qui le nourrit — ... Traite la piété d'aveugle fanatisme, — Et donne,
en se jouant, des leçons d'athéisme. » Pan sur « ce froid d'Alembert,
chancelier du Parnasse — Qui se croit un grand homme, et fit une
préface *** ». Pan sur *Vol-à-terre* (Voltaire), *Anti-chaleur* (La Harpe),

---

* Mort en 1768.
** Il eut été, dix ans plus tard, à la hauteur d'André Chénier, sans doute
dans le même camp. Sur l'anti-académisme de Marat et de Brissot,
voir ci-dessus, p. 266.
*** Celle de l'*Encyclopédie*, qui demeure en effet l'œuvre la plus valable
de d'Alembert.

Obscuro-du-fatras (Diderot)! On le lui avait bien rendu : « Pauvre sot! Tu crois donc par de fades clameurs — Ranger à ton niveau tous nos meilleurs auteurs? — Franchis le bourbier sale, où tu prends à mains pleines — L'ordure que tu jettes aux objets de ta haine [735]. » « Canaille griffonnante! » « Jeune rimailleur, qui regarde la tournure des vers comme le plus grand effort de l'esprit humain... » Il s'était écorché vif à ces buissons d'injures, données ou reçues. Pas de femmes pour le panser : il les fuyait. La Dame de sa vie, c'est la pauvresse du siècle : la poésie religieuse, et il s'était épuisé à couler la lave des prophètes dans les cadences ficelées de la périphrase. Le voilà tout à fait en porte-à-faux. On ne vit de sa plume ces temps-ci qu'en brillant sceptique ou en cuistre religieux. Il est croyant, mais doué, donc suspect aux uns comme aux autres, et condamné à l'aumône au jour le jour. Les bienfaiteurs bigots ne donnent jamais trop à la fois : le secours est un mauvais placement, si le protégé tourne mal.

En 1776, des amis ont presque réussi à le tirer d'affaire. Ils ont intéressé à lui sœur Thérèse de Saint-Augustin, la bonne sœur la plus influente du royaume. Il ne s'agit de rien moins que de madame Louise, la fille de Louis XV, qui a planté le quartier général de la peur au Carmel de Saint-Denis, d'où elle exhorte l'Église de France à tenir bon. On lui a signalé ce poète bien pensant qu'elle pourrait, d'un signe, faire adouber chevalier de la bonne cause et sortir à jamais de la gêne grâce à une pension de son neveu. Doucement! Madame Louise freine : « Pour ce qui est du sieur Gilbert, je sais certainement qu'il a du talent, qu'il s'est affiché pour la Religion, que les gens qui aiment la Religion lui veulent du bien, que les philosophes travaillent à le gagner, et que la séduction est d'autant plus à craindre qu'il est dans la misère... Je vous prie seulement * de vérifier vos informations avec la plus grande précaution, parce que les ennemis qu'on se fait en défendant la Religion ont une infinité de ressorts cachés auprès même de ceux qui l'aiment et la protègent [736]. » Pour la pension, Gilbert attendra. En porte-à-faux aussi entre son inspiration et ses instruments. Il a gratté du papier toute une année pour traduire des poèmes religieux allemands **. Oui, mais il ne savait pas l'allemand. Qu'à cela ne tienne : il mettait en vers une traduction française littérale, faite par un autre, du texte allemand ; il se débattait dans ces lessives bouillies et rebouillies, mais on se moquait de lui dès qu'il cherchait son genre propre en tâtonnant maladroitement. Mot de son éditeur : « Mon ami, vous êtes bien jeune; que m'apportez-vous là? Des *Héroïdes?*... La saison en est passée. On ne lit du reste plus guère les poètes [737]. » Et ce va et vient du parasite, Paris-Nancy, comme un écolier humilié d'une classe à l'autre. A Nancy, « François de Neufchâteau lui faisait souvent des remontrances qu'il n'acceptait pas

---

* La lettre au ministre de la Maison du Roi, Amelot, est du 5 octobre 1776.
** *La Mort d'Abel*, de Gessner, un émule de Klopstock : la poésie religieuse connaissait un grand essor outre-Rhin.

facilement. Peut-être son amour-propre fut-il froissé par la liberté
ou la raideur des observations de François *, c'est possible. Gilbert
était fier et prétentieux, même dans sa misère; cela lui aliéna la protection de ses amis [738]. » Pourquoi leur faisait-il peur, aussi, quand il
déclamait? « Sa voix devenait rauque, ses muscles se tendaient, ses
veines se gonflaient, il roulait des yeux hagards, enfin tout en lui
effrayait. » François en a conçu un *Discours sur la manière de lire les
vers* qui a fait se pâmer les salons lorrains : « Gardons-nous d'imiter,
dans sa folle lecture, — Dans ses roulements d'yeux et ses contor-
sions, — Ce fanatique amant de ses productions... » Existe-t-il un
milieu plus féroce que celui des gens de lettres? La carcasse de Gilbert,
trop fragile, a craqué sous leur dent.

Il commençait à s'en sortir. En 1779, enfin! une pension sur la
Gazette de France, une sorte de salaire fictif à la demande du Roi.
Les secours de l'archevêque. Un préceptorat doré chez les Webb, des
riches Irlandais de Paris. Trop tard, tout cela, trop tard. « Je meurs,
et sur ma tombe où lentement j'arrive — Nul ne viendra verser des
pleurs. » La chute de cheval n'a fait que précipiter les choses : Gilbert
ne mangeait plus, ne dormait plus. Un homme coincé au fond de
l'impasse. Il a écrit sa dernière ode dans la petite maison de Conflans,
enfin la bonne cadence, le choix heureux des mots, un ton d'apaise-
ment soudain qui traversera le temps. « J'éveillerai pour toi la pitié,
la justice — De l'incorruptible avenir. » Il est devenu un grand poète
à sa dernière poésie. Trop tard aussi, Florent Gilbert. Pourquoi?
Quelle absurdité! C'est peut-être pour la signifier qu'il a avalé cette
clef, cette grosse clef de la cassette où il renferme ses papiers. Pour
l'immédiat, c'est de cela qu'il meurt, il le leur crie sur tous les tons
depuis quinze jours, et personne ne veut le croire. S'il fallait croire
les fous!... L'infortuné convive a mangé la clef des choses, il étouffe,
les mains à sa gorge, avec une question extraordinaire dans la poitrine, tout l'intérieur de son corps à la roue. L'Hôtel-Dieu pue. J'ai
avalé ma clef, je vous dis. Une belle salle blanche pour ses derniers
regards, on a tout reconstruit trop vite après le grand incendie, mais
les murs sentent déjà le cadavre. Deux mille cinq cents malades pour
mille deux cent dix-neuf lits. Que Gilbert ne se plaigne pas : il est
seul dans le sien, grâce à monseigneur l'archevêque. Mais ne pouvez-
vous donc m'ouvrir et ôter cette clef qui m'étouffe? Tisane, petit lait,
sirop de violette comme seules médications**. La sœur Sainte-Clotilde,
l'infirmier Simon, l'apothicaire François, les seuls visages de la mort,
qui se fera prier jusqu'au 12 novembre.

« Ce qui paraîtrait presque incroyable, si le fait n'était attesté par
les chirurgiens de l'Hôtel-Dieu, c'est qu'après avoir avalé réellement

---

* Sur François de Neufchâteau, voir ci-dessus p. 115. Il avait le même
âge que Gilbert, mais avait reçu de la vie tout ce qu'elle avait refusé à
'autre.
* Il en coûtera aux héritiers — ses frères — 62 livres et 9 sols : 315 francs
lourds.

cette grosse clef, il n'en a pas moins vécu quinze jours. Rendu à lui-même par les remèdes qui lui avaient été administrés, il parlait souvent de cette clef, mais on prenait ce qu'il en disait pour un reste de folie. Ce n'est qu'après sa mort qu'ayant fait ouvrir son corps, on a découvert la vérité d'un si singulier phénomène. La clef s'est trouvée accrochée, par une de ses dents, aux membranes de l'œsophage, près de l'orifice supérieur de l'estomac [739]. »

44/ novembre 1780
Comme si l'on passait d'une pièce dans l'autre

Grande agitation de courtisans, de gardes et d'ouvriers dans le chœur de l'église des capucins à Vienne, en plein centre de la ville, tout près du palais impérial. Les capucins les plus enviés de l'Empire, ceux qui gardent les tombeaux des souverains, sont alignés, debout, dans les stalles, sur trois rangs de chaque côté, et ces centaines de statues vivantes devant les statues baroques créent un décor funèbre à la Borgia. Qui enterre-t-on?

L'Impératrice, mais vivante. Scène étrange. On soulève quelques dalles, on met en place tout un appareillage de chevilles et de cordes pour descendre la chaise à porteurs de Marie-Thérèse directement dans la crypte où reposent les soixante-quatre empereurs, princes, archiducs, archiduchesses ensevelis là depuis l'empereur Mathieu. Elle supportait de moins en moins la longue déambulation dans les couloirs obscurs et cette revue des gisants qui retardaient la retrouvaille hebdomadaire. Elle veut pouvoir être tout de suite de plain-pied près de la tombe de son François bien-aimé, dont le corps de marbre est si musclé qu'il fait naître des chauds souvenirs. Seize enfants... Marie-Thérèse a minutieusement tracé les plans de son propre tombeau, déjà béant juste à côté. Leurs poussières se retrouveront d'un seul bond à la résurrection de la chair.

La petite bonne femme noire et ronde, majestueuse, recueillie, disparaît dans le sol de l'église, comme happée par ses aïeux. Pliés en deux, les bonshommes tout autour saluent sa descente, quand un craquement sinistre les relève en sursaut. Un des barreaux de la chaise s'est rompu ; voilà l'impératrice naufragée au bout de trois cordes entre le chœur et la crypte, où des bras se tendent pour la recevoir. Elle ne bronche pas. Elle n'a jamais, de sa vie, manqué de sang froid.

« — C'est François qui m'appelle près de lui... » dit-elle seulement [740].

Elle ne se trompe pas *. Elle n'a que soixante-trois ans, mais plus

---

* Sur Marie-Thérèse, voir tome I, p. 100 et ci-dessus, p. 42.

goût de vivre. Le chagrin l'a usée, ou plutôt cette contrariété au jour
le jour que lui infligent les hommes à ne pas se conduire comme il
faut. L'incompatibilité entre elle et son temps est incarnée par son
fils, dont tout le monde, à commencer par lui, attend qu'il règne à
part entière. Marie-Thérèse est de trop. Elle souhaite partir en grande
dame. La bonne éducation, c'est de savoir prendre congé à temps.

Ses joues ont viré du rose au jaune cireux ; elle marche difficilement ;
elle est torturée par une soif inextinguible, et absorbe carafe sur carafe
de limonade glacée, même en hiver ; mais surtout, elle étouffe, toutes
fenêtres ouvertes. L'asthme des grands angoissés l'oppresse, comme
une odeur de temps pourri. « Seuls le mal et l'intérêt particulier gouvernent le monde. »

A quoi bon rester dans ce monde sans corset? « Le vide dont on
s'aperçoit à Versailles, malgré les jours récemment fixés pour pouvoir
faire la cour aux souverains, est une nouvelle preuve de l'inconvénient
qu'il y a toujours d'abolir les étiquettes à une grande cour. Je n'en
vois que trop l'effet ici : tout tombe en inanition et personne n'est
content [741]. » « L'anglomanie, qui va toujours en augmentant ici,
m'inquiète [742]. » Faible consolation : Londres est secouée en mai par
de rudes émeutes * : « Voilà *(les résultats de)* cette liberté tant prônée,
cette législation incomparable! Sans religion, sans mœurs, rien ne se soutient [743]. » Il y a pourtant quelque chose de pire que l'Angleterre, c'est
l'Amérique, sa fille bâtarde, et quand Marie-Antoinette veut faire
plaisir à sa mère, elle lui en dit tout le mal souhaité : « La prise de
Charlestown est très fâcheuse par les facilités et l'orgueil qu'elle donnera aux Anglais ; elle l'est peut-être encore plus par la misérable
défense des Américains ; on ne peut rien espérer d'aussi mauvaises
troupes [744]. » On sent les Habsbourgs, la mère, la fille, importunées
par ces querelles d'Anglais comme par une rixe de matelots sous leurs
fenêtres.

Mais la bonne vieille Europe chrétienne, ce Saint-Empire romain
germanique dont elle s'est obstinée à être le rocher depuis quarante ans,
commence à se fissurer. Deux impies croissent en influence à mesure
que celle de Marie-Thérèse diminue : son éternel ennemi, Frédéric
aux pieds fourchus, l'ami de Voltaire, et la chienne du Nord, cette
Catherine tant méprisée, tant enviée de s'envoyer à loisir les beaux
hommes de sa garde. Dernière affliction : Joseph se met en tête de cour-
tiser Catherine. « L'Empereur m'a fait entrevoir pendant cet hiver,
en badinant, son envie d'avoir une entrevue avec l'impératrice de
Russie, à l'occasion qu'elle se rendrait *(sic)* à Mohilev, et qu'il tâcherait
de se trouver en même temps dans la Bukowina ** . Vous pourrez bien
imaginer combien peu je goûterais un tel projet, par l'aversion et

---

* Émeutes sociales, mais aussi à motivations religieuses, contre les
« papistes ». Nous reparlerons de ce « mercredi noir » à propos de Pitt.
** Cette Mohilev-là est sur le Dniestr, dans le sud-ouest de la Russie. La
présence de Joseph II en Bukovine, province autrichienne des Carpathes,
permettait d'arranger une visite non protocolaire, entre voisins. Marie-
Thérèse ouvre ici son cœur à Mercy.

l'horreur que m'inspire toujours un caractère tel que celui de l'impératrice de Russie [745]. » Joseph n'allait pas manquer cette occasion de contrarier sa mère, mais aussi, au-delà de leur querelle, de rencontrer l'image idéale qu'il se fait du despotisme éclairé. Une souveraine qui refaçonne la planète, qui bouge, qui agit enfin ! Ils se sont rencontrés le 4 juin et ont joué à chat dans un palais sorti de la boue, d'un coup de baguette magique, pour cette entrevue, au milieu des baraques misérables et des bonnes gens terrorisés ; Mohilev n'a été arrachée à la Pologne que voici huit ans. Deux jours à rêver au partage d'un monde qu'ils ne tiennent pas encore. La Turquie va se démantibuler. On lui fera ensemble une croisade éclairée. Catherine vient de faire baptiser Constantin le second petit-fils qui lui est né un mois plus tôt ; elle a signé là son ambition. Recommencer Byzance ! Constantin régnera sur l'empire grec ressuscité, dans la mouvance russe. Mais Joseph alors ? Eh bien, qu'il réunifie l'Italie ! Qu'il revendique les États Pontificaux, « héritage sacré des empereurs [746] ». Ceux-ci en ont fait cadeau aux papes, après tout. Catherine donne la vieille Rome à Joseph et garde la nouvelle ; on boit ferme aux grands desseins dans les fumées de l'avenir. Une certaine prescience du changement est une composante de leur grandeur à tous deux. Ils sentent que l'Europe va bouger — autant faire que ce soit par eux. Choc de Marie-Thérèse, au retour de son fils : « Tout ce que nous avons construit pendant quarante ans sera perdu, en Hongrie comme ailleurs [747] ! » En contraste de ces deux oiseaux de proie, elle s'affole pour la basse-cour. « Je sais qu'un préjugé ancien prévaut chez vous *(à Marie-Antoinette, le 2 août)* : la prépotence *(sic)* de notre Maison et son esprit d'agrandissement. Pour ce dernier, je peux vous en répondre qu'il n'existe pas *(chez elle, sans doute, mais chez Joseph?)*... Mais pour la prépotence de notre Maison, elle n'existe plus du tout et pour le bien général trop peu [748]. »

Nulle consolation ne lui vient de cette enfant-reine, la dernière de la couvée, dont elle regarde la cour à travers des lunettes de plus en plus noircies par les mouchardages de Mercy-le-geignard. « Je souhaiterais *(le 31 janvier)* que ma fille soit plus circonspecte vis-à-vis de ses favorites, pour ne pas se laisser entraîner par leurs vues avides et intéressées dans des démarches peu convenables. Je suis scandalisée des prétentions des Polignac et de la vivacité de Maurepas à les appuyer [749]. » Vœu pieux : en mars, Marie-Antoinette obtient, sans difficulté, de Louis XVI, une dot de huit cent mille livres pour une petite sœur de Yolande de Polignac, un duché pour son mari, et une pension de trente mille livres par an pour son amant, Vaudreuil *.
« Je dois vous avertir *(de Marie-Thérèse à Marie-Antoinette)* que cela fait une très grande sensation, assez mauvaise dans le public et à l'étranger... Ces générosités si excessives rendent par comparaison les autres plus malheureux et plus pesants. Je n'ai pu me taire sur ces anecdotes qui intéressent trop votre gloire et que, par bonté de cœur,

---

* 400 000 francs lourds de dotation ; 150 000 francs lourds de pension annuelle.

vous vous laissez aller à l'avidité de ces prétendues amies. Si je ne vous
en avertissais, qui l'oserait [750]? » Autant en emporte le vent. Marie-
Antoinette, maintenant, répond du tac au tac : « Je suis trop accoutumée aux inventions et exagérations de ce pays-ci pour être surprise
de ce qu'on a débité sur Mme de Polignac. Il est assez ordinaire ici
que le Roi contribue à la dot des personnes de la Cour et de naissance
qui ne sont pas riches [751]. » Elle poursuit son chemin; le cordon ombilical est bien coupé. En juin, « la Cour *(de France)* a fait un séjour
d'une semaine au château de la Muette. Les couches de la comtesse
Jules de Polignac en étaient l'objet et en avaient décidé le moment.
La Reine, se trouvant à portée de sa favorite *(Mercy ne mâche plus
ses mots)*, a été la voir régulièrement tous les jours... Pendant ce séjour,
le Roi a été voir la duchesse de Polignac. C'est la seule maison particulière de Paris où le monarque soit entré depuis qu'il règne, et une
distinction si marquée a presque fait plus de sensation dans le public
que toutes les grâces utiles accordées à la favorite [752]. » Dernier chagrin, mais de taille, pour l'Impératrice : la Reine et sa compagnie,
cet été, prennent l'habitude de jouer des pièces d'auteurs contemporains sur la scène d'un théâtre-bonbonnière, construit en or et en marbre à Trianon, tandis qu'on persiste, pendant ce temps, à jeter les
cadavres des vrais comédiens à la voirie. « Je voudrais avoir les pièces
qu'on a représentées à Trianon, avec les noms des personnes qui ont
joué chaque rôle, en m'indiquant notamment ceux de ma fille [753]. »
A quoi bon? Pour se faire encore plus de mauvais sang? Marie-Antoinette aura aidé quelque peu Joseph et son siècle à écœurer la vieille
dame. « Je ne saurais approuver que la Reine couche à Trianon sans
le Roi », comme elle l'a fait pendant une partie du mois d'août. Le
moyen d'espérer un dauphin, dans ces conditions? Or sans dauphin,
point de salut. « Pour la grossesse de ma fille, j'attends l'accomplissement de mes vœux et de ceux de la France des dispositions de la
Providence. Il me semble qu'on drogue trop ma fille, et ces différentes
sortes de laits et purges qu'on lui donne me paraissent de trop [754]. »
Mais les remèdes qu'elle conseille pour sa part laissent songeur : « Il
paraît que Lassone a raison de vous donner du fer, qui a fait merveille
auprès de la reine de Naples *, et une saignée ne vous fera pas de mal.
Je pouvais compter d'être grosse quand je me faisais saigner [755]. »
A ce comble de torture morale où Marie-Thérèse avait fini par se
mettre, même une grossesse de sa fille n'aurait fait que relancer ses
angoisses : « Je ne saurais plus vous dissimuler les inquiétudes que j'ai
d'abord conçues sur l'accident effrayant arrivé à ma fille dans le
moment de son accouchement **, inquiétudes qui me reviennent toujours. Cet événement n'aurait-il pas été produit par un attentat, de

---

* Il s'agissait des « boules de mars » qui faisaient fureur : une poudre
obtenue par des décoctions successives de plantes vulnéraires passées
sur de la limaille d'acier. On l'administrait en pilules.
** Marie-Antoinette avait tourné de l'œil quelques minutes. Voir ci-dessus, p. 69.

la malice la plus noire à la vérité *(de Provence?... d'Orléans?...)*, mais pas tout à fait impossible dans une nation où il y a nombre de scélérats [756]. »

3 novembre. Joseph II « est tout occupé de se rendre aux Pays-Bas *(autrichiens)* au commencement de mars et rester tout l'été dehors *(sic: hors de Vienne)*. Cela augmente tous les ans *(sa manie baladeuse)* et cela augmente mes peines et inquiétudes, et à mon âge j'aurais besoin de secours et de consolation, et je perds tous ceux que j'aime, l'un après l'autre; j'en suis tout accablée [757]. » Mais le temps des vacances est venu, Majesté, il faut plier bagages. La cloche d'alarme sonne dans la même lettre : « Je suis travaillée depuis quatre semaines d'un rhumatisme au bras droit qui est cause que ceci est encore moins bien écrit que d'ordinaire. » Une dernière plainte, le temps de bien dénoncer l'auteur de son mal : Joseph II, avec ses projets de réforme en Belgique : « Tant que j'existe encore, je ne laisserai rien toucher au gouvernement des Pays-Bas; mais je ne saurais croire que cela aille loin. Mes chagrins de toute espèce sont trop grands et augmentent journellement, et je suis sans secours ni aide; à mon âge cela ne se peut plus supporter, et ma santé va grand train [758]. » Tels sont les derniers mots écrits à son vieux serviteur, Mercy.

Le 8 novembre, elle revient de la campagne avec la mort sur la figure pour s'enterrer d'avance à la Hoffburg, ce palais-tombe. Son souffle râcle tant qu'il tient les servantes éveillées. Elle-même ne dort quasiment plus. « Dieu veuille bientôt mettre un terme à mes souffrances, sinon je ne sais pas comment je pourrai les supporter [759]. » Crainte inutile : elle a toujours su se battre, une fois délivrée de la petitesse.

Toux et fièvre croissantes. Ballet solennel des médecins et des prêtres. On diagnostique « un endurcissement des poumons * ». Elle se sent « devenir intérieurement comme de la pierre ». Elle se plaint d'un feu sous la poitrine et fait ouvrir toutes les fenêtres aux brouillards de l'hiver. Le 24 novembre, elle renonce au lit où son catarrhe la suffoque. Elle mourra droite. Au soir, le principal médecin, Störck, tient la promesse qu'elle lui avait arrachée de longtemps : la vérité. Elle ne craignait pas de mourir, mais de mourir sans confession.

Elle remet, le matin du 25, aux mains du révérendissime Ignace Müller, abbé des bénédictins de Sainte-Dorothée, les petits péchés de la fin d'une grande vie. De toute façon, ce ne sont pas ceux qu'on impute aux despotes : ils meurent convaincus de la bonté de leurs actes publics. Lequel d'entre eux a compté ses pendus? La voici calme et bienveillante aux familiers. Elle tient salon de sa mort, en parlant d'autre chose, par discrétion. Une de ses lectrices fond en larmes.

— « Retirez-vous, ma bonne amie. Allez pleurer dehors. Ne revenez que quand vous pourrez faire votre métier. »

---

* Sans doute un œdème pulmonaire.

Le nonce apostolique lui apporte le viatique le 26 au soir et la trouve agenouillée sur un prie-Dieu, la tête couverte de son éternelle mantille noire, comme à n'importe quelle messe. Joseph est revenu de justesse des manœuvres qu'il commandait en Bohême et se rencogne dans un coin de la chambre, condamné quelques heures à cesser son tournis. Il n'a jamais vu étouffer sa mère. Il est sidéré. Elle souffrait donc *cela* chaque nuit depuis des mois? Le vieux jeune homme est soudain agité de secousses bizarres, comme c'est drôle, Joseph II qui pleure! On n'aurait jamais cru — et d'ailleurs on ne croira pas — mais ses sœurs l'ont vu, et entendent Marie-Thérèse lui dire :

— « Ne pleure pas!... Ne pleure pas, car je perdrais aussi ma force d'âme. »

Elle le tutoie en français. L'impératrice d'Allemagne meurt dans la langue de Louis XVI. « Elle parla d'abord allemand à ses filles, mais à mesure qu'elle déclinait, c'est en français, le langage de la Cour, qu'elle prononça ses dernières paroles en s'adressant à Joseph. » Lui pardonne-t-elle donc? Elle fait comme si, de son mieux, par suprême coquetterie. Le pardon, dans ce cas-là, c'est la meilleure vengeance.

Extrême-onction le 28 à l'aube, après avoir failli passer dans la nuit. Elle a sur la tête un bonnet blanc, comme si le deuil s'éclairait, et porte une robe de chambre brune « qu'elle garda jusqu'à la dernière heure ». On aperçoit aux onctions l'éclair fugitif d'une chair nette; elle sait se tenir et ne leur infligera pas d'odeur ou de crachats. Quand elle en a marre de ses filles, elle les renvoie, dûment bénies :

— « Allez! Il m'en coûte trop de vous voir. »

Elle reste en tête-à-tête avec son fils. « Pendant la dernière après-midi, elle parla de tout avec l'Empereur en français. » Il pleut à verse. « Je n'ai pas beau temps pour mon voyage. » Elle lui dicte deux dernières lettres : pas pour ses enfants, c'en est fini de la nichée dévorante. Une pour Kaunitz, l'homme de sa vie après François; ah! si le bon Dieu avait été moins strict, elle eût, de grand cœur... Kaunitz est barricadé dans ses appartements, il ne supporte pas le spectacle de la maladie, elle aime jusqu'à son absence. L'autre lettre? Au prince Esterhazy, chancelier de Hongrie, et, à travers lui, à ces nobles magyars auxquels elle doit son assomption. Comme elle était belle, quarante ans plus tôt, avec ses longs cheveux flottant au vent, l'amazone de Presbourg dressée sur ses étriers au sommet d'une colline faite exprès pour qu'elle y galope après le couronnement! Les autres peuples de l'Empire ne voulaient pas d'une femme pour succéder à Charles VI, partout la rébellion, la grogne, l'apathie — et Frédéric II fondant là-dessus comme l'aigle, la Silésie envahie, tout foutait le camp... Un tonnerre d'acclamations : les Hongrois l'aiment. Debout sur son cheval noir, coiffée de la couronne de Saint-Étienne, elle tire son épée et la dresse selon le rite vers les points cardinaux. Elle maintiendrait. Marie-Thérèse a existé, ce jour-là. L'Empire aussi.

Elle se lève en chancelant de son fauteuil, le 29 novembre 1780 au soir. Hagarde, les mains tendues comme une aveugle. Cherche-t-elle son cheval noir? Ou bien l'image de sa jeunesse?

« — Où allez-vous, madame?

— Je crains de m'endormir. Je ne veux pas être surprise. Je veux voir venir la mort. C'est comme si l'on passait d'une pièce dans l'autre.

— Vous êtes mal.

— Assez bien pour mourir. »

Elle va seule, refusant les bras tendus, jusqu'à sa chaise longue, où un grand tremblement s'empare d'elle. Sa dernière parole est pour son médecin et contre Joseph :

« Allumez le cierge mortuaire et fermez-moi les yeux, car ce serait trop demander à l'Empereur. »

Joseph II est l'un des premiers à se retirer, les yeux secs pour toujours. « Personne ne m'a appelé *mon père;* personne ne m'appelle plus *mon mari;* personne ne me dira plus jamais *mon fils* [760]... »

45/janvier 1781
Un pur appel au peuple

Quelqu'un, pourtant, saura donner des noms affectueux à Joseph.
« Ô, mon frère, ô, mon ami! » lui écrit Marie-Antoinette le 10 décembre,
sous le coup de la nouvelle, « ce n'est qu'en fondant en larmes que je
vous écris... Il ne me reste donc plus que vous dans un pays *(l'Autriche)*,
qui m'est et me sera toujours cher! ... Adieu! Je ne vois plus ce que
j'écris. Souvenez-vous que nous sommes vos amis, vos alliés; aimez-
moi [761]. » Mais le moyen de faire partager son émotion à ce bonhomme
de roi-mari, dans le mépris duquel elle est maintenant ancrée? Joseph a
écrit à Louis XVI dès le 6 décembre une longue lettre assez chaude,
pleine d'ouvertures à une amitié agissante. Une balle à saisir au bond,
lancée dans ces débuts de règne où chaque geste engage parfois un
quart de siècle. Louis XVI répond vingt lignes de bouillie pour les
chats, sans cœur, sans nerf. La Reine en pleurerait : « Je vous envoie la
lettre du Roi, mon cher frère. J'espère qu'en toute occasion, comme en
celle-ci, vous n'y verrez que la bonne disposition de son âme, sans vous
arrêter au style. La vôtre, mon cher frère, était admirable [762]. » Mais
les temps ne sont pas à la douleur, et Versailles, qui prend le grand deuil
distraitement, bruisse tant du remaniement ministériel en cours que
Marie-Antoinette, dans la même lettre, est ramenée à la politique :
« M. de Montbarrey a été renvoyé, mais, par égard pour M. de Maurepas
qui est son parent, on lui a permis de donner sa démission. Il était
temps, car sa conduite personnelle et le pillage qu'il avait au moins
toléré dans son département *(de la guerre)* lui avaient fait perdre toute
considération et le rendaient incapable d'aucun bien. Le Roi n'a pas
encore nommé à sa place. Je crois que ce sera M. de Ségur, lieutenant
général * estimé et considéré », mais qui a surtout aux yeux de la Reine
l'avantage d'être le père d'un de ses petits amis. On avait déjà remplacé

---

* Terme correspondant aujourd'hui à général d'armée ou de corps
d'armée.

Sartines par Castries à la Marine. Quelque chose bouge à la Cour, pour la première fois depuis la chute de Turgot.

On cherchait des boucs émissaires pour tout ce qui n'avait pas marché depuis cinq ans : l'échec de la descente en Angleterre, le manque de moyens de Rochambeau. On trouve à portée immédiate Sartines et Montbarrey. Les vrais responsables de l'asthénie française sont le Roi — intouchable — et Maurepas, ravagé par la goutte, dont on attend le trépas à chaque crise. On le laisse décliner en paix. Deux hommes montent : Vergennes et Necker, antagonistes par le simple fait qu'ils sont deux. Pour le moment, Necker est le plus fort : il tient les cordons de la bourse, et les salons sont pour lui. Allié de Necker, depuis les services rendus par celui-ci vingt ans plus tôt, on trouve Choiseul, qui n'a pas complètement désespéré *. Et pour Choiseul, par accès, la Reine, donc la Reine, par accès, pour Necker. « Le parti autrichien » reprend du poil de la bête. Les nominations de Castries et de Ségur lui font marquer deux points. Mais le vainqueur du premier plan, c'est Jacques Necker. Il a su manœuvrer sagement et prendre le rythme de Louis XVI : quatre mois pour faire changer deux ministres, après quatre ans de travail dans l'ombre. En janvier 1781, ses arrières maintenant bien assurés au Conseil (dont sa religion lui interdit l'entrée), il croit pouvoir accélérer et frappe un grand coup par la publication de son *Compte Rendu au Roi.* Événement inouï. Pour la première fois dans l'Histoire, l'état des finances d'une monarchie absolue est mis à la portée de tout le monde **. Le secret du Roi est violé au niveau le plus sensible : celui du porte-monnaie. Les ondes de choc vont secouer toute la France à partir de Versailles : stupeur des courtisans, crainte des privilégiés, enthousiasme de la bourgeoisie; l'intérêt s'éveille même dans certaines couches populaires au contact avec les gens informés : la question d'argent est le plus sûr dénominateur commun de l'opinion. Voici Necker sur le podium. Nul n'en doute : « un principal ministre » monte à l'horizon de la France pour assurer la relève de Maurepas. Il joue la carte de la popularité. Un étranger? Un protestant? Qu'importe : on a bien eu Sully, Mazarin et Law. Mais qui est-ce, Jacques Necker ***?

Un de ces hommes qui estiment n'avoir encore rien fait de leur vie quand ils ont tout réussi. Il a quarante-huit ans. Il est né à Genève, dans cette ville libre marginale des cantons suisses, où tout le monde a la politique dans le sang. Le petit Jacques entendait ses nourrices parler du gouvernement comme d'autres de la pluie et du beau temps. Alors il est Suisse? Si vous voulez. En fait, il n'est rien, il est tout, c'est l'étranger par excellence, et certains ne le lui envoient pas dire. On

---

* Sur Choiseul et les tentatives de Marie-Antoinette pour le faire revenir au pouvoir, voir notamment tome I, pp. 220 et 517.
** C'était une habitude en Angleterre, et Necker ne manque pas de le rappeler dans son texte, pour se réclamer de cet exemple. Mais les Anglais se flattaient d'avoir une monarchie parlementaire.
*** Sur Necker, voir tome I son opposition à Turgot, p. 185, et son accession par étapes à la Direction générale des finances, pp. 406 et 438.

trouve des Necker irlandais, en remontant à Henry VIII. On les perd. On les retrouve en Poméranie, déjà protestants convaincus, des pasteurs. Allemands, donc. Mais c'est un roi d'Angleterre qui encourage, au début du règne de Louis XV, Charles-Frédéric Necker, le père du nôtre, à fonder à Genève une école française pour de jeunes Anglais... On nage dans le cosmopolitisme. On s'y plonge : Charles-Frédéric épouse une Française, une demoiselle Gautier. Jacques Necker sera germano-franco-genevois. La propriété de son père, où il naît le 30 septembre 1732, s'appelle « la Germanie ». Mais ce père est déjà bon bourgeois de Genève et prend tant à cœur les querelles locales qu'il tombe d'une crise cardiaque en pleine église Saint-Pierre, en 1762, au cours d'une bagarre pour une élection. A ce moment-là, son fils est déjà lancé sur les vagues de la Bourse, à Paris, en train de faire fortune et de devenir presque Français.

Pas question d'avoir une enfance. Pas le temps. « Dans ses jeux avec ses camarades, il prenait toujours soin d'organiser en petit les États qu'il connaissait par ses lectures, de façon à esquisser des projets de lois à leur usage [763]. » Plusieurs anecdotes de ce genre flottent dans sa renommée, comme la fuite à Jérusalem pour Jésus enfant. A Genève, « le plus grand éloge qu'on pût adresser aux enfants était de leur dire qu'ils étaient *rangés*. Être rangé, c'était être tranquille comme un vieux papa, ou se tenir raide comme un conseiller [764]. » On avait, de ce point de vue, réussi avec Jacques au-delà de toute espérance. A seize ans, raide pour la vie, il pouvait partir à Paris « se créer une situation indépendante dans le commerce », sans crainte d'y être perverti [765]. Il entrait à la banque comme en religion.

La banque protestante : un royaume sous les royaumes. Une internationale de financiers en pleine expansion. On se moque bien de savoir s'ils croient en la prédestination. Genève est devenue en 1760 la plus importante plaque tournante des capitaux européens : placements britanniques et français, mais aussi prêts au roi de Sardaigne, à l'Autriche, au Danemark. Le « réseau genevois dans le commerce international [766] » commence à glisser de plus en plus de la spéculation dite « pure » à la participation aux affaires, selon la démarche qui va devenir essentielle au grand capital. La vie de Jacques Necker va épouser ce mouvement et l'incarner : une transfusion d'or et d'argent à toutes les activités rentables, par les fils d'une toile d'araignée mise en place grâce à la *diaspora* protestante. La banque genevoise tient le commerce horloger, l'exportation marseillaise, les textiles du Languedoc, les sucriers de Cadix et des Amériques. « A partir de 1763, l'étude des faillites démontre la place que le négoce colonial, les spéculations sur vaisseaux, cafés, sucres, indigos, esclaves, piastres, tenaient dans les affaires bancaires [767]. » Quand Jacques Necker devient dès vingt ans, par ses qualités de travail, d'intuition, de probité, de ponctualité, l'homme de confiance du banquier parisien Isaac Vernet *, « banque,

---

* Rappelons que ce genre de prénoms est commun aux familles protestantes, nourries de culture biblique, sans impliquer d'ascendance juive.

négoce marchand, placement maritime, changes, sont unis dans la pratique professionnelle, et à l'échelle internationale ».

Là se situe le coup de pot qui fait de lui un millionnaire. Ses ennemis le lui imputeront en péché originel d'une fortune qu'on ne lui pardonnera pas. En 1762, Necker a connaissance — toujours par le canal des affairistes protestants — de certains articles secrets de la convention préliminaire à la paix entre la France et l'Angleterre. Il achète massivement des effets publics émis par les Français sur le Canada, et revendus à 80 % de perte en Bourse. Il les envoie à Londres où l'un des correspondants de Vernet, muni de fausses lettres de Canadiens, se les fait rembourser au prix fort, selon le traité, par les Anglais [768]. Ni vu ni connu. La banque Vernet, à partir de ce moment, c'est Necker. Quand Vernet se retire, Necker devient l'associé de Théllusson, le neveu, l'héritier de la maison. Quand Théllusson gagne Londres en 1765, la banque Théllusson-Necker, tombée aux seules mains de ce dernier, « gère les dépôts et comptes courants d'environ trois cent cinquante clients étrangers, dont la plupart sont engagés dans les emprunts de la monarchie française », dernières ressources du trésor royal en déficit perpétuel. Necker est devenu le banquier des prêteurs du Roi. Il traite d'égal à égal avec Choiseul, puis Terray, dépanne deux ou trois fois le budget de la France et prête à presque tous les hauts personnages de la Cour. Il peut faire semblant de « se retirer » en 1772 avec un capital de sept millions et demi [*]; il les tient. Il commence alors sa seconde vie, quitte à garder la banque Théllusson sous la main, par l'intermédiaire de son frère Louis, qui lui succède à la direction.

Deux ou trois brochures, publiées au bon moment, dont un *Éloge de Colbert* (1772), qui indique l'ampleur de son horizon... L'implantation du salon de Mme Necker à Saint-Ouen, en relève opportune des dames mortes ou dépassées : Lespinasse, Geoffrin, du Deffand [**]... Un solide coup de pouce donné à la chute de Turgot, pour se démarquer des « idéologues » ... Necker avait fait jouer l'un après l'autre les deux facteurs, pourtant si souvent opposés, d'une grande carrière politique : l'opinion des intellectuels et la faveur de la Cour. Dernière habileté : savoir se contenter du strapontin qu'on lui avait offert pour accéder au Contrôle général en novembre 1776 : la fonction sans le titre. Louis XVI n'était pas mûr pour accepter un hérétique dans son Conseil d'en haut. Mais Jacques Necker sait attendre. Il a travaillé sans éclats, régulièrement, utilement. Tout le monde aujourd'hui s'aperçoit de sa présence, singulièrement envahissante, par une sorte d'imprégnation des choses. « Que fera Necker? ... Qu'en pense Necker? » Question devenue un réflexe conditionné chez tous ceux qui veulent entreprendre quelque chose en France. Du même regard, on s'aperçoit que les finances du Roi ont changé de visage en prenant le sien. C'étaient affaires de grand seigneur, confiées à une sorte d'intendant. Cela tend à devenir un capital en

---

[*] 37 millions de francs lourds.
[**] Sur le salon de Mme Necker, née Suzanne Curchod, cf. tome I, p. 407.

bonne ou mauvaise passe, géré par un spécialiste. Le Contrôle général
prend forme de banque; c'est le cheval de Troie de la bourgeoisie.
Sa belle gueule de Teuton inspire confiance rien qu'à la regarder.
Un corps lourd et massif, des grands pieds, des grandes mains, des
épaules larges, une tête « apollonienne » aux traits lisses, de beaux yeux
lents. Le menton s'empâte, les joues se gonflent? Signes de santé.
Comment ne prêterait-on pas de l'argent à cet homme-là? Il inspire
d'autant plus confiance qu'il rayonne paisiblement le culte de soi-
même. On dirait qu'il va pondre un œuf à chaque mot. Sa lourdeur et
une certaine apathie lui sont imputées à crédit par ses coryphées. Certes,
« un des traits les plus marquants de son caractère, c'est la peine pro-
digieuse qu'il eut toujours à prendre une résolution définitive... Son
esprit avait l'habitude de considérer toutes les faces d'une affaire avec
tant d'exactitude et de réflexion, qu'il n'était plus frappé, même dans
les circonstances les plus pressantes, que des difficultés d'une décision
quelconque, et ne se déterminait, pour ainsi dire, que forcément * à
vouloir ce qu'il voulait. » Mais cela le rend compère de Louis XVI.
« Il lui est arrivé cent fois de rester plus d'un quart d'heure dans un
fiacre avant de se décider dans quelle maison il se ferait conduire
d'abord [769]. » Qu'à cela ne tienne : « Sa femme le plaisantait sur ses
gaucheries et sur son silence, mais toujours de manière à le faire
valoir [770]. »
Sa politique est de n'en pas avoir. Pas de plans, pas de projets, pas
de desseins. Ce n'est pas le rôle d'un banquier, et c'est en cela qu'il est
l'anti-Turgot. Il a laissé se reconstituer les jurandes, et la corvée se
rétablir sur les grands chemins, plus par passivité que par doctrine **.
Il a taxé de nouveau le prix des grains, puisque c'était là-dessus qu'il
s'était engagé contre Turgot. Il n'a touché qu'avec extrême prudence
au maquis des privilèges de la Maison du Roi, pour ne s'aliéner ni la
Reine, ni les princes. D'année en année, il a bouché les trous de la caisse
avec des emprunts et des loteries : procédé qui marche bien à courte
échéance, si la confiance règne — il est là pour l'inspirer — et si les
circonstances ne créent pas de dépenses extraordinaires.
C'est là que le bât le blesse de plus en plus, et c'est finalement ce qui
le contraint à l'émergence : la guerre. Il n'en voulait pas plus que Turgot; aucun ministre des finances ne la souhaite. Mais il avait eu l'habileté de la tolérer en freinant de son mieux les dépenses extraordinaires.
D'où le conflit latent avec les ministres « dépensiers », la Marine et la
Guerre, Sartines et Montbarrey, dont le manque de crédits constituait
le meilleur alibi contre les plaintes que le vent d'ouest leur jetait à la
figure. Jusqu'à quel point Necker les a-t-il conduits à l'exaspération
d'une part, à l'impopularité de l'autre, pour pouvoir pousser des amis
sûrs à leur place et constituer ainsi sous le nez du Roi l'ossature de « son »
gouvernement? Tant de machiavélisme étonnerait chez lui, mais il
n'est pas mécontent qu'on le lui prête.

---

* « Contraint et forcé ».
** La suppression des jurandes et celle de la corvée avaient été parmi
les réformes essentielles de Turgot. Voir tome I, p. 302.

Quoi qu'il en soit, cet automne, il a su agir. Il est sorti de son silence
en coinçant Sartines devant le Roi et Maurepas à propos de dépasse-
ments budgétaires. Une colère de banquier, là encore : vingt-six millions
de dettes pour la Marine, dont seulement seize avoués, ce n'était pas
rien * ! Sartines s'était-il servi au passage? C'était dans sa nature, mais
il rusait aussi de son mieux pour améliorer cette Marine dont tout
dépendait. Le Roi renonce à regret à ses commérages. Un gros soupir —
exit Sartines. Beaumarchais en est marri **. Maurepas ne voulait pas
du marquis de Castries, un homme pourtant valable par son caractère
de cochon, sa belle carrière militaire et son immense fortune, le gouverneur d'un Languedoc hérité comme un bien de famille d'un frère aîné
que Louis XV avait nommé à ce poste âgé de trois ans et demi ***.
Mais le vieux Mentor moribond voulait tenir jusqu'au bout, et tout
« choiseuliste » lui paraissait un spectre. Necker, encouragé par Marie-
Antoinette, n'hésite pas à conseiller à Louis XVI de prendre Castries,
... parce que Maurepas le souhaite! Louis XVI signe, sans vérifier, et
Maurepas manque trépasser de rage — trop tard [771]. De ce jour-là, on
a su que le Genevois limpide pouvait tricher aussi bien que les autres, et
on a commencé à lui prêter une stature politique. Le même stratagème,
ou à peu près, lui sert deux mois plus tard à faire agréer le maréchal
de Ségur, mais il faut que la Reine jette le poids d'une crise de nerfs dans
la balance [772]. Elle fait maintenant les ministres à coups d'éventail.
Le temps de sa réserve est bien passé. On dirait qu'il passe aussi pour
Jacques Necker, qui apparaît, au seuil de la nouvelle année, comme
l'homme de Marie-Antoinette. Il accélère encore, mais un peu vite.
Un peu trop lourdement. Il avance comme un roulier. Il risque gros.
On le croirait incapable de rétrograder une fois lancé.

« On ne parle que du *Compte Rendu au Roi* par M. Necker », signale
la *Correspondance* de Métra [773]. « Le libraire Panckoucke gagnera
énormément d'argent à la vente de cette brochure. On continue nuit
et jour à l'imprimer », à l'imprimerie du cabinet du Roi, qui est tombée
dans la mouvance de Panckoucke avec une trentaine d'autres petites
usines à livres et brochures à Paris, à Versailles, mais aussi à Strasbourg,
à Lille, à Tours. De moins en moins libraire, de plus en plus éditeur,
Charles-Joseph Panckoucke se frotte les mains de la bonne affaire :
trente mille exemplaires pour le moins, vendus chacun un écu ****.
Necker a renoncé à ses droits en adoptant la fiction pudique d'un

---

* 130 millions de francs lourds. L'importance du budget de la Marine,
seule « force de frappe » de la France, ne peut se comparer qu'aux budgets
consacrés aujourd'hui par les grandes puissances à leur armement et à
l'énergie nucléaire. 31 millions de dépenses « ordinaires » contre 25 millions à la Maison du Roi et ... 800 000 francs pour les hôpitaux (en francs
de 1780, bien sûr).
** Sur le personnage de Sartines et ses rapports avec Beaumarchais,
voir tome I, p. 59.
*** Mort pendant la guerre de Sept Ans, à dix-huit ans.
**** Pièce de monnaie d'argent valant entre 3 et 5 francs d'alors. Le
Compte Rendu coûtait donc environ 20 francs lourds.

imprimé « par ordre du Roi », autant dire une publication officielle. Panckoucke traite le contrat avec le Contrôle général, et lui versera un forfait « pour les œuvres de Mme Necker ».

Deux hommes faits pour se comprendre. Panckoucke, physiquement, ressemble à Necker, avec sa stature de grand Flamand bien découplé. Mais chacun sait que les Lillois sont les Provençaux du Nord, et celui-ci ne manque pas à la règle : il s'agite, il brasse partout depuis qu'il est venu chercher et trouver fortune à Paris à vingt-huit ans. C'était en 1764, et le voilà déjà empereur de la librairie. Il avait de qui tenir. Son père était le plus grand « libraire » de Lille, et rédigeait lui-même des compilations pour le plaisir de les publier, « placé entre Paris, où se faisaient les livres les plus lus dans l'Europe, et la Hollande, où s'en faisait le plus grand commerce [774] ». On pense à Paris, on se vend à La Haye. Bonne aubaine pour cette chauve-souris de la plume, le « libraire » qui tente d'harmoniser trois vocations : écrivain, fabricant et négociant. Charles-Joseph était « destiné, par des études et par des talents mathématiques, à une chaire de professeur ou à l'arme du génie » quand son père était mort subitement. Heureuse libération : son fils n'était fait ni pour l'enseignement, ni pour l'armée. « A l'instant où ce coup de foudre le frappa, avec sa mère et ses frères et sœurs, il ne se sentit plus d'autre vocation que d'être le père de sa famille et le chef du commerce de sa maison », et décide de venir à la source ; il laisse la boutique de Lille à sa mère et « avec des capitaux confiés à sa probité seule et à son génie, tous les deux empreints sur une superbe figure *(sic)*, il se rend à Paris, il y mène deux sœurs pour gouverner son ménage, il s'établit dans le quartier le plus littéraire et alors le plus magnifique, près de la Comédie-Française et du café Procope, rendez-vous de tous les talents et de tous les goûts de l'esprit, centre de ce faubourg Saint-Germain où les plus belles bibliothèques étaient une partie du luxe de toute la haute noblesse et le besoin réel de beaucoup de nobles qui pensaient comme les La Rochefoucauld et les d'Enville * ».

« Des deux sœurs de M. Panckoucke, toutes deux très jeunes lors de leur arrivée à Paris, la plus jeune était la seule jolie. » Il la marie efficacement à Antoine Suard, un des jeunes écrivains qui montent dans le bon ton et peut rendre des services inestimables, puisque Malesherbes l'a nommé censeur à la librairie du Roi et que ce beau-frère-là dédouane Panckoucke de son côté marchand. Il devient un homme de lettres. « Ses maisons de Paris et de Boulogne » (encore une antenne orientable, vers l'Angleterre cette fois ; Brissot y a été reçu) « réunissaient, comme celles d'Helvétius et du baron d'Holbach, l'élite des gens de lettres, des artistes et des savants. Il n'imprimait pas seulement les ouvrages des autres ; il en imprimait qui étaient de lui », notamment dans le *Mercure* qu'il a repris en déconfiture et relancé. Il reprend aussi l'*Encyclopédie* à Lebreton, pour en publier les suppléments, mais sur-

---

* Sur leur famille, au carrefour de la noblesse libérale, voir ci-dessus, p. 209. Cette tirade ampoulée, bien dans le style des biographies du temps, est de Garat, dans sa *Vie de M. Suard*.

tout il entreprend la publication parallèle d'une sorte d'encyclopédie du pauvre, ou plutôt du petit-bourgeois, l'*Encyclopédie méthodique*, soixante volumes pour inonder la France. Il prend tout, il publie tout, journaux, affiches, pamphlets, dictionnaires, *in-folio*, *in-8º*, *in-16*, Voltaire, Linguet, La Harpe et Rousseau. Il en est au trente-troisième volume de Buffon. Et maintenant Necker...

L'éditeur et le financier : l'attelage pour tirer le nouveau char du Temps. Signe de cette alliance : le *Compte Rendu*.

Rabaut-Saint-Étienne * écrira dix ans plus tard que « le *Compte Rendu* produisit l'effet d'une lumière subite au milieu des ténèbres. L'enthousiasme fut universel. Ce livre passa dans toutes les mains. Il fut lu dans les villages et dans les hameaux [775]. » Exagération qui prouve l'impact de l'événement sur les communautés protestantes semi-clandestines où le prédicateur interdit faisait connaître à ses ouailles l'initiative inouïe d'un de ses frères. Mais le fait est que, des déserts du Languedoc à Versailles, un frisson passe sur l'opinion. Necker éveille une France assoupie. Grimm délire : « La sensation qu'a faite cet ouvrage est, je crois, sans exemple. » Et Ségur (le fils) : « Il était dans la poche de tous les abbés et sur la toilette de toutes les dames. » « L'Archevêque d'Aix (selon Mme Necker) dit qu'on trouve au *Compte Rendu* de l'esprit jusque dans les chiffres. » Le livre est vite baptisé, en vertu de la couverture bleue habituelle à l'imprimerie royale : c'est « le petit livret bleu » qu'on brandit « dans les cafés, dans les salons, à Versailles, au Palais-Royal ». N'en pas citer des passages par cœur condamne à l'exil en Béotie.

Ce n'est pas difficile. C'est de la bonne vulgarisation, faite pour le profane. Cette « lettre ouverte » à Louis XVI le traite comme quelqu'un qui ne comprendrait pas grand-chose aux chiffres. L'auteur lui explique le mécanisme de ses finances avec patience et gentillesse, mais d'un ton si élevé qu'il passe par-dessus l'épaule du souverain et s'adresse à l'assemblée générale. On croirait entendre la présentation d'un budget à la tribune par le ministre d'une démocratie.

« Petit livret bleu » ... si l'on veut, par référence aux exemplaires gigantesques de l'Encyclopédie, et autres *in-folio* si pesants qu'il faut des valets pour les manipuler sous les yeux du lecteur. Mais le *Compte Rendu* est de dimensions respectables : cent seize pages *in-8* carré, une sorte de cahier encore loin du livre de poche [776]. L'admirable typographie d'époque en fait une œuvre d'art par le seul jeu du caractère de base — du garamond corps 6 — et des titres frappés en majestueuse italique. Additifs : deux cartes de France en couleurs fraîches, celle des fermes et celle des gabelles, et un grand tableau dépliant qui résume l'événement à lui seul : le budget de la France pour 1780 est lisible d'un coup d'œil. Les « dépenses payées par le Trésor royal »

---

* Pasteur protestant à Nîmes en 1780. Il sera l'une des figures marquantes de la Convention. Lié aux Girondins, il mourra avec eux. Nous allons le rencontrer bientôt.

s'opposent aux « revenus portés au Trésor royal ». Une énorme soustrac-
tion clôt le tout :

    « Les revenus montent à :   264 154 000 livres
    Les dépenses à :   253 954 000 livres
    Les revenus excèdent les dépenses de :   10 200 000 livres. »

Dix millions d'excédent, après trois ans de guerre ! De quoi faire
pâlir de jalousie le Chancelier de l'Échiquier * et les grands financiers
de tous pays — si c'était vrai.

Le texte épouse les rubriques du tableau, dans un style emphatique, à la deuxième personne puisqu'il s'adresse au Roi, mais au service constant de la première personne, celle du rédacteur, depuis le
début : « Sire, ayant dévoué tout mon temps et toutes mes forces au
service de Votre Majesté... » (page une), jusqu'à la fin (page cent
quatre) : « Enfin, et je l'avoue aussi, j'ai compté fièrement sur cette
opinion publique, que les méchants cherchent en vain d'arrêter ou de
lacérer (sic), mais que, malgré leurs efforts, la justice et la vérité
entraînent après elle. » Entre-temps, Jacques Necker ne s'efface
guère derrière les chiffres et les faits, et se prodigue à chaque occasion
ce genre de compliments qu'il est convenu de se décerner à soi-même,
faute que les autres s'en chargent.

Telle quelle, une lecture passionnante : la première tentative d'anatomie financière de la France :

« Mon successeur aura moins de peine, parce que j'ai formé ce qui
n'existait point, c'est-à-dire des tableaux complets et appuyés des
éléments nécessaires pour connaître facilement tous les détails de la
situation des finances. » On apprend d'entrée que Necker a comblé un
déficit avoué par Clugny ** « de vingt-quatre millions de la recette
à la dépense ordinaire ». On allait à l'âge d'or, mais patatras !
« L'année 1777 fut déjà pour le Trésor royal une année de guerre »
avant la guerre, puisqu'on devait restaurer la Marine. Il a donc fallu
tailler çà et là, gratter, réduire. Premier coup de griffe contre « les
faveurs, les largesses et les fêtes dispendieuses... Votre Majesté m'a
soutenu dans la résistance que j'ai apportée à toutes ces demandes
multipliées de gratifications, d'indemnités, d'échanges, de concessions,
et tant d'autres manières d'être à charge au Trésor royal qu'une longue
facilité avait introduites... Votre Majesté n'est pase ncore au bout des
économies et des améliorations de divers genres qu'Elle peut se proposer, et il en est déjà plusieurs de préparées dans mon département. »
Panacée du moment : l'emprunt. « Votre Majesté n'a encore emprunté
qu'à neuf pour cent... Mais je crois, Sire, que les circonstances exigent
de Votre Sagesse que les conditions du prochain emprunt soient plus
favorables aux prêteurs », donc aux clients de la banque Théllusson,
qui auront à Necker toute l'obligation de leurs bénéfices. Par moments,

---

* Approximation grossière en francs lourds :
Revenus : un milliard 320 millions.
Dépenses : un milliard 270 millions.
Excédent : cinquante millions.
** Qui avait fugitivement succédé à Turgot en 1776.

le *Compte Rendu* prend l'allure de prospectus pour une souscription.

Il va plus loin, quand il énumère les simplifications déjà faites ou à faire dans la perception des impôts et l'engagement des dépenses : réduction du nombre des receveurs généraux, plafonnement des baux de la Ferme, toutes mesures qui, sans remettre en cause le mécanisme vétuste du Trésor, le nettoient et l'assainissent. Çà et là, quelques lignes annoncent le changement des dieux; l'or est détrôné : « Les plus riches financiers, les banquiers les plus habiles ne peuvent pas plus augmenter l'importation de l'or et de l'argent en France, qu'ils ne peuvent la diminuer; et ils influent moins, à cet égard, que le plus petit fabricant de Lodève ou de Louviers qui parvient, par son industrie, à augmenter d'une balle de drap le commerce du royaume avec l'étranger. » Au passage, on apprend le chiffre global des impôts levés chaque année « sur les peuples, tant au profit de Votre Majesté que pour le compte des villes, des hôpitaux et des communautés : près de cinq cents millions * », dont l'État français proprement dit ne prélève qu'une petite moitié, l'autre allant au maquis des seigneuries ou des collectivités locales, au petit bonheur ou malheur des coutumes : ici la franchise totale, là des gens écrasés. La France en loterie au fil des siècles.

Necker sort de ce bois-là pour devenir Necker à la page 62, quand il propose de « fixer d'une manière perpétuelle les cotes de chaque contribuable aux Vingtièmes ** ... En effet, toute exception, toute faveur, devient tôt ou tard une injustice envers la société ». Page 64, il proteste contre l'arbitraire de la taille, qui, en sus du vingtième, frappe au hasard dans les campagnes. Et en avant la petite musique de la réforme, page 65 : « Après avoir ainsi fixé la Taille et la Capitation *(impôt par tête)*, il restera un jour un grand bien à faire et qui sera l'ouvrage de la Justice et de la Puissance *(c'est lui qui met les majuscules, dans cette invocation au Despotisme éclairé)* : il faudra s'efforcer d'établir des proportions plus égales entre les provinces... En effet, comment rendre sensible la justice d'une distribution d'impôts, tant que la somme de cet impôt est arbitraire ou changeante?... Je crois qu'on ne saurait trop le dire : ou il faut renoncer aux grandes choses, ou il faut les préparer par des moyens simples et ouverts. On a tant trompé les hommes et surtout les contribuables qu'une longue suite de franchise et de loyauté pourra seule triompher de leurs soupçons. » On dirait qu'il s'échauffe, qu'il prend de l'assurance à mesure qu'il passe de la justesse des méthodes, encore simple technicien de bon sens, à la justice des causes, déjà chef de parti. Le voilà qui rejoint Turgot, page 70 : « Il est à désirer que les moyens de supprimer la Corvée soient favorisés ***. Cette question, en dernière analyse, n'est qu'un débat

---

* Deux milliards et demi de francs lourds.
** Rappelons qu'il s'agit du prélèvement annuel du vingtième du revenu foncier.
*** Rappel : c'était un impôt personnel de travail sur les paysans contraints de passer sept à quinze jours par an à l'entretien des routes. Turgot avait tenté de le remplacer par une somme de quelques sous par tête.

entre les pauvres et les riches, car il est aisé d'apercevoir d'un coup d'œil l'avantage du pauvre à la suppression de la Corvée... Nul doute que la Corvée ne soit évidemment contraire aux intérêts de cette classe de vos sujets vers lesquels la main bienfaisante de Votre Majesté doit sans cesse s'étendre, afin de tempérer, autant qu'il est possible, le joug impérieux de la propriété et de la richesse. »

Il existe donc, ce joug-là? L'homme des riches dénonce les riches. Cette petite musique de Necker, cet aveu calculé va suffire à le distinguer de sa classe aux yeux des misérables qui apprendront, par le biais de ses lecteurs émerveillés, à la fois son existence et sa revendication. Les petites phrases du *Compte Rendu*, si timides soient-elles, le posent en redresseur de torts levé devant le Roi pour la semonce. Tant il suffit parfois de quelques mots pour dissiper le mensonge d'une situation figée! Necker vient de construire sa statue. Lui laissera-t-on le temps de la sceller? Vergennes, porte-parole des nantis scandalisés, éventuel premier ministre gêné par la montée du Genevois, prépare une riposte foudroyante en forme de Mémoire au Roi : « Ce *Compte Rendu*, en dernier résultat, est un pur appel au peuple dont les effets pernicieux à cette monarchie ne peuvent être encore ni sentis, ni prévus [777]. »

46/mars 1781
Contre toutes les idées reçues

Le 29 mars 1781, le docteur Franz-Anton Mesmer écrit à la reine de France une longue lettre qui pourrait le conduire à la Bastille. Étranger, moqué, traité de charlatan par les académies, il s'offre le luxe de l'insolence. Cet homme ne connaît ni la peur, ni la servilité. Et tant qu'à brûler ses vaisseaux... En voilà encore un qui fait la leçon aux rois :

« Madame,

« ... Je renonce à tout espoir d'arrangement avec le gouvernement français...

« ... Je cherche, Madame, un gouvernement qui aperçoive la nécessité de ne pas laisser introduire légèrement dans le monde une vérité qui, par son influence sur le physique des hommes, peut opérer de grands changements... Les conditions qui m'ont été proposées au nom de Votre Majesté ne remplissant pas ces vues, l'austérité de mes principes me défendait impérieusement de les accepter.

« Dans une cause qui intéresse l'humanité au premier chef, l'argent ne doit être qu'une considération secondaire. Aux yeux de Votre Majesté, quatre ou cinq cent mille francs de plus ou de moins *, employés à propos, ne sont rien. Le bonheur des peuples est tout. Ma découverte doit être accueillie, et moi récompensé avec une munificence digne de la grandeur du Monarque auquel je m'attacherai [778]. »

Il est donc aussi modeste qu'accommodant.

De son bureau, « l'unique possesseur de la vérité la plus précieuse au genre humain » peut entendre l'agitation du petit plébiscite parisien qui le conforte dans ses certitudes : beaucoup de voitures devant sa porte, rue Coquillère, sur la rive droite, près de Saint-Eustache et de la rue Plâtrière où Rousseau a vécu ses dernières années. Beaucoup de patients à la salle d'attente de l'appartement qu'il a loué dans l'ancien hôtel de Claude de Bullion, surintendant des Finances sous Louis XIII.

Franz-Anton interrompt de temps à autre sa diatribe pour aller vérifier que tout marche bien et que ses malades se soignent docilement eux-mêmes, comme il leur a montré, sous la surveillance de son fidèle Antoine, le « valet-toucheur ». Tout est pénombre et musique dans l'enfilade des pièces aux volets clos. Après l'antichambre, « décorée comme une salle à manger, plusieurs personnes vont et viennent. On y voit un *piano-forte* ouvert et deux ou trois guitares. Dans le grand salon, on devise à voix très basse. Quelques gens, les uns malades, les autres croyant l'être, s'apprêtent à entrer dans la chambre du baquet [779] » — des baquets plutôt, puisqu'il y en a quatre, qui contiennent des bouteilles plongées dans de l'eau « magnétisée », c'est-à-dire que Mesmer a fait des passes sur elle, mais aussi dans un mélange de limaille de fer, de verre pilé, de soufre, dont l'odeur imprègne la salle et conduit les esprits crédules à penser au diable. Ces « grandes caisses rondes, hautes d'environ dix-huit pouces ** en gros bois de chêne, sont hermétiquement fermées. Les malades communiquent avec le baquet, soit par des barres de fer coudées qui entrent dans le baquet par des trous percés dans le couvercle et jouent à leur volonté, soit par des cordes reliées à une grande barre de fer centrale ». Autour des baquets, une vingtaine d'hommes et de femmes, tous bien mis, des migraineux, des hystériques, des constipés, des curieux, cherchent leur guérison à la fourchette. « Les uns dirigent une barre de fer, soit vers des obstructions, soit vers telle autre partie du corps qu'ils croient malade. Il y a des hommes penchés, des femmes en léthargie ; les uns poussent des cris périodiques, d'autres se livrent au sommeil, d'autres à des rires convulsifs. » Une porte communique avec le « salon matelassé » où l'on emporte celui ou celle qui tombe en crise de nerfs. « La musique, violente ou pathétique, varie suivant le degré des crises » — et là-bas, « dans le lointain, une voix qui a l'air aérienne chante une ariette italienne, suivie par la guitare. » Mesmer va et vient solennellement « d'une démarche calculée » dans son bel habit de soie lilas, sans mot dire, en grand-prêtre du Temple. Son aspect suffit à rassurer les fidèles. Quarante-sept ans, une prestance de lutteur paisible, un front

---

* Deux ou trois millions de francs lourds.
** Soit une cinquantaine de centimètres.

large et bombé, un visage aux traits puissants, des grands yeux bleus
qu'on n'oublie pas, un menton volontaire. « Quand il pénètre dans un
salon, il attire tous les regards. » Un Allemand romain.

Tel est Franz-Anton Mesmer, l'inventeur — croit-il — du magnétisme animal qui n'existe pas, et — il ne le sait pas — de la médecine
psychosomatique, qui attendra plus d'un siècle son droit d'existence *.
Un patient de Mesmer n'est jamais un inconnu pour lui. Il cherche à savoir
et met en fiches à quel milieu il appartient, l'histoire de son enfance et de
ses parents. « Le traitement moral s'adapte alors à ses goûts, à sa vie de
famille, à sa condition sociale. Il sait par expérience combien il importe
de connaître pourquoi une dame est tombée en langueur et souffre
de vapeurs, pourquoi tel seigneur ou tel financier fuit la compagnie,
pourquoi un savant abandonne ses recherches. » Coup sur coup, la
médecine vient d'ouvrir deux brèches dans la gangue de la médecine
classique qui a broyé Molière et tant d'autres : l'inoculation, puis le
« magnétisme ». Une révolution inaperçue pour changer la vie.
« Mesmer est prodigieusement intéressant au triple point de vue de
l'Histoire, de l'histoire de la médecine, et de la psychiatrie **. » Mais il se
débat dans l'impasse des pionniers, entre une poignée de zélateurs
encombrants et la grande masse des détracteurs.

Entre Mme de Lamballe et le comte de Maurepas.

Marie-Thérèse de Savoie-Carignan, princesse de Lamballe, est venue
cet hiver demander nonchalamment à Mesmer de la guérir ou de la
distraire, c'est tout un. La femme la plus riche de France est frappée
d'incurable ennui. L'effort d'exister suffit à son épuisement ***. Depuis
que la Reine lui a préféré Yolande de Polignac, elle fuit Versailles
autant que le lui permet sa sinécure dorée de surintendante. Elle tient
sa cour à Rambouillet, où son beau-père Penthièvre s'est retiré ****.
Elle y est la petite reine à cent convives, sur lesquels elle promène la
bienveillance de ses grands yeux bleus vides, aimables jusqu'à l'idiotie,
toujours d'accord, mais oui, mais oui, beau temps pour la saison.
Pas d'amants; c'est trop fatigant. Seules, ses servantes la connaissent
dans le déploiement jusqu'aux genoux du fleuve de la grande chevelure
blonde qui lui tient lieu de beauté. Gentiment geignarde, elle aime à se
faire plaindre et vient de se laisser conduire par ses amies, le 20 février,
à la présidence de la *Mère loge écossaise d'Adoption*, un des hauts
lieux de la maçonnerie mondaine. Un divertissement comme un autre,
ces singeries en bonnet et en tablier des grandes dames qui faisaient
des mines de prêtresses d'Isis autour de M. Robineau de Beaunoir,

---

* « Se dit de la médecine qui étudie des maladies physiques liées à des
causes psychiques ou à des conflits psychologiques généralement incons-
cients » (Robert).
** Selon le professeur Levy-Valensi, dans sa préface au livre de Jean Vin-
chon : *Mesmer et son secret*, Paris, Legrand, 1936.
*** Sur Mme de Lamballe, sa faveur éphémère auprès de Marie-Antoinette et ses états nerveux, voir tome I, pp. 297 et 307.
**** Sur Penthièvre, le dernier descendant et l'héritier de la fortune
colossale d'un bâtard de Louis XIV, voir ci-dessus, p. 27.

auteur du « chant maçonnique à la sérénissime sœur de Lamballe, grande maîtresse » : « Amour, ne cherche plus ta mère — Vénus abandonne Cythère — Pour présider à nos travaux — On est toujours grande maîtresse — Quand on règne sur tous les cœurs [780]. » A l'archiduchesse, vice-reine de Belgique, qui s'effarouche de savoir la franc-maçonnerie affleurant le trône, Marie-Antoinette vient de répondre : « Je crois, ma chère sœur, que vous vous frappez beaucoup trop de la francmaçonnerie pour ce qui regarde la France. Elle est loin d'avoir ici l'importance qu'elle peut avoir en d'autres parties de l'Europe, par la raison que tout le monde en est... Ce n'est plus qu'une société de bienfaisance et de plaisir ; on y mange beaucoup, et l'on y parle, et l'on y chante... Ce n'est nullement une société d'athées déclarés, puisque Dieu y est dans toutes les bouches ; on y fait beaucoup de charités... La princesse de Lamballe m'a raconté toutes les jolies choses qu'on lui a dites, mais on y a vidé plus de verres encore qu'on n'y a chanté de couplets. On doit prochainement doter deux filles [781] » ... et le pactole des Penthièvre y sera bien employé.

Mais rien de tout cela n'empêche Louise de Lamballe de se pâmer au jour le jour dans des crises pithiatiques, dira-t-on plus tard *, qui tendaient à confisquer l'attention. Elle compensait sa vacuité par l'hystérie. Mme de Genlis l'a vue « en Hollande s'évanouir dans le cabinet de M. Hope, après avoir jeté les yeux sur un petit tableau flamand qui représentait une femme vendant des homards... Alors elle fermait les yeux sans changer de couleur et restait ainsi immobile pendant plus d'une demi-heure avant de se réveiller dès que son chirurgien faisait apporter le seau d'eau chaude et la lancette pour la saignée [782]. »

Mesmer était, comme de bien entendu, franc-maçon, depuis son affiliation à la loge viennoise de « la Vérité et l'Union ». Tout naturellement, les frères et les sœurs ont fait cortège pour lui conduire leur sœur-mère-maîtresse du rite écossais. Il était voué à cette sorte de malades qu'il guérissait à la pelle. Il avait accueilli Mme de Lamballe comme toute autre, avec son affectation habituelle de rudesse courtoise. Elle s'était convertie : plus de vapeurs pendant trois semaines. Il n'en fallait guère davantage pour que Mesmer devînt le dieu du printemps. Ce qu'il tentait en vain de faire admettre aux médecins de Paris depuis trois ans, un petit avocat blond risquait d'en convaincre la Cour en quelques mots. Patiemment, passionnément, Franz-Anton avait tenté de lui faire comprendre qu'il était le Newton de la médecine.

J'ai découvert le sixième sens. Moi, le fils du garde-chasse de l'archevêque de Constance, j'ai compris le principe fondamental de toute guérison : « La nature offre un moyen universel de guérir et de préserver les hommes [783]. » C'est le magnétisme animal. Il existe un fluide vital qui baigne tous les systèmes nerveux, et c'est moi, moi, Franz-Anton

---

* « Se dit d'un trouble non organique dû à la suggestion et guérissable par elle » (Robert).

Mesmer qui suis en train de le capter et bientôt de l'isoler. Newton a découvert la gravitation, Volta est en train de découvrir l'électricité, et Lavoisier l'oxygène. Moi, je maîtrise les sources de la vie, « ce flux et ce reflux soumis à des lois mécaniques inconnues jusqu'à présent », la marée de l'être et des êtres où tiennent ensemble les astres, la terre et les corps. Je relie le mouvement des planètes aux bouts des doigts de cette pauvre fille en pâmoison, par la médiation de mon regard, de mes mains imposées, de l'eau « magnétisée », du fer conducteur. « Ce principe peut guérir immédiatement les maladies des nerfs et médiatement * les autres... Je démontrerai, par une théorie nouvelle des maladies, l'utilité universelle du principe que je leur oppose... Cette doctrine, enfin, mettra le médecin en état de bien juger du degré de santé de chaque individu et de le préserver des maladies auxquelles il pourrait être exposé. L'art de guérir parviendra ainsi à sa dernière perfection. » Pourquoi s'étonner que je traite les rois et les reines en égal? Est-ce que Platon n'a pas assimilé l'enthousiasme au magnétisme? Platon moderne, je suis parti d'observations sur l'aimant et la limaille pour en arriver à l'aimantation des êtres vivants et comprendre le mécanisme de toute inspiration. Illuminé? Non pas. Je n'ai rien à voir avec ces adversaires de la science qui font tourner les tables et prétendent ressusciter les morts ou réincarner Moïse. On ne trouve le nom de Dieu dans mes cahiers qu'en marge, par politesse ou précaution. « J'espère que ma théorie préviendra désormais ces interprétations qui produisirent et alimentèrent la superstition et le fanatisme. » Je vais même plus loin, en « ouvrant une route simple et droite pour arriver à la vérité, ... j'ai dégagé en grande partie la Nature des illusions de la métaphysique ». Avec moi, les mystiques n'ont qu'à bien se tenir : ce sont des « crises magnétiques qui produisent les apparitions merveilleuses, les extases, les visions inexplicables, sources de tant d'erreurs et d'opinions absurdes. On sent combien l'obscurité même qui couvrait de tels phénomènes, jointe à l'ignorance de la multitude, a dû favoriser l'établissement des préjugés religieux et politiques de tous les peuples. »

... Il a bien écrit « préjugés politiques »? Il l'a écrit. Le comte de Maurepas, ce petit paquet d'os en grand habit doré tout tordu sur sa chaise de repos, a ouvert un œil rond sur le grand monsieur solennel qui prétend renverser les dogmes de la médecine sans faire appel aux dogmes religieux. Un charlatan, disent les messieurs de la Faculté, sauf Jussieu il est vrai, mais Jussieu compte peu devant Vicq d'Azyr, et Leroy, et Daubenton, et Desperrières, et l'abbé Tessier **. « Ce système est en opposition à toutes les idées reçues. » Quel drôle de charlatan, sans dieu ni diable! Un matérialiste qui soigne les esprits. « Tout est explicable », prétend-il, « par des lois mécaniques prises dans la Nature, et tous les effets appartiennent aux modifications de la

---

* « Indirectement ».
** Tous membres de la « Commission » nommée par la Société Royale de médecine pour condamner Mesmer sans même avoir examiné ses travaux.

matière et du mouvement. » Il ne lui manque plus que de se mêler de
politique...

Ça n'a pas collé, avec Maurepas, au cours de cet entretien décisif,
auquel tout l'avenir était cependant suspendu. Mme de Lamballe et
d'autres grands le lui ont obtenu ; la Reine elle-même a laissé entendre
qu'elle s'intéressait au bonhomme. Elle a écrit à Joseph II : « Vous êtes
bien bon d'avoir répondu à toutes mes importunités pour Mesmer [784] » —
mais son frère, justement, lui a fait savoir qu'on ne supportait plus à
Vienne ce mécréant prétentieux et qu'elle devrait bien l'envoyer se
faire pendre ailleurs. C'est parce que Mesmer y était en butte à tous les
mépris et venait de se prendre de bec avec Störck, le médecin de
Marie-Thérèse, qu'il est allé tenter sa chance à Paris. Mais Louis XVI
ne voulait pas le recevoir. Et Mesmer demandait la lune ou presque :
une pension conséquente, un château à Créteil pour y traiter les malades
de son choix, pauvres ou riches, mais surtout une approbation officielle
de ses méthodes, une accréditation devant l'Europe.

Un cas épineux. On l'avait refilé à Maurepas, comme toutes les
embrouilles. Le Mentor n'était plus bon qu'à ça. On traitait comme
l'égout du régime cet agonisant prolongé. Sceptique, désespéré, aigri,
sans dieu, sans joie, il aurait pu au moins apprécier le côté pratique de
Mesmer. Mais celui-ci était tout animé par la religion de l'homme. Il
prétendait sauver le genre humain par sa science. S'il avait seulement
pu soulager la goutte de Maurepas ! Rien à faire. Deux mondes inconci-
liables se sont confrontés deux heures durant, le guérisseur et le
ministre, l'utopie et la pusillanimité. Maurepas n'avait plus la force
de rire mais pouvait encore grincer des dents. Et il avait tout compris
de travers en réduisant l'affaire d'État à une affaire d'argent. Un
mendiant de plus...

— Le Roi vous accorde une pension viagère de vingt mille livres et
paiera un loyer de dix mille francs pour votre maison *. Mais le reste
des grâces demeure soumis à la reconnaissance ultérieure de l'utilité
de vos découvertes...

Par qui ? Quand ? Mesmer avait éclaté. Comme Marat, comme Brissot, comme Linguet, comme Beaumarchais, comme tous ceux dont les
préjugés barrent la route. Siècle de momies ! Comment faire pour
changer la vie dans ces cimetières d'idées ?

— « Je suis déjà accoutumé à l'impression que je leur fais. Les
accusations de vanité, d'importance, d'entêtement, de faux désintéres-
sement ont frappé mes oreilles de tous côtés... Les offres que vous me
faites paraissent pécher en ce qu'elles présentent mon intérêt pécu-
niaire, et non l'importance de ma découverte, comme objet principal.
La question doit être absolument envisagée en sens contraire, puisqu'en effet, sans ma découverte, ma personne ne serait rien... Si l'on
ne croit pas à ma découverte, on a évidemment le plus grand tort de
m'en offrir trente mille livres de rentes... Je ne conçois pas comment

---

* Soit 150 000 francs lourds par an au total, Mesmer restant libre par
ailleurs de se faire payer par sa clientèle.

la soumission des esprits les plus éclairés de la Nation aux opinions des savants est telle qu'on montre la crainte de leur déplaire à mon occasion... Qu'importe le sentiment de la Faculté de médecine si tout ce monde-là ne s'embarrasse pas du sort de l'humanité? Je ne peux entamer aucun traité avec vous si le gouvernement français ne reconnaît pas au préalable formellement l'utilité de ma découverte [785]. »

Mesmer avait continué sur ce ton-là jusqu'à l'enrouement. Maurepas s'était recroquevillé sous l'orage. « Il ne sortit de sa bouche aucune expression de dureté. Tranquille, avec douceur, sa voix exprimait paisiblement ses objections, et son oreille écoutait attentivement les miennes », ... mais son siège était fait. Il avait affaire à un fou, c'est-à-dire à un homme qui refusait de l'argent par honneur. « Croire »? « Découvrir »? Qu'est-ce que cela signifiait pour ce vieillard revenu de tout, comme son milieu? Il avait fait un petit geste de la main. C'était à prendre ou à laisser. Mesmer laisse. Il écrit à la Reine, pour solde de tout compte :

« Celui, Madame, qui aura toujours présent à l'esprit le jugement des Nations et de la postérité, supportera sans orgueil, mais avec courage, un revers aussi cruel. Car il saura que s'il est beaucoup de circonstances où les rois doivent guider l'opinion des peuples, il est encore un plus grand nombre où l'opinion publique domine irrésistiblement sur celle des rois. Aujourd'hui, Madame, Votre Frère n'a que du mépris pour moi. Eh bien, quand l'opinion publique aura décidé, il me rendra justice [786]. »

Mesmer avait de la chance d'avoir soigné Mme de Lamballe. On en a mis bien d'autres au cachot pour moins que ça. Ayant écrit, le cœur en paix, il met paisiblement de l'ordre dans ses affaires, prescrit les traitements à ses malades, et met le cap sur Spa, la ville d'eau belge à la mode où une minuscule république d'égrotants vit suspendue entre les Empires. Il va retrouver là-bas le calme dont il a besoin périodiquement. « La campagne, les forêts, les solitudes les plus retirées ont seules des attraits pour moi... Toutes les fois que nous avons une idée, nous la traduisons immédiatement et sans réflexions dans la langue qui nous est la plus familière. Je forme le dessein bizarre de m'affranchir de cet asservissement. » Il pousse jusque-là sa quête de la liberté. A Spa, il pourra, comme il l'a déjà fait, « penser trois mois sans langue [787] », et il retrouvera plus facilement qu'à Paris cette dimension musicale dans laquelle baigne sa vie. « On fait de la musique dans l'auberge pendant les jours de pluie, quand le ruisseau qui traverse le bourg s'enfle et déborde comme un torrent [788]. » Quand Mesmer rentre de ses grandes promenades de défoulement (« heureusement, mes accents perdus dans le silence des bois n'ont que les arbres pour témoins de leur véhémence ; j'ai certainement l'air d'un frénétique »), il retrouve, installé dans sa chambre, « l'harmonica » dont il ne se sépare jamais et qu'il a prescrit de lui faire entendre au jour de sa mort : cinq verres à boire côte à côte remplis d'eau-de-vie, de vin, d'eau ordinaire, et d'huile. « Le musicien tirait des sons en frottant son doigt sur le bord des verres. » Bien au-delà de la panacée pour guérir tous les maux, Franz-Anton cherche le secret de l'harmonie universelle dans le mur-

mure maçonnique ébauché à dix ou vingt mille voix entre le Danube
et la Seine, pour préparer la cantate de l'humanité. Sa vraie vie, ses
vrais amis sont là. « La grande question que je traite n'est ni indivi-
duelle, ni nationale ; elle est universelle. C'est à l'humanité entière, et
non à Paris seul, à la France ou à l'Allemagne que je dois compte de
mes efforts. C'est à tous les peuples du monde que je dois adresser la
parole. »

Le 10 mars 1781, vingt jours avant l'éclat de Mesmer à Paris,
Mozart est arrivé à Vienne, où il n'a pas remis les pieds depuis 1773 *.
Il vient d'avoir enfin, à Munich, le premier succès de sa vie d'homme :
la création d'*Idoménée*. Il est cependant hérissé, inquiet, mal dans sa
peau de « domestique musical » du prince-archevêque de Salzbourg.
Où descend-il ? Où va-t-il chercher réconfort et chaleur humaine ?
Chez le frère et les neveux de Mesmer **, qui occupent toujours, entre
la *Landstrasse* et le Danube, la vaste maison ensevelie dans les feuilles
d'un grand parc entre les bosquets, le bassin, le belvédère, où Franz-
Anton l'avait reçu et encouragé. C'est là, sur le petit théâtre de verdure
construit par Mesmer, et où Haydn et Gluck sont venus présenter leurs
œuvres, qu'on a joué voici huit ans le premier opéra original de celui
qui ne voulait plus être un enfant, *Bastien et Bastienne*. « Oh, je vais
certainement faire un pied-de-nez à l'archevêque ! Ça doit être un de
ces bonheurs !... et bien poliment encore [789]... » Tel est l'un des premiers
cris de Mozart à Vienne, le 4 avril, dans la même semaine où son vieil
ami Franz-Anton a envoyé un pied-de-nez bien poli à la reine de
France.

47/mars 1781
Il se passera des siècles...

Le 20 février 1781, Washington, au quartier général de New Windsor,
toujours à portée de New York, écrit à La Fayette la lettre du destin :
« Monsieur, j'ai donné ordre de former un détachement ici, qui, de
concert avec un autre détachement qui se formera à Morristown
avec le contingent de Jersey, s'élèvera à environ douze cents hommes.
Ce détachement est destiné à opérer contre l'ennemi en Virginie...
Vous prendrez le commandement de ce détachement [790]. »

---

* Sur la jeunesse de Mozart et son séjour à Paris en 1778, voir ci-dessus,
p. 23.
** Celui-ci était déjà séparé, mais en bons termes, de sa femme, la jeune
veuve d'un conseiller aulique, à laquelle il devait sa fortune assez considérable. (« Aulique » = conseiller impérial allemand.)

L'ordre marque le début du renversement de la guerre d'Amérique,
sur un axe nord-sud. Washington va tenter quelque chose de neuf :
la situation est bloquéé au Nord, tant qu'on ne peut rien entreprendre
de sérieux contre New York. Par contre, les choses bougent en Virginie,
où le traître Arnold est en train de tenter une manœuvre aventurée
pour exploiter les victoires anglaises dans le Sud. C'est là, et là seulement, qu'on peut essayer de faire basculer les événements. C'est là
aussi qu'on peut utiliser au mieux ce petit général fringant, plus américain que les Américains. La Fayette y croit encore, lui. Il est l'un des
derniers.

Voilà six mois qu'il attend, la main au-dessus des yeux, les renforts
que le fils de Rochambeau a été demander à Vergennes après l'entrevue
de Hartford *. Qu'est-ce qu'ils foutent, à Brest? Où sont passés les
soldats que Rochambeau avait dû laisser, faute de vaisseaux? Le pauvre
Gilbert joue le rôle de sœur Anne, parce que c'est vers lui que le Congrès
se tourne, et même les populations : n'est-il pas la France? N'a-t-il
pas tout — trop — promis en son nom? M. de La Fayette, ne voyez-
vous rien venir?...
« Bon Dieu! Il faudrait tout de même que la flotte promise arrivât ** !
Sans vaisseaux, nous ne pouvons qu'attendre les coups... Tout cela
est aussi monotone qu'une guerre européenne *(celle-ci se réduisant
pour lui à des mois de stagnation au Havre)*. En attendant, nous sommes
d'une frugalité, d'une pauvreté, d'une nudité, dont, j'espère, on nous
tiendra compte dans l'autre monde en guise de Purgatoire [791]. » Ça,
c'était la chanson d'automne. L'horrible hiver n'a fait qu'en aggraver
le ton. Tout devient noir, parce que la France nous laisse tomber. On
pourrait compter sur les doigts d'une main ceux qui affirment encore
sérieusement qu'on va gagner la guerre.
Fersen, lui, a compris depuis un bon moment *** . On lui a dit que,
dans les Carolines, « les milices aux ordres du général Gates ont toutes
passé du côté des Anglais, dès le commencement de l'action. Si cela
est vrai, quel fond peut-on faire sur de telles troupes, et un brave
homme ne doit-il pas se trouver à plaindre de commander à de pareils
hommes [792]? » Quant à la situation de Rochambeau à Newport, quel
tableau! « Nous végétons à la porte des ennemis, dans la plus triste
et la plus affreuse oisiveté et inactivité, et nous sommes obligés, par
notre petit nombre, au rôle fatigant de la défensive; nous ne sommes
d'aucune utilité à nos alliés; nous ne pouvons quitter notre île, sans
exposer notre flotte à être prise ou détruite; notre flotte ne peut sortir
sans nous livrer aux ennemis, qui, avec une supériorité de vaisseaux
et d'hommes, ne manqueraient pas de nous attaquer et de nous couper
notre retraite sur le continent... Loin d'être utiles aux Américains,
nous leur sommes à charge; nous ne renforçons pas leur armée, car

---

* Voir ci-dessus, p. 297.
** Lettre de La Fayette à Mme de Tessé, du 4 octobre 1780.
*** Sur Fersen, aide de camp de Rochambeau, et son état d'esprit à
Newport, voir ci-dessus, p. 294.

nous en sommes à douze jours de marche, séparés par des bras de mer qu'il est impossible de passer en hiver quand ils charrient des glaces. Nous leur sommes même à charge, car en rendant la consommation plus forte nous rendons les denrées plus rares, et en payant argent comptant nous faisons tomber le papier, et par là nous ôtons à l'armée du général Washington la facilité des subsistances, qu'on refuse de donner pour du papier [793] » — ce dollar qui connaissait la première dévaluation de son histoire. En l'espèce, un effondrement. « Il faut une brouette de nos sacrés billets de banque pour acheter une brouette de foin [794] », soupire Washington. De ce point de vue, Fersen est lucide sur « les raisons qui s'opposent à la formation d'une armée qu'on ne peut lever et entretenir qu'à force d'argent », cet argent qui (mais il en juge seulement par les natifs de Rhode Island) « est le premier mobile de toutes leurs actions, ils ne songent qu'aux moyens d'en gagner ; chacun est pour soi, personne pour le bien public. Les habitants des côtes, même les meilleurs *whigs*, apportent à la flotte anglaise des provisions de toutes espèces, et cela parce qu'on les paie bien ; ils nous écorchent impitoyablement ; tout est d'un prix exorbitant ; dans tous les marchés que nous avons conclus avec eux, ils nous ont traités plutôt comme ennemis que comme amis. Ils sont d'une cupidité sans égale, l'argent est leur Dieu ; la vertu, l'honneur, tout cela n'est rien pour eux, auprès de ce précieux métal [795]. » Le comte de Fersen n'était pourtant pas lui-même au-dessus de ces vils soucis : « Je suis bien aise, mon cher père, que vous approuviez l'arrangement que j'ai pris pour toucher mes fonds... La lettre de crédit que M. Tourton m'a donnée était de douze mille livres... Cette somme, quoique forte, ne peut pas être suffisante pour tous mes besoins d'Amérique [796] », y compris l'équipement et la nourriture de son valet de chambre et de ses deux palefreniers *.

Vraiment, la situation apparaissait sans issue. L'amiral de Ternay en est mort de désespoir le 15 décembre, non sans avoir averti Vergennes : « Le sort de l'Amérique est encore bien incertain, et la révolution n'est pas aussi avancée qu'on le croit en Europe [797]. »

La Fayette, en contraste, cultivait l'optimisme exaspérant qui retourne les montagnes, quand il n'appelle pas les catastrophes. A la fin octobre, il avait même prétendu secouer Washington en suggérant aux Américains une opération-suicide contre Staten Island **. Il avait écrit aigrement à son cher général : « On s'est souvent plaint à moi, à la Cour de France, de l'inaction de cette armée américaine qui, avant l'alliance, s'était distinguée par son esprit entreprenant. On m'a dit souvent :

— « Vos amis nous laissent à présent livrer leurs batailles et ne se risquent plus [798]. »

---

* 60 000 francs lourds. Le mot *dollar* est une déformation du nom de la monnaie de certains pays allemands : le *thaler*.
** L'une des grandes îles qui contrôlent l'accès à New York, au débouché de l'Hudson.

Washington avait balayé l'insinuation d'un revers de plume. Il a
gelé la guerre parce qu'il ne pouvait pas faire autrement : sans argent,
donc sans hommes, sans munitions, sans équipements, sans suprématie
maritime, il ne pouvait qu'économiser l'espérance. « Il est impossible,
mon cher Marquis, de désirer plus ardemment que je ne fais de terminer
cette campagne *(de 1780)* par un coup heureux; mais nous devons
plutôt consulter nos moyens que nos désirs [799]. » L'ébullition de La
Fayette ne tombe pas pour autant. Et si l'on appelait au secours les
troupes des colonies espagnoles? Si ces alliés somnolents se réveillaient
pour attaquer au moins la Jamaïque? Pourquoi ne leur écrirais-je pas,
au nom de Rochambeau et de Washington? Nouvelle douche froide de
ce dernier : « Vous sentez bien, après ce qui s'est passé à l'entrevue de
Hartford, que mon commandement sur les troupes françaises à Rhode
Island est à peu près illusoire, et que ce serait bien inutile de ma part
et bien impolitique de proposer une coopération quelconque à une
troisième puissance sans leur concours [800]. »
    La Fayette n'en continuait pas moins de s'agiter à tort et à travers,
même si cela devait nuire à la bonne cause, notamment auprès de
Vergennes, auquel il a envoyé, au moment de la prise des quartiers
d'hiver, un bilan pour une fois si sévère qu'il apporte de l'eau au moulin
des pessimistes. C'est un bon instantané du dernier quart d'heure :
    « Sans la supériorité navale, Monsieur le Comte, on ne fera rien de décisif
en Amérique... La seconde division *(promise et disparue)* nous donne
autant d'inquiétude que son retard irrite l'impatience et trouble les
esprits des Américains... Le Congrès n'a pas d'argent; il a peu de puissance. Nos soldats manquent de pain, de vêtements, de paie. Au 1er janvier, l'armée *(américaine)* ne comptera pas six mille hommes... *(mais)*
les troupes continentales qui nous restent sont égales, sinon supérieures
à celles des ennemis, et elles sont d'une endurance stoïque inconnue
dans les armées européennes... Le plus grand obstacle est le manque
d'argent... Une somme en espèces destinée exclusivement à l'armée
américaine nous débarrasserait des trois quarts de nos ennuis, et elle
est absolument nécessaire pour vêtir nos soldats l'hiver prochain...
Nous devrions recevoir, dans le cours de l'hiver, en dehors de ce qui a
déjà été embarqué, cinquante mille uniformes complets, du linge et des
couvertures. Dans le cas où nous recevrions quinze mille fusils de
supplément, il nous faudrait des provisions de poudre proportionnées. »
Pour conclure : « Dans l'état actuel des affaires en Amérique et étant
donnée son attitude, il est essentiel, dans l'intérêt comme pour l'honneur de la France, que notre pavillon règne en maître sur les mers
d'Amérique, que la campagne soit décisive et qu'elle commence dès
le début du printemps [801]. » Le jeune général s'essayait là au langage
d'homme d'État — mais ce n'était pas lui qui se tenait derrière le
bureau où un trait de plume pouvait encore tout sauver, c'était Ver-
gennes-le-timoré.
    Et puis la grande tempête de l'hiver est passée là-dessus, en appor-
tant le pire des démentis aux dernières illusions de La Fayette : les
troupes de Pennsylvanie se sont révoltées à Morristown, la rébellion
dans la Révolution, l'insurrection chez les Insurgents. Les soldats

exaspérés massacrent quelques officiers le 1er janvier, se confient à leurs sergents, suivent un déserteur anglais, Williams, qui les emmène vers Philadelphie, nous voilà bien! Le Congrès est pris entre deux feux, ceux des mutins et ceux des Anglais. Quelle occasion pour ces derniers, s'ils savaient réagir rapidement! Mais, Dieu merci, ils digèrent le *pudding* de *Christmas* pendant que les chefs américains vont successivement se faire insulter et bousculer par leurs propres soldats : le colonel Laurens, et Saint-Clair, et Knox, et Wayne, et La Fayette lui-même, un cauchemar de neige, les mots français perdus dans les rafales d'injures anglaises, ils veulent du pain, des vêtements, des piastres, pas de paroles, pas de promesses.

Washington a dû intervenir en personne et faire face. En l'occurrence, il a fait double face, le gant de velours à gauche, la main de fer à droite. Des concessions aux gars de Pennsylvanie, voilà tout l'argent qu'on peut, des grades et des permissions, passez muscade — mais les gars du New Jersey qui se préparaient à les imiter ont payé pour tout le monde. Washington leur a lancé sur le paletot mille hommes des corps d'élite, pendant qu'il négociait avec les autres. « Vous êtes cernés. Rendez-vous sans condition. Livrez les meneurs. Vous avez deux heures de réflexion. » Le 15 janvier, les mutins étaient matés de justesse. On pouvait en fusiller une douzaine, au nom de la patrie et de la liberté. L'honneur était sauf, mais la nouvelle du soulèvement allait courir Versailles, et Vergennes ne serait pas le dernier à la propager, avec un air navré qui en disait long.

Versailles, où l'on avait naturellement fait une chanson de la mission désespérée du vicomte de Rochambeau, que La Pérouse avait mené par miracle de Boston à Brest à travers les flottes anglaises :

« Le Roi demande à Rochambeau :
Qu'apportez-vous donc de nouveau?
— Sire, lui dit-il à l'oreille,
Mon père se porte à merveille [802]. »

On commençait à mettre en pièces ce bouc émissaire, pour se distraire du deuil imposé par la mort de Marie-Thérèse. La guerre fatiguait tout le monde, comme une pièce qui n'en finit pas. Rideau! On avait opposé cinq mois de silence aux appels d'Amérique. On réfléchissait. Le Congrès avait donc envoyé un messager de plus, mais c'était vraiment celui de la dernière chance : le colonel Laurens. Il est parti le 13 février pour la France sur l'*Alliance*, la même frégate que La Fayette deux ans plus tôt, pour mettre non seulement Vergennes, mais Necker au pied du mur, ce Necker auquel La Fayette vient d'écrire « qu'il lui fallait se convaincre de la nécessité d'envoyer de l'argent aux Américains [803] ». Comment les Insurgents se douteraient-ils que Laurens va tomber dans la dernière bataille de Necker avant sa chute? Vergennes se montre furieux de cette intrusion. « Le Roi est contraint de recourir aux retranchements et aux emprunts pour son propre service; il avait le droit de se flatter que les États-Unis feraient du moins les frais de leur armée... Nous aurions donc désiré qu'on ne nous adressât pas M. Laurens », cet impoli, cet excité qui traverse la galerie des Glaces au pas d'un homme qui se bat et dont le pays meurt. Il crie. Il exige. Vergennes se remue enfin, mais c'est pour le remettre à sa place. « Nous nous flattons que le Congrès condamnera hautement le mécontentement que marque M. Laurens, et qu'il cherchera à inspirer à cet officier, peu au fait de nos usages, les égards qui sont dus aux Ministres d'une grande puissance ; il a formé plusieurs demandes avec des instances importunes, et même en employant la menace. Il exigeait du Roi qu'il fournît aux Américains des armes, des vêtements, des munitions pour au-delà de huit millions de livres et qu'il leur prêtât en outre vingt-cinq millions *... Je sais qu'il se permet les plaintes les plus indiscrètes pour n'avoir pu obtenir tout ce qu'il exigeait [804]. »

Il a fallu que Franklin s'en mêlât. N'avait-il traversé l'Atlantique que pour quelques années de salon ? Le Sage a donné de la voix, une des seules voix capables de remettre la Cour de France à la hauteur de l'événement — par son *vibrato*, mais aussi par l'ampleur de la diffusion. Tout ce que Franklin disait à Vergennes s'entendait jusqu'à Nantes et Bordeaux. Nul n'était capable, comme lui, de passer, dans le même registre, du pathétique à l'évocation de l'épouvantail anglais. Malheur à vous, Français, si vous ne comprenez pas !

« Je deviens vieux. Je me sens fort affaibli par ma dernière maladie, et il est probable que je ne serai plus longtemps occupé des affaires de ce monde. C'est pourquoi je saisis cette occasion pour faire connaître à Votre Excellence mon opinion à ce sujet : la conjoncture présente est critique. Ce Congrès sera dans quelque danger de perdre son influence sur le peuple, si on le trouve incapable de procurer les secours dont on a besoin ; tout le système du nouveau gouvernement en Amérique peut en être ébranlé. Si l'on souffre une fois que les Anglais se remettent en possession de ce pays, il se passera des siècles avant qu'une seconde occasion se présente de former une séparation effective. La possession de ces régions immenses et fertiles et d'une vaste côte leur fournira les moyens d'établir leur grandeur future sur des fondements si étendus, par l'accroissement rapide du commerce et la pépinière de matelots et de soldats qu'elle leur procurera, qu'ils seront en état de devenir la terreur de l'Europe et d'exercer impunément cette insolence si naturelle à leur nation et qui croîtra à un degré énorme avec l'augmentation de leur pouvoir [805]. »

Par-dessus Vergennes, c'est à Louis XVI que Franklin s'adresse. L'Amérique a parlé. A la France de comprendre.

Qui va gagner en France ? Vergennes et Necker, ou Laurens et Franklin ? La Fayette, lui, se lance au grand galop, une fois de plus, sous les pluies torrentielles du printemps, vers la petite chance

---

* Soit 40 millions de fournitures en francs lourds et un emprunt supplémentaire de 125 millions. Necker et Vergennes — d'accord pour la dernière fois — n'accorderont que l'équivalent de 70 millions, toujours en francs actuels, en deux ans, dont une bonne moitié indirectement, grâce à une garantie d'emprunts consentis par les Hollandais aux U.S.A.

du bout du monde, on appelle ça la pointe d'Elk, au fond de la baie
de la Chesapeake. Qui va gagner en Virginie? Arnold et Cornwallis ou
La Fayette et Steuben? La Fayette en mars 1781, c'est le seul homme
qui agit, qui se remue, qui tente quelque chose dans le camp de la
liberté. Il bouge. Il en veut. A Pompton, les routes sont si détrempées
que les chevaux s'abattent. On avance à pied dans une mélasse d'herbes
et d'eau, la Delaware en crue transforme en éponge les plaines du New
Jersey, mais ce diable de rouquin est si heureux de remuer qu'il ferait
marcher ses garçons sur les eaux, malgré le vent des mutineries qui les a
effleurés : dix compagnies du Massachussets, cinq du Connecticut,
une du Rhode Island et deux du New Hampshire entraînent cinq compagnies du New Jersey, encore peu sûres. Tout cela est commandé par
moitié d'officiers américains et français, la bande à La Fayette, on
s'aime bien, on s'entend par grands signes quand on ne se comprend
pas. On court sus au traître de West Point, pour le châtier comme il
faut : « Ne faites rien vis-à-vis d'Arnold, recommande Washington,
qui puisse, soit directement, soit indirectement, le soustraire à la
punition que mérite sa trahison; s'il tombe entre vos mains, votre
devoir est de le faire fusiller sans tarder [806]. » Punir et libérer, la bonne
guerre.

Premièrement, il faut gagner en toute hâte la Pointe d'Elk, où des
vaisseaux de transport français doivent attendre, pour éviter aux douze
cents hommes la marche épuisante et difficile du haut en bas de la
rive ouest de la baie de la Chesapeake, par un détour de près de cent
lieues semé d'obstacles. Ils descendront, deuxièmement, grâce aux vaisseaux, en quelques jours, jusqu'à l'entrée de la baie où ils trouveront
un tremplin en pleine Virginie, pour aviser selon le vent de la guerre.
« Lorsque vous serez arrivé à destination, il vous faudra agir selon les
circonstances et de votre propre initiative. Vous correspondrez avec le
baron Steuben, qui commande en Virginie » — un Français, un Prussien, comme deux larrons en savane, pour chasser les Anglais du pays
de la Reine vierge... Élisabeth se retournera dans sa tombe. De La
Fayette à Steuben, le 24 février : « Les troupes avancent sous la pluie,
par de mauvais chemins, mais avec une telle diligence que nous opére-
rons notre jonction plus tôt que nous ne pensions... A bientôt, mon cher
Baron. Je suis heureux de servir dans une expédition où j'espère pouvoir profiter de votre expérience et de vos conseils [807]... », faute de ceux
de Kalb, qui a bravement terminé sa vie de reître en se faisant tuer à
Camden cet été *.

3 mars. La Fayette campe avec « sa petite armée crottée » à la Pointe
d'Elk — la main au-dessus des yeux, encore et toujours : pas de transports en vue. Les Français lui manquent une fois de plus, ceux de
Newport comme ceux de Brest. Le chevalier Destouches, « amiral »

---

* Le 16 août, dans une bataille livrée par le général Gates, dont la défaite
avait ouvert la Caroline du Nord à Cornwallis. On avait alors remplacé
Gates par Greene. Sur Kalb, le compagnon de départ de La Fayette en
1777, voir tome I, pp. 422, 430 et 551.

provisoire en remplacement de Ternay, prépare bien un raid à six ou huit vaisseaux au sud de la Chesapeake, mais n'a pas l'intention de s'y engouffrer et encore moins d'envoyer des chalands tout au nord pour faire plaisir au gringalet. Rochambeau l'approuve. Quelques messages font comprendre à La Fayette qu'il est l'homme à abattre aux yeux des officiers du corps expéditionnaire français. Il a voulu se faire américain? Qu'il le reste! Washington l'avertit : « Le chevalier *(Destouches)* paraît faire une grosse affaire, ce que je ne comprends pas, de protéger le passage de votre détachement le long de la baie, mais, comme c'est tout à fait déraisonnable, je ne doute pas que les difficultés ne s'aplanissent [808]. » Oh que si, il doutait! Il mettait déjà en place un dispositif en Virginie, avec l'aide de son gouverneur errant, Jefferson, pour accueillir et équiper La Fayette par voie de terre si les bateaux lui manquent. Chez Rochambeau, c'était une émeute à froid d'officiers supérieurs. Tous plus âgés que La Fayette, ils ne supportent pas l'idée d'être subordonnés à ce blanc-bec. Major général, lui? Pour parader, peut-être. Mais sur le terrain... Le baron de Vioménil, embarqué avec quelques fantassins sur la flotte de Destouches, brandit des instructions signées de Rochambeau qui « l'autorisent à agir avec la milice de Virginie sans attendre l'arrivée de La Fayette au cas où cet officier serait retardé, et si le bien du service l'exige [809] ». Le retarder, c'est simple : il suffit de ne pas aller le chercher.

La Fayette semble avoir enfin mûri : il ne s'étonne pas de se trouver haï et laissé à lui-même. Il ne perd pas de temps à s'indigner. Américain, soit, jusqu'au bout. On lui trouve sur place une petite flottille de barcasses armées de canons à la va-comme-je-te-pousse. C'est insuffisant pour descendre toute la Chesapeake, mais assez pour faire un bond jusqu'en son milieu. Il parvient à débarquer ses hommes à Annapolis et les y installe, puis s'en va en avant-garde sur un petit voilier, tout seul ou presque. Du moins a-t-il un compagnon sincère : le jeune comte de Charlus, qui peut lui rendre service, puisqu'il est le fils du marquis de Castries, nouveau ministre de la Marine *; il serait donc le meilleur avocat possible auprès de Destouches, si La Fayette arrive à joindre celui-ci quelque part entre Yorktown et le cap Charles, à l'orée de la haute mer...

Il n'arrive pas. Le 16 mars, les huit vaisseaux de Destouches ont rencontré huit vaisseaux de l'amiral Arbuthnot qui gardaient ce passage-là. Vive canonnade. Deux cents morts. Coup fourré — chacun dit qu'il a vaincu, mais c'est Destouches qui se retire et ramène sa flotte à Newport. Les Anglais restent maîtres de la Chesapeake par la mer. Les Américains, maintenant renforcés par les troupes de La Fayette, en tiennent encore les côtes, mais pour combien de temps? Le général Clinton va pouvoir, depuis New York, envoyer par mer des renforts à Benedict Arnold et à Cornwallis qui seront en mesure de déboucher des Carolines et d'envahir la Virginie, en repoussant les

---

* Le comte de Charlus sera le premier duc de Castries, sous la Restauration. Pour toutes ces opérations, voir la carte au début du volume.

forces inférieures du baron Steuben, et en tournant l'armée de Greene repliée en hérisson. Le printemps s'annonce mal. Après le Sud, le Centre des États-Unis va-t-il tomber comme un fruit mûr?

48/mai 1781
Maintenant ou jamais

De Washington au colonel Laurens, le 9 avril 1781 : « Si, dans la situation critique de nos affaires, la France n'envoie pas un secours puissant en temps opportun, il nous sera complètement inutile lorsque, plus tard, il nous arrivera. Nous sommes en ce moment tout à fait en suspens ; non par choix, mais par une dure et absolue nécessité... Nous ne pouvons même plus payer les voituriers pour transporter nos approvisionnements, parce qu'ils ne font plus cas de nos billets à ordre... Nos soldats seront bientôt nus, nos hôpitaux sont sans médicaments et nos malades sans nourriture... Tous nos travaux publics sont suspendus et les ouvriers dispersés. Mais pourquoi entrer dans tous ces détails quand je puis vous dire en un seul mot que nous sommes arrivés au dernier terme de nos embarras et que, maintenant ou jamais, il faut qu'on nous en sorte [810] ? »

Vergennes refusait d'entrer dans ces considérations. Ce diplomate parlait gros sous avec le ton d'un intendant. « Le Congrès compte trop sur les subsides de la France pour maintenir son armée. Il faut absolument qu'il renonce à des demandes aussi exorbitantes... La dernière campagne a donné lieu à plus de cent cinquante millions de dépenses extraordinaires *, et ce que nous allons donner encore dépassera ce chiffre » — mais enfin Franklin a parlé, l'opinion des courtisans fait chorus, et les nouvelles de cet étrange printemps, si elles montrent là-bas une Amérique épuisée, font voir tout près une Angleterre exsangue, au bord de la révolution. Un petit coup de pouce, monsieur le comte ! « C'est en raison des sentiments tout personnels et de la confiance que nous avons en la véracité du Dr. Franklin que nous nous sommes

---

* Contradiction avec les chiffres du *Compte Rendu*. Si l'on additionne, dans celui-ci, « l'extraordinaire des guerres » proprement dit, la maison militaire du Roi, l'artillerie, le génie, la marine, les colonies et les affaires étrangères (qui pouvaient camoufler des envois de fonds aux Insurgents), on arrive au total de 119 millions 806 000 livres (600 millions de francs lourds à peu près), dont toutes n'ont évidemment pas été dépensées pour l'Amérique. Qui a raison? Vergennes ou Necker? Le premier, sans doute : car ces trente millions de livres escamotées sont précisément celles qui constituent le déficit du budget dissimulé au public par Necker.

décidés à le tirer des embarras pécuniaires dans lesquels le Congrès l'avait mis [811]. » Une aumône immédiate de six millions, une bouffée d'oxygène. Mais les renforts? Ah non! On paiera les Américains pour se faire tuer. On ne fera plus tuer un homme pour eux, du moins de ceux qui sont encore chez nous. Vergennes désespère Rochambeau qui en réclamait dix mille : « Ce ne sera même pas avec trente mille hommes que l'on emportera New York, si cette île *(sic)* est défendue, comme on le prétend *, par environ quinze mille hommes... » Qu'en sait-il? Vergennes-stratège, maintenant? Vergennes-Gribouille, en tout cas, par le raisonnement époustouflant qu'il vient de faire avaler à Louis XVI : « Si nous transportions un renfort de dix mille hommes sur le continent de l'Amérique, les Anglais ne tarderaient pas à y en faire passer un équivalent, ce qui ferait de ce pays le vrai théâtre de la guerre, sans en accélérer la fin, et ajouterait infiniment à son épuisement et à ses calamités... Tout cela considéré, il a paru qu'il n'y aurait pas lieu d'avoir égard au plan de M. le comte de Rochambeau, quand même les moyens d'exécution auraient été praticables. Le Roi s'est donc déterminé en conséquence, non seulement à s'y refuser, mais encore à renoncer à l'envoi de la seconde division de troupes qui devait partir l'année dernière et qui fut retenue dans nos ports par la présence d'une escadre anglaise supérieure à la nôtre. Il est sensible que plus nous aurons de troupes dans l'Amérique septentrionale, plus les moyens de subsistance et d'entretien leur seront difficiles et moins par conséquent elles y seront utiles et y rendront de services effectifs [813]. » Peut-être, si l'on admet ce postulat, suffirait-il que les Français se retirassent totalement pour que les Anglais en fissent autant? Heureuse innovation : la dissolution d'une guerre. Rochambeau n'apprécie pas. La nouvelle le trouve sans humour, mais sans révolte. Il en a tant vu! « Mon fils me revient — seul, il est vrai. Mais, quoi qu'il arrive, le Roi sera servi comme il veut l'être [814]. »

Est-ce la fin? La France envoie peu d'argent, refuse les troupes... L'Amérique va donc être perdue? Pas encore. Franklin et Laurens ont du moins obtenu satisfaction sur le troisième terme de l'appel : l'aide maritime, celle qui peut encore tout changer. Oh! ce n'est pas précisément ce qu'on attend à Newport! On met en place chichement, précautionneusement, un dispositif de renforts par mer qui pourrait peut-être servir à Washington en cas de... si... toutefois... mais seulement à propos de la matière réelle de cette guerre aux yeux de la classe dirigeante française, obsédée par ses plantations sucrières : la possession des Antilles. La nouvelle est donnée comme à regret par Vergennes : « M. le comte de Grasse, qui commande notre escadre aux Antilles, a reçu l'ordre, aux approches de l'hivernage, de conduire sur les côtes de l'Amérique septentrionale ou de détacher une partie de son escadre pour les balayer et concourir aux opérations qui pourront être concer-

---

* Le chiffre lui avait été donné par La Fayette en mai 1780. Il était exact. « L'état effectif de l'armée anglaise » au 1er septembre 1780 donne 16 701 hommes à New York, dont 5 932 Britanniques, 8 629 Allemands et 2 140 Américains royalistes [812].

tées avec les généraux de terre français et américains... Le nombre des vaisseaux qui se porteront au nord dépendra du besoin que les Espagnols pourront avoir de notre secours et ne pourra être décidé que lorsque M. de Grasse, rendu à Saint-Domingue après avoir approvisionné les Antilles, se sera abouché avec les commandants espagnols [815]. » Priorité est donc donnée à la protection, voire à l'extension du domaine franco-espagnol dans les Isles. Si l'on trouve le moyen de s'octroyer une petite fantaisie, du côté de New York ou de la Chesapeake, de Grasse avisera. De toute façon, les Américains ne se réjouiront pas de sitôt : ils ne sauront rien de cette perspective. « Vu le grave danger qu'il y aurait à révéler ce plan à l'ennemi, il convient que la disposition où est le Roi de faire passer au nord une partie plus ou moins forte de son escadre des Antilles, et l'époque à laquelle elle s'y rendra, demeurent ensevelies dans le plus profond secret. » Vergennes pousse même la restriction jusqu'à Washington en recommandant à La Luzerne, son ambassadeur, de se méfier de ces républicains bavards : « On peut si peu compter sur la discrétion du Congrès, que nous serons obligés de ne pas lui confier les plans que nous concertons dans son intérêt... Vous saurez, Monsieur, jusqu'où vous pourrez vous ouvrir avec le général Washington. Il passe pour être fort discret et très réservé, mais lui est-il permis d'user de réserves avec le Congrès? » Telle était l'alliance, vue de Versailles.

Enfin! c'est tout de même mieux que rien. Et l'amiral de Grasse va prendre sous peu la mer pour les Isles, en emmenant de Brest une vingtaine de vaisseaux de guerre. C'est suffisant pour modifier l'équilibre fragile des forces dans les Indes occidentales. De Vergennes à Rochambeau : « Il a vingt vaisseaux. Il en trouvera dix autres aux Isles, et vous en avez encore huit à lui donner. De cette façon, comme il est maître de ses propres mouvements, qu'il peut séparer ses forces ou les rassembler à son gré, j'espère qu'il pourra se rendre maître des côtes pour un certain temps et qu'il pourra coopérer avec vous si vous projetez quelque entreprise dans le Nord [816]. »

De Grasse « maître de ses forces »... Rochambeau laissé libre de « projeter quelque entreprise »... Ayant mis un océan entre ces deux responsables et lui, Vergennes peut se laver les mains du dernier épisode américain et passer aux choses sérieuses après avoir investi là-bas les hommes de la décision. Ici, la Reine est à nouveau enceinte et l'hallali sonne pour Necker.

14 mars. La Fayette et Charlus arrivent à Yorktown dans leur petite nacelle. C'est la pleine Virginie dans son printemps presque tropical, tout en sautes d'humeur. Des marais, des moustiques, des roseaux, du maïs et du tabac. La ville d'York était, il n'y a guère, un hameau construit en troncs d'arbres, flanqué de quelques bâtiments officiels. Le bois s'est fait plus poncé, les bâtiments se sont revêtus de brique, et la bourgade s'arrondit sur les bords de la rivière d'York, peu avant que la mer l'épouse. On est à l'entrée de la Chesapeake, et La Fayette, non encore informé du combat et du retrait de Destouches, attend à tout hasard les renforts de Newport, mais commence à tout

combiner pour s'en passer s'il faut. « Les préparatifs sont très avancés. J'ai appris avec plaisir que nous aurions cinq mille hommes de milice tout prêts à marcher. Avec mon détachement, c'est plus qu'il n'en faut pour faire ce que nous avons à faire, et nous n'aurions aucun besoin des troupes de terre de Newport [817]. » « Trop verts, dit-il, et bons pour les goujats »... Les Français d'Amérique semblent engagés dans une partie de colin-maillard où ils trouvent leur plaisir à qui perd gagne.

La Fayette se démène dans ce pré carré de la première conquête anglaise où chaque lieu-dit rappelle un prince ou une ville du temps d'Élisabeth. Il va et vient contre la montre et contre le doute sur la langue de terre découpée par la rivière York (au nord) et la rivière de James (au sud), toutes deux allant d'ouest en est se perdre à la Chesapeake. En face d'York, les pionniers ont planté sa ville jumelle, Glocester, sur la rive nord de la *York River* *. La ville du milieu de la petite péninsule, c'est Williamsburg; on trouve White House et Hanover en remontant la *James River*. Non loin, il y a un Portsmouth et un Plymouth. Pour une fois, même les distances sont à la mesure anglaise sur cette petite surface touffue de terre et d'eau. Yorktown n'est qu'à trois lieues de Williamsburg où La Fayette secoue toute la ville le 17 mars en réclamant « à défaut de chevaux, des bœufs pour tirer les canons »... qui sont encore bloqués à Annapolis (la ville de la reine Anne), et à quinze lieues de Portsmouth où il doit admettre une bonne fois que la flotte qu'on aperçoit là-bas, « à l'ancre entre les caps », comme une chaîne de bouchons flottant à l'entrée de l'immense Chesapeake **, n'est pas celle de Destouches, mais celle d'Arbuthnot. « Rien ne peut donner une idée de la surprise que j'éprouvai en apprenant que cette flotte était la flotte ennemie [818]. »

Il revient à Williamsburg. Que faire? Cesser le rôle de sœur Anne, en tout cas. Ne pas rester ce général sans troupes dont le dénuement commence à démoraliser les miliciens de Virginie. Il remonte jusqu'à Annapolis, chercher ses douze cents hommes et attendre des ordres de Washington. Les distances retombent dans l'ordre de grandeur américain : soixante lieues de Williamsburg à Annapolis, huit jours de cheval, par un chemin buissonnier il est vrai : « J'avoue *(à Washington)* que je n'ai pu résister à l'ardent désir que j'avais depuis longtemps de voir vos parents, et par-dessus tout votre mère, à Fredericksburg; je me détournai donc de quelques milles et, pour concilier mon bonheur personnel avec mon devoir, je regagnai, en passant la nuit à cheval, ce peu d'heures que j'avais consacrées à mon plaisir. J'ai eu aussi la satisfaction de voir Mount Vernon [819] », la grande propriété de la

---

* Un pont relie aujourd'hui les deux villes, demeurées à l'échelle humaine, en opposition au développement des géants proches : Washington, Richmond, Norfolk.
** On ne peut saisir l'importance des opérations maritimes et terrestres à cet endroit, et l'intérêt de points comme Yorktown, qu'en comprenant, par un coup d'œil sur la carte, que la baie de la Chesapeake est une sorte de mer intérieure en forme de grosse bouteille renversée du nord au sud, dont le goulot fait l'ouverture sur l'Atlantique.

famille Washington, ses pelouses vert cru sous les grands chênes, au
bord du Potomac étincelant « comme de l'argent en fusion », avec,
perdue dans les terres à perte de vue, la Maison-Blanche en rez-de-
chaussée sous sa petite coupole, en modèle du « style virginien ». Mais
la guerre est passée là aussi : tous les esclaves sont armés, l'intendant
est hors de lui. Est-ce que les Anglais n'ont pas osé remonter le Potomac l'autre jour et faire un raid jusqu'au saint des saints *? L'intendant leur a donné tous les bestiaux qu'ils voulaient et s'est fait drôlement rabrouer de loin par Washington : « J'aurais été moins peiné
d'apprendre que, par suite de votre résistance, les Anglais avaient
brûlé ma maison et ruiné ma plantation... Ils reviendront. Je ne conserve pas la moindre illusion sur l'issue finale pour mon compte : mes
Nègres seront perdus et mes propriétés détruites. J'y suis résigné [820]. »
Dans cette attente, les dames Washington se sont repliées à Fredericksburg, où les milices veillent sur la mère, une grande dame terrible
dont la découverte permet de comprendre la tristesse qui sourd de
son fils, et sur l'épouse « un peu grasse, mais fraîche et d'un visage
agréable [821] ».

4 avril. La Fayette retrouve son détachement tapi dans Annapolis
sous la menace de deux corvettes anglaises, chacune de vingt canons.
Partir par voie de terre? Il faudrait laisser les bagages et l'artillerie.
Secouons-nous, bon Dieu! On charge tout pêle-mêle, hommes et armes,
sur deux *sloops* de soixante tonneaux qui se trouvent là, et on avance
sur les vaisseaux anglais en crachant tout le feu possible. Ils croient
qu'on va au sud, ils vont chercher du renfort, et nous mettons le cap
plein nord, jusqu'au fond de la baie dont nous étions partis si flambants
un mois plus tôt. Le 8 avril, bivouac à la Pointe d'Elk. Pas un homme de
perdu. Mais le temps?

A l'aube du 22 mars, la flotte de l'amiral de Grasse est sortie de la
rade de Brest, saluée par le marquis de Castries, qui est venu voir,
pour son entrée en fonctions, tout ce que Sartines avait pu rassembler
de mieux avant de lui passer la main : Grasse commande finalement
trente-huit vaisseaux de combat (dont cinq le quitteront aux Açores
sous le pavillon de Suffren pour tenter leur chance aux Indes) — mais
surtout près de cent transports de troupes et de ravitaillement destinés
aux Isles. La gigantesque procession du Ponant est emmenée par
« l'escadre bleue » de Bougainville. Les gens de la garnison et de l'arsenal, massés sur les tours du château, et dont beaucoup croient que la
flotte va droit aux États-Unis, ont enfin l'impression que la France se
décide [822]. Mais quand La Fayette l'apprendra-t-il?

Nord ou Sud? La tentation de New York, encore une fois. On sait bien
que Washington y pense toujours. Le gros de son armée est demeuré

---

* Mount Vernon est sur la rive droite du Potomac, celle du sud. Presque
en face, sur l'autre rive et plus au nord, se trouve un bourg déjà important
qui deviendra la ville de Washington, capitale fédérale des U.S.A.

là-haut. De la Pointe d'Elk, La Fayette peut lui ramener ses hommes en quelques marches, et le moulin de l'année dernière recommencera de tourner : l'Hudson, Newport, Boston... Dans ce cas, le tour de piste de Gilbert dans le Sud n'aura été qu'une infime péripétie. Washington brise là. Il renvoie la balle dans le Sud. Lettre du 6 avril, à La Fayette : « Tous les officiers généraux sont unanimement d'avis que le détachement que vous commandez doit se remettre en marche et se réunir à l'armée du Sud [823] », celle de Greene, perdue dans les Carolines et presque isolée par l'avance des Anglais au Centre. Justement : au passage, La Fayette doit faire à ceux-ci tout le mal possible, jusqu'à tenter de leur casser les reins. Plus de protection maritime à espérer pour le moment, pas de renforts? Tant pis. « Vous vous guiderez par votre propre jugement, en choisissant les chemins où vous croirez trouver le plus sûrement la subsistance des troupes et des chevaux... Vous prendrez avec vous l'artillerie légère et les plus petits mortiers, avec tout leur attirail et approvisionnements de cartouches. Mais faites suivre sans escorte tous ces objets plutôt que de retarder la marche du détachement, laquelle doit être aussi rapide qu'il sera possible sans nuire aux troupes. » Il a voulu bouger? Qu'il bouge — et grandement. Il ne risquera plus de se croire en Europe. La voilà, sa guerre d'Amérique, cette sensation, ou cette illusion, d'être le grain de sable qui dérange la machinerie des mondes. La Fayette à lui tout seul, en éclaireur de l'avenir : il rêve à ce moment-là depuis le déjeuner de Metz *.

Le 13 avril, il est au gué de Bald Friar et franchit la Susquehanna. Le temps de l'équinoxe s'attarde sur ce Maryland baptisé en honneur de la vierge Marie par les catholiques émigrés conduits par le lord Baltimore. « Le vent soufflait avec une telle rage qu'on eut grand'peine à faire traverser les hommes et qu'il fut impossible de passer les fourgons et les approvisionnements [824]. » Le pire n'est pas ce vent-là, mais celui qui souffle dans l'esprit des soldats de Boston ou de Newport, furieux d'être envoyés dans les chaleurs des Carolines et de la Georgie. Autant demander à des Norvégiens d'aller conquérir Naples. « Le mécontentement et la désertion étant les deux plus grands fléaux que nous ayons à redouter, j'ai hâte de mettre des rivières, les pays inconnus, toutes les barrières imaginables pour entraver l'inclination de mes hommes à rentrer dans leurs foyers... Appel au devoir, à la conscience, répression sévère, tout sera mis en usage de ma part... Je désire bien me rapprocher de l'ennemi, car ce serait le seul moyen de lutter contre le vent de désertion qui souffle...

« Tandis que j'écrivais à Votre Excellence (Washington), on vient me dire que les désertions ont été nombreuses cette nuit. Neuf de la compagnie de Rhode Island, neuf de nos meilleurs soldats, de ceux qui ont fait plusieurs campagnes et dont on ne se méfiait pas! Ils disent qu'ils aimeraient mieux recevoir cent coups de fouet que d'être envoyés

---

* Sur le déclenchement de la vocation américaine de La Fayette, voir tome I, p. 255.

dans le Sud. Tant qu'ils avaient la perspective de se battre, ils étaient
pleinement satisfaits. Mais l'idée de séjourner dans les États du Sud
leur paraît intolérable. Ils ont horreur du climat et des gens. On ne sait
vraiment pas pourquoi [825] ! » La Fayette a vite oublié les délices de la
forêt qui tue, les marches à mort dans le sable des pistes, la sueur des
nuits, la malaria... Il a le don d'oublier. Quand comprendra-t-il que
chacun par ici se bat pour son clocher ou son champ? C'est même le
ressort de cette révolution-là. Il fait rire les bonshommes, avec ses
grandes idées. Attendrissant jeune seigneur, venu d'Europe pour
expliquer l'Amérique aux Américains! Il les regroupe en carré sur la
rive ouest de la Susquehanna, à peine franchies les eaux jaunes, grossies par la fonte des neiges. Tout droit sur son cheval, cheveux au vent
pour une fois, il pousse son fausset avec tant de cœur et de maladresse
que nul n'ose le braver en face. On saisit vaguement quelques mots de
son anglais choisi : *liberty*, *victory*, *United States*, *God*... La voix, les
mots ne portent pas, mais le geste, si. Une certaine chaleur, une authenticité, et surtout cet appel à l'honneur, la suprême habileté du bon
officier : « Que ceux qui veulent partir partent. Je ne retiens personne
de force. Les soldats qui désirent s'en retourner n'ont qu'à me demander une passe, et je les renverrai à leurs quartiers d'hiver... » Il avait
quand même attendu d'avoir mis la Susquehanna entre ces quartiers-
là et eux pour leur offrir de la repasser. Nul ne bouge. On peut pousser
au moins jusqu'à Baltimore, général. Ce ne sera pas encore le Sud.
Et le caporal Dullivan, blessé à la jambe en glissant sur une pierre,
refuse la passe comme les autres et loue une charrette pour suivre le
train.

Pause à Baltimore, à mi-chemin de la Pointe d'Elk et de Mount
Vernon. Une jolie ville-port sur la Chesapeake, toute en belles maisons
de brique, plus gaies que celles de Philadelphie. Les dames avaient
préparé un bal pour les officiers : La Fayette les réquisitionne pour
un ouvroir patriotique. « Nous manquons de tout, en vérité, de presque
tout ce qui est essentiel à l'équipement d'un soldat... » Les dames et les
demoiselles se mettent à confectionner « des pantalons de voyage, des
chemises de chasse, des chapeaux, des vareuses » — avec du linge et
du drap qui semblent sortir des pavés. En fait, les rouleaux et les
pièces viennent des entrepôts de Baltimore : pas donnés, les marchands
ne sont pas devenus fous, mais prêtés à concurrence de deux mille
guinées * sur la signature de La Fayette. « J'ai donné ma garantie
personnelle, et promis que cette somme serait remboursée avec les
intérêts sous deux ans [826]. » Il risquait gros, mais les marchands aussi.

Le 19 avril, ce sont des hommes tout neufs, « équipés chacun d'une
chemise, d'une paire de culottes et d'une paire de souliers », donc parés
pour le climat chaud, que La Fayette emmène, sans grogne cette fois,

---

* La guinée était une monnaie d'or frappée en Angleterre avec l'or
trouvé sur les côtes de la Guinée, sous Charles II. Elle valait plus que
le louis : 26 francs d'alors. La Fayette s'endette donc ici d'environ
250 000 francs actuels. Il espérait — et obtiendra — que cette somme
soit comprise dans l'aide globale de la France aux États-Unis.

de Baltimore vers le Sud. De son côté, à cent lieues plus bas, l'armée de Cornwallis quitte Wilmington, en Caroline du Nord, pour aller prêter main-forte à Benedict Arnold, dont les deux mille hommes, en avant-garde, sont entrés à Portsmouth et vont entreprendre la remontée de la *James River*, sur le terrain où La Fayette attendait un mois plus tôt le débarquement français. Les milices locales, mal armées, traumatisées, cèdent à la pression. La Virginie, cette fois, ne peut compter que sur le secours de La Fayette.

Il a compris. Il est bien dans sa peau, bien dans son rôle. Il veut au moins sauver les deux villes qui verrouillent successivement la grandroute de passage du Sud au Centre : Fredericksburg et Richmond. Il laisse les tentes et même sa petite artillerie « sous bonne garde, avec ordre de suivre aussi vite que possible, tandis que le reste du détachement (un millier d'hommes) se rendra à Richmond à marches forcées, avec des chariots et des chevaux de réquisition... La marche rapide maintiendra l'ardeur et la bonne humeur parmi nos soldats [827] », même si cette dégringolade du nord au sud est une des pires progressions qu'on puisse imposer à un corps de troupe, par-dessus tous les cours d'eau de la Virginie qui vont se jeter d'ouest en est dans la Chesapeake et transforment la marche en une partie de saute-mouton, jalonnée de noms indiens : le Patapsco à la sortie de Baltimore, « là où cesse l'empire des neiges », et le Patuxent avant le Potomac, et le Rappahannock à Fredericksburg. Pas de ponts, sauf dans les grosses villes. Tant mieux si l'on trouve un gué, quitte à se mouiller jusqu'à l'os. Mais, en saison de crue, il faut le plus souvent improviser des radeaux, réquisitionner des passeurs, chevaucher des troncs d'arbres et des planches liées à la diable. Ce n'est pas précisément le passage de la Meuse ou du Rhin. Une marche de pionniers. On les acclame, le 25 avril, à Fredericksburg au bord de l'exode. « Nos hommes sont pleins d'ardeur. Depuis que j'ai fait appel à leurs sentiments, ils ont mis leur point d'honneur à nous suivre, et les murmures sont passés de mode, aussi bien que la désertion [828]. » L'ambiance est pourtant celle des désastres : La Fayette retrouve les regards épouvantés, les salutations ambiguës et les volets clos de Philadelphie, aux jours de son premier voyage *. Tout ce qui l'avait vacciné contre les hasards de la guerre. Une chose a changé, cependant : il est, ici, le petit Washington, celui dont tout dépend — et les derniers *whigs* embrassent ses bottes au passage en le suppliant de ne pas les abandonner, *lui*... — car où donc est passé Thomas Jefferson, gouverneur élu de la Virginie, l'homme de l'*Independence?* La Fayette ne le trouve pas même à Richmond, la capitale d'État, la ville qui fait le nœud entre le pied des monts et la plaine alluviale, où il arrive avec ses hommes le 29 avril à la dernière minute : les troupes d'Arnold sont signalées à deux lieues et ici, comme à Fredericksburg, c'est le déménagement des gens aisés, le désert des rues. Il ne s'agit plus de joindre Greene en Caroline pour se réunir à lui. Il faut, avec mille hommes, sauver la Virginie en se faisant tuer sur place.

---

* Sur la prise de Philadelphie par les Anglais en 1777, voir tome I, p. 547.

49/mars 1781
Une doctrine universelle

Il va s'en passer, des choses, en France et dans le monde, pendant que La Fayette poursuit en Virginie son petit bonhomme de grand chemin! Le printemps de 1781 est une de ces périodes où tout se met à bouger; les décors s'envolent dans les cintres, on se frotte les yeux devant les nouveaux personnages. A travers les acteurs, la pièce change de ton. Le ciel se couvre. Qu'est-ce qu'on entend rouler là-bas? Le tonnerre, le canon? L'historien qui se cogne sur ces quelques semaines au coin d'un fichier s'en souviendra longtemps. On ne s'en méfie pas. Elles ne figurent pas aux mémoriaux des grandes dates. Mais elles en jettent les fondations.

En mars 1781, la diffusion en France d'une nouvelle édition, complètement remaniée, de l'*Histoire des Deux Indes*, fait l'effet d'une bombe incendiaire. Son auteur connu, l'abbé Raynal, va être proscrit. Son auteur caché, Diderot, se brouille avec Grimm, et sa pensée vire au rouge. Il devient, dans une semi-clandestinité, le prophète de la décolonisation et d'une révolution sanglante. Louis-Sébastien Mercier publie *Le Tableau de Paris* comme pour jeter toute une ville dans ce feu-là. Les défenseurs de l'ordre dénoncé se fâchent et le durcissent davantage. Louis XVI choisit la répression et la réaction nobiliaire. Il renvoie Necker à l'avant-veille de la condamnation de Raynal.

N'est-ce qu'une tempête dans un verre de cristal français? Sur les plateaux du Pérou, l'écrasement de la grande révolte des Indiens fournit la plus sanglante illustration possible aux pages des philosophes calfeutrés. Tupac Amaru est supplicié le jour où tombe Necker. Qu'ont-ils de commun? Le même soleil a passé sur l'un et l'autre ce jour-là. Les hommes d'alors ont ignoré la simultanéité des événements qui sont plus que jamais, en Europe et en Amérique, à l'ordre du jour des hommes de notre temps, dans leur dialogue à trois milliards de voix entre la réforme et la révolution.

En lever de rideau, Turgot meurt sans bruit le 18 mars 1781, à dix heures du soir. Nul n'espérait plus son retour au pouvoir, même parmi ses fidèles. Il était mort une première fois le 12 mai 1776 * et se traînait depuis stoïquement. Sa goutte et son chagrin se nourrissaient

---

* Sur la chute de Turgot, voir tome I, p. 306. Nous retrouverons Mercier au troisième volume.

mutuellement. Il allait aux séances de l'Académie des inscriptions et belles-lettres, pourquoi pas? Il ciselait des traductions de vers latins. Il était comme chez lui à La Roche-Guyon, chez les La Rochefoucauld, et laissait dire du mal de ses persécuteurs, sans trop s'en mêler. A quoi bon? Aucune indignation, même celle de Condorcet, ne pouvait être à la hauteur de son amertume d'avoir pu faire et de n'avoir pas fait. Il fréquentait Franklin, en voisin, à Passy *. Quand il avait dû renoncer à se déplacer, même sur des béquilles, il avait acheté l'hôtel de Viarmes, dans la rue Bourbon Saint-Germain **, en liquidant ses biens de famille. Il observait les choses comme de Sirius, et donnait de-ci, de-là, les coups de griffe du vieux chat solitaire roulé en boule : « Voilà M. Necker aussi rayonnant de gloire qu'il en était bouffi... Cet homme m'est et me sera toujours odieux [829]. » Turgot comptait les points entre Maurepas et lui. « On dit M. de Maurepas fort las de M. Necker et de ses projets. M. Necker serait encore plus las de M. de Maurepas... J'ai bien peur que ces deux Messieurs, pour s'ancrer encore davantage *(dans la faveur de la Reine)* ne nous amènent un jour M. le duc de Guines ***. » Penser à l'Amérique le rafraîchissait. L'espoir de changement ne pouvait se placer qu'en dehors de cette France au tissu si conservateur que même lui n'avait pu l'assouplir. « Le peuple américain pourrait devenir le modèle de tous les autres, à condition de n'être jamais à l'image de notre vieille Europe, un amas de puissances divisées, se disputant des territoires ou des profits de commerce, et cimentant continuellement l'esclavage des peuples par leur propre sang. » Il écrivait ceci à Richard Price, l'un des libéraux anglais qui ne faillissaient point et tenaient tête au roi George. Mais par lettres portées *via* la Hollande : Le Noir surveillait son courrier. « Gardez pour vous mes confidences, mon ami, et n'y répondez point, car on ouvre mes lettres et on me trouverait beaucoup trop ami de la liberté pour un ministre — même pour un ministre disgracié [830]. »

L'ami d'outre-Manche, celui qu'on n'a jamais rencontré; on peut donc tout lui dire. Les correspondances de ce temps-là sont des ponts jetés entre les aventuriers de l'avenir, exilés dans le présent. Le pasteur Richard Price reçoit les lettres de Turgot dans son presbytère de Newington Green, cette « petite partie résidentielle d'un bourg paisible aux abords de Londres où vivaient de nombreux dissidents [831] ». Des « unitariens » en l'occurrence, un des mille et un petits troupeaux que les anglicans supportent dans leur pré tant qu'ils n'augmentent pas. Ils broutent sans agressivité le jardin clos de leur foi en un seul Dieu, le Père de toute chose, l'Être suprême. D'où ce mot d'*unitariens*. Le

---

* Où il avait déconseillé à Mme Helvétius de l'épouser. Voir ci-dessus p. 236. Voir aussi, p. 210, pour cette petite citadelle du libéralisme nobiliaire qu'était le château de La Roche-Guyon.
** Aujourd'hui, le 121 de la rue de Lille, proche du Palais-Bourbon. C'est qu'il va mourir.
*** Sur le gros duc de Guines, ex-ambassadeur à Londres et l'un des favoris de Marie-Antoinette, dont le rappel avait déclenché la chute de Turgot, voir tome I, p. 310.

Christ est à leurs yeux un être humain tout juste un peu au-dessus des autres, et s'il est « fils de Dieu », ils le sont au même titre. C'est de cela que leur bon pasteur Richard Price les entretient chaque dimanche depuis tantôt vingt-trois ans, dans la petite église rose construite grâce à la conversion d'un banquier de la *City* * — mais il leur parlait de plus en plus des hommes, à mesure qu'il parlait moins de Dieu.

... Leur petit pasteur timide et trapu, émigré du pays de Galles, où son redoutable père, un pasteur lui aussi, l'avait tellement torturé de remontrances et d'interdits que Richard a placé la tolérance au-dessus de tout. Il a épousé une douce jeune femme de confession anglicane, qui est en train de mourir de tuberculose sans faire de façons, ni changer d'idées, à la fin d'un amour calme. Price ne quitte son chevet que pour de grandes promenades à travers champs où il délivre les alouettes prises au filet, non sans laisser de la monnaie sur place pour l'oiseleur. L'autre jour, distrait par son perpétuel discours intérieur, il a dépassé un hanneton gisant sur le chemin, les pattes en l'air. Il s'est frappé le front et a fait demi-tour pour tirer la bestiole d'embarras avant de revenir soigner le vieux cheval aveugle qu'il gardera jusqu'au bout dans son écurie. Les bonnes gens de toutes les églises aimaient le voir venir de loin, tout de noir vêtu, un bâton à la main, ses grands yeux vifs cherchant leurs yeux :

— « Voilà le docteur Price! Place pour le docteur Price!... *Friend to freedom... Brother of man* **... »

Ils l'aimaient surtout pour sa capacité de les écouter en silence. Il faisait de leurs travaux et de leurs jours la matière de ses lettres aux quatre coins du monde et de ses sermons du dimanche, où il glissait chaque semaine un peu plus de l'idéalisme au réalisme, sans perdre de son rayonnement. Ses deux meilleurs amis à Londres sont le chimiste Priestley et l'économiste Adam Smith ***. Ni l'un ni l'autre ne croient beaucoup en Dieu. Il les retrouve chaque année aux réunions du *Whig club*, qu'on appelle aussi « Les Amis de la Liberté », où Franklin venait aussi avant sa proscription. Sans le vouloir et sans le savoir, ils sont en train de transformer leur petit groupe en une minuscule église « du libre examen de toute chose sous l'angle de la raison, allié à un désir inflexible de progrès social, appuyé sur la force des classes moyennes et mêmes misérables [832] ». On ne s'y bouscule pas. Un désert de réprobation entoure ceux qui osent plaider pour les Insurgents. Les trois grands courants religieux anglais traduisent l'opinion de la masse des fidèles, violemment colonialiste : les anglicans sont fidèles au Roi;

---

* Elle existe encore, perdue maintenant dans l'agglomération londonienne. Price y prêcha de 1758 à 1786, avant de poursuivre son ministère à Hackney. Il sera l'un des « citoyens du monde » auxquels la Convention conférera la nationalité française, avec Priestley, Paine, Cloots, etc.
** « Ami de la liberté... Frère de l'homme ». Une plaque à la mémoire de Richard Price, portant ces deux mentions, a été placée peu après sa mort dans le temple de Newington Green.
*** Sur Adam Smith, dont les ouvrages d'économie commencent à influencer certains Français, Sieys notamment, voir ci-dessus, p. 187.

les méthodistes prêchent l'obéissance, encore et toujours, à n'importe qui, pour n'importe quoi ; même les presbytériens veulent avoir raison contre leurs frères américains. Quelques députés élèvent courageusement la voix aux Communes : Burke, Fox, Sheridan. Mais « la publication intégrale des débats parlementaires demeure interdite, si bien que leurs grands discours sont en fait censurés pour l'opinion [833] ». Et pas une ligne de l'Écossais Adam Smith n'empêche les soldats écossais d'aller incendier les plantations des Carolines *. « Il n'est pas si facile de se faire entendre d'un peuple entier, depuis la chaire d'une paroisse à soixante ouailles. » C'est pourtant au service de ces huit millions de sourds ** que Richard Price consacre ses travaux et ses jours, pour « établir un système national de pensions de retraite étendu à l'ensemble de la population » — rien moins que la première ébauche anglaise d'une sécurité sociale. La chambre des Lords a repoussé, voici huit ans, le premier projet qu'il a fait déposer là-dessus par ses amis. Il en est au quatrième. Il continue. Çà et là de par le monde, quelques ouïes très fines commencent à entendre la voix du petit pasteur de Newington Green comme l'un des seuls réconforts perceptibles dans une époque d'assoupissement. Ainsi Condorcet : « Enfin on vit se développer une doctrine universelle qui devait porter le dernier coup à l'édifice déjà chancelant des préjugés : c'est celle de la perfectibilité indéfinie de l'espèce humaine, doctrine dont Turgot, Price et Priestley ont été les premiers apôtres ***. »

Anne-Robert-Jacques Turgot est le premier à quitter cette espèce ingrate, perfectible sans doute, mais intraitable pour le moment. Il a fait ce qu'il a pu. Adieu Price! Adieu Adam Smith! A celui-là aussi, Turgot a écrit jusqu'aux dernières semaines, à Édimbourg, où Smith exerçait la fonction ingrate de directeur des douanes : une planque. Turgot aimait cet Écossais roux, de la braise sous la cendre, qui était venu l'entretenir de sa *Théorie des sentiments moraux* devant l'abbé Morellet. « Il parlait fort mal notre langue, mais M. Turgot, qui aimait la métaphysique *(sic)*, estimait beaucoup son talent. Nous le vîmes plusieurs fois. Il fut présenté chez Helvétius. Nous parlâmes théorie commerciale, banque, crédit public, et de plusieurs points du grand ouvrage qu'il méditait [834] » : ces *Recherches sur la nature et les causes de la richesse des nations*, parues à Londres quelques jours avant la chute de Turgot à Paris et dont la quelque deux millième et dernière page incitait les Anglais au seul sursaut vraiment utile à un peuple, le réveil :

---

* Une partie des renforts envoyés à Clinton et à Cornwallis par Lord North était composée d'Écossais « raflés » à Édimbourg et Glasgow, où sévissait un chômage endémique.
** Chiffre probable de la population des îles Britanniques, Irlande non comprise, en 1780. Price, qui se passionnait pour la science balbutiante de la démographie, l'évaluait, faussement, à cinq millions seulement.
*** Condorcet rédigera ces lignes quelques jours avant sa mort, en 1793, dans la « Neuvième Époque » de son *Esquisse d'un tableau historique des progrès de l'esprit humain.*

« Le gouvernement de la Grande-Bretagne, depuis plus d'un siècle, a nourri le peuple de l'idée qu'il possède un grand empire à l'occident de l'Atlantique. Cet empire cependant n'a existé jusqu'ici qu'en imagination. Jusqu'ici ce fut, non pas un empire, mais le projet d'un empire. Non pas une mine d'or, mais le projet d'une mine d'or... Le moment est venu. Il faut, ou que ceux qui nous gouvernent réalisent ce rêve d'or dont ils se sont peut-être bercés comme ils en ont bercé le peuple, ou que, sortant de leur sommeil, ils éveillent aussi la nation [835]. »

Adam Smith, Price, Turgot : le petit club des éveilleurs, une minuscule fraternité d'hommes lucides. Ils auraient pu faire de si grandes choses! Ils les ont dites.

Dernière lettre de Turgot à Condorcet : « Je pense comme vous qu'à tout prendre il y a plus de bien que de mal dans la vie [836]. » Il ne quitte plus son lit depuis la Noël. Sa sœur, ses frères sont Dieu sait où. Il n'a jamais eu grand esprit de famille, sinon pour celle qui s'est formée autour de lui au petit bonheur, la vraie. La duchesse d'Anville et Mme Helvétius lui tiennent lieu d'infirmières. Condorcet se ronge les ongles à ses côtés : est-il donc condamné, jeune encore, à voir mourir tous ceux qu'il aime? Turgot après Julie... Dupont accourt, entre deux visites à Mirabeau. Turgot lui dicte la traduction d'une ode d'Horace sur l'égalité devant la mort :

> « Un même torrent nous entraîne,
> Le même gouffre nous attend.
> Nos noms, jetés confusément
> S'agitent dans l'urne [837]... »

Tronchin est appelé le 25 février, comme pour Voltaire [*]; on dirait ce calviniste préposé à l'agonie des mécréants. Son malade est tout jaune et ne se nourrit plus. La goutte l'a préparé, mais c'est une « fièvre bilieuse » qui l'achève. Endurci par dix ans de supplices, il ne lui vient pas à l'idée de se plaindre. Une grande secousse trahit seulement parfois, par habitude, la morsure de la bête. « Son âme voit arriver avec tranquillité » (telle est du moins l'impression qu'il s'arrange pour donner à Condorcet) « le moment où, suivant les lois éternelles de la nature, elle allait remplir dans un autre ordre la place que les lois lui avaient marquée [838]. »

Fait-il semblant de s'endormir, au soir du 18 mars, par suprême délicatesse, malgré les râles et les suffocations? Dupont n'y tient plus et entraîne ces dames :

— Il dort, vous voyez bien! Venez! « L'épreuve est trop pénible [839]. »

Quand ils sont revenus, Turgot était mort seul; c'est un peu l'image de sa vie. Dupont en restera confus. « Il n'avait pas cru sa fin si prochaine et n'avait pas appelé les prêtres », que le mourant ne souhaitait pas.

« On lui a trouvé dans le foie trois ou quatre douzaines de petits

---

[*] Sur Tronchin, le grand médecin suisse, et son rôle à la mort de Voltaire, voir tome I, p. 608.

cailloux, et l'on n'a pas manqué de dire que, s'il les avait eus dans le cœur, il eût été plus propre au ministère [840]. »

Mais il était de ces morts qu'on ne tue jamais assez. La sœur et les frères surgissent pour l'héritage, comme il se doit, et frémissent devant une cassette capable de faire sauter le royaume : elle contient les papiers secrets de Turgot, notamment les copies des lettres à Louis XVI écrites aux derniers jours de sa charge. Qu'en faire? L'autre grand disgracié de ce temps-là, Malesherbes, paraît tout indiqué à la famille pour trier, puis brûler ou conserver ce qu'il faut. Il a censuré la France trente ans durant. Il peut bien censurer Turgot. On lui envoie les papiers dans sa petite maison de Malesherbes, où il jouit d'une retraite aussi quiète que celle de Turgot a été douloureuse. Malesherbes, lui, n'avait pas rêvé *. Il fait son métier vite et bien, en dix-huit jours. Peu de textes, à lui qui en a tant vu, lui paraissent aussi dangereux que ceux des dernières remontrances : « N'oubliez jamais, Sire, que c'est la faiblesse qui a mis la tête de Charles Ier sur un billot **... » Il était fou, ce Turgot! Où nous aurait-il conduits? « J'espère que les lettres écrites au Roi seront ensevelies dans le plus profond oubli. Si le contraire arrive, ce ne sera pas la faute de M. Turgot ni de la famille. Mais ils ne doivent pas se reprocher d'y avoir contribué par la conservation des minutes. J'exhorte même M. le marquis de Turgot *(le frère cadet)* à renoncer à les lire lui-même... Je voudrais à présent ne les avoir jamais lues, tant je crains que si les secrets du ministre au Roi sont un jour divulgués, on ne m'en accuse... C'est une marque de respect qu'on doit au Roi de les brûler, si cela se peut, en présence de quelqu'un qui puisse le lui certifier [841]. »

Ce sera chose faite avant la fin d'avril. Où donc était passé le courage de Malesherbes? Mais il se trompait d'un quart de siècle. On ne peut plus empêcher complètement les gens de savoir ce qui se passe dans le monde. Trop de récits, trop de livres partout. A peine dissipées les cendres des papiers de Turgot, le pavé de l'abbé Raynal et de Diderot va faire trembler les vitres.

---

* Sur Malesherbes et la déception de son passage dans l'équipe de Turgot, voir tome I, p. 313.
** Voir le texte de cette lettre dans le tome I, p. 315. Elle sera détruite par la famille. On la connaît, Dieu merci, presque intégralement, parce que Turgot en avait envoyé copie à l'abbé de Véri qui l'a reproduite dans son journal.

50/mai 1781
L'abbé du Nouveau Monde

« Jeune prince, toi qui as pu conserver l'horreur du vice et de la dissipation, au milieu de la Cour la plus dissolue, et sous le plus inepte des instituteurs *, daigne m'écouter avec indulgence... La hardiesse avec laquelle je te dirai des vérités que ton prédécesseur n'entendit jamais de la bouche de ses flatteurs, et que tu n'entendras pas davantage de ceux qui t'entourent, est le plus grand éloge que je puisse faire de ton caractère [842]. »

Quelqu'un a donc gardé les vaches avec Louis XVI, pour le tutoyer de la sorte? L'abbé Raynal apparemment, puisque c'est lui qui signe la réédition monumentale de son *Histoire des Deux Indes* en 1781, mais, en fait, Denis Diderot est l'auteur de cette sorte de lettre ouverte au Roi, glissée au passage dans le livre IV où elle émerge comme un cheveu sur la soupe entre quelques pages sur la Compagnie française des Indes et d'autres sur les tentatives colonisatrices... du Danemark, de l'Autriche et de la Suède. Ce détour imprévu jette le lecteur en pleine clairière, après un cheminement touffu. A propos des Indes, parlons de la France. Mais ce n'était vraiment pas la peine que Malesherbes ensevelisse les conseils de Turgot : Diderot reprend la plume cassée pour aller drôlement plus loin ; et, cette fois, devant tout le monde :

« Ah, si, tandis que je parlais, deux larmes s'échappent de tes yeux, nous sommes sauvés... » Deux larmes de ces yeux inscrutables au bleu pâle du vide, dont on est en train de faire « la couleur des yeux du roi » pour les ganses et les rideaux, suffiront-elles pour arracher la France à son processus implacable d'autocolonisation? « Jette les yeux sur la capitale de ton empire, et tu y trouveras deux classes de citoyens. Les uns, regorgeant de richesses, étalent un luxe qui indigne ceux qu'il ne corrompt pas ; les autres, plongés dans l'indigence, l'accroissent encore par le masque d'une aisance qui leur manque : car telle est la puissance de l'or (lorsqu'il est devenu le dieu d'une nation, qu'il supplée à tout talent, qu'il remplace toute vertu) qu'il faut avoir des richesses ou faire croire qu'on en a. » Le tableau de la France est plus vite fait que celui du Bengale. « Fixe tes regards sur les provinces où s'éteignent tous les genres d'industries. Tu les verras succombant sous le fardeau des impositions et les vexations aussi variées que cruelles de la nuée des satellites du traitant **... Abaisse-les ensuite sur les campagnes et considère d'un œil sec, si tu le peux,

---

* La cour de Louis XV; « l'inepte instituteur », c'est le précepteur de Louis XVI dauphin, le duc de La Vauguyon.
** « La nuée des agents du fisc », plus précisément des forces de l'ordre locales, que les fermiers généraux, (les « traitants »), pouvaient requérir pour faire payer les impôts par contrainte.

celui qui nous enrichit condamné à mourir de misère, l'infortuné
laboureur auquel il reste à peine, des terres qu'il a cultivées, assez de
paille pour couvrir sa chaumière et se faire un lit...» Si Turgot est mort,
Necker n'est pas loin. On le croirait dans le trou du souffleur. Diderot
a pourtant rédigé dès l'année dernière, en même temps que les autres
textes dont il a truffé le livre de Raynal, cette diatribe qui pourrait
être une amplification dramatisée du *Compte Rendu* publié ces jours-ci.
Mais les textes manuscrits s'échangeaient et se confrontaient facilement à Saint-Ouen, dans le salon de Mme Necker. Diderot a repris au
vol les timides suggestions du ministre pour faire son métier d'écrivain,
qui consiste avant toute chose à nommer un chat un chat : « Demande-
toi si ton intention est de perpétuer les profusions insensées de ton
palais, de garder cette multitude d'officiers grands et subalternes qui te
dévorent », et de ceci, et de cela, et allez donc, tout y passe, les voyages,
les fêtes, les châteaux, les coiffures en échafaudage, « les subsistances de
tes chevaux, dont l'équivalent nourrirait plusieurs milliers de tes sujets
qui meurent de faim et de misère ». Quelle dégelée! Diderot-Marat *.

Les gens de la Cour et le parti de Vergennes crieront à la manœuvre
calculée : Necker menant masqué l'offensive politique pendant que les
philosophes s'avancent à découvert. Ceux-ci travailleront le public;
celui-là le Roi. Il s'agit pourtant d'une coïncidence, plutôt que d'un
complot, mais les soupçonneux ont des excuses. Le 14 janvier, donc le
mois même du *Compte Rendu*, la *Correspondance secrète* annonce :
« L'entrée en France de l'*Histoire philosophique des Deux Indes (sic)*,
que l'abbé Raynal a fait imprimer à Genève, est très rigoureusement
défendue **. Tant mieux pour les libraires : on en vendra des exemplaires à un prix exorbitant, et pas un amateur ne s'en passera pour
cela [843]. »
Il n'est pas exclu que Raynal ait spéculé sur ce marché noir pour la
relance de son œuvre qui se vendait moins. Elle était déjà dans toute
bibliothèque « d'honnête homme ». Conduire les « milieux bien informés »
à l'acheter une seconde fois, quelle bonne opération! Ce n'est pourtant
pas le visage réjoui d'un spéculateur qui apparaît en frontispice de cette
quatrième édition, alourdie des pages brûlantes de Diderot. *Ques-à-cô?*
Cet homme farouche, au torse puissant, à la tête d'aigle couverte
d'un compromis entre le mouchoir et le turban ***, est-ce un flibustier?

---

* Comparer avec certains textes de ce dernier en 1774, dans *les Chaînes
de l'Esclavage*, tome I, p. 53, et en 1778 dans le *Plan de législation criminelle, idem*, p. 514. Comparer aussi avec le cri de Mirabeau à Vincennes,
ci-dessus, p. 277.
** Le titre complet est : *Histoire philosophique et politique des établissements et du commerce des Européens dans les Deux Indes*. C'est un programme à lui seul. « Philosophique » signifie qu'on pose la question :
Avons-nous le droit d'y être? — « les établissements » est un euphémisme
pour la conquête. Et l'expression « Deux Indes » montre que l'ouvrage
embrasse toute la planète.
*** Un certain nombre d'estampes populaires sur l'*Ami du Peuple*
s'inspireront de ce frontispice en 1793 et 1794.

un boucanier des Antilles? Nullement : c'est l'abbé Raynal, ou du moins l'image qu'il a demandé au graveur de donner de lui-même à ses nouveaux lecteurs.

Guère conforme au modèle, si ce n'est que Raynal est de complexion rude, comme tant de Rouergats. Naître et grandir près des sources de l'Aveyron, à La Panouse, presque au pied du château de Séverac, ne forme pas des gringalets. Fils du procureur de Saint-Geniez, Guillaume-Thomas, endurci à l'air vif de là-bas, en a emporté « cet assent dé tous les diables » *(sic)* qui faisait rire ses auditeurs du temps qu'il prêchait à Saint-Sulpice avec un tas de cailloux dans la gorge. Un temps bien dépassé. Le Raynal de 1780 est abbé à peu près comme Voltaire ou Rousseau, sauf à porter encore, par convenance, et, que voulez-vous, on est *sacerdos in aeternum*, « un habit marron, une veste, une culotte et des bas noirs, des souliers à boucles », et à se coiffer « d'une perruque ronde et d'un chapeau plat à trois cornes aiguës, qui semblait par sa forme cléricale lui dire — *Quand tu étais prêtre!...*, mot qui lui revenait sans cesse dans sa conversation, presque involontairement, comme l'indice d'une manie ou le témoignage d'une seconde nature... Une canne à pomme d'or complétait son costume, qui était absolument le même que celui de l'abbé Morellet et des autres abbés philosophes [844]. » Une chauve-souris s'habille comme elle peut ; un prêtre de ce temps-là, quel que soit son milieu d'origine, n'a jamais choisi librement d'être d'Église : on l'a déterminé avant ses douze ans. La notion de vocation tardive n'existe que pour certains moines. Être prêtre, c'est un état. Raynal s'en est accommodé de Pézenas à Paris en passant par les collèges de Clermont et de Toulouse, étudiant, jésuite, prédicateur, professeur, ses seules étapes jusqu'à présent, pendant que son esprit, d'une curiosité phénoménale, gambadait dans les cinq continents au hasard des lectures et des rencontres. L'érudition l'a consolé de tout, mais une érudition cascadante, en forme de déversoir. S'il apprend, c'est pour faire savoir, voilà pourquoi il aimait prêcher en « subjuguant son auditoire, tellement il brûlait la chaire par un débit plein de chaleur et plein de fougue [845] ». Quand il n'avait pas de citation sous la main pour porter l'estocade à la fin d'une période, il en fabriquait sur mesure, quitte à clouer le bec à ses maîtres :

— « Je suis fâché, mon Père, que le passage que j'ai cité ne soit pas de saint Augustin, mais s'il n'y est pas, il devrait y être. »

Chaste? Pas trop ; la bonne moyenne, sans scandale. Pauvre? De moins en moins : parti de rien, sans autre bagage que des châtaignes de Séverac, il avait commencé par bâcler des messes au rabais * pour finir par trafiquer des obsèques de protestants : soixante livres pour une sépulture « honorable » **. Puis il a vendu des sermons qui prê-

---

* L'une d'elles, payée un franc à l'abbé Prévost, lui avait été finalement refilée de prêtre en prêtre pour huit sous.
** Au cimetière des catholiques, le seul autorisé à Paris, où les corps des protestants clandestins étaient jetés aux ordures. Il suffisait de faire un faux certificat de « bonne mort », et on enterrait le défunt selon les lois de l'Église, pour éviter des tracas à sa famille. 60 livres d'alors équivalent à 300 francs lourds.

taient de l'éloquence. Puis il s'est fait secrétaire d'un parlementaire,
compilateur, auteur clandestin d'une *Histoire du stathoudéral* contre la
maison d'Orange et d'une *Histoire du Parlement d'Angleterre* contre
celle de Hanovre : le voilà dédouané auprès des philosophes, appointé
par Choiseul, libéré des paroisses, introduit au *Mercure* et dans les
salons, chez Helvétius, chez Grimm, chez d'Holbach. Il avait d'abord
amusé. Il s'était imposé, à force « de trancher de tout sur tout, parlant
de guerre plus haut que le duc de Broglie et montrant à Mme de Genlis
comment jouer de la harpe [846] »,.mais sachant freiner à temps : « Il
parlait prodigieusement, mais s'arrêtait toujours quand il s'aperce-
vait qu'il fatiguait l'attention [847]. »

Il avait rencontré Diderot dans ces parages-là, voici longtemps,
au coin d'une cheminée. Ils se sont trouvés compères en curiosité
universelle, deux fils du peuple pleins d'idées égarés dans les salons
des nobles où ils étaient à la fois docteurs et bouffons. Ils se ressemblent
par l'allure un peu lourde et la rudesse de leur carrure qui fait péter les
coutures et relâcher les cravates. Deux jumeaux de l'année 1713 —
presque l'âge de ce règne de Louis XV qui leur a voûté les épaules et
tourné le sang.

Diderot se reconnaît en Raynal : « Je sais, à la vérité — c'est Denis
qui l'avoue —, un assez grand nombre de choses, mais il n'y a presque
pas un homme qui ne sache sa chose beaucoup mieux que moi. Cette
médiocrité dans tous les genres est la suite d'une curiosité effrénée
et d'une fortune si modique qu'il ne m'a jamais été permis de me
livrer tout entier à une seule branche de la connaissance humaine [848]. »
Il a touché à tout, et rencontré la main de Raynal dans le même sac
vers les années 70, lui chiffonnier de l'univers pour l'*Encyclopédie*,
l'autre glaneur de-ci de-là pour l'*Histoire des Deux Indes*, qui n'est
pas autre chose qu'une Encyclopédie des rapports entre l'Europe et le
monde. Le formidable succès d'il y a dix ans. Le livre qui avait éclipsé
tous les autres. L'abbé avait mis quinze ans à le faire en piquant un peu
partout dans une centaine d'ouvrages et en faisant travailler des
dizaines de nègres littéraires pour le salut des Nègres. Amsterdam 1770,
première édition, le coup de tonnerre. L'Europe, le nez dans son caca.
Tout un monde habitué depuis des siècles à avoir raison en tout et
partout, déshabillé soudain et peinturluré de sang et de boue : voilà
ce que nous avons fait et ce que nous faisons encore. Les Indiens massacrés par les Espagnols et les Portugais. Les Noirs déportés par les
Français et les Anglais. L'homme chrétien démasqué s'était rué sur
son miroir avec délectation : « Cet ouvrage a beaucoup de lecteurs *. Il
offre aux politiques des vues et des spéculations sur tous les gouvernements du monde ; aux commerçants, des calculs et des faits ; aux
philosophes, des principes de tolérance et la haine la plus décidée
contre la tyrannie et la superstition ; aux femmes, des morceaux
agréables dans le goût romanesque [849]. » Après avoir lu Raynal, on ne
pouvait plus se regarder entre soi comme avant. Le confort d'être

---

* Selon La Harpe, en 1772.

était déchiré. On savait. Et « l'abbé Raynal a été sur le tapis » à la première rencontre de Manon Phlipon et de Jean-Marie Roland *.

Nom de Dieu, pourtant, quel bazar ! « Il raconte tout au monde **, comment on fait des conquêtes, des invasions, des fautes, des établissements, des faillites, des fortunes, etc., il raconte l'histoire naturelle et sociale de toutes les nations, il parle commerce, navigation, thé, café, porcelaines, mines, sels, épices ; et des Portugais, des Anglais, des Allemands, des Danois, des Espagnols, des Arabes, des caravanes, des Persans, des Indiens, de Louis XIV et du roi de Prusse, ... de riz et de femmes qui dansent nues, de chameaux, de guingan *** et de mousseline ; de millions de millions de livres, de pounds, de roupies et de coris ****, de câbles de fer et de femmes circassiennes, de Law et du Mississipi ; il attaque tous les gouvernements et toutes les religions [850] ! » Une cathédrale baroque de l'information de l'homme sur l'homme.

Est-ce donc un boutefeu, l'abbé Raynal ? Bien camouflé, alors. Dès qu'il a eu de l'argent, « il s'est mis à donner des déjeuners fameux où ce fut une mode aux plus jolies femmes de venir prendre le café, le thé, le cacao et les liqueurs des Isles avec leur historien... Elles tombaient dans des assemblées de diplomates, de princes italiens, de barons allemands, où le pétulant vieillard, gasconnant de tous ses poumons, faisant le galant malgré sa figure, baisant les beaux bras des dames, se montrait intarissable en anecdotes, en historiettes, en compliments [851] ». On murmure qu'il est mieux placé que personne pour savoir dans quelles entreprises négrières on peut placer ses fonds à cent pour cent *****. Il continue à fréquenter des nobles et des financiers, dont le plus clair de la fortune vient des plantations de Saint-Domingue ou de la Martinique. Certains d'entre eux lui ont même fourni ses plus sûres informations. C'est d'ailleurs l'explication de ce qui a fait courir Raynal depuis vingt ans : « Une fraction éclairée de la bourgeoisie, associée d'ores et déjà à la conduite des affaires, dispose de solutions de rechange pour les principaux problèmes [852] », y compris coloniaux, à condition qu'on en finisse avec la sclérose des méthodes conservatrices. On a soufflé ses textes à Raynal pour secouer le carcan des intendants obtus et des possesseurs de droit divin, grâce à l'impact de son énorme manifeste politique, « bien plus réformiste que révolutionnaire ». Parmi ses collaborateurs, deux académiciens : Thomas et Saint-Lambert ; deux ministres d'hier et d'aujourd'hui : Choiseul et Necker [853]. Ce ne sont pas précisément des casseurs. Si seulement

---

* Le 11 janvier 1776, à cinq heures du soir... Voir tome I, p. 292.
** Selon Horace Walpole, à la lecture de la première édition, presque autant diffusée en Angleterre qu'en France.
*** Toile de coton blanche de l'Inde... dont l'étymologie vient de Gangam, ville hindoue, et non de Guingamp de Bretagne, comme on le croyait alors.
**** Coquillages servant de menue monnaie en Afrique.
***** La rumeur, répandue notamment par Sébastien Mercier, était générale. Mais je n'ai trouvé aucun document précis permettant d'établir que Raynal ait eu des intérêts dans la traite.

l'œuvre de Raynal pouvait provoquer un glissement en leur faveur, tout irait bien. Otez-vous de là, que nous nous y mettions. Le planteur imbécile et cruel disparaîtra au profit du bon planteur. L'esclavage changera de sens : il deviendra une économie de la libération des hommes, dont nous continuerons à tenir le goutte à goutte. Une secousse calculée. On aura dénoncé les crimes de nos prédécesseurs, quitte à profiter de la situation qu'ils ont créée.

Mais ça n'a pas marché. Du moins pas encore. La secousse s'est diluée dans les remous de l'affaire des Parlements et de la mort du Roi. Raynal est presque vexé de n'avoir pas été mis à la Bastille. Une nouvelle édition en 1774, accrue, revue, enrichie, s'était enlevée comme des petits pains, mais à la manière de la *Nouvelle Héloïse*. L'aigle s'empaillait. Son livre devenait un classique de bibliothèque, alors que ses amis et lui l'avaient construit comme une machine de guerre. ... Et si on allait encore plus loin? Rajouter de la poudre. Ces gens sont trop durs à réveiller. Ils ne réagissent pas, quand on leur parle des Nègres. Si nous leur parlions d'eux-mêmes? C'est dans cette perspective que « l'abbé du Nouveau Monde * » a été trouver Diderot en 1779, et lui a offert le regain dont Denis désespérait. Voulait-il réécrire la troisième édition au vitriol? On lui offrait de transformer sa plume en fer de lance du mouvement des lumières.

Diderot, le géant bâillonné. Presque aussi réduit au silence qu'Helvétius. A l'anonymat, plutôt. Le triomphe de Voltaire lui a fait mal aux oreilles, et il est hérissé d'avance par l'annonce à son de trompe des *Confessions* de Jean-Jacques, qui vont sortir d'un jour à l'autre **. Et lui, alors? Un pied dans la tombe, tant de choses à dire encore! Depuis qu'on l'a flanqué à Vincennes en 1749, et qu'on lui a extorqué l'engagement de ne pas publier « d'ouvrages dangereux », il a engouffré toute sa puissance de travail dans l'*Encyclopédie*, et ce n'est déjà pas si mal, mais son œuvre à lui? Sa vision propre du monde et de la vie? On lui laisse publier des rhapsodies sur les salons de peinture et des coups de gueule pour amuser les princes dans la *Correspondance* de Grimm. Il tient en réserve *Jacques le Fataliste*, le *Neveu de Rameau*, *Est-il bon, est-il méchant?* et la *Religieuse* ***. De quoi les faire danser. Quand donc? A son enterrement? Il n'a même plus l'illusion que Catherine II va lui permettre de refaire une *Encyclopédie* qui tienne

---

* Selon un mot de Diderot à sa fille.
** Or Diderot est, du point de vue de 1974, le plus moderne des trois grands : autant il est difficile de relire les tragédies de l'un et les longs discours de l'autre (je ne parle pas de leur correspondance), autant le *Neveu de Rameau* ou *Jacques le Fataliste* n'ont pas pris une ride.
*** A Meister, le 27 septembre 1780 : « C'est un ouvrage que j'ai fait au courant de la plume... La contrepartie de *Jacques-le-Fataliste*. Il est rempli de tableaux pathétiques... Il est intitulé la *Religieuse*, et je ne crois pas qu'on ait jamais écrit une plus effrayante satire des couvents [854].»

debout *. Pourquoi « le grand projet » a-t-il avorté? Méfiance de l'auto-
crate? Obstruction des courtisans de Saint-Pétersbourg? Diderot
lui-même n'a pas trop insisté : à mesure que le temps passe, il a de
plus en plus honte d'avoir fait la cour à l'Impératrice, et le recul lui
permet enfin de voir la Russie comme elle est. Il n'écrit plus à sa grande
amie que des banalités, pour la politesse, et parce qu'il est utile de la
garder à portée pour la taper sans scrupule en cas d'urgence **. Mais
Diderot connaît le supplice de tous ceux qui gardent quelque chose
d'essentiel sur l'estomac. Même s'il peut publier ses romans ou ses
pièces, il y a pratiqué une telle autocensure que ce ne sera jamais qu'un
cri feutré. Il se jette sur l'offre de Raynal comme la vérole sur le bas
clergé. Pourrai-je écrire pour vous vraiment *tout* ce que je pense?
Tout, répond l'autre, un peu à la légère; on croyait n'embaucher qu'un
vieux lion assagi, aux griffes rognées.

Il va faire crouler le chapiteau. Il y va d'autant plus franc du collier
que c'est un lion-singe, qui ne tient aucunement à retourner dans un
cachot. Raynal sera le seul signataire. A lui la persécution éventuelle,
puisqu'il la cherche comme un investissement. A Diderot le défoulement. « Toute sa pensée, toute son œuvre éparse viennent se concentrer
dans Raynal comme au foyer d'une lentille... La grande œuvre qu'il
a toujours rêvée et qu'il ne croit pas avoir faite, elle paraît enfin sous
le masque d'un autre, et elle constitue le testament révolutionnaire du
XVIIIe siècle [856]. »

51/mai 1781
Ces grandes révolutions de la liberté

La bombe Raynal-Diderot n'explose qu'au printemps 1781, mais le
regain de Diderot date du moment où il s'est mis au travail avec une
ardeur de jeune homme, en mai 1779. Il avait fait chaud de trop bonne
heure en cette année-là. Même sur la colline de Sèvres, la terre cra-
quelée ne laissait pas percer les fleurs. Sous le soleil précoce, ce vieil
homme enfin libre de brûler, c'est-à-dire d'écrire ce qui lui plaisait. Il
n'en dormait plus. « Ma journée, qui commence communément entre
quatre et cinq du matin, est toute d'une pièce. Si le cher abbé continue

---

* Sur le voyage de Diderot à Saint-Pétersbourg en 1773-1774 et sa
retraite sur la colline de Sèvres, à son retour, voir tome I, p. 42 et 405.
** Par exemple, de deux mille roubles en juin 1779, pour aider son
gendre à l'achat des forges du duc de Bouillon. Soit environ dix mille
livres, c'est-à-dire cinquante mille francs lourds [855]. Le texte qui termine
cette séquence est d'Yves Benot.

(à rajouter de son côté des passages), je ne sais plus quand nous serons débarrassés l'un de l'autre ; le dessin de sa tapisserie s'étend d'un bout et se raccourcit de l'autre sur le métier, d'où il suit que lui défaisant autant que je fais, je ressemble au courrier Hohoye * qui piétine sans cesse et se retrouve toujours à la même place... Je n'ai pas encore mis le pied à Paris depuis que j'en suis sorti... » Seule détente : les visites de sa fille bien-aimée, accompagnée de son mari, Caroillon de Vandeul, et de leur tripotée d'enfants. Il a gros cœur quand elle s'en retourne à Paris et le laisse en compagnie de son aigre épouse, cette femme qui ne lui est plus rien. « Votre mère se porte assez bien. Le dimanche, elle prend l'air dans les jardins ; les jours ouvrables, elle le prend par la fenêtre. » La pluie était venue enfin : « Votre absence a attristé la ville et embelli la campagne, surtout lorsque le ciel fondait en eau et que la prairie était sur le point de disparaître entre les deux bras de la Seine, au-dessous de notre terrasse... La nuit, il me semblait que j'entendais les feuilles des arbres frémir sous les gouttes de la pluie [857] », comme toute sa grande carcasse frémissait sous l'inondation des idées. L'aventure de l'esprit, une fois de plus déchaînée : cet homme tout seul entre Versailles et Paris qui tentait de faire le point sur le voyage de l'humanité, à l'aide des balises posées par Thomas Raynal. Où en sommes-nous aujourd'hui? Ce n'est pas joli, joli. Raison de plus pour l'avouer.

Ce printemps-là avait duré plus d'un an pour Diderot. En janvier 1780, « je suis malade, et forcé, malgré mon indisposition **, à travailler presque jour et nuit à une diable de besogne qui ne souffre point de délai [858] » : secouer l'Europe. Il n'a soufflé que vers le mois d'août quand l'*Histoire des Deux Indes*, « radicalisée » par lui ***, avait été portée chez l'imprimeur à Genève. Il a fait ce qu'il a pu. Aux lecteurs de jouer.

« La liberté est la propriété de soi [859]. »

Or, nous avons enlevé, nous enlevons en ce moment aux esclaves cette propriété d'eux-mêmes. « Des malheurs, même imaginaires, nous arrachent des larmes dans le silence du cabinet et surtout au théâtre. Il n'y a que la fatale destinée des malheureux Nègres qui ne nous intéresse pas. On les tyrannise, on les mutile, on les brûle, on les poignarde ; et nous l'entendons dire froidement et sans émotion. Les tourments d'un peuple à qui nous devons nos délices ne vont jamais jusqu'à notre cœur. » Et qu'on ne nous serve pas l'argument des imbéciles : « Ça s'est toujours fait. » On sera bien reçu : « Mais que m'importe ce que les autres peuples ont fait dans les autres âges? Est-ce aux usages des temps ou à sa conscience qu'il faut en appeler? Est-ce l'intérêt, l'aveu-

---

* Personnage de jeu d'enfant qui faisait semblant de courir en restant sur place et criait comme les postillons.
** Une sorte d'asthme, ou une fatigue cardiaque, qui lui rendait difficile de monter les escaliers. Sa fille datera de ce moment le vrai déclin de sa santé. « Mon père travaillait quelquefois quatorze heures de suite. »
*** Le terme est d'Yves Benot.

glement, la barbarie, ou la raison et la justice qu'il faut écouter? Si l'universalité d'une pratique en prouvait l'innocence, l'apologie des usurpations, des conquêtes, de toutes les sortes d'oppressions serait achevée. »

Là tient le fondement de la pensée révolutionnaire : c'est d'aujourd'hui qu'il est question. Ne nous parlez pas d'autre chose. Et la chaleur monte à mesure qu'on feuillette les images d'aujourd'hui. Cette irrépressible indignation devant l'injustice, coup de sang de la Révolution, colère d'amour. « Je ne puis tuer mon esclave : mais je puis faire couler son sang goutte à goutte sous le fouet d'un bourreau ; je puis l'accabler de douleurs, de travaux, de privations ; je puis attaquer de toutes parts et miner sourdement les principes et les ressorts de sa vie ; je puis étouffer par des supplices lents le germe malheureux qu'une Négresse porte dans son sein. On dirait que les lois ne protègent l'esclave contre une mort prompte, que pour laisser à ma cruauté le droit de le faire mourir tous les jours. Dans la vérité, le droit d'esclavage est celui de commettre toutes sortes de crimes. Ceux qui attaquent la propriété : vous ne laissez pas à votre esclave celle de sa personne ; ceux qui détruisent la sûreté : vous pouvez l'immoler à vos caprices ; ceux qui font frémir la pudeur... Tout mon sang se soulève à ces images horribles. Je hais, je fuis l'espèce humaine, composée de victimes et de bourreaux ; et si elle ne doit pas devenir meilleure, puisse-t-elle s'anéantir! »

A la fin, ce n'est plus seulement aux bourreaux qu'il faut s'en prendre. Ils font leur besogne. Mais qui dira la stupidité des victimes? Le plus grand péché, c'est l'obéissance : « Le sujet d'un despote est, de même que l'esclave, dans un état contre nature. Tout ce qui contribue à y retenir l'homme est un attentat contre sa personne. Toutes les mains qui l'attachent à la tyrannie d'un seul sont des mains ennemies. Voulez-vous savoir quels sont les auteurs et les complices de cette violence? Ceux qui l'environnent. Sa mère, qui lui a donné les premières leçons de l'obéissance ; son voisin, qui lui en a tracé l'exemple ; ses supérieurs, qui l'y ont forcé ; ses égaux, qui l'y ont entraîné par leur opinion. Tous sont les ministres et les instruments de la tyrannie... Qu'est-ce qui vous étonne le plus, ou de la férocité du nabab qui dort, ou de la bassesse de celui qui n'ose le réveiller? »

Premier agent de l'aplatissement universel : la religion. Ne détournons pas le propos sur la religion des autres ; c'est de la nôtre qu'il s'agit. Ce livre sera signé par un abbé? Douce vengeance. Allons-y : « La religion fut partout une invention d'hommes adroits et politiques, qui, ne trouvant pas en eux-mêmes les moyens de gouverner leurs semblables à leur gré, cherchèrent dans le ciel la force qui leur manquait, et en firent descendre la terreur. Leurs rêveries furent généralement admises dans toute leur absurdité. Ce ne fut que par le progrès de la civilisation et des lumières qu'on s'enhardit à les examiner, et qu'on commença à rougir de sa croyance. » Mais le mal est fait : nous sommes aux mains des prêtres. « Pour expliquer l'énigme de son existence, de son bonheur et de son malheur (l'homme) inventa différents systèmes également absurdes. Il peupla l'univers d'intelligences bonnes et malfaisantes ; et telle fut l'origine du polythéisme, la plus ancienne et la plus générale des religions. Du polythéisme naquit le manichéisme, dont les vestiges dureront à jamais, quels que soient les progrès de la raison. Le manichéisme simplifié engendra le déisme ; et, au milieu de ces opinions diverses, il s'éleva une classe d'hommes médiateurs entre le ciel et la terre. »

Pas de progrès possible, donc, sans matérialisme. Nous voilà aux antipodes du vicaire savoyard, qui n'avait jamais quitté son val. « Les voyages sur toutes les mers ont affaibli la morgue nationale, inspiré la tolérance civile et religieuse, ramené le lien de la confraternité universelle, fondée sur l'identité des besoins, des peines, des plaisirs... » Mais attention ! La soif de l'or fait tomber de Charybde en Scylla. Au point où en arrive le colonisateur, l'insurrection devient la seule morale de salut : « Fuyez, malheureux Hottentots, fuyez ! enfoncez-vous dans vos forêts. Les bêtes féroces qui les habitent sont moins redoutables que les monstres sous l'empire desquels vous allez tomber. Le tigre vous déchirera peut-être ; mais il ne vous ôtera que la vie. L'autre vous ravira l'innocence et la liberté. Ou si vous vous en sentez le courage, prenez vos haches, tendez vos arcs, faites pleuvoir sur ces étrangers vos flèches empoisonnées. Puisse-t-il n'en rester aucun pour porter à leurs citoyens la nouvelle de leur désastre ! »

Aux dernières pages, les Hottentots sont loin. « Ces horreurs nous révoltent : mais avons-nous le droit de ne pas y ajouter foi, nous qui nous vantons de quelque philosophie et d'un gouvernement plus doux, et qui cependant vivons dans un empire où le malheureux habitant de la campagne est jeté dans les fers s'il ose faucher son pré ou traverser son champ pendant l'appariade ou la ponte des perdrix ; où il est obligé de laisser ronger le bois de sa vigne par des lapins et ravager sa moisson par des biches, des cerfs, des sangliers ; et où la loi l'enverrait aux galères, s'il avait eu la témérité de frapper du fouet ou du bâton un de ces animaux voraces ? » C'est de nous qu'il s'agit maintenant. C'est de moi, qui me ruais en Russie voici sept ans, aux pieds d'un despote éclairé. Diderot a digéré son voyage. La rumination a pris du temps. Mais il n'est pas trop tard pour se repentir « entre l'étrier et le sol ». Qu'on ne me parle plus du despote éclairé, même — et surtout — s'il est bon. Le bien des gens ne se fait pas malgré eux, et le pire des esclavages est celui de l'assoupissement. « Les nations font quelquefois des tentatives pour se délivrer de l'oppression de la force, mais jamais pour se sortir d'un esclavage auquel elles ont été conduites par la douceur *... Vous entendrez dire que le gouvernement le plus heureux serait celui d'un despote juste, ferme, éclairé. Quelle extravagance ! Ne peut-il pas arriver que la volonté de ce maître absolu soit en contradiction avec la volonté de ses sujets ? Alors, malgré toute sa justice et toutes ses lumières, n'aurait-il pas tort de les dépouiller de leurs droits, même pour leur avantage ? Est-il jamais permis à un homme, quel qu'il soit, de traiter ses commettants comme un troupeau de bêtes ? On force

---

* C'est presque mot pour mot une des maximes de Marat dans *les Chaînes de l'esclavage.*

celles-ci à quitter un mauvais pâturage, pour passer dans un plus gras :
mais ne serait-ce pas une tyrannie d'employer la même violence avec
une société d'hommes? S'ils disent :

« — Nous sommes bien ici ; s'ils disent même : — D'accord, nous y
sommes mal, mais nous voulons y rester, il faut tâcher de les éclairer,
de les détromper, de les amener à des vues saines par la voie de la per-
suasion, mais jamais par celle de la force. Le meilleur des princes qui
aurait fait le bien contre la volonté générale serait criminel, par la
seule raison qu'il aurait outrepassé ses droits. »

La philosophie de la démocratie absolue est fondée là, comme
à la sauvette, par le dernier des grands philosophes du siècle. « Peuples,
ne permettez donc pas à vos prétendus maîtres de faire même le bien,
contre votre volonté générale. » Cet appel est diffusé sur la terre de
France de janvier à mars 1781 : « Dans toute société bien ordonnée, il
ne doit y avoir aucune matière sur laquelle on ne puisse librement
s'exercer. Plus elle est grave et difficile, plus il est important qu'elle
soit discutée. » Seul dénominateur commun : le bonheur. « Tonnez,
menacez les uns et les autres tant qu'il vous plaira ; ouvrez à nos yeux
des cachots, les enfers sous nos pas : vous n'étoufferez pas en moi le
vœu d'être heureux. *Je veux être heureux* est le premier article d'un
code antérieur à toute législation, à tout système religieux *. » Il ne
suffira pas de se méfier des despotes et des prêtres. Prenons garde à la
famille : « Qui de nous s'est encore avisé de garantir sa postérité de la
séduction paternelle et maternelle? » — La liberté, papa, maman, ma
mie, monsieur l'abbé, monseigneur, Sire, c'est la propriété de soi.

« C'est ainsi que le désordre règne par l'enfance des souverains,
l'incapacité ou l'orgueil des ministres, et la patience des victimes... En
conséquence, voilà l'homme de génie réduit au silence ou étranglé, et
une nation retenue dans la barbarie de sa religion, de ses lois, de ses
mœurs et de son gouvernement. » A quoi bon crier, dans ces conditions?
L'écrivain a-t-il tant d'appétit pour le cachot ou le lacet de l'étran-
gleur? Socrate est-il un assoiffé de ciguë? Mais Socrate ne peut pas se
taire. Il n'a pas le choix. « La défense *(d'écrire)* ne fait qu'irriter et
donner aux âmes un sentiment de révolte, et aux ouvrages le ton du
libelle... La question se réduit à ces deux mots : Vaut-il mieux qu'un
peuple soit éternellement abruti que d'être quelquefois turbulent? »

Sur la terrasse de l'orfèvre Belle, à la verticale de l'île Seguin **,
Denis Diderot a entendu bien autre chose que La Fayette dans le
vent d'Amérique : « Au bruit des chaînes qui se brisent, il nous semble
que les nôtres vont devenir plus légères... Ces grandes révolutions de la
liberté sont des leçons pour les despotes. Elles les avertissent de ne
pas compter sur une trop longue patience des peuples et sur une éternelle impunité... Si les peuples sont heureux sous la forme de leur

---

* Ces deux phrases se trouvent dans un chapitre intitulé : « On continua
de boire du café à Constantinople malgré l'interdiction du grand muphti. »
** Où se trouvent aujourd'hui les usines Renault.

gouvernement, ils le garderont. S'ils sont malheureux, ce ne seront ni vos opinions ni les miennes, ce sera l'impossibilité de souffrir davantage et plus longtemps qui les déterminera à la changer, mouvement salutaire que l'oppresseur appellera *révolte*, bien qu'il ne soit que l'exercice légitime d'un droit inaliénable et naturel de l'homme qu'on opprime, et même de l'homme qu'on n'opprime pas. »

Viendra le moment de passer de la théorie à la pratique. L'Histoire ne s'écrira pas toujours avec une plume. Nous sommes en 1781 — écoutez la rumeur qui monte. « Il faut que tôt ou tard la justice soit faite. S'il en arrivait autrement, je m'adresserais à la populace. Je lui dirais : « — Peuples dont les rugissements ont fait trembler tant de fois vos maîtres, qu'attendez-vous? Pour quel moment réservez-vous vos flambeaux et les pierres qui pavent les rues? Arrachez-les!... Le mouvement des législations qui tendent à la liberté est troublé, rapide, violent. C'est une fièvre plus ou moins forte, mais toujours convulsive. Tout annonce de la sédition, des meurtres. Tout fait trembler pour une dissolution générale; et si le peuple n'est pas destiné au dernier malheur *, c'est dans le sang que sa félicité renaît.

« Concluez donc avec moi :

« Qu'il n'est nulle forme de gouvernement dont la prérogative soit d'être immuable.

« Nulle autorité politique qui, créée hier ou il y a mille ans, ne puisse être abrogée dans dix ans ou demain.

« Nulle puissance, si respectable, si sacrée qu'elle soit, autorisée à regarder l'État comme sa propriété.

« Quiconque pense autrement est un esclave. C'est un idolâtre de l'œuvre de ses mains.

« Quiconque pense autrement est un insensé, qui se dévoue à une misère éternelle, qui y dévoue sa famille, ses enfants, les enfants de ses enfants, en accordant à ses ancêtres le droit de stipuler pour lui lorsqu'il n'était pas, et en s'arrogeant le droit de stipuler pour ses neveux qui ne sont pas encore.

« Toute autorité dans ce monde a commencé ou par le consentement des sujets, ou par la force du maître. Dans l'un et l'autre cas, elle peut finir légitimement. Rien ne prescrit pour la tyrannie contre la liberté. »

---

* « L'anéantissement ».

52/mai 1781
Les larmes versées depuis trois siècles

Tout a commencé le 4 novembre 1780. Tout finit le 18 mai 1781 pour
Tupac Amaru *. Il n'avait jamais lu Diderot et ignorait son existence.
Mais ces torrents de sang viennent en marge du livre de Raynal,
comme une « Histoire philosophique et politique de la grande révolte
des Indiens d'Amérique du Sud »... Un chapitre rouge — que l'Europe
va mettre des siècles à déchiffrer.

4 novembre 1780. On célèbre la Saint-Charles, fête du roi de Madrid,
d'un bout du monde à l'autre, par toute l'étendue de cet Empire sur
lequel le soleil ne se couche pas. On a donc banqueté chez le curé de la
Virgen Morena (la Vierge Noire), comme chez l'évêque de Ségovie. A
la différence près que cette *Virgen Morena*-là se perche à plus de
deux mille toises d'altitude, entre ciel et terre, et à mille et mille lieues
de Ségovie **. Quelle drôle d'Espagne ! Les étoiles à portée de la main,
mais pas les mêmes : on trouve la Croix du Sud au lieu de la Grande
Ourse. Et le 4 novembre, par là, c'est comme avril en Europe. On a
tout de même dignement bu, à la santé du Roi, des grandes tasses d'un
alcool venu des Isles qui décape le gosier et troue l'estomac à armes
égales avec « la soupe à la façon des gens d'ici, dont la couleur est à
peu près celle d'une crème brûlée ; mais ce qui lui donne cette belle
couleur est du piment moulu comme de la farine qui prend à la gorge
comme si l'on avalait du feu. Plus je buvais », gémit un voyageur mal
entraîné, « et plus l'ardeur était violente, et je me sentis près de huit jours
de cette inflammation à la gorge [860] ». L'*Altiplano* n'est pas un pays
pour mauviettes. Même l'air qu'on y respire fouette le cœur.
Celui de Tupac Amaru bat-il plus vite, avant le geste décisif? Une
file de voyageurs à dos de mules va le long du sentier de montagne qui
les ramène à Tinta. Deux groupes distincts : en tête, les Espagnols
chamarrés et les esclaves noirs du *corregidor* don Antonio Arriaga,
tout gros, tout majestueux, le dernier sur la plus belle monture, mais
les yeux vifs malgré l'ivresse de l'alcool et de l'altitude : sa main reste
à portée des fontes d'où émerge la crosse argentée d'un gros pistolet.
Arriaga se méfie du second groupe, celui des « Indiens de montagne »
en poncho, larges culottes et sandales. Sans armes. Même leur chef,
Tupac Amaru, *cacique* de Tungasuca, n'a pas droit aux armes à feu.
On sait trop l'usage que ces gens-là seraient capables d'en faire.

---

* Les *Tupamaros* d'Amérique du Sud se sont ainsi baptisés en mémoire
de lui.
** Toute cette région centrale des Andes, dite *Altiplano*, « le haut plateau », traversée aujourd'hui par la frontière entre le Pérou et la Bolivie,
de part et d'autre du lac Titicaca, se situe entre 2 000 et 5 000 mètres
d'altitude.

Mais don Antonio ne saurait penser à tout ; notamment aux cordes roulées autour des cornes de la selle de ces Indiens silencieux comme des pierres. Le *lazzo* fait partie de leur équipage. Et, moins que tout autre, Tupac Amaru ne saurait s'en passer, puisqu'il est muletier de profession, « ce qui lui permettait de se rendre, sans porter ombrage au gouvernement, dans les endroits les plus divers, d'y travailler les esprits et d'y faire germer la semence de la révolte [861] ».

Tupac Amaru ? Qui ça, Tupac Amaru ? Les autorités veulent ignorer ce surnom et ne connaître que José-Gabriel Condorcanqui, un jeune collaborateur du pouvoir espagnol, bien noté dans les écoles de Cuzco et de Lima, où il a si bien appris leur langue. On a même poussé la récupération jusqu'à le nommer « marquis d'Oropesa », du nom d'une région proche de Lima. La route de Madrid lui est ouverte. Mais s'il lui plaît de raconter qu'il descend des derniers Incas *, donc du soleil, et de se rebaptiser sur le plateau « Tupac Amaru », autrement dit « Couleuvre resplendissante », c'est tout bénéfice pour l'ordre colonial. Un cacique sacré, que souhaiter de mieux ? Il lèvera sans heurts les impôts en nature, en espèces et en hommes sur le territoire qu'on lui a confié autour de son village de Tungasuca, dans la mouvance de Tinta, où don Antonio Arriaga règne en *corregidor* tout-puissant de la province.

Le *corregidor* et le cacique : tels, autrefois, le gouverneur et le publicain, tels, demain, le préfet et le caïd. L'éternel binôme de l'asservissement. Le *corregidor*, c'est l'homme d'en haut ; le cacique, l'homme d'en bas. Le premier vient de loin pour extorquer tout ce qui est extorcable au peuple domestiqué par l'intermédiaire du second trouvé sur place. Quand le système marche bien, tout baigne dans l'huile. Aux Espagnols, l'or et l'argent de la « vice-royauté du Pérou » ; aux Indiens le purgatoire sur terre et le paradis dans l'au-delà, s'ils font honneur à la Vierge Noire.

Mais le *lazzo* de Tupac Amaru va détraquer la machinerie. L'impassibilité inhérente aux Indiens lui a permis de cacher son jeu pendant toute sa jeunesse. Il a passé cinquante ans, il est prêt. Le temps de l'*Altiplano* change en un moment. Le sentier hésite d'un versant à l'autre, le soleil s'incline, on transpirait tout à l'heure, on grelotte à présent. L'heure est venue de passer sur le versant de la rébellion. On n'en peut plus. Les Espagnols nous en ont trop fait voir depuis la mission du *visitador* Areche en 1777 — ô maudite « année des trois sept », qu'on apprend aux enfants à connaître comme celle d'un tremblement de terre ! Don José de Areche était venu de Madrid à Lima pour doubler le vice-roi trop libéral, augmenter les impôts des commerçants et des mineurs, faire sortir du sol les plants de tabac et les lingots, le rafleur d'Indiens, le chasseur d'hommes. « La *leva* ! la *leva* ! »

---

* Attention à l'ambiguïté du terme : le mot *Inca* signifie d'abord le chef, le souverain, dont la dynastie voulait remonter au soleil, comme celle des Mikados. C'est par extension que le peuple sur lequel régnait l'Inca s'est appelé « les Incas », comme si les Japonais s'étaient appelés « les Mikados ».

Le cri courait au-devant de lui dans les vallées, sur le plateau, quand ses soldats apparaissaient à l'aube des marchés et des foires pour le grand coup de filet. « La troupe était recrutée par la voie du tirage au sort au fur et à mesure des besoins. Mais, en cas de nécessité, il était fait appel au procédé brutal de la *leva* (levée). C'était en fait une véritable chasse à l'homme, dirigée contre les Indiens et les Noirs. Rien n'y manquait : les cordes, les chaînes, les *lazzos* (nœuds coulants). Il restait à tendre les pièges. L'autorité s'en chargeait. Un officier, accompagné d'une vingtaine d'hommes armés et pourvus de ce qu'il fallait pour maîtriser les récalcitrants, apparaît soudain à l'entrée d'une rue, bloque les issues, s'empare des passants qui ne peuvent échapper à cette souricière. Ceux qui, par leur allure ou leur vêtement, semblent appartenir à une classe sociale élevée ou moyenne, peuvent seuls poursuivre leur chemin. Il n'en est pas de même des Indiens et des Noirs [862]. » Les caciques n'y pouvaient rien, même ceux, comme Tupac Amaru, qui demeuraient les bras croisés pendant la rafle et aidaient leurs administrés « à chercher asile dans les caves des *pulqueros* *, où ils demeuraient dans les ténèbres, blottis derrière les tonneaux et les sacs ».

Il n'est pas très coopératif, depuis 1777, le cacique de Tungasuca. Sa réputation est en baisse à Lima et même à Tinta, où il n'a guère aidé Arriaga dans la répression des émeutes qui ont éclaté là comme à Huaraz, à Lambayeque, à Hyanuco, à Pasco, à Huancavelica, à Moquegua, partout où l'on a frotté les oreilles aux *corregidores*, mais sans méthode et sans plan d'ensemble. Des incendies de sierra faciles à éteindre en tapant dessus à mesure. A Cuzco même, voici un an, on a démantelé un réseau de conspirateurs et jeté dans un cul-de-bassefosse don Lorenzo Farfan — un philosophe au Pérou, on aura tout vu —, mais aussi, à ses côtés, le cacique indien des trois villages les plus proches de Cuzco. A Christonovio, des enfants indiens jouaient innocemment l'autre jour : « Toi, tu fais le *corregidor* »... C'était parti dans les éclats de rire. Mais ils s'étaient pris au jeu. L'enfant désigné s'était retrouvé pendu.

La situation restait tendue. Au point que don Antonio refusait obstinément d'aller en personne à Tungasuca. Il ne voulait pas se trouver chez son subordonné comme Louis XI à Péronne. Mais il a saisi l'occasion du banquet chez le curé, en terrain neutre, pour régler les questions pendantes et faire acte de suzerain. Content, relativement rassuré, il commet une seule erreur en acceptant de passer devant, comme l'exige la préséance, sur le chemin de crête. On arrive à l'embranchement. Il va falloir se séparer. Don Antonio à droite, vers Tinta. Tupac Amaru à gauche, vers Tungasuca.

... Antonio Arriaga ira lui aussi à gauche, finalement. Le *lazzo* ne sert pas seulement pour attraper les mules et les Indiens. Celui de Tupac Amaru s'est déployé en sifflant dans l'air limpide comme l'oiseau blanc de la révolte. Cueilli par le cou, jeté bas de sa selle monumentale

---

* Sorte d'entrepôts communautaires.

en forme de baldaquin, tandis que les autres Indiens maîtrisent son escorte, le *corregidor* est traîné à terre le long du chemin au pied de la mule du cacique et fera ainsi son entrée de vaincu, tout écorché, saignant, hurlant, le soir même, dans un monde renversé.

10 novembre. Ça n'a pas traîné. Arriaga est mis à mort devant un grand concours de peuple sur la place de Tungasuca, un gros village de terre sous ses toits de chaume et de tuiles séchées, étagé en gradins sur les pans d'une vallée fertile. Une sorte de ville tartare prise au piège des jardins. Les Incas sont des sédentaires : leur bonheur est de gratter le sol partout où c'est possible aux plis des Andes. Ils n'ont que faire de chevauchées. Mais à force de les chercher, on les trouve. Tant pis pour don Antonio.

Des centaines d'hommes et de femmes au teint rouge cuivré, aux cheveux très noirs, plaqués, luisants, aux pommettes saillantes, aux yeux « allongés, au coin levé vers le haut », rassemblent au pied de l'échafaud la plus belle collection de pifs qu'on puisse imaginer, ce nez « proéminent dans toute sa longueur, épaissi vers les narines, dont les ouvertures sont dirigées par en bas, comme chez les peuples de la race du Caucase [863] ». Un bariolage silencieux : toutes les couleurs de la laine sur les fronts et les épaules, et toutes les nuances d'un mutisme éloquent ; c'est le contraire des clameurs que les foules d'Occident poussent devant un supplice. Il y a de la dignité dans l'air, humide pour une fois : la *germa* de printemps noie les contours, cette grande pluie qui racle trois fois par an la terre entassée sur les terrasses à si grand peine, on dirait que la mer a gravi les montagnes, on se meut dans un nuage avec des gestes que l'altitude fait économiser.

En face du gibet, le trône de l'Inca. Les deux édifices se répondent d'une rafale à l'autre. Juché sur un échafaudage hâtif de bois, d'étoffes précieuses et d'or, « *Don José primero, par la gracia de Dios Inca del Peru, Santa-Fé, Chile, Buenos-Aires y Continente, de los mares del Sur,* etc. * », préside à l'exécution de son vieil adversaire.

Que de titres soudains pour Tupac Amaru ! La querelle de villages s'est élargie, au moins par le vocabulaire, aux dimensions du continent. Sorti de la chrysalide, le papillon chatoie dans un accoutrement à rendre jaloux les Mérovingiens. Il est arrivé sur un cheval blanc, le luxe suprême au pays des mules, un bandeau d'or juché sur son chapeau habituel à trois cornes ; et s'il porte toujours l'*uneo*, la chemisette coutumière des Indiens, elle est enfilée par-dessus le manteau écarlate qui recouvre lui-même un costume de velours bleu. Le soleil d'or au bout de la chaîne passée au cou rappelle qu'il est arrière-petit-fils du soleil et descendant direct de Manco Capac**. Tout ce qu'il faut pour

---

* Joseph Ier, par la grâce de Dieu Inca souverain du Pérou, etc.
** Manco Capac était le fondateur quasi légendaire de la dynastie des treize Incas qui avaient fait la grandeur du fameux empire saisi en pleine prospérité par la conquête espagnole. Tupac Amaru n'était pas un fabulateur, comme Pougatchev (voir tome I, p. 114) et son ascendance n'est pas mise en doute.

traiter de seigneur à seigneur avec l'héritier de Charles Quint, après avoir châtié ce *corregidor* de malheur vers lequel il tourne son bec d'aigle.

« Ma personne est la seule qui subsiste du sang des rois de ce royaume *. Mon origine m'a poussé à tenter, par tous les moyens possibles, de faire cesser les abus introduits par les *corregidores* et qu'ont inventés les gens ineptes qui occupent toutes les charges et les ministères, coupables de tout ce qui s'est accompli contre les Indiens et d'autres personnes, agissant contre les dispositions des rois d'Espagne eux-mêmes, dont les lois, je le sais par expérience, sont abolies ou dédaignées [864]. »

Le terrain de la négociation n'est pas mal choisi, et Tupac Amaru montre une certaine diplomatie : en appeler au roi d'Espagne des exactions de ses délégués n'est pas crime de lèse-majesté. Mais mieux vaudrait peut-être dans ce cas garder celui-ci en otage? Impossible. Arriaga en a trop fait. Le cercle de haine populaire qui entoure son gibet est plus compact que les blocs géants de Machu-Pichu. Tupac Amaru voudrait peut-être l'épargner, mais son petit état-major tribal est serré autour de lui comme les grains sur l'épi de maïs — pour le soutenir ou l'entraver? Micaëla, sa jeune femme aux yeux de braise bleue, Hippolyte, Fernand et Mariano, ses trois fils tout en muscles, et ses filles, et ses beaux-frères, et son frère Diego-Cristobal, qui sait si bien apprivoiser les aigles, et Julian Apaza le bossu, et Thomas Catari, qui se dit fièrement « mineur et fossoyeur », et Cicenaro qui prend tant de plaisir à tuer; trop...

Cicenaro mène la charrette d'où descend le condamné lié comme un saucisson, mais calme. Il saura mourir en *caballero* devant quelques-uns de ses pairs terrorisés, les chefs de la province de Tinta, trois autres *corregidores*, les caciques, le capitaine Bernardo de la Madrid, le docteur Ildefonso Vegerano, administrateur des tabacs, et le révérend père Domingo Castro, tous piégés à Tungasuca où ils ont été convoqués, sous prétexte de tenir conseil, par de fausses lettres de don Arriaga... pour assister maintenant à son supplice. On ne leur fera pas de mal : ils témoigneront, une fois envoyés çà et là pour semer la terreur. Les yeux hors de la tête, ils voient les bourreaux requis sur place — des Nègres, les Indiens ne veulent pas déchoir — approcher du malheureux une énorme coupe de pierre fumante. Qu'est-ce qu'on a mis à bouillir dedans au-dessus des braises? De l'or en fusion. On va le faire boire à don Antonio avant de le pendre, et lui rentrer ainsi dans la gorge une infime partie de cet or que les Espagnols ont arraché aux villes d'ici pour plafonner leurs églises et remplir leurs coffres.

Tupac Amaru détourne la tête. Lui-même n'est pas cruel. Mais il incarne la contre-horreur. «Depuis la conquête jusqu'à maintenant **, il n'a pas été permis aux Indiens d'améliorer leur sort. Les fonction-

---

* Extrait de la lettre que Tupac Amaru va faire porter à l'évêque de Cuzco.
** Même lettre.

naires ne se sont appliqués qu'à escroquer notre race misérable sans
lui permettre de respirer. Cela est si notoire qu'il n'y a pas de preuve
plus concluante que les larmes versées depuis trois siècles par ces
infortunés. » Qui donc crie « Grâce! » quand on approche le bouillon
de l'enfer de la bouche d'Arriaga, maintenu la tête en bas, les mâchoires
écartées par des sarcloirs? Pas un Indien. Une voix étranglée dans le
groupe des Espagnols attachés au premier rang. Mais même si le « Nouvel
Inca » faisait le signe de César, le pouce en haut, il ne serait pas obéi.
Les survivants de l'extermination ont leurs milliers de parents morts
dans le dos. Voilà déjà cinquante ans que deux gentilshommes en
mission scientifique au Pérou ont osé écrire à Philippe V que « le
grain est fort rare. Les propriétaires traitent les Indiens avec une dureté
terrible. Ils vont jusqu'à stocker le grain — qui est la seule nourriture
par ici — pour le vendre à un prix plus élevé, entraînant ainsi une
mortalité indigène élevée dans toutes les provinces [865] ». Les choses
n'ont fait que s'aggraver depuis. Toute famille indienne, dans la province de Tinta, compte un ou plusieurs enfants morts de faim depuis
dix ans.

Mais il n'y a pas que les enfants. Indiens des *obrajes* (les fabriques
de drap) « mourant de privation, les outils à la main », devant leur
métier dans les locaux sans soleil où ils sont enchaînés de l'aube au
couchant. Indiens traînés sur les routes « attachés par les cheveux
à la queue d'un cheval monté par un métis qui les conduit à la fabrique ».
Indiens déportés aux mines du Potosi, à trois jours de mulet de Tungasuca, au-delà de toute espérance *...

« Les mines d'argent les plus considérables, celles de Potosi et de
Pasco **, se trouvent à d'immenses élévations, très près de la limite
des neiges éternelles. Pour les exploiter, il faut amener de loin les
hommes, les vivres et les bestiaux. L'eau y gèle pendant toute l'année
et les arbres n'y peuvent végéter. Il n'y a que l'espoir de s'enrichir qui
peut déterminer l'homme libre à abandonner le climat délicieux des
vallées pour s'isoler sur le dos des Andes du Pérou [867]. » Dix mille
« hommes libres » vivent cette folie-là, les Espagnols enfiévrés d'argent
— mais soixante mille Indiens sont requis sous leur fouet. « Il y a
des mines dont les Indiens cachent avec soin l'emplacement, de peur
d'être employés à des travaux qu'ils considèrent comme funestes à
leur santé et même à leur existence [868]. » « Chacun des villages circonvoi-
sins était tenu d'envoyer à Potosi un certain contingent d'Indiens pour
travailler aux mines. C'est ce qu'on appelait la *mita*. Les *corregidores*
mettaient en route les *mitayos* le jour de la Fête-Dieu. La plupart

---

* En 1781, près de 900 mines d'argent étaient en exploitation sur
l'ensemble du territoire de la Vice-Royauté du Pérou, ainsi que 70 à
80 mines d'or, toutes au profit exclusif de la métropole à laquelle elles
vont rapporter en dix ans (1780-1789) l'équivalent de 700 millions de
francs lourds [866].
** Selon Humboldt, qui les visitera vingt ans plus tard. Elles culminent
à 4 200 mètres d'altitude.

amenaient avec eux leurs femmes et leurs enfants » à la plus haute ville du monde, la forteresse, la prison, le bagne de la *casa de la Moneda* ornée du lion de Castille, où les batteurs d'argent du roi d'Espagne, qui du moins travaillaient à l'air libre, pouvaient encore s'estimer heureux en comparaison des mineurs. Ceux-là survivaient deux ou trois ans; ceux-ci ne mettaient que quelques mois à mourir. Respirer sous terre les parcelles d'argent mêlées aux sulfures d'arsenic et d'antimoine, ça ne pardonne pas. Mais le Pérou tout entier n'est-il pas un monde sans pardon, depuis que Pizarro a frappé au cœur le grand peuple des Incas? Atahualpa, l'Empereur, avait été enfermé par ruse dans la grande salle où le *Conquistador* avait tracé une marque sur le mur :

— Quand le tas d'or de ta rançon atteindra ce trait-là, tu seras libre.

L'or était venu, drainé par tout l'Empire à dos d'homme. Le peuple s'était ruiné pour son Inca, que Pizarro avait fait étrangler sitôt atteint le niveau fixé. On n'en finissait pas en Occident de s'extasier depuis sur cette conquête exemplaire d'un empire par cent soixante-huit chenapans. Quels abrutis, ces Incas! Ne pas profiter d'eux serait pécher.

« ... Quoi qu'il en soit, il est certain qu'il sort continuellement de fortes exhalaisons des mines : les Espagnols qui vivent au-dessus sont obligés de boire très fréquemment de l'herbe du Paraguay ou *maté* pour s'humecter la poitrine, sans quoi ils souffrent d'une espèce de suffocation. Mais ces exhalaisons sont bien plus pénibles au-dedans; elles font un tel effet sur les corps qui n'y sont pas accoutumés qu'un homme qui y entre pour un moment en sort comme perclus, sentant une douleur dans tous les membres à ne pouvoir se remuer... Les Espagnols appellent ce mal *quebrantahuesos*, c'est-à-dire *qui brise les os*. Les Indiens même, qui y sont accoutumés, sont obligés de se relever alternativement presque tous les jours [869]. » Gros souci pour les *corregidores* qui doivent trouver suffisamment de main-d'œuvre pour la relève de tous ces crevards. Le cercle de la déportation s'étend en ondes de plus en plus vastes autour du Potosi. Impossible de se passer d'Indiens : « Ils sont seuls propres à cet ouvrage, où l'on ne peut employer les Noirs, parce qu'ils y meurent tous... Les Espagnols regardent les travaux du corps comme quelque chose de honteux à un homme blanc : être *hombre de cara blanca* est une dignité qui dispense les Européens du travail des mains. »

Hombre de cara blanca, don Antonio Arriaga était devenu champion de la *mila*. Sa réputation de pourvoyeur des mines gagnait Lima et même Buenos Aires. Il avait fait dresser huit potences autour de Tinta (mais pas à Tungasuca; le cacique n'avait pas voulu; c'est un peu pour cela qu'ils étaient en froid) où se balançaient en permanence les corps séchés des Indiens déserteurs.

L'or, pour une fois, tue un homme au sens propre. L'avantage de cette forme de supplice, c'est d'étouffer les cris de la victime... Mais ce n'est pas un spectacle pour premiers communiants, cette rivière de feu jaune dans un gosier ouvert, cette odeur de cochon brûlé, les grésillements, les sursauts. La révolte de Tupac Amaru commence par une atrocité à la mesure des trois siècles atroces dont il essaie de soulever le poids. Est-il possible de renverser une société sans la singer? Pas ici.

C'est un être sans vie, un cadavre raidi qu'on suspend à la corde, qui casse bien sûr : le cou du pendu est devenu un lingot d'or incandescent.

53/mai 1781
Quand même périrait Tupac Amaru

12 novembre 1780. La nouvelle de l'exécution d'Arriaga est apportée à Cuzco, la ville la plus importante de cette immense épine dorsale du continent, par un *corregidor* tout tremblant, celui de Quispicanchi, voisin de Tinta. Il l'a échappé belle.

A Cuzco, c'est l'évêque qui tient lieu de tout, un évêque de la bonne époque des bûchers et des moines soldats. Il comprend sans peine la gravité de la situation. Les Espagnols de l'Empire d'Amérique campent sur un tonneau de poudre. Quatre millions de Blancs, les seigneurs, ou du moins s'estimant tels, même s'ils ne sont que merciers ou aubergistes — mais jamais ouvriers, jamais paysans —; cinq millions de métis et de mulâtres, les bons à rien, les bons à tout; un million d'esclaves noirs et *zambos* * — et huit millions d'Indiens. Si ceux-ci prennent feu en entraînant les Noirs et s'ils parviennent à faire basculer les métis dans leur camp, puisse Notre-Dame prendre les Espagnols en pitié! L'or et l'argent fondus risquent de remplacer pour beaucoup le chocolat du déjeuner. La situation est encore plus simple pour « la vice-royauté du Pérou », cet éventail dont le pied serait « la capitainerie générale du Chili » et qui va se déployant entre le Pacifique et le haut-Amazone sur le versant ouest de la Cordillère : quatre millions d'Indiens et de métis contre deux millions d'Espagnols. La chance de ces derniers s'appelle immensité : « La plupart des Indiens de la *sierra* n'ont jamais quitté leur maison et leur champ, leurs courses ne dépassant guère le marché d'un *pueblo* voisin. Ils vivent et meurent là où ils sont nés, et parlent entre eux de Cuzco et de Lima comme de paradis inaccessibles [870]. » Il faut donc étouffer promptement le foyer de la rébellion,

---

* Les *zambos* étaient le produit du métissage des Indiens et des Noirs; le roi d'Espagne avait, par ordonnance, spécifié que « ces hommes issus d'un tel mélange, pour la plupart si vicieux, ne soient jamais autorisés à porter des armes, ni à vivre hors de la tutelle d'un maître ».

en courant sus à Tupac Amaru avec les moyens immédiats. L'évêque de Cuzco rameute un millier d'hommes des milices locales, les confie au capitaine Cabrera, et les envoie exterminer les révoltés de Tunga- suca. A nous, les mânes de Pizarro!

8 décembre, fête de l'Immaculée Conception. En bas, dans les vallées, c'est une chaleur de juin, des fleurs, des oiseaux. Le printemps tourne à l'été. Mais on est au pays où tout change d'un niveau à l'autre, et les mille hommes de Cabrera, à quelques marches de ces edens minus- cules, rencontrent le climat qu'il fait en décembre sur les plateaux de Madrid, à l'autre bout du monde. Ils sont harcelés par des embuscades dans une tempête de neige qui les aveugle et fait de chaque rocher une forteresse d'Indiens. Il n'est plus question d'écraser la révolte dans l'œuf. A Sangarara, huit lieues avant le village de Tupac Amaru, les insurgés sont aussi nombreux que les flocons de neige. La colonne de répression se trouve naufragée en terre hostile. Les autres ont déjà des armes, saisies sur place dans les garnisons espagnoles. Ils tirent avec la même sûreté qu'ils lancent le *lazzo* et, quand ils n'ont pas de fusil, les pierres font balles. Les Espagnols cernés, affamés, croient trouver le salut dans une de ces mille et une églises qu'ils ont fait lever du sol américain comme des champignons : le bâtiment construit de prime abord, suivant le geste de Colomb plantant la croix sur le premier rivage.

Celle de Sangarara ressemble à toutes les autres, avec son mélange baroque de la coupole et du clocher, qui rappellerait un peu l'Islam aux vieux garnisaires de Mogador ou de Ceuta, n'étaient les couleurs vives des murailles, dans le bariolage au goût d'ici. Mais les couleurs sont gommées par la tombée de la nuit dans les rafales glacées, et l'église a pris figure de tombe. Les soldats se serrent comme des harengs en caque à la lumière tremblotante de la lampe du sanctuaire. Autour de l'église, plusieurs milliers d'Indiens sortis de l'ombre font le cercle de la mort. Tupac Amaru n'est pas là ; tant pis pour les Espagnols. C'est Cicenaro, le bourreau d'Arriaga, qui mène la négociation pour réglementer le carnage :

— Rendez-vous à merci.

— Nous ferez-vous quartier? Nous laisserez-vous nos armes?

— Rendez-vous sans conditions. Et souvenez-vous d'Atahualpa.

S'il faut mourir, les Espagnols mourront debout. Ça, ils savent. Ils se croient en sursis tant que la petite lampe vacille : les Indiens adorent maintenant le même bon Dieu qu'eux, et ne verseraient pas le sang devant le Saint-Sacrement. Mais la lampe s'éteint. Cicenaro a ordonné au curé de retirer le Christ du tabernacle et de l'emmener au presbytère.

— Que ceux qui veulent servir notre Seigneur l'Inca, Tupac Amaru, se présentent à la porte de l'église.

Une vingtaine de créoles y vont, des natifs de la colonie, ceux que les officiers de la métropole font enrager depuis toujours. Des Blancs cependant — au service de l'Inca? Toute sa politique tient là. Les autres se partagent les dernières poires à poudre, pour vendre chèrement leur peau. Elles ne leur serviront de rien : des crépitements annoncent la naissance d'un brasier. Les Indiens ont mis le feu à l'église en entassant des fagots tout autour. Quelques Espagnols tentent une sortie ; ils sont assommés dehors. On retrouvera le lendemain les ossements calcinés des hommes de Cabrera dans les débris fumants qui laissent apparaître çà et là d'étranges vestiges cubiques : les fondations d'un petit temple du soleil qu'on avait rasé pour bâtir l'église à son emplacement voici deux siècles — deux vagues sur la mer des temps.

Six cents Espagnols sont brûlés huit jours plus tard dans l'église Saint-Pierre de Bellavista. Un petit groupe de soldats, mais surtout « des prêtres, des laïques, des femmes, des enfants qui avaient cherché asile dans l'église... A Caracoto, le sang a coulé avec une telle abondance qu'il couvrait, à ce qu'on raconte, les pieds des assassins jusqu'aux chevilles [871] », comme celles des croisés lors du massacre des musulmans dans les mosquées de Jérusalem. L'entreprise de Tupac Amaru est une croisade retournée aux expéditeurs. Et l'Espagne de l'Inquisition se réveille sur son tas d'or, à la lumière de ses bûchers que les survivants des Incas lui flanquent à travers la gueule. Il est dangereux d'apprendre aux gens à se brûler les uns les autres.

Tupac Amaru n'est plus d'accord, mais plus du tout. Vive altercation entre ses lieutenants et lui. Il voit plus loin qu'eux tous. Il s'est rendu personnellement à l'avant-garde, pour retenir le bras de Cicenaro et l'empêcher d'enterrer tout vifs des Espagnols à Tapacari :

« — Ce n'est pas le moment d'agir ainsi. Occupons-nous, pour l'instant, de nous emparer de régions toujours plus vastes *. Après, nous pourrons songer à nous débarrasser de tous les obstacles qui se présenteront [872]. »

Quels obstacles? Pas les Européens, puisqu'il souhaite en rallier le plus grand nombre possible ; surtout pas les métis : son assise finale sur le pays dépend d'eux. Pense-t-il déjà à éliminer ces brutes qui font corps avec lui et dont il ne peut se passer pour l'instant? Cicenaro le contredit devant tout le monde :

« — Si nous n'étouffons pas tous ceux qui ne sont pas de notre race, nous resterons dans la dépendance de ceux qui auront dans leur corps la moindre parcelle de sang espagnol. »

Vite, vite, marcher sur Cuzco, emporter cette Mecque des Incas, ne pas s'y attarder, descendre jusqu'à la mer, surprendre Lima et le port de Callao, proclamer une amnistie générale et traiter avec Charles III. Non pour l'indépendance : pour la vice-royauté. Être reconnu empereur de droit divin, héritier de l'Inca — mais nommé du même mouvement lieutenant général du Pérou qu'il gouvernera selon ses lois propres et dans le consentement populaire, au nom du roi et du dieu des Espagnes, pour ménager toute susceptibilité et couper court à la reconquête ; tel est l'objectif de Tupac Amaru. Il implique,

---

* Dialogue recueilli sur place par un espion espagnol et rapporté mot pour mot au procès de Tupac Amaru.

à terme plus ou moins long, qu'il remette au pas les Cicenaro ou les Apaza, les tenants du racisme de la vengeance.

« Depuis que j'ai commencé à libérer de l'esclavage les naturels de ce royaume qui s'y trouvaient réduits par les *corregidores* et autres personnes étrangères à tout acte de charité, j'ai eu dessein, autant qu'il était en mon pouvoir, de prévenir les meurtres et les hostilités.... Que nul ne m'accuse de vouloir causer le plus léger dommage à ceux qui se rendront, à quelque classe qu'ils appartiennent... Mais ceux qui, dans leur obstination, veulent poursuivre des procédés injustes, expérimenteront toutes les rigueurs que réclame la justice divine [873]. »

Celle du dieu des chrétiens, donc, ce bonhomme pétri d'amour et de sévérité que les Incas ont reçu des conquérants et adorent de bonne foi, puisque leurs dieux les ont abandonnés devant Pizarro. Les proclamations du Nouvel Inca invoquent le nom du Christ et proposent même de le faire mieux servir par les Indiens auxquels « leur état n'a jamais permis de connaître le vrai Dieu, mais seulement de payer aux *corregidores* et aux curés le prix de leurs sueurs et de leurs travaux. J'ai fait, de ma propre personne, une enquête dans la majeure partie du royaume, sur le gouvernement spirituel et civil de tous les sujets. J'ai reconnu que tous ceux qui composent cette nation *(le Pérou)* ne connaissent pas la loi évangélique, parce qu'il n'y a pas d'ouvriers pour la leur porter, par suite des mauvais exemples donnés. Ce que j'ai fait envers le *corregidor* de Tinta était justice, car je me suis assuré qu'il agissait contre l'Église, et cet exemple était indispensable pour contenir les autres *corregidores*. Mon désir est que ce genre de chefs soit entièrement supprimé, qu'il y ait dans chaque province un alcade faisant fonction de maire, de nationalité indienne, ou même d'autres personnes de bonne conscience, sans autre connaissance que l'administration de la justice politique et chrétienne des Indes ; qu'il leur soit accordé un salaire modéré et d'autres profits réglementés en leur temps ; qu'une audience royale soit érigée à Cuzco, où résidera un vice-roi pour donner plus facilement satisfaction aux naturels. A l'heure présente, je n'ai pas d'autre mobile. Je reconnais au roi d'Espagne le pouvoir suprême, sans détourner personne de l'obéissance qui lui est due, et sans mettre obstacle au commerce mutuel, qui est le nerf principal de la prospérité du royaume [874] ».

Texte qu'on verrait mieux signé José-Gabriel Condorcanqui, ancien étudiant des facultés de Lima, que Tupac Amaru, Nouvel Inca. « Ce n'est pas une révolution, Sire », auraient pu dire ses représentants au roi d'Espagne, « c'est une réforme. » Mais la modération des vœux était emportée avec le reste par la violence de l'incendie. Tupac Amaru parlait de favoriser le commerce et l'évangélisation à la tête de quarante ou cinquante mille hommes (au milieu de janvier), dont la démarche élémentaire impliquait violence et massacre. Ses bonnes intentions pavaient l'enfer de la revanche, dans un décalage à la limite de l'écartèlement.

Il va trouver à qui parler. Don Juan Manuel Moscoso y Peralta, évêque de Cuzco, est un adversaire à sa taille, un de ces Espagnols auxquels les situations désespérées font l'effet d'une bonbonne de vin de Malaga, et leur deviennent matière à triomphes. Tant qu'un Espagnol garde une épée en main, tout reste toujours possible.

Cuzco * est en état de siège, en ces jours de la Noël d'été où le soleil brûle en altitude sans chauffer les pierres grises de la cité rectangulaire reconstruite en damier par les Espagnols sur l'emplacement de la ville inca. « On peut dire que la partie inférieure des constructions est inca, et la partie supérieure espagnole. La plupart des maisons ont pour assises d'anciens murs incas, faits d'énormes blocs de pierre taillée, emboîtés les uns dans les autres, et qui ont résisté aux tremblements de terre malgré l'absence de ciment. Ainsi en avait décidé Pizarro, à l'époque de la conquête, qui, pour économiser le temps et la main-d'œuvre, s'était borné à découronner les anciens édifices et à y ajouter des étages nouveaux, de sorte que la ville, catholique et moderne ** par son sommet, est demeurée païenne par sa base [875]. »

De quoi disposer d'assez formidables remparts, une fois closes les quatre portes de la ville en défi aux points cardinaux. On se croirait dans Babylone investie, défendue par une étrange milice : « Les prêtres veillent en sentinelles sur les tours *** ; ils organisent des rondes dans les rues, gardent les postes les plus périlleux et ne négligent aucun détail des fonctions militaires. Les religieux se chargent de la garde des temples, de leurs monastères, et de ceux des religieuses, dans les vestibules desquels ils font leur garde, les armes à la main [876]. » Ils sont encouragés, stimulés, inspectés sans répit par un petit monsieur tout de vif-argent qui révèle sa vraie nature en devenant général de ces soldats-là alors qu'ils se croyaient évêque et prêtres dans l'univers précédent, celui où l'on cache à soi-même le bout de son nez, tant qu'il ne se passe rien. Mais que vienne l'orage! « Ma sollicitude s'étend à tout, sans souci de la fatigue », constate modestement monseigneur de Cuzco. « Voici que les moines et les prêtres se conduisent mieux que les mulâtres, avec leur fusil! Ils sont enrôlés avec les vieillards », puisque la plupart des combattants valides ont été se faire massacrer dans la montagne à tour de rôle, « et, en un mois et demi, ils ont appris à manœuvrer comme la milice, tandis que le palais épiscopal et le collège sont devenus les casernes des Indiens d'Oropesa », mais oui, la région de la plaine dont Tupac Amaru avait reçu le marquisat, et où l'on s'était hâté de rafler les Indiens dans une *mita* un peu spéciale : pour la guerre, pas pour la mine. On les a prévenus qu'ils seraient torturés et pendus par leurs frères insurgés s'ils se laissaient faire prisonniers, et ce n'est pas une hypothèse à exclure : avant que les pauvres aient pu s'expliquer, dans le sac de la ville prise... Encadrés par les moines, ils se préparent à se battre contre l'armée de leur libération. Mieux vaudra pourtant ne pas les laisser au contact de Tupac Amaru, dont l'approche est signalée.

---

* A 3 650 mètres d'altitude.
** Donc de style espagnol des XVIe et XVIIe siècles.
*** Relation rédigée par l'évêque lui-même.

Au soir du 3 janvier, trois otages espagnols prisonniers des Incas depuis l'exécution d'Arriaga se présentent penauds à un poste avancé, devant Cuzco. Vont-ils être traités en traîtres par l'évêque, pour lequel ils sont porteurs d'une lettre de Tupac Amaru? De fait, ils seront jetés en prison et soumis à la question pour leur apprendre à n'avoir pas été coupés en morceaux chez les rebelles. Qu'ils s'estiment heureux de n'être pas fusillés.

On les oublie vite. Le message de l'Inca laisse prévoir l'assaut décisif. Il essaie même de jouer de la terreur qu'il combat. Il feint de croire, ou il croit, que ses partisans ont déjà déclenché l'insurrection dans Cuzco, et se présente presque en pacificateur : « Comme, dans une partie de cette ville, on commet tant d'erreurs; comme on pend, en mon nom et sans confession, les uns, qu'on arrête les autres, ces nouvelles m'ont causé une telle douleur que je me vois dans la nécessité de demander à Votre Illustre Excellence la répression de pareils excès en m'accordant l'entrée de cette ville. Car, si l'on n'y consent à l'instant, je ne pourrai retarder mon entrée que je ferai à feu et à sang, sans ménager aucune personne [877]. »

Ruse d'Indien, c'est le cas de le dire. Cuzco est calme, sous ses moines de fer. Pas assez cependant pour empêcher les partisans de Tupac Amaru de placarder une affiche le lendemain sur les maisons des chanoines, qui constituent le gouvernement municipal de fait : « O roi Charles III, par la grâce de Dieu, en quel péril se trouve ton royaume du Pérou, à cause des tyrannies de tant de fonctionnaires, visiteurs, *corregidores*, et autres inventeurs de tyrannies! Dégaine ton épée contre ceux qui sont cause de cette perdition, sachant surtout que le peuple de tes créoles * n'est pas content parce qu'on a voulu mettre le sel en régie, accabler d'impôts et de taxes ces loyaux sujets. Quand bien même périrait Tupac Amaru, un autre viendrait lutter contre ces inventions tyranniques et tuer le cruel visiteur et ses acolytes, ces persécuteurs du royaume [878]. »

Il poursuivait donc, au-delà des métis, sa tentative de débaucher en masse les natifs espagnols. Pourquoi pas? Ils sont encore plus mal traités de leur métropole que ne l'étaient les Américains du Nord; le Royal et Suprême Conseil des Indes les torture à coups de virgules et de paragraphes numérotés qui mettent des années à venir, à quatre mille lieues de distance, leur interdire toute initiative et modeler la vie américaine aux mœurs espagnoles revues et corrigées sous Philippe II par la minutie autrichienne. Un continent garrotté par trois ou quatre épaisseurs de liens superposés. On ne nomme pas un notaire, un greffier, ou un vicaire outre-Atlantique sans la signature du roi d'Espagne. Les plus timides réformes, celles qu'envisageait Aranda, ont été étouffées dans l'œuf **. Quant à l'économie des colonies, à quoi

---

* Rappelons qu'il s'agit des habitants de sang espagnol, sans mélange, mais nés sur place. Ce qu'étaient les Américains du Nord par rapport aux Anglais.
** Sur le renvoi d'Aranda en 1773 et l'échec de sa tentative de despotisme éclairé, voir tome I, p. 570.

bon parler de ce qui n'existe pas? Depuis un siècle, la faible part d'initiative des natifs a été systématiquement réduite au profit de quelques compagnies privilégiées qui confisquent par ordonnance royale tout le commerce du continent. Interdiction aux Américains du Sud de fabriquer quoi que ce soit : ils doivent tout acheter en Espagne. Corollaire : interdiction d'exporter librement un seul de leurs produits agricoles ou miniers. C'est l'affaire « des négociants monopolistes *, dont l'influence politique est favorisée par une grande richesse, et soutenue par une connaissance intime de l'intrigue et des besoins momentanés de la Cour [879] », les vrais rois de l'Espagne, sans visage et sans ouïe pour les cris des écorchés.

Mais la stratégie insurrectionnelle de Tupac Amaru n'a pas prise sur la réalité de ces populations encore plus occupées à se mépriser mutuellement qu'à détester les oppresseurs de Madrid. Un colon ne répondra jamais à l'appel d'un Indien. Leur Washington, ils se le trouveront entre eux, chez eux, *mañana*, demain, après-demain. Et le dernier des chiffonniers blancs de Cuzco fait bloc avec l'évêque et les *corregidores* contre les manifestes de l'Inca — rédigés, qu'il le veuille ou non, en lettres de sang espagnol.

La guerre tourne à partir du 9 janvier. Ce n'est pas une vraie armée qui assiège cette Babylone-là, mais une horde de bandes mal équipées, mal commandées, dont les flots battent les murailles sans méthode en usant leur colère. Les Indiens ont submergé des villages, mais ils ne savent pas comment prendre une ville où leurs partisans restent clandestins. Dernière lettre de Tupac Amaru à l'évêque : pourquoi ne lui répond-on pas? pourquoi ne lui renvoie-t-on pas ses messagers? Dernier ultimatum : il va réduire la ville en cendres, tuer tous les Espagnols, faire ici la cité exclusive des Indiens... Or il n'est pas capable d'empêcher des renforts espagnols d'entrer dans la ville à la faveur de la nuit.

Au matin du 12 janvier, sept cents soldats emmenés par le colonel Laiseguillas font une sortie décisive : un coup de bélier en direction du quartier général de Tupac Amaru, repérable parce qu'il forme un noyau homogène au milieu du chaos des insurgés. Ceux-ci, vingt fois plus nombreux que les Espagnols, s'égaillent comme des volées de moineaux. Ce n'est pas un peuple de soldats. Et la façon dont ils abandonnent leur chef révèle son manque d'ascendant. Sans doute paie-t-il ses velléités d'indulgence. Il n'est pas à hauteur de férocité.

Dans un grand tonnerre de biscaïens et de bombardes, les bataillons en blanc et jaune des « Naturels de Lima » foncent vers la petite colline d'où Tupac Amaru prétendait foudroyer Cuzco. Plus grave encore : ils sont suivis résolument par les « Mulâtres libres blancs », avec bandes

---

* Selon Humboldt. Cet état de choses, éclairé par le contrecoup des secousses européennes, produira les grandes insurrections des *Libertadores*, trente ans plus tard, conduites en effet cette fois par des créoles : Bolivar, Miranda, Sucre, etc.

noires et boutons dorés, autre régiment levé sur la côte et dont la
présence confirme l'échec essentiel : les sang-mêlé ne bronchent pas,
sauf exception. L'Inca n'a pas été le fédérateur des mécontents. Il ne
lui reste plus qu'à lever le camp en toute hâte, abandonnant aux vainqueurs la belle tente en soie brochée et le lit doré qu'il s'était appropriés
à Tinta, lors du pillage des dépouilles d'Arriaga. Il n'en aura profité
que deux mois.

Errance de Tupac Amaru comme, déjà, celle d'un fantôme. Ainsi
Pougatchev, sept ans plus tôt, de l'autre côté du monde, perdu entre
le Don et la Volga. Les grands désespérés traversent la scène de ce
théâtre d'or et de satin au rideau encore baissé, la fin du xviii e siècle.
Côté cour, côté jardin, le temps de se frotter les yeux, on ne les voit
déjà plus. Mais l'intermède a froissé les délicats : on ne devrait pas
laisser entrer ces gens-là sur leurs chevaux, avec leurs mains sales
et leurs airs farouches. Ils salissent. Ils puent. Ils tuent. Fi donc! Ils
ne respectent pas les règles de l'Histoire prise comme un jeu. Qu'ils
rejoignent les autres maladroits des révolutions avortées, d'Étienne
Marcel à Thomas Münzer, en passant par Cola di Rienzo *. La harpe
et le hautbois peuvent recommencer à s'accorder en prélude au petit
opéra des réformes, avec ballets masqués. Le rideau frémit seulement
un peu plus. On sent que quelque chose se prépare derrière. Sur
quel décor va-t-il finalement se lever? Pas la Russie, donc, ni le
Pérou. Bien malin serait celui, en 1781, qui pourrait prévoir la date
et l'endroit.

Mais il n'est pas facile d'achever un fantôme de cette stature-là.
Il y faudra tout un printemps, enfin tout un automne andin. Revenu
à Tungasuca, l'Inca s'est ressourcé à ceux qui croient en lui. Il règne
encore jusqu'à Tinta, où il se fortifie et parvient même à organiser
une fonderie de canons rudimentaires, dont les boulets seront en pierre.
Peine perdue : une révolution se traîne quand elle a perdu l'initiative.
Le terrible « visiteur », don José-Antonio de Areche, est venu de Lima
à Cuzco pour prendre le relais de l'évêque. Celui-ci a su se défendre;
l'autre saura prendre l'offensive. Il a doublé en trois mois les moyens
militaires de la vice-royauté. Il a équipé dix-sept mille hommes qui
montent pour l'hallali par les chemins de la montagne. Une crue
de la répression, à rebours de la décrue de la rébellion. Contrairement
à Pougatchev, Tupac Amaru ne sera pas livré par Judas. Ses lieutenants, en dissidence larvée depuis qu'il a blâmé leurs excès, se font
tuer dans des combats désordonnés, ou bien s'en vont encore plus loin,
plus haut, vers les sommets ou les vallées inaccessibles, pendant qu'il
est encore temps. L'assaut des Espagnols trouve le camp de Tinta
ouvert sur deux côtés. Les plus fidèles meurent pour couvrir la retraite

---

* Thomas Münzer : chef des paysans allemands révoltés en 1520 contre
les seigneurs; exécuté en 1525. Cola di Rienzo : chef d'une république
romaine éphémère en 1347; massacré par ses propres partisans.

de Tupac Amaru « qui n'échappa ce jour-là que grâce à la vitesse de son cheval », en traversant une rivière à la nage, mais c'est fini : il n'est plus Inca, il n'est plus le seul chef de la révolte. José-Gabriel Condorcanqui, proscrit parmi d'autres, conduit sa bande à travers les grandes terres à salines, entre ciel cru et herbe rase, là où les carcasses des lamas morts de soif ou de faim attendent les cadavres des hommes et où de grandes voies pavées rappellent que des géants ont vécu par là. Il écrit à sa femme de le rejoindre, pour tenter de gagner, à quarante lieues plus au sud-est, la vaste étendue d'eau mystérieuse du lac Titicaca, cette piscine des dieux oubliés dont le nom veut dire « pierre de feu » — pierre d'étain, traduira-t-on quand on inventera le nom de ce métal. Une mer de pierre grise, comme un ciel renversé, à quatre mille au-dessus du niveau de l'océan, leur mer, leur mère, la matrice des Indiens, refuge, consolation, l'endroit où les Espagnols ne peuvent rien comprendre à rien. Mais il y va trop lentement, sans y croire — ou peut-être ne tient-il pas à survivre en vaincu. « Voici que marchent contre nous beaucoup de vaillants soldats. Il ne nous reste plus qu'à mourir [880]. »

Tupac Amaru est fait prisonnier le 6 avril avec sa femme, Micaëla, ses fils Hippolyte et Fernand, son beau-frère Raphaël et soixante capitaines et soldats de « sa garde » *.

On va leur faire voir. En matière de supplices, l'Occident garde la primauté.

18 mai 1781. Tupac Amaru et sa famille sont exécutés sur la place d'armes de Cuzco, bordée de demeures espagnoles à balcons de bois tourné et d'arcades mauresques. Il mourra dans ce décor qu'il a voulu changer, en face de la cathédrale construite sur les débris du palais de ses ancêtres. L'immense livre de pierre tourne vers l'échafaud sa plus grande page, celle du Jugement dernier, où le Christ « de los tremblores » ouvre ses bras aux foules rassemblées par les tremblements de terre. On a construit en face une estrade couverte de tapis précieux pour le vice-roi de Lima, le « visiteur » et l'évêque, au pied du palais du gouverneur : la maison de Dieu et la maison du Roi (el cabildo) se font face ici comme dans toutes les grandes villes des Nouvelles-Indes où les lois imposent l'uniformidad en todo (l'uniformité en tout) et où « du Mexique jusqu'aux confins du Chili, on devait retrouver le même quadrillage des rues et la même plaza Mayor [881] ». Beaucoup plus loin, plus bas, dans la ville de Saint-Jacques, Santiago du Chili, un jeune architecte italien, Gioacchino Toesca, est en train de construire depuis un an, sur le modèle des grandes bâtisses essaimées de Vienne à Madrid, le palais de la Moneda, où l'on battra plus commo-

---

* A quelque deux cents kilomètres, à vol d'oiseau, de la gorge du Churo où dix-sept combattants de la guérilla de Bolivie seront surpris par trahison, le 8 octobre 1967; leur chef, Ernesto Che Guevara, sera assassiné le lendemain, sur les ordres du général Barrientos, dictateur de Bolivie.

dément les pistoles qu'à celui de Potosi *, et d'où elles fileront plus vite par sacs entiers pour l'embarquement à Valparaiso; le géant de pierre témoignera du triomphe de l'Espagne à peine écorchée, à Cuzco, par la piqûre de ces Indiens qu'elle écrase comme des mouches.

Des mouches à qui l'on arracherait d'abord les ailes — parce qu'elles ont quand même fait peur.

Devant la tribune officielle, il y a un groupe de spectateurs tout pâles, tout droits : la femme et les parents du condamné, spectateurs privilégiés, ô combien! puisqu'ils donneront une part du spectacle. Ils le savent. Ils se taisent, sous les clameurs de la foule des colons, beaucoup de femmes en *saya* et en *manto*, encapuchonnées de la tête aux ballerines, mais ruisselant de bijoux, et tous ces hommes dont chacun s'invente un uniforme différent : l'Espagnol des colonies ignore le costume civil. La joie est celle des arènes au moment de l'estocade, augmentée de soulagement, alourdie par la haine. Le *toro*, on ne lui en veut pas. Mais ici... Huit bourreaux. L'un d'eux arrache la langue de Tupac Amaru, qui, de toute façon, n'aurait pas dit mot. Les autres font durer l'écartèlement à quatre chevaux, mais peut-être son corps se défend-il comme la pierre des Incas, tant et si bien qu'on en est las au bout d'une heure de coups de fouets. Le vice-roi fait un signe. On coupe la tête du corps déjà sans vie, comme on avait fait deux siècles plus tôt, presque jour pour jour, sur la même place, à Tupac Amaru Ier, le « seizième Inca ». « Montant sur l'échafaud, il avait levé la main pour imposer silence à ses sujets dont le grondement inquiétait les arquebusiers. Quand sa tête était tombée sous le cimeterre d'un maure, la foule avait fait entendre un long gémissement », le 12 mai 1571 [882]... A cause de lui, celui-ci avait tenu à se faire appeler « Tupac Amaru II ». Les Indiens, cette fois, sont chassés de la place, et le supplice est raffiné. On n'arrête pas le progrès.

Restent quelques formalités. Micaëla est étranglée. On décapite le beau-frère et le premier fils. On hisse tous ces corps mutilés sur des potences, sous lesquelles on fait passer et repasser le second fils, le plus jeune, Fernand, pour un baptême de sang, avant de lui couper la tête à son tour. Il n'avait pas vingt ans. Des gros cierges de cire jaune brûleront un an durant jour et nuit sur les pavés millénaires, à l'emplacement du sang qu'il sera interdit de laver, devant une effigie de Notre-Dame des Douleurs, pour le repos de l'âme des suppliciés. On les appellera « les luminaires du 18 mai ».

Les corps, eux, ne connaîtront pas de *requiem*. On procède au désossage du cadavre de Tupac Amaru, dont on enferme les membres

---

* Pure merveille de l'architecture du XVIIIe siècle, ce bâtiment de 150 mètres sur 115 deviendra en 1842 la résidence officielle des présidents de la République du Chili. Il sera entièrement détruit le 11 septembre 1973 par le bombardement de l'aviation des putschistes; c'est dans le salon Toesca, du nom de l'architecte, que Salvador Allende, président constitutionnel, rassemblera ce jour-là les derniers fidèles avant de mourir, les armes à la main.

disloqués dans des outres de cuir, qui seront portées à dos de mule à travers les Andes et clouées sur les portes du plus grand nombre de bourgs possibles. Pour faire bonne mesure, on fournit aussi aux *corregidores* les pieds et les mains de toute la famille. Cette forme de pédagogie de la soumission, vieille comme l'humanité, servira-t-elle encore cette fois ? Déjà Mariano et Diego-Cristobal Tupac Amaru, un fils, un frère, relancent une jacquerie plus qu'une rébellion — mais ils seront pris par ruse,. après délivrance de sauf-conduits. Avant d'être pendu, Diego-Cristobal aura les seins tenaillés avec des pinces incandescentes. Mais le « vice-Inca », Julian Apaza, dit Tupac-Catari, marche sur La Paz, au-delà du lac Titicaca, et assiège cette autre grande ville des hauteurs. Même frayeur qu'à Cuzco, même sursaut de dernière minute. Il est vraiment trop tard : les renforts espagnols arrivent maintenant de l'Atlantique par Buenos Aires et la remontée de l'Amazone. Les morceaux de Julian Apaza [*], miraculeusement multipliés comme les reliques de Terre Sainte, serviront à l'édification des gens pendant plusieurs semaines. On les brûlera solennellement, pour finir, dans les grands feux des belles soirées de la Toussaint.

Les dirigeants ont tiré une leçon de tout ceci : ils renoncent « à hispaniser la masse indienne [883] ». Finies les velléités d'intégration. Le Pérou se transforme pour toujours en une immense réserve d'Indiens parqués hors du temps. « Tous les descendants des anciens princes incas furent recherchés et soit mis à mort, soit déportés en Espagne [**]. Les titres et fonctions des caciques furent abolis au Pérou... Le port de vêtements qui pouvaient rappeler l'ancienne aristocratie inca fut interdit. » Vieux rêve des conquérants : tuer le passé. C'est possible, à condition d'obturer les moindres failles par lesquelles il peut revenir aux esprits. Guerre à l'avant-garde rebelle, encore et toujours un livre : « Tous les exemplaires des *Commentaires royaux,* du métis hispano-inca Garcilaso de la Vega *(dont Raynal et Diderot viennent de s'inspirer),* célèbre dans la littérature espagnole, furent brûlés. »

54/mai 1781
Vous n'allez point à la messe

En France, l'exécution du même 18 mai, celle de Necker, revêt des formes sensiblement moins sanglantes. La férocité en est contenue.

---

[*] Capturé le 17 octobre 1781. Cette date marque la fin officielle de la révolte des Indiens du Pérou.
[**] Selon le professeur Michel Devèze.

Mais il ne s'agit pourtant pas d'un mince événement : cinq ans après
Turgot, un nouvel homme des réformes tombe dans la trappe, et le
règne affirme sa démarche rétrograde. Le mois de mai semble voué
à ce genre de chutes. Les printemps de Louis XVI ont visages d'automne.

Quant au lien, invisible alors, entre ce qui se passe « aux Indes » et à
Versailles, la nouvelle édition de l'*Histoire des Deux Indes* est condamnée
le 21 mai, sitôt retirée la main protectrice de Necker. Raynal s'enfuit
le 22 pour éviter l'arrestation. Là-bas, dans l'autre monde, les débris
sanglants de Tupac Amaru ne sont pas encore séchés.

Depuis la publication du *Compte Rendu* *, les « milieux informés »
battaient la campagne, et leur boussole s'affolait : le 23 avril, « le directeur général des Finances est on ne peut plus chancelant », mais, le
25 avril, « tout est raccommodé à l'égard de M. Necker : il paraît avoir
remporté une victoire complète ». Le 1er mai, « le directeur général des
Finances jouit avec plus de certitude que jamais de la faveur du monarque ». Certitude de girouette, à la merci du vent de Marly, de Choisy
ou de Compiègne, où flottait dans l'air des voyages comme une odeur
de ministre décomposé. Le 16 mai, « les amis de M. Necker tremblent
de nouveau pour lui [884] »; ils n'ont pas tort. « On prétend que le directeur général des Finances s'est plaint encore ces jours-ci au Roi des
tracasseries qu'il éprouve et lui a renouvelé l'offre de sa démission
et que ce monarque lui a répondu :

« — Restez tranquille, et continuez à mériter ma confiance en travaillant au bonheur de mes peuples... »

Ce genre d'assurances, prêté à un Bourbon, était de nature à hérisser
le poil des plus insouciants. De fait, Necker s'attend à tout. Il s'est
placé à portée du meilleur comme du pire par son coup de poker de
janvier, et il ne pourra pas rester longtemps suspendu entre le renvoi
et la direction effective du gouvernement, à laquelle le vœu de l'opinion
l'appelle de plus en plus. Malheureusement pour lui, le gouvernement
ne se fait pas dans l'opinion.

Avalanche d'épigrammes, de pamphlets, de brochures anonymes.
Il aurait bien dû s'y attendre, mais il avait le cuir sensible. L'encens
qu'il respire chez lui à bouffées continues lui a gâté les poumons. Qui
aurait pu croire ce gros paquet d'homme si vulnérable? Il fait le jeu
de ses ennemis en accusant les coups et en cherchant d'où ils viennent.
A ce jeu-là, il remonte trop haut, par exemple à partir d'un étron
littéraire déposé devant sa porte par un sieur Bourboulon, « d'abord
petit clerc de notaire et maintenant intendant des finances de Monsieur, frère du Roi. Monsieur Bourboulon a, dans les différents degrés
qu'il a parcourus pour parvenir d'une de ces extrémités à l'autre,
acquis une grande expérience des affaires **. Il se serait bien gardé
de se déclarer l'auteur d'une critique du *Compte Rendu*, qui a excité
l'animadversion de M. Necker, s'il n'avait été assuré de l'appui d'un

---

* Voir ci-dessus p. 317.
** Selon l'auteur de la *Correspondance secrète*.

protecteur respectable. On prétend même *(le 6 avril)* que Monsieur, dont on connaît les lumières et le goût pour l'étude, a coopéré à cet ouvrage [885] ». Le comte de Provence est donc en passe de devenir spécialiste du lacet qui étrangle le réformateur au bon moment. Il avait déjà fait le coup à Turgot *. C'est ainsi qu'on acquiert à bas prix une solide réputation de rempart des privilégiés. Cela ne serait pas trop grave, étant donné l'hostilité de Louis XVI à l'égard de son frère, mais Necker va devoir compter avec des adversaires autrement mieux accrédités : Maurepas -Vergennes, le tandem de la jalousie.

Le 3 mai, le comte de Vergennes remet à Louis XVI un assassinat en deux cents lignes, ce *Mémoire* qu'il fourbissait depuis janvier ** et qu'il s'est débrouillé, avec des mines de coquette, pour se faire « donner l'ordre » de montrer. La guerre est déclarée au sein du cabinet. Après cela, c'est Necker ou lui. Connaissant la prudence de Vergennes, il faut que celui-ci se sente bien sûr de l'oreille du Roi pour se découvrir autant :

« Votre Majesté, Sire, m'a ordonné de parler à cœur ouvert; je lui obéis. Il s'est engagé une lutte entre le régime de la France et le régime de M. Necker [886]. » Cette France, l'homme de sa politique étrangère la voit comme un désert parfaitement nivelé, le rêve de Louis XIV : « Grâce aux longs efforts de tant de sages ministres, il n'y a plus de clergé, ni de noblesse, ni de tiers-état en France », c'est la société sans classes autrement dit, qui l'eût cru? « La distinction est fictive, purement représentative et sans autorité réelle. Le monarque parle, tout est peuple et tout obéit [887] », voilà comment il faut conforter Louis XVI, en avant toute! Ajoutons un zeste de xénophobie et d'intolérance : « Si ses idées l'emportent sur celles qu'une longue expérience a consacrées, M. Necker, à l'exemple de Law et de Mazarin, avec ses plans genevois et protestants, est tout prêt pour établir en France un système dans la finance, ou une ligue dans l'État, ou une Fronde contre l'administration établie ***. » Et puisque l'argumentation avec Louis XVI consiste à enfoncer un clou, Vergennes ne craint pas de mettre les points sur les *i* : « Il est très dangereux de laisser la plus délicate des administrations du royaume entre les mains d'un étranger, d'un républicain *(sic)*, d'un protestant [888]. » Au-delà d'une démolition, il pose là sa candidature au poste de principal ministre d'une France bien française, quand le souffle manquera enfin à Maurepas.

Justement, « Maurepas est encore vivant — Capable d'un peu de vent [889] », et Necker ne désespère pas de son appui, ne fût-ce que pour faire pièce à Vergennes, dont il pressent la manœuvre, s'il en ignore le détail. Cet homme à l'agonie est le fondé de pouvoir de la France, après tout, et Necker a pu cahin-caha lui tirer quelques mesures posi-

---

* Voir tome I, p. 306.
** Voir ci-dessus, p. 327, son appréciation du *Compte Rendu,* présenté comme un appel au peuple.
*** On sait que Necker prêtait le flanc à cette critique par son appartenance à la banque protestante. Voir ci-dessus, p. 319.

tives pendant quatre ans, au prix de pèlerinages épuisants aux anciennes petites pièces de Mme du Barry :

« On ne saura jamais toute la constance dont j'ai eu besoin... Je me rappelle encore * cet obscur et long escalier de M. de Maurepas, que je montais avec crainte et mélancolie, incertain du succès, auprès de lui, d'une idée nouvelle dont j'étais occupé, et qui tendait le plus souvent à obtenir un accroissement de revenu par quelque opération juste, mais sévère ; je me rappelle encore ce cabinet en entresol placé sous les toits de Versailles, au-dessus des appartements du Roi, et qui, par sa petitesse et sa situation, semblait véritablement un extrait, et un extrait superfin, de toutes les vanités et de toutes les ambitions ; c'était là qu'il fallait entretenir de réforme et d'économie un ministre vieilli dans le faste et dans les usages de la Cour. Je me souviens de tous les ménagements dont j'avais besoin pour réussir, et comment, plusieurs fois repoussé, j'obtenais à la fin quelques complaisances pour la chose publique ; et je les obtenais, je le voyais bien, à titre de récompense des ressources que je trouvais au milieu de la guerre. Je me souviens encore de l'espèce de pudeur dont je me sentais embarrassé, lorsque je mêlais à mes discours et me hasardais à lui présenter quelques-unes des grandes idées morales dont mon cœur était animé [890]. » Prêcheur ! Maurepas devait bien se divertir quand il lui parlait de son cœur. A Versailles...

18 mai, donc. Necker y retourne, pour poser la question de confiance, « eux ou moi », le cri de l'homme poussé à bout. C'est dangereux. Les amis lui ont plutôt conseillé d'attendre. « Ils lui représentèrent ** qu'il possédait toute l'estime du Roi et toute la bienveillance de la Reine, qu'il n'avait qu'à s'armer d'un peu de patience ; que Maurepas, plus qu'octogénaire, et d'une santé dépérissante, ne le gênerait pas longtemps [891]. » Mais Necker n'est pas seulement poussé par un excès de sensibilité ; on s'arrange pour lui rendre le travail impossible. La publication du *Compte Rendu* n'était qu'une première partie de son plan d'action ; elle devait être suivie d'un certain nombre de simplifications et d'économies grâce à l'appui de l'opinion publique enfin « mise dans le coup ». Maurepas bloque les décrets ; l'opinion, qui ne le sait pas, en veut... à Necker ! « Il cause, c'est tout ce qu'il sait faire. » Elle commence à bouder ses appels à l'emprunt. Le voilà coincé, forcé d'aller jusqu'au bout, sous peine de passer pour un dégonfleur.

Si Maurepas peut contrecarrer Necker, c'est parce que le directeur des Finances ne voit le Roi que lorsque ce dernier lui accorde audience. Il n'a pas accès au Conseil, où tout peut s'arranger d'un mot entre deux portes, ou d'un papier glissé au bon moment sous la plume du souverain. Même Turgot, l'insupporté a pu au moins lui parler à

---

* Texte de Necker écrit en 1795.
** Selon Weber, le « frère de lait » de Marie-Antoinette, qui vient d'arriver de Vienne pour occuper un poste de chambellan à Versailles. Ses Mémoires ont été rédigés par Lally-Tollendal, d'après les propos recueillis.

cœur ouvert. Pas Necker. C'est trop fort, et ça ne peut plus durer.
Necker demande à Maurepas le titre de ministre à part entière et l'entrée
au Conseil d'en haut. Sinon...
    La dernière joie de Monsieur de Maurepas est douce. L'hameçon
a été bien ferré. Le poisson mord.
    — Sinon?...
    — Sinon, je me verrai dans l'obligation de vous prier de remettre
ma démission à Sa Majesté.
    Voilà des mois que Maurepas attendait ce mot-là. Depuis que
Necker avait fait chasser Sartines, poussé Castries et Ségur et publié
un « Conte bleu », comme le vieux ministre appelait le fameux « petit
livret » dans lequel, à part un coup de chapeau presque insolent,
l'auteur n'avait crédité le Mentor d'aucun des bienfaits prêtés au Roi.
Il fallait que Necker en vînt là. Maurepas a pris sur lui d'avertir
Louis XVI, dès le début de mai, « que tous les ministres étaient déterminés à donner leur démission dans le cas où l'on donnerait les grandes
entrées à cet hérétique ». Dans un régime où nul ne s'ouvrait à quiconque, il était facile de faire parler chacun par ouï-dire. Le procédé
avait servi à Necker contre Maurepas. On le lui rend. Seul Vergennes
s'est engagé aussi loin. Le marquis de Castries, au contraire, assurait
« que tous les ministres, y compris lui-même, pourraient partir sans
dommage ; le Roi en trouverait toujours cent de la même étoffe pour
les remplacer, tandis qu'il n'y a qu'un seul Monsieur Necker [892] ».
Mais il s'était gardé de le dire au moment utile à Louis XVI, qui
continue de régner dans son nuage de silence filtré par Maurepas, seul
grand interprète du sérail. Et, ce soir, exécuteur des hautes œuvres
de la monarchie. Nul ne pourra l'accuser d'avoir renvoyé Necker après
Turgot : Necker s'est mis en position de se renvoyer lui-même.
    — « Vous, au Conseil? Et vous n'allez point à la messe ! Vous savez
bien, Monsieur, que la loi de l'État interdit de mettre un protestant
au Conseil...
    « — Sully, qui n'allait pas à la messe, entrait au Conseil, Monsieur [893]. »
    Là-dessus Maurepas saisit au vol l'occasion d'un mot d'esprit sur la
conversion d'Henri IV, l'entrée au Conseil vaut bien une messe, après
tout Necker est trop philosophe pour s'attacher à des dogmes, s'il se
convertissait au catholicisme, tout serait dit...
    Necker n'apprécie pas ce genre d'humour. Il rédige immédiatement
quelques mots pour le Roi :
    « Sire, la conversation que j'ai eue avec M. de Maurepas ne me per-
met plus de différer de remettre entre les mains du Roi ma démission.
J'en ai l'âme navrée. J'ose espérer que Votre Majesté gardera quelques
souvenirs des années de travaux heureux, mais pénibles, et surtout
du zèle sans bornes avec lequel je m'étais voué à la servir [894]. »
    Il ose surtout espérer que Maurepas bluffe et que le Roi refusera
la démission. Il compte sur l'appui de la Reine, sur un mouvement
d'opinion publique.... Réflexe presque classique du ministre disgracié
qui croit vivre un cauchemar et jure qu'il va se réveiller, ce n'est pas
possible, ils ne pourront pas se passer de moi.... Et c'est bien vrai qu'il
dort, mais en terrain pourri. Ainsi, avant Necker, Turgot, Choiseul...

et Maurepas lui-même se sont-ils frottés les yeux de cette façon-là.

Le samedi 19 mai, Necker reprend une dernière fois le chemin étroit de l'escalier des douleurs pour aller ausculter Maurepas dans cette belle boîte où un petit bonhomme tient la France, un grenier en bois de rose sous les combles de Versailles. Maurepas « le fait aussitôt introduire *, l'accueille avec son affabilité coutumière et, d'un visage paisible, lui déclare que le Roi daigne accepter sa démission. Necker chancelle. Il reste quelques instants sans parole et sans mouvements, si ce n'est quelques gestes convulsifs. Le comte de Maurepas doit appeler ses gens et leur dire d'avertir ceux de M. Necker que celui-ci veut sortir aussitôt [895] ».

Congédié comme un valet, finalement.

55/mai 1781
Elle allait au-devant de leurs idées

La nouvelle de la chute de Necker cueille Diderot à froid. Il ne s'y attendait pas plus que les trois quarts des gens. Le voilà soudain à la merci des loups, et pas seulement lui : tous ceux qui tentaient de vivre autrement qu'aplatis.

Le 1er mars, il avait écrit une jolie petite lettre de remerciements à madame Necker, qui lui avait envoyé une brochure mondaine, non signée, mais rédigée par elle, sur l'*Hospice de charité; Institutions, Règles et Usages de cette maison*, fondée en 1778 dans les locaux des bénédictines de Notre-Dame de Liesse **, avec le concours de son mari. La fille d'un pasteur de Genève avait entrepris, avec les moyens du bord, de faire le travail qui incombait normalement aux reines, mais auquel celles-ci se dérobaient sous l'alibi des aumônes : assainir les hôpitaux d'Augias, ceux du royaume très chrétien où les misérables agonisaient à trois par lit. L'hospice de madame Necker est la première maison ouverte aux pauvres dont le règlement prescrit le lit individuel. Diderot avait à ce propos quelque peu déliré : « J'ai désiré l'*Hospice* afin de le joindre au *Compte Rendu* et de renfermer dans un même volume les deux ouvrages les plus intéressants que j'aie jamais lus et que je puisse jamais lire. » Cet homme de l'Est ne savait pas louer à

---

* Selon les *Mémoires secrets* de Bachaumont, sans doute informé par Maurepas lui-même, qui avait intérêt, par ce récit, à aggraver l'humiliation de Necker.
** Au 151 de la rue de Sèvres, dans sa numérotation actuelle; c'est aujourd'hui l'hôpital Necker.

petite voix : « Le *Compte Rendu* apprend aux souverains à se préparer un règne glorieux, et à leurs ministres à justifier aux peuples leur gestion. L'*Hospice* enseigne leurs devoirs à tous les fondateurs et directeurs d'hôpitaux. » Leurs auteurs mériteront, « de leur vivant, ou après leur mort, un monument commun où l'on nous montrerait l'un instruisant les maîtres du monde, et l'autre relevant le peuple abattu [896] ».

En guise de monument, deux mois plus tard, du balai. Et si quelqu'un avait voulu se faire illusion sur la portée du renvoi de Necker, il n'aurait disposé que du temps d'un dimanche, le 20 mai. Dès le 21 mai, saisi d'une procédure d'urgence par le Garde des sceaux, à la demande du comte de Maurepas, le Parlement de Paris condamne l'*Histoire des Deux Indes* et ordonne l'abbé Raynal de prise de corps [897]. Necker, pourtant, n'était jamais intervenu officiellement en faveur de l'ouvrage, démarche qui n'eût d'ailleurs pas été de son ressort. Mais tout le monde savait que Raynal et Diderot étaient de ses familiers, et qu'ils avaient trouvé des matériaux à Saint-Ouen. Les parlementaires, même ulcérés par ce livre diabolique, n'eussent jamais osé le frapper, tant qu'ils savaient attaquer par-là, obliquement, le grand financier du jour, premier ministre, peut-être, de demain. La présence de Necker créait un climat de tolérance, même s'il ne pouvait encore tenter de la faire passer dans les lois *. Il en est souvent ainsi quand un homme à réputation libérale acquiert du poids dans les instances d'une monarchie. Les girouettes hésitent à la répression, non par conversion au libéralisme, mais par courtisanerie. On ne sait jamais... Dans le cas présent, le retrait de Necker alourdit l'atmosphère du règne en un clin d'œil, comme de bien entendu, par dissipation du bon air.

Séguier, l'avocat général, a glapi comme une hyène avant d'avoir gain de cause, et son réquisitoire est imprimé « par ordre du Roi » : « La voilà donc, cette philosophie! Elle vient d'arracher le masque qui la dérobait à nos yeux, et la difformité de ses traits rebutera l'univers... Par une singularité bien étonnante, l'histoire de l'abbé Raynal, qui ne devait être que philosophique et politique, qui n'avait pour objet que l'établissement des Européens dans les Deux Indes, qui ne devait avoir d'autre but que l'accroissement et la facilité du commerce, cette relation, dis-je, est tellement entremêlée de déclarations impies, de reproches amers, de sarcasmes indécents et d'impostures grossières, qu'on dirait que l'auteur n'a entrepris ce travail que pour réunir sur

---

* Il était seulement parvenu à faire entériner par Louis XVI, sur proposition de Miromesnil, le 24 août 1780, l'abolition de la *question préparatoire*, c'est-à-dire la torture infligée aux accusés pour les faire avouer pendant l'instruction d'une affaire. Mais elle était tombée un peu partout en désuétude en France et n'avait pas même été appliquée à l'assassin Derues (voir tome I, p. 448). On avait maintenu par contre, malgré l'avis de Necker, le supplice de la *question préalable*, infligée aux condamnés avant l'exécution.

un seul et même point de vue tous les genres d'impiété [898]. » Sur cette réquisition, le décret du Parlement arrête « que l'ouvrage sera brûlé par la main du bourreau, que le nommé Raynal, dénommé au frontispice dudit livre, sera ainsi saisi et appréhendé au corps, puis amené aux prisons de la Conciergerie pour y être ouï et interrogé sur les faits dudit livre, ses biens saisis et confisqués... » Du même mouvement, la Sorbonne déclare « abominable ce délire d'une âme impie ».

Raynal ne se le fait pas dire deux fois. Il avait bouclé ses bagages sitôt apprise la chute de Necker. Le lieutenant de police, qui ne tient pas à s'encombrer d'un martyr, lui laisse tout le temps de quitter sa jolie maison de la Courbe-Voie, (la *curva via*, le tournant de la vieille voie romaine au-dessus de la Seine après Neuilly), toute perdue dans les arbres près de la garenne de Colombes, d'où cet ermite de la bonne chère se divertissait à observer à la lorgnette les vrais ermites du mont Valérien, plus loin, là-haut vers le sud-ouest. Une grosse voiture bourrée de livres (comment pourrait-il s'en passer?) emporte deux voyageurs vers l'exil au matin du 23 mai : ce vieux bonhomme puni, dont les traits fins expriment « une capacité malicieuse mêlée d'effronterie et une incontinence tempérée par la gourmandise * », et son neveu-secrétaire-enfant chéri, Simon Camboulas, un grand jeune homme brun « dont l'œil profond, voilé de langueurs fugitives, éclaire une physionomie précocement majestueuse ** », imbue de cette gravité qu'ils ont tous sur la figure dans le Rouergue, à peine sortis du ventre de leur mère. Les fuyards n'auront pas à traverser Paris, au risque d'y défier la maréchaussée. Passée la Seine au bac de Clichy, ils prennent « la route de la révolte », tracée pour permettre à Louis XV d'éviter sa capitale, et, avant de gagner les Pays-Bas, ils s'offrent le temps d'un arrêt à Saint-Ouen où ils complimentent Necker au passage.

Ils ne seront pas les seuls. Quel afflux! Les carrosses des visiteurs n'ont pas assez de place pour tenir devant le château et prennent la file dans les allées du parc. Le départ de Necker ressemble beaucoup plus à celui de Choiseul qu'à celui de Turgot. Ce dernier s'en était allé à bout de nerfs, abandonné de tous ou presque. Une plongée du pouvoir à la solitude. Pour Necker, «l'on eût dit *** , à voir l'étonnement universel, que jamais nouvelle n'avait été plus imprévue. La consternation est peinte sur tous les visages; ceux qui éprouvent un sentiment contraire sont en trop petit nombre. Ils rougiraient de le montrer. Les promenades, les cafés, tous les lieux publics sont remplis de monde, mais il y règne un silence extraordinaire. On se regarde. On se serre tristement la main, je dirais comme à la vue d'une calamité publique, si ces premiers moments de trouble n'eussent ressemblé davantage à la dou-

---

* Selon le fameux « physiognomoniste » Lavater, que Raynal ira voir à Zurich.
** Simon Camboulas, fils d'une sœur de Raynal, est né près de Rodez en 1760. Il sera député de l'Aveyron à la Convention.
*** Selon *la Correspondance littéraire*, (texte de Grimm), qui va donner le ton dès le mois de juin à l'Europe éclairée.

leur d'une famille qui vient de perdre l'objet et le soutien de ses espérances [899]. »

Raynal et Camboulas gravissent trois marches douces et entrent de plain-pied dans ce petit bijou de luxe champêtre, le château de Saint-Ouen, où se bousculent les Biron, les Beauveau, les Richelieu, les Choiseul (bien sûr), les Noailles, les Luxembourg et même les Orléans, père et fils — tous ceux qui pavoisaient à la chute de Turgot. Il y a cette fois divorce entre la plus grande partie de la noblesse de Cour et le Roi. Assis à côté de Marmontel, sur un canapé de broché gris, les Necker reçoivent les condoléances « sans dissimuler leur profonde tristesse [900] ». Un étrange petit personnage — est-ce une vieille enfant ou une femme précoce? — s'imprègne de la scène pour la vie entière : leur fille unique, Anne-Louise-Germaine *, mais elle y tient son rôle. N'a-t-on pas déjà joué à Saint-Ouen une comédie en deux actes dont elle est l'auteur, *Les Inconvénients de la vie de Paris?* Quinze ans, un peu de poitrine, beaucoup de lèvres et d'énormes yeux. « Mademoiselle Necker, obligée de se tenir bien droite, était auprès de ses parents sur un petit tabouret de bois. A peine eut-elle pris sa place accoutumée, que trois ou quatre vieux personnages s'approchèrent d'elle, lui parlèrent avec le plus tendre intérêt; l'un d'eux, qui avait une petite perruque ronde, prit ses mains dans les siennes, où il les retint longtemps, et se mit à faire la conversation avec elle comme si elle avait eu vingt-cinq ans. Cet homme était l'abbé Raynal; les autres étaient MM. Thomas, Marmontel, et le baron de Grimm.

« On se mit à table. Il fallait voir comment Mlle Necker écoutait! Elle n'ouvrait pas la bouche, et cependant elle semblait parler à son tour, tant ses traits mobiles avaient d'expression. Ses yeux suivaient les regards et les mouvements de ceux qui causaient; on aurait dit qu'elle allait au-devant de leurs idées. Elle était au fait de tout, même des sujets politiques qui, à cette époque, faisaient un des grands intérêts de la conversation [901]. »

Mais déjà l'abbé Raynal avait pris la route de Spa (rendez-vous décidément à la mode), après cette passation de flambeau du vieil abbé à la jeune fille, que tous les Séguier du monde ne pourront jamais empêcher. Le lendemain, « le Roi chassait dans la plaine de Saint-Denis, lorsque Monsieur Necker la traversa pour se rendre à la campagne **. Nos calembouriers *(sic)* se demandent :

« — Qu'est-ce que le Roi a chassé?
« — Necker, répondent-ils [902]. »

---

* Future madame de Staël, née à Paris le 22 avril 1766. Sa petite pièce a été jouée à ce même château en septembre 1778.
** Selon la *Correspondance secrète*. Mesmer était aussi parti à Spa après son échec à Paris. Voir ci-dessus, p. 333.

56/mai 1781
Cette méthode peu évangélique

Qu'est-ce qui a pris à Louis XVI? Pourquoi a-t-il, contre le vœu de la plupart de ses proches, laissé pousser au départ un collaborateur qu'on croyait efficace aux finances, et d'un rapport dont il s'accommodait? Contre Necker : les deux frères du Roi, Maurepas, Vergennes, un certain nombre de parlementaires et de privilégiés parasitaires; pour lui, les *snobs*, la noblesse « évoluée », les finances, la bourgeoisie, la Reine, mais oui, la Reine qui, à rebours de son attitude envers Turgot, publie partout qu'elle a insisté pour le Genevois, et que, s'il n'avait dépendu que d'elle...

Alors? Il est difficile de percer cette caboche. Le comportement de Louis XVI, on commence à s'y faire, est de s'envelopper d'une réserve si épaisse que nul ne sait jamais ce qu'il pense — ou s'il pense. Double avantage : il crée le mystère et il jouit de l'agacement à fleur de peau que son attitude entretient chez ses proches; un petit supplice au jour le jour. Mais on l'a senti grincheux depuis la publication du *Compte Rendu*, précisément parce que Necker avait élevé la voix. Louis-le-taciturne apprécie les silencieux : d'où la faveur de Maurepas, qui ne parle que par épigrammes, et de Vergennes, la toute compacité. Ce dernier avait pu, en quelques semaines, lier dans l'esprit du Roi les publications juxtaposées du *Compte Rendu* et de la réédition incendiaire de l'*Histoire des Deux Indes*. En poussant un peu, en embrouillant les fils, on rendait l'homme qui avait écrit sur le budget complice des deux insolents qui déblatéraient sur l'ordre établi. Au printemps, l'affaire Maury était tombée à point pour allumer un clignotant aux yeux du Roi : danger de changement, la catastrophe qui lui fait plus peur que la mort. Si mon prédicateur attitré s'en mêle...

De la *Correspondance littéraire*, avril 1781 : « Le *Carême prêché devant le Roi* par l'abbé Maury sera bien curieux à lire. Le plus grand reproche qu'on lui ait fait à Versailles est d'avoir mêlé dans ses sermons trop de choses étrangères à l'Évangile, trop de discussions de politique, de finance et d'administration; d'avoir prêché LE Roi plutôt que DEVANT le Roi.

« — C'est dommage, disait l'autre jour Sa Majesté en sortant de l'église. Si l'abbé Maury nous avait parlé un peu de religion, il nous aurait parlé de tout [903]. »

Ce prêtre herculéen n'avait pourtant rien d'un bel esprit. L'abbé Maury est encore tout émerveillé du coup de baguette magique qui l'avait arraché à l'échoppe de son père, le cordonnier de Valréas, en comtat Venaissin, pour le propulser jusque dans la chaire de la chapelle royale. L'Église était la seule fée capable de ces tours-là, et Maury, maintenant à portée de l'Académie française et de l'épiscopat, n'a nulle intention de se mettre hors du trajet bénéfique. Sa charpente

est peut-être mal à l'aise dans la soutane, pas son cœur. Un portefaix
tourné en athlète de l'éloquence. Il s'imposait rien qu'en ouvrant ses
grands bras comme pour étouffer l'auditoire et le serrer contre sa
poitrine d'ours *.

Il a fait ses petites classes à coups de poing chez le bon curé de Buis-
les-Baronnies, et a poursuivi ses humanités au séminaire d'Avignon
dans le même esprit, de bataille en bataille, le latin, la rhétorique, la
théologie, toujours autant de gagné sur la vie. Un fonceur. Citoyen
d'un territoire pontifical, il rêvait de Rome et se voyait pape. Mais le
comtat Venaissin était l'enfant perdu des États de l'Église ; on y
laissait tout pourrir sur place : le peuple, les campagnes, la ville et les
prêtres, même s'ils étaient plus fortunés que le fils d'un cordonnier.
Maury avait compris, avant d'avoir vingt ans, que sa chance était à
Paris, comme pour Sieys **. Mais, contrairement à Sieys, il n'avait pas
rechigné devant elle. Il l'avait poursuivie comme ces belles pénitentes
qu'il aimait tant à confesser, répétiteur, prédicateur à tout va, les
salons mais les couvents, les mondaines quand il pouvait mais les prélats
quand il fallait, l'*Éloge de Fénelon*, mais pour dire du bien de Bossuet,
la cour à d'Alembert et la cour au dauphin dévot ***. Dès 1767, il
était grand vicaire à Lombez et prenait de la bouteille en Armagnac,
avant de revenir prêcher devant l'Académie pour la Saint-Louis de
1772 :

« — Eh, messieurs ! où en seriez-vous sans les croisades [904] ? »

Le mot avait fait sourire Voltaire : « En lisant le *Panégyrique de
saint Louis*, prononcé par M. Maury devant notre illustre Académie,
je croyais entendre Pierre l'Ermite changé en Démosthène ou en Cicé-
ron. Il donne envie de voir une croisade. » Et Maury tient en effet du
prédicateur des foules, à l'étroit dans les chapelles qui étouffent sa
voix de stentor, dont il a gommé l'accent provençal à force de volonté.
Mèches rebelles, teint foncé, visage anguleux : Pierre l'Ermite ! On
avait « claqué des mains dans la chapelle ». Victoire ! « La Compagnie
a arrêté, d'une voix unanime, que, dès que M. le cardinal de la Roche-
Aymon **** serait de retour de Rheims *(sic)*, il lui serait fait une députation de trois académiciens, pour le prier de vouloir bien engager sa
Majesté à donner à M. l'abbé Maury une marque de satisfaction [905]. »

« — Monsieur l'abbé, vous prêcherez, l'an prochain, devant le Roi,
le sermon de la Cène *****, l'Avent et le jour de la Pentecôte, pour la

---

* Jean-Siffrein Maury, né à Valréas le 26 juin 1746, sera élu en 1785 à
l'Académie française. Député du clergé aux États généraux, il sera,
dans le parti monarchiste et clérical, le plus fougueux adversaire de
Mirabeau aux joutes oratoires. Émigré, puis rallié à Bonaparte, il sera
cardinal et fera fonction d'archevêque de Paris sous l'Empire.
** Sur l'abbé Sieys (ou Siéyès), qui est en 1781 vicaire général à Chartres
et s'opposera à Maury à la Constituante, voir ci-dessus p. 181.
*** Il s'agit bien sûr du père de Louis XVI.
**** Grand aumônier de France, tout branlant à l'époque (le voir au
sacre de Louis XVI, tome I, p. 214). Il disposait à ce titre de « la feuille
des bénéfices », donc des nominations ecclésiastiques importantes.
***** Du Jeudi-Saint. La « cérémonie des cordons bleus », c'était
l'accueil des récipiendaires dans l'Ordre du Saint-Esprit.

cérémonie des cordons bleus. Préparez-vous en outre à prêcher le
carême à partir de 1775 à Versailles, devant Sa Majesté. »

Il s'attendait à Louis XV vieillissant, et il aurait peut-être préféré
cet auditeur-là, guère exigeant. Il avait eu le jeune Louis XVI, pour
qui chaque mot comptait, un roi-théologien, très ferré sur la grâce
suffisante, la grâce sanctifiante, et leur insondable distribution dans
les desseins de Dieu. La religion faisait partie des six ou huit sciences
que le Roi avait apprises à fond, avec sa touchante application, sous
la férule du gouverneur et des aumôniers qui l'avaient accompagné
presque jusqu'aux marches du trône. Il avait donc hérité de ce prédicateur avec la même méfiance que de tout le legs de son grand-père,
mais Maury lui plaisait par son côté fils du peuple. Louis XVI aime
les gens simples. Et l'abbé avait su faire jouer le bon ressort dès les
premiers sermons :

« — Sire, votre Auguste Père vous recommande votre royaume du
haut du ciel. Pensez quelquefois à ce qu'il aurait fait sur le trône où
vous êtes assis. C'est là ce que vous devez faire pour rendre à la France
le règne heureux qu'elle attendait de lui [906]. »

A la bonne heure! Louis XVI fond quand on lui parle ainsi. Mais
Maury s'est gâté. Il a trop voulu suivre le courant du jour. Il a cru,
comme tant d'autres depuis un an, que la montée de Necker annonçait
une coloration du règne, et il y avait accommodé son ton un quart
d'heure trop tôt. Dès le 14 mars 1781, les tenants de l'intégrité le rappe-
laient à l'ordre : « M. l'abbé Maury, ecclésiastique hardi, intrigant,
avide de parvenir à quelque prix que ce soit, profite de l'honneur qu'il a
de prêcher devant le Roi pour se signaler, et l'on cite plusieurs de ses
sermons qui font bruit à Versailles. Il a pris la méthode, pour se distinguer, de les semer de traits historiques (mais voilà du Raynal tout pur!)
allusifs à ce qui se passe aujourd'hui, ou même de les enrichir tout
simplement des anecdotes du jour. Cette méthode peu évangélique,
d'autant qu'elle est le plus souvent satirique, est très propre à rendre
ses discours piquants, mais aussi à lui procurer des ennemis. On assure
que le Roi est peu content de cet orateur pour cette raison [907]. » Quelle
raison, à y regarder de près? L'introduction du concret, l'allusion
au réel glissée dans la gélatine de la prose ecclésiastique, dont Louis XVI
s'accommodait à merveille jusqu'ici. Sa spiritualité n'est pas plus
christique ou apostolique que celle de son temps. Jésus, c'est un dauphin
associé à l'empire de son Père, une sorte de Joseph II à perpétuité.
On lui décerne les salutations protocolaires, sans se soucier de son
Évangile. Voilà six ans que les courtisans entendent sans sourciller
Maury les entretenir chaque année « de la philosophie sublime du christianisme, cette religion du malheur *, de ce Dieu qui est notre père
et notre juge, des pauvres qui seront nos créanciers et nos médiateurs
devant Lui, de la suprématie d'une religion qui n'abuse jamais l'homme
et qui connaît seule l'art de consoler, à condition de se prosterner au
tribunal sacré de la pénitence pour se dénoncer soi-même à un juge

---

* Dire que Chateaubriand se donnera les gants d'innover !

qui devient aussitôt son médiateur charitable [908] », etc... Ils baignaient dans la guimauve bénite. L'abbé les scandalise en les ramenant à eux-mêmes. On ne le paie pas pour être éveillé.

Le 16 avril : « Dans un sermon sur l'aumône, il a parlé des hôpitaux, et il a observé que la multitude des enfants trouvés augmentait tous les jours à Paris ; qu'en 1780, il y en avait eu treize mille, dont sept mille étaient morts, faute de soins et de bonnes nourrices. » Monsieur l'abbé ! Le *Compte Rendu* en chaire ! Il a même montré le bout de l'oreille au pire moment, le 30 avril, « dans un sermon sur la calomnie, en citant des exemples profanes de ministres en butte aux méchants. Il a rappelé Sully, Colbert et, sans le nommer, il a désigné Monsieur Necker si sensiblement qu'on n'a pu douter de l'objet du discours et du but du prédicateur ». Manqué ! Louis XVI lui a fait passer un savon par le grand aumônier :

« — Évitez de faire venir dans vos discours des choses étranges *(sic)* et relatives à l'administration, que vous devez ignorer, ainsi que le public *(sic)* [909]. »

Maury se le tiendra pour dit et va s'avaler la langue pendant un an ou deux — mais il a contribué à émouvoir Louis XVI, nullement du côté qu'il espérait. La religion de celui-ci n'est pas tant question de piété que de fermeté. Louis XVI n'est pas un mystique. C'est un inquiet, qui a besoin de certitude et de confort moral. Le monde et la vie deviennent lisibles à ses yeux quand il est à même de trouver normal que *lui*, et non son frère, son cousin ou le premier manant venu, soit devenu l'Oint du Seigneur Tout-Puissant, image de Dieu sur la terre de France, seul laïc du royaume habilité à communier sous les deux espèces. Si Dieu le veut, tout est bien. Mais pour que Dieu le veuille, il faut murer les issues à d'autres suppositions. Les deux seuls ouvrages que Louis XVI possède en dehors de l'*Encyclopédie* et des livres techniques, scientifiques ou classiques, choisis pour sa bibliothèque, sont *La Jérusalem délivrée*, du Tasse, et... *Robinson Crusoé* [910]. Il n'a lu ni Voltaire, ni Rousseau, ni Helvétius, et n'a étudié Montesquieu que pour le critiquer. Il est moins informé de son temps que la plupart des artisans de la place Dauphine. Beaucoup de séminaristes sont plus curieux que lui. Qu'importe, puisqu'il est la vivante clef de voûte d'un univers stable à jamais ?

Qu'on juge alors de son effroi quand Vergennes, dans les premiers jours de mai, lui a remis, en annexe à son Mémoire contre Necker, un exemplaire de l'*Histoire des Deux Indes* ouvert à l'endroit où ces impolis, Raynal, Diderot, Necker pendant qu'on y est, c'est du pareil au même, tutoient le Roi comme un palefrenier : « Ah ! si tandis que je parlais, deux larmes s'échappaient de tes yeux, nous sommes sauvés *... »

Qu'ils y comptent.

Louis XVI connaît par cœur les maximes rédigées pour lui dans l'année de son mariage par l'abbé Soldini, son confesseur, le prêtre

---

* Voir ci-dessus, p. 356.

qui l'a sans doute le plus profondément influencé : « Je ne vous dirai rien de l'horreur que vous devez avoir des mauvais livres, de la fuite de ceux qui ne sont qu'inutiles... Il faut brûler ceux-là et rejeter ceux-ci. Un prince ne sera pas moins homme d'esprit quand il ignorera les sophismes des philosophes modernes, s'il sait d'ailleurs ce qui peut l'orner comme l'histoire, les belles lettres et la vraie philosophie [911]. » Son devoir est clair. Toute sa vie, il entendra cette voix-là : « Vous ne devez lire aucun livre condamné par l'Église sans permission de votre évêque diocésain, et cette permission ne vous sera accordée que lorsqu'elle vous sera nécessaire *. »

Il a donc suffi à Louis XVI de feuilleter ces pages à l'odeur de soufre. Il avait déjà sur la conscience le péché d'avoir parrainé le *Compte Rendu*. Un protestant ne devrait jamais pouvoir écrire en France, même des chiffres. Vergennes et Maurepas n'ont plus eu qu'à lui apporter quelques écrits subalternes, par exemple la *Lettre* (prétendue) *de M. le Marquis de Caraccioli à M. d'Alembert* [912], où l'on traite opportunément l'abbé Raynal de « timbalier ** du parti Necker ». Ils lui ont fait observer que « quelque rigoureux qu'aient été les ordres envoyés à toutes les barrières du royaume pour défendre l'entrée de la nouvelle édition de l'*Histoire des Deux Indes*, on a trouvé le secret d'en faire introduire un grand nombre d'exemplaires » et que « la calomnie n'a pas craint d'accuser l'intégrité d'un ministre d'avoir favorisé cette fraude ».

Suivez leur regard, Majesté... Louis XVI est suffisamment porté à flairer des complots dans tous les coins contre notre sainte religion, donc contre son autorité, pour qu'ils n'aient pas besoin d'insister. Le Roi nage dans la bonne humeur, dès le 18 mai, à proportion de la consternation ambiante. Il est reconnaissant à Maurepas de lui avoir épargné les formalités de l'exécution. Tout s'est passé sans larmes et sans cris, mieux que pour Turgot.

Mais le principal vainqueur, c'est Vergennes. Il a su se taire quand il fallait et frapper au bon moment. Il sera le mieux placé pour l'après-Maurepas, quand Louis XVI cherchera un principal ministre au catholicisme éprouvé.

---

* L'abbé Soldini n'était pas un fanatique. Il continuait en insistant longuement auprès de son élève pour qu'il rejette également « tout ce qui serait fait pour la défense de l'Église, mais qui manquerait de cette charité qui doit toujours accompagner le vrai ».
** Le timbalier, dans les cortèges solennels, chevauchait au-devant des notables en battant des timbales. Même étymologie que *cymbale*.

57/mai 1781
Vous avez la gangrène

Le 25 mai, Diderot explose. « J'entends crier sous ma fenêtre * la condamnation de l'abbé *(Raynal)*. Je la lis. Je l'ai lue. Tombent sur la tête de ces infâmes *(parlementaires)* et du vieil imbécile qu'ils ont servi *(Maurepas)* l'ignominie et les exécrations qui tombèrent autrefois sur la tête des Athéniens qui firent boire la ciguë à Socrate [913]. »

Il jette fiévreusement ces quelques lignes en *post-scriptum* d'une lettre rédigée depuis deux mois, mais non expédiée. Elle traînait dans ses tiroirs en raison de sa répugnance à humilier l'interlocuteur. Elle va le fâcher avec un vieil ami qui lui a rendu maints services. Tant pis. Tant mieux. Il envoie la lettre à Grimm. C'est la rupture — mais pas seulement avec Grimm. Diderot rompt avec Diderot ce jour-là. Suite du *post-scriptum* : « Mon ami, on est incapable des actions héroïques quand on les blâme; et on ne les blâme que parce qu'on en est incapable. »

Ils s'étaient chamaillés pendant la dernière semaine de mars, où Grimm avait pourchassé Diderot de salon en salon pour le faire apostasier, chez une amie, chez sa fille, chez le « médecin-inoculateur », Pierre Brasdor. Une dispute à rallonges. Grimm était l'un des hommes les mieux renseignés de cette Europe que sa *Correspondance littéraire* informait. Il avait flairé le vent de la chute de Necker et de la condamnation de Raynal qu'il déplorait à l'avance, comme il avait déploré tant de choses depuis trente ans, entre deux pirouettes, avant de se consoler d'un déjeuner d'huîtres. L'important, c'est de tirer son épingle du jeu, puisqu'on ne peut jamais rien à rien. Il avait donc cru rendre service à Diderot en l'avertissant un des premiers de se tenir à carreau. Mais il était lui-même anxieux de se dédouaner en cas de péril. Que Denis cesse de fréquenter Raynal. Qu'il désavoue hautement les passages de la nouvelle édition qui faisaient le scandale et qu'on lui imputait — à raison **. Grimm lui avait posé le même dilemme qu'à Raynal :

« Ou vous croyez que ceux que vous attaquez ne pourront se venger de vous, et c'est une lâcheté de les attaquer; ou vous croyez qu'ils pourront et voudront se venger — et c'est une folie que de s'exposer à leur ressentiment... »

---

* Rue Taranne à Paris, où il se replie en vieil ours fatigué. Il a pris Sèvres en grippe et ne va plus à la campagne chez quiconque. Sur la part de Diderot dans la nouvelle édition de l'*Histoire des Deux Indes*, voir ci-dessus p. 356.
** Voir ci-dessus, pp. 363 à 367, l'essentiel de l'apport de Diderot à *L'Histoire des Deux Indes*.

L'éternel dilemme du scribe, depuis qu'il coexiste avec le grand prêtre et le pharaon. Silence (ou du moins écrire comme si l'on se taisait, noircir la page) — silence, lâcheté ou folie. Le conseil était resté en travers de la gorge à Denis Diderot.

« Je vous ai parfaitement compris, et vous m'avez fait très injustement et très inutilement beaucoup de mal... Vous m'avez recommandé de me taire sur l'abbé Raynal? Mais votre dessein est-il que je suive votre conseil? Dans ce cas, ayez l'attention d'en parler plus décemment que vous n'avez fait chez ma fille. N'est-ce donc pas assez que des Wisigoths le proscrivent; faut-il encore qu'il soit attaqué par ses amis? Il y a dans la société tant d'impertinents perroquets qui parlent, qui parlent et qui parlent sans savoir ce qu'ils disent... »

Et le voilà qui s'échauffe : « La conséquence de votre misérable et plat dilemme, c'est d'éteindre la race des hommes célèbres *(de Démosthène à Voltaire, qu'il évoque en passant par Juvénal, Socrate, Aristote, Montesquieu, et même Rousseau)*; c'est d'inspirer le mépris pour ceux de nos concitoyens dont les ennemis habitèrent de tout temps les temples, les palais, les tribunaux, trois repaires dont sont sorties les misères des sociétés. Oh! l'utile et commode doctrine pour les oppresseurs! »

Faut-il se taire pour vivoter? Dans ce cas, tous ceux, « parmi les anciens et les modernes, qui, plus jaloux de servir le monde *, ou leur patrie, que de passer des jours tranquilles et obscurs dans leurs foyers, négligèrent leur fortune, leur vie, leur liberté, et même leur honneur, ont été des sots à votre avis, s'ils ont méconnu le péril auquel ils s'exposaient, des lâches s'ils ont cru n'en courir aucun, ou des fous lorsqu'ils ont intrépidement attendu leur glorieuse et fatale destinée? »

Tout pâle, Denis, tout emporté dans l'état où il se mettait deux ou trois fois par an chez Sophie Volland ou chez les d'Holbach. La grêle du plateau de Langres. Même les valets s'enfuyaient. Cet homme si doux, si drôle, envoyait alors les assiettes à la figure du premier venu. Sa grande figure de paysan transfigurée, les yeux hors de la tête, les mains tremblantes. Il en oublie presque Raynal. C'est sa querelle à lui. Il parle en accusé du pire des crimes aux yeux des cuistres : celui de chaleur humaine.

« Hé bien, Raynal est un historien comme il n'y en a point encore eu, tant mieux pour lui, et tant pis pour l'Histoire. Si l'Histoire avait, dès les premiers temps, saisi et traîné par les cheveux les tyrans civils et les tyrans religieux, je ne crois pas qu'ils en fussent devenus meilleurs, mais ils en auraient été plus détestés, et leurs malheureux sujets en seraient peut-être devenus moins patients... Le livre que j'aime et que les rois et leurs courtisans détestent, c'est le livre qui fait naître des Brutus... Pour moi, je n'en estimerai que davantage l'auteur qui se sera abandonné sans réserve aux mouvements violents de son cœur...

« ... Il ne me déplaît nullement que l'historien de la découverte d'un monde nouveau, ayant à parler d'un phénomène inouï, ait un ton qui

---

* « L'humanité. »

ne soit qu'à lui. Du moins il ne sera pas compté dans le troupeau servile des imitateurs. »

Lâche? Fou? Les deux mots du dilemme ont touché le nerf. Depuis qu'il a commencé d'écrire, il évolue entre ces deux injures-là. Rousseau l'a traité de lâche voici vingt ans. Grimm le traite aujourd'hui de fou. Mais « comment sommes-nous sortis de la Barbarie? C'est qu'heureusement il s'est trouvé des hommes qui ont plus aimé la vérité qu'il n'ont redouté la persécution. Certes ces hommes-là n'étaient pas des lâches. Les appellerons-nous des fous? Vous ne savez plus, mon ami, comment les hommes de génie, les hommes courageux, les hommes vertueux, les contempteurs de ces grandes idoles devant lesquelles tant de lâches se font honneur de se prosterner, vous avez oublié comment ils écrivaient leurs ouvrages. Sans être de la classe, je le sais, moi, et je vais vous le dire. Le projet d'offenser ou de plaire fut loin de leur pensée. Ils ne coururent point après la louange. Ils ne redoutèrent point la persécution. Ils voulaient être utiles. Ils voulaient dire la vérité. »

Dilemme pour dilemme :

« Le peuple dit — Vivre d'abord; ensuite, philosopher *.

« Mais celui qui a pris le manteau de Socrate et qui aime la vérité et la vertu plus que la vie, dira, lui :

— Philosopher d'abord, et vivre ensuite... Si l'on peut. Vous riez, je crois? »

... Le rire de Frédéric-Melchior, baron de Grimm, maquereau des gens de lettres, recruteur des despotes, échotier des douairières. L'homme qui dit tout sans jamais ne rien dire. Un demi-siècle de potins susurrés par sa vieille bouche fardée, au petit trot de ses talons rouges. Celui qui souhaitait que Mozart ait moins de talent **. L'ami qui a fait tant de mal à Diderot en lui voulant du bien. Le voyage en Russie, c'est Grimm :

« Ah mon ami, je vois bien, votre âme s'est amenuisée à Pétersbourg, à Potsdam, à l'Œil-de-bœuf et dans les antichambres des Grands ***. Vous me dites que vous avez obtenu la confiance de l'impératrice de Russie; que le roi de Prusse a daigné de vous adresser la parole et que vous approchez de Vergennes si vous [souhaitez] quelque chose... »

C'est l'heure du déballage entre amis, le plus cruel. Mais le pire ou le meilleur des amis n'est pas celui qu'on pense. « Ah! les amis! les amis! il en est un; ne compte fermement que sur celui-là : c'est celui dont tu as si longtemps et si souvent éprouvé la bienveillance et la perfidie; qui t'a rendu tant de bons et de mauvais offices, qui t'a donné tant de bons et de mauvais conseils; qui t'a tenu tant de propos

---

* « Philosopher » au sens large du mot, bien sûr : aimer la sagesse, chercher le pourquoi des choses et le dire.
** Sur les rapports de Mozart et de Grimm, voir ci-dessus, p. 26. Voir aussi tome I, p. 42, la péripétie russe de Diderot.
*** Potsdam : le Versailles de Frédéric II; l'Œil-de-bœuf : la principale des antichambres de Versailles, aux fenêtres « en œil-de-bœuf ». Le mot entre crochets, trouvé par déduction, est illisible sur le manuscrit.

flatteurs et adressé tant de vérités dures, et dont tu passes les journées à te louer et à te plaindre. Tu pourras survivre à tous les autres; celui-ci ne t'abandonnera qu'à la mort : c'est toi; tâche d'être ton meilleur ami [914]. » A-t-il suivi son propre conseil? Diderot recule à la dernière minute devant son image d'il y a huit ans. Est-ce à Grimm ou à lui-même qu'il en a?

« Vous me fîtes grande pitié, lorsque vous me dîtes, à Pétersbourg :

« — Savez-vous bien que, si vous voyez l'Impératrice tous les après-dîner, moi, je la vois tous les soirs?...

« Mon ami, je ne vous reconnais plus. Vous êtes devenu, sans vous en douter peut-être, un des plus cachés, mais un des plus dangereux anti-philosophes. Vous vivez avec nous, mais vous nous haïssez...

« Mon ami, soyez le favori des Grands; servez-les, j'y consens, quoique votre talent et vos années pussent être plus dignement employés. Mais ne soyez leur apologiste ni de bouche, ni d'esprit, ni de cœur — ou... tombez dans la chaudière où grilleront à toute éternité les protecteurs et toute la race maudite des protégés.

« Mon ami, vous avez la gangrène. Peut-être n'a-t-elle pas fait assez de progrès pour être incurable... Ce n'est pas ce que j'ai le courage de vous dire, c'est ce que vous vous direz à vous-même qui vous guérira. »

On s'éloigne du prétexte-Raynal; on en arrive à l'essentiel. A ce nœud de la querelle à trois voix, les trois du siècle : Diderot, Voltaire, et l'autre, dont il faut bien parler :

« Je ne serais jamais devenu votre ami, si vous eussiez parlé chez Jean-Jacques, où je vous rencontrai pour la première fois, comme vous parlâtes hier chez l'inoculateur Brasdor... »

Jean-Jacques, les bras croisés dans un coin de la vie de Diderot depuis leur brouille de 1758, comme la statue du Commandeur. Il n'a fait semblant de mourir voici trois ans que pour venir lui tirer les pieds chaque nuit : « Moi, je suis resté pur.... Toi, tu t'es compromis. » Facile à dire. Diderot jure qu'il en a menti. Mais quel piédestal pour la postérité! Or leur querelle, connue seulement des initiés, va passer sur la place publique. Les *Confessions* de Rousseau vont paraître à Genève, chez Moultou, d'ici un an; jamais livre, peut-être, n'aura été attendu comme celui-ci. « Je forme une entreprise qui n'eut jamais d'exemple, et dont l'exécution n'aura point d'imitateur. Je veux montrer à mes semblables un homme dans toute la vérité de la nature; et cet homme, ce sera moi [*]. » Bonne occasion pour en montrer un certain nombre d'autres tels que « cet homme » les a vus : sans excès de charité. Au premier rang de ces épinglés, Denis Diderot a eu communication des passages où Rousseau le traîne dans la boue : « Et toi aussi, Diderot! m'écriai-je. Indigne ami [915]!... » « Je n'avais encore (*quand il a commencé les* Confessions, *pendant la rédaction desquelles sa psychose de persécution s'est exacerbée*) aucun soupçon du grand complot de Diderot et de Grimm, sans quoi j'aurais aisément reconnu combien le premier

---

[*] Premier paragraphe des *Confessions*.

abusait de ma confiance pour donner à mes écrits ce ton dur et cet air noir qu'ils n'eurent plus quand il cessa de me diriger [916]. » Autrement dit, Denis aurait poussé Rousseau à braver les pouvoirs, quitte à se défiler ensuite. Le rapprochement s'impose avec l'association Diderot-Raynal. Diderot récidive-t-il ? Le procès va s'ouvrir, en tout cas, et l'audience promet de traîner de siècle en siècle pour le public des millions de lecteurs aux yeux ronds devant les expertises des chers professeurs : la faute à Diderot, la faute à Rousseau... Ce dernier a su s'emparer de la barre et ne risque pas de la lâcher. L'accusateur, c'est lui : « J'aimais tendrement Diderot, je l'aimais sincèrement... Mais, excédé de son infatigable obstination à me contrarier éternellement sur mes goûts, mes penchants, ma manière de vivre, sur tout ce qui n'intéressait que moi seul ; révolté de voir un homme plus jeune que moi * vouloir à toute force me gouverner comme un enfant... j'avais déjà le cœur plein de ses torts multipliés [917] », mais il lui a fallu, dit-il, des années pour mesurer le complot ténébreux tramé contre lui par « la coterie holbachique » qui est à l'origine de tous ses malheurs. « Retiré dans la solitude, sans correspondance de nouvelles, sans relation des affaires du monde, sans être instruit ni curieux de rien, je vivais à quatre lieues de Paris, aussi séparé de cette capitale par mon incurie que je l'aurais été par les mers dans l'île de Tinian **.

« Grimm, Diderot, d'Holbach, au contraire, au centre du tourbillon, vivaient répandus dans le plus grand monde et s'en partageaient presque entre eux toutes les sphères. Grands, beaux esprits, gens de lettres, gens de robe, femmes, ils pouvaient de concert se faire écouter partout. On doit voir l'avantage que cette position donne à trois hommes bien unis contre un quatrième, dans la position où je me trouvais [918]. »

« La coterie holbachique »... le fond de la querelle tient dans ces trois mots-là. Rousseau n'avait pas pu supporter l'univers du château de Sucy-sur-Marne, chez le doux baron d'Holbach, au paradis caché des hommes qui refusaient l'idée de Dieu. Un monde de sourire et de liberté, où le vin était si bon et les femmes si gaies. Le rire de madame d'Aine*** lui était tombé sur les épaules et l'avait enrhumé en cascadant par tous les escaliers. Il n'appréciait pas les farces de collégiens que ces gros bébés de quarante ans et ces belles femmes épanouies se faisaient de chambre à chambre vers les minuit sans trop veiller à leur langage ni à leur décence. Le côté pisse-froid de Rousseau le mettait en marge. Et leur comportement contrariait trop son système. Comment peut-on rire de si bon cœur quand on ne croit en rien ?

Ils l'avaient persécuté rien qu'en existant. Il se préparait à leur servir une vengeance froide comme sa mort.

---

* Rousseau est né en 1712. Diderot en 1713.
** Ile de l'archipel des Mariannes ; Rousseau venait de lire les voyages du capitaine Cook.
*** Belle-mère de d'Holbach, qui avait épousé successivement ses deux filles.

Qu'à cela ne tienne, Diderot répondra. Il n'est pas du genre prostré
au banc des accusés : « Jean-Jacques eût été chef de secte il y a deux
cents ans ; en tout cas *(il eût été)* démagogue dans sa patrie. Le séjour
et la solitude des forêts l'ont perdu : on ne s'améliore pas dans les bois
avec le caractère qu'il y portait [919]. » Leur guerre n'est pas en dentelles.
Ils y vont avec des han! de bûcherons. C'est pour laisser lui aussi des
espèces de *Contre-Confessions* que Denis vient de reprendre son *Essai
sur les règnes de Claude et de Néron*, un « voyage dans le temps et dans
l'espace, un va-et-vient entre Rome et Paris, le siècle de Néron et
celui de Louis XV, interpellation des morts et conversation avec le
lecteur [920] », où il rend coup pour coup : « Rousseau n'est plus. Quoiqu'il
eût accepté de la plupart d'entre nous, pendant de longues années,
tous les secours de la bienfaisance et tous les services de l'amitié, et
qu'après avoir reconnu et confessé mon innocence, il m'ait perfidement
et lâchement insulté, je ne l'ai ni persécuté ni haï. J'estimais l'écrivain,
mais je n'estimais pas l'homme, et le mépris est un sentiment froid
qui ne pousse à aucun procédé violent [921]. »
Ceci dit, il passe à autre chose. Diderot la soupe-au-lait n'est pas
homme à rabâcher. Il pardonne de tout son cœur les coups de poing
qu'il vient d'assener. Rousseau l'a trouvé, puisqu'il le cherchait,
mais Diderot à son tour va en chercher beaucoup d'autres : les hommes
de ce temps de Maurepas qu'on commence d'appeler « le siècle de
Louis XVI », ceux qu'il a déjà fustigés dans l'*Histoire des Deux Indes*,
mais il n'en peut plus du masque de Raynal et de l'anonymat, il ne
veut pas mériter le reproche de Rousseau. Dès la fin de l'*Histoire des
Deux Indes*, il est revenu à son *Essai*, il en a repris le texte fleuve et
allongé le titre : *Essai sur les règnes de Claude et de Néron et sur les
mœurs et les écrits de Sénèque, pour servir d'introduction à la lecture de
ce philosophe*. A propos du passé, ce sera un hymne à l'avenir et une
réflexion critique du présent. « Sous le couvert du philosophe latin *,
il écrit de magnifiques pages à la gloire de la philosophie, et chacun va
reconnaître, dans les règnes de Claude et de Néron **, bien des traits
qui répandaient des couleurs hideuses sur le règne de Louis XV. Le
retour à la philosophie païenne, l'exaltation des philosophes de l'Antiquité signalaient à tous les yeux le triomphe de la pensée nouvelle,
le rejet définitif du passé judéo-chrétien [922]. » Il s'agit également de
relever l'honneur de la « coterie holbachique » par une œuvre qui est
presque un travail d'équipe : d'Holbach, Naigeon et La Grange ont
traduit Sénèque pour permettre à Diderot de renouer la chaîne des

---

* Selon Pierre Naville.
** Claude : quatrième empereur romain, frère de Tibère et neveu de
Caligula ; il succéda à ce dernier après son assassinat et régna de 41 à
54 après J.-C. Il fit tuer Messaline et épousa Agrippine. Celle-ci lui imposa
son fils Néron, cinquième empereur romain, donc, comme successeur
adoptif. Néron la remercia en la faisant assassiner cinq ans plus tard. Il
se suicida avant d'être arrêté en 66. Sénèque (3-65 ap. J.-C.) avait été le
précepteur de Néron et joua un rôle de conseiller modérateur et bénéfique
dans les premières années du règne, avant que son élève, qu'il gênait,
ne le condamnât à mort.

temps avec un frère à dix-sept siècles de distance. Il devait y avoir déjà des Rousseau en l'an cinquante pour accuser Sénèque de profits et de compromissions, avant que Néron ne le fît mettre à mort. Devait-il se retrancher dans la pureté? N'a-t-il pas empêché nombre d'horreurs en agissant et en se montrant à la Cour, tant qu'il pouvait encore influencer le tyran? En est-il moins mort en héros? La lâcheté, la folie, nous y revoilà — comme si l'on pouvait y échapper!

Sauf que, à l'heure de l'ouverture des veines, Sénèque s'est retrouvé seul. Et que Diderot, dans son mouvement de bravoure, est naïvement tenté de s'identifier à lui.

« Oh! les amis, les amis »... Non seulement Grimm a voulu lui faire abandonner l'abbé Raynal et renier ses propres pages, mais Naigeon *, le pilier de leur chapelle, lui a conseillé de ne pas publier sa nouvelle version de l'*Essai* **. Tant pis pour Naigeon : « Si vous saviez comme tout devient frivole lorsqu'on a soixante-huit ans! » (Il se vieillit de deux ans dans sa colère)... « et qu'on ne peut plus guère se promettre que quelques années avant que de se restituer aux éléments, à la poussière... On me dira des injures. Mais les injures ne sont pas des pierres. Rien ne me blesse. Vous m'avez seulement appris une chose, c'est qu'il est presque inutile de consulter... Grimm en jugera selon toute apparence aussi défavorablement que vous, mais les coups de fouet réitérés ne font pas galoper un cheval fourbu [923]... »

... Ce Grimm de malheur, qui ne se contentait pas de vouloir le séparer de Raynal, mais tentait aussi, grâce à Meister, son substitut à la *Correspondance littéraire*, de brouiller les Necker, l'abbé Raynal et Diderot : « Personne n'a vu avec plus de peine que madame Necker l'indiscrétion et l'on peut dire la folie avec laquelle l'abbé Raynal vient de compromettre si gratuitement le bonheur et le repos de sa vieillesse (Selon Meister) [924]... » C'est faux.

On était au matin du Vendredi-Saint. Les coqs chantaient. Grande lassitude sur ce vieil homme qui a horreur de se battre, et surtout de se battre seul. Voilà pourquoi sa lettre à Grimm était restée poche restante jusqu'au 25 mai. Tant de fois déjà Sénèque-Diderot s'était dit « à quoi bon? »...

Mais « j'entends crier sous ma fenêtre la condamnation de l'abbé »... J'envoie la lettre. « Il faut prêcher aux autres tout ce qui est bon et louable, qu'on en soit capable ou incapable [925]. » « Le philosophe éclaire les hommes sur leurs droits inaliénables. Il tempère le fanatisme religieux. Il dit aux peuples qu'ils sont les plus forts et que, s'ils vont à la

---

* Jacques-André Naigeon (1738-1810) est, comme Boulanger, l'un des collaborateurs mal connus, mais importants, de l'*Encyclopédie*, dont il a rédigé beaucoup d'articles, sur la philosophie notamment. « Son anticléricalisme était devenu un tic », disait Diderot.
** Diderot a voulu ne voir dans ce conseil qu'une incitation à la prudence. Mais il est possible que Naigeon ait jugé — non sans raison — que le texte de l'*Essai* était encore un vrai fatras, qui n'ajouterait guère à la gloire littéraire de Diderot, même s'il lui fait honneur.

boucherie, c'est qu'ils s'y laissent mener. Il prépare aux révolutions, qui surviennent toujours à l'extrémité du malheur, des suites qui compensent le sang répandu [926]. »

Après avoir rabroué son faux-frère, à l'intention de quel terroriste Diderot rédige-t-il ces lignes incendiaires?

A l'intention de Catherine II. Elle se redresse, la grande carcasse[*].

58/ juin 1781
Son sang lui fait toujours la guerre

Sur les bords de la Loire, une jeune femme brisée tend l'oreille au moindre bruit qui vient du nord. Sophie de Monnier attend Gabriel-Honoré de Mirabeau. Il vient d'être « dédonjonné », comme dit son père, c'est-à-dire qu'il est enfin sorti de Vincennes pour un régime de liberté conditionnelle ; il a trente-deux ans. Elle en a vingt-sept et se trouve en « détention élargie » au couvent des Saintes-Claires de Gien. C'est le revenez-y d'un grand amour. Pour le regain? Pour le désenchantement? Le printemps de la fin mai tiédit les chemins doux de la Sologne et du Gâtinais coupés par la fausse frontière du fleuve ; passage des saisons, petit vent des pages tournées. Est-ce enfin quelque chose qui risque de ressembler au bonheur? Voici quatre ans, à un mois près, il tournait vers elle son mufle ensanglanté : « Je t'ai rendue bien malheureuse[**]... ». Elle était enceinte. Gabriel-Sophie est morte. Victor aussi. Leur histoire se réduira-t-elle à un cimetière d'enfants?

Le courrier pour Paris part de Gien trois fois la semaine, et revient de même. A chaque départ, elle lui fait remettre une lettre pour Gabriel et n'est pas payée à profusion : la réponse vient souvent, mais non régulièrement. En un an, tout de même, elle vient de calculer qu'ils ont échangé trois cent soixante lettres[***] grâce à ces fraternités d'intermédiaires qu'ils ont le don de former autour d'eux : des guichetiers, des porte-clefs, des agents des postes pour lui ; un jardinier, un cabaretier, un médecin et un notaire pour elle [927]. Pas question de s'écrire directement. Placés en condition d'enfance prolongée, ils adressent leurs missives codées à des prête-noms. Celles de Gabriel se raréfient depuis qu'il est sorti de Vincennes. Mauvais signe. Elle accuse le coup,

---

[*] Voir tome I, p. 46, sa lettre à Catherine II en 1774.
[**] Voir tome I, p. 501, le récit de leur séparation, et ci-dessus, p. 273, l'analyse de l'évolution psychologique de Mirabeau à Vincennes.
[***] Du 18 juin 1779 au 16 juin 1780.

dans une maladresse conjugale : « Je t'avoue que je suis furieusement lasse de commencer toutes mes lettres par des plaintes sur ton silence [928]. » Mais elle ne désespère pas, puisqu'il lui a promis de faire une escapade vers Gien dès que cette folie aura quelques chances de se dérouler raisonnablement. Il m'aime donc toujours, puisqu'il est prêt à risquer pour moi une nouvelle lèse-majesté, et surtout une lèse-paternité, au moment où son sort est officiellement remis aux mains de son bourreau de père. Sophie est capable de tous les courages, sauf celui de le dissuader. Elle vit suspendue à ce projet depuis six mois : Gabriel s'est déjà mis à portée, en Gâtinais, soit chez Dupont, soit au Bignon. Il lui suffira de prétexter un voyage à Versailles et de mettre au contraire cap au sud : « Je me suis informée des turgotines * ; elles passent à Briare pour gagner Lyon. Ainsi, tu pourras la quitter là [929] ». Non. Réflexion faite, mieux vaut éviter Briare, où il risque d'être reconnu au passage du Loing : « Voici la route de Montargis ici : de Montargis à La Commodité, deux lieues. De la Commodité à Nogent-sur-Vernisson, deux lieues. De Nogent à La Bussière, deux lieues, et il y a une traverse qui va de La Bussière à Gien sans passer à Briare. La poste donne des chevaux pour la faire (il y a environ trois lieues). Presque tout le monde la préfère. J'ignore s'il y a des chaises *(de poste)*, je présume même que non, mais on peut faire ce trajet à franc étrier [930]. »

Et une fois arrivé à Gien? Elle en fait son affaire, pourvu que la nuit soit tombée. Il attendra à l'auberge de la *Madeleine*, et surtout pas à l'autre, celle de la *Cage*, où il serait dénoncé. Puis il viendra se promener aux Chèvenières sur les minuit ** , et le bon docteur Ysabeau le prendra sous le bras pour le conduire sous ma fenêtre au long du mur du couvent. « Comme il est dans les possibles *(sic)* qu'Ysabeau ne soit pas à Gien quand tu y arriveras, tu ferais demander Lafleur (le cabaretier de la *Madeleine*), cela reviendrait au même, mais comme il se pourrait encore que ce fut trop tard pour qu'il me le pût dire, alors, en te promenant avec lui sur les Chèvenières, tu appellerais à haute voix : *Gabriel!...* Je me mets à la fenêtre, puis je laisse tomber le store et je descends [931] », pour ouvrir la porte avec une clef volée à madame l'abbesse, après que deux fausses, successivement fabriquées, se soient cassées dans la serrure.

Il y avait là matière à remplir les veillees. Sophie semble avoir vocation à désennuyer les petites villes, Gien après Pontarlier. Il ne manquera pas même la complicité de la (si peu) religieuse-servante, la tourière Victoire, qui ne risque pas de dénoncer les amoureux, puisque Sophie lui prête sa chambre pour s'y confesser à loisir au révérend père aumônier, le cordelier Maillet. Sophie a même promis à ce gaillard de prêtre que Mirabeau allait le recommander à la Cour pour une chaire de prédicateur, rien de plus facile, puisque Gabriel est au mieux avec la princesse de Lamballe, mais oui, vous ne saviez pas? Chaîne des

---

* Les nouvelles diligences rapides mises en service par Turgot en 1775 sur quelques grand-routes : Paris-Lyon en ce cas.
** Déformation de *Chènevières ;* il y avait là des plantations de chanvre. C'est aujourd'hui la rue Paul-Bert.

alcôves où l'on se glisse comme on peut, entre la Victoire-couche-toi-là
du couvent des Saintes-Claires et la Surintendante de la Maison de la
Reine. L'aumônier sera pour nous. La disposition de ce couvent, tout
en bâtisses dispersées dans les jardins, facilitera les choses. « La maison
(de Sophie) est composée d'un grand pavillon dont une partie donne
sur la promenade des Chèvenières, l'autre sur un des jardins, et il y a,
outre cela,une quantité de petits bâtiments rattachés à tous les coins.
Nos jardins sont grands. On va des uns dans les autres [932].» Un point
noir : « Mon antichambre est si près des lieux où chacun a le prétexte
d'aller à toute heure que, de cet endroit, on entend tout. » Il faudra
s'aimer en silence. Et, pour cacher dans la journée la grosse tête encom-
brante, on la mettra dans une énorme armoire, ou plutôt un placard
tapissé de neuf par un menuisier complaisant. « Ton appartement est
prêt et très commode. Tout est arrangé pour toi. Oh! comme je t'attends [933]! » Il n'y mourra pas de faim : « Ysabeau m'enverra, dans la
semaine, un jambon cuit, sans que personne le sache ici... O, cher époux,
viens vite [934]! »

Il va venir, mais pas pour son bien. Elle aurait dû se méfier. Ces
silences, ces flous dans les nouvelles... Cette longue visite de Dupont
au parloir, à la mi-avril, plus bienveillant et plus constipé que jamais,
qui se montre au courant lui aussi et promet son concours... Monsieur
Samuel Dupont, de Nemours, au service de l'amour? Voyons! Sophie
avait pourtant suivi, courrier par courrier, la lente désagrégation du
moral de Gabriel, voire de son mental, sous la pression du même
homme *. Il semble qu'elle ne se faisait plus guère d'illusions, l'an
passé. Elle a même signé une pauvre lettre à son gâteux de mari, là-
bas, dans ses forêts, en lui demandant miséricorde et en offrant pour la
forme un retour au bercail dont elle sait qu'il ne veut plus. C'était histoire d'apaiser les Ruffey et de se montrer coopérative avant le partage des biens. Mais « comme l'espérance est violente! »... La sienne
était presque incurable. Sitôt Gabriel hors de ses quatre murs, elle
avait recommencé à gamberger : « Bruxelles n'est pas mort, quoique
maintenant, n'ayant plus d'enfant, je m'y trouverais seule au monde [935] »;
elle revenait au projet d'aller en Belgique pour y attendre son amant
avant de fuir tous deux à Londres, quand il pourrait la rejoindre.
C'est de cela qu'il vient l'entretenir, elle en est sûre, mais le jurerait-
elle sur la grosse tête?

Sophie : une de ces femmes toutes de douceur à qui tout le monde a
toujours fait du mal, comme allant de soi, les parents, les frères, les
amies, le mari, la police et les puissants. Elle attend le seul homme au
monde qui n'a jamais été méchant pour elle, celui qui change tout.
« Tu crieras *Gabriel!* »

Hélas! Bruxelles est mort.

---

* Sur les négociations de Dupont et de Mirabeau, à Vincennes, voir
ci-dessus, p. 267. Sur la famille de Ruffey, d'où Sophie est issue, voir
tome I, p. 333.

De M. de Rougemont, gouverneur du donjon de Vincennes, à
M. Amelot, ministre de la Maison du Roi, le 13 décembre 1780 :
« Monseigneur,
« J'ai l'honneur de vous rendre compte qu'en exécution de l'ordre du
Roi en date de ce jour, qui vient de m'être remis, j'ai fait mettre sur-
le-champ en liberté M. le comte de Mirabeau fils, qui était détenu de ses
ordres au donjon. Il n'y a rien autre de nouveau.
« Je suis avec respect, etc. [936]. »
Cinq ans auparavant, jour pour jour, Sophie se donnait à lui dans la
chambre de la Gotton, à Pontarlier *. « 13 décembre. Je fus heureux. »
Elle n'a pas manqué de célébrer la coïncidence : « Le 13 décembre
sera à jamais une époque mémorable pour nous, car c'est le jour où
nous devînmes époux ; c'est celui encore où tu as été libre [937] ! » Y avait-il
seulement pensé ? Pour la première fois, le marquis de Mirabeau avait
lieu, s'il en croyait les rapports de ses mouchards, d'être satisfait de
son fils. Le 15 décembre, l'Ami des Hommes écrivait à son frère, le
Bailli : « Je compte ton neveu dédonjonné de mardi ou mercredi, et
quoique casé au château *(de Vincennes)* dans des mains qui lui donneront tant et si peu de marge qu'ils voudront, je serai averti de tout...
Ses lettres à sa sœur ont maintenant de la suite dans les bons sentiments et les justes et reconnaissantes idées [938]. » Il a de quoi se réjouir :
au soir du 13 décembre, Mirabeau a écrit à Caroline du Saillant, « la
robuste pondeuse** », la régente du Bignon, les quelques lignes du chien
couchant : « Chère amie, que ton bon cœur palpite ! J'ai embrassé ton
mari, je l'ai pressé dans mes bras, je me suis senti pressé dans les siens.
Mes fers sont brisés, et je jouis déjà du plus grand des bienfaits, moi qui
ose à peine invoquer de la commisération et de l'indulgence.
« J'ai baisé, lu et copié les instructions de mon bon père. Je vais l'en
remercier à genoux. J'ai ajouté des post-scriptum à toutes les incluses
pour donner l'adresse de M. Honoré ***. Je les ai toutes lues à mon
frère et à Dupont. Ils les ont approuvées, même avec une satisfaction
très marquée [939]. »
La même plume avait rédigé *L'Essai sur le despotisme* et *Des lettres
de cachet*. Ils l'ont eu.
Il ne tenait pas debout, le jour de son élargissement. Émotion,
épuisement, simulacre ? Tout est toujours mêlé chez lui. Mais Dupont
a dû lui donner le bras et son beau-frère, le gros mari de Caroline, en a
été lui-même impressionné. « Du Saillant, qui a mis dehors son beau-
frère, en est fort content à tous égards, lui qui ne s'enthousiasme
guère », triomphe le Marquis. « Il s'attendait à trouver du théâtral et
du pathos, il a trouvé un homme fort touché, fort repentant, fort soumis,
et surtout pénétré à sa furieuse mode **** pour son père et sa famille ;
en même temps, gaillard et leste pour tout autre. Comme il dispose

---

* Voir tome I, p. 331.
** Selon une expression de son père ; voir tome I, p. 127.
*** Le lendemain, il précisait à un ami : « Je vous préviens que je m'ap-
pelle et ne m'appelle que M. Honoré. »
**** « Et surtout converti, avec sa démesure habituelle »

de la police *, quoiqu'il ne puisse sortir de Vincennes, on l'a mené s'habiller à Paris, car il était nu comme un ver... Il a grandi et grossi considérablement, et il prétend que si je sais cette révolution physique à son âge, cela me donnera quelque foi à celle du moral. Son sang lui fait pourtant toujours la guerre, car, le jour de la sortie, il noya son lit d'une hémorragie par le nez... Enfin, du Saillant ne cesse de me dire qu'il faut que Dupont l'ait diablement martelé. Sans manquer de foi à cet égard, j'en ai plus encore à l'effet des verrous et des porte-clefs [940]. »

Nu comme un ver entre deux hémorragies, celles de l'incarcération et de la libération, l'homme qui voulait verser son sang en Amérique... Nu moralement, sans défense, vulnérable comme un nouveau-né de trente ans sorti de la matrice de la prison faite pour le modeler à la monstruosité de ces gens-là. « Sa liberté avait été, de la part de son père, l'objet de trois conditions : la première, de ne porter, jusqu'à nouvel ordre, d'autre nom que celui de M. *Honoré;* la seconde, de profiter de ses relations, demeurées cordiales, avec sa mère, pour mettre fin, sans nouveaux scandales, au procès pendant entre ses parents depuis 1762; la troisième, de faire des démarches auprès de sa femme en vue d'une reprise de la vie commune [941]. » Ç'aurait pu être le comble de la ruse, une avancée sous la visière baissée pour les rouler dans la farine de son choix. Voilà sur quoi Sophie comptait, et il y avait bien songé, vers le mitan de sa détention. Mais il n'avait pas eu affaire à des enfants de chœur. On n'ouvrait la cage qu'après avoir pris la bonne mesure des ailes rognées. Il est, pour un bout de temps, incapable d'envol; à peine de quelques bonds calculés par les oiseleurs. Ainsi l'échappée de Montargis à Gien, qui leur rendra service tout autant qu'à lui. Tant qu'à liquider Sophie de Monnier, mieux vaut prendre un exécuteur qualifié.

59/ juin 1781
Je me tuerai si je suis grosse

Six mois à petits bonds, en rééducation de liberté, du donjon au château de Vincennes, chez le chirurgien Fontelliau; de Vincennes à Paris, chez l'adjoint de Le Noir, Boucher, le « commis du secret » que Sophie et lui appelaient « leur bon ange » — dans les lettres qui lui étaient soumises; de Paris au Bois-des-Fossés, chez Dupont près de Nemours, à un saut de puce du Bignon où son père ne le recueillera et ne lui rendra son identité qu'après probation. « Pour te mettre au fait **, il faut te continuer l'itinéraire d'Honoré. Le drôle gagne ses

---

* « Comme la police ferme les yeux »
** Toujours du père à l'oncle, dans leur clabaudage de hiboux, le 12 janvier 1781. Il s'agissait de faire intervenir « Honoré » contre sa mère

éperons, quoiqu'un peu tard, et ce sera, je crois, un homme. Outre que ceux qui le voient ne lui trouvent plus sa fougue, j'ai demandé à Dupont, qui vient d'arriver et qui était retourné à la campagne, en le mettant hors du donjon, si, depuis un mois qu'il ne l'avait vu, il s'était ou le trouvait évaporé. Il m'a dit que tout au contraire il trouvait la tête infiniment meilleure que dans les meilleurs temps en prison. Il rend compte deux fois par jour, et devient modeste dans ses lettres, mais modeste foncé *(sic)*, car il voit le monde pour la première fois et par en dessous, et il en voit de rudes... Aujourd'hui je le lâche à Versailles à cause du duc d'Ayen qui y est de quartier, et là, s'il m'en croit, il verra ministres et tout. Toujours même objet; humble profession de foi... Quand on lui demande où il loge, où il existe, il répond qu'un malheureux, proscrit de la maison paternelle et qui l'a tant mérité, n'a point de gîte et ne doit paraître que dans les occasions indispensables. Cette méthode est nécessaire pour les finances *, et pour éviter communication et évaporation, mais paraît d'autant plus que ce sont aujourd'hui les gens de dix-huit ans qui dominent. » On ne s'en douterait guère, Maurepas régnant. L'Ami des Hommes s'est rasséréné de mois en mois.

En février : « Honoré est toujours sur la même voie, et je ne le ménage pas ; et, en vérité, il est docile et confiant, et ne parle jamais de son père que les grosses larmes ne lui jaillissent. Au reste, je sais par le récit combiné de ceux qui le voient et revoient que ce n'est plus l'homme que nous avons vu. C'est un homme fait qui se contient et qui est même imposant, malgré cette extrême vivacité dont il est néanmoins le maître. Il a mis à profit sa prison, ayant appris le grec, l'anglais, l'italien, beaucoup étudié les Anciens et surtout Tacite, qu'il traduit. Son esprit toujours perçant est devenu juste, et ce don de la familiarité qui lui fait retourner les grands comme des fagots ; en sorte que s'il avait sa tête sur les épaules, chose à laquelle on travaille, mais où il trouvera plus de difficultés ou du moins de longueur qu'il ne pense, il serait bientôt en avant. Avec cette facilité néanmoins, ce caractère caméléon qui prend l'empreinte de ce qui l'approche, tu sens quel casse-tête pour un père qu'il paraît prendre pour maître absolu, qu'il consulte deux fois par jour [943]... », par lettres bien sûr, puisque ce père n'a pas encore daigné le revoir. Cela explique un peu pourquoi Gabriel n'avait pas toujours le temps d'écrire à Sophie, mais il ne devait pas non plus se sentir trop fier. Son silence relatif lui permettait de cacher la succession des petites veuleries au jour le jour où il s'ébattait sournoisement, comme dans la mare aux canards d'une maison de redressement. Les seules revanches possibles : quelques dames enfin caressées aux hasards du château de Vincennes ; la jeune et jolie femme de Boucher séduite à la hussarde, en remerciement de l'hospitalité du couple ; des faveurs de soubrettes arrachées à Versailles et aussitôt changées en conquêtes

auprès du duc d'Ayen, beau-père de La Fayette et chef des Noailles, qui était « par quartier » premier gentilhomme de la chambre, donc le plus proche de l'oreille du Roi pour un trimestre.
* « Pour qu'il ne puisse disposer d'argent personnel. »

des princesses dans sa mythomanie; et enfin, et surtout, le labyrinthe nauséabond de son *flirt* avec Julie Dauvers.

« Je ne veux plus foutre que pour de l'argent »... On dirait qu'il s'est pris à son propre jeu, et qu'il a tenté de préparer, pendant ses derniers mois de captivité, une mise en action des paradoxes qu'il soutenait dans *Ma conversion* *. Trouver une femme, n'importe laquelle, et se faire payer. « Nu comme un ver »... « M. Honore »... Un affamé de toute chose — sans le moindre sou. Il savait que telle serait sa condition, une fois « libéré ». Si Sophie avait eu de l'argent, peut-être... Mais elle vivait au jour le jour, des intérêts de sa dot. Mirabeau avait donc fait, dans sa cellule, ses classes de gigolo par correspondance. Il avait sympathisé avec un de ses compagnons de géhenne, Baudouin de Quémadeuc, incarcéré sur demande du Garde des Sceaux « pour avoir dérobé chez lui, après un repas, des couverts d'or et d'argent ** ». Baudouin, comme tout prisonnier, vantait sa maîtresse, Julie Dauvers, la fille d'un dentiste du comte d'Artois, une petite bourgeoise qui avait passé l'heure du mariage. Mirabeau s'était procuré son adresse pour nouer avec elle une intrigue épistolaire où il avait déchaîné toutes ses capacités de cautèle. A la troisième lettre (le 25 octobre 1780), elle était déjà «ma digne amie, mon aimable amie, ma très belle amie ». A la quatrième, « une magicienne, une enchanteresse, une sirène, une divine amie [944] ». Le 29 octobre, elle devenait une « femme trop noble et trop tendre », et, le 1er novembre, «la première après Sophie, l'amie de mon cœur [945] », hiérarchie vite bousculée, puisqu'il lui prétendait bientôt avoir écrit à Sophie *** : « J'ai trouvé une autre âme digne de la tienne, et désormais ton sexe sera composé pour moi de deux individus *(sic)*. » Il combinait avec délices la partouze idéale pour sortie du prisonnier, avec Sophie et Julie, devenue le 30 novembre « ma Liriette chérie, vous que j'aime comme une autre Sophie [946]. » La preuve? Il l'appelle avant Noël « ma Fanfan », comme l'autre. Don Juan a toujours péché par défaut de vocabulaire. « Non, je ne vous regarde pas comme une de mes plus sincères amies; j'ose vous regarder comme mon unique amie. Sophie est la moitié de moi-même, c'est autre chose [947]. » Croyait-il avoir inventé ça?

Julie Dauvers **** semble 's'être méfiée de bonne heure. Elle restait en arrière de la main, mais il l'avait pourtant subjuguée par l'ampleur de son invention. Mme de Lamballe était revenue sur le tapis et lui servait de hameçon pour la pauvre fille à laquelle il « avouait » à son propos «ce qu'il n'avait pas même révélé à Sophie ***** », et promettait, sitôt revenu à Versailles ou à Rambouillet, dans l'intimité de la prin-

---

* Voir ci-dessus, p. 273.
** C'était du moins le motif officiel de l'arrestation, sur lettre de cachet. Baudouin niait. Et il n'y eut jamais de procès.
*** C'est peu probable. On ne trouve cette phrase que dans une lettre à Julie, pas à Sophie.
**** Dont les réponses ont été perdues.
***** Voir ci-dessus, p. 277, le déchaînement de la mythomanie de Mirabeau à propos de ses prétendues amours avec les grandes dames de Versailles.

cesse, de lui obtenir une place à la Cour : le miroir aux alouettes de
Paris. Mais il avait montré trop vite le bout de l'oreille en suggérant à
Julie, dès le mois de juin, de le loger « chez son bon papa » quand son
régime s'assouplirait. Leurs premiers — et derniers — entretiens, au
début de 1781, n'avaient guère été au niveau de leur correspondance.
Il l'avait trouvée revêche ; elle l'avait jugé encombrant. Pas question de
l'héberger, « faute de place ». Le père Dauvers lui avait pourtant prêté
vingt-cinq louis à courte échéance, au cas où il y aurait du vrai pour
cette place à la Cour *... Après tout, Mirabeau retournait vraiment
quelquefois à Versailles, en ce printemps-là. Le résultat le plus positif
de ces voyages était de rafraîchir ses contes.

A Versailles, en fait, il avait guerroyé sans excès, dans les antichambres, pour mériter sa pitance. Contre sa mère. Contre sa sœur.
Le renversement des alliances. Mais ce converti de fraîche date à la
cause de son persécuteur manquait par trop de crédibilité. Il s'était
fait rabrouer par Maurepas, décidément de bien mauvaise humeur
en ces semaines où le vieux ministre en avait à Necker :
« — Voilà sur mon bureau soixante lettres ou ordres pour la famille
Mirabeau ! Il faudrait un secrétaire d'État exprès pour eux. Si l'on
chassait de Paris tous ceux qui y vivent d'intrigue, l'herbe y viendrait.
Votre père me prend pour son homme d'affaires. N'est-il pas honteux
de ne point voir de fin aux scandales de la famille [948] ? » Bien apparent
dans le « dossier des Mirabeau », Gabriel peut voir un exemplaire du
Mémoire féroce qu'il a publié en Hollande, pour déchirer son père à
belles dents, lui qui voudrait maintenant donner tous les torts à sa
mère **. Maurepas est méchant, mais pas cruel. Il est choqué par l'ou-
trance médiévale du marquis envers les siens. « Il m'a fait conseiller »,
avoue celui-ci, « de me débarrasser de tant de soins envers des gens
indomptables et qui étaient majeurs, et de renoncer à vouloir exécuter
des romans de bon ordre domestique, comme j'en avais proposé de bon
ordre social ***. J'ai répondu que je le priais de se tenir pour dit qu'ayant
fait, en face de tous, tout ce qu'il faut pour montrer que je ne connive
en rien (sic) à la turpitude de ma famille, je verrai sans remords la
mère sur les tréteaux, le fils à la Grève, et n'en irai pas moins la tête
levée et le sein découvert [949]. » Ce n'était guère la bonne accréditation
pour ce fils qu'il envoyait en avocat de la dernière chance.

Trop tard. L'opinion avait pris parti pour la marquise, toujours
internée aux Dames de Saint-Michel à Paris, et pour sa fille, internée
aux Ursulines de Sisteron. Deux folles, peut-être, mais victimes d'un
arbitraire qui commençait à devenir trop voyant. Les défendre, c'était
attaquer les lettres de cachet à motif familial. Le vent d'Amérique
soufflait aussi au Parlement, dont la Grand-chambre a finalement dû

---

* 2 500 francs lourds.
** Voir tome I, p. 476. Le Mémoire date de novembre 1776.
*** Allusion aux doctrines « œconomistes » du marquis et notamment
à sa *Théorie de l'Impôt*, qui l'avait envoyé quelques jours à la Bastille
sous Louis XV.

trancher, en appel du jugement de mai 1777 *, entre cet homme et cette femme qui se battaient comme un couple d'ivrognes depuis vingt ans sur le corps de leurs enfants, les Mirabeau, ces chiffonniers de l'Europe. A l'audience du 3 mai, les magistrats avaient écarquillé les yeux devant l'apparition, à côté de du Saillant et de l'avocat Coquebert, de l'homme à la grosse tête, le revenant des prisons du Roi, dont on commençait à parler comme d'une sorte de Cartouche ou de Latude. Son audace émerveillait, mais indisposait. On découvrait « Mirabeaufils », « cet homme décrété et effigié *(sic)* qui osait paraître au Palais *(de justice)* sous son nom **, dans la Grand-chambre, à la buvette, chez tous les juges... Il est bien singulier qu'un tel homme en impose là au point d'étouffer les battements de mains, quand ils lui déplaisaient, et de faire dire à la basoche *** :

« — Doucement, sur les affaires des grands [950]! »

Le 18 mai 1781 — que de choses, décidément, se sont passées ce jour-là! — le Parlement s'est prononcé dans le sens demandé par le célèbre Gerbier, l'avocat le plus cher de France, celui de Mᵐᵉ de Mirabeau ****. La séparation est prononcée cette fois aux torts définitifs de l'Ami des Hommes, qui devra restituer à sa femme des biens et des sommes équivalant à un capital de sept cent mille livres *****. Elle est sortie le surlendemain de son couvent ******, pour donner aussitôt l'assaut à l'hôtel de la rue de Seine avec un bataillon d'huissiers. Son mari avait pris la fuite au Bignon qu'il va bien falloir vendre, comme l'hôtel, comme tout le reste. Gabriel avait — par force — choisi le mauvais camp. Son père est ruiné, ou pire : « Depuis les cheveux jusqu'aux ongles des pieds, je me trouve lié et garrotté dans l'abîme... Ils m'ont tué le 18 mai [952]! »

Gabriel-Honoré a été admis à se prosterner le 20 mai aux pieds de son triomphateur dérisoire. Deux vaincus de la vie, deux grands blessés de ce duel en champ clos qu'on appelle famille, vont tenter de se tenir chaud dans les ruines. Il est bien temps.

Mirabeau avait écrit à Boucher le 31 mars 1779 : « Mettez-vous bien dans la tête que l'*Ami des hommes* ******* jette sur moi les regards du vautour qui attend un cadavre [953]. »

---

* Voir tome I, p. 485.
** Condamné à mort par contumace par la Cour de Besançon, en 1777, pour « rapt de femme mariée », Mirabeau avait été décapité en *effigie* sur la place de Pontarlier. Le jugement était encore valable.
*** « Aux gens de robe. »
**** Voir le portrait de Gerbier, opposé à Linguet, tome I, p. 166. Necker démissionnait ce jour-là. Le Parlement allait condamner Raynal.
***** 678 740 livres exactement, soit une approximation de 3 millions et demi de francs lourds [951].
****** Louise de Cabris était libérée elle aussi le 28 mai à Sisteron, au son des cloches, des tambourins et des arquebusades, dans une petite émeute de la joie.
******* C'est lui qui souligne, par dérision. Faut-il rappeler qu'il parle de son père?

Scène biblique revue et corrigée pour la chute d'un acte de Sedaine ou de Crébillon. L'inévitable témoin placé devant le rideau, un des voisins du marquis, venu de Montargis, tient le rôle du chœur antique et s'écrie :

— « C'est le retour de l'enfant prodigue [954]!... » Le père a bien changé depuis Jésus... et son fils le trouve bien changé depuis dix ans * : un grand oiseau blanc déplumé qui crâne sur sa branche pourrie, le cou tout raide. Le marquis, de son côté, s'attendait au gamin dont il n'a pas eu assez de mots pour vilipender l'image de jeunesse, « monsieur l'Ouragan, comte de la Bourrasque »... Il découvre un homme fait et même défait, le naufragé de Vincennes. Ces deux hommes-là s'entre-déchiraient sans se connaître. Leur attendrissement est de convention, mais ils se prennent au jeu, en bons acteurs. Entre ses paupières continuellement baissées, comme une garde, le marquis observe « qu'il y a beaucoup de physique dans les écarts de mon fils... Il est très aisé à cabrer, on ne peut rien lui dire directement que les yeux, les lèvres et la rougeur ne prouvent que tout se démonte, mais la moindre tendresse le fait fondre en larmes et le ferait jeter au feu [955]. » « La moindre tendresse »... même celle du vautour. « Il a de notre forme *(celle des Mirabeau opposée aux Vassan)*, construction et allure, sauf son vif argent ; ses cheveux sont fort beaux, son front s'est ouvert *(sic)*, ses yeux aussi. Beaucoup moins d'apprêt qu'autrefois dans l'accent **, mais il en reste : l'air naturel, d'ailleurs, et beaucoup moins rouge », puisque la prison fait pâlir.

Cahin-caha, l'été va permettre de s'exhaler au parfum de ces étranges retrouvailles, humour, pitié, remords, mépris, et une sorte d'amour difficile à classer. Retranché à Mirabeau, un autre vieillard blanc, le Bailli, houspille son frère : « Te voilà donc, grâce à ta postéromanie ***, occupé à régenter un poulet de trente-deux ans! Es-tu assez dupe pour croire que tu en feras autre chose que ce qu'il est? » Le marquis répond du tac au tac : « On ne se coupe pas un fils comme un bras. Si cela se pouvait, il y a longtemps que je serais manchot... Je tâche de verser sur cet homme ma tête, mon âme et mon cœur », et il n'en revient pas de « voir un tonneau boursouflé, grave et l'air vicieux, dire *papa* et ne savoir pas se conduire [956]. »

Après quelques semaines de cohabitation, il brossait à gros traits un portrait assez inouï de Mirabeau à trente-deux ans : « Je n'ai trouvé en lui que de l'esprit autant qu'il est possible d'en avoir, un talent incroyable pour saisir toutes les surfaces, mais rien, rien du tout dessous, et au lieu d'âme, un miroir qui prend passagèrement toutes les images qu'on lui présente et n'en conserve pas le moindre souvenir. Il est impossible de lui parler raison, prudence, qu'il ne dise cent fois

---

* Le dernier séjour de Gabriel au Bignon remonte au printemps 1771. Son père n'avait pas voulu assister à son mariage à Aix et ne l'a pas revu depuis.
** « Beaucoup moins de jactance. »
*** Rappel : le Marquis ne vivait et n'agissait qu'en fonction de la survivance de son nom. Chevalier de Malte, le Bailli avait fait vœu de célibat.

mieux que vous et tout cela ne passe pas l'épiderme ; il ne s'applique à
rien, mais il saisit tout ; il a surtout un fonds d'anti-vérité qui occupe
toutes ses facultés morales et physiques. De quelque art, science,
littérature, antiquité, connaissance et langue quelconque que vous lui
parliez, il en sait trois fois plus que vous, enlève tout, brouille tout,
mais il affirme avec une sécurité et une chaleur qui en imposent ; le
mensonge en un mot, soit en gros, soit en détail, les affirmations, déceptions, histoires en tout genre, rien ne lui coûte, et il a tout oublié et tout
pardonné le quart d'heure d'après ; avec cela, fougueux, d'une facilité qui le fera aller sur les grands chemins avec les voleurs aussi aisément que boire ; sans tête aucune, brouillon, tracassier, sans le vouloir,
mais machinalement et pour dire à chacun chose qui lui convienne ;
bon diable au demeurant et au fond n'étant qu'un fantôme en bien
comme en mal, la plume dorée et rapide, du goût, de l'élégance et un
talent incroyable pour grapiller partout [957]. »
... « En un mot, il est pie et geai par instinct [958]. »

29 mai 1781. Mirabeau chevauche vers Sophie, comme on va noyer
son chien en lui attachant une pierre au cou. Ces quelques heures-
là n'ont pas dû être agréables pour lui. Mais ce n'est pas drôle pour
le chien non plus.

Il n'a pas besoin de s'aventurer à l'auberge, ni de crier « Gabriel »
sous les fenêtres. Le bon docteur Ysabeau l'attend à Nogent-sur-
Vernisson et le prend dans son cabriolet pour les quatre dernières
lieues du voyage. Au bout de la petite route entre les haies fleuries, il
découvre la ville grise et bleue dominée par le beau château d'Anne de
Beaujeu, première comtesse de Gien *. Les cerisiers sont en fruits, le
chèvrefeuille embaume. La douceur poignante de la longue soirée du
Val de Loire tombe comme une anesthésie sur cette rencontre de
l'adieu. Il est moins difficile de souffrir ici que dans le Jura. On peut
au moins dormir au bord des sables. Tout est embué.

Il attend la nuit dans un jardin qui jouxte le couvent. Un jardinier
vient le chercher et l'introduit dans le minuscule appartement où
Sophie l'attend avec l'émotion qu'on peut imaginer. C'est le mardi
soir. Il y restera caché jusqu'au samedi 2 juin. Quatre jours. Quatre
nuits. Les dernières. Ils en ont eu la pudeur, eux, prolixes jusqu'à
l'exhibition quand tout allait bien. Ils ont eu tant de honte, non seulement lui, mais elle, de cette souffrance-là, qu'ils n'ont infligé à personne, contrairement à tant de couples, le supplice du récit de leur
rupture.

Rupture ? Il faudrait pouvoir inventer un autre mot. Ils se sont
aimés, pas comme avant, mais au-delà des mots et des gestes. Elle
n'avait pas touché un homme depuis leur séparation, et attendait
avec une ferveur gênante « ce corps si beau, si blanc, si gras » qu'elle

---

* Et fille de Louis XI. Elle avait fait construire, en 1490, ce château,
qui abrite maintenant le tribunal et la sous-préfecture. Les bâtiments
du couvent des Saintes-Claires occupaient le périmètre délimité aujour-
d'hui par les rues Paul-Bert, Jeanne-d'Arc, d'Orléans et des Fossés.

avait « toujours trouvé un peu gros quand tu es habillé. Tu es mieux
nu. Alors, tu es superbe [959]. »... « Ne te souviens-tu pas que je te disais,
dans le commencement, que tes yeux me faisaient peur? Tu les ouvres
beaucoup, toute ta figure change, le plaisir t'oppresse, tu fais de gros
soupirs, et lorsque tu laisses tomber ta tête sur mon sein ou sur mon
bras, tu es beau comme un bel amour [960]. » Lui n'avait guère passé de
jours sans fille depuis six mois, et revenait l'oreille basse, comme le
soldat retrouve sa femme. La fraîcheur de Sophie s'est évaporée ; elle
a perdu son côté fraise des bois. Elle grisonne. Ses yeux bordés de rouge
ont perdu leurs cils à force de pleurer. Elle ressemble à une béguine
dans « sa mode fort antique et son chignon qui a l'air d'être mangé
aux rats [961]. » Mais lui-même, à peine sorti de dessous le rouleau com-
presseur, « beaucoup grossi, surtout des épaules, du col et de la tête [962] »,
avec ses yeux exorbités et larmoyants, son tissu altéré, son air voûté,
l'a-t-elle retrouvé?

De cela, ils ne diront rien. Non plus que du discours qu'il lui avait
préparé et de son silence à elle. Il y a de temps en temps des choses
vraiment trop tristes à conter.

Sans doute sont-ils soulagés quand Dupont, toujours lui, arrive à
tire-d'aile au matin du samedi pour avertir Gabriel qu'il faut fuir vite,
vite, on le cherche, on le recherche une fois de plus. Parce qu'il a quitté
le Bignon? Pas exactement ; ici, coup d'œil complice. Pour la première
fois, son père ferme les yeux sur une fugue. Il n'est pas au courant, mais
ne tient pas à l'être. Se défaire d'une maîtresse avec cette *maestria*
entre dans son éthique. Son fils prend enfin des mœurs de gentilhomme.
Non, non, s'il faut fuir, c'est que le père Dauvers a porté plainte contre
Mirabeau pour récupérer les vingt-cinq louis dont le remboursement
traîne. Signe que les Dauvers ont percé la baudruche. Sophie s'affole.
La prison pour dettes, à présent? Mais, non, madame, ne vous inquié-
tez pas, le marquis, même ruiné, paiera ; moi-même, je paierai, tout
s'arrangera pourvu que votre Gabriel ne se conduise plus comme un
enfant, faites ce léger sacrifice, vous en avez tant consenti, laissez-le
retourner au bercail, il reviendra vous voir dans quelques semaines, —
je reviendrai, je t'écrirai tous les jours, patiente encore un peu, le temps
que j'aille à Besançon faire effacer ma contumace, puis à Aix reconquérir ma femme et surtout ses biens, pour l'honneur et pour l'argent,
pendant que tu conclueras un arrangement avec ton mari, l'affaire de
quelques mois, et puis Bruxelles, et Londres, et la cabane sous les
saules —, dépêchez-vous donc, vous n'êtes plus des enfants, n'entend-
on pas des chevaux sur la route de Sully?

Avant qu'elle en ait pris conscience, ils sont loin tous les deux, presque compères. Le lendemain, elle fait son devoir : une lettre coura-
geuse. Demande-t-on autre chose à une femme abandonnée? « Je t'aime
comme je t'aimais. » Mais sans illusions, cette fois. « Ils penseront tous
que nous ne pouvons pas vivre l'un sans l'autre. Hélas, mon époux, ils
ont donc tort [963]. » Une plainte brève, seulement, celle de l'amputation : « Oh comme je suis oppressée, comme j'ai le cœur serré... Cher,
cher ami, ah! je crois que nous ne nous verrons pas de longtemps [964]. »
Le 6 juin, elle mesure où elle en est. Une pauvresse de l'amour laissée

pour compte au bord d'un fleuve. Pleure, et fais-toi oublier. « Voilà
bien des chagrins, bien des maux qui nous accablent tout à coup.
Cher, cher ami, que ton grand cœur, ta belle âme ne se laissent point
accabler. Mais, je le jure, si l'on t'enferme, je me tuerai. Autant si je
suis grosse [965]. »

60/ juillet 1781
Le gamin ne m'échappera pas

La Fayette et ses hommes sont arrivés très fatigués à Richmond,
le 29 avril, à la dernière minute *. Mais ils n'ont encore rien vu. La
campagne de Virginie ne fait que commencer. Il va leur falloir s'inventer des ressources.

Richmond, dont les Français écrivent le nom à leur manière : Richemont, n'a été proclamée capitale de l'État que l'année précédente, en
détrônant Williamsburg, comme Williamsburg avait détrôné Jamestown. La guerre des clochers américains se poursuivait imperturba-
blement sous la grande guerre, en va-et-vient le long de cette espèce
de Loire plus verte que l'autre, plus touffue, plus fâchée, mais semée
d'îles elle aussi, la rivière du roi James, qui devient ces jours-ci la frontière du Nouveau Monde. Si les Anglais la franchissent, on risque de se
retrouver sur le Potomac, avec leur épée dans les reins.

De La Fayette à Steuben, dont les soldats se battent de leur mieux
un peu plus à l'est en reculant pied à pied : « Richemont doit être maintenant le point de mire des deux partis... Tant que nous pourrons garder le gué de Richemont, nous serons assurés de pouvoir traverser la
rivière... Est-ce que quelque canon lourd ne pourrait pas être installé
sur la rivière et servir de batterie flottante?... Si vous jugez nécessaire
de vous retirer le long de la rivière, il faudrait faire remonter les bateaux
en même temps, puisqu'on ne peut en avoir d'autres [966]. »

Il se démène, il pense à tout, il a le diable au corps, mais il n'est pas
le seul ; deux vieux loups sont lâchés contre ce louveteau et savent que
le temps leur est compté à eux aussi : le général anglais Phillips, et
l'Américain d'avant-hier, Benedict Arnold, le premier commandant à
l'autre, mais c'est ce dernier qui décide. Tous deux veulent rafler le
plus de gages possibles avant l'arrivée de leur grand monsieur de chef
libéral, Cornwallis, encore attardé dans les Carolines. L'important,
c'est de lui souffler la victoire en Virginie, à n'importe quel prix, notam-

---

* Voir ci-dessus, p. 349. Il s'agit de barrer la route aux forces anglaises
qui remontent du sud. Voir aussi la carte au début de ce livre.

ment celui de la terreur. La guerre n'est jamais drôle, mais elle devient hideuse par ici. Faute d'armes et de troupes nombreuses pour s'imposer, faute d'accueil favorable des Virginiens, qui demeurent *whigs* en majorité dans ce foyer de l'Indépendance, les Anglais doivent pendre et brûler, les deux refrains de la dissuasion. « Si la Virginie avait été favorisée jusque-là, on lui fit cruellement expier son bonheur. Cette province se trouvait exposée à l'action des forces combinées de terre et de mer, si bien que les troupes anglaises purent commettre les plus graves dévastations sans éprouver de sérieuses résistances, ni de pertes en hommes [967]. » A peine arrivé à Richmond, La Fayette y trouve une lettre de la meilleure plume du général Phillips, brandissant la foudre des représailles contre les mauvais traitements subis çà et là par les *tories* *. « Si un seul homme est mis à mort sous prétexte d'être espion ou ami du gouvernement anglais, je donnerai aux rivages de la *James river* un exemple qui fera frémir le reste de la Virginie... J'espère que vous, Monsieur, dont j'ai entendu citer les principes libéraux, vous ne leur prêterez nul appui [968]. » Il va voir. Réponse de La Fayette, « au camp américain, 30 avril 1781 :

« Le style de vos lettres, Monsieur, m'oblige de vous dire que, si celles qui suivront manquaient à la considération due aux autorités civiles et militaires des États-Unis, ce qui ne pourrait être interprété que comme un manque de respect envers la nation américaine, je ne croirais pas convenable à la dignité d'un officier américain de continuer la correspondance... Votre demande de regarder comme sacrée la personne des espions ne peut certainement pas être sérieuse [969]. »

Une certaine résolution. La Fayette n'a que cela, ou à peu près, à opposer aux forces anglaises qui remontent la *James river* après s'être emparé de Yorktown, de Williamsburg, de Petersburg « où ils ont détruit tous les magasins de tabac. Leur objectif principal était de s'emparer de Richmond, tant en raison de son importance, puisque c'était la capitale de la Virginie, qu'à cause des quantités de provisions entassées dans les magasins de la ville [970]. » La Fayette leur a soufflé cette case de l'échiquier à vingt-quatre heures près. « Le matin du 30 avril, les Anglais s'avancèrent jusqu'à Manchester, d'où ils pouvaient découvrir l'armée de La Fayette, campée sur les hauteurs de Richmond [971] »... Ce sont de bien grands mots **. Toute l'armée de La Fayette : neuf cents hommes ce jour-là ; Phillips en a deux mille et plus. Entre eux, le bouillonnement du fleuve dans un brouillard de petites îles, devant les maisons roses déjà offertes au bord du quai mort de peur. « Au soir, les Anglais se retirèrent à portée. » Ils ont calé. S'ils avaient

---

* Sévices réels : quand les *whigs* repéraient des agents de cette « cinquième colonne » avant la lettre, ils les trempaient, à mort parfois, dans des baquets de goudron. On les roulait ensuite dans de la plume.
** Les mêmes qu'on emploiera autour du moulin de Valmy, onze ans plus tard. Richmond sera la capitale des Confédérés du Sud, en 1861, pendant la guerre de Sécession. On y découvre, au Capitole, l'une des œuvres les plus admirables de Houdon : une statue de Washington.

donné l'assaut, La Fayette n'aurait pas eu le temps d'organiser des
lignes de repli et plus rien n'aurait couvert la Virginie. Ce fut une de ces
bienheureuses batailles qui décident beaucoup sans être livrées.

Il s'en est suivi une longue et confuse partie de chat perché entre les
deux armées, de part et d'autre du cours inférieur de la James river,
l'important n'étant pas de chercher la bataille en rase campagne, mais
de se faire dépasser par l'autre pour le tourner, le couper de ses bases
et l'encercler. Un grand jeu indien, où les patrouilles de cavalerie et
les tirailleurs font tout le travail. La Fayette y gagne son brevet de
bon stratège en se montrant prudent et en refusant de poursuivre trop
loin un ennemi supérieur en nombre, qui se replie avec une hâte sus-
pecte. « Si j'avais passé de l'autre côté, l'ennemi m'aurait échappé et se
serait emparé de Richmond *(après une manœuvre tournante)*, ne me
laissant que la réputation d'un jeune écervelé emporté et sans expérience [972]. » Les Anglais et les Français glissent donc parallèlement vers la
mer, chacun sur une rive, en s'insultant à la troyenne. Les uns et les
autres attendent des renforts, et ceux des Anglais sont beaucoup plus
proches, puisque Cornwallis n'a qu'à remonter tranquillement à travers
la Caroline du Nord, tandis que Washington et Rochambeau sont toujours fixés près de New York ou à Newport par les forces du général
Clinton. Le temps profite donc à Phillips, à ceci près qu'il meurt d'un
accès de fièvre le 13 mai, au bénéfice du traître Arnold, investi d'une
omnipotence fugitive en attendant lord Cornwallis. Arnold en profite
pour s'installer solidement à Petersburg, la plus grosse ville du dessous
de la *James river*, où La Fayette songe un moment à le surprendre,
quelle pendaison en perspective! Arnold ne se fait d'ailleurs guère
d'illusions : il vient d'interroger à ce propos un prisonnier américain :
     — « Que pensez-vous qu'il m'adviendrait si les vôtres me captu-
raient ?
     — « On couperait la jambe que vous avez abîmée au service du
pays, et puis on pendrait le reste, général [973]. »
     Les Américains du Français font donc quand même un raid sur la
rive sud, mais « mon infériorité m'oblige à repasser la rivière, en restant à portée pour la traverser à nouveau, si cela me convient. Je
réclame tout ce qui peut servir à traverser une rivière », le problème
obsédant de la guerre d'Amérique, « canots, bateaux plats, tout,
excepté un bac. On pourrait aussi envoyer de Richmond des planches
avec lesquelles on relierait deux bateaux ensemble [974]. »
     15 mai. Tout se détraque. La Fayette lance des appels au secours
aux quatre coins de la Virginie. « L'armée commandée par le général
Phillips *(qu'il croit encore en vie)*, forte de deux mille trois cents hommes
au bas mot, est à Petersburg. Son front est couvert par l'Appomattox,
son flanc droit par la *James river*. Les Anglais sont absolument maîtres des fleuves *(grâce à leur supériorité en navires légers et en matériel
fluvial)*. Lord Cornwallis, qui était à Halifax, ne doit pas être loin
maintenant de Petersburg. Nous n'avons pas un homme, pas un fusil
à lui opposer. » C'était manière de dire, mais enfin... « La milice *(levée*

sur place) que nous avons est si mal armée que je n'ose rien tenter avec
elle, tant je redoute un irréparable désastre... Nous manquons surtout
de *riflemen* *, de cavalerie ou, tout au moins, d'infanterie montée.
Il ne faut pas perdre une heure, le danger est pressant [975]. »
    Le 20 mai, Cornwallis arrive à Petersburg. Les forces anglaises
sont presque doublées. De son côté, La Fayette reçoit enfin le secours
du détachement de Wayne : huit cents hommes. L'attention de tous
les gens informés d'Amérique et même d'Europe commence à se tourner vers la Virginie. Va-t-on enfin se déshabituer de New York? Ce
changement d'observation en annonce-t-il d'autres, plus importants,
plus décisifs? 1781, l'année qui bouge. Les parieurs de Londres, à
première lecture des gazettes, donnent La Fayette perdant à cinq
contre un. Il est nommé, le 17 mai, commandant de toutes les forces de
l'État de Virginie. Mais où sont-elles?
    Il se croit bombardé général du malheur. « Je me plaignais depuis
longtemps de n'avoir rien à faire, et ce que je redoutais dans le Sud,
c'était l'inaction. Mais, pour le moment, je me plaindrais plutôt du
contraire. J'ai tant d'arrangements à prendre, tant de difficultés à
surmonter, tant d'ennemis sur les bras... Enfin! je serai général tout
juste assez pour passer dans l'Histoire avec l'épithète de malheureux et
pour associer mon nom, hélas! aux désastres de ce que les bonnes gens
veulent bien appeler l'armée de Virginie... Leur infanterie est cinq fois
plus nombreuse que la nôtre, leur cavalerie dix fois plus... Pour dire
la vérité, j'ai aussi peur de mes soldats que de mes ennemis. Le sentiment que je suis maître absolu de mes actions m'a rendu ultra-pru-
dent. Je redoute ma propre ardeur [976]. »
    Il se replie sur Richmond — pour commencer. C'était bien la peine
de sauver la ville quinze jours plus tôt! Il va falloir l'évacuer cette
fois-ci, pour ne pas s'y trouver assiégé. Messages sur messages à
Washington, à Rochambeau, à tous ces gens d'une autre planète
qui se croisent les bras dans le Nord pendant que les Anglais lui arrachent le Sud et mordent sur le Centre. Faites quelque chose pour moi,
vous, là-haut! A Washington, le 24 mai : « Si j'étais le moindrement
en état de tenir tête à l'ennemi, je me réjouirais de mon commandement, mais je ne suis même pas assez fort pour me faire battre [977]. »
Il fait pourtant contre mauvaise fortune bon cœur. Ses campagnes
d'Amérique lui auront appris que « l'art de la guerre » consiste le plus
souvent à reculer en bon ordre. Et il n'a pas eu tort de gagner un demi-
mois d'organisation : « Les magasins publics et particuliers ayant été
transportés hors de Richmond, cette place devient un objet de moindre
importance. Je ne crois pas qu'il soit prudent d'exposer les troupes
pour préserver quelques maisons dont la plupart sont vides. Mais
j'hésite entre deux inconvénients. Si je livre bataille, je serai mis en
pièces, la milice sera dispersée, les armes perdues. Si je refuse le combat,
le pays se croira abandonné. Je me décide donc à une guerre d'escar

* En Europe, il eût dit « de carabiniers ».

mouches sans m'engager trop avant, et surtout en me gardant de cette
excellente et nombreuse cavalerie *(anglaise)* que les miliciens redou-
tent comme si c'étaient autant de bêtes sauvages. » Ils ont raison
Cornwallis, en face des quarante cavaliers de La Fayette, disposait
de huit cents hommes montés sur les meilleurs chevaux de Virginie.
Son avant-garde se composait même de chevaux de course « semblables
à des oiseaux de proie [978] ».

Mais que faisaient donc les Virginiens pour aider le Ciel et La Fayette
à les aider? Jefferson est en déconfiture symbolique de celle de l'État
qu'on lui a confié et dont on proclamait le potentiel de combat à cinquante mille hommes de milice. L'homme de la Déclaration des droits
n'a pourtant rien d'un matamore ni d'un lâche : la guerre lui est seulement irrespirable *. Elle le dérange, elle l'importune avec ses problèmes au ras du quotidien, alors qu'il est déjà tout à l'enfantement du
Nouveau Monde, la future constitution, l'affranchissement des Noirs.
« Quand je quittai le Congrès en 1776, ce fut avec la conviction que tout
notre code devait être revu et adapté à notre forme républicaine de
gouvernement. Il était nécessaire de le corriger dans toutes ses parties,
en ne tenant compte que de la raison [979] », alors que la structure de
cette société virginienne aristocratique dans laquelle il était né et avait
vécu jusqu'à présent découlait entièrement de la source monarchique
et « ne tenait compte que de la religion ». Jefferson est en train de changer de peau, et de se consacrer, avant tant d'autres, à cette recherche
de quelque chose de plus que la liberté, on ne sait quel nom inventer,
l'amour universel, l'égalité, le droit au bonheur? On verra. Y aller
d'abord. Il est l'un des premiers hommes des deux mondes à rêver de
pousser au-delà de l'éternelle partie de billes sanglante, c'est moi,
c'est toi qui as gagné. Il vient de frapper de saisissement l'Assemblée
de Virginie, un bien grand nom pour une poignée de notables tout
de noir vêtus, mais sans bagages, chassés de ville en ville, et qui tiennent séance dans les dernières *meeting-houses* debout, celle de Charlotteville en ce moment après Richmond, Williamsburg et Jamestown.
Il leur a proposé de décréter la séparation absolue de l'Église et de
l'État et la suppression du droit d'aînesse. « Je regardais ces mesures
comme les divers éléments d'un système destiné à déraciner le moindre
germe d'une aristocratie ancienne ou future et à poser les bases d'un
gouvernement vraiment républicain [980]. » On entendait rôder au loin
le canon des Anglais. Qu'est-ce qu'il lui prend de s'occuper de cela
maintenant? Il avait ses raisons. *Maintenant,* certes, parce que la
brèche ne peut s'ouvrir que quand la terre tremble. Demain, il sera
trop tard. « Il faut profiter du moment où nos dirigeants sont honnêtes
et où nous sommes unis, pour établir nos droits essentiels sur une base
légale. A partir de la conclusion de la guerre, nous commencerons
à descendre la colline. On n'aura alors plus besoin de faire sans cesse

---

* Sur Thomas Jefferson, qui sera le troisième président des États-Unis,
voir tome I, p. 364.

appel à l'appui du peuple. On l'oubliera. Il s'oubliera lui-même. Il ne pensera plus qu'à faire de l'argent. Les chaînes qui n'auront pas été brisées à la fin de la guerre subsisteront longtemps et s'alourdiront de plus en plus, jusqu'à ce que notre idéal revive ou succombe, au milieu de Dieu sait quelles convulsions [981] ! » Les amis de Washington avaient levé les bras au ciel devant cette espèce de Jérémie barbu-brûlé, tous ces braves gens qui ne demandaient qu'à devenir autant de petits rois à la place de celui de Londres. Un idéologue, gouverneur de la Virginie? On l'aurait mieux vu chez les Bostoniens. Il s'est attaqué à l'esclavage. Il a décidé d'affranchir les Noirs de ses plantations et il a fait passer, presque par surprise, en 1778, un *bill* interdisant l'importation des esclaves d'Afrique en Virginie. Passe encore. Mais on lui défend bien de s'occuper de nos bons Nègres bien de chez nous. Le voilà déçu : « Notre *bill* au sujet des esclaves ne fut qu'un *digest* de toutes les lois qui les concernaient déjà. Il n'y était nullement question d'un plan d'émancipation générale pour l'avenir [982] », il n'aurait plus manqué que cela ! Thomas Jefferson se sent plus vaincu par les siens que par les Anglais. « Je tremble pour mon pays quand je songe que Dieu est juste [983]. » Alors, quant à s'activer pour trouver des chevaux, des bateaux et des chariots... Il n'est pas de taille à mener les deux guerres à la fois, le présent et l'avenir. Il est même si peu capable de se garder lui-même que l'avant-garde anglaise aux chevaux de course va tomber tout à l'heure sur Charlotteville sans être annoncée, pendant que l'assemblée tient séance pour discuter de la Virginie des années 1800. Jefferson et ses collègues n'ont que le temps de s'enfuir dans les bois. « Croirait-on que cette fuite est devenue, entre les mains des hommes de parti, la matière de je ne sais combien de volumes d'injures *? On l'a chantée en vers, et l'on a dit, en humble prose, comment, oubliant le noble exemple du héros de la Manche et ses moulins à vent, je m'étais refusé à guerroyer tout seul contre une légion [984]. »

Écœuré, il abandonne son poste de gouverneur de cette Virginie en peau de chagrin, au profit d'un militaire, le général Nelson, qui saura mieux que lui s'accommoder du rôle d'adjoint du gouverneur de fait, le marquis de La Fayette. C'est l'heure où Cornwallis jubile et rêve au défilé de la victoire. Il écrit à son généralissime, Clinton, qu'il va « maintenant s'occuper de déloger La Fayette de Richmond et, avec mes troupes légères, de détruire tous les approvisionnements faits aux environs... De là, je me propose de gagner la colline de Williamsburg [985]. » La Fayette évacue Richmond le 27 mai. Cornwallis franchit la *James river* en force : « Le gamin ne m'échappera pas » — « *The boy cannot escape me.* » L'ogre va croquer le marmot.

---

* Texte de Jefferson en 1820. Sa « fuite de Charlotteville » sera la bonne grosse casserole que les adversaires d'un homme politique rêvent toujours de pouvoir lui attacher durablement au cou. Elle le poursuivra pendant sa vie entière.

61/ juillet 1781
Enfin, nous partons!

Mais, le 21 mai, Washington et Rochambeau ont tenu à Wethersfield, non loin de Hartford, une nouvelle « conférence au sommet * »
où ils ont résolu de faire quelque chose. Ils ne vont pas laisser pourrir
l'été. La Fayette en Virginie n'est qu'un des acteurs de la formidable
partie de quatre coins qui va se déployer sur des centaines de lieues
après une si longue pause.

Au nord, Clinton tient New York, en face de Washington ; Rochambeau est à Newport ; l'amiral de Barras **, envoyé de Brest pour succéder à Ternay, croise avec sa petite force navale devant Rhode Island.
A la charnière du Centre et du Sud, c'est l'empoignade La Fayette-
Cornwallis. Et là-bas, aux Isles sous le Vent, encore sur la touche, le
joueur supplémentaire dont tout peut dépendre, l'amiral de Grasse
a jeté l'ancre au Cap français. Si l'on brassait un peu tout cela? Si
la mêlée devenait enfin générale?

A Wethersfield, la partie commence à l'intérieur d'un des camps
opposés, entre partenaires. On se met d'accord sur un point :
la fusion des deux corps d'armée. Fini de camper en chiens de faïence
à dix journées les uns des autres. Amérique et France vont unir
— enfin ! — leurs faibles forces. Mais pour quoi faire? Ici, le jeu commence.
Washington avance son pion habituel : New York. L'occasion lui
paraît bonne d'y donner l'assaut tant rêvé, Clinton s'étant dégarni
en envoyant des renforts à Cornwallis. Pour peu que les vaisseaux de
Grasse viennent nous prêter la main aux bouches de l'Hudson...
Pardon ! réplique Rochambeau. La passe y est trop peu profonde pour
les tonnages lourds. Il n'en sait rien, mais c'est un dogme (erroné)
chez les marins français. Nos meilleures forteresses navales ne pourront
pas foudroyer les batteries de Brooklyn. Mais si, au contraire, de Grasse
venait nous rejoindre à l'orée de la Chesapeake? Si nous allions frapper
le grand coup dans le Sud? Voilà du nouveau ***. L'idée de frapper en
Virginie a fait du chemin dans les têtes de pioche du haut état-major

---

* Sur la première, voir ci-dessus, p. 295.
** Oncle de Paul de Barras, le futur conventionnel et membre du Directoire, que nous avons vu partir aux Indes, tome I, p. 356.
*** Prudemment suggéré par les dépêches que Rochambeau vient de recevoir de son nouveau ministre de la guerre, Ségur, et du nouveau ministre
de la marine, Castries, ce dernier influencé par les lettres de son fils,
Charlus, le compagnon de La Fayette.

français, à mesure que La Fayette se tirait avec honneur de ce cruel bizutage qu'on venait de lui imposer aux dépens de la cause commune : sa solitude au bord de la Chesapeake. Le gamin mérite quand même qu'on empêche Cornwallis de le croquer. Et puis une victoire sur ce dernier aurait l'importance d'un Saratoga. On en parlerait dans le monde entier. Donc, on parlerait de ces messieurs.

Washington n'est pas farouchement opposé à ce grand renversement du théâtre des opérations. Il l'aime bien, sa Virginie. Il attend chaque jour sans plaisir la nouvelle du ravage de Mount-Vernon. Mais il est hanté par les énormes difficultés d'un déplacement de troupes nombreuses et de matériel lourd sur plus de cent lieues du nord au sud, par-dessus l'Hudson et le foisonnement des rivières qui ont donné tant de mal à La Fayette. Ah, si des vaisseaux français en nombre suffisant voulaient bien venir au fond de la baie géante et embarquer à la pointe d'Elk une partie des forces combinées, tout changerait! Qu'est-ce qu'il fait, de Grasse à Saint-Domingue, avec tant de canons pour si peu de terres? Rochambeau promet de lui écrire. Quelle que soit sa réponse, l'armée française va rejoindre celle de Washington, en principe pour inquiéter New York, ce qui serait de nature à soulager indirectement La Fayette, mais peut-être pour marcher ensemble au sud si les événements tournent.

28 mai. Sitôt rentré à Newport, Rochambeau écrit à Grasse : « Le moment est grave pour l'Amérique, surtout dans les États du Sud. Votre arrivée pourrait sauver le pays, car aucune des ressources à notre portée ne saurait être efficace, sans la supériorité navale que vous pourriez nous donner... Il y a deux points sur lesquels on peut attaquer l'ennemi : la Chesapeake et New York. Les vents de sud-ouest et l'état de misère de la Virginie vous porteront sans doute à préférer *Chesapeake Bay*, et c'est là d'ailleurs que nous pensons que vous rendriez les plus grands services, surtout étant donné qu'il ne vous faudrait que deux jours pour vous rendre ensuite à New York [986]. »

La réponse arrivera quand elle pourra : le temps de l'aller-retour d'une corvette aux Isles, Rochambeau sera déjà loin de Newport, au point de convergence convenu à Wethersfield. Il doit auparavant livrer encore une bataille interne contre son amiral associé, Barras, dont les ordres reçus à son départ de Brest lui prescrivent de replier ses huit vaisseaux à Boston en cas de départ de Rochambeau vers l'intérieur des terres. Non, non, mon ami, ne nous faites pas cela! Restez à Rhode Island avec mon artillerie de siège, tout prêt à nous l'amener dans le Sud, si la venue de Grasse vous permet d'affronter la haute mer. Je vous laisse quatre cents hommes pour défendre vos mouillages, et les milices de Rhode Island vous en fourniront mille.

Barras hésite. Ses ordres mous lui laissent quelque latitude. Il ne se fait guère d'illusion sur la possibilité d'échapper au désastre, malgré l'aumône d'infanterie qu'on lui fait, si la grande flotte anglaise vient le foudroyer sous Newport. S'il ne meurt pas sur sa dunette, un conseil de guerre se chargera de lui. Mais remonter se tapir à Boston en abandonnant Rochambeau, imiter d'Estaing trois ans plus tôt, emmener

les marins hors du champ d'honneur, quelle vergogne !... Immense
responsabilité des chefs suprêmes en ce temps-là : comme Dupleix,
comme Lally, comme Montcalm, on leur met une moitié de continent
dans les mains, et qu'ils se débrouillent. La décision n'attendra pas
l'avis des bureaux de Versailles. Le sort de la guerre d'Amérique aux
premiers jours de juin 1781 va dépendre, plus que de Washington, de
Rochambeau ou de La Fayette, du choix de ces deux compères de
Provence, Grasse et Barras, tous deux issus du fourmillement de la
noblesse maritime sur les bords de la Méditerranée, frères ou cousins
en châteaux perchés, les barons de la mer et des rocs. Un Sade est en
train de menacer Gibraltar avec ce qui restait de flotte à Toulon ; un
Suffren vogue vers les Indes pour en sauver ce qu'il peut. Et s'il n'avait
passé l'âge de la retraite, un Mirabeau serait peut-être par ici pour
commander la flotte, pas le pauvre Gabriel, mais son oncle, le Bailli.

Le conseil de guerre qui se tient à Newport le 30 mai, à la demande
de Barras, prend l'allure d'un petit parlement de la guerre, où la stratégie se détermine à une ou deux voix près. Il faut bien : Rochambeau
et Barras sont en condition d'égalité. Aucun n'a pouvoir sur l'autre.
Barras demande donc la réunion d'un conseil mixte, composé des
officiers généraux et supérieurs des deux armées, la terrestre et la
navale, « moyen qui est indiqué dans leurs instructions quand les
circonstances les obligeaient à s'en écarter [987] ». La flotte doit-elle
partir ou rester ici en demi-sécurité ? Chacun donne un avis entortillé
en attendant que l'amiral se prononce. A Dieu vat ! « Personne n'est plus
intéressé que moi à l'arrivée du comte de Grasse dans ces mers ; il
était mon cadet ; il vient d'être fait lieutenant général. Dès que je le
saurai à portée d'ici, je mettrai à la voile pour me mettre à ses
ordres [988]. » Si impassible qu'il soit, Rochambeau ne peut retenir un cri
de joie. L'Amérique a eu beaucoup de chance, ce jour-là, que le chef
de la flotte de Newport ne soit pas un Breton ou un Auvergnat et
s'estime lié par la solidarité régionale. Charlus écrit à son ministre de
père : « Je ne saurais vous dire trop de bien de l'amiral que vous nous
avez envoyé. C'est un brave et digne homme [989]. »

De Fersen à « son très cher père, Newport, le 3 juin 1781 * :
« Enfin, nous partons ! Dans huit ou dix jours l'armée sera en marche.
Voilà le résultat de la conférence entre les deux généraux. Quel est
le plan de campagne, et où nous allons, est un secret et doit l'être.
J'espère que nous serons en activité, et qu'on ne nous fera pas quitter
Newport pour nous mettre en garnison dans quelque autre petite ville.
Notre flotte reste ici, gardée par des milices américaines et 400 de nos
troupes *(sic)*. Je plains bien ceux qui seront commandés pour ce détachement. Toute l'armée est enchantée de partir [990]. » Fersen en est
d'autant plus heureux qu'il a sérieusement pris en grippe Rochambeau. On est loin de l'image du bon père accueillant et compréhensif

---

* Voir ci-dessus p. 335, sa situation et son moral à Newport, où il est
aide de camp de Rochambeau.

de l'embarquement à Brest. « Je commence à m'ennuyer d'être avec M. de Rochambeau. Il me distingue, il est vrai, et j'y suis très sensible, mais il est défiant d'une manière désagréable et même insultante ; il a plus de confiance en moi qu'en mes camarades, mais celle qu'il m'accorde est très médiocre ; il n'en a pas davantage en ses officiers généraux qui en sont très mécontents, ainsi que les officiers supérieurs de l'armée...

« Sa réputation comme général est faite, mais il aura toujours celle d'un mauvais politique. Je le crois bon en second, mais médiocre pour commander une expédition... C'est un homme très borné ; on s'en aperçoit aisément dans la conversation, et on ne peut plus en douter lorsqu'on connaît les gens qui l'entourent et en qui il a confiance. L'un est une bête, un ancien brigadier de hussards, c'est-à-dire caporal, qui est officier depuis deux ou trois ans. L'autre est un de ces gens chez qui le gros sens commun tient lieu d'esprit ; il était espion à la police de Paris lorsque M. de Rochambeau le prit à son départ pour secrétaire, parce qu'il parle anglais, et qu'il coûte moins qu'un autre qui serait meilleur... Il a beaucoup de bonté pour moi ; il me distingue toujours de mes camarades ; il m'a fait son premier aide de camp. Je suis sensible à ses bontés, j'en suis très reconnaissant. Je ferais tout pour lui, mais il m'ennuie comme il ennuie tout le monde ; je n'aime pas la société des bêtes, il n'y a rien à apprendre avec eux *(sic)* [991]. » Il était vraiment temps de se mettre en marche.

Raids et contre-raids en Virginie, pendant ce temps-là. Un renfort de trois bataillons pennsylvaniens arrive à La Fayette, mille hommes pour remonter du creux de la vague. Ils ont marché à mort, du lever du jour au coucher du soleil. Les feuilles de leur journal de marche transpirent d'épuisement. 8 juin : « Avons atteint le bras nord de la Rappahanock à dix heures... Les troupes ont passé à gué et fait une étape de neuf milles... 9 juin : remis en marche à six heures, traversé le bras sud et avancé de cinq milles ; contrée pauvre, bâtiments misérables *(pour un natif de Philadelphie)*... 10 juin : en marche à cinq heures, pays pauvre ; opéré jonction avec le marquis le même jour ; marche de vingt-cinq milles [992]. » Encore des coups durs, cependant : le coup de main des Anglais contre Charlotteville, la fuite et la démission de Jefferson [*], et, pire encore, Steuben surpris par un autre escadron de cette cavalerie anglaise au don d'ubiquité, tous ses chariots enlevés avec deux mille cinq cents lots d'armes, des barils de salpêtre et de poudre, des pierres à fusil, de la toile à voile, et soixante tonneaux de ce rhum et de cette eau-de-vie sans lesquels rien ne se passe en Virginie [993]. La Fayette défend son subordonné, histoire de l'enfoncer : « La conduite du baron, mon cher général *(Washington)*, est pour moi inexplicable. Tous l'accusent ici : hommes, femmes et enfants *(sic)*. On va jusqu'à mettre son courage en doute. C'est aller beaucoup

---

[*] Il ne s'agissait que d'un raid d'intimidation. La cavalerie anglaise n'était pas en mesure d'occuper la ville, et se retirera le lendemain.

trop loin. Je le défends sur tous les points; mais je dois avouer pourtant qu'avec cinq cents nouvelles recrues et de la milice, il aurait pu essayer de se défendre [994]. » On n'accablera plus La Fayette sous les états de service des vétérans.

Toujours est-il que Gilbert récupère ce qui subsiste des forces éprouvées de Steuben — et qu'il fait face. Cornwallis, suivant la bonne vieille méthode anglaise, perd du temps à s'organiser le long de la *James river*. La Fayette, qui a pu respirer, profite de l'arrivée de ses renforts pour rebondir à partir de la première rivière possible dans la chevelure des cours d'eau entre Richmond et Fredericksburg : l'Anna du Nord en ce cas, puis l'Anna du Sud. On dirait qu'il gravit les barreaux d'une échelle d'eau pour soulever la trappe que les Anglais n'ont pas le temps de verrouiller. « De ce jour *(le 10 juin)* les choses changent de face en Virginie. C'était maintenant les Anglais qui se retiraient, et La Fayette qui les poursuivait [995]. » Poursuivre, c'est beaucoup dire, mais la balance est rétablie. La menace d'invasion s'atténue pour le Centre : Cornwallis n'ose pas s'aventurer loin de l'embouchure de la *James river* et de la flotte tutélaire qui lui fait un cordon ombilical à l'orée de la Chesapeake. « Jamais les Anglais n'avaient été en meilleure position pour reconquérir la Virginie, mais, à partir de ce jour, la marée qui les avait portés en avant commença à redescendre [996]. » A quoi sent-on qu'une guerre tourne? Six cents montagnards arrivent de la vallée de la Shenandoah, armés de fusils de chasse et d'une poire à poudre pour trois. Sont-ce les gros oiseaux qui annoncent le changement de temps? Pourquoi Cornwallis est-il si pressé de lever son camp avancé d'Elk Hill, le 15 juin? Cri de joie de la Fayette : « Lord Cornwallis retourne à Richmond, et nous le suivons [997]. » Le temps, le vrai, a en effet changé, lui, les chaleurs de juin tombent comme un édredon pour étouffer les Anglais et surtout leurs mercenaires allemands, si peu habitués à ce mois de juin presque tropical. Du coup, les milices locales retrouvent une supériorité d'acclimatation qui les ragaillardit. Mais le climat ne suffit pas à expliquer pourquoi Cornwallis abandonne Richmond le 20 juin, sans combat, pour se replier à l'est, plus près de la mer, à Williamsburg. En fait, le mécanisme de la partie de quatre coins commence à jouer. Si Cornwallis croit prudent d'assurer ses arrières plutôt que de pousser son avantage, c'est que les dépêches de Clinton — elles ne mettent que deux jours, par mer, de New York à la Chesapeake — lui ont laissé prévoir qu'on risquait d'avoir besoin de le réembarquer à destination du Nord au cas où une grande bataille s'y livrerait, et l'ont averti qu'il ne recevrait plus de renforts. En sortant de son trou de Newport, Rochambeau a renversé les quilles.

Fersen a tenu un petit journal des opérations là-haut : « Après avoir passé onze mois à Newport, dans une inaction parfaite, l'armée en est partie le 12 juin 1781, laissant six cents hommes et mille hommes de milice aux ordres de M. de Choisy, brigadier, pour défendre les ouvrages que nous y avions faits, protéger notre petite escadre de huit vaisseaux qui devait y rester, et couvrir nos magasins de Providence, où nous avions toute notre artillerie de siège. L'armée passa par eau de Newport à Providence, et continua ensuite sa marche par terre jusqu'à Philipsbourg, à quinze milles de Kings-Bridge, où elle arriva le 6 juillet, et campa à la gauche des Américains. La légion de Lauzun avait toujours couvert notre flanc gauche, en marchant à neuf ou dix milles de nous, du côté de la mer. Notre armée était cinq mille hommes *(sic)*, les Américains à peu près trois mille hommes » Adieu Newport, la petite ville serrée au ras des vagues sous ses clochetons pointus, la rouille des armes, des muscles et des esprits, dans ce mélange de terre et de mer. La marche de l'armée française frappe les Américains par son ampleur et sa majesté. C'est la parade d'un ordre militaire façonné par dix siècles. Un gentil bonhomme au teint rose, au visage rond, au nez un peu retroussé, à la mise soignée sous des cheveux bien poudrés et roulés, est en train de noter et de dessiner tout cela dans le moindre détail grâce à un arsenal de papier-vélin, de pinceaux et d'encres de couleur, c'est le capitaine Louis-Alexandre Berthier, qui commence ici une longue carrière de maniaque de la guerre organisée à un bouton près *. Berthier a vingt-sept ans, mais paraît plus jeune, avec son allure de petit porcelet rondouillard un tantinet bafouillant. La méticulosité le dispense d'imagination. Mais quelle mémoire! quelle conscience! Il s'est imposé à l'état-major par sa capacité de présence. On ne sait s'il dort jamais. Ses crayons et ses registres valent des canons. Adjoint à Mathieu Dumas, il a pensé depuis des semaines à l'endroit où chaque soldat français poserait le sac et trouverait des poules et de la farine pendant cette longue déambulation en terre inconnue. Chaque matin, levé avant les autres, un peu à l'écart de l'agitation du réveil, il brosse en aquarelle sur son chevalet le tracé de la marche de la veille qui devient un petit chef-d'œuvre de précision léché en nuances délicates. Si la guerre pouvait être belle, elle le deviendrait dans les cartons de Berthier [998]. Il est l'enfant de cet ordre-là. Il est né à Versailles, dans le bâtiment qui l'incarne plus que tout autre, presque en face du château : ce monumental « Hôtel des ministères », trois étages, cent fenêtres de façade, où une fourmilière de commis grossoyaient pour les « Départements de la Guerre, de la Marine et des Affaires étrangères ». Là, cohabitent donc en ce moment Ségur, Castries et Vergennes, qui peuvent se rendre visite d'un bureau à l'autre par les couloirs. Son père, Jean-Baptiste Berthier, était le gouverneur de cet Hôtel et lui a mis dans le sang l'horreur des grains de poussière oubliés. Il ne faut pas chercher de lyrisme dans son journal, mais une rigueur et un dépouillement qui confinent à la poésie abstraite. « Providence est une petite ville de seconde catégorie, bien bâtie, aux maisons solides. En temps de paix, le commerce y est florissant en raison de sa situation *(sur la rivière de Providence)*, de nombreuses frégates pouvant accoster directement à ses quais. C'est la résidence du gouverneur de l'État du Rhode Island.

---

* Sur le futur maréchal Berthier, qui avait raté le départ de Brest, mais a pu quitter la France pour l'Amérique en juillet 1780, voir ci-dessus, p. 251.

« L'armée y a fait étape jusqu'au 18 juin, pour donner le temps d'arriver aux guides des convois. Nous avons fait sur place, en attendant, des marches d'accoutumance pour les troupes, et des réparations de chariots. Chaque compagnie s'est vu allouer un contingent de 1 500 livres * pour la totalité de ses bagages, y compris les tentes des officiers et des soldats. Un chariot est attribué à l'état-major de chaque régiment... En raison de la difficulté de se procurer du fourrage et de trouver assez de maisons pour loger l'état-major suprême et le grand quartier général, il a été décidé que l'armée marcherait en quatre divisions se succédant sur quatre jours, et l'artillerie a été répartie entre elles [999]. »

En avant, marche! Rochambeau et son fils commandent le premier échelon, un Vioménil et Charles de Lameth le second, un autre Vioménil et Victor Collot le troisième, Custine ** et Berthier lui-même le quatrième, Lauzun faisant le flanc-garde avec sa légion montée. Onze jours de route à travers bois et marais, pour déployer souvent les tentes du soir autour d'une auberge qui a donné son nom au lieu-dit : *Waterman's tavern*, *Baron's tavern*, *Barne's tavern*. C'est une vraie fête quand on peut prendre ses aises dans l'unique rue d'une ville un peu plus conséquente, Newtown, par exemple, aux cinquante maisons échelonnées autour de la *meeting-house*. On se retrouve tous à Philipsburg dans un décor à l'écossaise : des collines escarpées frappées de drôles de ruines, des chemins étroits dégringolant à travers bois vers ce grand fleuve rapide où les soldats voudraient tant se baigner, impossible! on entend des coups de feu par moments, du canon, c'est l'Hudson, que tout le monde appelle chez les Français la rivière du Nord. Le camp américain, à six cents pas, tente de rivaliser avec le nôtre en alignement et en discipline. On échange des visites d'officiers cérémonieuses et guindées. New York est à dix lieues, et nul ne doute encore, ici et chez l'ennemi, qu'il s'agit de l'objectif choisi pour les batailles de l'été.

62/ juillet 1781
Sa bravoure le rend sourd

« Pendant tout le cours de cette guerre, les Anglais semblent frappés d'aveuglement », observe Lauzun, qui joue un peu la grosse mouche de ce coche-là ***. « Ils font toujours ce qu'il ne faut pas faire, et se

---

* Une petite tonne en mesures modernes.
** Le futur commandant de la garnison de Mayence en l'An II.
*** Sur le rôle de Lauzun dans l'armée de Rochambeau, voir ci-dessus, p. 286. Il est en train, depuis son expédition au Sénégal, de se bâtir la réputation d'un des nobles de cour les plus aptes à conduire des opérations militaires. C'est son ambition suprême, avec la diplomatie.

refusent toujours aux avantages les plus clairs et les plus certains. Après le départ de l'armée, il suffisait d'attaquer l'escadre française dans Rhode Island pour la détruire ; ils n'en eurent pas même l'idée. L'armée française traversait l'Amérique dans le plus grand ordre et dans la plus grande discipline, prodige dont l'armée anglaise, ni l'armée américaine, n'avait jamais donné d'exemple. Je couvrais la marche de l'armée à quinze milles environ sur la droite, à quarante milles environ de la rivière du Nord [1000]. » Lauzun est tout heureux de rencontrer Washington, l'un des premiers parmi les officiers français de haut rang, près de Philipsburg. « Je me trouvai exactement au lieu prescrit, quoique l'excessive chaleur et de mauvais chemins rendissent cette marche infiniment difficile. Le général Washington s'y trouva fort en avant des deux armées, et me dit qu'il me destinait à prendre un corps de troupes sérieuses *(sic)* campées en avant de New York, pour surprendre le fort Kniphausen, que l'on regardait comme la clef des fortifications de New York. » Voilà le beau duc promu premier commandant d'une force combinée : sa légion, plus un régiment de dragons américains, quelques compagnies de chevau-légers et quelques bataillons d'infanterie légère américaine. Tout cela va escarmoucher ferme aux premières marches du camp retranché de Clinton, qui en sera confirmé dans sa conviction d'un prochain assaut général. Washington continue à se prêter à ce raisonnement avec tant de crédibilité qu'il est impossible de savoir s'il y est résolu ou non. Sans doute ne le sait-il pas lui-même. Il garde encore tous ses atouts en main. « Il voulut profiter de l'occasion pour faire une reconnaissance de très près sur New York. Je l'accompagnai *(Lauzun)* avec une centaine de hussards. Nous essuyâmes beaucoup de coups de fusil et de coups de canon, mais nous vîmes tout ce que nous voulions voir. Ce détachement dura trois jours et trois nuits et fut excessivement fatigant, car nous fûmes jour et nuit sur pied, et nous n'eûmes rien à manger que les fruits que nous rencontrâmes le long du chemin. Le général Washington écrivit à M. de Rochambeau la lettre la plus honnête pour moi ; mais mon général oublia d'en faire mention dans ses lettres de France [1001]. » On continuait à se combler d'attentions au grand quartier général des Français, en reflet des mœurs versaillaises.

L'ombre de ces quelque dix mille hommes est déjà si haute qu'elle précède La Fayette en Virginie et fait reculer Cornwallis. « Hier *(le 21 juin)*, l'ennemi a évacué Richmond ; il semble se porter sur Williamsburg. Nous sommes à ses trousses [1002]. » La Fayette est ivre de fatigue, mais ce vin-là est gai. C'est celui de la retraite qui attriste. Il n'a pas quitté ses bottes depuis quatre jours. Qu'importe ? Le 23 juin : « J'ai traversé jusque vers deux heures un pays bien habité, je ne peux dire par quelles sortes de gens, n'étant pas entré dans une maison depuis plusieurs jours, mais ils ont l'air bien *. Ils sortent sur le seuil de leurs demeures pour nous voir passer. J'ai passé ce jour à Richmond, que

---

* De tendance *whig.*

l'ennemi a abandonné depuis vingt-quatre heures. La ville est saccagée [1003] », pauvre petite ville meurtrie, comme une enfant broyée
dans une bagarre d'adultes! Les briques roses çà et là font des tas de
sang coagulé. La Fayette ne s'y attarde que pour les gestes publics
de la prière, lui qui ne croit guère en Dieu, dans la « vieille église »,
deux siècles, c'est toute l'antiquité de ce pays, où Patrick Henry, en
mars 1775, avait prononcé les paroles de feu qui brûlaient les vaisseaux
de l'Amérique. On montre déjà comme une relique le banc où il haran-
guait l'Assemblée de Virginie, la même qui vient de fuir comme une
volée de moineaux devant les cavaliers du colonel Tarleton : « Donnez-
moi la liberté ou donnez-moi la mort * ! » Cela va se résoudre ces jours-
ci. La Fayette se révèle un bon général d'offensive en ne s'attardant
pas, lui, à Richmond, et en poussant son avantage afin de reconduire
Cornwallis le plus loin possible vers la Chesapeake. Il multiplie les
patrouilles, pour faire croire que ses forces sont plus nombreuses. Il
flanque des fantassins sur les premiers chevaux venus, pour doubler en
apparence les effectifs de sa cavalerie. « A six heures du matin *(le
26 juin)*, nous avons rejoint quelques troupes de couverture qui se
sont retirées devant nous. Nous avons monté les fantassins du capitaine Ogden. Ils ont appuyé la cavalerie légère, qui a pu rattraper
l'arrière-garde anglaise. Jolie escarmouche de fantassins et de cavaliers.
Avons fait quelques prisonniers, pris un peu de bétail, et couché
trente morts sur le champ de bataille [1004]. » Et voilà Cornwallis faisant
son entrée à Williamsburg avec la dignité offensée d'un *gentleman* à
l'équilibre compromis par le lâcher de pierres d'un voyou. Le *Maryland journal and Baltimore advertiser* va mettre dans deux États les
rieurs du côté de La Fayette : « Sa Seigneurie est maintenant à Williamsburg. Le petit tour qu'il vient de faire en Virginie a coûté à son
roi plus d'argent en fortifications, hommes, canons, approvisionnements, magasins et territoires qu'il n'en aurait coûté à toute la noblesse
d'Angleterre pour faire le tour du monde. Sa Seigneurie a fait la marche
la plus fatigante, jusqu'à *Point of Fork* et retour. Le marquis a joué
vis-à-vis de lui le rôle de Fabius vis-à-vis d'Annibal **. Avant que
Wayne n'eût opéré sa jonction avec lui, il n'a jamais perdu de vue Sa
Seigneurie, et, après la jonction, il a réussi, par une simple marche à
travers bois, à couper Sa Seigneurie et à défendre les magasins d'Albe-
marle Court-House, qui étaient l'objectif de l'ennemi [1005]. » Les forces
sont devenues égales : quatre mille six cents hommes de part et d'autre, mais les soldats de Cornwallis sont des troupes régulières, tandis
que la majorité de ceux de La Fayette sont des miliciens, qui ne se
battent qu'au jour le jour. La situation tourne pourtant si bien que La
Fayette a comme un pressentiment, le 28 juin : « Le général Greene
(qui essaie de tenir bon en Caroline) me demandait seulement de
conserver mon terrain en Virginie ; mais les mouvements de Lord

---

* Voir tome I, p. 182.
** Fabius, général romain, recula pied à pied autour du lac Trasimène
devant l'invasion d'Annibal, avec tant de sagacité que ce dernier arriva
déjà fatigué et éprouvé à Capoue.

Cornwallis peuvent répondre à quelque chose de mieux que cela, sous le rapport politique [1006]. »

Le 4 juillet, une matinée pluvieuse ne parvient pas à étouffer les grands feux de joie que les Insurgents allument au bivouac, sur le soir, pour le cinquième anniversaire de l'*Independence Day* *. « Après quoi les Pennsylvaniens ont exécuté quelques manœuvres. Nous avons tiré des salves [1007]. » Il importe de prendre le plus de gages possibles avant le temps de la moisson, qui risque de faire fondre l'armée américaine. Ce ne sont pas les bonnes femmes qui feront les foins. Mais Cornwallis semble frappé d'ataxie. « Sa Seigneurie n'a pas jugé bon de nous attaquer, bien qu'à ma connaissance elle en ait eu l'occasion plusieurs fois [1008]. »

Au contraire, coup de théâtre : le 4 juillet, précisément, Cornwallis évacue Williamsburg, où il aurait pu se mettre en position de soutenir un long siège. Il profite de quelques heures où La Fayette ne songe pas à le harceler, gagne les bords de la *James river*, et la fait traverser du nord au sud à ses bagages pour continuer son glissement au sud-est, vers Portsmouth — et le réembarquement, qui sait?

La Fayette accourt. Il ne veut pas laisser les Anglais passer le fleuve comme à la parade. Et s'il en profitait pour cueillir leur arrière-garde? Les laisser s'engager, tomber sur ceux qui restent accrochés à la rive nord, quand le gros de leurs forces aura traversé... Mais Cornwallis est sans doute le meilleur stratège dont les Anglais disposent sur ce continent. Il freine. Il retient tout son monde au nord et procède à une « intoxication » classique pour faire croire à La Fayette que le moment est venu. Chaude affaire dans une sorte d'étuve, les marécages de Green Spring Farm où les hommes et les chevaux pataugent à qui mieux mieux le long d'une digue étroite qui donne l'avantage aux Anglais. Les Américains sont à deux doigts de tomber dans l'embuscade. « Cornwallis avait retenu toute son armée, excepté les forestiers de la reine, et l'avait disposée de telle sorte qu'elle ne pouvait être aperçue par les éclaireurs de La Fayette.

« Le commandant anglais espérait que les Américains tomberaient dans ce piège : il les aurait anéantis d'un seul coup, dès qu'il les aurait eus en son pouvoir. Il disposa donc ses avant-postes de manière qu'on pût croire que ce n'étaient que de faibles détachements qui surveillaient l'arrière-garde; le gros de l'armée, l'arme au bras, était prête à attaquer. Le lieutenant-colonel Tarleton alla même jusqu'à envoyer de faux renseignements au camp de La Fayette, y dépêchant un Nègre et un dragon auxquels il avait donné de l'argent et promis monts et merveilles s'ils voulaient répandre les fausses nouvelles en se donnant pour déserteurs [1009]. » Mais La Fayette a fait ses classes. On ne peut plus le rouler comme un apprenti. « Lorsque le marquis s'avança sur le front, dans l'après-midi, pendant que les *riflemen* de Wayne escarmouchaient avec les piquets de Cornwallis, il remarqua que les Anglais s'obstinaient d'une façon étrange à ne pas découvrir leur position,

---

* Voir tome I, p. 361.

remplaçant dans les postes dangereux les officiers qui étaient sans cesse balayés par le feu meurtrier des fusiliers américains. Cette persistance éveilla ses soupçons, et il pensa que ces piquets auxquels on paraissait tant tenir étaient là pour cacher les vraies intentions de l'ennemi. Il résolut d'examiner les choses de plus près encore, afin d'en avoir le cœur net, et, bien que tous ceux qui l'entouraient fussent unanimes à déclarer qu'il ne restait de ce côté de la rivière que les troupes qui couvraient l'arrière-garde, néanmoins, suivant sa propre impulsion, il gagna seul, à cheval, une pointe de terre qui s'avançait jusque dans la rivière, un peu sur la droite, d'où il pouvait observer les mouvements de l'ennemi ; de là, il vit les forces anglaises rangées en bataille dans un terrain découvert au bord de la rivière, auprès d'Ambler's Plantation, protégées par les batteries de leurs vaisseaux et attendant qu'il les attaquât [1010]. » Il donne donc l'ordre de repli, trop tard pour sauver Wayne et ses bataillons d'un encerclement dont ils se tirent tout seuls en « concevant un projet hardi qui ne pouvait naître que dans le cerveau d'un Américain. Entre tous les maux, le général Wayne choisit un des moindres, c'est-à-dire de charger l'ennemi [1011]. » Wayne s'en sort de justesse, mais pas son cheval, tué sous lui pendant la charge. La Fayette, de son côté, l'a échappé belle, deux de ses « chevaux de main * » ayant été tués près de lui. Elle a vraiment été très, très chaude, cette petite bataille inaperçue de Green Spring Farm. « Nos officiers supérieurs *(selon Wayne)* furent pour la plupart démontés, leurs chevaux ayant été tués ou blessés sous eux. Je ne m'affligerai pas avec le marquis sur la perte de deux des siens : on lui avait assez répété qu'il ne devrait pas s'exposer comme il le faisait. Mais sa bravoure le rend sourd à de telles recommandations [1012]. »

C'est trop peu dire : il courait au canon comme au bal. « On ne peut pas être également gauche sur tous les théâtres [1013] », va-t-il écrire à sa femme. Il ne prend sa revanche, une bonne fois, sur vingt ans de doute de soi, que quand il entend les balles siffler à ses oreilles.

63/ août 1781
Sans être approuvé par les ministres

A huit jours de mer par bon vent, loin là-bas sous les grandes îles du sucre, tout va se décider dans la sale caboche de ce géant grognon, François-Joseph-Paul, comte de Grasse du Bar. Une ou deux fois par

---

* C'est-à-dire les chevaux de rechange « tenus à la main » par les ordonnances pour remplacer éventuellement le cheval monté par l'officier pendant le combat.

siècle, la désobéissance d'un militaire sauve un empire. Encore faut-il qu'elle intervienne au bon moment. C'est ce que tout le monde attend du lieutenant général des forces navales du roi de France, dont le pavillon flotte sur un mastodonte inutile jusqu'ici, la *Ville-de-Paris*, ancré en rade du Cap français * par les ordres de Vergennes. De Grasse a mission de protéger les Isles et, s'il veut se donner de l'activité, d'attaquer la Jamaïque... au profit du roi d'Espagne, auquel on a promis cette île anglaise en salaire de son alliance. Quant à l'Amérique, on sait qu'il est seulement autorisé à y paraître en fin de saison, et encore sans trop y risquer. Il arriverait évidemment trop tard **.

Qu'est-ce qui fait vivre, bouger, agir, exister, donc désobéir à la fin, c'est du pareil au même, un grand chef militaire, au bout d'une existence au garde-à-vous? D'où vient de Grasse, pour aboutir à ce courage-là?

Il est né dans les Alpes de la mer, au débouché des gorges du Loup, voici près de soixante ans ***. « Bien né, mais insuffisamment fouetté », ont dit les siens [1014], pour expliquer son mauvais caractère. Une enfance tout en contrastes d'ombres fraîches et de soleil blanc, des rochers, la garrigue, le mistral et les cailloux. Guère de livres, sinon par obligation. Le château du Bar avait sept cents ans, des oubliettes, des souterrains et un bataillon de serviteurs pour le petit monsieur dépenaillé. A treize ans, on l'avait fourgué aux chevaliers de Malte (ou plus exactement de Saint-Jean de Jérusalem), à sa plus grande joie : il ne rêvait que de naviguer. Il fallait certes passer par la formalité des trois vœux, pour appartenir à ces moines de la mer. Mais la pauvreté ne lui faisait pas peur, puisqu'il s'agissait de celle des officiers, dont le navire devenait l'hôtellerie à centaines de laquais-matelots, sans oublier qu'à cette époque, on commandait à des galériens. Quant à l'obéissance et à la chasteté, il n'est pas difficile de les choisir à treize ans. Le moule des jésuites de Toulon l'avait coulé, comme Suffren, dans une enfance perpétuelle de gros garçon rageur. Les cérémonies en merveilleux manteau à la croix d'or et de pourpre l'introduisaient dans un mandarinat militaire, à part et au-dessus des autres. « On dressera », exigeaient les statuts de l'Ordre, « procès-verbal, soutenu de titres par écrit, qui établiront la légitimation et la descendance du présenté, avec les preuves testimoniales, littérales, locales et secrètes de ses pères, mères, aïeuls, aïeules, bisaïeuls et bisaïeules, au-dessus de cent ans, avec la peinture de ses huit quartiers ****. Le présenté justifiera que ses bisaïeuls ont été reconnus pour gentilshommes de nom et d'armes [1015]. » A seize ans,

---

* Rappelons qu'il s'agit du port nord de la partie française de Saint-Domingue, qu'on appelle aujourd'hui Haïti. Le Cap français était alors plus important que le port sud, Port-au-Prince.
** Voir ci-dessus, p. 343, les instructions données à de Grasse selon l'inspiration de Vergennes.
*** Le 13 septembre 1722, au château des Valettes, où sa mère était en visite sur le versant des gorges qui fait face au château du Bar. C'est, aujourd'hui encore, un paysage d'une âpreté magnifique.
**** Quatre du côté paternel et autant du côté maternel.

il mesurait déjà près de six pieds * et empoignait par le paletot
un matelot désobéissant pour l'envoyer de babord à tribord. Il n'a
pas changé. Peu d'hommes sont aussi craints et moins aimés que lui
dans la marine royale. Un de ses officiers vient d'écrire une lettre dont
on fait des gorges chaudes à Versailles : « La haine presque générale
sur nos bords contre notre commandant doit être regardée comme la
seule cause du mauvais succès de cette campagne **. Nous aurions
pu prendre et brûler nos ennemis. Jamais le chef n'a été obéi. L'impu-
dence a été poussée au point qu'un capitaine a dit tout haut : — Il
faut faire éprouver à cet homme-là toute la rage, tout le désespoir
d'un général quand il n'est pas secondé.

« M. de Bougainville a été mis aux arrêts pour deux jours. On a
voulu lui rendre la liberté : il l'a refusée par animosité, afin d'être dispensé de commander son vaisseau et sa division [1016]. » Mais quand a-t-on
appris à de Grasse l'art d'aimer et de se faire aimer? Les officiers de
marine sont formés en garde-chiourmes. Il a tiré ses premiers coups de
canon, contre l'Angleterre déjà, et déjà au secours des Espagnols, en
1744, à bord du *Terrible*. Trente ans et plus à s'endurcir...

Toulon ; Malte ; les Indes ; les Antilles. Un accident : le mariage, à
quarante-deux ans, donc la rupture avec son Ordre. Il ne supportait
pas de tricher avec les vœux, comme Suffren. Et il avait voulu faire
souche. A ceci près, il restait chevalier de Malte jusqu'au bout de la
cravache. Le Maroc, la Grèce : contre les pirates, faute des Anglais,
qu'il a retrouvés avec délices à Ouessant sous d'Orvilliers, et à la Grenade sous d'Estaing. Le voici dans cette nouvelle naissance, la nudité
du chef suprême, sous personne. Capable d'être.

Il a entre les mains depuis trois jours la lettre de Rochambeau, qui
fait de lui, et de lui seul, l'arbitre de l'été. « Je ne dois pas vous dissimuler, Monsieur, que ces gens-ci sont à bout de voie de leurs moyens,
que Washington n'aura pas moitié de troupes de ce qu'il comptait
avoir et que je crois, quoiqu'il se cache sur cela, qu'il n'a pas à présent
six mille hommes, que M. de La Fayette n'a pas mille hommes de troupes réglées avec les milices pour défendre la Virginie et à peu près
autant qui sont en marche pour le joindre. Que le général Greene a été
faire une pointe sur Cambden où il se fait repousser et que j'ignore quand
et comment il se réunira à M. de La Fayette, qu'il est donc de la plus
grande conséquence que vous preniez à bord le plus de troupes que vous
pourrez, que quatre ou cinq mille hommes ne seraient pas de trop [1017]... »
Autrement dit, on ne lui demande pas seulement ses vaisseaux et ses
canons, mais les régiments basés à Saint-Domingue, sur lesquels les
Espagnols comptent pour conquérir la Jamaïque. Et de l'argent,
beaucoup d'argent, amiral, par pitié! Rochambeau marche à crédit à

---

* Exactement 2 m 03. C'était un colosse.
** On vendait la peau de la campagne avant qu'elle ne soit finie.
« L'insuccès » en question n'est que le manque de vigueur incriminé dans
la poursuite des convois anglais. Grasse avait pourtant récupéré au passage la petite île de Sainte-Lucie, à la barbe de l'amiral Hood.

travers une Amérique près de ses sous. Les caisses de son intendant, Tarlé, seront vides le 20 août. Et ce n'est pas Job Washington qui pourra le renflouer. Voilà de Grasse promu Beaumarchais d'honneur : on le supplie d'employer « l'influence de son crédit et de réclamer un secours de l'armée navale dans les Antilles jusqu'à la concurrence des 1 200 000 livres en espèces *, que l'on rembourserait ici avec les frais et la perte sur la négociation par des traites au trésorier de l'armée sur M. de Sérilly, trésorier général de la Guerre [1018]. »

S'il ne bouge pas, il ne risque absolument rien. Cette guerre, vieille de trois ans, est celle des chefs immobiles, à l'image de Louis XVI. On blâmera les aventurés du bout du monde, Rochambeau, La Fayette, Washington. On oubliera de Grasse. Mais s'il se démène pour conduire et peut-être perdre à la Chesapeake ses vaisseaux, des hommes et de l'argent, bien au-delà de sa mission, on ne lui passera rien et on ne le ratera pas. Il aura agi; péché mortel.

Ils l'attendent. Tous attendent la réponse de cet homme sans état d'âme et sans passion,qui ne lit, ni n'écrit, ni ne parle. Service, service, le comte de Grasse. Comment savoir?

Rochambeau et Washington attendent sa décision à Philipsburg, où l'armée française est donc arrivée après avoir fait deux cent vingt milles en onze jours « sans perdre un seul homme, excepté dix amoureux du régiment de Soissonnais qui seront retournés voir leurs maîtresses à Newport », et que Rochambeau prie Barras « de faire rechercher [1019] », pas pour leur bien. L'armée américaine, qu'on appelle aussi « l'armée continentale », s'appuie sur l'Hudson, au lieu-dit Dobb's Ferry. A sa gauche, les Français tiennent les collines et se déploient sur une seule ligne jusqu'à Bronx **. Le 6 juillet, on procède, faute de mieux, à une belle cérémonie de jonction sur le terrain. On se croirait dans la plaine des Sablons. Washington se fend d'un ordre du jour solennel :

« Le commandant en chef saisit avec joie la première occasion d'exprimer ses remerciements à S. Exc. le comte de Rochambeau pour le zèle soutenu avec lequel il a poursuivi sa marche, afin d'opérer la jonction tant désirée des troupes françaises et des troupes américaines; événement qui doit combler de joie tous les véritables amis de ce pays, et dont on peut attendre les plus heureuses conséquences. Le général prie S. Exc. le comte de Rochambeau de transmettre aux officiers et soldats sous ses ordres l'expression de la reconnaissance que lui inspire l'entrain avec lequel ils ont exécuté une marche aussi longue et aussi pénible par un temps extrêmement chaud. Le régiment de Saintonge mérite des éloges particuliers pour la manière dont il a supporté la fatigue sans un jour de répit [1020]. » Autant pour les braves recrues de Saintes, de Cognac et de Barbezieux qui ont en effet marché avec une bonne humeur particulière, comme s'il y avait une affinité entre les

---

* Six millions de francs lourds.
** Aujourd'hui partie de l'immense agglomération new-yorkaise.

touffeurs de l'été sur les marais de la Saintonge et celles qui écrasent tout le monde en ce moment dans le New Jersey.

Qu'ils sont beaux, sur leurs chevaux blancs, Washington et Rochambeau! Autour d'eux, dans un ordre impressionnant, tout l'appareil d'une force qui s'effriterait au premier choc si l'on donnait maintenant l'assaut aux défenses de New York. Trois jours de poudre seulement dans les gibernes et les gargousses. Les vaisseaux anglais libres de remonter l'Hudson quadruplent la puissance de feu des forts du général Clinton, tandis que le matériel de siège des Français est resté à Newport. La seule efficacité possible, en ce mois de juillet, c'est de se montrer. Et c'est bien ce qu'on fait — en attendant de Grasse.

Sept à huit mille hommes recommencent donc à s'organiser sur place, avec cette ineffable faculté. d'adaptation du soldat au terrain, qui s'apparente à celle du cancrelat. Faut vivre. L'actualité de juillet et d'août en ces pays boisés au bord du fleuve, c'est le grand jeu de la chasse au ravitaillement, dans les limites autorisées par les officiers. Sus aux volailles, aux porcelets, sauvages ou non, et — qui le croirait? — aux femmes. Ses loisirs forcés donnent à un lieutenant d'artillerie du régiment d'Auxonne, Jean-François-Louis de Clermont-Crèvecœur *, l'occasion d'observations émerveillées sur la liberté des mœurs de la femme américaine, et l'espèce de mariage à l'essai auquel elle peut s'aventurer. Crèvecœur est vosgien. Il découvre ici un vrai nouveau monde, à distance sidérale de sa planète natale, Vaudéville, près d'Épinal. Non sans une indéniable nostalgie :

« ... Une femme a été arrêtée, qui venait de New York, sous le prétexte de chercher son père qui, prétendait-elle, était soldat dans l'armée américaine; mais, sans aucun doute, ses intentions n'étaient pas si pures. Elle a été placée dans un endroit sûr pour se reposer du voyage, qu'elle a fait à pied.

« Cette anecdote me permet de faire une observation sur les femmes américaines, ou sur les filles. Dans un pays si neuf, où le vice ne devrait pas être enraciné profondément, pourquoi faut-il qu'il y ait un si grand nombre de prostituées? Une seule raison me semble en être la cause. Alors que les pères et les mères surveillent leurs filles pendant leur enfance, elles deviennent leurs propres maîtresses dès qu'elles atteignent l'âge où la nature humaine demande qu'elles connaissent tout, et sont libres d'aller en compagnie de qui elles veulent. Parmi les gens de la campagne (aujourd'hui, dans les villes, l'éducation a corrigé les abus dont je vais parler), les jeunes filles jouissent de tant de liberté qu'un Français ou un Anglais, pas habitué à une telle situation, cherche aussitôt les dernières faveurs. C'est aujourd'hui la coutume, quand un

---

* Crèvecœur a rédigé un journal de cette campagne, non publié en France, qui fut retrouvé dans un grenier à Providence (Rhode Island) en 1923 : capitaine en 1789, il émigrera et fera la guerre contre Napoléon, au service du Portugal, avant de revenir mourir, pensionné par Louis XVIII, dans son château de Vaudéville. Ses observations sur les femmes américaines rencontrées ici sont recoupées par quelques lignes du journal de Berthier.

jeune homme se déclare amoureux d'une jeune fille, sans même parler de mariage, de lui permettre de la fréquenter. La permission leur est donnée par les parents. Puis il s'enferme dans une chambre avec la jeune fille pour lui prodiguer les plus tendres caresses, s'arrêtant à celles réservées seulement au mariage; autrement il transgresserait les lois établies pour cette fréquentation... Les vraies jeunes filles vertueuses, qui ne sont pas esclaves de leur tempérament, résistent aisément et se conforment aux lois de cet essai, mais il est à craindre que même celles qui sont encouragées par nature à ce respect succombent à ce tendre sport (sic). Il semble fait pour les Américains seulement. La froideur et la gravité de leurs visages proclament que ce sport leur convient parfaitement. La période d'essai n'est pas limitée; vous pouvez jouer à ce jeu pendant cinq ou six ans avant de vous décider au mariage, et même après si vous le voulez, sans être finalement tenu d'épouser la fille après en avoir reçu les premières faveurs.

« Les femmes sont généralement très fidèles à leurs maris. Vous trouvez peu de libertines parmi elles. Malgré tout, quelques filles ont mené une vie plus licencieuse avant qu'elles se marient, mais, une fois mariées, elles se conduisent bien. Les hommes ne sont pas tatillons de ce côté-là; ils croient qu'une jeune fille devrait être libre, et ils ne la méprisent que si elle est infidèle après le mariage. Ainsi, une fille qui a fait ses preuves, si elle est belle ou riche, est presque sûre de trouver un mari; si elle a le malheur d'être séduite et que la séduction ait porté son malheureux fruit, ce n'est pas elle qui est déshonorée, mais l'homme, à qui les maisons respectables sont désormais fermées, et qui ne peut plus se marier dans une famille honnête.

« Il est rare de trouver une femme commettant l'adultère ici, encore que cela arrive. Dans cette situation, le mari annonce la « faute » de sa femme et la publie dans les journaux. Le déshonneur ne tombe pas sur les maris à cause de l'inconduite de leurs femmes, et personne ne les désigne du doigt avec mépris comme un cocu. Au contraire, on les plaint. Si la femme fuit avec son amant, le mari annonce dans les gazettes que sa femme a quitté son lit et déclare qu'il n'est lié par aucune des dettes qu'elle pourrait contracter... Il n'y a pas d'excuse, de toute manière, pour dissoudre le mariage, ce qui arrive rarement puisque les lois ne le permettent pas. Les maris sont assez patients pour attendre leur femme au cas où elle se repentirait. Si elles le font, leurs maris les reprennent, oublient le passé et vivent avec elles en parfaite harmonie. Je dédie cela aux maris européens, pour leur demander s'ils en seraient capables [1021]. »

Pendant que la partie de quatre coins marque le pas dans le Nord, La Fayette continue à se démener dans le Sud sans y comprendre grand-chose. Sorti sain et sauf de la sévère échauffourée de Green Spring Farm, « la ferme du vert printemps », dans les pâturages de laquelle on vient de planter un petit cimetière à quarante-deux croix, il est remonté — de peu — jusqu'à Williamsburg, où il a pris le temps de tirer ses bottes. Enfin une ville de repos pour ses hommes et pour lui, dont il persiste à ne pas saisir pourquoi Cornwallis lui a fait cadeau

après Richmond. Les Anglais viennent de prouver qu'ils étaient encore
de taille à se maintenir sur la rive nord de la *James river*. Or, après
avoir donné ce coup d'arrêt et failli capturer ou occire La Fayette, ils
ont passé sur la rive sud, comme à la manœuvre. Pour l'attirer au-delà?
Pour établir une sorte d'armistice de fait en attendant la relance des
renforts de part ou d'autre? Il règne une sorte de fausse paix dans la
petite ville, désertée par la moitié de ses deux mille habitants *;
Williamsburg étouffe dans une cuvette naturelle bordée par des collines
croulant sous cette verdure dévorante, accablante, on ne peut même pas
se rappeler le nom de la moitié des arbres. La Fayette fait camper le
plus de soldats possible sur les hauteurs de Malvern Hill, où la brise de
mer souffle au moins le soir une humidité gluante. Il se détend avec son
état-major dans les maisons régulièrement groupées autour de « la
prison des condamnés pour dettes », bourrée de *tories* ces jours-ci, de
l'église paroissiale bâtie l'année de la naissance de Louis XV, et de ce beau
collège à trois étages qui porte le nom de *William and Mary*, le couple
royal du temps où il faisait encore bon être anglais. Presque tous les
gentilshommes virginiens ont appris entre ses murs les quelques notions
simples qui nourrissent leur bon sens. La route ouverte à la sortie
nord-est de la ville se nomme le chemin d'York et conduit au joli petit
port pittoresque, à douze milles, où La Fayette et Charlus ont erré ce
printemps en attendant vainement les secours français **. La Fayette
ne regarde pas dans cette direction-là. Il se croit bien établi, grâce à
la retraite-surprise des Anglais, dans la petite péninsule qu'il vient de
réoccuper entre les rivières de James et d'York, pour s'y préparer à
quoi, grands dieux, dans cette histoire de fous? Prétend-on l'envoyer
reconquérir les Carolines avec ses cinq mille hommes? Le 20 juillet,
sans nouvelles du quartier général, il connaît une brève dépression, la
dernière. Toujours sa hantise d'être oublié. Mais il a des excuses : si
Cornwallis se dérobe, c'est sans doute pour aller se réembarquer tranquillement à Portsmouth; s'il se réembarque, ce ne peut être que pour
aller prêter main-forte à Clinton; la bataille décisive va donc se
livrer là-haut sans La Fayette, c'est ce qu'il redoute depuis trois ans,
et tout particulièrement depuis trois mois. Et si Washington ne l'avait
envoyé en Virginie qu'à la suggestion de ses petits camarades de
Newport, soucieux de rafler les lauriers à ses dépens? Il jette une
bouteille à la mer en direction de son père adoptif :
« Lorsque je me suis rendu dans le Sud, vous savez que j'avais présenté quelques objections particulières; mais j'ai compris ensuite la
nécessité d'y envoyer le détachement, et j'ai vu que, si je m'en étais
retourné, personne n'aurait pu amener ici les troupes contre leur inclination. Mon entrée dans l'État fut heureusement marquée par un service rendu à la capitale. La Virginie devint le grand objet de l'ennemi,

---

* Sa reconstruction, ou plutôt sa reconstitution récente, grâce au mécé-
nat de John D. Rockfeller, en petite capitale coloniale typique, en fait
une perle du voyage dans cette région des U.S.A.
** Voir ci-dessus, p. 344. On dit, au petit bonheur, York (comme sur la
carte en tête de ce livre) ou Yorktown.

le but de tous les calculs du Ministère. J'ai eu l'honneur de commander une armée et d'être opposé à Lord Cornwallis. Incomparablement inférieurs à lui, la fortune s'est plue à nous sauver ; égaux en nombre, mais non en qualité, nous avons encore été heureux *(et modestes)*.

« Cornwallis a eu la confusion d'une retraite, et, cet État étant délivré, le Gouvernement rétabli, l'ennemi s'est réfugié sous la protection de ses ouvrages à Portsmouth. Il paraît qu'un embarquement se prépare, probablement destiné pour New York. La guerre dans ce pays-ci deviendra une guerre de pillages, et il n'est plus question de grandes manœuvres. Un officier prudent suffira pour conduire les affaires ici, et le baron *(Steuben)* est prudent au plus haut degré. Mon cher général, si une partie des troupes anglaises allait à New York, pourrait-il m'être permis de rejoindre les armées combinées? »

A la fin de la lettre, il ne crâne plus. Il craque. Washington est sans doute le seul homme au monde auquel il puisse avouer : « Point de nouvelles du Nord, point de lettres du quartier général ; je suis entièrement étranger à tout ce qui se passe hors de la Virginie, et, nos opérations étant dans ce moment un peu languissantes, j'ai plus de temps pour penser à mon isolement ; en un mot, j'ai la maladie du pays, et si je ne puis aller au quartier général, je voudrais au moins en entendre parler [1022]. »

Il a tort de baisser les bras. La partie de quatre coins reprend. Tout va, bien au contraire, basculer de son côté, et Washington sera le seul à savoir qu'il a failli perdre cœur à la dernière minute. Au Cap français, le 28 juillet, le comte de Grasse dicte pour Rochambeau la lettre qui a autant fondé l'existence des États-Unis d'Amérique que la proclamation de l'Indépendance. Il a emprunté sur sa signature un million de livres * à des banquiers espagnols de La Havane, les prêteurs français qu'il a pourtant sous la main s'étant dérobés, ce qui en dit long sur leur sympathie à l'égard des Insurgents et leur confiance en la victoire. Ceci pour l'argent. Pour les hommes, de Grasse a décidé d'embarquer les régiments des Isles : Gâtinais, Royal-Marine, Agénois, Brissac, Barrois, Béarn et Touraine, soit trois mille fantassins, cent artilleurs, cent dragons, dix canonniers avec leurs canons de siège et des mortiers — tout ce qui devait être prêté à l'amiral espagnol don Solano pour l'expédition en Jamaïque. Il faudra donc utiliser ces soldats vite et bien, et ne pas les transformer en chair à pâté avant que les lamentations des Espagnols parviennent à Vergennes **.

« Toute cette expédition ayant été organisée seulement à votre demande et sans être approuvée par les ministres français et espagnols, j'en ai pris moi-même la responsabilité pour la cause commune...

---

* Garanti partiellement par les propriétés que de Grasse possède à Saint-Domingue.
** J.-J. Antier observe pertinemment que l'existence des moyens modernes de télécommunication eût contraint de Grasse à demander l'autorisation de ce détournement à Versailles, et eût immanquablement ruiné la manœuvre de la Chesapeake, en provoquant un *veto* de Louis XVI.

« Je vois avec bien du chagrin la détresse où se trouve le continent américain et la nécessité des prompts secours que vous demandez. J'ai conféré avec M. de Lilliancourt, qui a pris la tête du gouvernement général, et l'ai incité à me donner sur la garnison de Saint-Domingue trois mille hommes d'infanterie et des canons.

« Tout cela sera embarqué sur vingt-cinq ou vingt-six vaisseaux de guerre, qui quitteront cette place le 3 août et atteindront si possible *Chesapeake-Bay*, le lieu qui m'a été indiqué par Washington, La Luzerne, Barras et vous-même comme le plus sûr pour opérer le mieux comme vous le proposez.

« Par ces efforts que j'ai faits, vous pouvez constater le désir que j'ai de provoquer un retournement de la situation en notre faveur.

« Je vous laisse décider librement du moment où vous viendrez me rejoindre sur votre côte, au mieux de notre cause commune. Tenez-moi informé cependant, pour que les manœuvres des uns ne gênent pas les autres [1023]. »

Il n'existe que deux ou trois portraits authentiques de l'amiral de Grasse. Celui d'un certain Mauzaisse [1024] le présente comme le voyaient ses subordonnés, doué d'une assez terrible hure. Mais un jeune portraitiste débutant qui courait les salons de Provence, Joseph Boze *, venait, au bonheur d'une escale à Toulon, de saisir sous les sourcils charbonneux, les yeux perçants et le gros nez de jouisseur, le petit sourire caustique de celui qui attend de prendre sa revanche, sans qu'il soit besoin de donner d'explication.

64/août 1781
J'ai entrepris de former un homme

Aussi loin vers l'Orient que La Fayette au Ponant, et aussi profondément ignoré de tous que le « héros du Nouveau Monde » commence à être connu en Europe, Gilbert Romme poursuit en Russie, ces années-là, son aventure solitaire **. Si la pensée de l'Amérique est déjà étran-

---

* Sera l'un des plus grands portraitistes de la Révolution. On lui doit — et nous verrons — d'inoubliables Marat, Danton, Louis XVI et autres. Le pastel montrant un visage inattendu du comte de Grasse se trouve au musée de Blérancourt (Aisne), le pays de Saint-Just.
** Sur Gilbert Romme, qui sera l'une des figures marquantes de la Convention, voir tome I, p. 176, sa jeunesse ingrate à Paris et les rapports qu'il nouait avec Golovkine en 1776.

gère à la masse des Français, elle semble quasiment absente de ses
soucis. Le jeu des circonstances a tout autant dépaysé, mais en sens
inverse, le fils du procureur de Riom que son voisin auvergnat, le
jeune marquis poussé à Chavaniac. Romme, dans l'été de 1781, est un
outchitel, c'est-à-dire un des nombreux précepteurs français au service
de la noblesse russe. Mais un précepteur pas comme les autres. S'il
s'enfonce dans un gigantesque périple « jusqu'aux portes de l'Asie »,
c'est au service du petit bonhomme dont le destin lui est confié, Paul
Stroganov. Un continent va lui servir d'école pour un unique élève.

La France lui paraissait sans issue à hauteur de son espérance,
depuis la chute de Turgot. Jamais on ne lui confierait la chaire de
physique sur laquelle il avait compté en Auvergne. « Je ne dois plus
espérer de revoir ma patrie avec le titre de physicien. La disgrâce de
M. Turgot m'éloigne autant de ce projet que ce bon ministre est éloigné
de la Cour... Tout bon citoyen sent la perte que fait la nation et doit
regretter celui qui faisait un si bon usage de la confiance de son maître
et qui, le premier peut-être, avait saisi le vrai côté par où les arts et les
sciences doivent intéresser le gouvernement, et mériter sa protection.
Mais il allait sans doute à trop grands pas et perdait de vue que,
depuis longtemps, la nation était accoutumée à n'aller qu'à pas lents
vers le bien. Quand on ne pense pas comme le plus grand nombre, on
court le risque d'être victime de ses sentiments [1025]. » Il avait d'abord
mis peu d'espoirs en « Monsieur Nêcre », comme il écrivait, selon la prononciation courante. Tout ce qui ressemblait à un « bel esprit » crispait
ce petit provincial appliqué au réel. « On a fait M. Nêcre *(le 24 octobre
1776)* conseiller d'état et, en lui donnant une influence dans le ministère, on rapproche du trône les gens de lettres que la disgrâce de M. Turgot en avait éloignés. Comme la femme de M. Nêcre est un bel esprit,
sa maison est un lieu académique où se rendent MM. Thomas, Marmontel, Suard, Diderot, et tous les beaux esprits dont le règne va
commencer. Celui de M. Turgot a été celui du bon sens, de la raison :
c'étaient MM. d'Alembert, Condorcet, etc. qui étaient les plus accueillis.
Le temps nous apprendra ce qu'on doit espérer de ces messieurs [1026]. »
Deux ans plus tard, il s'était accommodé de Necker, faute de mieux,
avec une bonne partie de l'opinion du tiers état évolué. Necker n'était
pas un Turgot, mais « toutes ses vues se portent *(en 1778)* à soulager la classe souffrante de la nation aux dépens des gens riches et
puissants, qui devraient être les seuls tributaires du gouvernement *.
On ose le penser, et M. Nêcre a le courage d'en faire la règle de ses
réformes [1027]. » Romme lui faisait donc confiance, mais de loin, en général, sans chercher, comme au temps de Turgot, un embrayage précis
de la tentative réformiste sur son destin personnel. Pour l'évolution
de ce dernier, tout en poursuivant cahin-caha ses études de médecine,
il s'abandonnait de plus en plus à la griserie inconsciente d'une ascension sociale inespérée : la fréquentation du cercle des aristocrates libé-

---

* « Les seuls à payer des impôts ».

raux et rousseauistes dont la rencontre avait élargi sa vision du monde : la comtesse d'Harville et l'aristocrate russe exilé volontaire, Alexandre Alexandrovitch Golovkine.

« M. de Golovkine me comble d'honnêtetés. Je mange chez lui deux fois par semaine et il voudrait que j'y mangeas *(sic)* plus souvent. Il est instruit et n'aime que parler des sciences ou des savants. Sa conversation me plaît infiniment [1028] », parce qu'elle apportait une caution autorisée, venue d'un au-delà prestigieux, aux obsessions du jeune janséniste : la rigueur et le changement. « Il appelle auprès de ses enfants tous les maîtres qui peuvent former la main, dresser le corps, et exercer ou cultiver l'esprit; mais il se charge lui-même de former le cœur. Cette dernière partie de l'éducation, si négligée ordinairement, est poussée au dernier degré de perfection dans la méthode du comte [1029]. » « Il a borné sa dépense au nécessaire le plus raisonnable, à un entretien personnel décent, à une maison ouverte seulement aux gens sages, sensés et malheureux; enfin à l'éducation sagement entendue de ses enfants. Ces objets ne prennent que le quart de ses revenus; il en emploie les trois autres à des travaux champêtres (entrepris autant pour répandre des salaires, que pour bonifier ses possessions), à des établissements et à des ouvrages utiles à ses voisins et au public, et qui, faisant vivre de préférence l'indigent, le garantissent du besoin et de l'oisiveté. Du même revenu encore, les vieillards sont soignés et pourvus, les enfants bien élevés, les jeunes gens mariés et dotés, les malades traités et assistés... Ce n'est pas la quantité d'argent qu'on distribue, mais la manière de l'employer, qui distingue le luxe de ce qui ne l'est pas... L'emploi de l'excédent doit être déterminé par l'intérêt le plus pressant, soit de l'individu, soit de la société en général [1030]. » Qu'un seul être issu d'une société pourrie puisse, non seulement penser, mais agir ainsi, n'est-ce pas la preuve qu'on peut changer l'homme par l'homme? Pour rendre la méthode universelle, on sait, depuis la publication de l'*Émile*, quel levier saisir : l'éducation morale et civique de chaque enfant. Golovkine n'a guère eu à prêcher pour convertir Romme aux théories qu'il nourrit là-dessus. « L'enfant doit être dirigé vers un métier utile pour lui ou pour les autres : mécanicien *(sic)*, jardinier, dessinateur, etc. » Il étudiera — sans excès — l'Histoire, parce que « l'enchaînement des événements passés lui permettra de prévoir dans l'avenir quels seront les maux ou les malheurs enfantés, soit par des vices devenus trop communs, soit par des crimes contre l'ordre social, qui, en isolant sans cesse la cause de chaque particulier de la cause générale, mettent nécessairement les hommes de toutes les conditions et de tous les pays dans un état de guerre continuelle [1031] ». Mais la révolution éducative, au sens propre du mot, « retourner les choses, mettre sens dessus dessous », consiste à placer la pauvresse de l'éducation chrétienne en tête des disciplines enseignées : l'étude de l'arithmétique devient fondamentale. « C'est par elle que l'enfant a commencé, en voyant son utilité par la pratique. Les mathématiques suivront aisément, et conduiront notre élève, si l'on sait bien s'y prendre, à ses parties essentielles, telles que la Mécanique, l'Hydraulique, l'Optique, etc. »

Golovkine avait écrit tout cela en 1778, dans une brochure confidentielle destinée à ce petit groupe d'amis rencontrés sur l'île déserte de leur intelligence collective, refuge de ceux qui vivent en avance sur leur temps. Le nom de Gilbert Romme, le pédagogue, apparaissait pour la première fois, grâce à lui, dans le pinceau d'un rai de lumière fugitive : « Cette étude est moins difficile qu'on ne pense ; beaucoup d'observations m'ont prouvé que les progrès de cette science si propre à rendre l'esprit juste, inventif et appliqué, tiennent à la manière d'en expliquer les premiers éléments, et de la montrer. M. Rome *(sic)*, Littérateur estimable et Physicien profond, a sur cette assertion un ouvrage plein de philosophie, de force et d'érudition ; je le somme de le donner au public, au nom de cette partie de la Nation à qui les sciences sont chères. Ses matériaux sont rassemblés, et son ouvrage sera trop utile pour qu'il se refuse à le rendre public [1032]. »

Il ne le publiera jamais. Romme n'est pas un intellectuel. C'est à une application pratique de ces doctrines-là qu'il s'est consacré, toujours grâce à Golovkine : la formation d'un homme qui pourrait demain changer la face d'un empire, Paul Stroganov.

Il avait rencontré son père en 1778 chez Golovkine, mais aussi à la loge des Neuf Sœurs, où l'on avait accueilli Voltaire en triomphe quelques semaines avant sa mort *. Stroganov était encore un de ceux qui n'en pouvaient plus à Saint-Pétersbourg, mais il ne venait à Paris que par bouffées, quand l'oxygène lui manquait trop. Un Russe de Pierre-le-Grand plutôt que de Catherine II. Selon son ami, le prince Czartoryski, « il y avait en lui un singulier mélange de l'encyclopédiste et du vieux boyard russe ». Ce dernier aspect de sa personnalité le poussait parfois, loin de la loge maçonnique, dans la rue du Bout-du-Monde, où il s'offrait « des passades à vingt-cinq louis **» avec la demoiselle Macarty, une de nos plus jolies filles » selon l'un des inspecteurs de M. Le Noir, « grande, bien faite, brune de cheveux, la peau blanche, les dents admirables et la figure très agréable [1033] ». Ce Russe des Lumières, « commensal d'hommes comme Helvétius et d'Holbach, cachait un fond de rudesse sous son brillant vernis mondain [1034] », ce qui le laissait désemparé devant les problèmes d'éducation de son fils ***. Or, il lui fallait retourner en Russie au printemps de 1779, avec femme et enfant, sous peine d'être dépossédé des immenses biens dont il n'avait pas su, comme Golovkine, se défaire à temps. Il avait au moins voulu emmener un bout de France avec lui : ce Jean-Jacques Rousseau bis, Gilbert Romme, en suppléance de paternité. Il lui avait donc offert un pont d'or et carte blanche pour les méthodes pédagogiques.

— Voulez-vous partir avec nous à l'automne ?

---

* Voir tome I, p. 605. Le nom de cette loge, qui a joué un rôle important de lieu de rencontre entre mondains évolués, plus que de société de pensée, vient des neuf muses de la mythologie.
** 2 500 francs lourds.
*** Agé de huit ans en 1779, quand on le confie à Romme, Paul Stroganov deviendra l'un des principaux conseillers du tzar Alexandre Ier à son avènement.

D'où trois mois d'affres possibles à imaginer pour ce déjà vieux garçon un peu maniaque, qui ne se résolvait pas sans longues hésitations à prendre la patache de Paris à Versailles. « Je ne suis pas gai », disait déjà Diderot cinq ans plus tôt, « j'ai l'âme troublée. Je souffre à mettre entre mes amis et moi un demi-diamètre terrestre [1035]. » Mais rien, sinon la tiédeur des maisons amies, ne retenait Romme à Paris : pas de femme, pas de métier. La chance d'une vie était à saisir. Il est parti là-bas en rompant les amarres, dans l'esprit d'un matelot de Christophe Colomb. « C'est en voyageant qu'on apprécie les hommes, et j'ai maintenant un double intérêt à les connaître, puisque j'ai entrepris d'en former un [1036]. »

La traversée de la Pologne l'avait atterré. Ce pays-là rompait les os des voyageurs, même munis de tout, comme le chevalier de Corberon et ses domestiques deux ans plus tôt, « menés par de malheureux chevaux de juifs, car telles sont ici les postes. Ces étiques animaux, sans force ni courage, nous ont obligés à pousser à la roue continuellement. D'ailleurs, les chemins affreux à travers des bois nous forcèrent à éclairer les postillons avec des torches de sapin ou de bois gras. Il en résulte une flamme claire. Cette illumination, que nous multipliions par besoin et par plaisir, formait le plus joli coup d'œil dans la forêt, mais nous avons été bien fatigués de cette nuit affreuse...

«... Tout ce pays-là est abominable ; on n'y voit que des sapins et du sable. Ces prétendues villes sont plutôt des villages ; les bâtiments ne sont que des planches, que la fumée et la poussière noircissent entièrement, ce qui joint au coup d'œil de la misère celui de la malpropreté. D'ailleurs, les habitants, qui sont en plus grande partie juifs, achèvent le tableau ; au surplus, la détresse où ils se trouvent n'imprime point sur le front de ces malheureux la marque du malheur. Ils sont esclaves, pauvres et contents. Il est vrai que l'habitude adoucit peut-être la rigueur de l'esclavage ; mais, en même temps, elle avilit les hommes et leur ôte leur caractère. Nos gens battaient ces pauvres diables, qui ne faisaient qu'en rire et mettre plus d'empressement à nous servir de toute manière ; en même temps, ils cherchaient à nous voler s'ils pouvaient [1037]. » Les amis de Riom, qui suivent le périple de Romme bouche bée comme s'il allait dans la lune, en ont appris de belles sur « la turpitude des Polonais qui pourrissent dans l'ignorance et l'ivrognerie en foulant un sol qui, entre d'autres mains, ferait la richesse de toute l'Europe [1038] ». Déjà, Dupont de Nemours avait levé les bras au ciel à leur propos *, en 1775.

Par contre, les premiers mois à Saint-Pétersbourg avaient paru positifs à Romme, malgré la morsure de l'hiver, mais il y était aguerri,

---

* Voir tome I, p. 118, la tentative malheureuse de Dupont pour jeter les bases d'une éducation nationale dans « cette République sans république ». Le mépris des esprits « éclairés » au contact superficiel des Polonais, maintenus en état d'abrutissement par leurs seigneurs, annonçait celui du visiteur des bidonvilles pour « les bougnoules incapables de propreté ».

et il avait cru décrouvrir une Venise d'Auvergne. « Je suis arrivé *(en novembre)* en habit et veste de drap doublés fort légèrement », pour tomber dans une vie de conte de fées qui aurait tourné la tête à tant d'autres : un appartement dans le somptueux palais à l'italienne des Stroganov, sur les rives de la Moïka, des domestiques à foison, les énormes poêles de faïence et, à sa disposition, mieux que tout palais, un cabinet d'histoire naturelle, un autre d'anatomie, encore un de physique, et une bibliothèque à douze mille volumes. Chaque seigneur lettré se bâtissait un musée à sa convenance. Stroganov l'avait introduit là comme saint Pierre au Paradis : « C'est votre royaume, mon cher ami ; je ferai tout ce qui dépendra de moi pour que vous soyez heureux dans ma patrie [1039]. » Et il avait tenu parole en lui accordant une confiance et une estime qui avaient élevé Romme bien au-dessus de la condition commune des *outchitels*, ces raclures de la France souvent traités en domestiques ou en réfugiés. Le voilà presque anobli et accrédité à la cour de Catherine comme il n'aurait jamais pu oser espérer l'être à Versailles. L'impératrice avait pourtant d'abord boudé Stroganov, comme elle le faisait avec tous les déserteurs de Pétersbourg, mais surtout pour un de ces motifs un peu particuliers qui interféraient de plus en plus avec la haute politique. L'un des jolis garçons du harem impérial, Rimski-Korsakov, était tombé amoureux... de la ravissante comtesse Stroganov, née princesse Troubetskoï, qui ne lui avait pas été cruelle. Stroganov, en mari philosophe, avait laissé sa femme libre d'inviter qui elle voulait, et notamment Rimski-Korsakov, dans ses terres proches de Moscou. C'était donc à lui que Catherine en avait voulu. Mais ces brouilles-là ne duraient entre philosophes que le temps des engouements de l'impératrice, soit trois à six mois en cette période. Finie la passade Rimski-Korsakov, Catherine avait réaccrédité Stroganov, qui avait même été admis à l'accompagner dans son voyage à Mohilev, au printemps 1780, pour y rencontrer Joseph II *. Pas rancunier, le grand seigneur avait écrit pendant ce voyage des dithyrambes sur « ma chère Maîtresse que j'adore tous les jours davantage » ; elles avaient été, par le ricochet de Romme, conforter les bourgeois de Riom dans le culte de la « Sémiramis du Nord ** ».

En mai 1780, Romme était présenté à cette agréable Allemande à la cinquantaine éruptive. L'immense place, le palais aux centaines de fenêtres, tout est géant à Saint-Pétersbourg, des escaliers interminables à vous couper le souffle, et tout en haut, comme une série d'écrins emboîtés les uns dans les autres, des salons de plus en plus douillets sous les cristaux illuminés, jusqu'à celui où l'on faisait la haie dans le plus beau costume possible pour voir trotiner jusqu'à vous une petite bourgeoise couperosée au chignon bien tiré, aux yeux rieurs sous l'air sévère, toute pleine de fossettes, « notre petite Mère l'Impé-

---

* Voir ci-dessus, p. 310.
** L'expression est de Voltaire. Sémiramis était une reine semi-légendaire de Babylone qui régna — peut-être — sur tout le Moyen-Orient, et qui avait, paraît-il, fait tuer son mari. Catherine II était née le 21 avril 1729 à Stettin, fille du prince d'Anhalt-Zerbst.

ratrice », ce mélange inimitable de tempérament et de quant-à-soi.
Elle n'avait accordé qu'un sourire de convention à l'homme aux yeux
clignotants et au physique ingrat, peu porté sur les femmes, que Stroganov lui vantait. Romme, lui, avait vu en elle ce qu'il voulait voir : le
despote éclairé. Réflexe classique de la rencontre d'un « petit » et d'un
« grand » : « La vénération et l'estime profonde qu'elle inspire à ceux
qui sont à portée de la connaître, mettent cette femme au rang des
êtres extraordinaires et privilégiés qui éclairent les hommes en les
rendant heureux et qui sont au-dessus de leurs semblables, même par
leurs faiblesses, dont aucun n'est exempt... Montée sur le trône tant
de fois agité par de terribles secousses, elle a su l'affermir par sa douceur, par le tendre intérêt qu'elle montre pour ses sujets... Le bonheur
de son peuple l'occupe tout entière. Aussi a-t-elle inspiré une confiance
générale, et le calme politique qui règne autour d'elle s'étend jusqu'aux
limites reculées de son vaste empire où l'on bénit son nom à l'envi [1040]. »
On pourrait appeler cela « le réflexe-Diderot », le pré-fabriqué, celui
de 1773. Il n'a fallu que peu de temps à Gilbert pour déchanter comme
Denis. L'été 1781 le trouve en voie de lucidité, tout occupé à se dégager
de cette sorte d'édredon pétersbourgeois, où sa vision originale des
choses aurait pu être étouffée.

65/août 1781
La meilleure comédienne

« Plus j'étudie cette nation », écrit le chargé d'affaires de France en
Russie, le chevalier de Corberon, « et plus je la trouve difficile à définir.
C'est un composé d'êtres si peu assortis les uns aux autres, entre lesquels
on ne trouve point la graduation des nuances, et où vous ne pouvez
saisir le progrès et la marche de leurs idées, de leurs principes, de leurs
systèmes. Vous voyez au premier coup d'œil un peuple de barbares et
une noblesse éclairée, instruite, qui a des manières polies, engageantes ;
à l'examen, vous vous apercevez que cette même noblesse n'est au fond
que ces mêmes barbares habillés, décorés, et ne différant qu'à l'extérieur de la partie brute de la nation [1041]. » Sans doute celle de France
diffère-t-elle beaucoup plus de la classe rurale, dans les hoquets et les
vomissements des Folies, à Bagatelle ou à Mousseaux?
     Pour se détacher de cette noblesse russe, Romme a subi le petit choc
personnel qui permet de passer du cœur blessé à la froide raison — du
subjectif à l'objectif. A Saint-Pétersbourg, chez le comte Stroganov,
il était l'hôte d'honneur ; à Moscou, quand il lui fallait bien conduire
son pupille chez la comtesse, selon les accords de ce couple séparé,
on lui faisait sentir sa condition de domestique supérieur. Il n'était

pas homme à laisser passer cela. Lettre de Gilbert à Mme Stroganov, en guise de remerciements après l'une de ces réceptions : « Le discrédit et l'espèce de déshonneur dont sont couverts les gouverneurs dans ce pays-ci alarment trop ma délicatesse pour que je n'aie pas la plus grande attention de n'inquiéter que le moins que je pourrai, par ma présence, ceux de votre société qui auraient de la répugnance à respirer le même air qu'un *outchitel;* c'est déjà d'après ma propre expérience que je plains de tout mon cœur les êtres sensibles qui sont réduits à courir ici la même carrière que moi [1042]. »

Il commençait à réviser sérieusement sa vision de l'empire de la nouvelle Sémiramis, quand Corberon l'a rencontré pour la première fois, le 20 août 1780. Romme tranchait sur ces gens-là, comme quelqu'un qui pense continuellement à autre chose, suffisamment pour frapper un petit sauteur superficiel dont le gros du métier se passait à la chasse aux *Natachas* persuadées de vieillir après dix-sept ans, dans les bals épuisants de la haute société. « J'ai été souper chez le comte Strogonof *(sic)*, à une campagne charmante qui est à Kaminiostrof, sur le bord de la rivière ; et, pendant qu'on jouait, j'ai causé à Romme, gouverneur de son fils, qui est un garçon de trente ans fort instruit et très curieux, surtout en histoire naturelle. Il m'a développé une idée assez ingénieuse qu'il a sur la formation des comètes et des planètes. Il prétend qu'au lieu d'être formées par une comète, selon Buffon, ces planètes, ainsi que les comètes, sont des éclaboussures de la matière ignée du soleil, qui par la force centrifuge, que lui donne son mouvement de rotation, lance loin de lui des parties de son liquide igné, lesquelles parties se refroidissent insensiblement en raison du temps de leur naissance, ce qui rentre dans le système de Bailly *...

« Romme m'a conseillé de voir à Paris le comte de Golovkine, qui vit philosophiquement *(sic)* à Paris pour l'éducation de deux enfants à lui [1043]. »

Tels quels, Romme et Corberon vont s'entendre sur l'essentiel, malgré leurs différences de milieu et de préoccupations. Deux Français échangent leurs impressions, comme des naufragés en terre russe partageant du biscuit. Ici, il faut être au courant pour survivre. « Catherine la Grande »? Une femme sur le retour, esclave de son goût pour les jeunes gens. Cela ne serait pas grave si elle n'y mêlait le sentiment et n'idéalisait le favori du jour, ou plutôt de la nuit, au point de vouloir en faire un homme d'État. « Rien n'est plus naturel que ce sentiment de la part d'une femme maîtrisée à son âge par cette espèce de passion ; rien n'est plus fâcheux en même temps, parce qu'il conduit à des faiblesses mineures de la part d'une souveraine. Il serait à désirer qu'elle n'eût des amants que pour le physique ; mais c'est une chose rare

---

* Jean-Sylvain Bailly vient d'atteindre à la notoriété européenne en publiant son *Histoire de l'astronomie ancienne depuis son origine jusqu'à l'établissement de l'école d'Alexandrie.* Député de Paris aux États généraux, il jouera le rôle principal au serment du Jeu de Paume et sera le premier maire élu de Paris. Nous allons le rencontrer bientôt, à l'occasion de son mariage tardif.

dans les gens âgés; et, lorsque leur imagination n'est pas amortie, ils font cent fois plus de folies qu'un jeune homme... L'imagination et la vanité dans un vieux cerveau fermentent devantage; c'est un malheur sans doute, mais c'est en même temps l'indice de quelques bonnes qualités.

« L'Impératrice, en voulant faire de Landskoï un homme d'État, prouve qu'elle songe à cet État. C'est une bonne intention mal dirigée, mais c'est beaucoup qu'une bonne intention, et, si cette souveraine était menée par un homme de génie, on lui ferait faire les plus grandes et les meilleures choses; mais cet homme ne se rencontre pas, et l'illusion que se fait cette femme à chacun de ses favoris se détruisant et se renouvelant tour à tour, la succession de ses faiblesses devient innombrable et les suites en sont effrayantes. Avec les plus grandes vues et les meilleures intentions, Catherine II perd son pays par les mœurs, le ruine par les dépenses, et finira par être jugée femme faible et romanesque [1044]. » Cela n'empêche pas l'Impératrice, aux grandes cérémonies religieuses, de se concilier l'appui du clergé russe, plus puissant encore que l'armée, le premier appareil du pouvoir, « en se prosternant elle-même plusieurs fois devant les images, car c'est la meilleure comédienne que notre Catherine. Elle est dévote, tendre, fière, majestueuse, aimable, mais au fond elle est toujours elle, c'est-à-dire attachée seulement et exclusivement à ses intérêts, prenant pour les servir tous les masques différents qui lui semblent convenables et nécessaires à ses fins [1045]. »

Quoi qu'il en soit, le coquelet de 1781, c'est Alexandre Dmitriévitch Landskoï, un chevalier-garde; il avait vingt-deux ans quand Catherine « a daigné jeter les yeux sur lui » pour remplacer Korsakov, qui était, lui, « le mannequin de la fatuité, mais de la plus petite espèce, de celle qui ne serait pas tolérée, même à Paris ». « Le pauvre Landskoï est un peu bête, et son illustre amie ne le changera pas plus que Zoritz *(celui de l'année 1777)*, auquel elle trouvait une tête sublime lors de sa faveur, et dont elle voulait faire aussi un être intéressant pour l'Empire [1046]. » Landskoï n'a pas à se plaindre : le voilà déjà général, chambellan et commandant des cuirassiers. Il ferait pourtant bien de se méfier « d'un nommé Pajarski, capitaine dans l'armée, qui a paru ces soirs-ci au jeu de l'impératrice. C'est une jeune homme taillé en hercule, et dont on ne dit pas autre chose jusqu'à présent ». A quoi bon ces papotages? C'est que les remous d'alcôve sont affaires d'État. Un changement de favori est de nature à embourber ou à faire dévier le train de l'Europe : « On peut remarquer en Russie une espèce d'interrègne pour les affaires, qui a pour époque le déplacement d'un favori et l'installation de son successeur. Cet événement éclipse les autres; il dirige et fixe tous les intérêts d'un seul côté, et les ministres du cabinet même, qui se ressentent de cette influence générale, suspendent leurs opérations jusqu'à l'instant où le choix décidé fait rentrer les esprits dans leur assiette naturelle et redonne à la machine son mouvement accoutumé [1047]. » Il est donc aussi important pour les milieux bien informés des deux Mondes de suivre les froncements de sourcils du très haut et très puissant prince Potemkine, que jadis les humeurs de la Pompadour. L'ex-champion des amants est devenu leur fournisseur : « Samedi, jour de notre souper à la campagne *, l'Impératrice a dîné aux îles de Newski, sous la tente, chez Potemkine, qui a fait bâtir dans cet endroit une salle à la cosaque. Ce favori qui joue le rôle de la Pompadour sur la fin de sa vie auprès de Louis XV, lui a présenté un nommé Zoritz, major de hussards qu'on a fait lieutenant-colonel et inspecteur des troupes légères. Ce nouveau favori a dîné avec elle. On dit qu'il a reçu mille huit cents paysans pour son coup d'essai **. Après le dîner, Potemkine a bu à la santé de l'Impératrice et s'est mis à ses genoux. Elle a été, en sortant de table, à la manufacture de porcelaine, de l'air le plus gai, même le plus libre; car on dit que la bonne dame était grise [1048]. » Il y avait de quoi. Buvons au bonheur de Catherine. Elle ne lésine jamais sur ce genre de dépenses, même quand elle s'offre, pendant le règne officiel d'un favori, l'équivalent des petites filles que Louis XV se faisait apporter au Parc-aux-cerfs : « Zavadovski, qui a été favori de l'Impératrice en sous-ordre, a reçu de Sa Majesté cinquante mille roubles, cinq mille *(par an)* de pension et quatre mille paysans en Ukraine, où ils valent beaucoup, Conviens, mon ami, que ce métier est bon ici [1049]. » Corberon s'est mieux renseigné depuis. Il sera bientôt en mesure d'aligner devant Gilbert Romme des chiffres de nature à faire rêver un janséniste épris du bonheur universel : « Zavadovski, en fin de compte, reçut en dix-huit mois six mille paysans en Ukraine, deux mille en Pologne, dix-huit cents en Russie, quatre-vingt mille roubles de bijoux, cent cinquante mille roubles d'argent, trente mille roubles de vaisselle et dix mille roubles de pension. Zoritz obtint une terre en Pologne de cinq cent mille roubles, une autre en Livonie de cent mille, cinq cent mille roubles d'argent comptant, deux cent mille de bijoux, et une commanderie en Pologne valant douze mille roubles de revenu. Et cela en un an. Ces sommes sont encore faibles, comparées à celles que reçurent les Orlov (dix-sept millions de roubles), Potemkine (cinquante millions), Landskoï (sept millions deux cent soixante mille) et les frères Zoubov (trois millions et demi) ***. »

Bon, mais alors qui gouverne ce pays-là et pour quoi faire? Sous Louis XV, à la fin, on savait qu'il s'agissait de Mme de Pompadour, du duc de Choiseul, puis du duc d'Aiguillon. Sous Louis XVI, on sait qu'il s'agit de Maurepas et de Vergennes. Sous Catherine? Il faudrait quand même savoir si la Russie risque de se prononcer un jour pour la France ou pour l'Angleterre, au cas où la guerre se poursuivrait. Les deux courants sont personnalisés par chacun des deux hommes qui tiennent les rênes avec tant d'harmonie que le char de

---

* Cette scène contée par Corberon est de 1777, le 8 juin.
** C'est-à-dire d'un domaine important, quelque part en Russie. Dans ce pays sans cadastre précis, le seul moyen de délimiter et d'évaluer un tant soit peu les propriétés était le nombre de serfs, ou « d'âmes », comme on disait, qu'elles contenaient.
*** Les historiens spécialistes du règne de Catherine II évalueront finalement à plus de cent millions de roubles les sommes distribuées à ses favoris, soit quelque deux milliards de francs lourds [1050].

l'État marche à hue et à dia. « Il y a eu dans le Conseil *(le 22 septembre 1780)* une querelle très vive entre Panine et Potemkine. Ce dernier s'est montré ouvertement pour l'Angleterre et, voulant faire entendre que le comte Panine était vendu à la France, il a dit en plein conseil que les effigies de Louis XVI étaient excellentes pour marquer au *whist.* Panine lui a répondu que, s'il avait eu besoin de pareilles marques, il aurait plus facilement des guinées. La dispute est devenue si vive que Panine est sorti pour aller trouver l'Impératrice, qui est venue mettre le holà [1051]. »

Le travail de Catherine se réduisait souvent à cet arbitrage épuisant entre le prince des favoris, Potemkine, et l'un des seuls hommes de sa cour auquel elle ait abandonné le pouvoir sans interférences sentimentales, et qui n'en gouvernait que plus à l'abri des tempêtes. « Ce qui me surprend toujours, c'est la manière dont on travaille ici. Le comte Panine, qui est le Premier ministre, est dans le monde comme un grand seigneur qui n'a d'autre état que la Cour, et d'autre occupation que de savoir ce qui s'y passe. Il se lève fort tard, s'amuse à voir des estampes ou des livres nouveaux, fait sa toilette, donne audience, dîne, joue après ou dort, recommence à avoir du monde et à jouer, soupe et se couche fort tard [1052]. » « Ses seules affaires sont le sommeil, la panse et les filles. » On conçoit la colère de Panine quand le péril de l'insurrection l'avait obligé, en 1774, à se déranger pour aller au-devant de Pougatchev *. Un troisième homme tire parfois les marrons du feu, Grégoire Orlov, l'assassin de Pierre III. Il vit en marge de la Cour, mais Catherine ne sait pas lui refuser grand-chose. Il fait et défait encore les ministres d'un mot, depuis son vaste hôtel sur le quai de la Moïka, voisin de celui de Stroganov, où son lever est celui d'un satrape. « C'est une cour véritable, dont on n'a point d'idée dans nos pays européens. Nos princes du sang, nos ministres reçoivent habillés et donnent audience avec une sorte d'égards qu'on doit toujours au public. Ici les mœurs asiatiques y ont encore laissé cette mollesse du despotisme oriental, et chaque homme en place reçoit le public national avec faste et indolence... Le prince sortit de sa chambre pour entrer dans le cabinet où nous étions, en robe de chambre, les cheveux épars et une longue pipe à la bouche. On fit cercle, chacun adressa sa révérence, et j'avançai *(Corberon)* en faisant la mienne, pour dire au prince que j'étais venu plusieurs fois sans le trouver. Il m'interrompit dans mes remerciements, me prit par la main pour me dire qu'il était charmé d'avoir fait ce que je désirais, et qu'il était à mon service dans toutes les choses où je voudrais l'employer. Il s'assit dans un fauteuil, se fit mettre des papillotes, fuma et continua la conversation... Après avoir parlé à plusieurs personnes, il donna ordre qu'on me fît voir ses tableaux; comme on me conduisait, toute la cour du prince me fit haie, tant ici la faveur et ses reflets ont d'empire sur les individus [1053]! »

Ainsi va la Russie des réformes, sans grand espoir de changement à

---

* Voir tome I, p. 117.

l'horizon. L'héritier du trône risque d'aggraver encore tout cela. « Le grand-duc * non seulement est d'un caractère faible, mais il n'en a point du tout ; dur et cruel par nature, sa bonté n'est que l'effet d'un sentiment de crainte. Il hait sa mère qui le méprise et le croit indigne de la place à laquelle il est appelé. Sa naissance, au surplus, n'est pas ce qu'on pense. Pierre III n'est pas son père, et c'est un Soltikof qui lui a donné le jour [1054]. » Il vit retranché dans sa belle campagne de Pavlovski, au bord de la Néva, où il fait manœuvrer chaque jour ses gardes allemands dans la terreur de sa mère, qui n'est pas rassurée non plus. Lequel des deux tuera l'autre le premier? On sait déjà depuis plus d'un siècle que la Russie est « une monarchie absolue tempérée par l'assassinat ». A tout hasard, Catherine a confisqué ses deux petits-fils, Alexandre et Constantin, destinés à régner un jour l'un à Moscou, l'autre à Constantinople, et les fait élever à sa guise, en méditant de court-circuiter son fils, cette espèce de singe exalté. Les seules chances de vingt à vingt-cinq millions d'hommes et de femmes reposent sur la tête de ces deux enfants **.

Romme a compris. Lui aussi va se consacrer à la fabrication d'un petit roi : le bout d'homme que Stroganov lui a confié pour l'arracher à cette pestilence-là. Il va élever un vrai prince : un homme libre — du moins libre d'eux. Mais de lui?...

« Je n'ai ici qu'une seule occupation, qui absorbe tout mon temps, qui gouverne toute ma conduite et qui m'interdit impérieusement tout ce qui pourrait m'en distraire. Je ne connais ici aucune récréation ; je les refuse toutes pour être tout entier à mon objet [1055]. » A nous deux, mon petit Paul, c'est le même nom que le grand-duc, mais on appelle familièrement *Popo* ce garçonnet rieur, qui se serait sans doute bien passé du destin de cobaye des nouvelles méthodes. « Trois points principaux ont fait l'objet de mes recherches : le physique, les mœurs et l'instruction. C'est dans la lecture de Tissot, de Rousseau, de Locke et dans les entretiens fréquents que j'ai eus à ce sujet avec un ami éclairé, que j'ai puisé les idées que je soumets à votre examen [1056] », écrit Romme à Stroganov, dans l'un des rapports qu'il rédigeait à intervalles réguliers ***. Pauvre Popo! « Je deviens en ce moment pour lui un second père... » Cet enfant doit avoir eu une solide nature, pour ne pas s'être rompu sur les pavés des bonnes intentions qui

---

* Paul Petrovitch, né en 1754, et qui va effectuer en 1781-82 un long voyage en Europe. Il est en effet probable qu'il était le fils d'un des premiers amants de Catherine.
** Alexandre a quatre ans et Constantin un an en 1781. Le premier succédera à son père Paul Ier, effectivement assassiné en 1801, et régnera sur la Russie jusqu'à sa mort mystérieuse, en 1825.
*** « L'ami éclairé », c'est Golovkine, bien sûr. Tissot, c'est le grand médecin hygiéniste à la mode, auteur d'un traité sur l'*Onanisme*, qui est un redoutable maniaque de la répression sexuelle. Quant à John Locke (1632-1704), philosophe anglais non-conformiste, ses *Pensées sur l'éducation des enfants* en ont fait un précurseur de Rousseau. Il est regardé au XVIIIe siècle comme un apôtre de la liberté d'expression.

ont jalonné son enfance. Il semble que Romme ne lui ait pas laissé plus de latitude qu'à un dauphin. Équitation, natation, escrime, longues promenades à pied, bains froids, nourriture légère à base végétarienne, vêtements « simples et grossiers, sans aucune élégance », sommeil bref sur de dures couchettes... Ce n'était pas précisément l'imitation de saint Potemkine. Pour la formation morale, du Plutarque à hautes doses, Socrate au premier rang. « L'injustice de l'aréopage et la mort de ce sage l'ont attendri, et c'est au milieu de sanglots qu'il me dit, en poussant un long soupir :

« — Tous les gens de bien sont donc persécutés? Les plus vertueux sont donc les plus exposés à être tourmentés [1057]? »

Inflexiblement, Romme substituait dans l'esprit de l'enfant le culte de la loi à celui du Bon Dieu des orthodoxes. Le refrain qui revenait à la leçon de civisme était l'inscription gravée au défilé des Thermopyles par les derniers mourants du bataillon sacré :

— « Passant, fais savoir à Lacédémone que nous sommes morts pour obéir à ses lois. »

Mais, selon les préceptes de Golovkine, les pages d'histoire sont promptement tournées. Place aux mathématiques, à la physique, à la chimie, aux sciences naturelles et à leurs applications pratiques. « Je me suis fait une loi à laquelle je subordonne toutes mes jouissances : c'est d'édifier dans tous les instants mon élève en ne lui parlant que le langage simple et très peu poétique de la raison [1058]. » Un des amis de Gilbert, Jacques Démichel, venu grâce à lui de Riom à Saint-Pétersbourg pour devenir *outchitel* d'un cousin de Popo, écrira : « Romme n'a point changé et ne changera jamais. Toujours sérieux, toujours réfléchi, il ne vit que pour penser, pour procurer à son élève des connaissances nouvelles et augmenter les siennes. Plus j'apprécie ce qu'il vaut et plus je sens la distance qui nous sépare. S'il n'avait pas le cœur aussi sensible, ce qui me rapproche de lui, je crois que je me repentirais de m'être expatrié. Je ne connais personne qui porte la circonspection aussi loin. Rien absolument ne lui échappe de ce qui peut contribuer à l'instruction de son élève et à la formation de son jeune cœur [1059]. »

66/août 1781
Mourir le dernier

Le maître et l'élève vont aller voir de plus près cette Russie dont le petit Paul sera peut-être un jour, qui sait? Premier ministre, et où son père possède des domaines qui font de « Popo » l'héritier d'une monarchie plus étendue que la Hollande et plus féodale que le Dauphiné de l'an mille. Le « gouvernement » de Toula, où tourne l'une des plus grandes fabriques d'armes d'Europe, et dont le comte Stroganov possède la plupart des terres, contient 340 405 serfs, c'est-à-dire des hommes, des femmes et des enfants qui sont la propriété de leur seigneur au même titre que des bestiaux, des volailles, des chiens — ou des Noirs d'Amérique. On s'aperçoit du progrès des Lumières dans la Russie de la grande Catherine à ceci qu'on est en train de les recenser avec exactitude [1060]. Quant à modifier leur condition, c'est une autre histoire. En fait, elle change depuis une dizaine d'années, mais dans le sens de l'aggravation. Une certaine promotion industrielle et commerciale de la noblesse, favorisée par les oukases « réformateurs » de la Tzarine, implique une astreinte de l'ouvrier à son usine ou à sa mine et du paysan à sa terre. Les lois contre les « classes inférieures » ont donc mis à la disposition des gouverneurs et des intendants tout un arsenal répressif dont ils ne font pas faute d'user, surtout depuis la sainte frousse que la révolte de Pougatchev a semé dans les esprits « évolués ». Moyennant quoi des villes neuves se construisent, des sociétés agronomiques se constituent, des routes se tracent, et la richesse nationale s'accroît. Les revenus de l'État russe sont en train de passer de dix-sept millions de roubles, au début du règne de Catherine, à soixante-dix-huit millions [1061]. Et Catherine, qui se pique de précision tout autant que Frédéric II, vient d'envoyer à Grimm un bilan de ses quinze premières années de règne, qui va être publié par toute l'Europe au risque de faire rougir les autres souverains [1062] :

Gouvernements érigés selon la nouvelle formule	29
Villes bâties	144
Conventions et traités conclus	30
Victoires remportées	78
Édits mémorables, portant loi, ou fondations	88
Édits pour soulager le peuple	123

Grimm n'est pas obligé de dépouiller les gazettes publiées à Pétersbourg ou à Moscou. Il eût été contraint de corriger la grande information par quelques-uns de ces humbles faits divers qui en disent plus long qu'elle, mis bout à bout. Ainsi ces petites annonces que Romme a pu lire dans la Gazette de Saint-Pétersbourg :

« No 38. — A vendre un perruquier et une vache de bonne race.

« No 46. — A vendre toute une famille, ou un jeune homme et une jeune fille séparément. Le jeune homme est sain, robuste et sait friser les dames. La fille, bien faite et bien portante, âgée de quinze ans, sait coudre et broder. On peut les examiner et les avoir à un prix raisonnable [1063]. »

Ce n'est pas le privilège de Saint-Pétersbourg. A Moscou, chaque semaine, on avait le choix dans le *Moskovskié Védomosti* :

« A vendre un barbier et en supplément quatre bois de lit, un

édredon et autres pièces de mobilier. » « A vendre deux nappes de
banquet et aussi deux jeunes filles au courant service et une paysanne. »
« A vendre une jeune fille de seize ans, de bonne conduite, et une voiture
d'occasion à peine usagée. » « A vendre une jeune fille de seize ans,
connaissant le métier de dentellière, sachant coudre le linge, repasser,
empeser, et habiller sa maîtresse ; de plus, jolie de visage et bien bâtie. »

Le 8 juillet 1781, Romme et Paul Stroganov quittent Saint-Pétersbourg, ce balcon de l'Occident tourné vers la Russie, et s'enfoncent
dans les immensités de celle-ci, vers les monts Oural et la Sibérie,
en compagnie d'un « savant naturaliste », Peter Simon Pallas, qui les
aidera à inventorier les minéraux, les plantes, les terrains, et à observer
les étoiles. Voyage d'exploration bien caractéristique de l'époque.
Ainsi le jeune Lavoisier a-t-il parcouru l'Alsace et la Lorraine avant
son mariage *. « Ce voyage se fera lentement et sans gêne. Seuls maîtres
de nos actions, mon élève et moi, dégagés de toutes étiquettes, nous
n'avons avec nous que des gens de bonne volonté et joyeux de nous
servir... Un bas officier des gardes de S. M. nous accompagne pour
nous aider dans l'occasion et nous couvrir de toute la dignité imposante
d'un garde du corps [1064]. » On sent une allégresse, une délivrance dans
les lettres de Rome, qui n'en pouvait plus de l'hypocrisie des chaumières dorées où les grands de Pétersbourg cherchaient leurs trianons.
Ainsi le « Divan de l'Impératrice » : « C'est une petite maison champêtre
charmante, à deux verstes de Péterhof, dans les bois et auprès d'un
ruisseau. L'extérieur est celui d'une maison de paysan russe, tout en
rondins, mais intérieurement c'est la plus jolie chose possible. Il y a un
salon, une salle à manger et un divan tout en glaces, qui fait l'illusion
la plus agréable... Il y a beaucoup de goût dans ce petit réduit, et l'extérieur forme un contraste parfait avec le dedans. Les grandes portes
sont masquées avec d'autres qui figurent des masses de paille comme
on en voit dans une grange, et les fenêtres de glaces sont recouvertes
de volets qui figurent les rondins, et au milieu desquels on a pratiqué
une petite lucarne semblable à celles qui sont aux chaumières. Nous en
sommes en un point du luxe si raffiné qu'on revient à imiter la demeure
du pauvre, pour réveiller par le contraste notre goût émoussé par la
jouissance et la profusion [1065]. »

Ce n'est pas cette rusticité de carnaval que Gilbert procure à Popo.
Il l'avait élevé de manière « à ce qu'il aime les exercices physiques,
même violents, les longues marches, la fatigue. Or les voyages sont
favorables pour changer ces goûts en habitude et pour l'endurcir
à la faim, la soif, le chaud, le froid ». Fidèle aux préceptes du comte
Golovkine, il a choisi, comme voiture, la simple *kibitka*. Et il a voulu
emporter le minimum de provisions. Le lait, les œufs, les fruits, qui
étaient déjà la principale nourriture de son élève à Saint-Pétersbourg,
ne manqueront pas en route. « L'infortune et la misère n'ont qu'à
l'assaillir un jour ; elles pourront amaigrir son corps, mais son âme'

---

* Voir tome I, p. 245, la jeunesse de Lavoisier et son voyage d'études.

restera saine, heureuse et inébranlable. » A défaut de se passionner pour la chasse, Popo ira à la recherche des minéraux rares, la « chasse aux pierres ». Et plus encore qu'à la nature, il faudra qu'il s'intéresse aux œuvres de l'homme, surtout aux fabriques, aux fonderies, aux mines. « Popo ne saisira pas tous les détails d'une fabrique, tout l'ensemble d'une suite d'opérations qui constituent un art ; mais moi je les saisirai ; c'est à quoi je donnerai toute mon attention ; il sera présent et je n'aurai un jour qu'à rappeler à sa mémoire qu'en tel lieu on coule des canons, en tel autre on imprime des toiles... Il comprendra les entretiens que j'aurai avec lui dans un âge plus avancé [1066]. » C'est le marche ou crève du rousseauisme pour un Émile vivant : « Les mauvais chemins, les mauvais gîtes, la mauvaise nourriture et les marches fréquentes que nous faisons n'altèrent ni sa santé, ni son humeur [1067]. » « Il entre dans mes vues de donner à Popo des notions de géographie, d'agriculture, d'histoire naturelle et de lui faire connaître les mœurs et les besoins du peuple, plus en parcourant les campagnes avec lui qu'en dissertant froidement dans un cabinet. Et la Russie et le peuple russe sont les premiers objets vers lesquels j'ai tâché de diriger ses premières connaissances afin de multiplier les liens qui vont l'attacher à sa patrie [1068]. »

Ce peuple pris comme un livre vivant, il faut quand même d'abord l'approcher avec précaution ; les chiens battus ont la dent prompte. Au sortir de Saint-Pétersbourg, on traverse un cercle d'insécurité permanente. « Elle vient des désordres qui se commettent autour de la ville, par une race de vagabonds appelés *tawlinski*. Ce sont des domestiques sans condition, sans passeport, des déserteurs, des gens sans aveu, qui se sont réunis ensemble pour vivre de rapines. La couronne n'a pas veillé à ces gens dans le commencement, et on les a même employés à des travaux pour les maisons impériales, en les payant fort cher, ce qui a donné lieu à la fuite de quelques esclaves de seigneurs, qui, pour se soustraire à eux, sont venus demander de l'ouvrage à la couronne, qui a toléré et même défendu ces gens. Lorsque les travaux ont été finis, ces gens, n'ayant point d'ouvrage, ont craint de rentrer chez leurs maîtres, et ils se sont formés en troupe. Ils sont de quatre ou cinq mille selon les uns, et de treize mille selon les autres. Cela peut devenir sérieux.

« Il y a eu * une autre aventure assez sérieuse encore. Quatre villages, à soixante verstes de la ville, se sont révoltés contre les cruautés de leurs maîtres, qui sont Albrecht, colonel, Gerdof, brigadier, et Berkmann. Les paysans sont venus se plaindre à Volkov, gouverneur de Pétersbourg, qui leur a dit que par les nouveaux réglements ils étaient libres **, ce qui a exalté ces gens et les a poussés à des excès qui ont nécessité d'envoyer des troupes contre eux [1069]. » Qui sauvera les paysans de cette liberté-là ? « Au lieu d'envoyer des troupes enlever

---

* En août 1780.
** Il ne s'agit pas d'un règlement général de libération, mais « de quelques brevets de marchands lâchés par l'Impératrice à ceux qui lui présentaient des suppliques ».

subitement les plus déterminés, on a voulu faire des *oukases ;* cela s'est
ébruité, et le nombre des coquins s'est accru. Il ne serait pas surprenant que cela devînt sérieux. L'Impératrice a peur, dit-on ; elle n'ose
pas se promener seule dans ses jardins, et elle a ôté à Volkov le département de la police et du gouvernement intérieur de Pétersbourg,
à cause du peu de soin qu'il a eu [1070]. » Le pire, c'est qu'on n'est pas
trop sûr des soldats. Allons-nous revoir un Pougatchev sur les bords
de la Baltique? « Cela ne donne pas de la gaieté à la grande dame, qui
n'a déjà que trop d'humeur. Ces *tawlinski* la chiffonnent, et Potemkine
a eu une petite querelle avec elle à ce sujet. Il voulait qu'on les enve-
loppât avec des troupes, et c'était la bonne façon; l'Impératrice n'a
pas voulu qu'on prit ces moyens. D'autres personnes disent que
Potemkine et surtout Tolstoï * se sont opposés à ce qu'on envoyât
le régiment des gardes, parce que, comme il y a beaucoup de mécontents à cause du monopole qu'exerce Tolstoï, qui divertit *(sic)* l'argent
ou les denrées destinés pour les gardes, on craindrait qu'ils ne se joi-
gnissent à ces bandits, loin de servir à les prendre [1071]. » On a doublé
les piquets de sentinelles, et les gardes ont les fusils chargés, même
dans les couloirs du palais.

On comprend la détente de Romme, hors de cette atmosphère sous
globe. Le voyage en Russie est une sorte de périple spatial où l'on
roule à perte de temps sur des routes plates, un dépaysement
à l'état pur. « Il faut un peu plus de quatre verstes pour faire une lieue
de France. Chaque verste est marquée par un poteau planté sur le
chemin, avec le numéro de la verste. La meilleure manière de voyager
en Russie est d'aller nuit et jour, parce qu'il n'y a point de gîtes comme
en France ; on n'y trouve point de lits, et les maisons dans lesquelles
vous vous arrêtez pour manger les provisions que vous avez avec vous
ne peuvent vous donner que le couvert. Cette incommodité vient de la
manière dont voyagent les seigneurs russes ; ils emmènent avec eux
toute leur maison, lits, cuisine, etc. Les aubergistes deviennent alors
inutiles... Au surplus, les paysans sont naturellement hospitaliers,
ils vous reçoivent chez eux, quand vous voulez vous arrêter ; vous leur
donnez ce qu'il vous plaît, ils sont toujours contents [1072] », — ces paysans
que Romme va d'abord voir tout beaux, tout nouveaux, dans l'euphorie
de son escapade : « Le paysan passe pour esclave, il l'est puisque son
seigneur peut le vendre, le changer à son gré, mais généralement leur
servitude est préférable à la liberté dont jouissent nos laboureurs. Ici,
chacun a plus de terrain qu'il n'en peut cultiver. Le paysan russe éloigné
des villes est laborieux, plein d'industrie, hospitalier, humain, vivant
dans l'aisance généralement, et lorsqu'il a rassemblé pour lui et son
bétail toutes les provisions de l'hiver, il se livre au repos dans son isbe
(sic), s'il n'est attaché à quelque fabrique que les riches mines du pays
rendent nombreuses, ou s'il ne voyage pour son propre commerce ou
pour son seigneur [1073]. » De prime abord, la comparaison avec le sort

---

* Le comte Tolstoï, commandant de la garde impériale, trafiquait sur
les fournitures.

des paysans français lui paraît presque avantageuse. Romme avait été traumatisé par les droits de chasse qui écrasaient les campagnes autour de Paris, quand il se promenait sur les bords de l'Ourcq avec Mme d'Harville : « Partout, sous les murs de Versailles comme à cent lieues de là, le paysan est traité avec une barbarie qui révolte toute âme sensible. On pourrait dire même avec la plus grande vérité qu'ils sont plus tyrannisés ici que dans les provinces éloignées. On croirait que la présence des seigneurs doit soulager leur misère, que, témoins de leurs maux, ces messieurs doivent chercher à les soulager. C'est bien là le calcul de tout cœur honnête, mais ce n'est pas celui des gens de cour. Le plaisir de la chasse est recherché avec cette fureur qui lui fait tout sacrifier. Tous les environs de Paris sont mis en capitainerie, et, dès lors, défense au pauvre malheureux d'entrer dans son propre champ pour en arracher les mauvaises herbes qui étouffent son blé : à peine lui permet-on de veiller toutes les nuits pour chasser de sa vigne les cerfs nombreux qui la ravagent sans qu'il ait la liberté de les frapper. L'ouvrier atterri *(sic)* par un servile respect donne souvent à pure perte son temps et sa sueur au service de ces idoles livides et dorées dont il se voit repoussé inhumainement, s'il s'avise de demander ses salaires [1074]. »

Les *moujiks* ne souffraient guère des inconvénients de la chasse : leurs seigneurs s'y livraient peu, et disposaient pour elle de terres à l'infini. Mais Romme déchante de semaine en semaine à mesure qu'il approfondit, chaque fois qu'il peut surmonter l'obstacle de la langue. Comme le comte Stroganov était libéral à Saint-Pétersbourg! Mais vu de Toula... « Dans les domaines des Stroganov, en cas de fuites de paysans, l'intendant était puni par le *knout*, et les frais subis pour la recherche des fuyards portés à son compte; si on trouvait des serfs fugitifs dans le domaine, il devait débourser les frais d'enquête et du renvoi de ces hommes jusqu'à leur village [1075]. »

D'autres observations sur la condition réelle du peuple russe, notamment celle qu'il va faire sur les mineurs et les bateliers de la Volga auraient suffi à l'assombrir progressivement. Mais une lettre reçue quelque part entre Moscou et Nijni-Novgorod a suffi à le foudroyer. Finie la joie, Gilbert. Y a-t-il cru? Il n'était pas bâti pour elle. Golovkine est mort à Passy, le 4 août 1781.

« Sa mort jette de l'amertume sur tout ce qui m'entoure. En perdant l'espoir de passer le reste de mes jours avec lui, je perds le seul but de toutes les peines que je me donne ici; elles sont maintenant bien gratuites; si elles sont aussi infructueuses, je serai bien le plus malheureux des hommes. Ce respectable comte était à tous notre point de ralliement; c'est à lui que chacun de nous rapportait toutes ses affections, et je sentais que je vous aimais davantage parce que vous étiez aussi de notre culte [1076] », écrit Romme à Mme d'Harville, la seule amie vraie qui lui reste au monde, croit-il, et ceci montre bien la solitude de son cœur en Russie. « Il n'y a que vous, vous seule qui preniez en pitié le pauvre exilé... L'amitié! elle seule peut faire croire à la vertu, c'est elle qui, dans une triste position, me donne du courage et de la fermeté. Oui, je donne tout à elle! Et je sentirai moins mon isolement tant que je pourrai compter sur la personne qui a su le mieux apprécier le bon comte. Et s'il est vrai qu'on n'apprécie bien que ceux à qui nous ressemblons, je dois vous aimer autant que lui [1077]. » D'amour? Pas question. L'amour lui fait peur. Même à Pétersbourg, Romme le tient à bout de bras, en la personne d'une jeune femme sensible et lettrée, mademoiselle Daudet, une petite fille de la grande comédienne Adrienne Lecouvreur, la demoiselle de compagnie de la comtesse Stroganov. S'il avait voulu... Mais non. Ils s'écrivent de belles lettres. Ce sera tout. Il est bloqué par son enfance janséniste, l'image de sa mère, la honte du bonheur. S'il s'aventure au-delà du rationnel, c'est pour aimer quelques hommes, ou des femmes inaccessibles, comme la comtesse d'Harville, parce que l'amitié, c'est l'amour asexué, celui qui n'offense ni la raison, ni la vertu, du moins dans sa conception des relations humaines. Mais les sanglots que lui arrache la mort de Golovkine ressemblent à des plaintes amoureuses.

Romme « aux portes de l'Asie », en 1781 : une certaine solitude. « Souvent, pour entretenir mon âme dans une douce mélancolie, je m'enfonce dans l'épaisseur des bois... Hier encore, fuyant les intrigues des cours et le tumulte des cités, j'errais au hasard dans les plaines qu'arrose la Néva, non loin de cette ville fameuse qui porte le nom de son fondateur... Sensibilité! doux présent des dieux! ah ne m'abandonne jamais! j'aime jusqu'aux maux que tu fais souffrir, et s'il était quelque bien sans toi, je n'en voudrais pas. Puissé-je jouir toujours de tes délices, et puisses-tu m'accompagner dans les bras de la mort... Que je ne survive pas à la perte de mes amis. Tout me retracerait des souvenirs mille fois plus affreux que la mort même. Mourir n'est rien, mais mourir le dernier est le plus grand supplice. Ce n'est pas que je veuille hâter le moment où mon âme quittera sa frêle habitation. J'attends ce moment redoutable avec fermeté, et ne désire ni l'avancer ni le reculer [1078]. »

67/août 1781
Une assez jolie tournure

Le 30 juillet, Washington expédie à La Fayette une potion calmante en forme de lettre, la médication habituelle de leur correspondance depuis trois ans : « J'ai interprété votre lettre particulière du 20 * dans le sens que vous désiriez; j'ai considéré que vous vous exprimiez en toute franchise sans restriction aucune; je répondrai de même.

---

* Voir ci-dessus, p. 440.

Je suis convaincu que votre désir de rejoindre l'armée principale vient surtout de votre désir d'être utilement actif. Vous ne regretterez pas, par conséquent, de rester en Virginie jusqu'à ce que les choses se soient précisées, lorsque je vous aurai dit que, les ennemis ayant ramené à New York une partie de leurs forces de Virginie, il est plus que probable que cela modifiera nos plans. Nous avons, comme vous voyez, déjà exécuté une partie du plan de campagne arrêté à Wethersfield, et soulagé les États du sud en obligeant l'ennemi à rappeler une partie des troupes qu'il avait en Virginie; nous devons maintenant nous appliquer à les chasser entièrement de ces États, si nous ne sommes pas de force à faire le siège de New York. La difficulté est non seulement de rassembler les forces nécessaires pour y arriver, mais de réunir ces forces sur le point convenable et de transporter les approvisionnements et les munitions nécessaires à une telle opération. Vous savez qu'il est pour ainsi dire impossible d'y arriver par terre, sans parler des pertes considérables en hommes qui résultent toujours des longues marches et d'un service qui répugne. Je n'hésiterais pas cependant à braver ces difficultés, si grandes qu'elles soient, si nous n'avions l'espoir de pouvoir nous transporter d'une manière sûre, facile et rapide [1079]. »

La Fayette peut donc se rassurer : le rideau ne va pas tomber si vite sur son théâtre. Au contraire, les coulisses commencent à bruire sous l'afflux des acteurs. Est-ce à dire que Washington ait pris sa résolution définitive? Nullement. Il ignore encore la décision de Grasse. Il emploie les forces mixtes réunies à Philipsburg à des reconnaissances de plus en plus serrées sous New York, dans le style que Lauzun vient d'inaugurer *. « On fit, les 19, 21 et 22 juillet, une série de reconnaissances, qui permirent aux alliés de relever les ouvrages de la place et des îles adjacentes, sous l'habile direction de MM. Desandrouin et du Portail, chefs du génie des deux armées, et de M. de Béville, maréchal-général des logis de la française. Le chevalier de Chastellux et le général Lincoln en assuraient la protection avec un détachement composé des régiments de Bourbonnais et de Royal-Deux-Ponts, commandés par leurs colonels respectifs, des deux bataillons de grenadiers et chasseurs de Bourbonnais et de Soissonnais, aux ordres du vicomte de Rochambeau et du comte de Charlus, de la légion de Lauzun, avec son chef, et de deux mille cinq cents Américains. Il y eut beaucoup de coups de canon tirés de tous les ouvrages de New York et de tous les petits bâtiments de guerre qui faisaient la ceinture de cette isle, qui ne produisirent aucun effet... MM. de Lauberdière, de Closen, Berthier, de Vauban et de Damas, qui eut un cheval tué sous lui, s'y distinguèrent particulièrement [1080]. » C'est très beau, c'est très brillant, et c'est parfaitement inutile. Parvenu au contact quotidien de Washington, Rochambeau commence à se demander s'il n'est pas sous les ordres d'une sorte de Louis XVI de la guerre, à l'indécision d'autant plus incurable qu'elle est majestueuse. Les Français n'ont-ils troqué Newport et le camp des bras croisés que pour s'user dans un ballet de

---

* Voir ci-dessus, p. 43.

manœuvres sanglantes aux bords de l'Hudson? Barras et le commandant laissé à Rhode Island, Choisy, bombardent Rochambeau de
« Et alors? » désespérés. Il répercute ces interrogations sur Washington,
qui lui inflige, comme à un débutant, sa leçon sempiternelle de *wait and
see* * : « Il est presque impossible, dans les circonstances et l'incertitude
où nous sommes, de fixer un plan de campagne définitif. Les mesures
définitives dépendront des circonstances à l'arrivée du comte de Grasse
et surtout... de la situation de l'ennemi à ce moment, des secours
qu'il amènera ou de la force que nous aurons alors, des opérations de
la flotte au moment de son arrivée et des avantages qu'elle pourra
remporter, du temps enfin qu'elle restera sur ces côtes et de la supériorité maritime pendant son séjour [1081]. » Manquent l'âge des capitaines de la flotte française et le nombre de dents des gabiers de hune.
Sans de Grasse, la guerre s'embourbait une nouvelle fois. Le jeune
comte de Charlus, dans une extrapolation bien compréhensible, va
créditer son père de ce déblocage inespéré. Il écrit au marquis de
Castries (qui, après tout, a empêché le pire en ne liant pas formellement de Grasse par des interdits) : « Sans vous, je crois que nous serions
restés éternellement sur la défensive. L'arrivée de M. de Grasse, qui
nous est annoncée d'ici à peu de jours, va enfin nous mettre en état
de secourir l'Amérique d'une manière efficace. La Virginie sera dans
peu secourue, et, si les Anglais ne l'évacuent pas, nous devons nous y
couvrir de gloire [1082]. »
    Mais ce sera bien aussi parce que les Anglais l'auront cherché. Le
1er août, La Fayette, toujours installé à Williamsburg, apprend, à sa
grande stupéfaction, que Cornwallis a fait repasser la *James river* à ses
troupes, du sud au nord, et s'installe en force à l'extrémité de la *York
river*, trois lieues plus haut, où il occupe les deux villes qui en tiennent
les bouches : York au sud, Gloucester au nord. L'équation de Yorktown est posée, si clairement qu'on peut la schématiser sans le secours
d'une carte **, grâce au croquis ci-contre :
    Cornwallis est-il devenu fou à lier? Il venait, après des mois de mar-
ches et de contre-marches, de renoncer sagement à conquérir la Virginie avec ses seules forces. Il se trouvait à son aise au sud de la *James
river*, soit pour y occuper le terrain, soit pour se réembarquer tranquillement à Portsmouth. Et le voilà qui remonte s'aventurer à York, où il
risque d'être coincé entre la mer et les ennemis à l'extrémité de cette
péninsule formée par le cours des deux rivières et que les pionniers
anglais avaient appelée « le pays d'Elisabeth ».
    S'il manque de secours maritimes, si ce sont au contraire des vais-
seaux français qui viennent s'embosser à l'orée de la Chesapeake et
obturer le débouché des deux rivières, Cornwallis se sera jeté tête
baissée dans un des pièges les mieux bâtis par la nature pour qu'une
armée y soit perdue.

_____

* « Attendre et voir ».
** Il est cependant préférable de jeter un coup d'œil sur celle qui est placée en début de ce volume, au cas où l'auteur serait le seul à comprendre
cette tentative de transcription du militaire au littéraire.

Le pauvre lord n'est pas fou. Docile, seulement. Par force : son chef suprême est à portée de messages. Cornwallis aurait bien voulu s'offrir une désobéissance à la de Grasse. Mais sir Henry Clinton vient de le foudroyer par une de ces dépêches qui font les anthologies de la connerie militaire. Cornwallis lui avait écrit le 8 juillet qu'il se repliait sur Portsmouth pour s'y réembarquer, « un poste de défense en Virginie

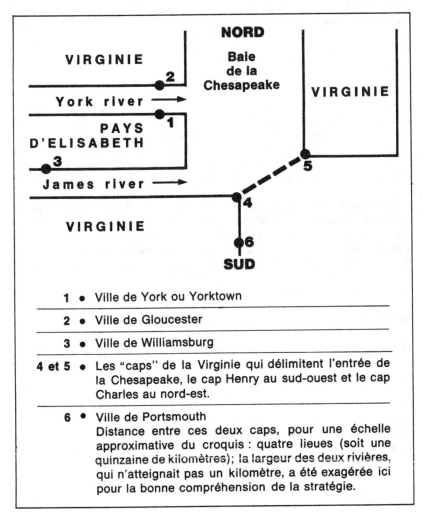

1 ● Ville de York ou Yorktown

2 ● Ville de Gloucester

3 ● Ville de Williamsburg

4 et 5 ● Les "caps" de la Virginie qui délimitent l'entrée de la Chesapeake, le cap Henry au sud-ouest et le cap Charles au nord-est.

6 ● Ville de Portsmouth
Distance entre ces deux caps, pour une échelle approximative du croquis : quatre lieues (soit une quinzaine de kilomètres); la largeur des deux rivières, qui n'atteignait pas un kilomètre, a été exagérée ici pour la bonne compréhension de la stratégie.

me paraissant ne devoir être d'aucun secours si nous devons poursuivre la guerre dans les Carolines; il ne servirait qu'à protéger quelques arpents de terres à fièvre, que l'ennemi nous reprendrait tôt ou tard [1083] ». Dans cet esprit, il avait évacué Williamsburg. Clinton l'avait réprimandé comme un sous-lieutenant « d'avoir pris une mesure aussi grave, aussi humiliante, que celle de repasser la *James river* et de se retirer à Portsmouth. Il importe de garder le contrôle de l'entrée de la Chesapeake, qui est de la plus haute importance pour la suite de la guerre. Je vous donne donc l'ordre formel, au nom de Sa Majesté, de prendre position dans un endroit sain sur la langue de terre entre les rivières James et York. Si vous avez déjà traversé la *James river*, il vous faudra retourner en arrière, afin de commander la partie basse du pays, appelée le *pays d'Elisabeth*, priver les rebelles de l'usage des deux rivières les plus navigables de la Chesapeake et empêcher l'ennemi d'y pénétrer. Je vous autorise, pour ce faire, à conserver tout ou partie des troupes que vous aviez reçu l'ordre de diriger sur New York [1084]. »

Demi-tour au nord, nord. Ordre et contre-ordre, c'est le principe militaire. Cornwallis avait philosophiquement renversé tout son dispositif, en se lavant les mains de la défaite éventuelle. Le voilà dédouané. L'Angleterre n'a pas de chance. Chez elle, comme en France, l'énorme machine de l'armée a rempli sa fonction habituelle, celle de tout vaste appareil à conception hiérarchique, en sécrétant le pire des commandements suprêmes par l'assomption automatique des nullités. Mais la pointe de la pyramide française est à Versailles, tandis que le Royaume-Uni a fait reposer la sienne à New York. Trop près des bons généraux.

La Fayette, déjà rasséréné par les lettres de Washington, apprend dans les premiers jours d'août que les Anglais ont en effet évacué Portsmouth *... mais pas pour New York. Qu'ils sont entrés dans la Chesapeake... mais pas pour remonter vers Baltimore ou Annapolis. Qu'ils ont débarqué à York et à Gloucester... mais ne cherchent pas à pousser, comme au printemps, vers l'intérieur des terres. « On dirait qu'ils songent à s'établir définitivement par ici [1085]. » Il comprend de moins en moins, mais pressent que quelque chose d'important se prépare et qu'il y tiendra son rôle. C'est le principal. Le flou de ses dépêches ne contribue pourtant pas à précipiter une résolution chez Washington. La Fayette flaire la trace de Cornwallis avec précaution, comme un chien courant celle du sanglier. « Quand un général n'a à compter qu'avec les chevaux et les hommes qu'il a devant lui, il peut éviter tout mouvement inutile ; mais quand il lui faut deviner les caprices d'une armée qui tourne avec le vent et n'est à portée ni des espions ni des reconnaissances, il doit nécessairement marcher à tâtons. » Le 6 août, seulement, il émerge du brouillard pour envoyer au quartier général des informations assez précises pour qu'elles constituent le premier pressentiment écrit de la victoire de Yorktown :

« Au lieu de continuer à remonter la baie, *Milord (sic)* a pénétré dans la *York river* et a débarqué à York et à Gloucester... Il ne faut pas vous étonner, mon cher général, des fluctuations de mes renseigne-

---

* Le plus gros de leur armée par mer, grâce à des transports qui l'ont débarqué en une journée aux bouches de la *York river*. Le principe qui a provoqué la décision de Clinton est celui de « la crispation » sur le terrain acquis, ce réflexe de vouloir garder la possession des points stratégiques en prévision d'un retour offensif, le même qui a présidé à toutes les catastrophes des « poches » et des « hérissons ».

ments. Je suis sûr que les délibérations des Anglais ont été presque aussi hésitantes... York est entourée par la rivière et un marais. Le passage est très étroit. Il y a pourtant une colline qui domine la ville, du moins si je suis bien renseigné, qui, si elle était occupée par les Anglais, prolongerait considérablement leurs ouvrages de défense. Gloucester est une sorte de langue de terre qui s'avance dans la rivière en face de York. Les vaisseaux anglais, dont le plus grand est un 44 *, sont entre les deux villes. Si une flotte entrait dans la baie en ce moment, nos affaires pourraient prendre une assez jolie tournure [1086]. »

68/août 1781
J'ai une grande nouvelle à vous annoncer

Elle vient, cette flotte. De Grasse appareille du Cap français au matin du 4 août, avec vingt-six vaisseaux de ligne et quelques transports. A bord, 3 289 hommes ont été prélevés dans ces belles « grandes casernes » qui se trouvent au pied des montagnes, à côté. d'un vrai « champ de Mars », au fond de l'agglomération par rapport au quai déployé au premier plan le long de la mer. Entre les casernes et le quai, la petite ville a été conçue, construite et baptisée à la française. Les rues, tirées au cordeau, découpent des pâtés d'immeubles bien carrés. La rue d'Anjou et la rue Dauphine vont de la rue de Rohan à la place d'Armes, et c'est la rue Saint-Louis qui relie la place Royale à la place de Clugny. On pourrait se croire à Aigues-Mortes, n'était la couleur des visages de la foule contrastée comme une glace vanille-chocolat. Trois mille habitants sont recensés dans les maisons de belle pierre à deux étages et aux balcons ouvragés, mais on n'a jamais compté les esclaves à profusion, trois à dix par bourgeois établi, qui triplent au moins le chiffre total de la population, à l'image de toute la partie française de la grande île d'Hispaniola, Saint-Domingue si l'on préfère, où vingt mille Français font travailler quelque cent cinquante mille métis et Noirs importés d'Afrique (métaphore pour « déportés »), par les sept cent vingt-trois vaisseaux négriers armés cette année à Nantes, à La Rochelle, à Saint-Malo et à Bordeaux. Il faudra augmenter leur nombre dès que cette maudite guerre sera finie, parce que la mortalité des esclaves continue d'excéder le taux des naissances en dépit du « Code noir », promulgué en 1685, qui leur garantit « la pratique de la religion catholique à l'exclusion de toute autre, la nourriture et les soins [1087] ». Mme de Saint-Apremont vient cependant de faire

---

* Le *Choron*, un vaisseau de 44 canons.

jeter tout vif son cuisinier dans le four de la rôtisserie, parce qu'il avait gâté la cuisson du bœuf entier qu'elle voulait offrir aux officiers de l'état-major de Bougainville. Ce mouvement d'humeur a compromis l'ambiance du bal [1088]. On enterre les corps des esclaves battus au sang par les contremaîtres des magnaneries, ou morts de faim parce qu'on ne les nourrit plus quand ils sont trop vieux, ou des filles enceintes d'un Blanc, ou des enfants mal venus, dans les grandes fosses ouvertes chaque année à bonne distance les unes des autres, loin de la ville, dans les terres perdues de la Morne du Diable [1089]. Comment évaluer avec précision ce manque à gagner? Grasse lui-même ne s'y retrouve pas dans les comptes des trois plantations de l'île où il a investi l'essentiel de sa fortune depuis dix ans. Son zèle à précipiter les événements n'est pas dépourvu d'intérêt bien compris. Il va chercher de la main d'œuvre *

L'activité de la ville et du port a été fourmillante ces jours-ci, dans l'agitation des beaux équipages, des officiers, des marins, des fantassins, des cavaliers et des charrois du ravitaillement, brassant et bousculant la foule des Noirs. Le 3 août, on a embarqué le gros de l'infanterie, des Agenois, des Tourangeaux, des gars du Gâtinais commandés par une trinité de Saint-Simon frères ou cousins, le marquis, le comte, le baron, tous des nobles picards descendants plus ou moins du duc qui avait joué un certain rôle à la cour de Louis XIV et sous la Régence **. Au matin du 4, il ne fait pas bon déranger l'amiral de Grasse sur le château de la *Ville-de-Paris :* si la flotte veut « débouquer » du Cap Français sans y laisser des plumes, elle doit attraper le vent de terre qui ne souffle qu'entre neuf et onze heures, et suivre en procession les deux seuls chenaux possibles à emprunter pour les forts tirants d'eau, entre les fonds hérissés de récifs et de bancs de sable. Deux vaisseaux ne peuvent s'y risquer de front. Ces monstres de toiles et de bois suivent donc docilement leur guide géant à la queue leu leu, dans les « débouquements des Caïques et de Mogane » jalonnés, comme des routes tracées en mer, par les épaves des bateaux échoués de-ci de-là pour avoir trop obliqué. A midi, tout va bien, on peut forcer la voilure : nul ne s'est perdu sur la Grande Iguane, la Petite Iguane, les Isles plates, les Etrilles, les Samana ou les Kroo-ked, entre cent autres. C'est grâce à toutes ces chicanes que le Cap Français est une des forteresses les moins vulnérables des Antilles. Les seules passes praticables sont couvertes par le feu des soixante canons du fort Picolet [1090]. Enfin, grâce

---

* Sur la condition des esclaves dans les établissements européens, voir celle — pire encore — des Noirs déportés en Guyane hollandaise, tome I, p. 534.
** Et dont on ignore alors qu'il était un des plus grands écrivains de tous les temps, puisque la première édition de ses *Mémoires* ne sera publiée qu'en 1829. Ici, le plus haut en grade, c'est le marquis, qui commande à l'ensemble des troupes embarquées et a confié les volontaires étrangers, 400 hommes, à son frère, le baron, et le commandement des canonniers à son cousin, le comte Henri, futur fondateur du « saint-simonisme ».

à la science de l'amiral — et à la technique éprouvée de Bougainville, que de Grasse ne peut pas supporter, mais dont il reconnaît la compétence en navigation — le « débouquement » est réussi. Les capitaines s'épongent le front. On peut s'éloigner relativement les uns des autres et prendre le « fond de souffle » des alizés pour naviguer à l'ouest, vers l'Amérique.

La Fayette continue pendant ce temps à observer et à envelopper du mieux possible les Anglais qui s'installent autour de Yorktown, sous la protection des canons de leurs vaisseaux. Il ne s'agit pas encore d'un encerclement : les Insurgents ont deux fois moins de soldats et de munitions que Cornwallis. On attend l'offensive de *Milord*, ou l'arrivée des renforts. Le 15 août seulement, Washington écrit à La Fayette la lettre qui change tout. Enfin du nouveau!

« Mon cher marquis,

... La frégate la *Concorde* est arrivée à Newport, envoyée par le comte de Grasse. Il devait quitter Saint-Domingue le 3 de ce mois, avec une flotte de vingt-cinq à vingt-neuf vaisseaux de ligne et un fort contingent de troupes de terre.

« Sa destination immédiate est la baie de Chesapeake; il y sera donc quand vous recevrez cette lettre, ou il devra arriver d'un moment à l'autre. Ceci étant, soit que l'ennemi conserve toutes ses forces, soit qu'il ne garde qu'un détachement, vous prendrez de suite la position qui vous permettra le mieux de vous opposer à une retraite des Anglais à travers la Caroline du Nord, ce qu'ils tenteront certainement lorsqu'ils nous verront en force...

« Il ne me reste d'ailleurs qu'à vous recommander la prudence et l'intelligence dont vous avez fait preuve au cours de cette campagne. Ayez soin par-dessus tout de garder secrète l'arrivée du comte; si les ennemis peuvent ne pas être avertis, ils resteront à bord de leurs transports dans la baie, ce qui serait pour nous la meilleure chance. Prenez des mesures pour vous mettre en communication avec le comte de Grasse dès qu'il arrivera, et concertez-vous avec lui pour utiliser au mieux vos forces, en attendant que vous receviez les renforts que je vous envoie d'ici [1091]. »

Est-ce à dire qu'ils ne vont pas venir en personne, Rochambeau et lui? Qu'il n'est pas encore décidé à joindre tout le poids des forces terrestres à celui des forces navales? Peu importe. La Fayette exulte. Il écrit à Wayne, le 20 août : « Je suis heureux de cette occasion absolument sûre de vous ouvrir mon cœur. J'ai une grande nouvelle à vous annoncer, mais que je vous prie, mon cher général, de ne communiquer à âme qui vive. Nous avons les meilleures raisons d'espérer un prompt secours par eau [1092]. » Son rapport du même jour à Washington est un flot de précisions pointilleuses mêlées à des effusions. Une réponse et un appel. « La plus grande partie des forces de l'ennemi est à présent à York, qu'il ne fortifie pas encore; mais il s'occupe de la défense de la langue de Gloucester, où il y a un corps assez considérable sous le colonel Dundass. Il y a un vaisseau de 44 canons à York; plusieurs frégates et quelques autres bâtiments sont échelonnés plus bas. On a laissé une petite garnison à Portsmouth. S'ils ont l'intention d'évacuer, du moins procèdent-ils avec une surprenante lenteur...

« J'écrirai aujourd'hui même au Monsieur *. Jusqu'à présent rien n'a encore paru. Je prendrai des mesures pour communiquer avec lui dès son arrivée.

« S'emparer de tout ce qui se trouvera sur les rivières, prendre possession des rivières elles-mêmes pendant que le corps principal défendra la baie, opérer la jonction avec les troupes de terre sur quelques points sûrs, arrêter l'ennemi sans rien livrer au hasard en attendant des renforts, tel est le plan que je propose...

« Nous pouvons compter sur deux mille cinq cents continentaux sans parler de l'artillerie, et sur trois à quatre mille miliciens, si c'est nécessaire.

« Le Maryland enverrait six cents miliciens pour le moins. J'ai deux cents dragons tout prêts avec leurs chevaux et n'attends plus que les équipements.

« Les choses sont dans une telle confusion, par ici, que l'on rencontre d'immenses difficultés pour installer des magasins convenables. J'ai néanmoins fortement travaillé dans ce sens... On trouve dans cet État de grandes quantités de bœufs, du blé, de la farine, très peu de rhum. Il faudrait très rapidement faire appel à l'État de Maryland. Les transports par eau, je l'espère, aplaniront nos difficultés. Si nous avions quelque peu d'argent, cela simplifierait bien les choses. La saison, très sèche, a mis la plupart des moulins hors d'usage.

« Nous n'avons aucun vêtement d'aucune sorte, pas de grosse artillerie en état. Nous aurons besoin d'armes, de harnachements de chevaux et de beaucoup de munitions. Vous seul avez assez d'autorité pour obtenir que l'on nous envoie tout cela en quantités suffisantes au fond de la baie.

« Dans l'état présent des affaires, mon cher général, j'espère que vous viendrez en Virginie, et que, si l'armée française prend cette route, j'aurai enfin la satisfaction de vous voir de mes yeux à la tête des armées combinées...

« Si une flotte française prenait possession de la baie et des rivières, et que nous eussions formé une force de terre supérieure à Cornwallis, son armée serait tôt ou tard obligée de se rendre, puisque nous pourrions avoir des renforts à volonté.

« Adieu, mon cher général; je vous remercie du fond de mon cœur de m'avoir ordonné de rester en Virginie : c'est à votre bonté que je dois les plus belles espérances qu'il m'ait jamais été permis de caresser [1093]. »

Tout bouge. La partie de quatre coins s'accélère. Le 21 août, les trompettes sonnent et les tambours battent dans toute l'étendue des camps américains et français, autour de Philipsburg. On s'en va !

---

* *Sic :* il s'agit de Grasse, mais La Fayette ne donne pas le nom dans la dépêche, en cas d'interception.

Branle-bas de combat! On attaque New York? Non pas. On va franchir l'Hudson à West Point, dont les formidables batteries découra-
geront les Anglais de remonter le fleuve pour venir inquiéter notre
passage. Et l'on continuera vers le haut de la baie de la Chesapeake,
à travers le beau pays « des Jersey ». On espère bien ne pas éprouver
à la pointe d'Elk la même déconvenue que La Fayette cinq mois plus
tôt * et trouver là une armada envoyée par de Grasse pour nous transporter à vive allure jusque sous Yorktown. C'est au tour de Washington de compter anxieusement, maintenant, sur son lieutenant français. Leur amitié prend ici sa dimension historique et même pathétique.
Pour que la manœuvre enfin déclenchée avec tant de retard et d'hésitation par les grands chefs, Washington, Rochambeau, Grasse, abou-
tisse à prendre les Anglais à la nasse de Yorktown, il faut que les deux
à trois mille hommes de La Fayette, les abandonnés de Virginie, se
débrouillent pour « fixer » Cornwallis : « Mon cher Marquis, j'ai le plaisir de vous annoncer ce que ma lettre du 15 vous faisait espérer, c'est
que les troupes destinées à opérer dans le Sud sont en marche. Le
détachement américain a déjà traversé l'Hudson. Je compte que l'armée française atteindra le gué aujourd'hui. La marche en avant continuera avec toute la célérité possible. Comme il est de la plus grande
importance pour la réussite de nos projets que l'ennemi, lors de l'arrivée de la flotte, ne puisse se retirer, je ne saurais trop vous répéter que
mon désir le plus ardent est que les troupes de terre et de mer qui sont
sous vos ordres combinent leurs opérations de telle sorte qu'elles
mettent l'armée anglaise dans l'impossibilité de s'échapper. Les moyens
d'arriver à ce résultat, je n'entreprendrai pas, à pareille distance, de
vous les indiquer. La connaissance que vous avez du pays, l'ayant
parcouru en tous sens, vous rend plus apte que qui que ce soit à en
décider. Vous avez dû faire des observations que votre talent militaire et votre sagacité sauront mettre à profit [1094]. »
    Le général de La Fayette est enfin devenu, cette semaine, indispen-
sable aux deux Mondes, pour une quinzaine de jours.

69/septembre 1781
Un enfant n'aurait pas l'air plus heureux

---

30 août. Les vaisseaux de l'amiral de Grasse arrivent sans encombre
en vue « des caps de la Virginie », à l'orée de la Chesapeake. Encore une
chance : ce camp-là a pu changer d'un coin à l'autre, dans la fameuse

---

* Voir ci-dessus, p. 340.

partie, sans être contrarié. Grasse redoutait pourtant beaucoup une interception en haute mer, avec tant de soldats embarqués qui eussent alourdi la manœuvre et doublé l'enjeu. Et les Anglais disposent d'effectifs maritimes supérieurs. Mais ils ont été, comme les Français, obligés de les disséminer pour veiller au grain à la fois sur les côtes d'Amérique et aux Antilles. Qui trop embrasse... La flotte anglaise, en cet été 1781, est divisée en deux puissantes escadres : celle de Graves, liée au sort des forces terrestres de Clinton, à New York, et celle des deux meilleurs marins du monde, Hood et Rodney, le second (vice-amiral) commandant au premier (contre-amiral) quand leurs forces sont réunies. De Grasse ne décolère pas contre le vieil imbécile de maréchal de Biron, le gâteux qui commande les forces militaires de Paris, l'oncle de Lauzun, auquel il doit d'avoir eu depuis cinq mois en face de lui le plus terrible combattant des mers, Rodney-la-mort. Quatre ans plus tôt, Rodney était prisonnier sur parole à Paris, où il avait été incapable d'acquitter un monceau de dettes. Il est de la race des vrais marins, aux bordées mémorables. Biron avait joué la guerre en dentelles : « Il est inadmissible de nous priver d'un ennemi de votre qualité. Je me porte caution pour vos dettes. » Rodney ne se l'était pas fait dire deux fois, et avait apporté à la marine de George III ce *punch* incomparable, au secret transmis dans le feu de l'action, depuis Drake par les amiraux aux aspirants de la *Royal Navy* : l'art de frapper au bon moment avec le maximum de forces [1095]. Mais c'est sur Grasse qu'il peut cogner. Pas sur Biron, bien tranquille dans les jardins du Palais-Royal.

Rodney, en juillet, était à Saint-Eustache des Antilles. Il faisait surveiller par ses corvettes la flotte de Grasse, dans son trou du Cap Français, comme le chat guette la souris. Mais Rodney tombe malade : les rhumatismes, la goutte, ce mal des grands marins à l'organisme délabré par l'alternance brutale de la mer et des plaisirs. Quinze jours d'hésitation. Les « chirurgiens » sont formels. « Il faut rentrer en Angleterre, *Milord*, pour vous y faire soigner — ou vous ne passerez pas l'année. » Le 1ᵉʳ août, Rodney a passé le commandement à Hood, qui n'est pas un débutant, certes. Mais avec des instructions évasives. Bon dans le combat, Rodney s'exprime mal sur le papier. « Si de Grasse appareille, ce sera sans doute pour aller à New York ; dans ce cas, tâchez de le précéder, en passant par les caps de la Chesapeake [1096]. » Hood a obéi — trop bien. Toujours l'obsession de New York. Les Anglais font force de voiles, en abandonnant les Antilles à leur tour, dès qu'ils apprennent le mouvement des vaisseaux français. Mais partant de plus bas (Antigua), avec de meilleurs vents, ils arrivent avant eux, le 25 août, à la Chesapeake. Pas de Français en vue. Ceux-ci sont donc en train de chercher noise à Clinton et à Graves, c'est sûr. Et l'amiral Hood a mis cap au nord. La place est libre pour de Grasse, qui n'en revient pas.

Libéré par l'action, Washington, de son côté, manœuvre vite et bien, en effectuant au passage une énorme feinte, toujours pour « fixer » les Anglais sur l'abcès de New York. « Afin de couvrir West-

Point et les États du Nord, trois mille hommes, aux ordres du général Heath, restent sur la rive gauche de l'Hudson, tandis que l'armée franco-américaine opère, quatre jours durant, sous les yeux de Washington, le passage long et difficile de ce fleuve, au moyen de bacs en nombre insuffisant. On descend ensuite la rive droite jusqu'auprès de Staten Island, à Chatam, où M. de Villemanzy avait fort judicieusement établi des fours et concentré des approvisionnements, en vue de l'attaque de New York. Puis, tout à coup, les généraux tournent court à droite, suivent le revers des montagnes de Jersey, se dirigent précipitamment sur la Delaware, dont les eaux sont basses, la franchissent à Trenton, et pénètrent à Philadelphie, en rendant, à leur entrée, les honneurs du défilé au président du Congrès, en présence d'une foule énorme [1097] », ce genre de foule qui jaillit du sol sous la baguette magique du vainqueur. Un mois plus tôt, Philadelphie se taisait, comme toute ville indécise. Confirmation de Fersen : « Tout paraissait annoncer le siège de New York. L'établissement de boulangeries et d'autres magasins à quatre milles de Staten Island, à Chatam, notre passage de la rivière du Nord et la marche que nous fîmes sur Morristown paraissaient indiquer que nous voulions attaquer Sandy-Hook, pour en faciliter l'entrée à nos vaisseaux. On ne tarda pas à s'apercevoir que ce n'était pas à New York que nous en voulions, mais le général Clinton en fut parfaitement la dupe ; c'est ce que nous demandions. Nous traversâmes le Jersey, qui est une des plus belles provinces de l'Amérique et l'une des mieux cultivées, et l'armée arriva, le 3 septembre, à Philadelphie. Elle traversa la ville en parade, et causa l'admiration de tous les habitants qui n'avaient jamais vu tant de gens habillés et armés uniformément, ni si bien disciplinés [1098]. » Les dieux sont avec ceux qui gagnent, comme les foules : le passage de la Delaware posait des problèmes difficiles... mais « nous fûmes assez heureux pour la trouver basse et la passer à gué auprès de Trenton [1099] », en profitant de ce moment béni où les grandes pluies d'été n'ont pas encore pris le relais de la fonte des neiges pour gonfler les cours d'eau.

Cela n'a pourtant rien d'un conte de fées chez ceux qui marchent, parce qu'elles arrivent sur eux, les pluies, tout juste avant de nourrir la Delaware. Pauvre Crèvecœur ! * : « Personne ne peut imaginer combien d'épreuves nous dûmes endurer pendant les six jours qu'il nous fallut pour marcher de Philipsburg à King's Ferry sur l'Hudson, à une distance de quarante milles. Il nous fallut six jours à cause d'un temps terrible et d'incroyables routes. Nous avons dormi chaque nuit en bivouac. Il y eut un orage terrible le 20 août. J'ai pataugé dans la boue et dans un horrible marais, avec tous les chariots et le train d'artillerie, ne sachant pas où j'étais ou comment j'en sortirais. Ce ne fut pas avant le lever du jour que je fus capable, avec de grandes difficultés, de me tirer de là. Pendant la marche depuis Philipsburg, je commandais l'arrière-garde de l'artillerie. Je ne doute pas que, si l'ennemi avait pu prévoir notre marche, il nous aurait causé beaucoup

---

* Sur Robert de Clermont-Crèvecœur, voir ci-dessus, p. 438.

d'ennuis [1100]. » Rochambeau écarquille les yeux devant l'allégresse
de Philadelphie, une joie d'anticipation : rien n'est joué. Si tous
ces gens savaient... « L'armée continentale, avec laquelle le général
Washington entamait une expédition beaucoup plus importante au
point de vue militaire, tant par la hardiesse de l'exécution que par les
résultats visés, qu'aucune de celles qu'il avait entreprises jusqu'ici,
ne comptait pas plus de deux mille hommes. L'élan passionné qui
entraînait le peuple au début de la Révolution s'était ralenti à tel
point pendant cet été de 1781, le pays était si épuisé par les incessantes
demandes des années précédentes, que le commandant en chef n'avait
pu réunir en cette heure solennelle que ce qui, très naturellement, ne
semblait au général Rochambeau qu'une poignée d'hommes...

« Les troupes françaises, quatre mille hommes environ, bien équipés
et disciplinés, commandés par le général comte de Rochambeau,
accompagnaient cette petite armée [1101]. »

Au seuil de la plus grande victoire, Washington craint d'arriver au
bord de la catastrophe, comme toujours dans les grands suspens
militaires de l'Histoire. Si Cornwallis se laisse encercler, et si de
Grasse débarque des renforts suffisants, tout sera gagné. Mais si les
Anglais peuvent repasser dans les Carolines et que leur flotte, battant
ou déjouant celle de Grasse, vient transformer le piège en contre-piège,
l'armée continentale, y compris le corps expéditionnaire français,
tombera dans la trappe à son tour.

C'est maintenant à La Fayette de réconforter Washington. Le
1er septembre : « Après un examen détaillé de l'état du pays et de nos
circonstances, j'espère que vous jugerez que nous avons pris les meilleures précautions, pour diminuer les chances que Sa Seigneurie
(Cornwallis) peut avoir d'échapper. Il lui en reste encore quelques-
unes, mais si précaires que j'ai peine à croire qu'il veuille les tenter.
S'il le fait, il faut qu'il abandonne vaisseaux, artillerie, bagages, une
partie de chevaux, tous les Nègres (sic) ; il doit être sûr de perdre le
tiers de son armée et courir le risque de la perdre toute, sans obtenir
la gloire qu'il peut acquérir par une brillante défense.

« Adieu, mon cher général ; l'agréable position où je suis est due à
votre amitié ; elle en est, par cette raison, plus chère à votre respec-
tueux serviteur et ami [1102]. » Pour une fois, son optimisme n'est pas de
commande. Il n'est plus seul. Le lieutenant Feltman, des bataillons de
Pennsylvanie, qui marche sous ses ordres, note le 2 septembre dans son
journal de marche : « Ce matin, au point du jour, les troupes se sont
mises en marche et ont campé en face de Jamestown, où un petit
vaisseau anglais était à l'ancre sous pavillon blanc. Nous avons attendu
deux heures l'arme au poing, espérant assister à un joli spectacle ;
enfin nous avons vu paraître de lourds vaisseaux, qui portaient environ trois mille soldats français, et aussi trois vaisseaux de guerre pour
couvrir le débarquement des troupes.

« Les troupes françaises ont débarqué sur la rive opposée, à James
Island ; là, elles ont campé, ce qui a causé une grande joie parmi nos
officiers et soldats. Je n'ai jamais vu spectacle plus beau et plus réconfortant...

« Petit tour pour apercevoir les troupes françaises, qui ont une magnifique apparence ; tous les hommes sont grands ; l'uniforme est blanc à parements et revers bleus, la culotte est blanche [1103]. » C'étaient les hommes du marquis de Saint-Simon, qui avaient eu le temps de fourbir leurs uniformes au Cap Français. Saint-Simon, quoique sensiblement plus âgé que La Fayette, et ayant grade de maréchal de camp, se place aux ordres de son cadet — en attendant l'arrivée de Washington qui remettra la hiérarchie en ordre — pour la bonne raison qu'il ne connaît rien au terrain et ignore la situation sur place. La Fayette épargne le tâtonnement à ce nouveau corps expéditionnaire français en sol américain, le second en importance après celui de Rochambeau. « Les chaloupes et canots de l'escadre remontèrent le James *(sic)*, et les troupes de Saint-Domingue débarquèrent, le 2 septembre, à Jamestown, à sept lieues d'York et à vingt des caps Charles et Henry, sans être troublées par les Anglais. Ces mêmes chaloupes servirent ensuite à passer les Américains sur la rive gauche du fleuve. Les deux armées furent ainsi réunies entre l'York et le James, Saint-Simon campant sur les bords de ce dernier cours d'eau et La Fayette à *Green Spring*. A la levée des camps, le surlendemain, on exécuta le pénible travail du transport de l'artillerie à force de bras à l'embouchure du marais. La dévastation du pays ne permit pas de monter tous les hussards de l'armée de M. le marquis de Saint-Simon. On ne put parvenir qu'à en monter environ la moitié. Ces premières forces alliées représentaient un ensemble de huit mille hommes... L'armée républicaine se composait de quatre groupes distincts : six régiments américains de troupes réglées et disciplinées, exercées, éprouvées, en état de combattre en ligne, formant un corps d'environ mille six cents hommes ; cent cinquante dragons, bien montés, exercés et maniant bien leurs chevaux ; deux mille cinq cents miliciens du pays et cinq cents *riflemen*, espèce de montagnards. Ces deux dernières troupes ne sont pas habillées, portent de grandes culottes avec ou sans souliers ; la dernière surtout forme un corps d'excellents chasseurs, bons tireurs, propres à la petite guerre dans les bois, mais nullement à combattre en ligne... Très peu de ces troupes sont tentées *(sic)*, presque toutes campent sous une claye, une baraque d'herbes ou de feuillages ; toutes sont sobres et patientes, vivent de farine de maïs, éprouvent des privations ou retards sans murmure, sont capables de fatigues et longues marches, qualités précieuses qui en font une infanterie vraiment légère. Elles ont d'ailleurs bon air, et la plupart sont de beaux hommes », selon le chevalier d'Aucteville, capitaine au corps royal du génie, un des mille et unièmes qui découvre l'Amérique et les Américains ce jour-là [1104].

« Son armée étant devenue formidable par l'adjonction de grands renforts de troupes régulières avec équipements et artillerie, le marquis de La Fayette se trouvait en situation de répondre au désir du général Washington de ne pas laisser échapper Cornwallis. Il marcha de l'avant le 4 septembre ; dans la nuit du 7, il occupa une forte position devant Williamsburg, avec son armée combinée, presque à portée de l'ennemi [1105]. » Ici se place l'épisode de la tentation de saint La Fayette par deux démons dans le désert de Virginie. De Grasse et Saint-Simon le supplient de donner sur le champ l'assaut à Cornwallis, qui est en train de fortifier Yorktown à tour de bras, mais n'a pas encore eu le temps de terminer son dispositif. Raflons les lauriers avant l'arrivée des autres ; remportons une victoire à quatre-vingts pour cent française. Part à trois... La suggestion correspond si bien au tempérament de La Fayette et à son comportement habituel qu'on n'en revient pas de son refus. Le commandement d'une force imposante lui inocule-t-il le virus de la prudence ? Ou bien est-il si filialement attaché à Washington qu'il veut faire d'une victoire à Yorktown un événement à conséquences politiques sur la suite des temps américains ? THE victory ? Il tient bon. « L'amiral et le marquis de Saint-Simon insistent ; ils me représentent avec force arguments qu'il n'est que juste, après une campagne aussi longue et aussi fatigante, terminée enfin heureusement, que la gloire de battre Cornwallis revienne à ceux qui l'ont réduit à cette extrémité [1106]. » Non, messieurs. La Fayette semble devenu économe du sang des soldats. La raison qu'il oppose lui fait honneur, même a posteriori : « Washington et le général de Rochambeau allaient arriver ; il valait mieux presser leur venue que d'attaquer dans des conditions moins bonnes et, pour une satisfaction personnelle d'amour-propre, d'exposer la vie des hommes. L'ennemi ne pouvait s'échapper : on le cernerait dès que les renforts seraient arrivés, et que de vies se trouveraient ainsi épargnées ! »

Si Washington a beaucoup donné à La Fayette depuis le jour de 1777 où il l'a distingué et consolé des humiliations de Philadelphie *, La Fayette lui paie aujourd'hui sa dette avec usure. Ce mois de septembre trouve les personnages changés : La Fayette circonspect et Washington — qui le croirait ? — exubérant. Ce dernier reçoit à Chester, sous Philadelphie, le 5 septembre, « l'agréable nouvelle de l'heureuse arrivée du comte de Grasse dans la baie de la Chesapeake, avec vingt-huit vaisseaux de ligne et quatre frégates... L'arrivée de la flotte causa un si grand plaisir au commandant en chef qu'il n'essaya pas de le dissimuler ; il lui donna au contraire un libre cours, le manifesta comme un enfant, au grand étonnement de tous ceux qui le connaissaient... Debout au bord de la rivière, à Chester, il agitait son chapeau en l'air en voyant approcher le comte de Rochambeau, et, avec mille gestes qui disaient sa joie, il lui annonça la bonne nouvelle... Je n'ai jamais vu d'homme pénétré d'une joie plus vive et plus franche que le fut le général Washington », raconte Lauzun ; et le colonel Guillaume de Deux-Ponts affirme que « loin d'avoir l'air hautain et impassible auquel ils étaient accoutumés, le commandant en chef était radieux, son visage brillait de contentement. Un enfant dont on viendrait de réaliser tous les désirs n'aurait pas l'air plus heureux [1107]. »

Tout ce qu'il a fallu pour en venir à cet entrechat !... On peut en effet prévoir que les choses vont maintenant se dérouler selon les règles d'un grand jeu cruel quand les cartes sont distribuées, le whist de la guerre. Cornwallis a perdu avant la bataille. Restent quelques forma-

---

* Voir tome I, p. 539.

lités pénibles pour ses soldats, ceux de Washington, de Rochambeau, de La Fayette et de Grasse : combattre et mourir pour donner raison aux stratèges.

Les marins vont payer les premiers : les escadres réunies des amiraux Graves et Hood, qui ont enfin compris où se situe le danger, arrivent au matin du 5 septembre à l'embouchure de la Chesapeake où ils vont chercher à enfermer la flotte française, voire à la détruire. C'est la dernière chance du grand empire atlantique anglais.

70/septembre 1781
Compléter l'histoire de l'homme

La Chesapeake. De Grasse remporte la victoire par une décision aventurée avant le premier coup de canon — et il en est presque toujours ainsi dans les grands combats navals [1108]. Sa flotte, engagée dans la baie, se trouve ancrée face aux embouchures des rivières de James et d'York au matin du 5 septembre, par le temps lumineux du premier automne américain, quand une frégate française d'observation, « toutes voiles dessus », double le cap Henry et manœuvre à portée de la *Ville de Paris*. Elle annonce qu'une flotte d'au moins dix voiles approche en haute mer, venant de l'est-nord-est, donc de New York, et cingle vers la baie.

De Grasse attendait le renfort de Barras. Mais s'il s'agit de Hood...

« — Allez voir de plus près, nom de Dieu! Avez-vous peur de vous faire faire un enfant? »

La frégate repart à vive allure, et s'approche suffisamment des nouveaux venus pour en recevoir une bonne ration de boulets. Elle revient une heure plus tard, la voilure en désordre, comme un chien des mers à l'oreille basse, pour confirmer toute crainte. Ce ne sont pas seulement dix vaisseaux, mais près d'une trentaine, dont vingt vaisseaux de ligne à deux ou trois ponts. Il semble donc qu'il s'agisse de l'essentiel des forces navales anglaises d'Amérique enfin réunies aux bouches de l'Hudson, et qui viennent ici jouer de leur côté le tout pour le tout en abandonnant Clinton à son sort pour quelques jours *. On va se battre à égalité, mais les Anglais disposent du vent du large et du maximum d'effectifs : près d'un millier de marins et quatre-vingt dix officiers de la flotte française sont engagés à terre dans les opérations de débarquement et d'installation des troupes de Saint-Simon.

---

* Ce n'est pas Hood qui commande — tant pis pour les Anglais — mais l'amiral Graves, à l'ancienneté.

Rien ne dit pourtant que les Anglais ont l'intention d'entrer dans la baie. Ils vont peut-être se contenter de croiser devant les caps en attendant l'occasion. Justement : si Barras survient sur ces entrefaites et tombe sur eux avec sa petite flotte, il sera coulé bas avant d'avoir pu faire ouf. De Grasse prend sa seconde résolution historique en décidant immédiatement le combat. Il ordonne, à dix heures du matin, l'appareillage immédiat. Tant pis pour les hommes à terre.

— Mais il nous faut deux heures pour lever les ancres, amiral!

— Pas question. Filez les câbles. Il faut repasser les caps avant midi. »

Arracher les ancres au cabestan et les ranger à force de bras, c'est en effet une opération de longue haleine qui mobilise une bonne partie des hommes du pont. On abandonne donc ces ancres au fond marin en « laissant filer leurs cables », soutenus par une grosse bouée qui permettra de les reprendre au retour... si l'on revient. A onze heures, obéissant à la sarabande des pavillons de signaux hissés par le vaisseau-amiral, les navires du comte de Grasse se chargent de toile et virent pesamment face au vent pour sortir de la baie. On peut imaginer les sentiments de La Fayette, de Saint-Simon, et des hommes laissés à terre : ceux d'une garnison soudain privée de son artillerie lourde et de ses communications.

La première bataille, la plus ardue peut-être, se livre contre le vent. Celui-ci souffle du large. Il faut que les voiles le prennent à soixante ou soixante-dix degrés et que les matelots pèsent de tout leur poids pour compenser sur les énormes barres de gouvernail. Comble de contrariété : la marée monte et crée vers la terre un fort courant ascendant qui refoule les vaisseaux et leur donne une démarche de mastodontes ivrognes dans les bordées qu'ils tirent avec prudence car « la passe utile entre les caps Charles et Henry n'est en fait que de quelques milles *, en raison de la présence d'un dangereux banc de sable au milieu du passage [1109] ». Il est impossible d'attendre le renversement de la marée : les Anglais auraient le temps de se déployer à loisir en face de la seule passe possible, et de foudroyer les vaisseaux français l'un après l'autre, comme à la chasse au renard. La victoire de la Chesapeake est donc d'abord une victoire sur la Chesapeake.

Elle sera remportée en premier par l'*Auguste*, cet énorme cachalot-pilote à quatre-vingts canons, qui donne le branle à toute la procession, puisqu'il est le vaisseau principal de l'avant-garde — ou plutôt par son commandant, Louis de Bougainville, ce jeune marié de cinquante-deux ans ** que la guerre importune, parce qu'elle retarde les travaux d'exploitation et d'analyse de ses voyages. Quand donc pourra-t-il aller au pôle Nord? Quand pourra-t-il rencontrer les survivants de la catastrophe de l'homme qu'il estime le plus au monde, un Anglais par malchance, le capitaine Cook, son homologue, pour confronter leurs

---

* Voir le schéma p. 463 et la carte générale au début de ce livre.
** Bougainville a épousé le 27 janvier 1781, à Brest, une demoiselle de Longchamp-Montendre, qui lui donnera un fils à la Noël de la même année.

observations sur les grands passages maritimes? Au début de la
guerre, sur sa suggestion, Sartines avait donné l'ordre à tout vaisseau
français d'épargner le capitaine Cook si l'on rencontrait ses vaisseaux,
en train de faire leur troisième tour du monde. Les indigènes des îles
Sandwich s'étaient chargés de lui régler son compte *. Mais Bougainville sait qu'on vient de publier à Londres le *Journal of captain Cook's
last voyage* **, et attend avec impatience de pouvoir le lire pour savoir
si oui ou non il existe, ce fameux passage du Grand Nord. Et même si
non, il y a encore de par le monde tant d'îles à découvrir, tant de civilisations à étudier, pour lui et pour ce jeune officier de douze ans son cadet,
Jean-François Galaup de La Pérouse avec lequel il vient de passer de longues veillées à rêver de toutes les mers du globe à Brest ou au Cap Français, pendant que leurs brutes de camarades ne pensaient qu'à fourbir les
canons pour réduire les Anglais en boudin... Bougainville a horreur
des armes. C'est pour naviguer et étudier les hommes de toutes
les peaux et de toutes les langues qu'il a quitté voici vingt ans
l'armée de terre et son régiment du Rouergue pour entrer dans la
Marine et partir autour du monde grâce à la protection de Choiseul.
Pas pour conquérir : pour apprendre. « Les usages des Européens sont
à cet égard trop complètement ridicules. Les philosophes doivent gémir
sans doute de voir que des hommes, par cela seul qu'ils ont des canons
et des baïonnettes, comptent pour rien soixante mille de leurs semblables *** ; que, sans respect pour leurs droits les plus sacrés, ils
regardent comme un objet de conquête une terre que ses habitants ont
arrosée de leur sueur et qui, depuis tant de siècles, sert de tombeau
à leurs ancêtres... Les navigateurs modernes n'ont pour objet, en décri-
vant les mœurs des peuples nouveaux, que de compléter l'histoire de
l'homme ; leur navigation doit achever la reconnaissance du globe,
et les lumières qu'ils cherchent à répandre ont pour unique but de
rendre plus heureux les insulaires qu'ils visitent et d'augmenter leurs
moyens de subsistance [1110]. » Bougainville et La Pérouse, disciples de
Raynal?... Le roi de France envoyait de drôles d'apôtres sur les mers.
Le premier lui a quand même fait cadeau des îles Malouines **** et
se prépare, tout grognon, tout appliqué à la géométrie des courants, du
soleil et des vents, à « compléter l'histoire de l'homme » en sortant correctement l'escadre de ce bon sang de mouillage de Lynnhaven, où elle
a failli se faire engluer entre le cap Charles et le cap Henry.

C'est chose faite en trois quarts d'heure. Pour l'avant-garde du moins,
« l'escadre bleue et blanche » de Bougainville, le *Languedoc*, le *Citoyen*,
le *Glorieux*, le *Souverain*, le *Diadème* et la *Médée* suivant l'*Auguste*.
Comme toute flotte importante, les Anglais et les Français ont réparti
leurs forces chacune en trois groupes à peu près équivalents, ce qui

---

* Le 14 février 1779, ils avaient tué Cook sur la plage au cours d'une
sombre bagarre à propos de ravitaillement.
** « Journal du dernier voyage du capitaine Cook. »
*** Évaluation approximative de la population de cette partie du monde
qu'on commence à nommer l' « Océanie ».
**** Aujourd'hui, les îles Falkland.

assure la cohésion de la manœuvre. Même au plus ardent d'une mêlée, sept à dix vaisseaux ne peuvent pas se perdre de vue et restent souples dans la main de leur chef d'escadre. Derrière l'escadre de Bougainville, donc, il faut que les deux autres groupes de navires français, le « corps de bataille principal », ou « escadre blanche », neuf navires dont la *Ville de Paris*, portant de Grasse, joue le rôle de mère poule, et les neuf de « l'escadre bleue », commandée par Monteil, puissent passer et se déployer face aux vingt vaisseaux de ligne et aux sept frégates des Anglais qui arrivent droit sur eux « grand largue », c'est-à-dire en réduisant l'allure le plus possible pour garder le vent. Hood commande l'avant-garde sur le *Barfleur* * ; Graves est sur le *London*, au milieu du corps de bataille principal anglais, et Drake, un descendant du grand ancêtre, mène leur arrière-garde sur la *Princessa*.

Midi trente. L'heure du plus grand danger. L'escadre de Bougainville, seule dégagée, se déploie en bataille. Les Anglais sont presque à portée de canon, à trois contre un, puisque le reste des vaisseaux français défile encore en arrière dans le chenal. Si l'amiral Graves se rend compte de l'occasion, il peut profiter du vent arrière, se jeter sur l'avant-garde française isolée, la tourner, la détruire ou la capturer... « Il dépassera les rêves les plus merveilleux qu'un chef de mer ait jamais osé formuler [1111]. » Mais, soit prudence, soit excès d'ambition (peut-être a-t-il voulu attendre le gros de la flotte française pour l'anéantir, la croyant moins nombreuse), Graves ordonne à ses capitaines des évolutions à la fois classiques et compliquées qui les font se dérober provisoirement, puis revenir en majesté sur une ligne déployée parallèlement à celle que le vent va contraindre les Français de prendre. On va donc défiler bord à bord en se canonnant, comme à Ouessant **, mais à forces égales. A treize heures quarante-cinq, un profond soulagement s'empare des officiers français : leur éléphant sacré, la *Ville-de-Paris* ***, lourdement dégagé du chenal, vient prendre sa place dans la ligne de bataille... entre le *Destin* et la *Victoire*. Sur la dunette, visible de loin à l'œil nu dans son costume d'apparat, la poitrine barrée par un large cordon rouge, de Grasse, dominant tout le monde d'une épaule, a quelque chose d'un géant des mers.

Quel silence, jusqu'à deux heures environ, sur cette immense manœuvre ! Rien que le vent, des poignées de cris perdus à la mer, le glissement des grosses masses blanches et dorées selon des lois mystérieuses. Mais on va réveiller les poissons : les Anglais disposent de mille quatre cent dix canons, contre mille huit cents aux Français. La légère différence ne profitera guère à ceux-ci, faute des hommes laissés à terre. Certaines pièces vont manquer de servants. Et les Anglais, aux coques presque

---

* Les bateaux capturés dans les combats précédents gardaient leurs noms d'origine. C'est ainsi que Grasse compte un *Northumberland* dans son escadre.
** Voir ci-dessus, p. 37.
*** Construit sous Louis XV par une souscription des marchands parisiens, au temps où il fallait que l'aide privée suppléât la carence du budget de la marine royale.

toutes doublées de cuivre, recevront mieux les coups, qu'ils rendront
également plus fort à cause de leurs énormes *caronades*, ces canons à
puissance triple, récemment fabriqués dans les arsenaux de Bristol.

Quatorze heures trente. Confiant donc, malgré son erreur d'estime
sur le nombre de bateaux français, Graves ordonne de venir au contact.
Mais une erreur de signaux fait dévier l'escadre de Hood hors de portée.
Elle va manœuvrer désespérément pendant deux heures pour revenir
sur le champ de bataille. Il sera trop tard.

Quinze heures : le centre et l'arrière-garde anglaise engagent le feu
avec l'avant-garde française *. Tonnerre, écume et feu. Vérité des
quelques minutes pour lesquelles on construit toute une vie d'officier
de marine, et travaillent tant de bras, tant de sueur dans les chantiers
pour tant de bois, de fer et de toile, et cette infinie patience des océans
traversés et retraversés... Les vaisseaux roulent comme les dés sur le
tapis de la mer. La première bordée anglaise tue M. de Bourdet, commandant du *Réfléchi ;* huit vaisseaux anglais parviennent à concentrer
leurs feux sur le *Pluton*, la *Bourgogne*, le *Marseillais*, le *Diadème*... qui
prend feu. La *Princessa* s'en approche pour l'achever. Le *Saint-Esprit*,
mais oui, le navire sur lequel Chartres a joué et perdu sa réputation
trois ans plus tôt **, vient à la rescousse et crible la *Princessa* d'un tel
orage qu'elle rompt, tout éclopée. Quand les deux « corps de bataille »
principaux défilent en se crachant dessus par dizaines de sabords, la
mêlée devient très chaude. Le *Shrewsbury* perd deux mâts... et la jambe
de son capitaine. L'*Intrepid* a ses deux vergues de hunes coupées et ses
bats mâts endommagés. Le *Montagu*, dont les trois mâts ont la trem-
blote, doit carguer ses voiles. L'*Ajax* fait eau et prend de la gîte. Le
Terrible aussi, mais plus forte ***, sous les coups que l'*Auguste*, de
Bougainville, concentre sur lui. Pour quelqu'un qui n'aime pas la
guerre, Bougainville cache bien son jeu. Il enrage un moment parce que
sa bouline de misaine est arrachée **** et que son navire, faute de
pouvoir ruser avec le vent, risque de tourner comme une toupie.
Coup sur coup, deux marins envoyés pour remettre la bouline dans
la mâture sont abattus par les tireurs anglais postés dans les hunes de la
Princessa, car cette mousqueterie cruelle fait aussi partie du jeu de la
bataille navale, et les tireurs d'élite, à la chasse du gibier de mer,
s'offrent chacun son officier ou son gabier ennemi...

« — Ma bourse à qui repassera cette bouline ! » crie Bougainville.

Un troisième gabier y va *****, non sans lui répondre au passage :
« — Amiral, nous ne faisons pas ça pour de l'argent [1112] ! »

Cinq heures du soir. Le vent faiblit. La ligne française a mieux tenu
que celle de l'ennemi, c'est-à-dire que de Grasse, l'un des plus remar-

---

* La bataille de la Chesapeake (toile de Gudin au Musée de Versailles)
sert de fond à la jaquette de ce livre.
** Voir ci-dessus, p. 39.
*** Il coulera quatre jours plus tard.
**** Bouline : cordage qui servait à tenir une voile de biais.
***** Le gabier était le matelot entraîné spécialement à la manœuvre
et à l'entretien du gréement.

quables officiers navigants du siècle, a su garder ses vaisseaux
bien groupés, malgré les vicissitudes du combat. Cahin-caha, les
amiraux tentent sans conviction de rameuter les armées navales l'une
contre l'autre, ne fut-ce que pour l'honneur : après tout, aucun vaisseau n'est perdu, le match est nul. Mais le soleil va se coucher dans une
heure, et l'amiral Graves, un petit homme voûté au teint bleu à force
d'être rouge, est harcelé par les messages vengeurs que Hood lui envoie
par corvettes. Sur terre, ils se battraient en duel. Ah! si Rodney avait
été par ici!

A six heures trente, le feu cesse, faute de vent, faute de jour. Les
Anglais ont quatre-vingt-dix morts et deux cent quarante-six blessés.
Les Français soixante morts et moins de deux cents blessés. Chacun
reste sur ses positions : de Grasse à portée de la baie, Graves un peu
plus au large. Qui donc a gagné cette petite bataille aux conséquences
infinies? Il faudra cinq jours pour savoir. Du 5 au 10 septembre, les
flottes vont se défier de loin, à travers les grains et les bonaces, et vien-
dront — le 7, le 8, le 9 — si près l'une de l'autre qu'on s'attendra à la
seconde manche. C'est seulement au soir du 9 que l'amiral Graves
hissera le signal de la retraite générale et retournera vers l'Hudson.
De Grasse se garde de le poursuivre : la France a cause gagnée, puisqu'il est convenu que le perdant, c'est celui qui se dérobe. Au vrai,
Graves a trop de vaisseaux et d'hommes malades pour songer sérieusement à une reprise. Et il lui faudrait précisément forcer les passes
de la Chesapeake, ce à quoi il vient d'échouer, pour trouver à Yorktown
de l'eau, des vivres, des munitions et des ambulances. Quant à remâter
et calfater — c'est New York ou Charlestown. Il remonte à New York.
Cornwallis est perdu.

De Grasse retourne dans la Chesapeake où les soldats *insurgents*
et français ont l'impression d'assister au miracle de la multiplication
des bateaux : profitant de l'empoignade des deux grandes flottes, douze
vaisseaux de ligne et dix-huit transports, chargés des troupes et de
l'artillerie de siège laissées à Newport, se sont glissés le long de la côte,
comme une vulgaire entreprise de cabotage venant du Nord. Barras a
été fidèle au rendez-vous.

71/septembre 1781
Le bonheur d'une famille heureuse

Yorktown. Une bataille gagnée, elle aussi, avant d'être livrée. La
résultante d'un calcul, ou d'une mécanique enfin bien appliquée.
L'armée de Cornwallis et, avec elle, la moitié de la présence militaire

anglaise sur le nouveau continent, va être broyée « comme une canne à sucre dans un moulin ». Il suffisait de faire tourner tous les rouages dans le bon sens en même temps. Il n'y a pas, pour cette fois, d'ingénieur principal : tout se résoud par une sorte de complicité générale des chefs alliés.

On a fêté la victoire avec un bon mois d'avance à Philadelphie, devant Washington et Rochambeau qui faisaient bon visage malgré leur angoisse des nouvelles de La Fayette et de Grasse. La ville se retrouvait capitale de l'*Independence*, siège du Congrès rasséréné, et reprenait son air de cité-pilote pour l'avenir. « Le séjour des alliés est l'occasion d'un extraordinaire mouvement mondain et populaire ; on rit, on danse, on trinque. Le 3 septembre, M. de La Luzerne *(l'ambassadeur de France)* reçoit à dîner Thomas M. Kean, président du Congrès, Washington, Rochambeau, et les principaux officiers français. Le 5, dans la journée *(celle de la bataille de la Chesapeake)*, le régiment de Soissonnais manœuvre devant les habitants ; il se fait admirer et acclamer pour sa tenue martiale [1113]. » L'émerveillement est réciproque. Clermont-Crèvecœur ne croyait pas pouvoir découvrir une plus belle ville que Versailles — et pourtant ! « Il nous a fallu une heure et demie pour traverser cette belle et grande cité. Nous avons défilé devant la *State House (Independence Hall)* où les membres du Congrès étaient assemblés sur les marches, devant. Nous les avons salués, puis nous avons défilé devant la maison du chevalier de La Luzerne, où le gratin de la ville était assemblé. Puis, nous allâmes camper au bord de la rivière Schuylkill, à un mille de la ville. Cette rivière se jette dans la Delaware au-dessous de Philadelphie, en vue de la ville. Si les habitants de Philadelphie continuent à construire, les murs de la cité seront baignés par les deux rivières ; j'ai entendu dire que c'était leur projet. C'est certainement la ville la plus étendue du monde. Elle est construite sur une plaine de dix à douze milles de diamètre sur la rive droite de la Delaware. De grands et beaux navires peuvent monter jusqu'à la ville. qui est extrêmement large et bien construite *.

« Les maisons sont en brique, et les rues sont larges et parfaitement droites, avec des passages pour piétons sur les deux côtés **. Il y a un grand nombre de boutiques richement achalandées. La ville a quarante mille habitants. Dans *Market Street*, il y a deux immenses marchés en brique, dont l'un est le marché d'alimentation. Je ne peux leur trouver aucun défaut, sauf qu'ils sont au milieu d'une superbe rue qu'ils ont complètement abîmée. Le port, le long de la Delaware, a près deux milles de long et est fait d'un seul quai, qui est remarquable seulement pour sa longueur.

« La *State House* où le Congrès se réunit n'est qu'un vaste bâtiment sans décoration. Il n'y a rien de somptueux dans la salle où siègent

---

* L'un d'eux, le *Pennsylvania Packet*, avait ramené là Franklin, chassé d'Angleterre, le 5 mai 1775. Voir tome I, p. 183. L'agglomération urbaine a maintenant largement absorbé le confluent des deux rivières et compte plus de trois millions d'habitants.
** Des trottoirs.

les députés. Une longue table couverte d'un tapis vert et quelques
chaises sont les seuls meubles. Il y a plusieurs très jolies églises protestantes, comme il y a deux belles églises catholiques [1114]... » et cela aussi
est un nouveau monde pour un Français : celui où les confessions
voisinent et se tolèrent. Fersen, pour sa part, découvre la Virginie avec
des yeux d'explorateur : « Nos cantines, bien fournies de pâtés, de jam-
bons, de vin et de pain, nous ont empêchés de nous apercevoir de la
misère qui règne dans les auberges, où on ne trouve que du salé, et
point de pain. En Virginie, on ne mange que des gâteaux faits de farine
de blé de Turquie *, qu'on fait rôtir un peu devant le feu ; cela durcit
un peu le dehors, mais le dedans n'est que de la pâte non cuite. Ils ne
boivent que du *rhum*, c'est de l'eau-de-vie de sucre, mêlée avec de
l'eau ; c'est ce qu'on appelle du *grogg*.

« Les pommes ont manqué cette année, cela les a empêchés d'avoir
du cidre. A deux cent cinquante milles d'ici, dans la partie de la Virginie qu'on appelle les *Montagnes*, c'est tout différent. Le pays est plus
riche, c'est là que se fait la grande culture du tabac, et la terre y produit
du blé et toutes sortes de fruits ; mais dans la partie qui avoisine la mer,
et qu'on appelle la *Plaine*, où nous sommes, on ne cultive que du blé
de Turquie. La principale production de la Virginie est le tabac ; ce
n'est pas que cette province, la plus vaste des treize, ne soit
susceptible d'autres cultures, mais la paresse des habitants et leur
vanité sont un grand obstacle à l'industrie. Il semble en effet que les
Virginiens soient une autre race de gens ; au lieu de s'occuper de leurs
fermes et de faire le commerce, chaque propriétaire veut être seigneur.
Jamais un Blanc ne travaille, mais, comme aux îles, tout l'ouvrage
se fait par des Nègres esclaves qui sont surveillés par des Blancs, et il y
a un intendant à la tête du tout. Il y a en Virginie au moins vingt
Nègres pour un Blanc ; c'est ce qui fait que cette province n'entretient
que peu de soldats à l'armée. Tous ceux qui font le commerce y sont
regardés comme inférieurs aux autres ; ils disent qu'ils ne sont pas
gentilshommes, et ils ne veulent pas vivre en société avec eux. Ils ont
tous les principes aristocratiques et, quand on les voit, on a peine à
comprendre comment ils ont pu entrer dans la confédération générale
et accepter un gouvernement fondé sur une égalité de condition parfaite ; mais le même esprit qui les a portés à s'affranchir du joug anglais
pourrait bien les engager à d'autres démarches, et je ne serais pas
surpris de voir la Virginie se détacher, à la paix, des autres États.
Je ne serais pas même surpris de voir le gouvernement américain devenir une aristocratie parfaite [1115]. »

« Mais venez vite, mon général », écrit à Rochambeau l'un des officiers
français de La Fayette, le capitaine du Portail, « venez vite, non pas
que nous ayons envie de tenter de prendre York sans vous. Je ne crois
pas qu'on roule ce projet ; nous nous contenterons, je pense, et ce sera
beaucoup de gloire pour nous, si nous réussissons, de préparer la
conquête, d'empêcher l'ennemi de rassembler les moyens de défense

---

* C'est-à-dire du maïs.

autant que possible [1116]. » Qu'il ne s'inquiète pas. Ni Rochambeau, ni Washington ne prennent Philadelphie pour une Capoue. Au lendemain du défilé, ils sont déjà loin ; précédant l'armée avec leurs états-majors et une forte escorte, ils arrivent tout en haut de la Chesapeake, à la pointe d'Elk, où un jeune homme aux traits fins et aux grands yeux câlins les attend... depuis une heure : le capitaine de Saint-Césaire *, encore un héritier d'un grand domaine du Midi maritime, un homme de la bande à de Grasse, qui leur apporte des dépêches de son patron, destinées à établir le dialogue dans son ton habituel d'amitié bourrue : « M. de Saint-Césaire, capitaine de pavillon de mon armée *(sic)*, est chargé d'aller annoncer à S. E. le général Washington les moyens que je prends pour faciliter son arrivée. Le mérite de cet officier, son intelligence et la confiance particulière que j'ai en lui, le regardant comme mon second, sont les motifs qui me l'ont fait choisir, et je suis persuadé que vous en serez content. Il devance l'arrivée des vaisseaux que je destine à cette expédition... M. de Saint-Césaire est chargé de vous dire combien je vous désire *(sic)* et toute l'étendue de ma confiance. Votre arrivée est plus agréable pour moi qu'un renfort de quatre mille hommes ; ce n'est pas adulation, mais c'est une vérité d'un marin à un brave militaire [1117]. »

Head-of-Elk est un carrefour à quinze ou vingt maisons proche de l'endroit où la Susquehannah s'élargit pour se jeter dans ces eaux grises qui ne sont ni fleuve ni mer, la Chesapeake. On y quitte la Pennsylvanie pour entrer dans le Maryland, dont toute l'épaisseur s'interpose encore entre les troupes de Washington et celles de La Fayette, sans compter une bonne partie de la Virginie. On n'a fait qu'un peu plus de la moitié de la grande dégringolade du nord au sud, à partir de Newport pour les Français, de Westpoint pour les *Insurgents*. Restent à parcourir les cinquante lieues les plus difficiles, cette marmelade de terre et de fleuves sans ponts, un *cross-country* parallèle à la Chesapeake, le long de sa rive ouest. Or il importe d'accélérer : de Grasse et La Fayette, seuls en face de Cornwallis, risquent de ne pouvoir empêcher une échappée à mort de celui-ci. Si de Grasse fournit suffisamment de transports, les alliés croient pouvoir gagner un temps précieux et se trouver sous Yorktown dans les cinq jours. Mais la pointe d'Elk est le lieu des déceptions. De Grasse à Washington : « Je fais l'impossible pour accélérer l'arrivée de vos troupes en envoyant au-devant de vous six ou sept vaisseaux de guerre choisis parmi ceux de mon armée qui tirent le moins d'eau, pour prendre à leur bord le plus de monde possible [1118]. » Des bailles à merde. « Ces vaisseaux seront suivis de frégates et de tous les bâtiments propres à remonter la rivière. » Quand? A la Toussaint, à la Noël? Pour le moment, on ne peut embarquer que l'avant-garde, et encore! sans les fourgons. « Le généralissime a décidé *(le 7 septembre)* que, vu l'impossibilité d'un transport par eau,

---

* On trouve un joli portrait de lui, peut-être peint par Fragonard, au musée Fragonard de Grasse. « Capitaine de pavillon », rappelons-le, signifie qu'il commandait un vaisseau sur lequel un amiral était embarqué.

la route du corps principal se ferait de Baltimore à Williamsburg, par Elkridgelauding, Bladensburg, Georgetown, Frederiksburg, Caroline-Court-House et New-Castle [1119]. » Seule l'avant-garde met donc à la voile le 9, des voiles qui claquent et s'alourdissent sous des rafales diluviennes; le temps se gâte, c'est l'habitude par ici vers l'équinoxe. Les fantassins déçus de devoir entreprendre une marche par les chemins trempés du Maryland seront bientôt consolés : leurs camarades embarqués vont être en proie à tous les périls de la mer sur cette baie de la Chesapeake qu'on prend trop facilement pour un plan d'eau de plaisance, et qui est capable de donner un microcosme des colères océanes. L'arrière-garde arrivera presque en même temps que l'avant-garde. Clermont-Crèvecœur voit son dépit changé en soulagement... sur le dos de ses amis : « Je n'embarquais pas à la pointe d'Elk. Très ennuyé, je suivis l'armée; mais plus tard, je me consolai d'avoir évité tous les malheurs que rencontrèrent les troupes qui ont embarqué ici. Elles ont navigué sur trois cents milles * dans de petits bateaux pratiquement privés de provisions. Le temps était si terrible et les vents si contraires que le voyage leur prit dix-huit jours. Nous sommes arrivés presque en même temps qu'eux, sans avoir eu à souffrir d'aucun inconvénient. Les épreuves que l'autre détachement a endurées ont été incroyables. Plusieurs bateaux battus par les vents et les tempêtes, et sur le point de couler, ont mis des embarcations à la mer et ont envoyé leurs hommes s'abriter sur les vaisseaux de guerre ancrés à l'entrée de la York pour bloquer Cornwallis. Ils espéraient se reposer là et passer une nuit agréable après les mauvaises expériences et les dangers des jours précédents, quand Cornwallis leur envoya des brûlots pour les attaquer. Des tisons fondirent sur les équipages toute la nuit et répandirent la terreur parmi eux. Par le plus grand des hasards, ils échappèrent aux désastres, bien qu'ils aient été attaqués par rien moins que sept brûlots [1120] » — ces brûlots qui sont l'arme secrète de Cornwallis et manqueront en effet renverser le cours des choses dans une nuit particulièrement sombre de la fin septembre.

Recette — simplifiée — pour fabriquer un bon brûlot : vous prenez « des flûtes ou des pinasses de 150 à 200 tonneaux environ, qui ont un premier pont tout uni, et au-dessus un autre pont courant devant-arrière. On entaille, en divers endroits du premier pont, des ouvertures à peu près d'un pied et demi en carré... Dans le bordage du gaillard d'arrière, on fait une trappe large, au-dessous de laquelle se peut porter une chaloupe de bonne nage, afin que le timonier, après avoir mis le feu dans les conduits, y puisse promptement descendre. Ensuite, on remplit les cales d'artifice, savoir d'une certaine portion de poudre, comme la moitié, d'un quart de salpêtre, d'un demi-quart de soufre commun; le tout bien mêlé ensemble, et imbibé d'huile de graine de lin, mais non pas trop, parce que cela retarderait l'embrasement, et que l'effet doit être prompt. Après cela, on couvre ces cales de toile soufrée, ou de gros papier à gargousse, et l'on apporte des fagots, de menus

---

* Il n'y en avait pas deux cents, mais ils durent leur paraître longs.

copeaux, ou d'autres menus bois, trempés dans l'huile de baleine...
On remplit encore les vides du bâtiment de tonnes poissées pleines de
ces copeaux minces et serpentants, qui tombent sous le rabot des menui-
siers.

« Les cordages, les vergues, les toiles sont poissées et soufrées ; les
extrémités de la grande vergue sont garnies de grappins de fer, de même
que celles de misaine et de beaupré. Lorsqu'on construit des brûlots
de bois neuf, on n'y emploie que du chétif et du plus léger, et où le feu
prend plus aisément...

« A l'avant sous le beaupré, il y a un bon grappin qui pend à une
chaîne et un à chaque bout de chaque vergue, et chacun de ces grappins
est amarré à une corde qui passe du lieu où ils sont tout le long du bâtiment, et va se rendre au gaillard d'arrière, à l'endroit où se tient le
timonier ; laquelle corde, aussitôt que le brûlot a abordé le vaisseau,
le timonier doit couper avant que de mettre le feu au brûlot ; il fait
ses efforts pour accrocher le navire ennemi par l'avant, et non par le
côté.

« On arme les brûlots de dix ou douze hommes qui ont la double
paye à cause des dangers qu'ils courent [1121]. »

Ce sont ces délicieux engins que Cornwallis laisse filer à deux heures
du matin sur le cours de la *York river* en direction des quelque trente
à trente-cinq vaisseaux de Grasse, renforcés par Barras, qui dorment
en demi-cercle à son embouchure, dans la satisfaction du devoir bien
rempli et de la bataille gagnée. La nuit est soudain trouée par un feu
d'artifice qui jaillit de la mer et enflamme si bien le *Vaillant*, de
soixante-quatre canons, qu'il dérive vers le *Réfléchi*, au nom immérité,
puisque son commandant, mal réveillé, prend le *Vaillant* pour le plus
grand brûlot du monde, ces Anglais sont décidément capables de tout,
et ouvre le feu sur le pauvre vaisseau où les gabiers perchés tout nus
dans les hunes sont en train d'éteindre les cordages à coups de seaux
d'eau. Il faut un long balbutiement de fanaux clignotants, difficile
à saisir au milieu des flammes, pour que les vaisseaux français ne s'envoient pas au fond mutuellement. « Dans la nuit épaisse, c'était un déso-
lant spectacle », observe un enseigne de vaisseau sensible, « d'observer
le feu brûlant des bateaux sous voiles, que le courant emportait sous
nos yeux [1122]. »

Ancré à huit milles de là sur la *Ville de Paris*, de Grasse se tenait
prêt à lever l'ancre. Il écrit à Washington pour l'informer du « peu de
succès qu'ont eu les brûlots envoyés d'York à nos bâtiments qui blo-
quent cette rivière. Présumant que cette opération a été faite par le
lord Cornwallis afin d'avoir la rivière d'York au moins pendant une
nuit, par l'obligation où ont été les vaisseaux de couper leurs câbles
pour éviter d'être incendiés, et afin de profiter de cet instant pour,
avec ses bateaux, sortir de la rivière, et, longeant la côte, venir débarquer sur la rive droite de la James, j'ai fait remonter tout de suite
deux frégates, pour venir mouiller à l'entrée de la rivière, de manière
à ne pas permettre à une seule barque d'approcher. J'espère que si
c'est là la ruse de ce général, elle lui sera nuisible et tournera à son désa-
vantage.

« Tout entre en rivière aujourd'hui, même votre artillerie. Il est temps de commencer à resserrer l'ennemi et à lui donner connaissance de nos forces réunies [1123]. »

On y pense, Amiral. La Fayette, sur place, s'est démené comme un diable dans un bénitier. Et sa dernière lettre à Washington avant leur réunion annonçait que, sur terre au moins, tout allait bien, malgré la rouille administrative de la Virginie — dont Jefferson n'est pas seul responsable, il le souligne au passage — et les inévitables bisbilles avec de Grasse, qui ne prend pas La Fayette suffisamment au sérieux à son gré. « Si vous saviez comme les choses vont lentement en ce pays ! Encore ai-je fait du mieux que j'ai pu. J'ai écrit et reçu vingt lettres par jour du Gouvernement *(de Virginie)* et de chaque département. Le Gouvernement fait ce qu'il peut ; les rouages de son administration sont si rouillés que nul gouverneur au monde ne pourrait les faire marcher comme il faut.

« Le temps prouvera qu'on a trop facilement accusé Jefferson.

« Les troupes françaises ont débarqué, mon cher général, avec une étonnante célérité ; elles ont déjà manqué de farine, de viande et de sel, pas cependant de manière à en être privées un jour entier ; j'ai fait l'office, le jour et la nuit, de quartier-maître et de collecteur, ce qui m'a donné un violent mal de tête et la fièvre, qui cesseront avec trois heures de sommeil ; ce sera mon excuse, mon cher général, pour ne pas écrire moi-même *(il dicte)*.

« L'armée française *(de Saint-Simon)* est composée des meilleurs régiments, et d'un corps de hussards qui peut rendre des services immédiats. Le général et les officiers ont accepté gaiement la manière de vivre de notre détachement américain, si mal pourvu. Je pense qu'un mot de vous là-dessus produirait très bon effet...

« J'avais recommandé au comte de Grasse, avec la délicatesse convenable, de faire remonter quelque force navale dans la *York river...* Le comte de Grasse n'a fait encore aucun mouvement...

« A présent, mon cher général, je vais vous parler des fortifications d'York. Lord Cornwallis y travaille jour et nuit, et bien tôt il se sera mis dans une situation respectable. Il a mis à terre la plus grande partie de ses matelots ; il rassemble toutes les provisions qu'il peut se procurer. On m'a dit qu'il avait ordonné aux habitants du voisinage de la ville d'y entrer. Il devrait sentir qu'ils peuvent lui faire autant de mal que de bien [1124]. » L'opinion de la Virginie redevenait *whig* bon teint. Les girouettes prenaient le vent. Heureux signe. La garnison de Yorktown sera boudée par les civils. Or un siège ne peut durer que si les habitants de la ville soutiennent le moral des soldats.

Cornwallis ne se donnait pourtant pas encore vaincu. « Il hâte l'achèvement des travaux de défense sur Yorktown et Glocester *, et barre la rivière d'York en embossant et coulant des vaisseaux. Il n'avait cessé de travailler à se retrancher depuis l'arrivée de l'armée à la baie de la Chesapeake, avec six mille hommes de bonnes troupes et les équi-

---

* On écrivait aussi bien *Glocester* et *Gloucester*.

pages du vaisseau de quarante canons, de ses frégates et transports, et une artillerie de plus de cent bouches à feu [1125]. » Suprême espoir des Anglais : l'amiral Digby, qui va, dit-on, remplacer Graves à New York et revenir de là-haut « avec cent voiles et dix mille hommes ». Les assiégés de tous les temps ont toujours attendu des légions d'anges.

Pendant ce temps, le gros des forces combinées vient à marches forcées, sous la pluie, dans la boue, risquant plus la noyade et l'épuisement que la mort au combat, mais dans une sorte de fureur disciplinée, comme si les ressorts trop longtemps comprimés se déployaient à bon escient. « Les généraux de Viomesnil et de Béville contournent la baie par Baltimore et, en arrivant dans cette ville, apprennent que M. de La Villebrune les attend à Annapolis avec le *Romulus*, cinq frégates et neuf transports *(envoyés par Barras)*. Ils y courent, embarquent leurs troupes, à l'exception des équipages et des services administratifs, qui continuent par terre, et, le 23, entrent dans la rivière James pour débarquer le 24 à *Hog's Ferry*, et camper, le 26, à Williamsburg, sous les yeux de Washington. La dernière partie de la route a eu lieu sans obstacles, mais assez péniblement, dans la James, que l'on dut remonter, la sonde à la main, sur de médiocres bateaux ». Grasse s'était excusé de la défectuosité des bâtiments fournis : « N'étant pas prévenu, je n'ai conduit avec moi que les vaisseaux qui pouvaient me donner la supériorité sur les armées réunies d'Angleterre, et je m'étais reposé sur vos moyens pour les attaques, les marches, etc., dont je ne pouvais avoir aucune connaissance [1126]. » Petite leçon donnée au passage de riche à pauvre, à ces Américains qui manquaient de tout.

Washington et Rochambeau sont arrivés à Williamsburg le 14 septembre, toujours en avance sur le gros des troupes. Ils ont chevauché à la moyenne de soixante milles par jour. La Fayette s'était donné les fièvres à force de surmenage, mais il sort de son lit pour accueillir ces deux hommes qu'il attend du fond de l'été, du fond de toute sa jeunesse. La fête de leur rencontre est de celles qui valent de vivre. Elle a eu un témoin tout guilleret, un Américain qui a su goûter la saveur d'une des premières journées où naît un monde et après lesquelles plus rien nulle part n'est jamais tout à fait pareil. Le colonel Richard Butler, commandant un des régiments de La Fayette, a eu raison de tenir son journal le 14 septembre :

« Le marquis de La Fayette est toujours malade de la fièvre. Hier le marquis de Saint-Simon et plusieurs de ses officiers sont venus rendre visite à nos lignes ainsi que le baron Steuben et notre bon ami le général Wayne, qui continue à souffrir de sa blessure et de la goutte.

« Vers trois heures, est arrivé un exprès annonçant l'approche de notre grand et excellent commandant en chef, le général Washington, et du comte de Rochambeau, commandant des forces alliées françaises.

« A quatre heures de l'après-midi, coups de canon pour saluer l'arrivée du général au camp ; les deux armées étaient sous les armes. Son Excellence et le comte de Rochambeau avec leurs suites, accompagnés par le marquis de La Fayette, major-général commandant l'armée américaine, et le général marquis de Saint-Simon, commandant les forces alliées (arrivées dernièrement) avec leurs suites, ont

passé en revue l'armée alliée d'abord, puis l'armée américaine, et reçu
les honneurs d'usage; ces cérémonies terminées, tous les officiers de
l'armée française accompagnèrent le marquis de Saint-Simon à son
quartier-général et furent présentés à « l'illustre héros ». Tous les officiers supérieurs de l'armée américaine l'accompagnaient pour souhaiter
la bienvenue aux autres généraux.

« Ces cérémonies achevées, on servit un élégant souper aux grands
personnages et officiers qui soupèrent ensemble au milieu de la plus
grande joie et harmonie, à savoir : S. Exc. le comte de Rochambeau,
commandant l'armée alliée; le major-général marquis de La Fayette,
commandant l'armée en Virginie; le major-général marquis de Saint-
Simon, commandant l'armée alliée en Virginie; le major-général
baron de Steuben, inspecteur général de l'armée américaine; le comte
Dumas *, officier de distinction aux gardes-françaises et un des aides
de camp de Rochambeau; le comte de Damas, un autre aide de camp;
et beaucoup d'autres colonels et lieutenants-colonels de l'armée alliée.
Pour ajouter encore à la joie de cette soirée, un orchestre a joué l'ouverture d'un opéra français, qui retrace le bonheur d'une famille heureuse de sentir la présence du père en qui elle a mis toute sa confiance.

« Vers dix heures, après de nouvelles félicitations et manifestations
joyeuses, on se sépara [1127]. »

Le 17 septembre, Washington se fait conduire au flanc de la *Ville
de Paris*, non sans avoir eu toutes les peines du monde à trouver,
pour l'honneur, un petit vaisseau anglais récemment capturé par ses
soldats, la *Queen Charlotte*. Visite symbolique de l'assisté à celui qui
apporte les secours, les troupes et l'argent. La puissance semblait
toute du côté de la France ce jour-là, et de Grasse a gaffé, peut-être
volontairement :

« Dès qu'il aperçut le chef des armées américaines, l'amiral de Grasse
se précipita vers lui et le prenant dans ses bras l'embrassa sur les deux
joues.

« — Mon petit général, s'exclama-t-il, que je suis content de vous
voir!

« Bien que Grasse dépassât d'une tête tous les assistants, cet adjectif
appliqué à l'imposante personne de Washington qui mesurait près de
six pieds, déclencha un énorme et joyeux éclat de rire de tous les assistants, officiers français et américains, suivis de tout l'équipage. La
glace était rompue, les marins poussèrent des vivats en agitant leurs
chapeaux. Bientôt l'Amiral entraîna ses visiteurs dans les appartements
sous la dunette [1128]. »

Il fallait en effet travailler dur et jouer vite, après ces effusions.
L'étau était posé autour de Cornwallis. Reste à le serrer. Bras-dessus,
bras-dessous, Washington, de Grasse et Rochambeau vont tirer les

---

* Mathieu Dumas n'était pas plus comte que le brave Butler — à cette
époque, du moins, car il sera fait comte d'empire par Napoléon, après
Wagram. Butler anticipait.

derniers plans et prendre les décisions finales. Derrière eux, on voit à trois pas, dans le groupe des officiers, un jeune homme déchargé de sa responsabilité stratégique et rentré dans le rang, auquel·nul n'accorde ici d'attention particulière. Le marquis de La Fayette est redevenu le commandant d'une des armées du dispositif que Washington prend en main, ni plus ni moins.

Un peu en retrait. Bonsoir et merci, monsieur de La Fayette, mission remplie, au second plan retrouvé. Il y a trop à faire ces jours-ci pour qu'il s'en trouve gêné. Mais ce jour du sommet des trois grands est le premier d'un effacement relatif dont il s'apercevra, comme d'une blessure négligée, sitôt tombé le feu de l'action.

72/octobre 1781
La guerre en elle-même ne m'intéresse pas

24 septembre. Crise imprévue. Crisette plutôt, mais assez grave pour alarmer Washington. De Grasse parle de s'en aller. Une panique intérieure saisit l'homme qui vient de gagner la bataille de la Chesapeake, mais en est si peu convaincu qu'il prend beaucoup trop au sérieux la rumeur d'un retour offensif de la flotte anglaise. Il écrit à Rochambeau : « L'arrivée de Digby change nos opérations. Je vais mettre sous voile au premier temps qui me permettra pour me tenir devant la baie et empêcher l'ennemi d'y venir... Je vous laisse les troupes de M. de Saint-Simon jusques à réussite ou que je puisse rentrer. Si j'étais forcé par les vents, à la suite d'un combat, à ne pas revenir, vous auriez la bonté de faire passer les régiments à la Martinique sur les vaisseaux qui restent en rivière [1129]. » Ce n'est pas vrai?...

Dans ces cas-là, il est utile pour Washington d'avoir un La Fayette sous la main, pour l'envoyer à bord de la *Ville de Paris*, porteur d'une sorte de supplication que le marquis appuiera de toute son expérience du terrain. Amiral, vous ne pouvez pas nous faire ça! « Permettez-moi d'abord de répéter à Votre Excellence que l'entreprise contre York, protégée par vos vaisseaux, est aussi certaine que peut l'être une opération militaire quand on a des forces et des moyens supérieurs ; que le calcul en est facile ; que la soumission de la garnison britannique sera fort importante en elle-même et dans ses conséquences ; et qu'elle nous fera nécessairement faire un grand pas vers la fin de la guerre et nous mettra à même de nous assurer les résultats précieux que les alliés ont en vue.

« Le départ de Votre Excellence de la baie de Chesapeake nous priverait de cette brillante perspective, en donnant, pour secourir York,

des facilités dont les ennemis profiteraient aussitôt ; la résultat en serait
non seulement la douleur et le malheur de renoncer, après les préparatifs les plus coûteux, les fatigues et les efforts les plus excessifs, à une
entreprise sur laquelle les alliés ont fondé leurs plus belles espérances,
mais peut-être la dispersion de l'armée entière par le manque de munitions [1130]. » Washington ému à ce point?... Cette lettre a dû beaucoup
lui coûter. Il y a, et il y aura jusqu'au bout maintenant, une faille entre
les chefs : d'un côté de Grasse, qui boude et fait des caprices, de l'autre
Washington et Rochambeau. Ce dernier n'épargne pas le pauvre
amiral et lui « emprunte » huit cents hommes « de ses garnisons de vaisseaux » pour aller en face d'York, à Gloucester, assiéger l'autre moitié
de la garnison anglaise ; de Grasse se les laisse arracher avec les gémissements d'Harpagon : « Pour ne pas faire manquer l'objet que nous
avons entrepris, je consens à donner les huit cents hommes que vous
demandez ; mais c'est contre ma conscience, et peut-être au déshonneur du pavillon du Roi... Vous désarmez totalement mon armée [1131]. »
Mais ses vaisseaux restent là, et les forces à terre ont l'effectif maximum, c'est le principal.

28 septembre *. Washington a reçu le renfort des troupes qu'il avait
devancées. Un certain nombre d'entre elles ont pu venir quand même
à travers les grains de la Chesapeake, en s'embarquant à Annapolis.
Le généralissime quitte Williamsburg et prend position avec toute
l'armée autour de Yorktown, à une distance de deux ou trois milles.
Ses hommes sont très fatigués, et peu ravitaillés : ce pauvre « pays
d'Élisabeth » a été raclé en tous sens par les combattants des deux
camps. Les renforts sont arrivés sans bagages. On ne trouve plus de
fourrage pour les chevaux à dix lieues à la ronde. Les rations des soldats
se réduisent aux biscuits et au fromage. Et on doit encore mendier de
la farine à Shylock-de Grasse. Mais on se console en pensant que les
Anglais manquent, eux, de tout, et sans espoir. Le moral tient bon chez
les assiégeants, qui sentent enfin la victoire à portée.

Cornwallis s'est retranché de son mieux en utilisant le moindre
repli du terrain en dunes sablonneuses, qui domine légèrement les
soixante maisons de York, et la bande de terrain marécageuse à l'est
de la ville, entre la rivière et les dunes, où les Anglais commencent à
se marcher sur les pieds, sous la protection des quatre ou cinq vaisseaux
dont l'artillerie les couvre. Leur ceinture de protection avancée vers
la terre est d'une dizaine de redoutes construites en hâte pour seize
batteries totalisant soixante-cinq canons, tenues par deux cents Allemands et cinq cents *tories*, les derniers Américains royalistes de Virginie.

29 septembre. Les têtes de colonnes alliées s'approchent « en profitant des bois, des rideaux d'arbres, des buissons et des *creeks (sic)*,

---

* Pour l'intelligence des opérations finales, voir la carte en tête du volume
et le croquis, p. 463.

de manière à resserrer l'ennemi jusqu'à portée de pistolet de ses ouvrages [1132] ». Plus utiles à ce stade du combat que n'importe quel officier supérieur, une douzaine d'ingénieurs américains et français, répartis en trois groupes, sentent le terrain, le goûtent, le flairent et répartissent les tirailleurs aux bons endroits sous une mousqueterie sévère. Beaumarchais avait bien raison, voici cinq ans, en criant à Vergennes : « Ah, monsieur le comte, de la poudre et des ingénieurs * ! »

30 septembre. L'investissement est complet. Cornwallis est bouclé, sauf sur la rivière, où il peut encore communiquer par barques avec son lieutenant, Tarleton, lui-même menacé en face de York, dans Gloucester, par le comte de Choisy et le duc de Lauzun. Fersen, aux côtés de Rochambeau, s'active à hâter « le débarquement de notre artillerie de siège », celle que Barras vient d'amener de Newport, « et à faire la quantité de fascines, de saucissons *(sic)*, de claies et de gabions nécessaires pour le siège [1133] » : cette collection d'engins en bois ou en osier de toutes les formes et de toutes les tailles, qu'on remplit de terre sur place et qui servent depuis des siècles à l'approche des murailles en couvrant la progression des assaillants.

Les forces en présence sont relativement égales : dix mille hommes pour Cornwallis, dont six mille Anglais seulement ; les autres sont allemands ou *tories*. Plus six à sept mille Noirs, raflés en Caroline avec les bestiaux et les chevaux, et qui servent de forçats pour les terrassements. En face, Washington aligne environ dix mille hommes, dont une moitié de Français — mais l'arrière-pays lui est acquis, et la formidable artillerie de la flotte de Grasse, à l'horizon, joue son rôle muet de tonnerre potentiel. Face à Yorktown, les Français tiennent la gauche et les Américains la droite, jusqu'à la Chesapeake.

On s'aperçoit, à l'aube du 2 octobre, que les assiégés ont abandonné presque sans combat, dans la nuit, leur ceinture de retranchements avancés, qui posaient cependant de sérieux problèmes aux ingénieurs de Washington. On ne va pas refuser ce cadeau. « Nous en prîmes aussitôt possession », note Fersen, « et cela avança de beaucoup nos travaux, en nous laissant la facilité d'établir notre première parallèle de l'autre côté du ravin. Si c'est une faute qu'a faite lord Cornwallis, elle peut être excusée, car il avait des ordres exprès du général Clinton de se renfermer dans le corps de la place, et une promesse qu'il *(Clinton)* viendrait le secourir. »

3 octobre. Sérieuse escarmouche sur la rive nord, autour de Gloucester, où les Anglais voudraient « se donner de l'air » et se ménager une porte de sortie désespérée. Le colonel Tarleton, l'un des ravageurs de la Virginie, veut s'emparer, à trois milles de la place, d'une position où Choisy et Lauzun sont en train d'aménager un camp pour les huit cents hommes que Grasse vient de leur prêter. Les deux chefs français

---

* Voir tome I, p. 389.

rivalisent dans le mépris des miliciens locaux qui sont venus leur prêter main forte. « M. de Choisy », d'après Lauzun, « est un bon et brave homme, ridiculement violent, constamment en colère, faisant des scènes à tout le monde, et n'ayant jamais le sens commun. Il commença par envoyer promener le général Wiedon et toute la milice, leur dit qu'ils étaient des poltrons, et en cinq minutes il leur fît presque autant de peur que les Anglais et assurément c'était beaucoup dire...

« Je n'étais pas à cent pas de là, que j'entendis mon avant-garde tirer des coups de pistolet. J'avançai au grand galop pour trouver un terrain sur lequel je pusse me mettre en bataille. J'aperçus en arrivant la cavalerie anglaise, trois fois plus nombreuse que la mienne ; je la chargeai sans m'arrêter, et nous nous joignîmes. Tarleton me distingua, vint à moi le pistolet haut. Nous allions nous battre entre nos deux troupes lorsque son cheval fut renversé par un de ses dragons poursuivi par un de mes lanciers. Je courus sur lui pour le prendre, une troupe de dragons anglais se jeta entre nous deux et protégea sa retraite, son cheval me resta. Il me chargea une deuxième fois, sans me rompre ; je le chargeai une troisième, culbutai une partie de sa cavalerie, et le poursuivis jusque sous les retranchements de Gloucester. Il perdit un officier, une cinquantaine d'hommes, et je fis un assez grand nombre de prisonniers [1134]. » C'est terminé pour les cavaleries, qui ne pourront plus se déployer nulle part. Le reste va être l'affaire du génie et des fantassins.

6 octobre. La grande affaire. A la faveur de la nuit, les assiégeants ouvrent « la première parallèle », à quatre cents toises des lignes anglaises, c'est-à-dire qu'on creuse une longue ligne de tranchées comme un nœud coulant, parallèle aux défenses de la ville. L'arme essentielle d'un siège, c'est la pelle, avant le fusil. Pour empêcher les assiégés de réagir, les Français, à gauche, simulent une attaque de nuit en tirant à tort et à travers. Au matin, les Américains, à droite, ont déjà pu creuser une tranchée de sept cents toises, y planter quatre redoutes improvisées, couvertes de palissades, garnies de cinq batteries *. « Le terrain, qui est très coupé de petits ravins, facilitait beaucoup notre approche, et nous faisait arriver à couvert dans notre tranchée, sans être obligés de faire un boyau. A notre gauche (Fersen), nous avions ouvert une autre tranchée, appuyée par sa gauche à la rivière et sa droite à un bois ; nous y avions une batterie de quatre mortiers, deux obusiers et deux pièces de vingt-quatre qui battaient la rivière, rendaient la communication de York à Gloucester peu sûre, et inquiétaient beaucoup les vaisseaux qui étaient dans la rivière. Les ennemis ne tirèrent pas beaucoup la nuit. Les jours suivants, on travailla à perfectionner la tranchée, à palissader les redoutes et mettre les batteries en état. Elles tirèrent toutes le 10 dans la journée. Nous avions quarante et une bouches à feu, tant canons que mortiers et obusiers. Notre artillerie était servie à merveille, la qualité des ouvrages, qui étaient de sable,

---

* Une batterie est un ensemble variable de canons.

ne permit pas que notre canon, qui était fort bien dirigé, fît tout l'effet qu'il aurait fait sur un autre terrain ; mais nous apprîmes, par les déserteurs, que nos bombes faisaient le plus grand effet, et que le nombre des morts et des blessés augmentait considérablement [1135]. »

C'est le début du massacre. On ne rit plus — mais riait-on ? A trois cents toises du camp fortifié, les canons américains et français tiennent sous leur feu l'ensemble de la concentration ennemie. Chaque coup porte. Alignés dans les tranchées, les fusiliers font mouche sur le moindre habit rouge entr'aperçu. Par contre, les projectiles des Anglais se perdent au-delà ou en deçà de la parallèle : les assiégeants ont l'espace pour eux.

10 octobre. Claude Blanchard, « commissaire des guerres principal » (disons l'intendant supérieur) du corps de Rochambeau, note que « le feu est devenu très vif à partir des tranchées françaises. Nous avions une artillerie de premier ordre et les Américains, de leur côté, avaient de gros canons et montraient beaucoup d'activité ; mais ils n'approchaient pas de la perfection de nos canonniers, qui faisaient l'admiration du général Washington ; il est vrai qu'ils avaient pour ainsi dire des instruments parfaits : les canons étaient neufs * et les boulets parfaitement adaptés au calibre.

« En m'occupant ce jour-là de quelque objet relatif à mon métier, j'eus l'occasion d'entrer à la tranchée dans un endroit où on avait placé une batterie de mortiers qui tirait sur une redoute ennemie ; elle riposta par quelques obusiers qui ne firent aucun mal. Je me rencontrai dans cette tranchée avec M. de Saint-Simon qui la commandait [1136] », et qui n'est pas tout à fait un officier comme les autres. C'est le troisième des Saint-Simon ** en âge et en dignité. Un intellectuel égaré chez les soldats. Vingt ans à peine, de grands yeux vifs sur un long nez aquilin dans une pâleur intéressante. Il se bat bien. Il réfléchit encore mieux : « J'entrevis que la Révolution d'Amérique signalait le commencement d'une nouvelle ère politique ; que cette révolution devait nécessairement déterminer un progrès important dans la civilisation générale, et que, sous peu, elle causerait de grands changements dans l'ordre social qui existait alors en Europe [1137]. » Le jeune noble passe inaperçu parmi tant d'autres plus brillants et plus parisiens ou versaillais ***. « La guerre en elle-même ne m'intéressait pas, mais le but de la guerre m'intéressait vivement, et cet intérêt m'en faisait supporter les travaux sans répugnance. Je veux la fin, me disais-je souvent, il faut que je veuille les moyens... Je sentais déjà clairement quelle était la carrière que je devais embrasser, la carrière

---

* Ce sont les fameux canons forgés sur les plans de Gribeauval.
** Voir ci-dessus, p. 466.
*** L'éditeur du *Journal* de Claude Blanchard met en note, à propos de cette rencontre : « Claude-Henri, comte de Saint-Simon, né en 1760, mort en 1825, de la famille de l'auteur des *Mémoires* ; c'est le fameux chef de secte. » Il sera en effet le fondateur du *saint-simonisme*, cette première ébauche de coopération humanitaire et industrielle.

à laquelle m'appelaient mes goûts et des dispositions naturelles :
ma vocation n'était pas d'être soldat ; j'étais porté à un genre d'activité bien différent, l'on peut même dire contraire [1138] » : travailler au
changement de la société par un autre moyen que la guerre. Voilà
du nouveau. La Fayette n'en est pas encore là. Saint-Simon Deux
commence ici : celui qui cherche à imaginer l'avenir. Le premier, son
ancêtre, avait à merveille réglé les comptes du présent. Si quelqu'un
a pu assassiner Louis XIV dans l'idée que les gens se faisaient de lui,
ç'a été le duc de Saint-Simon. Mais ceci était une autre histoire.

73/octobre 1781
La pièce est jouée, monsieur le comte

Toute la journée du 10 octobre, le feu gronde à partir des tranchées
alliées. « Les pièces françaises sont de premier ordre, neuves, en bon
état d'entretien, et tirant avec précision. Les Américains ne possèdent
que de gros canons solides, lourds, de modèles anciens, dont ils font
cependant usage avec le plus bel entrain [1139]. » Les Anglais ne répondent que par à-coups, avec des pièces de calibre inférieur : les canons
de leur flottille ne portent pas jusqu'à la parallèle des assiégeants.

Après ces quatre jours de pilonnage, du 6 au 10, la moitié des maisons de York sont détruites ou incendiées, et les Anglais sont presque
muselés : ils doivent retirer leurs canons des meurtrières et les abriter
derrière les merlons *, tant le tir des canonniers français est maintenant bien ajusté.

Ceux-ci marquent un autre point : ils parviennent, grâce à quelques pièces bien placées aux extrémités de leur dispositif, à incendier
par des boulets rouges le *Choron* et trois autres des derniers vaisseaux
de Cornwallis ancrés devant les quais de Yorktown. Festival nocturne.
« Jamais on n'avait vu plus beau et plus horrible spectacle. Dans la
nuit noire on voyait les écoutilles des vaisseaux cracher des gerbes de
feu, tandis que les boulets pleuvaient [1140]. » De Grasse, qui observe
toujours cela dans sa lorgnette, en est provisoirement réconforté. Il
écrit à Rochambeau : « J'ai entendu cette nuit un tapage considérable :
sans doute avez-vous mesuré vos instruments avec ceux de Cornwallis. Faites-le moi danser de la bonne façon. »

Yorktown, au matin du 11, vu des petites collines ocrées où se tiennent les grands messieurs bleu et or de Rochambeau qui dirigent le

---

* Le merlon est la partie pleine d'un rempart, entre deux créneaux.

mouvement, à l'abri de quelques pans de murs, c'est une demi-couronne
de gerbes d'explosions incessantes entre le sable et la mer, à deux ou
trois milles, quelques arbres maritimes, des pins, des épicéas, étonnés
d'être encore debout, un soleil mouillé, des oiseaux perdus et, sur le
chemin poudreux qui monte à la tranchée, les bataillons de soldats
blancs et bleus impeccablement alignés, le fusil sur l'épaule, qui vont
cinq par cinq à la mort en criant, c'est selon, « Vive le Roi » dans l'accent
de la Touraine, du Bourbonnais ou du Soissonnais, ou bien « *God and
Liberty* » dans celui des Virginiens. En face, les jurons et les cris de
guerre sont écossais ou souabes. On se bat, dans ce genre de guerre,
par petits condensés de régions lancées les unes contre les autres.
La cohésion du combat y gagne. On meurt en fraternité. Ma veuve
aura plus tôt de mes nouvelles si le camarade s'en tire.

Nuit du 11 au 12 octobre : second bond en avant. On serre d'un cran
terrible le corset où Yorktown étouffe, en ouvrant la seconde parallèle,
pour porter les assiégeants à moins de deux cents toises des ouvrages
de défense. « On s'était avancé à la fois si silencieusement et si vite
que les Anglais furent surpris, au lever du jour, d'apercevoir les soldats
américains qui travaillaient dans les tranchées. Les deux parallèles
s'étaient trouvées terminées et occupées sans qu'elles eussent coûté
grand monde soit aux Français, soit aux Américains ; de ce moment, le
feu des assiégeants devint extrêmement meurtrier [1141]. »
Les Anglais ne répondent pourtant pas avec des dragées : maintenant qu'ils peuvent tirer à vue, eux aussi, sur les assaillants, le nombre
des blessés et des morts devient progressivement celui d'une petite
bataille rangée. A Williamsburg et au-delà, un décor hideux commence
à se superposer à celui de ce doux paysage marin : le revers des glorieuses tapisseries pour galerie des batailles. Les corps des blessés —
et des malades, par épuisement ou scorbut — commencent à gésir çà
et là, sur des toiles de tente déroulées à terre en attendant qu'on
puisse les héberger. Quelques bouchers d'apparence, ensevelis dans de
grands tabliers blancs, s'agitent près d'eux, dans les moulinets de
l'impuissance : les « chirurgiens » des armées, ces goujats de la médecine, laissés sans aide, sans ordre, sans bandages, sans médicaments,
et qui doivent retenir les mourants de ce côté-ci par improvisation.
Les armées de ce temps-là n'accordaient pas aux soins des blessés
le centième des moyens donnés aux palefreniers des aides de camp.
Etre blessé au combat, en 1781, c'est une tare pour un soldat, et une
gloire pour un officier. Les domestiques du second s'occupent de lui,
et il aura la croix de Saint-Louis. Les camarades du premier tentent
de le préserver de l'infection en pissant sur ses plaies. S'il survit,
il aura peut-être droit à l'Hôtel des Invalides. « Les ambulances, établies sur le terrain, ne suffisent plus ; elles demandent à l'hôpital de
Williamsburg des secours qu'il ne peut fournir (on compte cependant
cinq cents malades, dont vingt officiers). Aucun pansement efficace ne
peut leur être donné ; les effets et les employés des hôpitaux, partis
avec l'armée de Newport, rejoignent à petites journées par terre et
n'arrivent pas. Les quelques objets et médicaments indispensables,

emportés avec les corps dans leurs marches forcées, étaient, pour comble de malheur, restés sur les bateaux dans la précipitation du débarquement [1142]. » Mourez donc sans faire d'histoires, ouvriers de l'Histoire. C'est la guerre.

14 octobre. Opération chirurgicale. Il importe de faire sauter deux verrues qui défigurent, mais surtout gênent le beau dispositif de la seconde parallèle : deux redoutes anglaises, avancées de trois cents toises environ hors du camp retranché, tiennent encore, et font pleuvoir une grêle de mort sur les nouvelles tranchées, qu'elles prennent en enfilade. Les ingénieurs font un rapport, c'est leur métier : le sable entassé, le bois et les hommes leur paraissent à point. Aux soldats d'attaquer ; c'est leur métier. Washington ordonne l'assaut, sur le soir, entre chien et loup. Et comme s'il pressentait qu'il s'agit du dernier mouvement possible avant que tout se fige, il y envoie deux détachements à parts égales, un américain et un français, chacun d'environ quatre cents hommes. Les grenadiers et les chasseurs français sont commandés par le major-général baron de Vioménil * ; les Américains sont commandés... par La Fayette, dont les seconds sont un Auvergnat, son compatriote de Gimat, mais aussi trois Américains qui comptent : les lieutenants-colonels Barber, John Laurens, revenu de Versailles pour montrer qu'il n'est pas fait pour se battre seulement contre Vergennes **, et Alexandre Hamilton, qui a récemment quitté le poste prometteur d'aide de camp de Washington, parce qu'il ne pouvait plus supporter la mauvaise humeur chronique de son chef bien-aimé. Un rognard. Un caractère. Sa brouille avec Washington remonte à février, où il a montré au César des nouveaux temps qu'il fallait chercher un genre nouveau de domestique. Washington l'avait convoqué d'urgence à un moment où Hamilton était occupé à quelque chose d'utile. Son travail terminé, Hamilton avait « trouvé Washington, non dans son cabinet, selon sa coutume, mais au haut de l'escalier, l'air irrité et impatient : — Colonel Hamilton, voilà dix minutes que vous me faites attendre. Monsieur, vous m'avez manqué de respect. — Je n'en ai pas conscience, Monsieur ; mais puisque vous avez trouvé bon de me le dire, nous nous quittons. — Très bien, Monsieur ; à votre choix. Et ils se séparèrent. Moins d'une heure après, le général en chef faisait exprimer à son aide de camp le désir d'avoir une entrevue avec lui, pour s'expliquer ensemble, à cœur ouvert, sur une altercation qui ne pouvait être que l'effet d'un mouvement de vivacité. Mais Hamilton fut inflexible dans son refus : — Je n'ai jamais aimé les fonctions d'aide de camp ; elles imposent une sorte de dépendance personnelle... Je ne les ai acceptées que par enthousiasme pour le caractère du général ; mais, en le faisant, je me suis dit que s'il arrivait une rupture entre

---

* De la coterie de la Reine, mais au second plan. Il jouera un rôle important dans l'émigration et à la Restauration, où il se rangera dans les ultras. Voir ci-dessus, p. 311 ses manœuvres contre La Fayette.
** Voir ci-dessus, p. 338.

nous, je ne consentirais point à un accommodement. J'avais le sentiment qu'une fois renversée, la barrière délicate qui marquait les limites
de ce que nous nous devions l'un à l'autre pourrait être un instant
relevée, mais jamais solidement rétablie [1143]. » Tel est l'homme de
liberté qui se trouve ce soir beaucoup plus à son aise de servir ici sous
La Fayette qu'au quartier général *.

« La Fayette, avec les Américains, eut pour objectif la redoute de
droite, et les Français celle de gauche. Dix charpentiers armés de
haches et cinquante chasseurs munis de fascines, formèrent l'avant-
garde de quatre cents grenadiers et chasseurs... Le détachement était
soutenu par le second bataillon de ce régiment, deux compagnies de
chasseurs auxiliaires et deux pièces de canon... On devait attirer l'attention de l'ennemi sur deux points secondaires pendant que s'opéreraient
simultanément les attaques. La redoute, objectif des Américains,
résista peu et fut emportée à la baïonnette. Sur l'autre, nos grenadiers
débouchèrent avec la plus belle ardeur ; les grenadiers anglais *(sic)*
d'Anspach et de Hesse — environ deux cents — s'y défendirent vigoureusement, tinrent bon, et nos charpentiers durent couper les branches
des abattis et les palissades pour frayer un passage aux Français qui,
malgré le feu redoutable, s'élancèrent au nombre de quatre cents pour
enlever l'ouvrage à la pointe de l'épée et couronner le parapet. L'on y a
pris trente-neuf hommes et égorgés vingt et un. Le reste s'enfuit et ne
put être atteint. Nos pertes s'élevaient à quarante-six tués et soixante-
deux blessés. Parmi ces derniers se trouvaient le chevalier de Lameth **,
aide-major général des logis, et le colonel de Gimat, aide de camp de
La Fayette [1144]... » Ce dernier n'a pas manqué l'occasion de river son
clou à Vioménil, un des plus fieffés antiaméricains, et surtout anti-
républicains, des hommes de Rochambeau, ceux qui se battent pour
leur Roi, mais pas pour la liberté. « Le baron de Vioménil avait exprimé
quelques doutes sur la façon dont les troupes de La Fayette exécute-
raient le service que l'on attendait d'elles ; aussi, dès que son infanterie
légère eut enlevé la redoute d'assaut, La Fayette... détacha immédiatement un de ses aides de camp qu'il chargea de porter, avec ses compliments, la nouvelle que les troupes américaines étaient en possession
de leur redoute et de dire à M. de Vioménil que, s'il avait besoin d'un
peu d'aide, M. de La Fayette se ferait un plaisir de lui prêter main
forte [1145]. »

A quoi bon se quereller? Les deux redoutes sont prises. Le corset de
Cornwallis est ajusté au plus près. Un corset de fer et de feu.

15 octobre. La garnison d'York entreprend une dernière tentative,
pour l'honneur. Elle profite du creux de la nuit où les assiégeants,
épuisés, dopés au rhum du soir qui leur tient souvent lieu de soupe,

---

* Alexandre Hamilton jouera un grand rôle politique à partir de 1787
dans l'élaboration de la Constitution et les premiers pas politiques des
U.S.A. Il sera ministre des Finances.
** Il s'agit de Charles, l'aîné des frères Lameth, celui qui jouera le rôle
le plus important en 89-91.

dorment lourdement. « Les Anglais, au nombre de six cents hommes d'élite, font une sortie qui, grâce au subterfuge employé, pouvait réussir. Ils se présentent devant deux batteries en avertissant de ne pas tirer, qu'ils sont Américains ; puis se précipitent sur la seconde parallèle, enclouent quatre pièces, et saisissent M. de Beurguissant, capitaine du régiment d'Agenais. C'est l'affaire d'un instant. Chastellux s'élance à son tour avec la réserve. L'action devient vive ; les Anglais hésitent, reculent et sont énergiquement repoussés dans la ville. Nos pertes furent sérieuses. A la tranchée du lendemain, le marquis de Saint-Simon *(celui qui commande en chef)* reçut une blessure, mais refusa de se laisser relever et finit ses vingt-quatre heures de service [1146]. »

C'était presque une formalité, une politesse à vingt morts dans le code des civilités de la guerre. Cornwallis n'a plus de boulets, plus de vivres, pas deux jours de cartouches et ses soldats n'ont plus de biscuit depuis le 13 octobre. Quant à ses blessés, ils meurent sur place. Mais où les enterrer ?

17 octobre. Jour anniversaire de la reddition de Burgoyne à Saratoga, en 1777. Les pauvres Anglais du Sud ne font pas exprès de donner cet écho à leur défaite du Nord, qui avait marqué le premier degré de la décrue anglaise. Les voici au bas de la pente. Vers dix heures du matin, un tambour apparaît à un rempart de la forteresse et remet à un officier français une lettre du Lord Cornwallis pour Washington : « Monsieur. je propose une suspension des hostilités de vingt-quatre heures et que deux officiers soient chargés des deux côtés de se rencontrer dans la maison de M. Moore pour régler les termes de la reddition des places de York et de Gloucester [1147]. »

La *Moore house*, perchée sur un des points les plus élevés de York au-dessus de la rivière, a été miraculeusement épargnée par les boulets. C'est une de ces maisons-granges commodes, à l'américaine, un rez-de-chaussée, une haute toiture mansardée. On peut y faire tenir autour d'une grande table une douzaine de bonshommes épuisés qui ont bien plus envie de boire le *punch* ensemble que de continuer à se couper la gorge. Il n'y a guère de haine entre ces combattants-là. Chacun a fait ce qu'il a pu *. Une sorte d'esprit sportif préside aux négociations entre les plénipotentiaires, dans cette nouvelle ville d'Ys submergée par la montée de la guerre où des centaines d'hommes couchés sur place attendent au pied des maisons rompues qu'on leur donne à manger sous les yeux de milliers de fantômes déjà morts de faim, mais qui tiennent debout on ne sait comment, les Nègres. Article premier : « La garnison de York sortira de la place et se rendra à un point déterminé en avant des lignes à deux heures précises, avec l'arme sur l'épaule, les drapeaux repliés et les tambours battant une marche anglaise ou allemande. Ils devront alors déposer leurs armes et retourner dans leurs cantonnements, où ils demeureront jusqu'à ce qu'ils reçoivent leurs

---

* Prudemment, Cornwallis avait expédié Benedict Arnold à New York avant d'être encerclé. Son cas aurait posé un problème.

ordres de destination. Deux des ouvrages du côté de Gloucester seront livrés, à une heure, à un détachement de troupes françaises et américaines destiné à en prendre possession. La garnison sortira à trois heures de l'après-midi, la cavalerie sabre au clair, trompettes sonnantes, et l'infanterie dans les conditions prescrites pour la garnison de York [1148]. »

Ainsi en est-il le 19 octobre 1781, dans une ordonnance et une dignité qui tempèrent l'exubérance des vainqueurs et la tristesse des vaincus. La reddition de Yorktown est une sorte de parade internationale où chacun met son point d'honneur à marcher mieux que l'autre. Les Anglais défilent dans l'ordre déterminé entre deux lignes de près de deux milles, formées par les vainqueurs au garde-à-vous, le long du chemin qui servait l'avant-veille à ravitailler les tranchées *. La mer moutonne à l'horizon. Les arbres sont chargés de grappes de civils, venus en calèche ou à pied de Williamsburg pour voir cela, et qui poussent des *hurrahs* à déconcerter les fanfares. Pour un peu, ils dérangeraient. La dominante de cet immense tableau mouvant, c'est le rouge des habits des milliers d'Écossais « trapus, vigoureux et bons soldats » qui avancent en majesté : le rouge se rend au bleu.

Tout aboutit à un groupe d'hommes aux bicornes sans panache, en long habit de parade sur gilet et culotte blanches, où Washington tient le premier plan sans avoir besoin de s'imposer. La Fayette — à trois pas, il va devoir en prendre l'habitude — est parmi les grands officiers. Son nom n'apparaît pas dans la capitulation.

Une fausse note : le général anglais qui galope vers ce groupe pour l'acte le plus humiliant, celui de la remise de l'épée, n'est pas Cornwallis. Ce dernier s'est déclaré malade et garde la chambre. C'est peut-être vrai. « Certes », écrit un des officiers, « il y avait de quoi être réellement malade à en mourir, pour un général de sa qualité, de s'être ainsi fait prendre au piège, après avoir été abandonné par les siens, et tenu à la merci de l'homme qu'il avait chassé à travers le New Jersey et poursuivi en vain partout, quelque cinq années auparavant [1149]. » De Grasse n'est pas là, lui non plus : en fait, il n'a pas mis pied sur le sol américain et se barricade sur la *Ville de Paris*, comme intoxiqué par l'audace de cette désobéissance qui a pourtant fait de lui l'accoucheur d'un continent. Il est malade, vraiment, de fatigue, de goutte, comme Rodney, du « mal des amiraux ». Les triomphateurs publics que le 19 octobre hisse sur le pavois sont Washington et Rochambeau.

Le général O'Hara, représentant Cornwallis, se dirige vers le second. « Les Anglais ** mirent beaucoup de morgue et d'insolence dans cette triste cérémonie. Ils affectèrent surtout beaucoup de dédain pour les Américains [1150]. » Le geste d'O'Hara est mûrement réfléchi et engage toute la signification du moment : si Rochambeau accepte de recevoir son épée, on n'assiste ici qu'à l'une des péripéties de la guerre de mille ans entre la France et l'Angleterre. On se sera battu entre gentils-

---

* Un tableau de cette scène, inspiré des croquis de Berthier, se trouve au musée franco-américain de Blérancourt.
** D'après le commissaire Blanchard.

hommes, selon des règles immuables, et les *Insurgents* qui sont là
n'ont pas plus d'importance que les Hessois ou les Indiens : de la viande
à canon recrutée pour nos rois. Mais s'il faut que les soldats du roi
George acceptent d'avoir été vaincus principalement par des rebelles,
un monde sera secoué par le vent d'Amérique, celui des monarchies
et des hiérarchies.

C'est Mathieu Dumas qui intervient. Il se tient à côté de Rochambeau et arrête le geste du général O'Hara en lui montrant Washington :

« — Vous faites erreur, Monsieur. Le commandant en chef de notre
armée est sur votre droite. »

Et l'épée de Yorktown est remise à l'Amérique. Tant il est vrai que
ce n'est jamais d'être vaincu qui chagrine le perdant, mais par qui il l'a
été.

La Fayette écrit le lendemain à Vergennes : « Recevez mon compli-
ment sur la bonne plume que l'on vient de tailler ici à la politique »
(autrement dit, à vous de finir la guerre, maintenant que nous l'avons
gagnée)... « Je suis heureux que notre campagne de Virginie finisse
aussi bien, et mon respect pour les talents de Lord Cornwallis me rend
encore sa prise plus précieuse. Après ce coup d'essai, quel général
anglais viendra se mettre en tête de conquérir l'Amérique? Les manœuvres méridionales n'ont pas fini plus heureusement que celles du Nord,
et l'affaire du général Burgoyne a été renouvelée [1151]. » Et à Maurepas :
« La pièce est jouée, Monsieur le Comte, et le cinquième acte vient de
finir. J'ai été un peu à la gêne pendant les premiers; mon cœur a fait
vivement du dernier *, et je n'ai pas moins de plaisir à vous féliciter
sur l'heureux succès de notre campagne; je ne vous en ferai pas les
détails, Monsieur le Comte, et m'en rapporte à Lauzun, à qui je
souhaite autant de félicité à travers l'Océan qu'il en a eu à passer sur
le corps de la légion de Tarleton [1152]. »

C'est en effet le beau Lauzun qui est chargé par Rochambeau de
porter à Versailles la nouvelle de la victoire. On le lui doit bien. Il aura
juste le temps de remettre cette lettre au destinataire. « Je m'embar-
quai sur la frégate du roi la *Surveillante* et, après vingt-deux jours de
traversée, j'arrivai à Brest et me rendis à Versailles sans perdre de
temps. Je trouvai M. de Maurepas mourant; à peine avait-il sa connaissance, il me reconnut cependant et me reçut de la manière la plus touchante. Il me recommanda fortement au Roi et à ses ministres qui lui
promirent d'exécuter ce qu'il avait eu l'intention de faire pour moi.
Il mourut le surlendemain, et M. de Castries et M. de Ségur me trai-
tèrent aussi mal qu'ils purent [1153]. »

La Cour est occupée d'une bien autre victoire : le 22 octobre 1781,
dans la semaine de Yorktown, Marie-Antoinette a donné le jour à un
enfant, un vrai, c'est-à-dire un garçon. Maurepas mort, Necker chassé,

---

* « Mon cœur a battu de joie pendant le dernier.

Vergennes en situation de principal ministre, Louis XVI commence
un second règne, nanti d'un dauphin et d'une guerre gagnée. L'héritier
qui vient de naître en même temps que l'Amérique devrait entrer dans
sa vingtième année en 1800. Quand succédera-t-il à son père? Les
Bourbons ont la vie dure, et le roi est d'une santé de fer. Si Louis XVI
égale ou dépasse les années de Louis XV, Louis XVII montera sur le
trône au milieu du XIXe siècle.

Le Roi et la Reine vont être reçus solennellement par leur bonne ville
de Paris, qui prépare de vastes réjouissances pour fêter l'heureux
événement.

Et cette liesse aura lieu le 21 janvier 1782.

Ah! ça ira

FIN
DU TOME DEUXIÈME

NOTES DU TOME II

(La mention op. cit. signifie qu'il s'agit d'une référence donnée plus précisément dans le premier tome.)

1. Valentine THOMSON : *Le Corsaire chez l'Impératrice*, Paris, Plon, 1936, p. 2 (pour l'équipage) et p. 31-35 (pour les événements de la mer d'Irlande).
2. CUVILLIER-BOUIN : *Dictionnaire des ports et mouillages*, Paris, 1845, I, p. 50.
3. Janette TAYLOR : *Life and correspondance of John Paul Jones*, New York, 1830, p. 42.
4. Selon un de ses lieutenants, Edouard FANNING, qui a publié à New York, en 1806, *Memoires of an American navy officer under the command of the commodore Paul Jones*.
5. Selon un de ses « amis » (?). V. THOMSON, *op. cit.*, p. 11.
6. Archives Nationales : M. M. 851, *Journal des services de Paul Jones*.
7. Don Carlos SEITZ : *Paul Jones; his exploits in English seas during 1778-80 contemporary accounts collected from English news papers*, New York, Dutton, 1845, p. 46.
8. *Idem*, p. 51.
9. Lettre d'Anna-Maria à Léopold Mozart, le 29 mai 1778, citée par Brigitte et Jean MASSIN *in Mozart*, Paris, Club français du livre, 1959. J'ai suivi pas à pas les Massin dans cette reconstitution et je vais leur emprunter les citations de Mozart et des siens. Comment eussé-je pu faire autrement? Leur ouvrage est le livre définitif sur Mozart. Quand on construit un monument, il ne faut pas s'étonner que les Bédouins du désert en arrachent quelques pierres.
10. *Idem*, p. 249.
11. Le 3 février 1830. *Idem*, p. 30.
12. *Idem*, p. 32.
13. Lettre à son père du 31 juillet 1778, citée par les Massin *(idem,* p. 260), qui observent : « Beaucoup de Français sont restés là-dessus aussi dadais, qui continuent à voir en Mozart un éternel enfant... Pour Mozart, Paris symbolise affectivement ce mythe de l'enfant prodige dont il cherche rageusement à se débarrasser. »
14. Lettres de Léopold à son fils le 16 et 23 février 1778, *idem*, p. 224.
15. *Idem*, p. 225 (du 28 février).
16. *Idem*, du 3 juillet... dans la lettre à son père, le jour de la mort de sa mère! (p. 252).
17. Grimm à Léopold Mozart, le 27 juillet 1778, *idem*, p. 262.
18. Du 31 octobre 1777, à son père, *idem*, p. 174.
19. Du 1er mai 1778, à son père, *idem*, p. 236 et 239.
20. *Idem*, p. 235 (même lettre).
21. *Idem*, des 1er mai, 7 février et 12 juin 1778, p. 239, 230 et 242.

504

22. G. LACOUR-GAYET : *La Marine militaire de la France sous le règne de Louis XVI*, Paris, Champion, 1905 (ouvrage dédié à l'amiral Manceron, mon grand-père), p. 119.

23. Selon *L'Espion Anglais* du 12 février 1778.

24. Jacques MORDAL : *Vingt-cinq Siècles de guerre sur mer*, Verviers, Marabout-Université, 1959, I *(Au temps de la rame et de la voile)*, p. 129.

25. G. LACOUR-GAYET : *Marine sous Louis XVI*, p. 96.

26. *Idem*, p. 89. Lettre du 8 avril 1877.

27. *Idem*, p. 122.

28. DONIOL : *Histoire de la participation de la France à l'établissement des États-Unis*, Paris, II, p. 34.

29. Du 12 avril 1777, G. LACOUR-GAYET : *Marine sous Louis XVI*, p. 54.

30. D'après sa lettre du 31 juillet à l'ambassadeur de France en Espagne (Montmorin, le futur ministre de Louis XVI sous la Révolution). Doniol, *op. cit.*, III, p. 535.

31. Selon le propos de d'Argenson, cité par Amédée BRITSCH : *La Jeunesse de Philippe-Égalité*, Paris, Payot, 1926, que je vais citer en référence abrégée : Britsch : *Jeunesse de Philippe*. La mère de « Louis-le-Gros » était une princesse de Bade.

32. LAURENTIE : *Histoire des ducs d'Orléans*, Paris, 1832, III, p. 359.

33. *Considérations sur l'esprit et les mœurs*, sans nom d'auteur, Londres, 1787, p. 106. Sénac de Meilhan a rassemblé là les notes qu'il prenait depuis longtemps à ses heures perdues.

34. TALLEYRAND : *Mémoires*, cité par Britsch : *Jeunesse de Philippe*, p. 40.

35. Le détail de cette longue suite de cérémonies est conservé aux Archives Nationales (K, 142, 18) dans 29 cahiers numérotés : *Les principales époques relatives à Mgr le duc de Chartres, 1747-1777*.

36. Britsch : *Jeunesse de Philippe*, p. 48. La première observation est de Talleyrand, la seconde de la duchesse de Chartres (plus tard d'Orléans), son épouse.

37. *L'Espion Anglais*, III, p. 214.

38. *Paris sous Louis XV*, rapports des inspecteurs de police au Roi, publiés par Camille PITON, Paris, Mercure de France, 1910, troisième série, p. 180. L'original est à la Bib. Nat., Manuscrits français, II 360.

39. *Idem*, p. 187.

40. BRITSCH : *La Jeunesse de Philippe*, p. 79.

41. V. THOMSON : *Un corsaire sous l'Impératrice*, *op. cit.*, p. 44. Voir aussi, dans la collection « Que sais-je? » : *La Franc-Maçonnerie*, de Paul NAUDON, p. 100.

42. LACOUR-GAYET : *Marine sous Louis XVI*, p. 126 et 127.

43. *Idem*, p. 124 : lettre de d'Orvilliers à Sartines, du 2 janvier 1778.

44. *Idem*, p. 126.

45. *Idem*, p. 128.

46. *Idem*, p. 43.

47. *Correspondance secrète* de Bachaumont, I, p. 171.

48. LACOUR-GAYET : *Marine sous Louis XVI*, p. 129. D'après le chevalier de Charitte, capitaine de pavillon du *Duc de Bourgogne*.

49. Nul n'a démonté aussi brillamment les mécanismes d'un combat naval en ce temps-là que Jean de LA VARENDE. Voir notamment *Suffren et ses ennemis*, Éditions de Paris, 1948, p. 106 à 111.

50. Un dossier très complet existe aux Archives de la Marine, B/I, 136, sur la bataille d'Ouessant. Voir notamment, fº 125, une très curieuse reproduction sur plans des quatre principales positions successives des flottes pendant le combat; au fº 129, on trouve les lettres de d'Orvilliers à Sartines.

51. Selon une lettre attribuée à Sartines, publiée par le *Courrier de l'Europe* et les *Nouvelles Extraordinaires* du mois d'août 1778.

52. Selon le chevalier, futur duc des Cars (on écrivait alors d'Escars), ancien garde-marine, gentilhomme d'honneur du comte d'Artois, un des spécialistes de la marine militaire qui avait la confiance de Louis XVI et que ce dernier enverra en septembre à Brest enquêter sur la prétendue « lâcheté » du duc de Chartres. Voir duc des CARS, *Mémoires*, tome I, p. 181-182.

53. *Idem*, p. 179.

54. BRITSCH : *Jeunesse de Philippe*, p. 288.

55. LESCURE : *Correspondance secrète*, *op. cit.*, I, p. 191.

56. MERCY-ARGENTEAU : *Correspondance secrète avec Marie-Thérèse*, III, *op. cit.*, p. 236.

57. François FEJTÖ : *Un Habsbourg révolutionnaire, Joseph II*, *op. cit.*, p. 169 à 174.

58. *Idem*, p. 175.

59. MERCY-ARGENTEAU : *op. cit.*, III, p. 231.

60. FEJTÖ : *Joseph II*, p. 178.

61. *Idem*, p. 179.

62. MERCY-ARGENTEAU, *op. cit.*, III, p. 233.

63. *Idem*, p. 230.

64. *Idem*, p. 227.

65. *Idem*, p. 227.

66. LESCURE : *Correspondance secrète*, I, p. 199.

67. *Idem*, p. 202.

68. *Correspondance littéraire* de Grimm, Meister, Diderot, etc., XII, p. 136.

69. BRITSCH : *Jeunesse de Philippe*, p. 283.

70. B. N. (mss Z 492), archives de Penthièvre : *Compliments et chansons composés à l'occasion d'Ouessant.*

71. *Correspondance littéraire*, XII, p. 136.

72. LESCURE : *Correspondance secrète*, I, p. 199.

73. *Correspondance littéraire*, XII, p. 137.

74. BRITSCH : *Jeunesse de Philippe*, p. 291.

75. Selon d'Orvilliers : *idem*, p. 285.

76. LESCURE : *Correspondance secrète*, I, p. 200.

77. Duc des CARS : *Mémoires*, I, p. 179.

78. BRITSCH : *Jeunesse de Philippe*, p. 292.

79. A. N., K, 154. L'acceptation de la création du poste par Louis XVI est écrite de la main du roi en marge de la lettre.

80. LESCURE : *Correspondance secrète*, du 29 septembre 1778, I, p. 222.

81. Antonina VALLENTIN : *Mirabeau avant la Révolution*, *op. cit.*, p. 183.

82. Gilbert LELY : *Vie du marquis de Sade*, *op. cit.*, p. 270.

83. A. VALLENTIN : *Mirabeau avant la Révolution*, p. 194.

84. DAUPHIN-MEUNIER : *La Comtesse de Mirabeau*, Paris, Perrin, 1908, p. 203.

85. *Idem*, p 215.

86. MIRABEAU : *Des lettres de cachet et des prisons d'État*, édition originale datée (faussement) de Hambourg, 1782. Je remercie vivement notre ami Lucien De Meyer, le dynamique éditeur bruxellois, de nous avoir procuré cette édition si rare, quand Anne et moi rédigions notre *Mirabeau, l'homme à la vie brûlée*. La description du donjon de Vincennes est à la page 43.

87. *Idem*, p. 47.

88. DAUPHIN-MEUNIER, *La Comtesse de Mirabeau*, p. 216.

89. *Idem*, p. 217.

90. *Dictionnaire des lettres* (Laffont-Bompiani), voir « Cour d'amour », p. 196.

91. MIRABEAU : *Des lettres de cachet*, p. 13, 17, 20.

92. Lettre à Sophie non datée, mais d'août 1778, *in Lettres de Mirabeau*, II, p. 297.

93. *Des lettres de cachet*, p. 52.

94. Lettre à Sophie, voir note 92.

95. A. VALLENTIN : *Mirabeau avant la Révolution*, p. 194.

96. *Idem*, p. 190.

97. Lettre à Sophie, voir note 92.

98. A. VALLENTIN : *Mirabeau avant la Révolution*, p. 191.

99. *Idem*, p. 191 à 193.

100. *Des lettres de cachet*, p. 99.

101. *Idem*, p. 100.

102. Lettre d'Émilie à Caroline du Saillant, du 6 septembre 1776, *in* DAUPHIN-MEUNIER : *La Comtesse de Mirabeau*, p. 214.

103. *Idem*, p. 229 (lettre du 23 octobre au marquis de Mirabeau).

104. *Idem*, p. 230. Même lettre.

105. Lettre à son frère le Bailli, *in* A. VALLENTIN : *Mirabeau avant la Révolution*, p. 199.

106. *Lettres de Mirabeau*, II, p. 347.

107. *Correspondance littéraire*, XII, p. 177.

108. Bernard FAŸ : *Louis XVI, ou la fin d'un monde, op. cit.*, p. 179.

109. *Correspondance secrète*, I, p. 168.

110. *Idem*, p. 170.

111. *Idem*, p. 171.

112. *Idem*, p. 256.

113. *Idem*, p. 179.

114. *Idem*, p. 233.

115. Cette lettre du comte de Provence à Gustave III a été retrouvée par A. Geffroy dans les archives de la cour de Suède (papiers de l'université d'Upsal, tome XVI, 49), et publiée par lui. Voir A. GEFFROY : *Gustave III et la cour de France, op. cit.*, I, p. 294 et II, p. 385.

116. Voir, au musée du Louvre, son portrait par Van Loo : « Le comte de Provence à la veille de son mariage ».

117. *Mémoires* du prince de MONTBARREY, II, p. 29.

118. Comte d'HEZECQUES : *Souvenirs d'un page*, p. 56.

119. Docteur GALIPPE : *L'Hérédité des stigmates de dégénérescence dans les familles souveraines, op. cit.*, p. 368.

120. Selon Théodore de Lameth, cité par Gérard WALTER : *Le Comte de Provence*, Paris, Albin Michel, 1950, p. 19.

121. *Idem*, p. 34. La première citation est de M. de Viry, ambassadeur du roi de Sardaigne en France ; la seconde, de Mercy-Argenteau dans une lettre à Marie-Thérèse.

122. GEFFROY : *Gustave III*, I, p. 294 (lettre du 29 avril 1777).

123. G. WALTER : *Le Comte de Provence*, p. 47, extrait d'une lettre de Marie-Antoinette à sa mère.

124. J.-François PRIMO : *La Vie privée de Louis XVIII*, p. 73. Voir aussi, du vicomte de REISET : *Anne de Caumont La Force, comtesse de Balbi*.

125. Voir, pour les Maisons des princes, GUYOT et MERLIN : *Traité des droits, fonctions, franchises, exemptions, prérogatives et privilèges annexés en France à chaque dignité, à chaque office et à chaque état*, Paris, 1786 et 1788.

126. *Correspondance secrète*, I, p. 243. Les autres citations non référencées qui vont venir sur les derniers jours de la grossesse de Marie-Antoinette seront prises à la même source, p. 245 à 251.

127. *Idem*, p. 246.

128. *Mémoires du comte Alexandre de Tilly, pour servir à l'histoire des mœurs de la fin du XVIIIe siècle*, Paris, Mercure de France, *Le temps retrouvé*, 1965, p. 233. A partir de cette page, Tilly, qui a été attaché à la Maison de la Reine en qualité de page, tente d'accréditer la réalité de la liaison entre Marie-Antoinette et Coigny. C'est sur ce texte que s'appuieront des historiens pour affirmer qu'elle a eu cet amant-là avant Fersen. Mais Tilly n'avait que quatorze ans en 1778, l'année de son arrivée à Versailles. Son témoignage donne cependant l'idée juste de l'ampleur de la rumeur qui tournait à ce moment autour de la Reine à propos de Coigny, et de la façon dont on parlait de ce dernier.

129. Lettre du futur archevêque de Suède, Lindblöm, de Versailles, à l'un de ses amis, le 24 décembre 1778. Original en suédois aux Archives de l'évêché de Linkoeping.

130. Extraits des lettres de Fersen à son père, *in Fersen et Marie-Antoinette*, d'Alma Söderjhelm, Paris, Kra, 1930, p. 57-58.

131. *Idem*, p. 61.

132. Rapport du comte de Viry, ambassadeur du roi de Sardaigne en France, du 4 novembre 1776, cité par Sabine Flaissier : *Marie-Antoinette en accusation*, Paris, Julliard, 1967, p. 144.

133. Ce mot lui'est attribué par Soulavie, dans son *Histoire du règne de Louis XVI* (Flaissier, *idem*, p. 144).

134. *Correspondance secrète*, I, p. 235.

135. *Encyclopédie*, I, p. 81 : « accouchement ».

136. *Idem*, p. 82.

137. *Mémoires inédits de Mlle de Mirecourt*, Paris, Albin Michel, 1966, p. 105.

138. *Idem*, p. 106.

139. A. Cheruel : *Dictionnaire historique des institutions, mœurs et coutumes de la France*, Paris, Hachette, 1855, II, p. 677 : « loi salique ».

140. M. Marion : *Dictionnaire des institutions de la France aux XVIIe et XVIIIe siècles*, Paris, Picard, 1969, p. 340 : « loi salique », commentaire extrait du traité de Le Bret, en 1593 : *La Souveraineté du Roi*.

141. B. Faÿ : *Louis XVI ou la fin d'un monde*, Paris, Amiot-Dumont, 1955, p. 180.

142. *Correspondance* de Mercy-Argenteau, *op. cit.*, III, p. 279.

143. Papiers d'Upsal, tome XVI, n° 50, lettre du 25 juin 1779.

144. J. B. Marcaggi : *La Genèse de Napoléon, sa formation intellectuelle et morale jusqu'au siège de Toulon*, Paris, Perrin, 1902, I, p. 63.

145. *Idem*, p. 37. Les faits cités plus haut proviennent de la même source, p. 20 et 46.

146. *Mémorial de Sainte-Hélène*, édition des classiques Garnier, Paris, 1961, I, p. 682.

147. Extrait du discours de Mirabeau à l'Assemblée constituante sur le statut de la Corse, le 30 novembre 1789.

148. *Mémoires historiques sur la Corse par un officier du régiment de Picardie*, publiés en 1889 par le *Bulletin* de la Société des Sciences historiques de la Corse.

149. On a raconté que Laetizia de Buonaparte, née Ramolino, avait eu « des bontés » pour Marbeuf. C'est à la rigueur possible, car ils se « fréquentaient » et elle n'avait que vingt-huit ans en 1778. Mais c'est peu vraisemblable quand on connaît la pudeur et la réserve des mœurs corses. En tout cas, la légende qui prétend que Marbeuf serait le père de Napoléon ne tient pas debout : Laetizia s'était trouvée enceinte de son second fils, en 1769, dans le camp de Paoli, dont son mari et elle suivaient la fortune chancelante. Marbeuf venait de débarquer dans l'île avec un corps expéditionnaire. Pour que Laetizia ait un enfant de lui, il aurait fallu qu'elle aille passer la nuit dans le camp français, comme Judith avec Holopherne.

150. Archives d'Ajaccio. Série A. A.

151. Pour la reconstitution de ce premier voyage, je reprends mon étude sur la jeunesse de Napoléon, parue en 1969, chez Robert Laffont, collection « Plein Vent » : *Le Citoyen Bonaparte*, p. 11 à 38.

152. *Mémoires* du duc de LAUZUN, *op. cit.*, Paris, p. 44. La citation suivante, *idem*, p. 40.

153. Les instructions de Sartines et de Vergennes à Lauzun se trouvent aux Archives du ministère de la Marine, B/4 149. Par ailleurs, Lauzun a tenu un journal, demeuré inédit, à partir de l'arrivée de son escadre en vue de la côte africaine jusqu'à son retour. C'est lui que je vais suivre pour le récit de l'équipée : A. N., T 1527.

154. Texte de Dumontet, cité par J. SAINTOYANT, *La Colonisation française sous l'Ancien Régime*, Paris, la Renaissance du Livre, 1929, tome II, p. 379.

155. DUMONT d'URVILLE : *Voyage pittoresque autour du monde*, Paris, Tenré, 1834, tome I, p. 32.

156. *Mémoires* de LAUZUN, *op. cit.*, p. 138.

157. DUMONT d'URVILLE : *Voyage pittoresque, op. cit.*, I, p. 33.

158. *Idem*, p. 31.

159. Journal de l'expédition tenu par Lauzun, A. N. 1527.

160. *Idem*.

161. *Idem*.

162. Gaston MAUGRAS et CROZE-LEMERCIER : *Delphine de Sabran, marquise de Custine*, Paris, Plon, 1912, p. 27. *Idem*, pour l'extrait de lettre qui va suivre.

163. Gaston MAUGRAS, *Le Duc de Lauzun et la cour de Marie-Antoinette*, Paris, Plon, 1913, p. 180.

164. Charlemagne TOWER : *Le Marquis de La Fayette et la Révolution d'Amérique, op. cit.*, II, p. 35. Référence simplifiée pour la suite : TOWER : *L. F. et l'Amérique*.

165. *Correspondance secrète*, VII, p. 195.

166. Archives fédérales de Washington, *Papers of the old Congress*, et *Correspondance de La Fayette*, p. 240.

167. *Journals of the Congress* du 21 octobre 1778.

168. D'après La Fayette lui-même, dans sa correspondance. TOWER : *L. F. et l'Amérique*, I, p. 240.

169. *Idem*, p. 240.

170. D'après le baron Steuben, dans *L. F. et l'Amérique*, I, p. 303.

171. *Correspondance*, dans *L. F. et l'Amérique*, I, p. 133 (lettre à son beau-père, le duc d'Ayen).

172. De Mauroy au comte de Broglie, novembre 1777, cité par Wladimir d'ORMESSON : *La Première Mission officielle de la France aux États-Unis* (celle de Conrad-Alexandre Gérard), Paris, Champion, 1924, p. 87.

173. TOWER : *L. F. et l'Amérique*, I, p. 247.

174. André MAUROIS : *Histoire des États-Unis, op. cit.*, p. 161.

175. Ces instructions-bidon, longues et détaillées, sont aux Archives des USA, *Department of State, papers of the old Congress*. Voir TOWER : *L. F. et l'Amérique*, I, p. 237.

176. Voir sa très longue lettre au président du Congrès, dans TOWER : *L. F. et l'Amérique*, I, p. 261. La Fayette s'y montre loyal à l'égard de Washington et demande que le Congrès continue de lui transmettre ses ordres par le canal de celui-ci, même quand il sera au Canada. Mais, cette parenthèse faite, il prend un ton de commandant en chef et traite le Congrès de haut.

177. Lettre du 9 février 1778. *Correspondance*, dans TOWER : *L. F. et l'Amérique*, I, p. 153.

178. A Washington, le 19 février. *Idem*, p. 154.

179. Réponse de Washington, le 10 mars. *Idem*, p. 162.

180. Lettre d'Eugenio de Galves, gouverneur de la Louisiane pour le roi d'Espagne, à Fiorida-Bianca, du 6 mars 1778, dans DONIOL : *La Participation de la France à la guerre d'indépendance des États-Unis*, op. cit., III, p. 261.

181. D'après un témoin oculaire, le lieutenant Wickham, dans le *Simcoe's Military Journal*, I, p. 61.

182. Lettre à sa femme du 6 novembre 1777, dans TOWER : *L. F. et l'Amérique*, I, p. 115.

183. Lettre à sa femme du 6 janvier 1778, *idem*, p. 143.

184. Réponse du colonel Ogden au colonel Harrison, envoyé par Washington pour savoir les raisons de la désobéissance de Lee. TOWER : *L. F. et l'Amérique*, I, p. 360.

185. La Fayette au comte d'Estaing, le 14 juillet 1778, Archives de la Marine, B4, fᵒ 144.

186. J. SIMMS : *Correspondence of John Laurens*, New York, p. 220.

187. Lettre au duc d'Ayen, le 11 septembre 1778, dans TOWER : *L. F. et l'Amérique*, I, p. 214. Voir aussi *Journal de M. de Cambis à bord du Languedoc*, cité par Tower, I, p. 437.

188. Richard AMORY : *Life of Sullivan*, Boston, 1862, p. 77.

189. La Fayette à Washington, le 25 août 1778, dans les *Mémoires* de La Fayette, I, p. 190.

190. Sullivan à Washington, le 8 septembre 1778, dans TOWER : *L. F. et l'Amérique*, I, p. 464.

191. Lettre à sa femme, de Bristol (USA), le 13 septembre 1778, dans Tower, I, p. 220.

192. Lettre à sa femme, le 1ᵉʳ octobre 1778, dans CHARAVAY : *Le Général La Fayette*, op. cit., p. 24.

193. *Idem*, p. 41.

194. *Idem*, p. 38.

195. Confidence à l'un de ses compagnons, le vicomte de Pontgibaud, dans A. MAUROIS : *Adrienne, ou la vie de madame de La Fayette*, op. cit., p. 94.

196. LA FAYETTE : *Mémoires de ma main*, I, p. 64.

197. *Idem*, p. 66.

198. A. MAUROIS : *Adrienne*, op. cit., p. 98.

199. *Idem*, p. 99.

200. LA FAYETTE : *Mémoires de ma main*, I, p. 65.

201. B. N., département des manuscrits, N.A.F., 22738, f. 6/7.

202. *Théâtre* de M. ROCHON de CHABANNES, Paris, Duchesne, 1786, I, p. 311.

203. SPARKS : *Œuvres de Washington* (traduites par Guizot), Paris, 1832, III, p. 413.

204. LA FAYETTE, *Mémoires de ma main*, I, p. 65.

205. *Correspondance de Mercy-Argenteau*, op. cit., III, p. 315.

206. *Idem*, p. 309 : de Marie-Antoinette à Marie-Thérèse, le 18 avril 1779.

207. Pierre de NOLHAC : *Le Trianon de Marie-Antoinette*, Paris, Calman-Lévy, 1924, p. 167.

208. *Correspondance de Mercy-Argenteau*, III, p. 309.

209. Alma SÖDERJHELM : *Fersen et Marie-Antoinette*, op. cit., p. 69.

210. Paul d'ESTRÉE : *Le Père Duchesne (Hébert et la Commune de Paris)*, Paris, l'Édition moderne, s. d., p. 14.

211. Paul DEL PERUGIA : *La Tentative d'invasion de l'Angleterre de 1779* Paris, Alcan-P.U.F., 1939, p. 117.

212. Arthur YOUNG : *Voyages en France*, op. cit., I, p. 306.

213. Louis JACOB : *Hébert, le Père Duchesne, chef des sans-culottes*, Paris, Gallimard, 1960, p. 21. C'est à ce livre que vont être empruntés les renseignements qui suivent sur la famille d'Hébert.

214. REICHARD : *Guide de la France, op. cit.*, II, p. 130.

215. Dans une lettre à sa sœur, citée par JACOB : *Hébert*, p. 21.

216. *Idem*, p. 23.

217. *Colère du Père Duchesne sur le Départ de Monsieur Necker*, du lundi 6 septembre 1790, dans F. BRAESCH : *Le Père Duschesne d'Hébert*, édition intégrale critique, Paris, 1938, librairie Sirey, p. 213.

218. Louis JACOB : *Hébert*, p. 25.

219. MARION : *Dictionnaire des institutions de la France aux XVIIe et XVIIIe siècles, op. cit.*, p. 383.

220. *Le Pape au Foutre, ou la Grande colère du Père Duchesne*, du dimanche 27 mars 1791, dans F. BRAESCH : *op. cit.*, p. 639.

221. *Idem*, p. 380 : *Grande joie du Père Duchesne sur le décret qui oblige l'Archevêque de Paris à rentrer en son diocèse et tous les calotins à prêter le serment civique*, du lundi 29 novembre 1790.

222. *Idem*, p. 267 : *Dénonciation du Père Duchesne contre les marchands de vin, cabaretiers, limonadiers, bouchers*, etc., du jeudi 14 octobre 1790.

223. *Souvenirs de la fin du XVIIIe siècle ou Mémoires de R.D.G.*, Paris, Sillandre, 1835, II, p. 247.

224. Louis JACOB : *Hébert*, p. 24.

225. BRAESCH : *Le Père Duchesne*, p. 391 et 392 : *L'Indignation du Père Duchesne contre l'indissolubricité* (sic) *du mariage et sa motion pour le divorce*, du lundi 6 décembre 1790.

226. Louis JACOB : *Hébert*, p. 26.

227. DEL PERUGIA : *La Tentative d'invasion de l'Angleterre en 1779*, p. 117 (extrait de la *Gazette des Deux-Ponts* du 8 juillet 1779).

228. Arthur YOUNG : *Voyages en France*, I, p. 307.

229. BRAESCH : *Le Père Duchesne*, p. 270 : *Grande Joie du Père Duchesne à l'occasion des scellés mis au Palais et du déménagement des juges du Parlement*, du dimanche 17 octobre 1790.

230. *Lettres de Mme Roland* publiées par Claude PERROUD, Nouvelle série, Paris, Imprimerie Nationale, 1913, tome I, p. 544 (lettre à Sophie et Henriette Cannet des 24/28 décembre 1776). Je ne puis que renouveler ici mes remerciements à M. H. Guillermet pour le prêt de ce monument irremplaçable sur l'évolution psychologique d'une des figures les plus attachantes de la Révolution. Pour la commodité des références qui vont suivre, je dirai : *Lettres de Mme Roland*.

231. *Idem*, I, p. 371 : à Sophie, le 5 février 1776.

232. *Idem*, p. 399 : à Sophie, le 15 avril 1776.

233. *Idem*, p. 412-415 : à Sophie, le 17 mai 1776.

234. *Idem*, p. 483 : à Sophie et Henriette, le 18 septembre 1776.

235. *Idem*, II, p. 53 : à Sophie, le 29 mars 1777.

236. B. N. : *Papiers Roland*, Ms 6244, fol. 290-296. A propos de ces pages, le premier éditeur du texte complet des *Mémoires* de Mme Roland écrivait en 1864 : « C'est une profession de foi morale et religieuse écrite en des termes dignes d'un penseur et d'un écrivain de premier ordre. »

237. *Lettres de Mme Roland*, II, p. 57 : à Sophie, le 12 avril 1777.

238. *Extrait de mon âme*, dernier folio.

239. *Lettres de Mme Roland*, I, p. 542 : à Sophie et Henriette, le jour de Noël 1776.

240. *Idem*, I, p. 406 : à Sophie, le 2 mai 1776.

241. *Idem*, p. 468 : à Sophie, le 1er septembre 1776.

242. *Idem*, p. 406 : à Sophie.

243. *Idem*, p. 424 : à Sophie.

244. *Idem*, p. 433 : à Sophie.

245. *Idem*, p. 428.

246. *Idem*, p. 452 : à Sophie.

247. Georges HUISMAN : *La Vie privée de Madame Roland*, Paris, Hachette, 1955, p. 99.

248. *Mémoires de Madame Roland*, Paris, Plon, 1905, II, p. 237.

249. *Lettres de Mme Roland*, I, p. 505 : à Henriette, le 16 octobre 1776.

250. Marcel MARION : *Dictionnaire des institutions*, *op. cit.*, p. 524.

251. *Lettres de Mme Roland*, I, p. 511 : à Sophie, le 27 octobre 1776.

252. *Idem*, p. 492 : à Sophie, le 2 octobre 1776.

253. *Idem*, p. 513; pour cette citation et la précédente : à Sophie, le 10 novembre 1776.

254. *Idem*, II, p. 97 : aux deux sœurs, le 19 juillet 1777.

255. *Idem*, p. 87 : aux mêmes, le 21 juin 1777.

256. *Lettres d'amour de Roland et Marie Phlipon*, publiées par Claude PERROUD, Paris, Picard, 1909 (prêtées par M. Guillermet). Lettre de Manon à Roland, le 7 mai 1779, p. 107.

257. *Lettres de Mme Roland*, II, p. 142 : à Sophie, le 4 octobre 1777.

258. *Idem*, II, p. 244 : à Henriette, le 31 mars 1778.

259. *Idem*, p. 106 : à Sophie, le 2 août 1777.

260. *Idem*, I, p. 507 : à Sophie, le 20 octobre 1776 ; cette citation s'applique à un autre parti proposé un an auparavant, un jeune homme riche « venu du fin fond du Marais ».

261. *Idem*, II, p. 73 : aux deux sœurs, le 23 mai 1777.

262. *Idem*, p. 54 : à Sophie, le 29 mars 1777.

263. *Idem*, p. 116 : aux deux sœurs, le 19 août 1777.

264. *Idem*, p. 110 : aux deux sœurs, le 9 août 1777.

265. *Idem*, p. 105 : à Sophie, le 28 juillet 1777.

266. *Idem*, p. 114 : aux deux sœurs, le 19 août 1777; la citation précédente est de la même lettre.

267. Archives communales de Saffais, déposées aux Archives de Meurthe-et-Moselle, G. G. 2.

268. Pierre MAROT : *Recherches sur la vie de François de Neufchâteau*, 1966, p. 17.

269. La rumeur était sans fondement, et Pierre Marot en fait justice. *Idem*, p. 20.

270. *Pièces fugitives de M. François, de Neufchâteau en Lorraine, âgé de quatorze ans*, Monnoyer, Neufchâteau, 1765, p. 8.

271. *Almanach des Muses* de 1765, p. 95.

272. Roger TISSERAND : *L'Académie de Dijon de 1740 à 1793*, Vesoul, 1936, p. 139.

273. *Almanach des Muses* de 1767, p. 104.

274. *Mercure de France* de décembre 1767, p. 195.

275. MAROT : *Recherches sur F. de N.*, *op. cit.*, p. 41.

276. Selon CUBIERES dans un *Essai sur François de Neufchâteau* paru en l'An VII à Paris.

277. MAROT : *Recherches sur F. de N.*, p. 43.

278. Gaston LENOTRE : *Sous le bonnet rouge*, Paris, Grasset, 1936, p. 270.

279. *Lettres de Mme Roland*, II, p. 175 : à Henriette Cannet, le 17 décembre 1777, rapportant les descriptions des Vosges par l'abbé Bexon.

280. *Lettre de M. François de Neufchâteau à M. l'abbé Drouas, à l'occasion des bruits répandus contre le séminaire de Toul*, sans lieu ni date, plaquette de 56 p.

281. E. BUISSON : *Un collaborateur de Buffon, l'abbé Bexon*, dans le *Bulletin de la société philomatique vosgienne*, 1888-89, p. 275.

282. MAROT : *Recherches sur F. de N.*, p. 57.

283. *Idem*, p. 59.

284. *Mémoires secrets*, 29 juillet 1775, tome VIII, p. 148.

285. Sur Contrexéville avant la Révolution, voir la liasse C 18 des Archives des Vosges, relative aux stations thermales, provenant du fonds de l'Intendance de Lorraine. De là viennent les quelques indications qui suivent.

286. *Almanach des Muses*, 1777, p. 227.

287. MAROT : *Recherches sur F. de N.*, p. 91.

288. *Annales* de Linguet, II (1778), p. 7.

289. *Correspondance* de Voltaire, tome XVIII, ou tome L des *œuvres*, n° 10107.

290. *Correspondance secrète*, tome V, p. 171.

291. *Almanach des Muses*, 1778, p. 19.

292. *Lettres de Mme Roland*, II, p. 192 : à Sophie, le 9 février 1778.

293. Lettre à son ami Poulain-Grandprey, le 29 juin 1778, dans MAROT : *Recherches sur F. de N.*, p. 102.

294. *Lettres de Mme Roland*, II, p. 82 : aux deux sœurs, le 21 juin 1777.

295. *Idem*, II, p. 319 : à Henriette, le 6 octobre 1778.

296. *Idem*, I, p. 450 : à Sophie, le 22 juillet 1776.

297. *Idem*, I, p. 335 : à Sophie, le 31 octobre 1775.

298. G. LENOTRE : *Existences d'artistes*, Paris, Grasset, 1940; « Les locataires du Louvre », p. 188.

299. *Idem*, p. 189.

300. Alfred LEROY : *La Vie intime des artistes français au XVIIIe siècle*, Paris, Julliard, 1949, p. 274.

301. *Lettres de Mme Roland*, II, p. 133 : à Sophie, le 19 septembre 1777.

302. *Idem*, p. 207 : à Sophie, le 24 février 1778.

303. *Idem*, p. 96 : à Sophie.

304. *Idem*, p. 174 : à Sophie.

305. *Lettres d'amour des Roland* (voir référence 256 ci-dessus), p. 35 : de Roland, le 17 septembre 1777.

306. *Lettres de Mme Roland*, II, p. 144 : à Sophie, le 4 octobre 1777.

307. *Lettres d'amour des Roland*, p. 39.

308. *Mémoires de Madame Roland*, tome II, p. 228. Ces lignes ont été écrites quinze ans plus tard, dans l'ombre de la mort et sous le choc de la passion de Manon pour Buzot. Il faut donc tenir compte de leur coloration désenchantée. Mais leur comparaison avec la correspondance du temps des fiançailles leur laisse un accent de vérité.

309. *Lettres de Mme Roland*, II, p. 200 : « A Sophie *seule* », c'est elle qui précise, du 17 février 1778.

310. *Idem*, II, p. 223, cité par Manon dans une interminable lettre à Sophie de « mars 1778 ».

311. *Lettres d'amour des Roland*, p. 54 : de Manon à Roland, le 12 août 1778.

312. *Lettres de Mme Roland*, II, p. 321 : à Henriette, le 6 octobre 1778.

313. *Idem*, p. 342 : à Sophie, le 12 décembre 1778.

314. *Lettres d'amour des Roland*, p. 63 et 64 : de Manon à Roland, le 3 janvier 1779.

315. *Idem*, p. 66.

316. *Idem*, p. 69.

317. *Idem*, p. 158 : de Manon à Roland, le 10 juin 1779, en rappel de ce qui s'est passé en avril.

318. *Idem*, p. 82.

319. *Idem*, p. 87 : de Manon à Roland, les 21 et 23 avril 1779. Même origine pour la citation qui suit.

320. *Lettres de Mme Roland*, II, p. 377 : à Sophie, le 28 avril 1779.
321. *Lettres d'amour des Roland*, p. 93 et 95, de Manon à Roland, le 25 avril 1779.
322. *Idem*, p. 98 et 99.
323. Walter MARKOV : *Jacques Roux avant la Révolution*, dans les *Annales historiques de la Révolution française*, 1963, tome XXXV, p. 458.
324. *Jacques Roux à Marat*, texte intégral de la brochure de 16 pages publiée trois jours avant l'assassinat de ce dernier, et publié par A. MATHIEZ, dans les *Annales historiques de la Révolution française*, 1916, tome VIII, p. 533.
325. *Voyage d'une Hollandaise en France*, Paris, Jean-Jacques Pauvert, 1966, p. 51.
326. MARKOV : *Jacques Roux avant la Révolution*, p. 458.
327. *Jacques Roux à Marat*, *op. cit.*, p. 533.
328. *Idem*, p. 534.
329. Abbé MAZIÈRE : *L'Affaire Mioulle et le séminaire d'Angoulême en 1779*, dans le « Bulletin et Mémoires de la Société archéologique et historique de la Charente », 1916, 8e série, tome VII.
330. Arthur YOUNG : *Voyages en France*, I, p. 162.
331. Archives départementales de la Charente, B 1141. Ce dossier contient aussi cinq pages d'interrogatoire de Jacques Roux : ses premières paroles pour l'Histoire.
332. *Jacques Roux à Marat*, p. 535.
333. Registre paroissial de Pranzac (les années 1751 et 1752 se trouvent exceptionnellement à la mairie de ce village, tous les autres étant aux archives départementales de la Charente).
334. MARKOV : *Jacques Roux avant la Révolution*, p. 459.
335. *Jacques Roux à Marat*, p. 533.
336. Jean de LA VARENDE : *Suffren et ses ennemis*, Paris, Éditions de Paris, 1948. C'est à ce livre que j'emprunte les descriptions physiques. Le portrait moral est corrigé par les mémoires des contemporains.
337. Lettre de Suffren à Madame d'Alès, le 2 avril 1779, citée par Jean-Jacques ANTIER, *L'Amiral de Grasse*, Paris, Plon, 1965, p. 129. Je saisis cette occasion de remercier Yvette et Jean-Jacques Antier de leur hospitalité à Cannes et à Saint-Cézaire, dans ces endroits hantés par les personnages maritimes ou politiques qui ont éclos par là : De Grasse, Suffren, Isnard et, bien sûr, les Mirabeau. Par des prêts d'ouvrages introuvables, par des renseignements précieux sur les problèmes de navigation, le spécialiste de la marine qu'est J.-J. Antier m'a beaucoup aidé.
338. Las Cases, cité par LA VARENDE, dans *Suffren*, *op. cit.*, p. 20.
339. LA VARENDE : *Suffren*, p. 75.
340. *Idem*, p. 80.
341. D'après un « instantané » pris de lui par un officier anglais. *Idem*, p. 200.
342. LACOUR-GAYET : *La Marine militaire sous Louis XVI*, *op. cit.*, p. 187.
343. *Idem*, p. 189 : lettre de d'Estaing à Sartines, du 3 janvier 1779.
344. LA VARENDE : *Suffren*, p. 38 et 40.
345. Amiral BERGASSE DU PETIT THOUARS : *Aristide Aubert du Petit-Thouars, héros d'Aboukir*, Paris, Plon, 1937, p. 17. Cette lettre d'Aristide à son oncle, qui l'avait fait entrer dans la marine, est de novembre 1778, à bord de la *Gloire*, où il avait participé à la bataille d'Ouessant.
346. *Idem*, p. 6.
347. *Idem*, p. 8, extrait d'une courte autobiographie d'Aristide du Petit-Thouars.
348. *Idem*, p. 12. Le manuscrit de *Barbogaste-le-Hérissé* sera malheureusement perdu pendant la Révolution.

349. *Idem*, p. 15.

350. « C'est à ce moment *(quand Chartres donnait l'exemple de l'attaque)* que M. d'Orvilliers, retenu par les timides instructions qu'il avait reçues et fidèle à son système de circonspection..., se décide, à l'entrée de la nuit, à faire le triste signal *(de la retraite)* ». Extrait d'un *Précis de la guerre de 1778 à 1783* composé par le chevalier de Lostange d'après les papiers de Du Petit-Thouars et publié en 1821 par les sœurs de ce dernier, chez Dentu. Exemplaire unique à la B. N.

351. Amiral B. Du Petit-Thouars : *Aristide Du Petit-Thouars*, p. 25. Lettre d'Aristide racontant, six ans plus tard, la bataille de la Grenade au commandeur de Dolomieu. Les autres citations non référencées qui vont suivre à ce propos proviennent de la même source.

352. *Idem*, p. 24.

353. Lacour-Gayet : *La Marine militaire sous Louis XVI*, p. 199.

354. *Idem*, p. 200.

355. J. J. Antier : *L'Amiral de Grasse*, p. 131.

356. *Annales maritimes et coloniales*, Paris, 1822, tome II, p. 204.

357. B. N., Cabinet des Estampes, *Histoire de France*, année 1779 : plan du combat naval de la Grenade.

358. Lettre de Suffren du 10 juillet 1779, dans Lacour-Gayet : *La Marine militaire sous Louis XVI*, p. 206.

359. Roger Lafon : *Beaumarchais, le brillant armateur*, Paris, S.E.G.M.C., p. 135.

360. Amiral B. Du Petit-Thouars : *Aristide Du Petit-Thouars*, p. 26.

361. Même lettre de Suffren du 10 juillet 1779, dans Lacour-Gayet (voir note 358).

362. Lacour-Gayet : *La Marine militaire sous Louis XVI*, p. 207.

363. Archives de la Marine, B4, 164.

364. J. J. Antier : *L'Amiral de Grasse*, p. 132.

365. *Mémoires* de Bachaumont, 19 juillet 1779.

366. Chevalier de Metternich : *Lettres historiques, politiques et critiques*, Londres, 1792, tome III, p. 201. Cet « observateur » mondain était un cousin du futur chancelier d'Autriche.

367. *Correspondance secrète*, du 5 juillet 1779.

368. Lacour-Gayet : *La Marine militaire sous Louis XVI*, p. 265.

369. *Lettres de M. de Kageneck au baron Alströmer, sur la période du règne de Louis XVI de 1779 à 1784*, publiées par L. Léouzon le Duc, Paris, Charpentier, 1884, p. 1.

370. Archives des Affaires étrangères, Espagne, f⁰ 124, de Montmorin à Vergennes, le 27 juillet.

371. *Idem*, Espagne, tome 590, f⁰ 141.

372. Lescure : *Correspondance secrète*, I, p. 272 (le 5 juillet 1779).

373. *Lettres de Kageneck*, p. 10 et 14 (août 1779).

374. *Idem*, p. 12.

375. Archives des Affaires étrangères, Espagne, tome 595, f⁰ 387.

376. Charles de Chambrun : *Vergennes*, Paris, Plon, 1944, p. 168.

377. *Idem*, p. 244. Extrait d'une lettre non datée de Vergennes à sa femme.

378. *Idem*, p. 303. De même pour la citation suivante.

379. Archives des Affaires étrangères, Espagne, tome 595, f⁰ 387.

380. Lettre de Vergennes à sa femme, dans Chambrun : *Vergennes*, p. 233.

381. Lettre de Vergennes au comte de Guines, alors ambassadeur de France à Londres, le 23 juin 1775, Archives des Affaires étrangères, Angleterre, tome 510, f⁰ 297. C'est plus qu'une réflexion au détour d'un texte : Vergennes vient de prendre possession de son poste et prend contact pour la première fois avec ses ambassadeurs. C'est un manifeste.

382. LESCURE : *Correspondance secrète*, p. 258, du 13 janvier 1779.

383. Archives des Affaires étrangères, Espagne, tome 589, f° 302.

384. *Idem*, f° 60.

385. *Idem*, tome 591, f° 316.

386. *Idem*, tome 590, f° 355 : position de Florida-Bianca résumée par Montmorin, le 7 septembre 1778.

387. *Idem*, f° 226.

388. *Idem*, f° 418.

389. Voir le détail de cette répartition dans Jacques de BROGLIE : *Le Vainqueur de Bergen et le secret du Roi*, Paris, Éditions Louvois, s. d., p. 425.

390. *Gazette des Deux-Ponts* du 27 juin 1779.

391. *Gazette de France* du 16 juillet 1779.

392. Archives de la Guerre, A I, G 3732-10.

393. Lettre de Beaumarchais à Vergennes, le 31 août 1779, Archives des Affaires étrangères, Angleterre, tome 538, f° 90.

394. *Revue contemporaine*, 1865, p. 388.

395. Paul DEL PERUGIA : *La Tentative d'invasion de l'Angleterre en 1779*, p. 34. Confidence de Vergennes rapportée par M. Hennin, l'un de ses secrétaires.

396. Archives des Affaires étrangères, Espagne, tome 591, f° 422.

397. A. N., A. F. III, 186 *b* (note d'un rapport d'espionnage au 15 février 1779).

398. De Montmorin à Vergennes, le 11 juin 1779. Archives des Affaires étrangères, Espagne, tome 594, f° 240.

399. *Idem*, tome 594, f° 178, de Vergennes à Montmorin, le 29 mai 1778.

400. *Mémoires* de Bachaumont, au 13 mai 1779.

401. METTERNICH : *Lettres historiques, cit.*, II, p. 262.

402. LESCURE : *Correspondance secrète*, I, p. 279, du 24 octobre 1779.

403. Extrait d'un *Mémoire* de d'Eon du 2 février 1779 contre Beaumarchais, Bibliothèque municipale de Tonnerre, R. 30.

404. *Lettre de la chevalière d'Eon à M. le comte de Maurepas*, Versailles, le 8 février 1779, publiée par la *Correspondance littéraire* le même mois, tome XII, p. 213.

405. Archives des Affaires étrangères, Angleterre, tome 516.

406. Pierre PINSSEAU : *L'Étrange Destinée du chevalier d'Éon, op. cit.*, p. 209.

407. Archives des Affaires étrangères, Angleterre, tome 517, lettre de d'Éon à Vergennes du 2 octobre 1777.

408. PINSSEAU : *D'Éon*, p. 210.

409. Bibliothèque municipale de Tonnerre, papiers de d'Éon, R. 28.

410. PINSSEAU : *D'Éon*, p. 212.

411. *L'Espion anglais, ou Correspondance secrète entre Mylord All'Eye et Mylor All'Ear* (Mr. Tout-Yeux et Mr. Tout-Oreille), 4 janvier 1778.

412. Bibliothèque municipale de Tonnerre, R. 28.

413. *Idem*, R. 32. Publiée le 10 février 1778.

414. Bibliothèque municipale de Tonnerre, L. 58, du 12 septembre 1778. *Idem* pour la phrase qui suit.

415. Bibliothèque municipale de Tonnerre, R. 34.

416. *Correspondance littéraire*, voir note 404 ci-dessus.

417. F. FROMAGEOT : *La Chevalière d'Éon à Versailles*, dans le *Carnet historique et littéraire*, année 1900, p. 67.

418. *Mémoires* de BACHAUMONT, XIV, p. 12.

419. *Pétition et mémoire de la chevalière d'Éon à l'Assemblée Nationale de France*, Londres, 1792, dans les Archives des Affaires étrangères, Angleterre, supplément, n° 17.

420. Extrait du *Journal* de Fersen, dans A. SÖDERJHELM : *Fersen et Marie-Antoinette*, p. 59. Les autres textes de Fersen qui vont suivre proviennent de la même source.

421. Léon MENTION : *L'Armée de l'Ancien Régime*, Paris, Henri May, s. d., p. 11.

422. D'après une ordonnance royale de 1743. *Idem*, p. 13.

423. *Idem*, p. 14.

424. *Idem*, p. 51.

425. Jacques de BROGLIE : *Le Vainqueur de Bergen et le secret du Roi*, *op. cit.*, p. 428.

426. *Idem*, p. 414. Lettres du duc de Broglie à Louis XVI, des 25 et 26 mai 1778.

427. *Correspondance littéraire*, mai 1770, XII, p. 248. *Idem* pour la citation suivante.

428. Extrait des *Mémoires* de ROCHAMBEAU, dans J. DE BROGLIE : *Le Vainqueur de Bergen*, p. 440.

429. *Mémoires du général Dumouriez*, Paris, Didot, 1862, p. 207.

430. *Idem*, p. 86. De même pour la phrase qui suit.

431. *Mémoires d'Outre-Tombe* de CHATEAUBRIAND, Paris, Garnier, I, p. 77 et 80.

432. *Mémoires* de LAUZUN, p. 135. Les citations qui suivent viennent de la même source.

433. DONIOL : *Histoire de la participation de la France à la guerre d'Indépendance des États-Unis*, IV, p. 231.

434. *Voyages en France de François de La Rochefoucauld*, publiés par Jean Marchand, Paris, Champion, 1933, I, p. 51.

435. *Idem*, p. 54.

436. Archives des Affaires étrangères, États-Unis, supplément, I, n° 182 *bis*.

437. A. BRITSCH : *La Jeunesse de Philippe Egalité*, p. 297.

438. *Mémoires* de DUMOURIEZ, I, p. 214.

439. J. HIPPEAU : *Le Gouvernement de Normandie*, Paris, 1882, II, p. 37.

440. Paul DEL PERUGIA : *La Tentative d'invasion de l'Angleterre en 1779*, p. 75. Les autres précisions non référencées qui vont suivre sur le mouvement des flottes proviennent du même ouvrage, notamment des chapitres VI et VII.

441. LACOUR-GAYET : *La Marine militaire sous Louis XVI*, p. 256.

442. *Idem*, p. 254.

443. D'après le plan schématique des Archives de la Marine, B/4-155, fol. 3.

444. Archives des Affaires étrangères, Espagne, tome 594, f° 273.

445. LACOUR-GAYET : *La Marine militaire sous Louis XVI*, p. 260.

446. Lettre du marquis d'Héricy, le 21 juillet 1779, dans HIPPEAU : *Le Gouvernement de Normandie*, II, p. 35.

447. LACOUR-GAYET : *La Marine militaire sous Louis XVI*, p. 50.

448. D'Orvilliers à Sartines, dans LACOUR-GAYET, p. 269.

449. Chiffres calculés d'après Lacour-Gayet : effectifs des bâtiments modifiés par le nouveau règlement de Sartines, p. 49. Tableau de la « grande armée combinée de d'Orvilliers », p. 639.

450. Dans le *Siècle de Louis XIV*, cité par Littré à l'article *mousse*.

451. LACOUR-GAYET : *La Marine militaire sous Louis XVI*, p. 46.

452. Lettres du bailli au marquis de Mirabeau, en mai 1763, dans LOMENIE : *Les Mirabeau*, Paris, Dentu, 1879, I, p. 257 à 259. Ces tableaux sont de la fin de la guerre de Sept Ans, mais toute guerre maritime les renouvelait.

453. Mémoire anonyme de 1780. Archives de la Marine, B /1-93.

454. Jean AIGRIT : *Les Registres paroissiaux de la Basse-Bretagne*, Nantes, 1890, p. 31.

455. *Encyclopédie*, article « scorbut », tome 14, p. 802. C'est du même article que viennent les autres citations non référencées qui suivent sur scorbut.

456. LACOUR-GAYET : *La Marine militaire sous Louis XVI*, p. 641.

457. Archives des Affaires étrangères, Espagne, tome 594, f° 463, du 23 juillet 1779.

458. *Idem*, tome 594, f° 462.

459. LACOUR-GAYET : *La Marine militaire sous Louis XVI*, p. 271.

460. *Gazette des Deux-Ponts*, du 26 août 1779.

461. LACOUR-GAYET : *La Marine militaire sous Louis XVI*, p. 274.

462. *Idem*, p. 275.

463. *Idem*, p. 277; au duc d'Harcourt, le 28 août 1779.

464. Selon d'Estaing, dans son *Journal de Cadix*, Archives de la Marine, B /4-177.

465. A Vergennes, le 20 août. Dans LACOUR-GAYET, p. 280.

466. *Mémoires* du chevalier de MAUTORT, publiés par le baron Tillette de Clermont-Tonnerre, Paris, Plon, 1895, p. 101.

467. Bachaumont, 17 septembre 1779.

468. *Correspondance* de MERCY-ARGENTEAU, III, p. 355.

469. METRA : *Correspondance secrète*, du 29 juillet 1779.

470. Paul BASTID : *Sieyès et sa pensée*, Paris, Hachette, 1970, p. 31. L'ordination eut lieu chez les lazaristes du quartier Saint-Victor, à Paris.

471. Albéric NETON : *Sieyès*, Paris, Perrin, 1901. Il s'agit ici d'un extrait des *Vues sur les moyens d'exécution*, rédigées par Sieys pour les États généraux en 1789, où il reprenait, presque page pour page, des notes de jeunesse rédigées entre 1770 et 1780 (p. 27).

472. Lettre de Sieys à la Convention, le 20 brumaire an II, dans BASTID : *Sieyès et sa pensée*, p. 345.

473. *Voyages en France de La Rochefoucauld*, I, p. 213.

474. NETON : *Sieyès*, p. 18.

475. Archives Nationales, M. M. 494.

476. *Annales historiques de la Révolution française*, 1933, note de Henri Calvet à la page 538. Cette note met fin à une longue hésitation des historiens, qui n'a pas occupé moins de quatre articles dans les mêmes *Annales* et mobilisé Albert Mathiez en personne. Il existe par ailleurs un procès-verbal de la séance du 10 juin 1790 de la Constituante, n° 331, rectifié de la main même de l'intéressé : « Lisez Sieys au lieu de Sieyès ».

477. O. TEISSIER : *Documents inédits : la jeunesse de l'abbé Siéyès*, Marseille, 1897 (extrait de la *Nouvelle Revue*), cité par Bastid, p. 24.

478. Archives Nationales, fonds Siéyès, 284 AP /I.

479. Lettre à son père, le 25 juin 1773, dans BASTID, p. 30.

480. *Notice sur la vie de Sieyès, membre de la première Assemblée nationale et de la Convention; écrite à Paris en messidor, deuxième année de l'ère républicaine (vieux style, juin 1794)*, Paris, chez Maradam, An III; œuvre de son ami allemand Oelmer, cette *Notice* met en forme une série de récits personnels de Sieys et peut être regardée comme une autobiographie. Le texte qui suit est pris à la même source.

481. L. BERTRAND : *La Bibliothèque sulpicienne*, tome III, cité par Bastid, p. 30.

482. BASTID : *Sieyès et sa pensée*, p. 31.

483. C'était notamment l'intention du sulpicien déjà le plus notoire de l'Ordre, l'abbé Emery; BASTID, p. 290.

484. *Mémoires* de TALLEYRAND, I, p. 20.

485. *Notice* sur Sieys, p. 7.

518

486. D'après son ami Fortoul, dans BASTID, p. 32.

487. NETON : *Sieyès*, p. 25.

488. On trouve tout cela dans le fonds Siéyès aux Archives Nationales, avec le projet de bibliothèque, rédigé en 1770, dont il va être question.

489. Archives Nationales, Siéyès, 284 AP /2.

490. BASTID : *Siéyès et sa pensée*, p. 293.

491. Paul HAZARD : *La Pensée européenne au XVIII⁰ siècle, de Montesquieu à Lessing*, Paris, Boivin, 1946, I, p. 55.

492. *Corpus général des philosophes français* : CONDILLAC, édition Georges Le Roy, Paris, P.U.F., 1947, p. XI.

493. *Idem*, p. XXV.

494. Ce texte capital a été repris par Sainte-Beuve dans son étude sur Sieys. Voir BASTID, p. 294.

495. HAZARD : *La Pensée européenne au XVIII⁰ siècle*, II, p. 142. Sur l'influence d'Adam Smith sur la pensée de Sieys et les emprunts ultérieurs que celui-ci a faits à la *Richesse des Nations*, voir BASTID, p. 312.

496. Texte célèbre de RENAN sur sa ville natale, paru dans ses *Souvenirs d'enfance et de jeunesse*, cité par NETON : *Siéyès*, p. 29.

497. Abbé SICARD : *L'Ancien Clergé de France : Les Évêques avant la Révolution*, Paris, Lecoffre, 1905, p. 279.

498. *Notice* sur la vie de Sieys, p. 9.

499. BASTID : *Sieyès et sa pensée*, p. 17.

500. *Idem*, p. 39.

501. Lettre publiée intégralement par NETON : *Siéyès*, p. 37.

502. NETON : *Siéyès*, p. 39.

503. Lettre postérieure de Sieys, écrite le 8 février 1783... à Clément de Ris, un avocat parisien devenu receveur des décimes à Tréguier. Clément de Ris sera sénateur du Consulat et le héros de *La Ténébreuse Affaire*, de Balzac. Il restera lié à Sieys à partir de 1781.

504. NETON : *Siéyès*, p. 22.

505. *Voyages en France* de LA ROCHEFOUCAULD, II, p. 133 et 134.

506. Abbé Christian MOREAU : *Une mystique révolutionnaire: Suzette Labrousse, d'après ses manuscrits et des documents officiels de son époque*, Paris, Firmin-Didot, 1886, p. 17. Les citations non référencées qui suivront dans cette séquence seront prises à la même source.

507. *Idem*, p. 15. Extrait d'une lettre de Suzette Labrousse à l'abbé de Saint-Gérac, en octobre 1779.

508. B. N., 13851, f⁰ 210-211, G 9 /46.

509. Pierre PONTARD : *Recueil des ouvrages de la célèbre Mˡˡᵉ Labrousse*, Bordeaux, Brossier, An IV, p. 50. Nous rencontrerons l'auteur, Pierre Pontard, qui sera évêque constitutionnel de la Dordogne et tentera, à ce titre, de propager le culte de Suzette Labrousse.

510. MOREAU : *Suzette Labrousse*, p. 4.

511. LAIRTULLIER : *Les Femmes célèbres de la Révolution*, Paris, 1867, article « Labrousse ».

512. MOREAU : *Suzette Labrousse*, p. 66.

513. DANIEL-ROPS : *L'Église des temps classiques*, Paris, Fayard, 1958; tome II : *L'Ère des grands craquements*, chapitre v, p. 337.

514. *Idem*, p. 365.

515. *Idem*, p. 368. Il s'agit de Jean Lapeyrie, en religion Ambroise de Lombez (1703-1778), capucin.

516. J. BREMOND : *Le Courant mystique au XVIIIᵉ siècle*, Paris, 1943, p. 206. (Il s'agit du frère de l'abbé Bremond, qui a tenté, vainement, de poursuivre l'œuvre de ce dernier, interrompue par la mort.)

517. DANIEL-ROPS : *L'Église des temps classiques*, II, p. 405, « Saint Alphonse de Liguori. La religion des temps nouveaux » *(sic)*.

518. *Histoire* (anonyme) *de Saint Alphonse de Liguori*, Paris, Poussielgue, 1877, p. 601.

519. G. LACOUR-GAYET : *Talleyrand*, Paris, Payot, 1933, I, p. 51.

520. *Idem*, p. 41.

521. *Idem*, p. 11.

522. *Mémoires* de Talleyrand, I, p. 9.

523. *Idem*, p. 24 et 33.

524. *Prophéties* de Suzette Labrousse citées par l'abbé Moreau, *op. cit.*, p. 29, 31 et 39. Il y en a des centaines d'autres, encore plus confuses.

525. *Idem*, p. 25 : fragment de la « grande prédication de Suzette Labrousse aux frères Chaminade », trois prêtres qui dirigeaient en famille le collège de Mussidan.

526. *Idem*, p. 20 : brouillon de lettre conservé dans les papiers de Suzette Labrousse et daté du 29 septembre 1779.

527. Lettre de Colbert à de Seuil, le 19 juillet 1670.

528. Ces deux extraits de la lettre de Mme Renaudin à son frère, le père de Joséphine, sont cités par Frédéric MASSON : *Joséphine de Beauharnais, 1763-1796*, Paris, Ollendorf, 1909, p. 78 et 79.

529. Cité par André CASTELOT : *Joséphine*, Paris, Perrin, 1964, p. 25.

530. *Mémoires* de Mademoiselle AVRILLION, Paris, Mercure de France, *Le temps retrouvé*, 1969, p. 178.

531. Noms d'esclaves relevés par André Castelot dans les archives conservées à la Pagerie de la Martinique, dans *Joséphine, op. cit.*, p. 18.

532. F. MASSON : *Joséphine de Beauharnais*, p. 95.

533. J. SAINTOYANT : *La Colonisation française sous l'Ancien Régime*, II, p. 142.

534. Lettre du « marquis » de Beauharnais à Mme Renaudin, du 26 juin 1760, citée par F. MASSON, p. 36.

535. *Idem*, p. 73.

536. Lettre du 11 mars 1778. *Idem*, p. 75. La citation suivante du marquis est à la page 77.

537. Raphaël BARQUISSAU : *Les Isles*, Paris, Grasset, 1941, p. 162.

538. Arthur CHUQUET : *Dugommier*, Paris, Fontemoing, 1904, p. 5. Les autres précisions qui vont suivre, concernant Dugommier, sont tirées du même ouvrage, ou du *Dictionnaire historique et biographique de la Révolution et de l'Empire* de Robinet, Robert et Le Chaplain.

539. Selon une notice d'un certain Thouluyre-Duchaumont, condisciple de Dugommier à la pension Colin, citée par Chuquet, p. 2.

540. F. MASSON : *Joséphine de Beauharnais*, p. 80. *Idem* pour la citation suivante.

541. Clemente FUSERO : *Joséphine, plus que reine*, Paris, Pierre Waleffe, 1967, p. 14.

542. F. MASSON : *Joséphine de Beauharnais*, p. 63.

543. Arthur YOUNG : *Voyages en France*, I, p. 314.

544. F. MASSON : *Joséphine de Beauharnais*, p. 65.

545. *Idem*, p. 81.

546. Ces trois extraits de lettres d'Alexandre de Beauharnais à Mme Renaudin sont cités par A. CASTELOT : *Joséphine*, p. 27.

547. F. MASSON : *Joséphine de Beauharnais*, p. 87.

548. Adolphe JOANNE : *Les Environs de Paris*, Paris, Hachette, 1868, p. 401.

549. Confidence de Napoléon, à Sainte-Hélène, au grand-maréchal BERTRAND, dans ses *Souvenirs*, déchiffrés par Paul FLEURIOT DE LANGLE, Paris, Sulliver, tome I; le mot a été mis en trois points par le descripteur, qui m'a verbalement confirmé de quel mot il s'agissait.

550. Roland et Marie PHLIPON : *Lettres d'amour* de 1777 à 1780, publiées par Claude Perroud, p. 113. Exceptionnellement, je ne donnerai pas les

références détaillées à chaque citation, d'autant plus que la date de la lettre, citée le plus souvent, permet de situer chaque texte.

551. *Lettres de M*^{me} *Roland*, nouvelle série, II, p. 357 : à Sophie Cannet, 1er février 1779.

552. *Idem*, p. 365, à la même, le 23 février 1779.

553. Recopié de la main de Roland, signe par signe, pour en accabler Manon, dans les *Lettres d'amour*, p. 268.

554. *Idem*, p. 311, mais cette fois de la main de Gratien Phlipon.

555. *Mémoires de M*^{me} *Roland*, II, p. 53.

556. *Idem*, II, p. 79.

557. Sur sœur Sainte-Agathe, voir l'appendice que Claude Perroud lui a consacré à la fin du tome II des *Lettres* de Mme ROLAND, p. 785.

558. *Mémoires* de Mme ROLAND, II, p. 248.

559. *Idem*, p. 249.

560. *Idem*, p. 238 et 252.

561. *Idem*, p. 250.

562. C. VATEL : *Vergniaud ; manuscrits, lettres et papiers*, Paris, Dumoulin, 1873, tome I, p. 22. Cette lettre non datée, sinon d'un « mardi », précède immédiatement celle du 1er janvier 1780. Elle se situe en novembre ou décembre 1779.

563. *Idem*, p. 23 : du 1er janvier 1780.

564. LAMARTINE : *Histoire des Girondins*, édition illustrée, Paris, Le Chevalier, 1865, tome I, p. 422. Henri Guillemin m'a signalé la véritable mine de renseignements biographiques de première ou de seconde main qu'on trouve dans cet ouvrage, trop méprisé par les historiens. Il suffit de faire la part du chatoiement du style de Lamartine : la part du feu.

565. Copé par VATEL : *Vergniaud, papiers*, I, p. 174.

566. *Idem*, p. 175.

567. REICHARD : *Guide de la France*, II, p. 129.

568. *Voyages en France* de LA ROCHEFOUCAULD, II, p. 131.

569. *Idem*, p. 132.

570. *Notice sur Vergniaud* écrite vers 1842 par M. François ALLUAUD, son neveu, dans VATEL : I, p. 1.

571. Lettre du 1er novembre 1778, dans VATEL : I, p. 15.

572. *Idem*, p. 16. Lettre non datée, mais de l'hiver 78-79.

573. Dans sa lettre du 3 janvier 1779.

574. VATEL, p. 18. Lettre datée du Mardi-Gras, soit le 16 février 1779.

575. *Idem*, p. 191. Papiers de jeunesse trouvés au domicile de Vergniaud en 1793, après son arrestation. Les vers ne sont peut-être pas de lui. S'ils sont recopiés, on n'en connaît pas l'auteur. Il y a dans cette liasse plus de vingt-cinq fragments recopiés de sa main, toujours avec la mention des auteurs : Laborde, Favart, Sedaine, Marmontel, etc.

576. *Notice* de son neveu, dans VATEL, I, p. 3.

577. *Idem*, p. 4.

578. LAMARTINE : *Histoire des Girondins*, I, p. 114.

579. *Voyage en France*, de LA ROCHEFOUCAULD, II, p. 132.

580. VATEL : p. 74 et 137. *Idem* pour la citation suivante.

581. Arthur YOUNG : *Voyages*, II, p. 564.

582. Lettres des 22 avril et 6 mai 1780 à François Alluaud, dans VATEL : p. 24.

583. *Mémoires* de l'abbé MORELLET, I, p. 287 : on y trouve le texte intégral de la chanson.

584. Bernard FAŸ : *Benjamin Franklin, citoyen du monde*, II, p. 219. La cave de Franklin lui avait été fournie par le chevalier O'Gorman, beau-frère de d'Éon.

585. *Idem*, p. 179.

586. *Idem*, p. 218.

587. *Idem*, p. 221 : extrait d'une lettre de Franklin à l'un de ses amis de Philadelphie.

588. *Mémoires* de Morellet, I, p. 295. *Idem* pour la citation suivante.

589. *Idem*, p. 289.

590. *Mémoires* de la baronne d'OBERKIRCH sur la cour de Louis XVI, Paris, Mercure de France, *Le temps retrouvé*, 1970, p. 416. *Idem* pour la description du repas des chats qui va suivre.

591. B. FAŸ : *Benjamin Franklin*, II, p. 227.

592. Cité par Guy BESSE dans son introduction à HELVETIUS : *De l'Esprit*, Paris, Éditions Sociales, *Les classiques du peuple*, 1959, p. 26.

593. *Idem*, p. 27.

594. *Correspondance littéraire*, XII, p. 385.

595. *Mémoires* de MORELLET, I, p. 135.

596. B. FAŸ : *Benjamin Franklin*, II, p. 225. *Idem* pour la citation de Turgot qui va suivre, p. 228.

597. Charlemagne TOWER : *La Fayette et la Révolution d'Amérique*, *op. cit.*, II, p. 75.

598. Le texte original de ce mémoire de La Fayette à Vergennes, du 18 juillet 1779, est aux Archives Nationales, I, IX, 42, fᵒ 154.

599. MAUROIS : *Madame de La Fayette*, p. 107.

600. Lettre de La Fayette à Maurepas. Archives Nationales, États-Unis, suppléments, I, 239 *bis*. *Idem* pour les citations suivantes.

601. MAUROIS : *Madame de La Fayette*, p. 109.

602. Archives Nationales, Marine, B/4, 143.

603. ROCHAMBEAU : *Mémoires*, Paris, Le Jay, 1809, I, p. 13.

604. *Idem*, p. 31.

605. Maurice-Charles RENARD : *Rochambeau, libérateur de l'Amérique*, Paris, Fasquelle, 1951, p. 36.

606. Vicomte de NOAILLES : *Marins et Soldats français en Amérique*, Paris, Perrin, 1903, p. 146. Les autres citations ou précisions non référencées qui vont suivre proviennent du même ouvrage, p. 147 à 173.

607. Archives historiques de la Guerre, 3733 : instructions du prince de Montbarrey à Rochambeau.

608. Lettres inédites publiées par A. MAUROIS, dans *Madame de La Fayette*, p. 109-113.

609. LACOUR-GAYET : *La Marine militaire sous Louis XVI*, p. 295.

610. Archives historiques de la Guerre, carton 48. État du garde-magasin général Martin de Permon au 9 avril 1780.

611. Archives de la marine, B/4, 183.

612. *Instructions remises à M. de La Fayette, le 5 mars 1780*. Archives des Affaires étrangères, États-Unis, tome II, nᵒ 69.

613. LESCURE : *Correspondance secrète*, I, p. 300.

614. *Mémoires* de SÉGUR, I, p. 206.

615. O. G. de HEIDENSTAM : *Marie-Antoinette, Fersen et Barnave*, Paris, Calmann-Lévy, 1913, p. 14.

616. *Correspondance* de MERCY-ARGENTEAU, III, p. 409.

617. De Rochambeau à Montbarrey, le 20 avril 1780, Archives historiques de la Guerre, 3733.

618. *Idem*, du même au même, 3746.

619. A. SÖDERJHELM : *Fersen et Marie-Antoinette*, p. 69.

620. Lettres de Fersen, à sa sœur du 30 juin 1778, et à son père, du 19 novembre 1778, dans SÖDERJHELM : p. 54 et 55.

621. HEIDENSTAM, p. 16. *Idem*, pour la citation suivante.

622. *Mémoires* du comte de SÉGUR, I, p. 407.

623. Lettre de La Fayette à sa femme, du 6 mai 1780, dans MAUROIS : *Madame de La Fayette*, p. 116.

624. Archives historiques de la Guerre, Rochambeau à Montbarrey, le 3 mai 1780. Carton 3734.

625. Le comte de Wittgenstein (lettre à Montbarrey du 17 avril). Archives historiques de la Guerre, 1780, carton 48.

626. *Idem*, carton 3733, Rochambeau à Montbarrey, le 3 mai 1780.

627. LESCURE : *Correspondance secrète*, I, p. 302.

628. *Journal de Paris*, B. N., 6 avril 1780.

629. CABANÈS : *Marat inconnu*, p. 161.

630. Extraits du *Plan de législation criminelle* de Marat, cités par Gérard WALTER, dans *Marat*, p. 60.

631. *Idem*, p. 62.

632. *Idem*, p. 65, lettre de novembre 1779.

633. Description (la suite également, ainsi que l'étymologie probable de « Trahoir ») tirée du *Guide des amateurs et des étrangers de Paris*, de THIÉRY, 1787, I, p. 412.

634. *Souvenirs d'un témoin oculaire* (c'est le cas de le dire), le minéralogiste François SAGE, dans *Analyse chimique et concordance des trois règnes*, Paris, Panckoucke, 1786, I, p. 117. De même pour la citation suivante.

635. G. WALTER : *Marat*, p. 63.

636. *L'Ami du Peuple*, 27 janvier 1791.

637. Publié intégralement par le docteur ROBINET : *Vie de Condorcet*, p. 20.

638. *Journal de la République française*, n° 98, fragment de l'autobiographie de Marat, cité par ROBINET : *Vie de Condorcet*, p. 24.

639. Bibliothèque de l'Institut, M. *b* /2 3x.

640. *Lettre sur le charlatanisme académique ; les Charlatans modernes, par M. Marat, l'ami du peuple*, Paris, 1791, citée par ROBINET : *Vie de Condorcet*, p. 21.

641. Un jeudi (non précisé) d'août 1774 ; *Correspondance de Condorcet et de Turgot*, p. 189.

642. Bibliothèque de l'Institut, Manuscrits inédits, R 69 gl.

643. Condorcet à Turgot, septembre 1777. *Correspondance*, p. 297.

644. Édouard GRIMAUX : *Lavoisier*, p. 131.

645. Selon Gérard WALTER : *Marat*, p. 66.

646. *Mémoires de Brissot*, éditées par Claude PERROUD, I p. 186 et 212.

647. Jean-François PRIMO : *La Jeunesse de Brissot*, p. 87.

648. *Mémoires de Brissot*, I, p. 197 et 202.

649. G. WALTER : *Marat*, p. 66.

650. *Mémoires de Brissot*, I, p. 102. Même source pour les autres citations non référencées qui vont suivre dans cette séquence.

651. SAINTE-BEUVE : Introduction aux *Lettres de Madame Roland à Bancal des Issarts*, p. XLII.

652. Avis paru dans le *Courrier de l'Europe* du 2 octobre 1778, édition de Boulogne.

653. D'après l'expression de Brissot dans son pamphlet vengeur de 1781, *Un indépendant à l'ordre des avocats*, faussement imprimé à Berlin. « J'ai voulu connaître la discipline, les principes, de l'Ordre des Avocats, et je me suis revêtu de leur harnais grotesque. »

654. PRIMO : *Jeunesse de Brissot*, p. 90.

655. Dialogue rapporté mot pour mot par Brissot, dans ses *Mémoires*, I, p. 96.

656. Extrait du registre des sépultures de l'église paroissiale de Notre-Dame de Deuil pour l'année 1780, « collationné à la minute et délivré par

nous, curé soussigné, le 6 juin 1780, Sevoy, curé de Deuil », et publié dans les *Lettres de Mirabeau* par MANUEL, IV, p. 279.

657. A. VALLENTIN : *Mirabeau avant la révolution*, p. 184.

658. *Idem*, p. 201 (toujours les confidences du marquis au bailli), p. 201. *Idem* encore pour les deux références suivantes, p. 223 et 227.

659. *Idem*, p. 201.

660. *Lettres de Mirabeau*, publiées par MANUEL, III, p. 253.

661. *Idem*, IV, p. 221.

662. *Idem*, III, p. 251 (à Sophie).

663. A. VALLENTIN : *Mirabeau avant la Révolution*, p. 204 et 205.

664. *Lettres de Mirabeau*, III, p. 343 et 357.

665. Dialogue pris dans un échange de lettres entre Dupont et Mirabeau, recopié avec commentaires par ce dernier pour Sophie, dans les *Lettres de Mirabeau*, III, p. 343 à 348.

666. *Idem*, III, p. 362.

667. *Idem*, III, p. 391.

668. *Idem*, III, p. 408. Même origine pour le « mot de la fin » qui va suivre.

669. *Idem*, IV, p. 73.

670. Lettre de Le Noir à Amelot (ministre de la Maison du Roi, donc responsable des lettres de cachet), le 10 septembre 1777, citée par Paul COTTIN : *Sophie de Monnier et Mirabeau*, p. 61. Ce livre donne un certain nombre de lettres de Sophie, alors qu'on trouve celles de Mirabeau dans l'édition de Manuel en 1792. Ces lettres-là, officiellement autorisées, devaient être remises aux policiers après lecture par les correspondants. C'est ainsi que Manuel, quand il deviendra chef de la police parisienne après le 10 août, les découvrira et publiera celles de Mirabeau.

671. *Lettres de Mirabeau*, III, p. 284.

672. Non daté, dans la liasse de 35 pièces des *Lettres de Madame de Monnier*, réf. 92, 1780, conservées au fonds Mirabeau à la Bibliothèque Paul Arbaud d'Aix-en-Provence. Le duc de Castries y a fait des découvertes singulières dans l'exploration minutieuse qui a précédé la rédaction de son *Mirabeau*. Voir l'inventaire détaillé qu'il donne de ces archives, encore souvent inédites, en appendice : Duc de CASTRIES : *Mirabeau*, p. 562.

673. *Lettres*, II, p. 396. *Idem* pour la citation suivante concernant Fourcroy.

674. *Idem*, III, p. 260.

675. *Idem*, IV, p. 426.

676. Paul COTTIN : *Sophie de Monnier et Mirabeau*, p. 133. (Lettre de Sophie à Boucher, du 17 septembre 1779).

677. *Lettres* de Mirabeau, IV, p. 228 (A Sophie, le 21 février 1780.)

678. *Idem*, IV, p. 102.

679. *Idem*, III, p. 98. (A Sophie, le 20 février 1779.)

680. *Idem*, III, p. 307. (A Sophie, le 19 juillet 1779.)

681. DAUPHIN MEUNIER : *Autour de Mirabeau, documents inédits*, Paris, Payot, 1926, p. 36.

682. A. VALLENTIN : *Mirabeau avant la Révolution*, p. 211.

683. DAUPHIN MEUNIER : *Autour de Mirabeau*, p. 42.

684. *Lettres* de MIRABEAU, IV, p. 235 (A Sophie bien sûr.)

685. *Ma Conversion, roman scandaleux par C. d. M.*, Paris, éditions du Golem, 1970, p. 17.

686. *Lettres* de MIRABEAU, III, p. 182 (A Sophie, le 8 mai 1779.)

687. Paul COTTIN : *Sophie de Monnier et Mirabeau*, p. 122.

688. *Lettres* de MIRABEAU, IV, p. 270.

689. *Encyclopédie*, tome XV, p. 438, articles « spasme » et « spasmodique ».

690. A. Vallentin : *Mirabeau avant la Révolution*, p. 222.

691. Scène scrupuleusement reconstituée, comme toujours, par Gilbert Lély : *Vie du marquis de Sade*, p. 327.

692. C. Tower : *La Fayette et la Révolution d'Amérique*, II, p. 98.

693. La description du quartier général, y compris les citations, est prise dans Chastellux : *Voyages dans l'Amérique septentrionale pendant les années 1780, 1781 et 1782*, Paris, Panckoucke, 1788, I, p. 220.

694. Tower : *La Fayette et la Révolution d'Amérique*, II, p. 100.

695. Chastellux : *Voyages dans l'Amérique*, I, p. 226.

696. Lettre de Washington à Joseph Jones, député au Congrès pour la Virginie, du 31 mai 1780, citée (inédite) par Conway dans *Thomas Paine, op. cit.*, p. 117. Elle est significative de la lucidité centralisatrice d'un Washington, opposé à l'anarchie particulariste des États. C'est déjà l'ébauche du conflit de l'An II entre jacobins et fédéralistes.

697. Tower : *La Fayette et la Révolution d'Amérique*, II, p. 102.

698. Archives historiques de la Guerre; La Fayette à Rochambeau et à Ternay, le 9 juillet 1780.

699. Lettre de La Fayette à M. Reeds, président de l'Assemblée de Pennsylvanie, le 31 mai 1780, dans *Life and Correspondence of Joseph Reeds*, Boston, 1818, p. 320.

700. Tower : *La Fayette et la Révolution d'Amérique*, II, p. 115.

701. *Mémoires* de Lauzun, p. 140.

702. Cette citation et celles qui vont suivre, quand elles ne seront pas référencées, sont des extraits de lettres de Lauzun, donnés par G. Maugras : *Le Duc de Lauzun et la cour de Marie-Antoinette*, p. 206 à 211.

703. Vicomte de Noailles : *Marins et Soldats français en Amérique*, p. 179.

704. Selon ses *Mémoires* citées par Renard : *Rochambeau*, p. 105. Le récit de la réception de Rochambeau à Newport est pris à cette source, mais aussi dans G. Maugras : *Le Duc de Lauzun et la cour de Marie-Antoinette*, p. 212 à 215.

705. *Correspondance* de La Fayette, édition américaine, I, p. 468.

706. Maugras : *Lauzun et la cour de Marie-Antoinette*, p. 213.

707. Même lettre de La Fayette à Washington, du 26 juillet, note 705 ci-dessus. La citation qui va suivre est extraite d'un post-scriptum ajouté le lendemain.

708. Lettre de La Fayette au prince de Poix « au camp de la division légère près de l'île de New York, 3 septembre 1780 », dans Maurois : *Madame de La Fayette*, p. 119.

709. *Correspondance* de La Fayette, I, p. 345.

710. Texte original à la Bibliothèque du Congrès des U.S.A., cité par Tower : *La Fayette et la Révolution d'Amérique*, II, p. 140.

711. *Correspondance* de La Fayette, I, p. 362.

712. *Idem*, p. 365.

713. *Lettres de Fersen à son père*, p. 73. Les trois citations suivantes sont tirées de la même lettre, du 8 septembre 1780.

714. Tower : *La Fayette et la Révolution d'Amérique*, II, p. 130.

715. *Lettres* de Fersen, p. 77.

716. *Idem*, p. 76.

717. G. Maugras : *Lauzun et la cour de Marie-Antoinette*, p. 220.

718. *Lettres* de Fersen, p. 74.

719. *Mémoires de Rochambeau*, citées par Renard : *Rochambeau*, p. 115. *Idem* pour la citation suivante.

720. *Lettres* de Fersen, p. 82.

721. Tower : *La Fayette et la Révolution d'Amérique*, II, p. 171.

722. Renard : *Rochambeau*, p. 118.

723. Lettre de La Fayette au chevalier de La Luzerne, West-Point,

le 25 septembre 1780, publiée *in extenso* dans la *Revue de la Révolution*, tome V, année 1885. *Idem* pour les citations suivantes non référencées.

724. Tower : *La Fayette et la Révolution d'Amérique*, II, p. 156.

725. De Witt : *Washington*, p. 172. (Extrait de la *Spark's American Biography*, III, p. 279.)

726. *Idem*, p. 173.

727. *Lettres* de Fersen, p. 85 (à son père, le 16 octobre 1780).

728. *Correspondance* de La Fayette, I, p. 376.

729. Extrait de *Le Poète malheureux, ou le génie aux prises avec la fortune*, dans *Poésies diverses* de Gilbert, Paris, Quantin, 1882, p. 104. Les textes de Gilbert qui vont être cités dans cette séquence proviennent, sauf mention particulière, du même ouvrage. La fameuse strophe *Au banquet de la vie*, etc. se trouve dans l'*Ode IX imitée de plusieurs psaumes*, p. 95, qui est sa dernière œuvre, écrite quand il se savait perdu, mais trois mois, et non huit jours avant sa mort à l'Hôtel-Dieu comme l'affirme faussement une plaque qu'on peut voir encore aujourd'hui, salle Saint-Louis, dans cet hôpital.

730. La scène a été tantôt exagérée, tantôt minimisée par les biographes de Gilbert. On peut, par recoupements, la reconstituer ainsi. Voir Ernest Laffay, *Le Poète Gilbert*, Paris, Bloud et Barral, 1898, p. 273.

731. *Correspondance littéraire*, décembre 1780, XII, p. 459.

732. J. A. Schmidt : *Notice sur le poète Gilbert*, Nancy, Sidot, 1890, p. 18.

733. Colin : *Vie et Mort de Gilbert*, cité par Laffay, p. 42.

734. Charles Monselet : *Les Oubliés et les Dédaignés*, figures littéraires de la fin du xviiie siècle, Paris, Poulet-Malassis, 1859, p. 162. Les deux précédentes citations sont tirées du même chapitre sur Baculard d'Arnaud.

735. Extrait d'une pièce de vers anonymes publiée dans le *Siècle*, qui était la feuille de La Harpe. Cité par Laffay : *Le Poète Gilbert*, p. 109. Les deux injures qui suivent sont également de La Harpe.

736. Lettre publiée *in extenso* dans l'*Amateur d'autographes* du 10 février 1877.

737. Laffay : *Le Poète Gilbert*, p. 62.

738. P. Courbe : *Promenades historiques à travers les rues de Nancy au XVIIIe siècle*, Nancy, 1833, p. 167. *Idem* pour la citation suivante.

739. *Correspondance littéraire*, XII, p. 460.

740. C. L. Morris : *Marie-Thérèse, le dernier conservateur*, *op. cit.*, p. 305. *Idem*, pour la citation suivante, extraite d'une lettre de Marie-Thérèse au comte Greiner.

741. *Correspondance* de Marie-Thérèse et Mercy-Argenteau, III, p. 384.

742. *Idem*, p. 364.

743. *Idem*, p. 444.

744. *Idem*, p. 445 : de Marie-Antoinette à « sa chère maman », le 13 juillet 1780. La phrase éclaire singulièrement l'opinion de la reine sur les *Insurgents*.

745. *Idem*, p. 404.

746. F. Fejtö : *Joseph II*, *op. cit.*, p. 189.

747. *Idem*, p. 193.

748. *Correspondance* de Marie-Thérèse et Marcy-Argenteau, III, p. 453.

749. *Idem*, p. 394.

750. *Idem*, p. 416.

751. *Idem*, p. 398.

752. *Idem*, p. 437.

753. *Idem*, p. 473. De même pour la citation suivante.

754. *Idem*, p. 364.

755. *Idem*, p. 396.

756. *Idem*, p. 442.

757. *Idem*, p. 482. De même pour la citation suivante.

758. *Idem*, p. 485 (du 3 novembre 1780).

759. La mort de Marie-Thérèse est reconstituée d'après FEJTÖ et MORRIS: *op. cit.*, mais surtout grâce au récit écrit sur le moment par sa fille aînée, l'archiduchesse Marie-Anne, restée célibataire à cause de sa gibbosité, et qui va se retirer chez les ursulines de Klagenfurt (*Correspondance* de MERCY-ARGENTEAU, p. 492).

760. FEJTÖ : *Joseph II*, p. 197. L'Empereur fera de sa formule une délectation morose. On la retrouve dans sa première lettre à Louis XVI après son avènement, le 6 décembre 1780.

761. *Lettres de Marie-Antoinette à Joseph II et Léopold II*, publiées par von Arneth, Leipzig, Kohler, 1866, p. 22.

762. *Idem*, p. 25. Citation suivante, p. 26.

763. A. BONSTETTEN : *Lettres à Fridericke Brun*, publiées par Matthisson, Genève, 1841, I, p. 205.

764. *Idem*, II, p. 18.

765. Lady BLENERHASSET : *Madame de Staël et son temps*, Paris, Westhausser, 1890, I, p. 13.

766. Selon l'expression de Harbert LÜTHY : *La Banque protestante en France de la révocation de l'Édit de Nantes à la Révolution*, tome II : « De la Banque aux Finances (1730-1794) », Paris, S.E.V.P.E.N., 1951 (un volume in-8 de ... 861 pages !)

767. Jean BOUVIER : *Commentaire* sur le livre cité ci-dessus, dans les *Annales historiques de la Révolution française*, 1962, XXXIV, p. 373. *Idem* pour les deux citations suivantes.

768. Sénac de Meilhan, bien renseigné quand il devint intendant de Marseille, accuse Necker d'escroquerie à ce propos. (Pierre JOLLY : *Necker, op. cit.*, p. 50). *Idem* pour citation suivante.

769. J. H. MEISTER : *Mélanges de philosophie, de littérature et de morale*, II, p. 58.

770. *Mémoires* de l'abbé MORELLET, I, p. 154.

771. Pour connaître la pittoresque figure du marquis de Castries, lire sa biographie, écrite d'après des documents inédits, et notamment son journal, par le duc de CASTRIES : *Le Maréchal de Castries*, Paris, Fayard, 1956.

772. Bernard FAŸ : *Louis XVI ou la fin d'un monde*, p. 198.

773. Le 18 février 1781. Voir JOLLY : *Necker*, p. 185.

774. Dominique-Joseph GARAT : *Mémoires historiques sur la vie de M. Suard, sur ces écrits et sur le XVIIIe siècle*, Paris, « chez A. Belin, imprimeur-libraire », 1820, I, p. 270. *Idem*, pour les citations suivantes non répertoriées.

775. P. JOLLY : *Necker*, p. 186. *Idem* pour les citations suivantes non répertoriées.

776. Jean-Jacques Antier m'a rendu le grand service de me prêter l'exemplaire original du *Compte Rendu*, me permettant ainsi son étude page par page. Tous les extraits du *Compte Rendu* qui suivent sont tirés de cet exemplaire.

777. B. FAŸ : *Louis XVI*, p. 207.

778. Lettre donnée *in extenso* dans le *Magnétisme animal*, œuvres de F. A. MESMER, publiées par Robert Amadou, Paris, Payot, collection *Sciences de l'homme*, 1971. Cet ouvrage, indispensable à la connaissance et à la réhabilitation de Mesmer, est venu opportunément me permettre cette séquence. Les citations non référencées de Mesmer qui vont suivre en sont extraites, notamment de son long *Mémoire*, contemporain de sa lettre à Marie-Antoinette, et intitulé : *Précis historique des faits relatifs au magnétisme animal jusqu'en avril 1781*.

779. *Mémoires* du comte DUFORT de CHEVERNY, publiées par Robert

de Crèvecœur, Paris, Plon, 1909, tome I, *L'Ancien Régime*, p. 444. *Idem* pour la suite de la description des baquets.

780. LESCURE : *La Princesse de Lamballe*, Paris, Plon, 1864, p. 139.

781. *Idem*, p. 132. Lettre de Marie-Antoinette à Marie-Christine, du 26 février 1781.

782. *Idem*, p. 82; extrait des *Mémoires* de Madame de GENLIS.

783. Extrait du *Mémoire sur la découverte du magnétisme animal* publié par MESMER en 1779 (Amadou, p. 59). *Idem* pour les citations suivantes.

784. ARNETH : *Lettres de Marie-Antoinette à Joseph II*, p. 26 (du 20 décembre 1780).

785. Termes employés par Mesmer, pour répondre à Maurepas, dans le long récit de cet entretien dans son *Précis historique des faits relatifs au magnétisme animal jusqu'en avril 1781*, Amadou, p. 183. *Idem* pour la citation suivante.

786. *Idem*, p. 189.

787. *Idem*, p. 102.

788. *Les Amusements des eaux à Spa*, sans date et sans nom d'auteur, sans doute édité peu avant la Révolution, Paris, Panckoucke, p. 18.

789. Brigitte et Jean MASSIN : *Mozart*, p. 333. Extrait d'une lettre de Mozart à son père.

790. TOWER : *La Fayette et la Révolution d'Amérique*, II, p. 213.

791. *Correspondance et manuscrits du général La Fayette*, I, p. 370.

792. *Lettres* de FERSEN à son père, p. 78, du 14 septembre 1780.

793. *Idem*, p. 80, du 16 octobre 1780.

794. DE WITT : *Washington*, p. 152.

795. *Lettres* de FERSEN à son père, p. 98, du 9 janvier 1781.

796. *Idem*, p. 102.

797. TOWER : *La Fayette et la Révolution d'Amérique*, II, p. 159.

798. *Idem*, p. 160, « du camp de la division légère, le 30 octobre 1780 ».

799. *Idem*, p. 163, « au quartier général, le 30 octobre ». Piqué au vif, il a donc répondu dans l'instant.

800. *Idem*, p. 176, de New Windsor, le 14 décembre 1780.

801. *Idem*, p. 177, du camp de Harrington, New Jersey, le 4 octobre 1780.

802. MAUROIS : *Madame de La Fayette*, p. 122.

803. TOWER : *La Fayette et la Révolution d'Amérique*, II, p. 183.

804. *Idem*, p. 264, dépêche de Vergennes au chevalier de La Luzerne, ambassadeur du roi aux États-Unis, du 11 mai 1781.

805. *Idem*, p. 256; Franklin au comte de Vergennes, Passy, le 13 février 1781.

806. *Idem*, p. 214, dans la lettre d'instructions de Washington à La Fayette, du 20 février 1781.

807. *Idem*, p. 218; le 24 février 1781.

808. *Idem*, p. 221.

809. *Idem*, p. 222; « Instructions de Rochambeau pour M. le baron de Vioménil, du 5 mars 1781 ».

810. *Idem*, p. 251. De New Windsor.

811. *Idem*, p. 185. Lettre manuscrite de Vergennes à La Luzerne, le 15 février 1781 : deux jours après avoir reçu la lettre de Franklin.

812. DE WITT : *Washington*, p. 179.

813. TOWER : *La Fayette et la Révolution d'Amérique*, II, p. 260; extrait d'une longue lettre de Vergennes à La Luzerne, le 9 mars 1781.

814. *Idem*, p. 267.

815. *Idem*, p. 261; même dépêche que pour la note 813. *Idem* pour les deux citations suivantes.

816. *Idem*, p. 266; du 21 mars 1781.

817. *Idem*, p. 229; La Fayette à Washington.

818. *Idem*, p. 229; à Washington, le 23 mars.

819. *Idem*, p. 233; à Washington, le 8 avril, de la Pointe d'Elk.

820. DE WITT : *Washington*, p. 178.

821. Selon ROCHAMBEAU dans ses *Mémoires*.

822. J. J. ANTIER : *L'Amiral de Grasse*, p. 172.

823. TOWER : *La Fayette et la Révolution d'Amérique*, II, p. 239, de New Windsor, le 6 avril. *Idem* pour la citation suivante.

824. *Idem*, p. 243.

825. *Idem*, p. 244, de La Fayette à Washington, au gué de Susquehanna, 15 avril 1781.

826. *Idem*, p. 245. Rapport de La Fayette au Congrès, le 22 avril 1781. Le Congrès votera des félicitations aux marchands de Baltimore pour leur civisme.

827. *Idem*, p. 268; à Washington, de Baltimore, le 18 avril.

828. *Idem*, p. 269; au même, le 23 avril.

829. Lettres de Turgot à la duchesse d'Enville, citées par Edgar FAURE : *La Disgrâce de Turgot*, p. 521. *Idem* pour la citation suivante.

830. C. J. GIGNOUX : *Turgot*, Paris, Fayard, 1945, p. 260.

831. Henri LABOUCHEIX : *Richard Price, théoricien de la révolution américaine*, Paris, Didier, 1970, p. 25.

832. *Idem*, p. 27.

833. *Idem*, p. 147. Même source pour la citation suivante.

834. *Mémoires* de l'abbé MORELLET, cité par GIGNOUX : *Turgot*, p. 269.

835. *Recherches sur la nature et les causes de la richesse des nations*, traduites de l'anglais de M. Smith, sur la quatrième édition par M. Roucher, à Neuchâtel, 1792, tome V, p. 432. (Traduction dédiée à la mémoire du président Dupaty, l'ami et le protecteur de Vergniaud.)

836. GIGNOUX : *Turgot*, p. 270.

837. *Idem*, p. 271.

838. *Idem*, p. 273.

839. Lettre de Dupont à Malesherbes, du 17 avril 1781.

840. *Correspondance littéraire*, XII, p. 527.

841. Pierre GROSCLAUDE : *Malesherbes, témoin et interprète de son temps*, p. 447.

842. Guillaume-Thomas RAYNAL : *Histoire philosophique et politique des établissements et du commerce des Européens dans les Deux Indes*, Genève, 1780, livre IV, chapitre XVIII. Il s'agit bien entendu de la quatrième édition, celle de Diderot. Les volumes sont *in-quarto* : il n'y en a que quatre, soit un de plus que dans l'édition précédente où Diderot avait peu de part, celle de 1776. Datée de 1780, elle ne parviendra en France, par la frontière suisse, que l'année suivante.

843. *Correspondance secrète*, XI, p. 42.

844. *Mémorial* de NORVINS, I, p. 22.

845. Marc de VISSAC : *Les Révolutionnaires du Rouergue : Simon Cambou-las*, Riom, Édouard Girerd, 1893, p. 43. *Idem* pour la citaton suivante.

846. *Idem*, p. 48.

847. *Mémoires* de MALOUET, I, p. 199.

848. DIDEROT : *Essai sur les règnes de Claude et de Néron*, dans les Œuvres complètes, Paris, Assezat-Tourneux, Garnier, 1875, III, p. 400.

849. Cité par de VISSAC : *Simon Camboulas*, p. 49.

850. Cité par Anatole FEUGÈRE : *L'Abbé Raynal et la Révolution française*, dans les *Annales Révolutionnaires*, 1913, VI, p. 311.

851. Léon BECLARD : *Sébastien Mercier, sa vie, son œuvre, son temps*, Paris, Champion, 1903, I, p. 451.

852. Michèle DUCHET : *Anthropologie et Histoire au siècle des Lumières*, Paris, Maspero, 1971, p. 478. *Idem* pour la citation suivante.

853. Anatole FEUGÈRE : article cité ci-dessus, p. 310.

854. *Correspondance* de DIDEROT, Éditions de Minuit, XV, p. 190.

855. *Idem*, p. 149 : lettre de Diderot à Catherine II, du 29 juin 1779.

856. Yves BENOT : *Diderot, de l'athéisme à l'anticolonialisme*, Paris, Maspero, 1970. Ce livre capital d'un auteur appartenant à l'enseignement, et qui a subi du gouvernement français en 1969 une persécution dans la ligne de celle de Louis XVI envers les philosophes, est venu à son heure pour attirer l'attention des chercheurs sur la radicalisation révolutionnaire de la pensée de Diderot dans ses dernières années. Les deux phrases citées ici, dans un ordre inversé, sont prises aux pages 258 et 16.

857. *Correspondance* de DIDEROT, XV, p. 146, à M. et Mᵐᵉ de Vandeul, le 31 mai 1779.

858. *Idem*, p. 169, à l'abbé Gouttes, du 25 janvier 1780.

859. Cette citation et les autres extraits qui vont suivre, des apports de Diderot à *L'Histoire des Deux Indes*, sont prises dans le tome XV des *Œuvres complètes* de DIDEROT publiées par le Club Français du Livre, Paris, 1973, p. 419 à 570. On y trouve à chaque fois la référence précise à l'édition de 1781.

860. *Un journal de voyage inédit au long des Côtes du Chili et du Pérou* de Vincent BAUVER, publié par Régine PERNOUD, dans *l'Amérique du Sud au XVIIIᵉ siècle*, Cahiers d'histoire et de bibliographie, nᵒ 3, 1942, p. 29.

861. François ROUSSEAU : *Règne de Charles III d'Espagne*, Paris, Plon, 1907, II, p. 236. On trouve dans cet ouvrage l'un des meilleurs récits de la révolte de Tupac Amaru ; je m'y réfère pour l'évocation et la chronologie des événements (p. 236 à 247). Pour l'approfondissement éventuel, voir Boleslao LEWIN ; *La rebelión de Tupac Amarú y los origenes de la emancipación americana*, Buenos-Aires, 1957.

862. Jean DESCOLA : *La Vie quotidienne au Pérou au temps des Espagnols, 1710-1820*, Paris, Hachette 1962, p. 195. *Idem* pour la citation suivante.

863. Charles MINGUET : *Alexandre de Humboldt, historien et géographe de l'Amérique espagnole*, Paris, Maspero, 1969, p. 377.

864. F. ROUSSEAU : *Règne de Charles III*, II, p. 240.

865. Jorge Juan et Antonio de ULLOA, cités par Jean DESCOLA : *Vie quotidienne au Pérou*, p. 50. *Idem* pour les deux citations suivantes.

866. J. DESCOLA : *La Vie quotidienne au Pérou*, p. 238.

867. *Idem*, p. 239.

868. *Idem*, p. 240, ainsi que la citation suivante.

869. Amédée-François FREZIER : *Relation du voyage de la mer du Sud aux côtes du Chili et du Pérou*, cité par J. DESCOLA : *Vie quotidienne au Pérou. Idem* pour citation suivante.

870. J. DESCOLA : *Vie quotidienne au Pérou*, p. 46.

871. F. ROUSSEAU : *Règne de Charles III*, II, p. 238.

872. *Idem*, p. 245.

873. Extraits de la lettre de Tupac Amaru à l'évêque de Cuzco, en date du 3 janvier 1781, dans F. ROUSSEAU : *op. cit.*, II, p. 239 à 241. *Idem*, pour la citation suivante.

874. L'original de ce texte, sans doute de la main de Tupac Amaru, est conservé aux Archives royales de Madrid, Estado leg. 4200.

875. J. DESCOLA : *Vie quotidienne au Pérou*, p. 101.

876. Cité par F. ROUSSEAU : *Règne de Charles III*, II, p. 238. *Idem*, pour la citation suivante.

877. Même référence que la note 873.

878. Un exemplaire de l'affiche se trouve sous la même cote aux Archives de Madrid.

879. C. MINGUET : *A. de Humboldt etc.*, p. 235.

880. Lettre à sa femme du 2 avril 1781, dans Danvila y Collado, citée par F. Rousseau : *Règne de Charles III*, II, p. 243.

881. J. Descola : *Vie quotidienne au Pérou*, p. 90.

882. *Idem*, p. 244.

883. Michel Deveze : *L'Europe et le Monde à la fin du XVIIIe siècle*, Paris, Albín Michel, 1970, p. 470. *Idem*, pour les citations suivantes.

884. Ces quatre « informations » sont données aux dates indiquées par Lescure, dans sa *Correspondance secrète*, année 1781. *Idem*, pour la citation suivante, à la date du 16 mai.

885. *Correspondance secrète*, I, p. 383.

886. B. Faÿ : *Louis XVI*, p. 207.

887. Joseph Droz : *Histoire du règne de Louis XVI*, tome I, p. 225. *Idem* pour la citation suivante. Ce texte de Vergennes est de nature à plonger dans une cruelle perplexité les théoriciens de « la monarchie capétienne », dont il est pourtant l'un des demi-dieux.

888. Lady Blenerhassett : *Madame de Staël et son temps*, I, p. 155. Ce *Mémoire* est si terrible pour... la mémoire de Vergennes, que ses biographes ou les historiens de Louis XVI, tous royalistes, se sont employés à jeter sur lui le manteau de Noé.

889. Puisse Paul Claudel me pardonner l'appropriation de son dernier poème et un mot changé : « Maurepas » pour « Claudel ».

890. Necker : *De l'administration de M. Necker*, par lui-même, dans les *Œuvres complètes*, Genève, 1808, tome VI, p. 13.

891. *Mémoires* de Weber, citées par Jolly : *Necker*, p. 197.

892. P. Jolly : *Necker*, p. 198.

893. Dialogue rapporté par Necker : même référence que la note 890, p. 15.

894. *Idem*, p. 17.

895. B. Faÿ : *Louis XVI*, p. 209.

896. *Correspondance* de Diderot publiée par Georges Roth et Jean Varloot, XV, p. 206. (Éd. de Minuit.)

897. Note des mêmes, *idem*, p. 240 : « P. Vernière a bien souligné cette « exacte concomitance » (*Œuvres philosophiques*, p. 637). Maurepas frappait donc à la fois deux adversaires connus par la roideur de leur caractère. (Rapprochement de Métra : *Correspondance secrète*, XI, p. 267.) »

898. Marc de Vissac : *Simon Camboulas*, p. 53. *Idem* pour la citation suivante.

899. *Correspondance littéraire*, mai 1781, XII, p. 510.

900. Selon Marmontel, rapporté par P. Jolly : *Necker*, p. 218.

901. Témoignage de Mme Rilliet, alors Mlle Huber, qui était l'une de ses amies intimes, dans L. Blennerhassett : *Mme de Staël*, I, p. 183.

902. Lescure : *Correspondance secrète*, I, p. 399 (le 25 mai 1781).

903. *Correspondance littéraire*, avril 1781, XII, p. 498.

904. Mgr Ricard : *L'Abbé Maury avant 1789*, Paris, Plon, 1888, p. 85. *Idem*, pour le mot de Voltaire qui suit.

905. Registre de l'Académie française, 27 août 1772, cité par Mgr Ricard : *L'Abbé Maury*, p. 87. *Idem*, p. 89, pour les paroles du grand-aumônier.

906. Discours du 3e dimanche de Carême 1778, dans Ricard : *l'Abbé Maury*, p. 101.

907. *Mémoires secrets* de Bachaumont, 14 mars 1781. *Idem* pour les deux citations suivantes, au 30 avril toutes deux.

908. Sainte-Beuve : *Causeries du lundi*, « L'abbé Maury et l'éloge de Fénelon », tome IV, p. 166.

909. Ricard : *L'Abbé Maury*, p. 106.

910. Pierrette Girault de Goursac : *L'Éducation d'un roi : Louis XVI*, Paris, Gallimard, 1972, p. 217. L'auteur a dépensé des trésors d'érudi-

tion et de labeur sur des documents inédits pour tenter de prouver que Louis XVI avait reçu l'éducation d'un phénix. Elle ne lui en assène pas moins ici le pavé de l'ours.

911. *Idem*, p. 216. De même pour la citation suivante.

912. Cité par la *Correspondance littéraire*, XII, p. 498, avril 1781. *Idem* pour les citations suivantes.

913. *Correspondance* de DIDEROT, publiée par Roth et Varloot, XV, p. 227. Toutes les citations non-référencées de cette séquence vont être puisées à la même source, en raison de la remarquable qualité des annotations : la longue *Lettre apologétique de l'abbé Raynal à Mr Grimm* (le titre est de la main de Diderot) rédigée le 25 mars et expédiée seulement le 25 mai, n° 925 de cette *Correspondance*, p. 210 à 227.

914. DIDEROT : *Essai sur les règnes de Claude et de Néron*, dans les *Œuvres complètes*, édition du C.F.L., XIII, p. 451. Diderot était en train de corriger les dernières pages de l'*Essai* en ce même printemps où il gardait la lettre à Grimm dans son tiroir.

915. J. J. ROUSSEAU : *Les Confessions*, Paris, Club des Amis du livre progressiste, édition du 250e anniversaire, reproduisant le texte intégral du manuscrit de Genève, p. 474.

916. *Idem*, p. 368. Note de Rousseau en marge du manuscrit de Genève.

917. *Idem*, p. 433.

918. *Idem*, p. 470.

919. DIDEROT : *Essai sur les règnes*, etc. (note 914), p. 358.

920. *Idem*, p. 275, extrait de la remarquable introduction rédigée par Roger LEWINTER pour cette édition. Lewinter ajoute : « *L'Essai*... clôt le discours de Diderot exactement comme les *Confessions* achèvent celui de Rousseau. Les deux textes sont des portraits de soi projetés *sub specie aeternitatis*, et en eux se découvre toute la différence des parcours du philosophe et du citoyen. »

921. *Idem*, p. 361.

922. Pierre NAVILLE : *D'Holbach et la philosophie scientifique au XVIIIe siècle*, Paris, Gallimard, *Bibliothèque des Idées*, 1967, p. 129.

923. *Correspondance* de DIDEROT, *op. cit.*, XV, p. 178 : de Diderot à Naigeon, le 28 juillet 1780.

924. *Correspondance littéraire*, XII, p. 499.

925. Parole de Diderot citée par Yves BENOT : *op. cit.*, p. 40.

926. DIDEROT : *Mémoires pour Catherine II*, cités par Yves BENOT : *op. cit.*, p. 152.

927. Paul COTTIN : *Sophie de Monnier et Mirabeau*, p. LXXII. Toutes les précisions non référencées de cette séquence proviennent de cet ouvrage, dont un bon quart est consacré à « la rencontre de Gien ».

928. A. VALLENTIN : *Mirabeau avant la Révolution*, p. 228.

929. P. COTTIN : *Sophie de Monnier et Mirabeau*, p. 207; de Sophie à Gabriel, le 23 décembre 1780.

930. *Idem*, p. 236, de Sophie à Gabriel, le 19 mars 1781.

931. *Idem*, p. 241, de Sophie à Gabriel, le 31 mars 1781.

932. *Idem*, p. CCXXIII (ainsi que pour la citation suivante).

933. Le 15 février déjà ! *Idem*, p. 126.

934. *Idem*, p. 238. Du 27 mars.

935. *Idem*, p. 221 : de Sophie à Gabriel, sans date, sans doute de février 1781.

936. Archives Nationales, K. 164.

937. P. COTTIN : *Sophie de Monnier et Mirabeau*, p. 297, du 23 décembre 1780.

938. DAUPHIN-MEUNIER : *Lettres de Mirabeau à Julie Dauvers*, Paris, Plon, 1903, p. 245. Il s'agit ici d'un extrait inédit d'une lettre du marquis au bailli, intercalé dans cette correspondance.

939. *Idem*, p. 243. De Mirabeau à Caroline de Saillant. La précision sur l'identité de « M. Honoré » (note en bas de page) se trouve dans une lettre à La Fage, *idem*, p. 247.

940. *Idem*, p. 244, du marquis au bailli, le 20 décembre 1780.

941. P. Cottin : *Sophie de Monnier et Mirabeau*, p. CXCIV.

942. Dauphin-Meunier : *Lettres de Mirabeau à Julie Dauvers*, p. 257 et 258, du marquis au bailli, le 12 janvier 1781.

943. *Idem*, p. 270, du marquis au bailli, le 13 février 1781.

944. *Idem*, p. 42. Le livre de Dauphin-Meunier est consacré tout entier à cette correspondance.

945. *Idem*, p. 63.

946. *Idem*, p. 192 (du 30 novembre 1780).

947. *Idem*, p. 56 (du 29 octobre 1780).

948. Dauphin-Meunier : *Louise de Mirabeau, marquise de Cabris*, *op. cit.*, p. 240.

949. Louis de Loménie : *Les Mirabeau, op. cit.*, II, p. 613.

950. *Idem*, II, p. 632. Lettre du marquis au bailli, le 8 mai 1781.

951. *Idem*, I, p. 478.

952. *Idem*, II, p. 637.

953. Dauphin-Meunier : *Lettres de Mirabeau à Julie Dauvers*, p. 284.

954. A. Vallentin : *Mirabeau avant la Révolution*, p. 237.

955. *Idem*, p. 235. Pages 237 et 238 pour les trois citations suivantes.

956. Dauphin-Meunier : *Lettres de Mirabeau à Julie Dauvers*, p. 340, du marquis au bailli, le 21 juillet 1781.

957. Loménie : *Les Mirabeau*, II, p. 640, lettre du marquis à l'un de ses « disciples » italiens, le marquis Longo, du Bignon, le 4 septembre 1781.

958. Dauphin-Meunier : *Lettres de Mirabeau à Julie Dauvers*, p. 340, du marquis au bailli, le 2 septembre 1781.

959. P. Cottin : *Sophie de Monnier et Mirabeau*, p. 165, lettre du 27 juillet 1780.

960. *Idem*, p. 201, du 14 décembre 1780.

961. *Idem*, p. 118.

962. A. Vallentin : *Mirabeau avant la Révolution*, p. 237.

963. *Idem*, p. 229.

964. P. Cottin : *Sophie de Monnier et Mirabeau*, p. 263, lettre du dimanche 3 juin 1781.

965. *Idem*, p. 268, lettre du 6 juin 1781.

966. *Steuben papers*, New York historical Society, de La Fayette à Steuben, Bowling Green Tavern, le 27 avril 1781.

967. J. Stedman : *History of the american war*, Boston, 1897, II, p. 383.

968. *Correspondance* de La Fayette, citée par Tower : *La Fayette et la Révolution d'Amérique*, II, p. 282.

969. *Idem*, p. 285.

970. *Idem*, p. 274 (note de Tower).

971. *Military journal*, dans Tower : *op. cit.*, p. 274.

972. *Washington's papers*, Department of State, Washington, dans Tower, II, p. 279.

973. Autobiographie d'Arnold, dans Tower, II, p. 321.

974. *Sparks papers*, Harvard college library, dans Tower, II, p. 289.

975. Lettre de La Fayette au général Wayne, qui commandait un corps de Pennsylvaniens dont il espérait un prompt renfort. *Wayne's papers*, Historical society of Pennsylvania, dans Tower, II, p. 291.

976. Lettre de La Fayette, le 23 mai, à son ami Alexandre Hamilton, futur grand homme politique américain, et, pour le moment, aide-de-camp de Washington. *Hamilton's works of Alexander Hamilton*, New York, 1847, I, p. 262.

977. *Correspondance* de LA FAYETTE, I, p. 438. *Idem* pour la citation suivante.

978. *Mémoires* de LA FAYETTE, I, p. 270.

979. *Works of Jefferson*, édition du centenaire, Washington, 1876, *Autobiography*, I, p. 42.

980. *Idem*, I, p. 40 et 49.

981. *Idem*, VIII, p. 402.

982. *Idem*, I, p. 50.

983. Pensée rédigée par Jefferson en 1781 et incluse dans ses *Notes sur la Virginie*, distribuées confidentiellement à quelques amis en 1784. *Works of Jefferson*, I, p. 339.

984. *Idem*, IX, p. 219.

985. Cornwallis à Clinton, de « Byrd's plantation, north of James river, 26 mai 1781 », dans TOWER, II, p. 301.

986. *Library of Congress*, copie des lettres de Rochambeau, dans TOWER, II, p. 369.

987. Archives historiques de la Guerre, 3734 /4.

988. V. de NOAILLES : *Marins et Soldats français en Amérique*, p. 220.

989. Archives historiques de la Guerre, 3734 /4. Du comte de Charlus au marquis de Castries, 5 juin 1781.

990. *Lettres de Fersen à son père*, p. 117.

991. *Idem*, p. 113, du 17 mai 1781.

992. Journal du capitaine John DAVIS, dans : *Pennsylvania Magazine of History and Biography*, volume V, nº 3.

993. TOWER : *La Fayette et la Révolution d'Amérique*, II, p. 313.

994. *Archives du gouvernement*, Washington, lettre privée de La Fayette à Washington, « Allen's Creek, 22 milles de Richmond, le 18 juin 1781 » : « Je vous prie, mon cher général, de vous rappeler que cette lettre ne s'adresse pas au commandant en chef. »

995. TOWER : *La Fayette et la Révolution d'Amérique*, II, p. 315.

996. *Idem*, p. 317.

997. *Steuben papers*, New York historical Society, lettre de La Fayette à Steuben le 15 juin 1781.

998. Son *Journal de la campagne d'Amérique*, rédigé sous forme de lettre à deux frères demeurés en France, et qui deviendront également généraux sous l'Empire, a été publié en langue anglaise dans sa version intégrale, avec de nombreux fac-similés, par Rice Brown à Princeton, dans le somptueux recueil que Raymond Clavreuil m'a procuré : *The american campaigns of Rochambeau's army, 1780-1783*. L'ensemble des plans et des croquis de Berthier y est reproduit dans le tome II avec un luxe de couleurs et un soin typographique remarquables. Je les utiliserai de près pour décrire les épisodes qui vont aboutir à la capitulation de Cornwallis à Yorktown.

999. Journal de BERTHIER, dans *The american campaigns*, etc., I, p. 246.

1000. *Mémoires* de LAUZUN, p. 146. *Idem* pour la citation suivante.

1001. *Idem*, p. 147.

1002. De La Fayette au colonel Davis, 22 juin 1781, dans TOWER : *op. cit.*, II, p. 322.

1003. *Idem*, le lendemain, TOWER : p. 323.

1004. *Journal* du capitaine DAVIS, dans *idem*, p. 327.

1005. Numéro du 17 juillet 1781 ; l'article est signé « d'un gentilhomme de l'armée du marquis de La Fayette ».

1006. *Mémoires* de LA FAYETTE, I, p. 441.

1007. *Journal* de DAVIS, dans TOWER, p. 334.

1008. Mot du colonel Febiger, dans TOWER : *op. cit.*, II, p. 335.

1009. TOWER : *La Fayette et la Révolution d'Amérique*, II, p. 338.

1010. *Idem*, p. 341.

1011. Rapport de Wayne à Washington, dans Sparks : *Correspondance of the American Revolution*, III, p. 347.

1012. *Idem*, p. 350.

1013. A. Maurois : *Madame de La Fayette*, p. 126, La Fayette à sa femme, le 24 août 1781.

1014. J. J. Antier : *L'Amiral de Grasse*, p. 27. Les précisions non répertoriées de cette séquence viennent du même ouvrage.

1015. *Idem*, p. 38.

1016. Lescure : *Correspondance secrète*, I, p. 316, 24 septembre 1781.

1017. Archives historiques de la Guerre, 3734.

1018. *Idem*, 3734 /16.

1019. *Library of Congress*, lettre de Rochambeau à Barras, du 8 juillet 1781.

1020. Tower : *La Fayette et la Révolution d'Amérique*, II, p. 374.

1021. *Journal des guerres faites en Amérique pendant les années 1780, 1781, 1782, 1783, avec quelques dissertations sur les mœurs et coutumes des Américains*, etc., dans *The american campaigns of Rochambeau's army*, p. 38.

1022. *Correspondance* de La Fayette, I, p. 445.

1023. J. J. Antier : *L'Amiral de Grasse*, p. 204 : lettre de Grasse à Rochambeau, le Cap (français), le 28 juillet 1781.

1024. *Idem*, p. 48.

1025. De Romme à Dubreuil, le 15 octobre 1776, Musée du Risorgimento à Milan, carton 8, cité par Galante Garrone : *Gilbert Romme, op, cit*, p. 68.

1026. *Idem*, p. 70.

1027. *Idem*, p. 73. Carton 27. De Romme à Dubreuil, sans date, mais de la fin 1778.

1028. *Idem*, p. 38. Carton 7, de Romme à Dubreuil, le 16 février 1775.

1029. Même référence que pour la note 1027.

1030. *Idem*, p. 60; extrait d'un texte de Golovkine lui-même, dans une brochure publiée à Londres en 1778 : *Mes idées sur l'éducation du sexe, ou Précis d'un plan d'éducation pour ma fille.*

1031. *Idem*, p. 55 de la brochure; de même pour la citation suivante.

1032. *Idem*, p. 57 de la brochure.

1033. C. Pinton : *Rapports des inspecteurs de police de Paris sous Louis XV*, III, p. 364.

1034. A. Galante Garrone : *Gilbert Romme*, p. 81.

1035. A. Lortholary : *Le Mirage russe en France au XVIIIᵉ siècle*, Paris, P.U.F., 1951, p. 213.

1036. Galante Garrone : *Gilbert Romme*, p. 89 : lettre de Romme à Dubreuil du 11 mai 1779 (carton II).

1037. L. H. Lalande : *Journal intime du chevalier de Corberon, chargé d'affaires de France en Russie, 1775-1780*, Paris, Plon, 1901, I, p. 52. Ces impressions de voyage ou ces observations sur la société de Pétersbourg recoupent celles de Romme de si près qu'on a cru parfois — à tort — qu'ils avaient échangé des documents. Ils ont seulement confronté leurs impressions.

1038. Galante Garrone : *Gilbert Romme*, p. 93 : lettre de Romme à Dubreuil du 1ᵉʳ décembre 1779 (carton II). *Idem* pour la citation suivante.

1039. *Idem*, p. 98.

1040. Idem, p. 104; notes de Romme sur son cahier personnel, pour lui seul : c'était donc bien le reflet de son opinion intime.

1041. *Journal de Corberon*, I, p. 257.

1042. GALANTE GARRONE : *Gilbert Romme,* p. 107.

1043. *Journal de Corberon,* II, p. 293.

1044. *Idem,* II, p. 329.

1045. *Idem,* I, p. 362.

1046. *Idem,* II, p. 328.

1047. Archives des Affaires étrangères, Russie, vol. 101, f° 319, dépêche de Corberon à Vergennes, le 17 septembre 1778.

1048. *Journal de Corberon,* II, p. 137.

1049. *Idem,* II, p. 151.

1050. *Idem,* note en bas de la page 152.

1051. *Idem,* II, p. 370.

1052. *Idem,* II, p. 319. La citation suivante est du prédécesseur de Corberon, J. Durand, dans une dépêche à Vergennes en 1772. .

1053. *Idem,* II, p. 114.

1054. *Idem,* I, p. 245.

1055. A. GALANTE GARRONE : *Gilbert Romme;* p. 100 : de Romme à Dubreuil, le 17 février 1781 (carton 13).

1056. *Idem,* p. 100 : lettre au comte Stroganov, sans date.

1057. *Idem,* p. 101 (carton 41). De même pour la citation suivante, relative à Lacédémone.

1058. *Idem,* p. 102 (carton 67); lettre de Romme à un correspondant non identifié.

1059. M. de VISSAC : *Romme le Montagnard, op. cit.,* p. 76.

1060. Michael CONFINO : *Domaines et Seigneurs en Russie vers la fin du XVIIIᵉ siècle,* étude de structures agraires et de mentalités économiques, Paris, Institut d'études slaves de l'Université, 1963, tableau publié d'après le 4ᵉ recensement de la population en 1782, p. 187.

1061. En monnaie dévaluée de 1796. Voir Léon GERSHOY : *L'Europe des princes éclairés,* Paris, Fayard, 1966, p. 119.

1062. Zoé OLDENBOURG : *Catherine de Russie,* Paris, Gallimard, 1966, p. 340. *Idem,* p. 295, pour les petites annonces du *Moskovskié Védomosti* qui vont suivre.

1063. Michel DENIS et Noël BLAYAU : *Le XVIIIᵉ siècle,* Paris, Armand Colin, 1970, p. 209.

1064. A. GALANTE GARRONE : *Gilbert Romme;* p. 128 : lettre de Romme à Dubreuil (carton 16).

1065. *Journal de Corberon,* II, p. 271.

1066. A. GALANTE GARRONE : *Gilbert Romme,* p. 129.

1067. Grand-duc Nicolas MIKHAÏLOVITCH : *Le Comte Paul Stroganov,* Paris, Plon, 1905, p. 163.

1068. GALANTE GARRONE : *Gilbert Romme,* p. 134, lettre de Romme à Mᵐᵉ d'Harville, 28 janvier 1785.

1069. *Journal de Corberon,* II, p. 302.

1070. *Idem,* II, p. 289.

1071. *Idem,* II, p. 311.

1072. *Idem,* I, p. 125.

1073. A. GALANTE GARRONE : *Gilbert Romme;* p. 111 : lettre de Romme à Dubreuil, août 1781.

1074. *Idem,* p. 75 : lettre de Romme à Dubreuil, le 15 septembre 1778 (carton 10).

1075. M. CONFINO : *Domaines et Seigneurs en Russie,* p. 67, note 1.

1076. A. GALANTE GARRONE : *Gilbert Romme,* p. 114, lettre de Romme à la comtesse d'Harville, le 31 décembre 1781.

1077. *Idem,* de Romme à la comtesse, 17 février 1782.

1078. *Idem* (carton 39) : « Elégie sur la mort d'une parente aimée », gardée dans ses papiers, pour lui seul. Il s'agit d'un texte de 1784, qui n'est pas déplacé ici : il exprime une constante de la pensée et des réactions de Romme devant l'amitié.

1079. Sparks : *Writings of Washington*, VIII, p. 119.

1080. *Mémoires* de Rochambeau, cités par le vicomte de Noailles : *Marins et Soldats français en Amérique*, p. 225.

1081. Archives historiques de la Guerre, 3734/65; Rochambeau à Barras, le 21 juillet 1781.

1082. *Idem*, 3782/82.

1083. Tower : *La Fayette et la Révolution d'Amérique*, II, p. 385, lettre de Cornwallis à Clinton, 8 juillet 1781.

1084. *Idem*, de Clinton à Cornwallis, le 15 juillet 1781.

1085. *Idem*, de La Fayette, le 2 août, au général Wayne. De même pour la citation suivante.

1086. *Washington's papers, Department of State*, de La Fayette à Washington, au camp de Pamunkey, le 6 août 1781.

1087. J. J. Antier : *L'Amiral de Grasse*, p. 191.

1088. P. Bernard : *La France à Saint-Domingue avant la Révolution*, Hachette, petite collection illustrée, p. 62.

1089. Archives de la Marine, rapport (non signé) de l'intendant de Saint-Domingue en 1768 au ministre Bourgeois de Boynes, 1822/Q 37.

1090. Berthier a soigneusement relevé le plan de la ville du Cap Français et de ses « débouquements ». Voir *The american campaigns of Rochambeau's army*, II, nos 176 et 177.

1091. Sparks : *Writings of Washington*, VIII, p. 127.

1092. *Wayne's papers*, Historical Society of Pennsylvania.

1093. *Washington's papers*, Department of State.

1094. De Washington à La Fayette, le 21 août 1781; Sparks : *Writings of Washington*, VIII, p. 140.

1095. G. Maugras : *Le Duc de Lauzun et la Cour de Marie-Antoinette*, p. 208.

1096. J. J. Antier : *L'amiral de Grasse*, p. 211.

1097. Vicomte de Noailles : *Marins et Soldats français en Amérique*, p. 233.

1098. *Journal des opérations* tenu par Fersen et envoyé à son père le 23 octobre 1781, dans les *Lettres de Fersen*, p. 126.

1099. *Mémoires* de Rochambeau, I, p. 287.

1100. *Journal de Clermont-Crèvecœur*, dans *The american campaigns of Rochambeau's army*, I, p. 40.

1101. Tower : *La Fayette et la Révolution d'Amérique*, II, p. 402.

1102. *Mémoires* de La Fayette, I, p. 460.

1103. *Proceedings of the Massachussets Historical Society*, octobre 1890.

1104. Archives Nationales, Marine, B/4 184-144, *Journal de la campagne de la Chesapeak (sic)*, du chevalier d'Aucteville.

1105. Tower : *La Fayette et la Révolution d'Amérique*, II, p. 408.

1106. *Mémoires* de La Fayette, I, p. 277. *Idem*, pour la citation suivante.

1107. Tower : *La Fayette et la Révolution d'Amérique*, II, p. 417.

1108. La bataille de la Chesapeake a été minutieusement reconstituée par J. J. Antier dans son *Amiral de Grasse*. Voir aussi Lacour-Gayet : *La Marine militaire française sous Louis XVI;* R. Weed : *The battle of the Caps*, Norfolk museum, 1959; Karl Tornquist : *The navals campaigns of de Grasse*, Philadelphie, John Ryes, 1942. J'ai également puisé quelques précisions dans le texte de la conférence de l'amiral Barjot prononcée en 1957 à l'académie du Var sur *La Bataille de la Chesapeake*.

1109. J. J. Antier : *L'Amiral de Grasse*, p. 231.

1110. Jean-Étienne Martin-Allanic : *Bougainville navigateur et les découvertes de son temps*, Paris, P.U.F., II, p. 1481. Ce texte, extrait des voyages de La Pérouse, répète un propos tenu par Bougainville, dont La Pérouse a subi l'influence intellectuelle et philosophique, au moins autant que scientifique.

1111. Selon le commodore JAMES : *British Navy in adversity*, Londres, Mac Millan, 1926, p. 167.

1112. *Idem*, p. 171.

1113. V. de NOAILLES : *Marins et Soldats français en Amérique*, p. 234.

1114. *Mémoires inédits de Clermont-Crèvecœur*, dans *The american campaigns of Rochambeau's army*, I, p. 46.

1115. FERSEN : *Lettres à son père*, p. 132.

1116. Archives historiques de la Guerre, 3734, du Portail à Rochambeau, du cap Henry, le 2 septembre 1781.

1117. *Idem*, de Grasse à Rochambeau, le 4 septembre 1781.

1118. De Grasse à Washington, du cap Henry, le 4 septembre 1781, dans la *Correspondance du général Washington et du comte de Grasse* éditée en 1931 par l'Institut français de Washington; *idem*, pour la citation suivante.

1119. V. de NOAILLES : *Marins et Soldats français en Amérique*, p. 237.

1120. CRÈVECŒUR : même source que la note 1114, p. 49.

1121. *Encyclopédie* : article « brûlot », tome II, p. 449.

1122. J. J. ANTIER : *L'Amiral de Grasse*, p. 250; récit de Tornquist. L'épisode des brûlots se situe dans la nuit du 22 au 23 septembre 1781.

1123. Même référence que note 1117, de Grasse à Washington, du cap Henry, le 22 septembre 1781.

1124. *Mémoires* de LA FAYETTE, I, p. 465.

1125. Selon le chevalier d'Aucteville, l'un des premiers historiens de cette campagne, qui en publia un premier récit en 1784. Il se trouvait dans l'armée de Rochambeau. Voir NOAILLES : *Marins et Soldats français en Amérique*, p. 237.

1126. Vicomte de NOAILLES : *Marins et Soldats français en Amérique*, p. 237.

1127. *The Historical Magazine*, Washington, vol. VIII, p. 102, extrait du *Journal de marche* du colonel Richard BUTLER.

1128. Charles LEWIS : *Admiral de Grasse and American independence*, U.S. Navy Institute, Annapolis, 1945, cité par J. J. ANTIER, p. 244.

1129. Archives historiques de la Guerre, 3734/104.

1130. SPARKS : *Writings of Washington* (dans la traduction Guizot), tome IV, p. 301, de Washington à de Grasse, le 25 septembre 1781.

1131. Archives historiques de la Guerre, 3734/110.

1132. *Idem*, 3734/105 (Journal des opérations).

1133. *Journal* de FERSEN dans *Lettres à son père*, p. 128. *Idem*, pour la citation suivante.

1134. *Mémoires* de LAUZUN, p. 150.

1135. *Journal* de FERSEN dans *Lettres à son père*, p. 129.

1136. *Journal de Claude Blanchard pendant la guerre d'Amérique*, Paris, Plon, 1886, p. 236.

1137. *Lettres américaines* du comte Henry de SAINT-SIMON, Paris, 1826, p. 9.

1138. Maxime LEROY : *La Vie du comte de Saint-Simon, 1760-1825*, Paris, Grasset, 1925, p. 94.

1139. Vicomte de NOAILLES : *Marins et Soldats français en Amérique*, p. 241.

1140. J. J. ANTIER : *L'Amiral de Grasse*, p. 260. Témoignage d'un officier anglais anonyme. Même page pour la citation suivante de l'amiral de Grasse.

1141. TOWER : *La Fayette et la Révolution d'Amérique*, II, p. 425.

1142. Vicomte de Noailles : *Marins et Soldats français en Amérique*, p. 241.

1143. *The works of Alexander Hamilton, comprising his Correspondence*, etc., New York, John Hamilton, 1841, tome I, p. 211.

1144. Archives historiques de la Guerre, relation du siège de Yorktown, supplémentaires, 1781.

1145. Tower : *La Fayette et la Révolution d'Amérique*, II, p. 426.

1146. Vicomte de Noailles : *Marins et Soldats français en Amérique*, p. 245.

1147. Tower : *La Fayette et la Révolution d'Amérique*, II, p. 430.

1148. *Idem*, p. 432.

1149. Robert Hughes, rapporté par J. J. Antier : *L'Amiral de Grasse*, p. 263.

1150. *Journal de Blanchard*, p. 310.

1151. *Correspondance* de La Fayette, 20 octobre 1781, I, p. 470.

1152. *Idem*, I, p. 471.

1153. *Mémoires* de Lauzun, p. 151.

INDEX

Les personnages dont le nom est suivi du chiffre (I) ont déjà été rencontrés dans le précédent volume. Pour les y retrouver, on se reportera à l'index du tome I.

M